학습 계획표

고전 시가에는 우선적으로 공부해야 할 갈래와 작품이 있어요.
오른쪽 표에서 시조와 가사의 출제 비중은 다른 갈래에 비해 월등히 높은 걸 알 수 있죠.
이걸 참고해 공부 시간을 안배하면 학습 효율을 최대로 높일 수 있어요.
자신이 약한 부분이 있다면 다음 일정표를 이용해 맞춤 학습을 해 보아요.

▲ 갈래별 기출 지문 비중

시조

- 1강 고려 멸망에 대한 노래 (체크!)
- 2강 지조, 절개의 노래
- 3강 전원생활의 여유
- 4강 그리움과 연정의 노래
- 5강 이별로 인한 슬픔의 노래
- 6강 진솔한 사랑 노래
- 7강 생활의 시름을 노래
- 8강 해학과 풍자 
- 9강 도산십이곡
- 10강 고산구곡가
- 11강 훈민가
- 12강 전원사시가
- 13강 만흥
- 14강 어부사시사
- 15강 율리유곡
- 16강 면앙정가

시작이 반이다

가사

- 17강 관동별곡
- 18강 사미인곡
- 19강 속미인곡
- 20강 누항사
- 21강 고공가
- 22강 용추유영가
- 23강 규원가
- 24강 일동장유가
- 25강 만언사
- 26강 농가월령가
- 27강 연행가
- 28강 춘면곡
- 29강 덴동어미 화전가

한시

- 30강 ·제가야산 독서당 ·촉규화
- 31강 ·여뀌꽃과 백로 ·사리화
- 32강 ·송인 ·자술 
- 33강 보리타작[타맥행]

거의 다 왔다

고려 가요·경기체가·악장

- 34강 가시리
- 35강 동동
- 36강 정과정
- 37강 정석가
- 38강 서경별곡
- 39강 청산별곡
- 40강 한림별곡
- 41강 용비어천가

민요·잡가

- 42강 ·잠 노래 ·초부가
- 43강 ·정선 아리랑 ·유산가

향가·고대 가요

- 44강 ·헌화가 ·처용가
- 45강 ·제망매가 ·찬기파랑가
- 46강 ·공무도하가 ·구지가
- 47강 ·황조가 ·정읍사

복합

- 48강 ·남은 다 자는 밤에 ·장상사 ·상사곡
- 49강 ·황계사 ·봄의 단상
- 50강 ·가사의 갈래적 특징 및 변화 양상 ·상춘곡 ·갑민가
- 51강 ·'출'과 '처'에 대한 사대부의 의식 ·우국가

고전 시가 완전 정복!

이 책을 집필하신 선생님들

김철주 우성고등학교 교사

김철회 성신여자고등학교 교사

김효진 현화고등학교 교사

이경호 중동고등학교 교사

이민희 세화여자고등학교 교사

이병민 세화여자고등학교 교사

최우선순

고전 시가

문제편

구성과 특징

선택·집중과 반복으로
최우선 강자가 된다

1 출제 우선순으로 고전 시가를 독파한다!

출제 가능성을 고려하여 단원을 구성하였습니다. 모든 시가 갈래를 다루되, 시조, 가사 작품을 전면 배치하고, 교과서를 기반으로 갈래별로 작품을 보완하여 효율적인 시험 대비가 되도록 하였습니다.

차례

실전에 최적화된 단원 구성

모든 시가 갈래를 다루되, 시조, 가사 등 중요 갈래를 먼저, 집중적으로 학습하여 시험에 효율적으로 대처할 수 있도록 하였습니다.

2 중요한 내용은 반복적으로!

Step 1, 2, 3을 통해 각 작품에 대해 독해 실력과 문제풀이 능력을 동시에 향상시킬 수 있는 학습이 되도록 하였습니다.

[고려 멸망에 대한 노래]

시조 01강

㉮ 고려 후기~조선 전기
㉯ 고려 후기
㉰ 조선 전기

흥망이 유수ᄒᆞ니 | 백설이 ᄌᆞ자진 골에 | 오백 년 도읍지를

㉮ #감각적 표현 #무상감 ㉯ #우의적 표현 #색채 대비 ㉰ #대조적 표현

㉮ 흥망(興亡)이 유수(有數)ᄒᆞ니 만월대(滿月臺)*도 추초(秋草)ㅣ로다❶
오백 년(五百年) 왕업(王業)이 ⓐ목적(牧笛)에 부쳐시니❷
석양(夕陽)❸에 지나는 객(客)이 눈물계워 ᄒᆞ노라❹

– 원천석

• 흥하고 망하는 것이 다 운수에 달렸으니 만월대도 가을 풀만이 가득하구나.
오백 년 고려 왕조의 업적이 이제는 목동의 피리 소리에 담겨 있으니
석양에 지나는 나그네가 눈물겨워 하는구나.
• 만월대: 개성 송악산 남쪽 기슭에 있는 고려의 왕궁 터 이름.

㉯ ㉠백설(白雪)이 ᄌᆞ자진 골에 구루미 머흐레라❶
반가온 매화(梅花)ᄂᆞᆫ 어ᄂᆡ 곳의 픠엿ᄂᆞᆫ고❷
석양(夕陽)❸에 홀로 셔 이셔 갈 곳 몰라 ᄒᆞ노라❹

– 이색

• 흰 눈이 녹아 없어진 골짜기에 구름이 험하구나.
(나를) 반겨 줄 매화는 어느 곳에 피어 있는가?
석양에 홀로 서서 갈 곳을 몰라 하는구나.

㉰ 오백 년(五百年) 도읍지(都邑地)를 필마(匹馬)로 도라드니
ⓑ산천(山川)은 의구(依舊)*ᄒᆞ되 인걸(人傑)은 간ᄃᆡ업다❶
어즈버❷ 태평연월(太平烟月)*이 ㉡ᄭᅮᆷ이런가 ᄒᆞ노라❸

– 길재

• 오백 년 이어 온 고려의 옛 도읍지를 한 필의 말을 타고 들어가니
산천의 모습은 예전 그대로인데 훌륭한 인재들은 간데없구나.
아아, 고려의 태평했던 시절이 꿈처럼 느껴지는구나.
• 의구: 예전과 같이 변함이 없음.
• 태평연월: 근심이나 걱정이 없는 편안한 세월.

010 최우선순 문제편 고전 시가

Step 1 포인트 분석

㉮ 「흥망이 유수ᄒᆞ니」
시적 상황
화자는 고려의 궁궐터를 지나며 고려 왕조의 몰락에 무상감을 느끼고 있다.
표현
❶ 흥망이~추초ㅣ로다 → 시각적 이미지: '가을 풀' → '소멸, 몰락'의 이미지, 쇠락한 고려 왕조를 형상화함.
❷ 오백 년~부쳐시니 → 청각적 이미지: '목동의 피리 소리' → 고려 멸망의 허무함, 흥망성쇠의 무상감을 형상화함.
❸ 석양 → 중의적 표현: ① 해가 짐. ② 고려 왕조의 몰락 상징
❹ 눈물계워 ᄒᆞ노라 → 영탄적 표현: 고려 왕조의 몰락에 대한 슬픔과 안타까움을 강조함.
정서와 태도
❹ 눈물계워 ᄒᆞ노라 → 고려 왕조의 몰락에 대한 슬픔과 안타까움

㉯ 「백설이 ᄌᆞ자진 골에」
시적 상황
고려의 충신인 화자는 기울어 가는 왕조의 상황을 인식하고 안타까움을 느끼고 있다.
표현
❶ 백설이~머흐레라, ❷ 반가온 매화ᄂᆞᆫ~픠엿ᄂᆞᆫ고
→ 우의적 표현: '백설 → 고려의 유신', '구름 → 조선을 건국하려는 신흥 세력(이성계 일파)', '매화 → 고려의 우국지사'의 상징을 통해 시적 상황을 우회적으로 드러냄.
❶ 구루미, ❷ 매화 → 대조적 표현: '구름'과 '매화'라는 대립적 소재를 활용하여 주제 의식을 부각함.
❶ 백설이~구루미, ❷ 매화, ❸ 석양
→ 색채 대비: '백설', '구름'의 흰색과 '매화', '석양'의 붉은색을 대비하여 주제 의식을 부각함.
❹ 갈 곳 몰라 ᄒᆞ노라 → 영탄적 표현: 고려의 멸망으로 인한 화자의 애타는 심정을 강조함.
정서와 태도
❹ 갈 곳 몰라 ᄒᆞ노라
→ 기울어 가는 고려 왕조에 대한 안타까움

㉰ 「오백 년 도읍지를」
시적 상황
고려의 유신인 화자가 고려의 옛 도읍지를 둘러보고 있다.
표현
❶ 산천은~간ᄃᆡ업다
→ 대조, 대구: 변함이 없는 자연과 유한한 인간을 대비하여 인생의 무상감을 부각함. 대구를 활용하여 리듬감을 형성함.
❷ 어즈버, ❸ ᄭᅮᆷ이런가 ᄒᆞ노라 → 영탄적 어조: 융성했던 고려가 패망한 데서 느끼는 무상감을 효과적으로 표출함.
정서와 태도
❶ 산천은~간ᄃᆡ업다 → 인생의 무상감
❸ ᄭᅮᆷ이런가 ᄒᆞ노라 → 고려의 패망에 대한 한탄과 무상감

Step 1 포인트 분석

시적 상황, 표현, 정서와 태도 등 수능식 독해 키워드를 통해 문제로 직결되는 내용을 정리해 가며 고전 시가 독해 훈련을 해 보세요.

고전 독해와 문제풀이를 한번에!

해설과
고전 실전 어휘로
점수를 플러스한다

3 마무리는 해법의 습득으로!

해설을 통해 고전 시가 문제에 대한 해법을, 고전 시가 실전 어휘를 통해 고전 시가 독해에 대한 해법을 제공합니다.

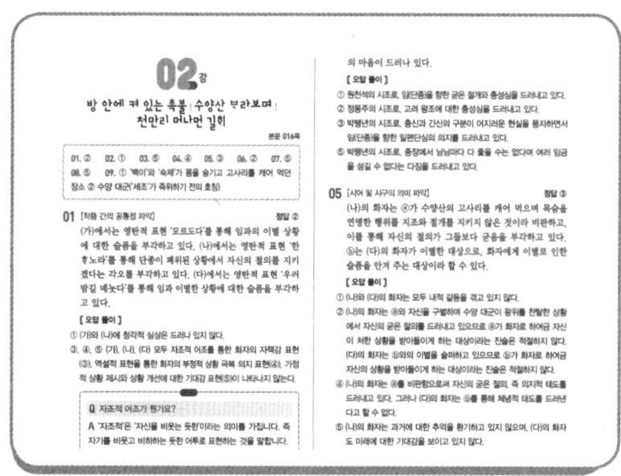

정답과 해설

지금 틀린 것은 중요하지 않아요.
D-day의 성공을 위해 차근차근 정·오답 해설과 개념 Q&A를 통해 작품마다 학습을 완성합니다.

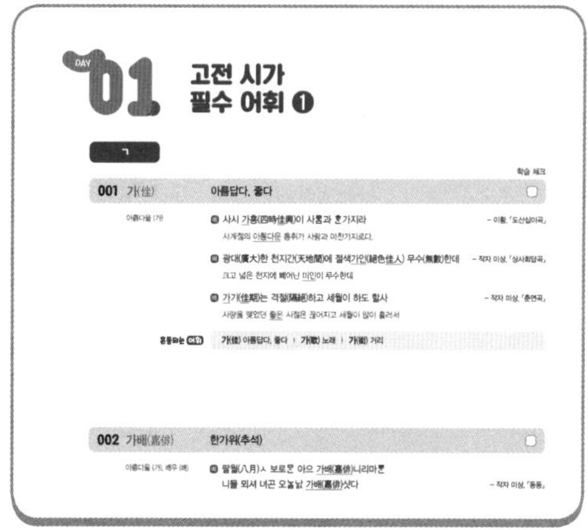

[부록] 고전 시가 실전 어휘

고전 시가에 자주 출몰하는 어휘를 예시 문장과 함께 익혀 두면 보다 빠르고 정확하게 고전 시가를 읽어 낼 수 있습니다.

Step2 포인트 체크

O× 문제와 빈칸 문제를 통해 방금 독해한 내용을 빠르게 점검해 보세요. 객관식 문제의 선지로 다시 활용되는 간단 문제들을 통해 지문이 어떻게 문제화되는지에 대한 감각을 기를 수 있습니다.

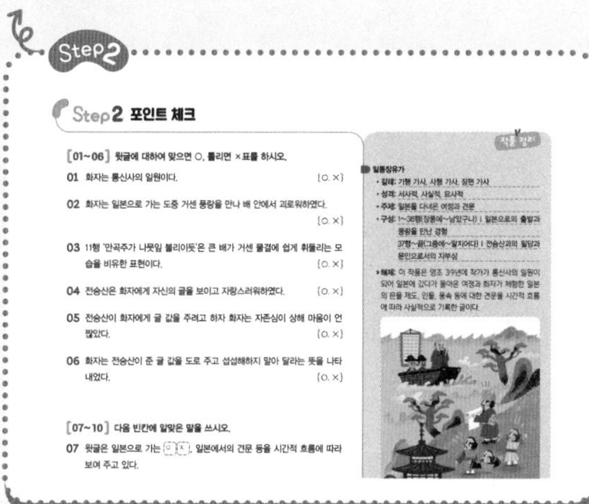

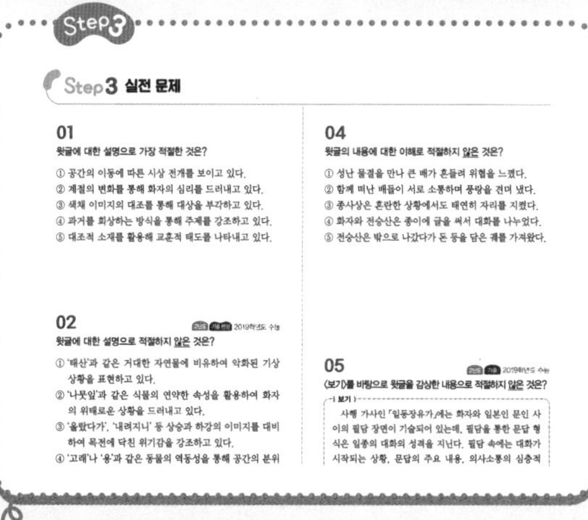

Step3 실전 문제

중요 내신, 수능 문제를 포함한 객관식 문제들과 서술형 문제를 통해 한 작품에 대한 이해와 문제풀이 대비를 완성해 보세요.

차례

I 시조

내신·수능의 중요 갈래, 작품을 우선하여 집중적으로 제시!

작품 찾아보기

ㄱ

ㄴ

ㄷ

ㅁ

ㅂ

ㅅ

ㅇ

ㅈ

ㅊ

ㅎ

시조는

3장 6구 45자 내외를 기본으로 하는
우리 고유의 정형시입니다.
고려 중기에 사대부의 문학으로 시작된 시조는
조선 후기에 형식적으로는 사설화되고,
내용적으로는 사회 비판 의식,
개인의 자유로운 정서까지 담는
민중의 문학이 되어
현재까지도 계속 창작되고 있습니다.
우리에게 시조는 수능 · 내신 통틀어
가장 출제 빈도가 높은 갈래
이기도 합니다.

I

시조

고려 멸망에 대한 노래

시조 **01강**

❼ 고려 후기~조선 전기
❽ 고려 후기
❾ 조선 전기

흥망이 유수ᄒᆞ니 | 백설이 ᄌᆞ자진 골에 | 오백 년 도읍지를

출제 포인트 〉 ㉮ #감각적 표현 #무상감 ㉯ #우의적 표현 #색채 대비 ㉰ #대조적 표현 #무상감

가 흥망(興亡)이 유수(有數)ᄒᆞ니 만월대(滿月臺)*도 추초(秋草)ㅣ로다❶
오백 년(五百年) 왕업(王業)이 ⓐ목적(牧笛)에 부쳐시니❷
석양(夕陽)❸에 지나ᄂᆞᆫ 객(客)이 눈물계워 ᄒᆞ노라❹

– 원천석

*흥하고 망하는 것이 다 운수에 달렸으니 만월대도 가을 풀만이 가득하구나.
오백 년 고려 왕조의 업적이 이제는 목동의 피리 소리에 담겨 있으니
석양에 지나는 나그네가 눈물겨워 하는구나.

• **만월대:** 개성 송악산 남쪽 기슭에 있는 고려의 왕궁 터 이름.

나 ㉠백설(白雪)이 ᄌᆞ자진 골에 구루미 머흐레라❶
반가온 매화(梅花)ᄂᆞᆫ 어ᄂᆡ 곳의 픠엿ᄂᆞᆫ고❷
석양(夕陽)❸에 홀로 셔 이셔 갈 곳 몰라 ᄒᆞ노라❹

– 이색

*흰 눈이 녹아 없어진 골짜기에 구름이 험하구나.
(나를) 반겨 줄 매화는 어느 곳에 피어 있는가?
석양에 홀로 서서 갈 곳을 몰라 하는구나.

다 오백 년(五百年) 도읍지(都邑地)를 필마(匹馬)로 도라드니
ⓑ산천(山川)은 의구(依舊)*ᄒᆞ되 인걸(人傑)은 간ᄃᆡ업다❶
어즈버❷ 태평연월(太平烟月)*이 ㉡ᄭᅮᆷ이런가 ᄒᆞ노라❸

– 길재

*오백 년 이어 온 고려의 옛 도읍지를 한 필의 말을 타고 들어가니
산천의 모습은 예전 그대로인데 훌륭한 인재들은 간데없구나.
아아, 고려의 태평했던 시절이 꿈처럼 느껴지는구나.

• **의구:** 예전과 같이 변함이 없음.
• **태평연월:** 근심이나 걱정이 없는 편안한 세월.

Step 1 포인트 분석

가 「흥망이 유수ᄒᆞ니」

시적 상황
화자는 고려의 궁궐터를 지나며 고려 왕조의 몰락에 무상감을 느끼고 있다.

표현
❶흥망이~추초ㅣ로다 → **시각적 이미지:** '가을 풀' → '소멸, 몰락'의 이미지. 쇠락한 고려 왕조를 형상화함.
❷오백 년~부쳐시니 → **청각적 이미지:** '목동의 피리 소리' → 고려 멸망의 허무함, 흥망성쇠의 무상감을 형상화함.
❸석양 → **중의적 표현:** ① 해가 짐. ② 고려 왕조의 몰락 상징
❹눈물계워 ᄒᆞ노라 → **영탄적 표현:** 고려 왕조의 몰락에 대한 슬픔과 안타까움을 강조함.

정서와 태도
❹눈물계워 ᄒᆞ노라 → 고려 왕조의 몰락에 대한 슬픔과 안타까움

나 「백설이 ᄌᆞ자진 골에」

시적 상황
고려의 충신인 화자는 기울어 가는 왕조의 상황을 인식하고 안타까움을 느끼고 있다.

표현
❶백설이~머흐레라, ❷반가온 매화ᄂᆞᆫ~픠엿ᄂᆞᆫ고
→ **우의적 표현:** '백설 → 고려의 유신', '구름 → 조선을 건국하려는 신흥 세력(이성계 일파)', '매화 → 고려의 우국지사'의 상징을 통해 시적 상황을 우회적으로 드러냄.
❶구루미, ❷매화 → **대조적 표현:** '구름'과 '매화'라는 대립적 소재를 활용하여 주제 의식을 부각함.
❶백설이~구루미, ❷매화, ❸석양
→ **색채 대비:** '백설', '구름'의 흰색과 '매화', '석양'의 붉은색을 대비하여 주제 의식을 부각함.
❹갈 곳 몰라 ᄒᆞ노라 → **영탄적 표현:** 고려의 멸망으로 인한 화자의 애타는 심정을 강조함.

정서와 태도
❹갈 곳 몰라 ᄒᆞ노라
→ 기울어 가는 고려 왕조에 대한 안타까움

다 「오백 년 도읍지를」

시적 상황
고려의 유신인 화자가 고려의 옛 도읍지를 둘러보고 있다.

표현
❶산천은~간ᄃᆡ업다
→ **대조, 대구:** 변함이 없는 자연과 유한한 인간을 대비하여 인생의 무상감을 부각함. 대구를 활용하여 리듬감을 형성함.
❷어즈버, ❸ᄭᅮᆷ이런가 ᄒᆞ노라 → **영탄적 어조:** 융성했던 고려가 패망한 데서 느끼는 무상감을 효과적으로 표출함.

정서와 태도
❶산천은~간ᄃᆡ업다 → 인생의 무상감
❸ᄭᅮᆷ이런가 ᄒᆞ노라 → 고려의 패망에 대한 한탄과 무상감

Step 2 포인트 체크

[01~09] 윗글에 대하여 맞으면 ○, 틀리면 ×표를 하시오.

01 (가)의 종장에서 '석양'은 고려 왕조의 몰락을 의미한다. [○, ×]

02 (가)의 화자는 고려 왕조를 지키지 못한 것을 자책하고 있다. [○, ×]

03 (가)의 종장에서는 영탄적 표현을 통해 화자의 슬픔을 드러냈다. [○, ×]

04 (가)의 화자는 국운이 쇠퇴한 고려의 상황을 한탄하고 있다. [○, ×]

05 (나)에서 '백설'은 임금의 총명함을 가리는, 고려 말의 간신들을 의미한다. [○, ×]

06 (나)에서 '구름'과 '매화'는 서로 대립되는 소재이다. [○, ×]

07 (다)의 화자는 융성했던 고려가 패망한 데서 허무함을 느끼고 있다. [○, ×]

08 (다)는 자연과 인간사를 대비하여 화자의 정서를 효과적으로 드러냈다. [○, ×]

09 (가)~(다)는 자연물을 활용하여 고려 왕조의 멸망이라는 시적 상황을 부각하였다. [○, ×]

[10~15] 다음 빈칸에 알맞은 말을 쓰시오.

10 (가)의 '[ㅊ][ㅊ]'는 가을의 계절감을 형상화하여 쇠락한 고려 왕조를 나타낸다.

11 (가)의 초장에서는 [ㅅ][ㄱ][ㅈ] 이미지를, 중장에서는 [ㅊ][ㄱ][ㅈ] 이미지를 활용하였다.

12 (나)에서는 [ㅅ][ㅊ] [ㄷ][ㅂ]를 활용하여 주제 의식을 효과적으로 부각하였다.

13 (나)에서 '매화'는 지조와 충성을 지닌 [ㅇ][ㄱ][ㅈ][ㅅ]를 상징하는 소재이다.

14 (다)에서의 '꿈'은 화자가 느끼는 삶의 [ㅁ][ㅅ][ㄱ]을 표현하는 시어이다.

15 (가)~(다)는 모두 고려의 멸망으로 인한 [ㅅ][ㅍ]을 표현한 작품이다.

정답 | 01 ○ 02 × 03 ○ 04 ○ 05 × 06 ○ 07 ○ 08 ○ 09 ○ 10 추초 11 시각적, 청각적 12 색채 대비 13 우국지사 14 무상감 15 슬픔

작품 정리

가 흥망이 유수ᄒᆞ니
- **갈래:** 평시조
- **성격:** 회고적, 서정적, 애상적
- **주제:** 고려 왕조의 멸망에 대한 탄식과 무상감
- **구성:** 초장 | 황폐해진 고려 궁궐터의 모습
  중장 | 목동의 피리 소리로만 남은 고려 왕조
  종장 | 고려 왕조의 몰락에 대한 안타까움

» **해제:** 이 작품은 고려의 충신이었던 작가가 고려의 도읍지였던 개성의 궁궐터를 돌아보면서 느끼는 세월의 무상감을 노래하고 있다. 자신을 '객'으로 표현함으로써 주관적인 정서를 객관화하여 표현하였다.

나 백설이 ᄌᆞ자진 골에
- **갈래:** 평시조
- **성격:** 우의적, 상징적
- **주제:** 기울어 가는 고려에 대한 한탄과 우국충정
- **구성:** 초장 | 신흥 세력의 대두
  중장 | 우국지사를 기다리는 마음
  종장 | 고려 왕조의 멸망에 대한 안타까움

» **해제:** 이 작품은 고려의 유신으로서 기울어 가는 고려의 현실을 바라보면서 느끼는 안타까운 마음을 비유와 상징을 통해 형상화하였다.

다 오백 년 도읍지를
- **갈래:** 평시조
- **성격:** 애상적, 회고적, 감상적
- **주제:** 고려 왕조에 대한 회고와 무상감
- **구성:** 초장 | 홀로 고려의 옛 도읍지를 돌아봄.
  중장 | 자연과 인간사의 대조적인 모습
  종장 | 융성했던 고려의 몰락에서 느끼는 무상감

• **해제:** 이 작품은 고려 왕조가 몰락하자 고향에 은거한 작가가 고려의 도읍지였던 개성을 찾아 느낀 감회를 읊고 있다. '꿈'이라는 표현을 통해 인생의 무상감과 망국의 슬픔을 함께 드러내고 있다.

Step 3 실전 문제

01

(가)~(다)에 공통적으로 나타나는 화자의 정서로 가장 적절한 것은?

① 왕조의 멸망에 대한 안타까움과 슬픔을 드러내고 있다.
② 왕조를 다시 일으킬 인재들이 나타나기를 기대하고 있다.
③ 왕조가 기울어 가는 상황에 대한 불만을 드러내고 있다.
④ 왕조를 지켜 내지 못한 이들에 대한 원망을 드러내고 있다.
⑤ 왕조의 융성했던 시절을 되찾고자 하는 의지를 드러내고 있다.

02

(가)~(다)가 속한 문학 갈래의 일반적인 특징으로 적절하지 않은 것은?

① 겉으로 드러나는 일정한 운율을 지니고 있다.
② 관념적인 유교 이념을 담고 있는 작품이 많다.
③ 가창(歌唱)되면서 구전되다가 문자로 정착되었다.
④ 형식적으로 향가의 영향을 받았으며, 고려 말 사대부에 의해 주로 창작되었다.
⑤ 향유 계층이 특정 계층으로 제한되어 있어 조선 후기에 쇠퇴하였다.

03

(가)에 대한 설명으로 적절하지 않은 것은?

① 청각적 이미지를 활용하여 화자의 정서를 드러내고 있다.
② 대비되는 색채어를 활용하여 대상을 감각적으로 표현하고 있다.
③ 중의적 표현을 활용하여 화자가 처한 상황을 형상화하고 있다.
④ 계절감을 나타내는 시어를 활용하여 시적 분위기를 조성하고 있다.
⑤ 화자 자신을 객관화한 표현을 활용하여 주관적인 정서를 부각하고 있다.

04

ⓐ와 ⓑ를 비교한 내용으로 가장 적절한 것은?

① ⓐ와 ⓑ는 모두 화자가 경외감을 가지고 바라보는 소재이다.
② ⓐ와 ⓑ는 모두 화자가 인생의 무상감을 느끼게 하는 소재이다.
③ ⓐ는 화자의 울분을 완화하는 소재로, ⓑ는 화자의 울분을 심화하는 소재로 활용되고 있다.
④ ⓐ는 미래의 상황에 기대를 갖는 계기가, ⓑ는 과거의 사건을 회고하는 계기가 되는 소재이다.
⑤ ⓐ는 화자의 처지와 동일시되는 소재로, ⓑ는 화자의 처지와 대비되는 소재로 활용되고 있다.

05

(나)에 대한 설명으로 적절하지 않은 것은?

① 색채 대비를 통해 주제 의식을 부각하고 있다.
② 대조적인 소재를 활용하여 주제를 형상화하고 있다.
③ 영탄적 표현을 활용하여 화자의 정서를 표현하고 있다.
④ 자연물을 통해 시적 상황을 우의적으로 드러내고 있다.
⑤ 의인법을 활용하여 대상에 대한 친근감을 나타내고 있다.

06

㉠과 〈보기〉의 ㉮를 비교하여 이해한 내용으로 적절한 것은?

보기

이 몸이 죽어 가서 무엇이 될꼬 하니
봉래산(蓬萊山) 제일봉에 낙락장송(落落長松) 되어 있어
㉮ 백설이 만건곤(滿乾坤)*할 제 독야청청(獨也靑靑)하리라
— 성삼문

* 만건곤: 하늘과 땅에 가득함.

① ㉠과 ㉮는 새로운 왕조를 세우려는 신흥 세력을 의미한다.
② ㉠은 ㉮와 달리 현재의 왕조를 지지하는 신하를 의미한다.
③ ㉠은 절개 있는 충신을, ㉮는 군자의 깨끗한 도리를 의미한다.
④ ㉠과 ㉮는 임금의 총애를 받는 권력의 핵심적인 존재를 의미한다.
⑤ ㉠은 세속에 물들지 않는 순수함을, ㉮는 세속에서의 시련과 고난을 의미한다.

07

다음 밑줄 친 '꿈'의 함축적 의미가 ㉡과 가장 유사한 것은?

① 꿈이 날 위하여 먼 데 님 데려왔거늘
간절하고 반갑게 여겨 꿈 깨어 일어나 보니
그 님이 성나서 갔는지 간 곳이 없어라

② 꿈에나 님을 보려 잠 이룰까 누었더니
새벽달 지새도록 자규성(子規聲)을 어이하리
두어라 단장춘심(斷腸春心)*은 너나 나나 다르리

③ 꿈에 다니는 길이 자취가 남는다면
님의 집 창(窓) 밖에 석로(石路)라도 닳으리라
꿈길이 자취 없으니 그를 슬퍼하노라

④ 천지(天地) 몇 번째며 영웅(英雄)은 누고 누고
만고흥망(萬古興亡)이 수유(須臾)잠*의 꿈이거늘
어디서 망령엣 것은 놀지 말라 하느니

⑤ 이화우(梨花雨) 흩뿌릴 제 울며 잡고 이별한 임
추풍낙엽(秋風落葉)에 저도 나를 생각하는가
천 리(千里)에 외로운 꿈만 오락가락 하는구나

• **단장춘심:** 슬프도록 벅찬 봄기운.
• **수유잠:** 잠시 동안 자는 잠.

08

〈보기〉를 바탕으로 (가)~(다)를 비교한 내용으로 적절하지 않은 것은?

> **보기**
> 조선이 건국된 후 고려 왕조의 도읍지 개성을 배경으로 과거를 돌이켜 보고 현재의 감회를 드러내는 회고가가 나타난다. 이들 작품은 주로 역사적 전환기를 맞은 지식인들이 고려 왕조의 흥망성쇠를 보여 주는 도읍지의 어떤 장소나 사물을 보고 느끼는 여러 정서를 드러낸다.

① (가)의 '추초', (나)의 '석양'은 고려 왕조의 몰락을 보여 주는 소재라 할 수 있다.
② (가)의 '눈물계워 ᄒᆞ노라'와 (나)의 '갈 곳 몰라 ᄒᆞ노라'는 역사적 전환기 속에서 지식인이 느끼는 애상적 정서를 드러낸다고 할 수 있다.
③ (가)의 '만월대'는 (다)의 '오백 년 도읍지'를 대표하는 구체적인 장소라 할 수 있다.
④ (가)의 '목적'과 (다)의 '꿈'은 고려 왕조의 흥망성쇠에 대한 무상감을 드러낸다고 할 수 있다.
⑤ (나)의 '매화'와 (다)의 '인걸'은 고려의 영화로웠던 시절을 그리워하는 마음을 드러낸다고 할 수 있다.

09

(가)와 〈보기〉를 비교하여 감상한 내용으로 적절하지 않은 것은?

> **보기**
> 홍진(紅塵)에 묻힌 분네 이내 생애(生涯) 어떠한고
> 옛사람 풍류(風流)에 미칠까 못 미칠까
> 천지간(天地間) 남자(男子) 몸이 나만한 이 많건마는
> 산림(山林)에 묻혀 있어 지락(至樂)을 모를 것인가
> 수간모옥(數間茅屋)을 벽계수(碧溪水) 앞에 두고
> 송죽(松竹) 울울리(鬱鬱裏)에 풍월주인(風月主人) 되었어라
> 엊그제 겨울 지나 새봄이 돌아오니
> 도화행화(桃花杏花)는 석양(夕陽) 속에 피어 있고
> 녹양방초(綠楊芳草)는 가랑비 속에 푸르도다
> 칼로 마름질했는가 붓으로 그려냈는가
> 조화신공(造化神功)이 물물(物物)마다 야단스럽다
> – 정극인, 「상춘곡」

① (가)와 〈보기〉는 동일한 음보율을 사용하여 리듬감을 살리고 있군.
② (가)는 〈보기〉와 달리 이질적 공간을 대비하여 주제를 드러내고 있군.
③ (가)에서는 침울한 분위기를, 〈보기〉에서는 들뜬 분위기를 느낄 수 있군.
④ (가)의 '석양'은 화자의 정서를 심화하는 배경으로, 〈보기〉의 '석양'은 경치를 돋보이게 하는 배경으로 기능하고 있군.
⑤ (가)는 화자가 혼잣말을 하는 방식으로, 〈보기〉는 화자가 청자에게 말을 건네는 방식으로 자신의 내면을 드러내고 있군.

10

다음은 (다)의 구조를 정리한 것이다. Ⓐ와 Ⓑ에 들어갈 알맞은 특성 (1)을 쓰고, 이를 통해 드러내고자 한 화자의 정서 (2)를 서술하시오.

산천(자연) — 의구ᄒᆞ다 — Ⓐ
↕
인걸(인간) — 간듸업다 — Ⓑ
→ 화자의 정서

(1) ________________

(2) ________________

지조, 절개의 노래

㉮ 조선 전기
㉯ 조선 전기
㉰ 조선 전기

방 안에 켜 있는 촉불 | 수양산 ᄇᆞ라보며 | 천만리 머나먼 길히

출제 포인트 › ㉮ #감정 이입 #의인법 ㉯ #중의적 표현 #설의적 표현 #절의가 ㉰ #과장법 #감정 이입

㉮ 방(房) 안에 ㉠켜 있는 촉(燭)불❶ ㉡눌과 이별하였기에❷
겉으로 눈물 ㉢지고 속 타는 줄 ㉣모르는고❸
저 촉(燭)불 ㉤날과 같아서 속 타는 줄 모르도다❹

– 이개

*방 안에 켜 놓은 촛불 누구와 이별하였기에
겉으로 눈물 흘리면서 속이 타들어 가는 줄을 모르는가?
저 촛불도 나와 같아서 속이 타는 줄을 모르는구나.

㉯ 수양산(首陽山)*❶ ᄇᆞ라보며 ⓐ이제(夷齊)*를 한(恨)ᄒᆞ노라❷
주려 주글진들 채미(採薇)❸도 ᄒᆞᄂᆞᆫ 것가❹
비록애 푸새*엣 거신들 긔 뉘 ᄯᅡ헤 낫ᄃᆞ니❺

– 성삼문

*수양산을 바라보며 백이, 숙제를 한탄하노라.
굶주려 죽을지언정 고사리를 캐어 먹었단 말인가?
비록 (고사리가) 푸성귀일망정 그것이 누구의 땅에서 난 것인가?

- **수양산:** 백이와 숙제가 은거하다 죽었다는 산. 수양 대군(首陽大君)을 빗대어 쓴 말이기도 함.
- **이제:** 백이(伯夷)와 숙제(叔齊). 고죽국(孤竹國) 군주의 두 아들로, 주나라 무왕이 은나라를 멸망시키자 수양산(首陽山)에 들어가 고사리를 캐어 먹으며 살다가 굶어 죽었다고 전해짐.
- **푸새:** 푸성귀, 풀.

㉰ 천만리(千萬里)❶ 머나먼 길히 ⓑ고은 님 여희옵고
ᄂᆡ ᄆᆞᄋᆞᆷ 둘 ᄃᆡ 업셔 냇ᄀᆞ의 안자시니
져 물도❷ ᄂᆡ ᄋᆞᆫ ᄀᆞᆺᄒᆞ여 우러 밤길 녜놋다*❸

– 왕방연

*천 리 만 리 머나먼 곳에다 고운 임(단종)을 이별하고 돌아와
내 마음을 둘 곳이 없어서 냇가에 앉았더니
저 시냇물도 내 마음 같아서 울면서 밤길을 흘러가는구나.

- **녜놋다:** 가는구나.

Step 1 포인트 분석

㉮ 「방 안에 켜 있는 촉불」

시적 상황
화자가 임과 이별한 뒤 슬퍼하고 있다.

표현
❶촉불
→ **감정 이입:** 임과 이별한 화자의 감정을 '촉불'에 이입하여 이별의 슬픔을 형상화함.
❶, ❷촉불 눌과 이별하였기에, ❸겉으로 눈물~모르는고
→ **의인법:** 촛농이 떨어지는 모습을 사람처럼 표현하며 화자의 상황과 심정을 이입함.

정서와 태도
❹속 타는 줄 모르도다
→ 임과의 이별로 인한 슬픔

㉯ 「수양산 ᄇᆞ라보며」

시적 상황
절개를 지키고자 하는 화자가 절개를 제대로 지키지 못한 이들을 비판하고 있다.

표현
❶수양산, ❸채미 → 중의적 표현
'수양산' → ① 중국의 수양산 ② 수양 대군(세조)
'채미' → ① 고사리를 캐어 먹음. ② 수양 대군의 녹을 먹음.
❷이제를 한ᄒᆞ노라
→ **함축적 표현:** 지조의 대명사로 알려진 백이, 숙제를 비판함으로써 그들보다 더욱 굳은 화자의 절의를 강조함.
❹주려 주글진들~ᄒᆞᄂᆞᆫ 것가
→ **설의적 표현:** '이제'에 대한 비판을 강조하며 화자의 굳은 의지를 부각함.

정서와 태도
❺비록애~ᄯᅡ헤 낫ᄃᆞ니
→ 단종에 대한 지조와 절개를 지키려 함.

㉰ 「천만리 머나먼 길히」

시적 상황
화자가 임과 이별하고 돌아가는 길에 냇가에 앉아 이별에 대한 슬픔을 드러내고 있다.

표현
❶천만리 → **과장법:** 임과의 이별로 인한 슬픔의 크기를 '천만리'라는 수량화된 표현으로 드러냄. 임과 이별한 화자의 슬픔의 깊이, 화자와 임 사이의 심리적 거리를 드러냄.
❷물 → **감정 이입:** 시냇물에 감정을 이입하여 정서를 드러냄.
❷져 물도~ ❸우러 밤길 녜놋다
→ **영탄적 표현:** 화자의 슬픔을 강조함.
→ **의인법:** 임과 이별한 심정을 자연물에 의탁하여 드러냄.

정서와 태도
❸우러 밤길 녜놋다
→ 임과의 이별로 인한 슬픔과 애절한 심정

Step 2 포인트 체크

[01~09] 윗글에 대하여 맞으면 ○, 틀리면 ×표를 하시오.

01 (가)에서 '촉불'은 임과 이별한 화자의 감정이 이입된 소재이다. [○, ×]

02 (가)는 임과 이별한 화자의 정서를 촛농에 비유하여 노래하고 있다. [○, ×]

03 (나)의 초장에서 '수양산'은 세속을 초월하여 자연 속에서의 삶을 즐기는 공간이다. [○, ×]

04 (나)의 중장에서는 설의적 표현을 통해 화자의 굳은 절개를 표현하였다. [○, ×]

05 (나)에서 화자는 백이와 숙제의 지조를 본받으려는 태도를 보인다. [○, ×]

06 (다)에는 사대부인 작가가 유배 생활에서 느낀 슬픔과 안타까움이 드러나 있다. [○, ×]

07 (다)의 초장에서 '천만리'는 화자와 임 사이의 심리적 거리감을 드러낸다. [○, ×]

08 (다)의 초장에서 '고은 님 여희옵고'는 단종과 이별한 화자의 상황을 드러낸다. [○, ×]

09 (가)~(다)는 수양 대군에 의해 폐위된 단종에 대한 사모와 충정을 담고 있는 작품이다. [○, ×]

[10~14] 다음 빈칸에 알맞은 말을 쓰시오.

10 (가)의 '촉불'은 화자의 감정이 [ㅌ][ㅇ]된 대상으로 이별의 슬픔을 드러낸다.

11 (나)의 '수양산'은 [ㅅ][ㅇ] [ㄷ][ㄱ]을 비유적으로 표현한 시어이다.

12 (나)에서 '채미'는 고사리를 캐어 먹는 것과 수양 대군이 주는 녹을 먹는 것을 동시에 의미하는 [ㅈ][ㅇ][ㅈ] 표현이다.

13 (다)에서 'ᄂᆡ ᄆᆞᄋᆞᆷ'은 임과 [ㅇ][ㅂ]한 [ㅅ][ㅍ] 마음을 의미한다.

14 (다)에서의 '물'은 화자의 안타까운 심정이 투영된 [ㄱ][ㅈ] [ㅇ][ㅇ]의 대상이다.

정답 | 01 ○ 02 ○ 03 × 04 ○ 05 × 06 × 07 ○ 08 ○ 09 ○ 10 투영 11 수양 대군 12 중의적 13 이별, 슬픈 14 감정 이입

작품 정리

가 방 안에 켜 있는 촉불

- **갈래:** 평시조
- **성격:** 애상적, 상징적
- **주제:** 임(단종)과 이별한 슬픔
- **구성:** 초장 | 방 안에 켜 놓은 촛불의 모습
  중장 | 초가 타면서 촛농이 떨어지는 모습
  종장 | 촛불과 화자의 동일시

» **해제:** 이 작품은 단종과 이별한 상황에서 단종에 대한 사모와 연군을 노래하고 있다. 수양 대군에게 왕위를 찬탈당한 후 강원도 영월에서 유배 생활을 하는 어린 임금을 생각하며 안타까운 자신의 마음을 타는 촛불에 비유하여 형상화하였다.

나 수양산 바라보며

- **갈래:** 평시조
- **성격:** 지사적, 비판적, 결의적
- **주제:** 죽음을 각오한 굳은 지조와 절의
- **구성:** 초장 | 수양산을 바라보며 백이, 숙제를 원망함.
  중장 | 백이, 숙제가 고사리로 연명한 일을 비판함.
  종장 | 백이, 숙제보다 더 굳은 절의를 지키겠다고 다짐함.

» **해제:** 이 작품은 세조가 단종을 폐위하고 스스로 왕위에 오르자, 이에 항거하며 지은 절의가이다. 사육신 중 한 사람인 작가는 은나라의 충신인 백이, 숙제와 자신을 비교하며 단종에 대한 자신의 굳은 지조를 강조하고 있다.

다 천만리 머나먼 길히

- **갈래:** 평시조
- **성격:** 애상적, 감상적
- **주제:** 임과 이별하고 돌아오는 길에 느낀 슬픔
- **구성:** 초장 | 임(단종)과 이별함.
  중장 | 이별 후 냇가에 앉음.
  종장 | 울며 흘러가는 시냇물을 바라봄.

» **해제:** 이 작품은 세조 때 금부도사였던 왕방연이 영월로 유배되는 단종을 호송한 뒤 돌아오는 길에 지은 시가이다. 어린 임금을 유배지에 두고 돌아오며 느낀 죄책감과 괴로움을 흐르는 시냇물에 의탁하여 표현하였다.

Step 3 실전 문제

01

기출 변형 2017학년도 6월 고1 교육청

(가)~(다)의 공통점에 대한 설명으로 가장 적절한 것은?

① 청각적 심상을 활용하여 애상적 분위기를 조성하고 있다.
② 영탄적 표현을 통해 시적 상황에 대한 화자의 정서를 부각하고 있다.
③ 자조적 어조를 통해 과거의 행동에 대한 화자의 자책감을 드러내고 있다.
④ 역설적 표현을 통해 부정적인 상황에 대한 화자의 극복 의지를 나타내고 있다.
⑤ 가정적 상황을 제시하여 상황이 나아질 것이라는 화자의 기대감을 드러내고 있다.

02

(가)의 화자에 대한 설명으로 적절한 것은?

① 대상의 부재에서 느끼는 안타까움이 드러나 있다.
② 자신의 궁핍한 처지로 인한 좌절감이 표출되어 있다.
③ 예기치 않은 이별로 인한 서러운 심정이 나타나 있다.
④ 이상과 현실의 괴리에서 느끼는 실망감이 표출되어 있다.
⑤ 거스를 수 없는 자연의 섭리에 대한 경외감이 드러나 있다.

03

㉠~㉤을 해석한 것으로 적절하지 않은 것은?

① ㉠ – 켜 놓은
② ㉡ – 누구와
③ ㉢ – 흘리면서
④ ㉣ – 모르는가
⑤ ㉤ – 하루와 같아서

04

(나)에 드러난 화자의 태도와 거리가 먼 것은?

① 눈 맞아 휘어진 대를 뉘라서 굽다던고
굽을 절(節)이면 눈 속에 푸를소냐
아마도 세한고절(歲寒孤節)은 너뿐인가 하노라
② 이 몸이 죽어죽어 일백 번 고쳐 죽어
백골(白骨)이 진토(塵土) 되어 넋이라도 있고 없고
님 향한 일편단심(一片丹心)이야 가실 줄이 있으랴
③ 가마귀 눈비 맞아 희는 듯 검노매라
야광 명월(夜光明月)이 밤인들 어두우랴
님 향(向)한 일편단심(一片丹心)이야 고칠 줄이 있으랴
④ 십 년을 경영(經營)하여 초려 삼간(草廬三間) 지어 내니
나 한 간 달 한 간에 청풍(淸風) 한 간 맡겨 두고
강산(江山)은 들일 데 없으니 둘러 두고 보리라
⑤ 금생여수(金生麗水)라 한들 물마다 금(金)이 나며
옥출곤강(玉出崑岡)이라 한들 뫼마다 옥(玉)이 나랴
아무리 사랑이 중(重)타 한들 님님마다 좇으랴

05

ⓐ, ⓑ를 비교한 내용으로 적절한 것은?

① ⓐ와 ⓑ 모두 화자의 내적 갈등을 유발하는 대상이다.
② ⓐ와 ⓑ 모두 화자가 자신이 처한 상황을 받아들이게 하는 대상이다.
③ ⓐ는 화자에게 비판을 받는 대상이고, ⓑ는 화자에게 슬픔을 안겨 주는 대상이다.
④ ⓐ는 화자의 의지적 태도를 드러내는 대상이고, ⓑ는 화자의 체념적 태도를 드러내는 대상이다.
⑤ ⓐ는 과거에 대한 추억을 환기하는 대상이고, ⓑ는 미래에 대한 기대감을 갖게 하는 대상이다.

정답 004쪽

06

(다)의 표현 방법에 대한 설명으로 적절한 것은?

① 색채 대비를 통해 대상의 속성을 강조하고 있다.
② 자연물을 활용하여 시의 정서를 구체화하고 있다.
③ 수미 상관 구조를 통해 주제 의식을 부각하고 있다.
④ 계절적 속성을 활용하여 시적 상황을 드러내고 있다.
⑤ 대조되는 의미의 시어를 활용하여 대상을 풍자하고 있다.

07

〈보기 1〉을 참고하여 (다)와 〈보기 2〉를 감상한 내용으로 적절하지 않은 것은?

보기 1

수양 대군(훗날 세조)은 계유정난(1453년)을 일으켜 정권을 잡은 이후 어린 조카인 단종을 위협하여 왕위를 빼앗았다. 이때 성삼문은 박팽년, 유응부 등과 함께 단종 복위 운동을 계획하였지만 모의 사실이 밝혀져 모진 고문을 당하고, 끝까지 저항하다가 죽음을 맞았다. 이후 단종은 폐위되어 강원도 영월로 귀양을 가게 되는데, 이때 왕방연이 금부도사로 단종을 호송하는 책임을 맡았다.

보기 2

이 몸이 죽어 가서 무엇이 될꼬 하니
봉래산(蓬萊山) 제일봉에 낙락장송(落落長松) 되어 있어
백설이 만건곤(滿乾坤)할 제 독야청청(獨也靑靑)하리라
– 성삼문

① (다)의 '고은 님'은 강원도 영월에 두고 온 단종을 의미한다고 할 수 있다.
② (다)에서는 과장된 표현을 통해 단종과 다시 만나기 어렵다는 화자의 인식을 나타냈다고 할 수 있다.
③ 〈보기 2〉의 '백설'은 왕위를 찬탈한 수양 대군 일파를 의미한다고 할 수 있다.
④ 〈보기 2〉에서는 자문자답의 형식을 통해 단종에 대한 절개를 지키겠다는 의지를 드러냈다고 할 수 있다.
⑤ (다)와 〈보기 2〉에서는 모두 극한적 상황을 설정하여 단종을 지키지 못한 화자의 암담한 심경을 표출했다고 할 수 있다.

08

(가), (다)에 대한 이해로 적절하지 않은 것은?

① (가)의 '겉으로 눈물 지고'에서 '눈물'은 촛농이 흘러내리는 모습을 비유한 것으로 화자의 슬픔을 형상화하고 있다.
② (가)의 '저 촉불 날과 같아서'에서 '촉불'은 화자와 동일시되는 대상이다.
③ (다)의 '천만리 머나먼 길히'에서 '천만리'는 화자와 임 사이의 심리적 거리를 나타낸다.
④ (다)의 '고은 님 여희옵고'에서 '여희옵고'는 화자가 임과 이별한 상황에 처해 있음을 보여 준다.
⑤ (다)의 '져 물도 ᄂᆡ ᄋᆞᆫ ᄀᆞᆺᄒᆞ여'에서 'ᄂᆡ ᄋᆞᆫ'에는 자신을 찾아 주지 않는 임에 대한 원망이 담겨 있다.

09

〈보기〉를 참고하여 (나)의 '수양산'에 담긴 중의적 의미를 서술하시오.

보기

은나라의 왕자였던 '백이(伯夷)'와 '숙제(叔齊)'는 아버지가 죽은 뒤 서로 후계자가 되기를 사양하다가 나라를 떠났다. 그 무렵 은나라의 주왕이 폭정을 일삼자 주나라의 무왕이 그를 정벌하려고 하였다. 이때 무왕은 부친의 상중이었다. 이에 백이와 숙제는 무왕의 행위가 인의(仁義)에 위배되는 것이라 하여 주나라의 곡식을 먹기를 거부하고, 수양산에 들어가 고사리를 캐어 먹고 지내다가 죽었다.

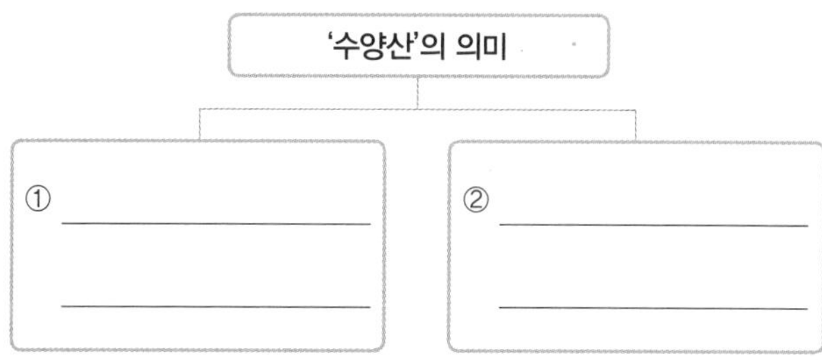

시조 03강

십 년을 경영ᄒᆞ여 | 논밧 가라 기음 ᄆᆡ고 | 곡구롱 우ᄂᆞᆫ 소ᄅᆡ에

출제 포인트 > 가 #안빈낙도, 물아일체 #비유적 표현 나 #시상 전개의 특징 #풍류적 태도 다 #청각적 심상 #한정가

가 십 년(十年)을 ⓐ경영(經營)ᄒᆞ여 ㉠초려삼간(草廬三間) 지여 내니❶
나 ᄒᆞᆫ 간 ᄃᆞᆯ ᄒᆞᆫ 간에 청풍(淸風) ᄒᆞᆫ 간 맛져 두고❷
강산(江山)은 들일 듸 업스니 둘러 두고 보리라❸

– 송순

*십 년을 계획하여 세 칸짜리 초가집을 지어 내니
나 한 칸, 달 한 칸 맡고 맑은 바람에 한 칸 맡겨 두고
강산은 들일 데가 없으니 둘러 두고 보겠노라.

나 논밧 가라 기음 ᄆᆡ고 뵈잠방이* 다임* 쳐 신들메고*
낫 가라 허리에 ᄎᆞ고 도씌 ⓑ벼려 두러 메고 무림(茂林) 산중(山中) 드러가셔 삭짜리* 마른 셥*흘 뷔거니 ⓒ버히거니 지게에 질머 집팡이 밧쳐 노코❶ ㉡시옴*을 ᄎᆞᄌᆞ 가셔 점심(點心) 도슭 부시이고 곰방ᄃᆡ를 톡톡 ᄯᅥ러 닙담ᄇᆡ 퓌여 물고 코노ᄅᆡ 조오다가❷
석양(夕陽)이 ᄌᆡ 너머 갈 제 엇씨를 ⓓ추이즈며 긴 소ᄅᆡ 져른 소ᄅᆡ ᄒᆞ며 어이 갈고 ᄒᆞ더라❸

– 작자 미상

*논밭 갈아 김 매고 베잠방이 대님 차고 신에 들메끈을 매고
낫을 갈아 허리에 차고 도끼를 갈아 둘러메고 무성한 숲 산중에 들어가서 삭정이 마른 섶을 베거나 자르거나 지게에 짊어 지팡이 받쳐 놓고 샘을 찾아가서 점심 도시락을 깨끗이 씻고 곰방대를 톡톡 떨어 잎담배를 피워 물고 콧노래 부르며 졸다가
석양이 고개 넘어갈 때 어깨를 추스르며 긴 소리 짧은 소리 하며 어이 갈까 하더라

- **뵈잠방이:** 베잠방이. 베로 만든 홑바지.
- **다임:** 대님.
- **신들메고:** 신이 벗겨지지 않도록 발에다 들메끈으로 동여매고.
- **삭짜리:** 삭정이. 산 나무에 붙은 죽은 가지.
- **셥:** 섶. 땔나무를 통틀어 이르는 말.
- **시옴:** 샘.

다 곡구롱(谷口哢) 우ᄂᆞᆫ 소ᄅᆡ에 낫좀 ᄭᆡ여 이러 보니❶
뎍은아ᄃᆞᆯ 글 니르고 며ᄂᆞ라지(阿只) 뵈 ᄶᆞᄂᆞᆫ듸 어린 손자(孫子)ᄂᆞᆫ ⓔ곳노리 ᄒᆞᆫ다❷
맛초아 지어미 술 걸으며 맛보라고 ᄒᆞ더라❸

– 오경화

*꾀꼬리 우는 소리에 낮잠을 깨어 일어나 보니
작은 아들은 글을 읽고 며늘아기는 베를 짜는데 어린 손자는 꽃놀이한다.
때마침 아내는 술을 거르면서 잘 익었는지 맛을 보라고 한다.

Step 1 포인트 분석

가 「십 년을 경영ᄒᆞ여」

시적 상황
화자는 십 년 동안 계획하여 지은 초가집에서 자연과 하나 되어 지내고 있다.

표현
❷나 ᄒᆞᆫ 간~맛져 두고
→ ① **의인법:** '달', '청풍'이 초가집에 드는 것을 공간을 차지한 것처럼 의인화하여 자연에 대한 친근감을 드러냄.
② **반복법:** 'ᄒᆞᆫ 간'을 반복하여 리듬감을 드러냄.
❷나 ᄒᆞᆫ 간~맛져 두고, ❸강산은~둘러 두고 보리라
→ **근경 → 원경:** 근경에서 원경으로 이동하며 시상을 전개함.

정서와 태도
❶십 년을~지여 내니
→ 소박하면서 욕심 없는 생활을 추구하는 안빈낙도(安貧樂道)의 자세가 드러남.
❷나 ᄒᆞᆫ 간~맛져 두고, ❸강산은~둘러 두고 보리라
→ 자연과 하나된 물아일체(物我一體)의 삶을 살고 싶어 함.

나 「논밧 가라 기음 ᄆᆡ고」

시적 상황
농부가 힘든 농사일을 마치고 여유로운 시간을 가진 후 집으로 돌아가고 있다.

표현
❶논밧 가라~밧쳐 노코 → **공간의 이동:** '논밧'에서 '산중'으로 이동하며 시상을 전개함.
❶논밧 가라~밧쳐 노코, ❷시옴을~조오다가
→ **열거법:** 농부의 구체적인 생활상을 나열하여 힘겨움 속에서도 여유로움을 가지는 삶의 태도를 부각함.
❶논밧 가라 기음 ᄆᆡ고, ❷점심 도슭 부시이고, ❸석양이 ᄌᆡ 너머 갈 제
→ **시간의 흐름:** 농사일을 하는 하루 동안의 과정을 드러냄.

정서와 태도
❷닙담ᄇᆡ 퓌여 물고 코노ᄅᆡ 조오다가, ❸긴 소ᄅᆡ 져른 소ᄅᆡ ᄒᆞ며 → **낙천적, 풍류적 태도:** 힘든 농사일을 하면서도 여유로움과 흥겨움을 지니고 있음.

다 「곡구롱 우ᄂᆞᆫ 소ᄅᆡ에」

시적 상황
가족들이 전원에서 한가롭고 평화로운 일상을 보내고 있다.

표현
❶곡구롱 우ᄂᆞᆫ 소ᄅᆡ → **청각적 심상:** '곡구롱'은 꾀꼬리 우는 소리를 한자로 표현한 의성어로 평화로운 분위기를 형성함.
❷뎍은아ᄃᆞᆯ~곳노리 ᄒᆞᆫ다 → **열거법:** 가족들의 일상을 나열하여 한가로운 일상의 풍경을 드러냄.

정서와 태도
❶낫좀 ᄭᆡ여 이러 보니, ❷뎍은아ᄃᆞᆯ~곳노리 ᄒᆞᆫ다, ❸맛초아~ᄒᆞ더라 → 자연 속에서 한가로운 일상을 즐기고 있음.

Step 2 포인트 체크

[01~08] 윗글에 대하여 맞으면 ○, 틀리면 ×표를 하시오.

01 (가)에서 화자는 '돌, 청풍, 강산'에게 각각 방 하나씩을 내어 주기 위해 초려삼간을 준비하였다. [○, ×]

02 (가)의 화자는 '강산'을 병풍처럼 인식하며 둘러놓고 보겠다는 발상을 보이고 있다. [○, ×]

03 (가)의 화자는 자연 속에서 자연과 동화되어 살아가는 삶을 추구하고 있다. [○, ×]

04 (나)의 화자는 농사일에서 벗어나기 위해 '무림 산중'으로 들어가고 있다. [○, ×]

05 (나)에서 화자는 고달픈 농사일로 잠시의 휴식밖에 갖지 못하는 현실을 한탄하고 있다. [○, ×]

06 (나)에서는 농부의 구체적인 생활상을 나열하여 힘겨움 속에서도 여유를 가지는 태도를 부각하고 있다. [○, ×]

07 (다)에는 가족들이 전원에서 한가롭고 평화로운 일상을 보내고 있는 모습이 담겨 있다. [○, ×]

08 (다)의 '곡구롱 우ᄂᆞᆫ 소ᄅᆡ'는 전원에서의 가족들의 평화로운 생활을 방해하고 있다. [○, ×]

[09~13] 다음 빈칸에 알맞은 말을 쓰시오.

09 (가)에서는 '[ㅎ][ㄱ]'을 반복하여 운율을 형성하고 초려삼간의 의미를 강조하였다.

10 (나)에서는 농사일을 하는 하루 동안의 과정을 [ㅅ][ㄱ]의 흐름과 [ㄱ][ㄱ]의 이동으로 제시하고 있다.

11 (나)에서 종장의 '긴 소리 져른 소리'는 농부의 [ㄴ][ㅊ][ㅈ] 삶의 태도를 보여 준다.

12 (다)에서는 [ㅊ][ㄱ][ㅈ] 심상을 활용하여 한가롭고 편안한 가족의 분위기를 표현하고 있다.

13 (다)에서는 가족들의 생활을 [ㄴ][ㅇ]하여 전원에서의 한가로운 일상 풍경을 보여 주고 있다.

정답 | 01 × 02 ○ 03 ○ 04 × 05 × 06 ○ 07 ○ 08 × 09 홀 긴 10 시간, 공간 11 낙천적 12 청각적 13 나열

작품 정리

가 십 년을 경영ᄒᆞ여
- **갈래:** 평시조
- **성격:** 풍류적, 전원적, 자연 친화적
- **주제:** 자연 속에서의 안빈낙도와 물아일체의 삶
- **구성:** 초장 | 자연에 은거하는 청빈한 삶
  중장 | 자연과 하나되는 물아일체의 경지
  종장 | 자연과 동화되려는 삶의 자세

» **해제:** 이 작품은 자연의 아름다움에 몰입된 심정을 노래하고 있다. 초장에서는 자연에 은거하는 청빈한 생활을, 중장과 종장에서는 자연과 한데 어우러지는 물아일체의 삶을 나타냈다. 특히 강산을 병풍처럼 두고 보겠다는 기발한 발상을 통해 자연과 하나된 모습을 효과적으로 표현하였다.

나 논밧 가라 기음 미고
- **갈래:** 사설시조
- **성격:** 전원적, 사실적
- **주제:** 힘든 일상 속에서 느끼는 여유로움과 흥겨움
- **구성:** 초장 | 논밭에서 김매기를 마치고 산에 갈 준비를 함.
  중장 | 농부의 하루 일과와 휴식
  종장 | 해 질 녘이 되어 노래를 부르며 돌아감.

» **해제:** 이 작품은 산속에서의 농사일을 마치고 휴식을 취한 후 해 질 녘에 노래를 부르며 돌아가는 농부의 모습을 그린 사설시조이다. 농부의 하루 일과가 사실적으로 묘사되어 생동감이 느껴지며, 힘들고 고단한 일상 속에서도 여유로움과 흥겨움을 만끽하는 농부의 태도가 잘 드러나 있다.

다 곡구롱 우ᄂᆞᆫ 소ᄅᆡ에
- **갈래:** 사설시조
- **성격:** 토속적, 사실적, 일상적
- **주제:** 전원에서의 평화롭고 여유로운 일상
- **구성:** 초장 | 꾀꼬리 우는 소리에 낮잠을 깸.
  중장 | 가족들의 여유로운 일상생활
  종장 | 아내가 술을 거르며 맛보라고 권함.

» **해제:** 이 작품은 평범한 가족의 일상적 풍경을 담담하게 읊조리고 있다. 중장과 종장에서는 평화롭고 한가한 가족들의 모습을 열거하고 있으며, 청각적 이미지를 활용하여 전원의 한가로움과 화목한 가정의 분위기를 잘 드러내고 있다.

Step 3 실전 문제

01

(가)에 대한 설명으로 적절하지 않은 것은?

① 특정 시구를 반복적으로 나열하여 리듬감을 형성하고 있다.
② 자연물에 인격을 부여하여 친근감 있는 대상으로 표현하고 있다.
③ 공간의 이동에 따른 시상 전개로 역동적인 분위기를 형성하고 있다.
④ 기발한 발상을 통해 자연과 하나된 모습을 효과적으로 드러내고 있다.
⑤ 근경에서 원경으로 시선을 옮겨 가며 자연의 경치를 다양하게 묘사하고 있다.

02

기출 변형 2016학년도 9월 고1 교육청

(나)에 대한 설명으로 가장 적절한 것은?

① 어조의 변화를 통해 시적 긴장감을 높이고 있다.
② 청각적 심상을 통해 화자의 처지를 부각하고 있다.
③ 시간적 배경을 제시하며 시적 상황을 드러내고 있다.
④ 동일한 구절의 반복을 통해 시의 주제를 강조하고 있다.
⑤ 시선의 이동에 따른 화자의 심리 변화를 보여 주고 있다.

03

(나)를 감상한 독자의 반응으로 적절하지 않은 것은?

① 시간의 흐름과 공간의 이동에 따라 시상을 전개하고 있어.
② 순우리말과 일상적인 어휘를 사용하여 서민적 정서를 잘 살렸어.
③ 일상 속에서 흥겨움을 느끼는 우리 조상들의 풍류적인 태도가 엿보여.
④ 농가에서 1년 동안 해야 할 농사에 관한 실천 사항이 구체적으로 나타나 있어.
⑤ 힘든 농사일을 하면서도 여유를 느낄 줄 아는 농부의 낙천적인 모습을 확인할 수 있어.

04

(나)와 (다)를 이해한 내용으로 적절한 것은?

① (나)의 초장, (다)의 초장은 화자가 겪고 있는 문제 상황을 드러내고 있다.
② (나)의 종장, (다)의 초장은 다른 대상에 빗대어 화자의 생각을 드러내고 있다.
③ (나)의 중장, (다)의 중장은 대상의 일상적 행위를 나열하여 여유로움을 표현하고 있다.
④ (나)의 중장, (다)의 종장은 음성 상징어를 활용하여 대상의 특징을 드러내고 있다.
⑤ (나)의 종장, (다)의 초장은 외적인 특징을 묘사하여 대상이 지닌 속성을 표현하고 있다.

05

㉠과 ㉡에 대한 설명으로 가장 적절한 것은?

① ㉠은 이상적인 삶이 실현되는 공간이고, ㉡은 이상과 현실의 괴리를 자각하는 공간이다.
② ㉠은 고독감을 심화시키는 공간이고, ㉡은 전원에서 느낀 흥취를 심화시키는 공간이다.
③ ㉠은 자연과 동화되는 삶을 추구하는 공간이고, ㉡은 농사일의 보람을 추구하는 공간이다.
④ ㉠은 자연과 한데 어우러진 풍류의 공간이고, ㉡은 고달픈 일과 후 휴식을 취하는 공간이다.
⑤ ㉠은 부정적인 현실의 모습을 부각하는 공간이고, ㉡은 고단한 일상을 회피하기 위해 찾아가는 공간이다.

06

ⓐ~ⓔ의 뜻풀이가 적절하지 않은 것은?

① ⓐ: 계획하여 ② ⓑ: 날카롭게 갈아
③ ⓒ: 버리거나 ④ ⓓ: 추스르며
⑤ ⓔ: 꽃놀이한다

정답 005쪽

07

(가)와 비교하여 (나), (다)가 갖는 갈래적 특징으로 적절하지 않은 것은?

① 중장이 제한 없이 길다.
② 중인과 서민층이 주요 창작층이다.
③ 안정적인 형식으로 관념적 세계와 미의식을 표현한다.
④ 다양한 표현 기법을 활용하여 대상을 생동감 있게 그려 낸다.
⑤ 실생활의 소재들을 활용하여 일상에서 일어나는 일들을 다룬다.

08

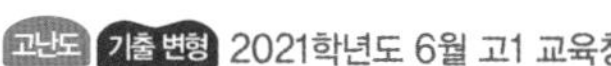

〈보기〉를 참고하여 (가)와 (나)를 감상한 내용으로 적절하지 않은 것은?

보기

조선 시대 사대부들의 시조에는 자연이 자주 등장하는데, 작품 속 자연에 대한 인식이 같지는 않다. (가)에서의 자연은 속세를 벗어난 화자가 동화되어 살고 싶어 하는 공간이자 안빈낙도(安貧樂道)의 공간으로 그려져 있다. 반면에 (나)에서의 자연은 소박하게 살아가는 삶의 현장이자 고된 노동 속에서 흥취를 느끼는 공간으로 그려져 있다.

① (가)의 '초려삼간'은 화자가 안빈낙도하며 사는 공간으로 볼 수 있군.
② (가)의 화자는 '강산'에서 벗어나 '들', '청풍'과 하나가 되어 살아가려는 태도를 보이고 있군.
③ (나)의 '산중'은 땀 흘리며 일해야 하는 공간으로 볼 수 있군.
④ (나)의 '점심 도슭'은 노동의 현장에서 맛보는 소박한 음식이라 볼 수 있군.
⑤ (나)에서 '엇ᄭᅴ를 추이즈며' 부르는 '긴 소ᄅᆡ 져른 소ᄅᆡ'에서는 농부들의 흥취를 느낄 수 있군.

09

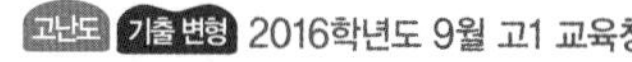

〈보기〉를 바탕으로 (나)와 (다)를 감상한 내용으로 적절하지 않은 것은?

보기

조선 후기에는 서민들의 일상을 구체적으로 제시하여 그들이 느끼는 삶의 애환을 진솔하게 담아낸 작품이 많이 창작되었다. 그러한 작품들에 등장하는 자연은 노동의 현장, 일상생활을 영위하는 공간으로 생동감 있게 표현되었다. 이 속에서 서민들은 고단한 노동 중에도 여유를 즐기는 모습으로 그려지기도 하였다.

① (나)의 '뷔거니 버히거니'는 생동감 있는 표현으로 볼 수 있군.
② (다)의 '글 니르고' '뵈 ᄶᅩᄂᆞᆫ' 모습은 전원에서 영위하는 일상생활을 보여 주고 있군.
③ (나)의 '산중'이 노동의 현장이라면, (다)의 '술 걸으'는 곳은 일상적인 공간으로 볼 수 있겠군.
④ (나)의 '석양'과 (다)의 '곡구롱 우ᄂᆞᆫ 소ᄅᆡ'를 통해 서민들의 삶의 애환을 진솔하게 담아내고 있군.
⑤ (나)의 '코노ᄅᆡ 조오다가'와 (다)의 '낫ᄌᆞᆷ'은 각각 고단한 노동 중과 일상생활 속에서 여유를 즐기는 모습이라 할 수 있군.

10

한국 서정 문학의 특징을 드러내는 다음 단어를 활용하여 (가)~(다)에서 각각 보여 주고자 하는 삶의 태도를 서술하시오.

한스러움, 평온, 해학, 조화, 흥취

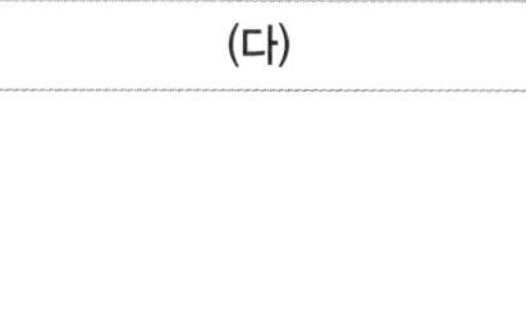

그리움과 연정의 노래

㉮ 조선 중기
㉯ 조선 중기
㉰ 조선 후기

동지ㅅ돌 기나긴 밤을 | 묏버들 갈히 것거 | 꿈에 다니는 길이

출제 포인트 ㉮ #대조적 표현 #추상적 개념의 구체화 ㉯ #매개체 #시어의 상징성 ㉰ #가정법 #과장법

가 동지(冬至)ㅅ돌 기나긴 밤을❶ 한 허리를 버혀 내여❷
춘풍(春風) 니불 아레 서리서리* 너헛다가❸
어론 님 오신 날 밤이여든❹ 구뷔구뷔* 펴리라❺

– 황진이

*동짓달 기나긴 밤의 한가운데를 베어 내어
봄바람 같은 이불 아래에 서리서리 넣었다가
정든 임 오시는 날 밤이면 굽이굽이 펴리라.

• **서리서리**: 뱀 따위가 몸을 똬리처럼 둥그렇게 감고 있는 모양.
• **구뷔구뷔**: 여러 굽이로 구부러지는 모양.

나 ㉠묏버들❶ 갈히 것거 보내노라 님의손딕❷
자시는 창(窓)밧긔 심거 두고 보쇼셔
밤비예 ⓐ새닙곳 나거든 날인가도 너기쇼셔❸

– 홍랑

*산버들 중에서 좋은 것을 가려 꺾어 임에게 보내니
주무시는 창가에 심어 두고 보십시오.
밤비에 새잎이라도 나면 저를 본 것처럼 여겨 주세요.

다 꿈에 다니는 길이 ㉡자취가 남는다면❶
님의 집 창(窓) 밖에 석로(石路)라도 닳으리라❷
꿈길이 자취 없으니 그를 슬퍼하노라❸

– 이명한

*꿈에 다니는 길이 자취라도 남는다면
임의 집 창밖에 난 돌길이라도 닳았겠지만
꿈길에는 자취가 남지 않으니 그것을 슬퍼하노라.

Step 1 포인트 분석

가 「동지ㅅ돌 기나긴 밤을」

시적 상황
화자가 사랑하는 임과 헤어져 임을 그리워하고 있다.

표현
❶동지ㅅ돌 기나긴 밤, ❹어론 님 오신 날 밤
→ **시적 상황의 대비**: 임과 함께 있고 싶지만 그러지 못하는 현실을 부각함.
❶기나긴 밤을, ❷버혀 내여, ❸서리서리 너헛다가, ❺구뷔구뷔 펴리라
→ **추상적 개념의 구체화**: 추상적 개념인 '밤', 즉 시간을 구체적인 것으로 표현하여 임에 대한 간절한 그리움을 형상화함.
❸서리서리 너헛다가, ❺구뷔구뷔 펴리라
→ **대조적 표현, 음성 상징어**: 임과 함께하고픈 화자의 정서를 강조하였으며, 우리말의 묘미를 잘 살림.

정서와 태도
❶동지ㅅ돌 기나긴 밤, ❸서리서리 너헛다가, ❺구뷔구뷔 펴리라 → 임에 대한 그리움과 간절한 기다림

나 「묏버들 갈히 것거」

시적 상황
임이 화자를 떠나 멀리 있는 상황에서 임에 대한 사랑을 표현하고 있다.

표현
❶묏버들
→ **자연물의 활용**: 시적 화자의 분신이자 임에 대한 화자의 마음을 표현하는 매개체임.
❷묏버들~보내노라 님의손딕
→ **도치법**: 임에게 '묏버들'을 보내는 상황을 강조함.

정서와 태도
❶묏버들, ❸밤비예~너기쇼셔
→ 임의 곁에 있고 싶어 하며, 임이 자신을 잊지 않기를 바람.

다 「꿈에 다니는 길이」

시적 상황
화자가 사랑하는 임과 이별하여 만나지 못하는 상황에서 임을 그리워하고 있다.

표현
❶꿈에~남는다면 → 가정법: 꿈속에서 길에 자취가 남는다는 불가능한 상황을 설정하여 임에 대한 그리움을 강조함.
❷님의 집~닳으리라
→ **과장법**: 꿈에서라도 만난다면 자주 찾아가 돌길이라도 닳을 것이라고 과장하여 임에 대한 화자의 그리움을 부각함.
❸꿈길이~슬퍼하노라
→ **영탄적 표현**: 화자의 안타까움을 효과적으로 드러냄.

정서와 태도
❷님의 집~닳으리라 → 임을 향한 간절한 그리움
❸꿈길이~슬퍼하노라
→ 임에게 사랑을 전하지 못하는 것에 대한 안타까움

Step 2 포인트 체크

[01~09] 윗글에 대하여 맞으면 ○, 틀리면 ×표를 하시오.

01 (가)에서 '동지ㅅ 돌 기나긴 밤'은 화자가 임 없이 홀로 지내야 하는 시간이다. [○, ×]

02 (가)의 화자는 임에 대한 연모의 정을 드러내고 있다. [○, ×]

03 (가)에서는 반어적 표현을 활용하여 임에 대한 애틋한 마음을 표현하였다. [○, ×]

04 (나)의 화자는 임이 떠나는 상황에서 이별을 거부하고 있다. [○, ×]

05 (나)에서 화자는 비록 몸은 멀리 떨어져 있지만 항상 임의 곁에 있고 싶다는 바람을 드러내고 있다. [○, ×]

06 (나)의 초장에서는 상징법과 도치법을 사용하여 화자의 은근한 마음을 표현하고 있다. [○, ×]

07 (다)의 '꿈'은 화자와 임의 만남을 방해하는 요소이다. [○, ×]

08 (다)의 종장에서는 과장법을 통해 화자와 임 사이의 거리감을 드러내고 있다. [○, ×]

09 (가)~(다)는 임에 대한 화자의 그리움과 사랑을 표현한 연정가(戀情歌)이다. [○, ×]

[10~14] 다음 빈칸에 알맞은 말을 쓰시오.

10 (가)에서는 '[ㅂ]'이라는 추상적인 개념을 [ㄱ][ㅊ][ㅎ]하여 화자의 그리움을 형상화하였다.

11 (가)에서는 [ㅇ][ㅅ] [ㅅ][ㅈ][ㅇ]를 활용하여 우리말의 묘미를 살리고 있다.

12 (나)에서는 [ㅈ][ㅇ][ㅁ]에 [ㅇ][ㅌ]하여 임에 대한 사랑과 정성을 표현하였다.

13 (나)에서 '[ㅁ][ㅂ][ㄷ]'은 임을 그리워하는 시적 화자의 분신이다.

14 (다)에서 '[ㅈ][ㅊ]'는 임에 대한 화자의 그리움이 얼마나 간절한지를 드러낸다.

정답 | 01 ○ 02 ○ 03 × 04 × 05 ○ 06 ○ 07 × 08 × 09 ○ 10 밤, 구체화 11 음성 상징어 12 자연물, 이입 13 묏버들 14 자취

작품 정리

가 동지ㅅ 돌 기나긴 밤을

- **갈래:** 평시조, 연정가
- **성격:** 낭만적, 감상적
- **주제:** 임에 대한 그리움과 간절한 기다림
- **구성:** 초장 | 동짓달 긴 밤의 한가운데를 베어 냄.
  중장 | 따뜻한 이불 아래 베어 낸 밤을 넣어 둠.
  종장 | 임이 오시면 밤을 펼쳐 길게 만들고 싶음.

» **해제:** 이 작품은 우리말의 묘미를 살린 음성 상징어의 사용, 추상적 개념의 구체화 등을 통해 임에 대한 애절한 그리움을 형상화하였다. 특히 임이 부재하는 시간을 단축하여 임과 함께하는 시간을 연장하겠다는 참신한 발상이 돋보인다.

나 묏버들 갈히 것거

- **갈래:** 평시조, 연정가
- **성격:** 감상적, 애상적, 여성적
- **주제:** 임에게 보내는 사랑
- **구성:** 초장 | 임에게 묏버들을 보냄.
  중장 | 임의 창밖에 심어 두고 보기를 소망함.
  종장 | 임에게 자신을 잊지 말기를 당부함.

» **해제:** 이 작품은 화자의 분신인 '묏버들'을 통해 몸은 비록 멀리 떨어져 있어도 마음은 항상 임의 곁에 있고 싶다는 바람을 드러내고 있다.

다 꿈에 다니는 길이

- **갈래:** 평시조, 연정가
- **성격:** 애상적, 감상적
- **주제:** 임에 대한 간절한 그리움
- **구성:** 초장 | 꿈에서라도 임을 만나 사랑을 전하고 싶음.
  중장 | 돌길이 닳을 정도로 임을 찾아가고 싶음.
  종장 | 임에 대한 사랑을 전하지 못해 안타까움.

» **해제:** 이 작품은 불가능한 상황을 설정하여 임을 만나고 싶은 간절한 바람을 드러낸 연정가이다. 또한 과장적 표현을 통해 임을 향한 자신의 사랑과 그리움이 얼마나 크고 간절한지를 드러내면서 이러한 마음을 전하지 못하는 것에 대한 안타까움을 토로하고 있다.

Step 3 실전 문제

01

(가)~(다)의 공통점에 대한 설명으로 가장 적절한 것은?

① 대상의 부재에서 느끼는 안타까움이 드러나 있다.
② 자신의 불우한 처지로 인한 좌절감이 표출되어 있다.
③ 부정적 현실에 대한 화자의 극복 의지가 드러나 있다.
④ 원하지 않는 이별로 인한 절망스러운 심정이 나타나 있다.
⑤ 현재에 비해 미래가 나아질 것이라는 기대감이 표출되어 있다.

02

(가), (나)에 대한 이해로 적절하지 않은 것은?

① (가)는 '동지ㅅ돌 기나긴 밤'과 '어론 님 오신 날 밤'이라는 대비되는 표현을 통해 화자의 상황을 강조하고 있다.
② (가)의 '버혀 내여', '너헛다가', '펴리라'는 추상적 개념을 구체화하여 화자의 그리움을 표현하고 있다.
③ (가)는 '서리서리', '구뷔구뷔' 등의 음성 상징어를 활용하여 임과 함께하고 싶은 화자의 심경을 표현하고 있다.
④ (나)의 '보내노라 님의손듸'는 도치법을 통해 임에 대한 화자의 마음을 강조하고 있다.
⑤ (나)에서는 '심거 두고 보쇼셔', '날인가도 너기쇼셔'처럼 당부의 어조를 통해 임에게 다시 돌아올 것을 요구하고 있다.

03

(가)의 표현상 특징으로 적절하지 않은 것은?

① 음성 상징어를 사용하여 생동감을 주고 있다.
② 규칙적인 운율을 사용하여 리듬감을 형성하고 있다.
③ 의미상 대립되는 시어를 활용하여 시상을 전개하고 있다.
④ 실제의 공간을 상상력을 통해 꾸며 내어 주관적으로 변형하고 있다.
⑤ 불가능한 행위를 가능한 것처럼 표현하여 화자의 정서를 강조하고 있다.

04

㉠의 의미로 적절하지 않은 것은?

① 화자의 심정을 대변하는 소재이다.
② 임을 그리워하는 화자의 분신이다.
③ 화자의 마음을 임에게 전하는 매개물이다.
④ 임이 자신을 잊지 않기를 바라는 마음의 표현이다.
⑤ 화자와 임 사이의 정서적 거리를 보여 주는 대상이다.

05

고난도

밑줄 친 시어 중 (나)의 ⓐ와 시적 의미가 유사한 것은?

① 어이 얼어 잘까 무슨 일로 얼어 잘까
원앙침(鴛鴦枕) 비취금(翡翠衾)을 어디 두고 얼어 잘까
오늘은 찬비 맞았으니 녹여 잘까 하노라 – 한우

② 이화우(梨花雨) 흩뿌릴 때 울며 잡고 이별한 임
추풍낙엽(秋風落葉)에 저도 나를 생각하는가
천 리(千里)에 외로운 꿈만 오락가락 하는구나 – 계랑

③ 님 그린 상사몽(相思夢)이 실솔(蟋蟀)의 넋이 되어
추야장(秋夜長) 깊은 밤에 님의 방(房)에 들었다가
날 잊고 깊이든 잠을 깨어 볼까 하노라 – 박효관

④ 마음이 어린 후(後)니 하는 일이 다 어리다
만중운산(萬重雲山)에 어느 님 오리마는
지는 잎 부는 바람에 행여 그인가 하노라 – 서경덕

⑤ 지당(池塘)에 비 뿌리고 양류(楊柳)에 내 끼인 제
사공(沙工)은 어디 가고 빈 배만 매였는고
석양(夕陽)에 짝 잃은 갈매기는 오락가락 하노매 – 조헌

06

ⓒ에 대한 설명으로 가장 적절한 것은?

① 화자의 처지와 동일시되는 대상이다.
② 화자의 고독감을 심화시키는 배경이다.
③ 화자와 임 사이를 가로막는 장애물이다.
④ 임에 대한 화자의 사랑을 나타내는 표현이다.
⑤ 화자가 임과 함께한 시간을 떠올리게 하는 매개체이다.

07

고난도

〈보기〉를 바탕으로 (가)와 (나)를 감상한 내용으로 적절하지 않은 것은?

보기

기녀들은 여성적이고 감성적인 섬세함으로 남녀 간의 애정 및 인간적인 정감을 정교하게 표현하였다. 특히 신분상의 이유로 일반적인 가정을 이루지 못하므로 그녀들의 작품은 이별을 전제로 한 고독한 연정들을 주요 내용으로 하고 있다. 그래서 이들 작품에는 임과 헤어져 있더라도 임과의 사랑을 계속 이어 가기를 바라는 마음이 담겨 있다. 하지만 이는 현실에서는 불가능한 것이기에 임에 대한 그리움이 더욱 절절하게 표현되는 것이다.

① (가)에서는 임과 함께하는 것이 불가능한 일이기에 임이 부재하는 '동지ㅅ돌 기나긴 밤'을 잘라 내어 넣어 두는 시적 상상력으로 결핍된 시간을 극복하려 한 것이라 할 수 있겠군.
② (가)에서는 '어론 님 오신 날 밤' 시간을 연장하겠다는 발상을 통해 임과의 사랑의 지속에 대한 바람을 드러낸 것이라 할 수 있겠군.
③ (나)에서는 '묏버들'을 '님의손ᄃᆡ' 보낸다는 표현을 통해 화자가 임과 이별한 상황에서 연모의 정을 드러낸 것이라 할 수 있겠군.
④ (나)에서 '자시ᄂᆞᆫ 창밧긔 심거 두고 보'라고 한 것은 비록 몸은 임과 떨어져 있더라도 마음만은 임의 곁에 있고 싶은 바람을 표현한 것이라 할 수 있겠군.
⑤ (나)에서 '밤비예' 난 '새닙'을 화자 자신으로 여겨 달라고 당부한 것은 현실에서의 사랑이 불가능함을 인식한 체념적 자세를 보여 주는 것이라 할 수 있겠군.

08

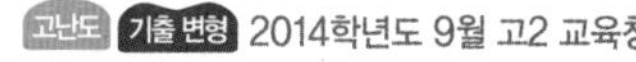
고난도 기출 변형 2014학년도 9월 고2 교육청

(다)와 〈보기〉를 비교하여 감상한 내용으로 적절하지 않은 것은?

보기

近來安否問如何 근래의 안부는 어떠신지요
근 래 안 부 문 여 하

月到紗窓妾恨多 사창에 달 떠오면 하도 그리워
월 도 사 창 첩 한 다

若使夢魂行有跡 꿈속 넋 만약에 자취 있다면
약 사 몽 혼 행 유 적

門前石路已成沙 문 앞 돌길 모래로 변하였으리
문 전 석 로 이 성 사

– 이옥봉, 「자술(自述)」

① (다)와 〈보기〉는 화자의 정서를 직접적으로 표현하고 있군.
② (다)와 〈보기〉는 상황을 가정하여 예상되는 결과를 말하고 있군.
③ (다)의 '자취'와 〈보기〉의 '자취'는 화자의 마음이 임에게 전달되지 못하는 안타까움을 드러내고 있군.
④ (다)의 '님의 집 창'과 〈보기〉의 '사창'은 임과의 만남을 돕는 기능을 한다고 볼 수 있군.
⑤ (다)의 '석로라도 닳으리라'와 〈보기〉의 '돌길 모래로 변하였으리'에서 '길'의 상태가 변할 것이라는 표현을 통해 그리움의 정도를 나타내고 있군.

09

서술형

(가)의 화자가 주목한 시적 상황(Ⓐ, Ⓑ)을 〈조건〉에 맞게 서술하고, 그에 대한 화자의 대응 태도(Ⓒ)를 서술하시오.

조건

• '시적 상황'은 '동지ㅅ돌 기나긴 밤'과 '어론 님 오신 날 밤'의 시구를 중심으로 파악하여 서술할 것.

시적 상황	
Ⓐ 동지ㅅ돌 기나긴 밤	Ⓑ 어론 님 오신 날 밤

⇩

Ⓒ 대응 태도

이별로 인한
슬픔의 노래

시조

05강

가 조선 중기
나 조선 중기
다 조선 후기

어져 내 일이야 | 이화우 훗뿌릴 제 | 나모도 바히돌도 업슨

출제 포인트 › 가 #중의적 표현 #화자의 심리적 갈등 나 #임과의 거리 #하강적 이미지 다 #과장과 점층적 표현 #대비적 표현

가 ⓐ어져 내 일이야 그릴 줄을 모로드냐❶
이시라 ᄒᆞ더면 가랴마ᄂᆞᆫ 제 구틔야*❷
ⓑ보내고 그리ᄂᆞᆫ 정(情)은 나도 몰라 ᄒᆞ노라❸

– 황진이

*아아! 내가 한 일이여. 이렇게 그리워할 줄을 몰랐더냐?
있으라 했더라면 떠났겠느냐마는 제 구태여
보내고 이제 와 그리워하는 마음은 나도 모르겠구나.

• **구틔야:** 굳이, 구태여.

나 ㉮이화우(梨花雨)❶ 훗뿌릴 제 울며 잡고 이별(離別)ᄒᆞᆫ 님
㉯추풍낙엽(秋風落葉)❷에 저도 날 ᄉᆡᆼ각ᄂᆞᆫ가
천 리(千里)에 외로온 ᄭᅮᆷ만 오락가락 ᄒᆞ노매❸

– 계랑

*배꽃이 비처럼 흩날리던 때에 울며 손 잡고 헤어진 임
가을바람에 떨어지는 나뭇잎을 보며 임도 나를 생각하고 있을까?
천 리나 되는 머나먼 길에 외로운 꿈만 오락가락하는구나.

다 나모도 바히돌도 업슨 뫼헤 ⓒ매게 ᄶᅩ친 가토릐 안과❶
대천(大川) 바다 한가온대 일천 석(一千石) 시른 ᄇᆡ에 ⓓ노도 일코 닷도 일코 뇽총도 근코 돗대도 것고 치*도 ᄲᅡ지고 ᄇᆞ람 부러 물결치고 안개 뒤섯계 ᄌᆞ자진 날에 갈 길은 천리만리(千里萬里) 나믄듸 사면(四面)이 거머어득 져뭇 천지적막(天地寂寞) 가치노을* ᄯᅥᆺᄂᆞᆫ듸 수적(水賊) 만난 도사공(都沙工)*의 안과❷
엇그제 님 여흰 ⓔ내 안히야 엇다가 ᄀᆞ을ᄒᆞ리오*❸

– 작자 미상

*나무도 바윗돌도 없는 산에서 매한테 쫓기고 있는 까투리의 마음과
넓고 넓은 바다 한가운데 일천 석 곡식을 실은 배에 노도 잃어버리고 닻도 잃고, 돛대에 맨 줄도 끊어지고 돛대도 꺾어지고 키도 빠지고, 바람 불어 물결치고 안개까지 뒤섞여 자욱한 날에, 갈 길은 천리만리 남아 있는데 사면은 검고 어둑하게 저물어 천지는 적막하고 사나운 풍랑은 이는데 바다의 도적을 만난 도사공의 마음과
엇그제 임과 이별한 내 마음을 어디다가 비교하겠는가?

• **치:** 키. 배의 방향을 조종하는 장치.
• **가치노을:** 사나운 파도 위에 떠도는 흰 거품으로 사나운 풍랑이 일어날 조짐.
• **도사공:** 화자의 심정을 드러내는 비교 대상.
• **ᄀᆞ을ᄒᆞ리오:** 비교하리오.

Step 1 포인트 분석

가 「어져 내 일이야」

시적 상황
화자가 떠난 임을 그리워하며 붙잡지 않았던 것을 후회하고 있다.

표현
❶어져~모로드냐, ❸보내고~ᄒᆞ노라
→ **영탄적 표현:** 이별의 회한, 화자의 안타까움을 강조함.
❷제 구틔야
→ **중의적 표현:** ① 임을 주어로 하여 임의 행위를 강조하는 도치로 볼 수 있음. → 제 구틔야 가랴마ᄂᆞᆫ ② 화자를 주어로 하여 행간 걸침으로 볼 수 있음. → 가랴마ᄂᆞᆫ / 제 구틔야 보내고

정서와 태도
❸보내고 그리ᄂᆞᆫ 정
→ 이별에 대한 후회와 임에 대한 그리움

나 「이화우 훗뿌릴 제」

시적 상황
화자는 임과 이별한 후 떠난 임을 그리워하고 있다. 이 작품은 조선 중기의 명기(名妓)이자 시인이었던 계랑이 지은 것으로 알려져 있다.

표현
❶이화우, ❷추풍낙엽
→ **하강적 이미지, 계절의 변화, 대비되는 이미지**
① 이별의 상황을 효과적으로 제시함.
② 계절의 변화를 드러내어 이별의 정한을 효과적으로 제시함.
③ 임과 헤어져 있는 시간적 거리(봄과 가을 간의 거리)를 효과적으로 드러냄.
❸천 리
→ **추상적 개념의 구체화:** 슬픔과 외로움의 깊이를 구체적으로 수량화하여 임에 대한 화자의 그리움을 드러냄.

정서와 태도
❸천 리에~ᄒᆞ노매
→ 임에 대한 간절한 그리움

다 「나모도 바히돌도 업슨」

시적 상황
화자가 임과 이별한 후 절망에 빠져 있다.

표현
❶매게 ᄶᅩ친 가토릐 안, ❷도사공의 안
→ **열거법, 과장법, 점층법:** 비교 대상을 제시하여 화자의 절박한 처지와 심정을 효과적으로 드러냄.
❸엇다가 ᄀᆞ을ᄒᆞ리오
→ **비교법, 설의법:** 화자의 절박한 상황과 심정을 부각함.

정서와 태도
❸엇다가 ᄀᆞ을ᄒᆞ리오
→ 임과 이별한 후의 절망감

Step 2 포인트 체크

[01~08] 윗글에 대하여 맞으면 ○, 틀리면 ×표를 하시오.

01 (가)의 화자는 떠나려는 임을 적극적으로 말렸었다. [○, ×]

02 (가)는 반어법을 활용하여 화자의 안타까운 정서를 강조하였다. [○, ×]

03 (가)에서는 순우리말 표현을 활용하여 화자의 심리적 갈등을 섬세하게 그려 냈다. [○, ×]

04 (나)에서 화자는 배꽃이 떨어지는 봄에 임과 이별하였다. [○, ×]

05 (나)에서는 상승적 이미지와 하강적 이미지를 교차하여 이별 상황을 효과적으로 드러냈다. [○, ×]

06 (나)에서는 시간적 거리감과 공간적 거리감을 통해 이별의 정서를 심화하고 있다. [○, ×]

07 (다)의 종장에서는 설의적 표현을 통해 화자의 절박한 심정을 부각하고 있다. [○, ×]

08 (다)의 화자는 절체절명의 위기에 빠진 까투리의 마음과 사면초가의 상황에 처한 도사공의 마음보다 자신이 더 절망적이고 참담하다고 생각한다. [○, ×]

[09~14] 다음 빈칸에 알맞은 말을 쓰시오.

09 (가)는 [ㄱ][ㅌ][ㅅ]로 시작하여 탄식과 [ㅎ][ㅎ]의 정서를 효과적으로 형상화하였다.

10 (가)에서는 행동의 주체를 [ㅈ][ㅇ][ㅈ]으로 표현하여 화자의 후회를 강조하고 있다.

11 (나)의 '이화우'와 '추풍낙엽'은 [ㄱ][ㅈ]의 변화를 나타낸다.

12 (나)에서 '[ㅊ] [ㄹ]'는 임과의 물리적 거리를 나타냄과 동시에 이별로 인한 임과의 [ㅈ][ㅅ][ㅈ] 거리를 나타낸다.

13 (다)에서는 다른 대상과 화자의 상황을 [ㅂ][ㄱ]하여 화자의 절망적인 심정을 드러내고 있다.

14 (다)의 화자는 절망적인 마음의 크기를 '[ㄱ][ㅌ][ㄹ], [ㄷ][ㅅ][ㄱ]'<'[ㄴ]'로 표현하고 있다.

정답 | 01 × 02 × 03 ○ 04 ○ 05 × 06 ○ 07 ○ 08 ○ 09 감탄사, 회한 10 중의적
11 계절 12 천 리, 정서적 13 비교 14 가토리, 도사공, 나

작품 정리

가 어져 내 일이야

- **갈래:** 평시조, 이별가
- **성격:** 애상적, 감상적
- **주제:** 임을 붙잡지 않고 보낸 후회와 임에 대한 그리움
- **구성:** 초장 | 임을 보낸 일에 대한 자탄
  중장 | 붙잡지 못하고 보낸 임
  종장 | 보낸 임에 대한 그리움

» **해제:** 이 작품은 임을 떠나보낸 후의 회한을 진솔하고 절묘하게 표현하였다. 감탄사로 서두를 시작하여 탄식과 회한의 정서를 압축하여 나타냈으며, 순우리말 표현을 활용하여 화자의 마음을 더욱 진솔하게 표현하였다.

나 이화우 흣뿌릴 제

- **갈래:** 평시조, 이별가
- **성격:** 애상적, 감상적
- **주제:** 헤어져 멀리 떨어져 있는 임에 대한 그리움
- **구성:** 초장 | 봄에 임과 헤어짐.
  중장 | 가을에 임을 그리워함.
  종장 | 임과의 거리감을 느끼며 외로워함.

» **해제:** 이 작품은 임과의 이별, 그리움, 재회의 소망을 여성의 섬세한 감성으로 그려 냈다. 초장과 중장에서는 계절의 변화를 통해 임과 헤어진 시간적 거리감을 나타내었고, 종장에서는 임과의 물리적 거리감과 이별의 깊이를 아울러 나타내며 안타까움의 정서를 심화하였다.

다 나모도 바히돌도 업슨

- **갈래:** 사설시조, 이별가
- **성격:** 해학적, 과장적
- **주제:** 임을 잃고 비할 데 없는 막막함을 느끼는 '나'의 마음
- **구성:** 초장 | 숨을 곳 없는 산에서 매에 쫓긴 까투리 마음
  중장 | 바다 한가운데서 위기에 처한 도사공의 마음
  종장 | 임과 이별한 '나'의 마음은 무엇과도 견줄 수 없음.

» **해제:** 이 작품은 임과 이별한 후 화자의 안타깝고 절망적인 심정을 매에게 쫓기는 까투리와 풍랑을 만난 도사공의 절박한 상황과 비교함으로써 효과적으로 드러내고 있다. 또한 과장과 점층적 구성으로 화자의 마음을 생생하게 드러내고 있다.

Step 3 실전 문제

01

(가)에 대한 이해로 적절하지 않은 것은?

① 영탄적 표현을 통해 화자의 안타까움을 강조하고 있다.
② 대비되는 시어를 통해 화자의 변함없는 사랑을 부각하고 있다.
③ 순우리말을 구사하여 이별의 정한을 섬세하게 드러내고 있다.
④ 부사의 사용으로 화자의 심리적 갈등을 진솔하게 드러내고 있다.
⑤ 여성의 어조를 사용하여 그리움의 정서를 효과적으로 표현하고 있다.

02

(가), (나)의 화자에 대한 이해로 가장 적절한 것은?

① (가), (나)의 화자 모두 자신의 정서를 다른 대상에 이입하여 드러내고 있다.
② (가)의 화자는 임에게 사랑을 갈구하고 있고, (나)의 화자는 임을 거부하고 있다.
③ (가), (나)의 화자 모두 외로운 처지에서 벗어나기 위해 적극적으로 행동하고 있다.
④ (가)의 화자는 체념적 태도를 드러내고 있고, (나)의 화자는 굳은 다짐을 드러내고 있다.
⑤ (가)의 화자는 (나)의 화자와 달리 중의적 표현을 통해 자신의 행위에 대한 후회를 드러내고 있다.

03 기출 변형 2018학년도 6월 고2 교육청

(나)에 대한 설명으로 적절한 것은?

① 공감각적 표현을 통해 대상을 생동감 있게 묘사하고 있다.
② 현재와 과거를 대비하여 미래에 대한 전망을 제시하고 있다.
③ 자연물에 인격을 부여하여 화자의 심리 상태를 드러내고 있다.
④ 설의적 표현을 통해 현실에 대한 비판적 태도를 나타내고 있다.
⑤ 시간의 흐름을 바탕으로 대상에 대한 화자의 심정을 표출하고 있다.

04 기출 변형 2018학년도 6월 고2 교육청

〈보기〉를 바탕으로 (나)를 감상한 내용으로 적절하지 않은 것은?

| 보기 |

고전 시가에는 헤어진 임에 대한 그리움과 변함없는 사랑을 여성 화자의 목소리로 표현한 작품들이 많다. 이러한 작품들에는 여성 작가가 자신이 실제 겪었던 이별의 상황과 아픔을 진솔하게 표현한 노래도 있으며, 남성인 사대부가 임금의 곁에서 멀어져 있는 자신의 처지를 이별한 여인의 모습에 빗대어 표현한 노래도 있다.

① '이화우'는 임에 대한 변함없는 화자의 사랑을 반영한 자연물이군.
② '님'은 실제 경험 속 연인으로 해석할 수 있군.
③ '저도 날 싱각는가'를 통해 여전히 임을 그리워하는 화자의 진솔한 모습이 드러나는군.
④ '천 리'라는 시어를 통해 임과 멀리 떨어져 있는 화자의 현재 상황을 표현하고 있군.
⑤ '외로온 꿈'은 임을 향한 그리움을 구체화하여 표현한 것이군.

05

(다)에 대한 이해로 가장 적절한 것은?

① 초장에서 비현실적인 상황을 가정하여 화자가 궁극적으로 염원하는 바를 제시하고 있다.
② 중장에서 극한적인 상황을 열거하여 대상의 부재로 인한 화자의 정서를 부각하고 있다.
③ 종장의 서두에서 감탄사를 제시하여 대상에 대한 정서를 집약적으로 표현하고 있다.
④ 초장과 중장에서 자연물의 변화를 바탕으로 화자의 현실 극복 의지를 암시하고 있다.
⑤ 초장과 중장의 대립된 상황을 통해 화자의 처지가 긍정적으로 변화함을 나타내고 있다.

06

기출 변형 2014학년도 9월 고2 교육청 A·B형

ⓐ~ⓔ에 대한 이해로 적절하지 않은 것은?

① ⓐ: 이별로 인한 화자의 정한의 깊이를 드러내고 있다.
② ⓑ: 자존심 때문에 임을 떠나보냈던 화자의 내적 갈등이 집약되어 있다.
③ ⓒ: 화자의 처지와 대조적인 소재로 화자의 슬픔을 부각하고 있다.
④ ⓓ: 악화되는 상황의 열거를 통해 '도사공'의 심리적 압박이 고조되고 있음을 나타내고 있다.
⑤ ⓔ: '가토리', '도사공'과의 비교를 통해 화자의 암담한 심경에 주목하게 하고 있다.

07

〈보기〉를 참고할 때, (다)에서 〈보기〉의 ㉠을 구현한 방법으로 적절한 것은?

보기

사설시조를 지배하는 원리는 ㉠웃음의 미학이라 할 수 있는데, 일상적 삶 속의 사람들에 대한 관찰, 고달픈 생활과 세태에 대한 해학·풍자 등이 그 주요 내용을 이룬다. 이는 일상적 언어와 하찮고 잡다한 사물, 숨 가쁘게 나열하는 표현의 결합으로 더욱 두드러지기도 한다.

① 대상의 우스꽝스러운 행위를 관찰하여 제시하고 있다.
② 대상이 지닌 어리석은 측면을 부각하여 드러내고 있다.
③ 유사한 음을 반복하고 말의 배치를 바꿔서 사용하고 있다.
④ 수다스럽게 사물을 나열하고 상황을 과장하여 표현하고 있다.
⑤ 음성 상징어를 사용하여 화자의 행위를 구체적으로 묘사하고 있다.

08

㉮, ㉯를 함께 제시하여 전달하고 있는 의미 2가지를 각각 문장으로 완성하여 쓰시오.

____

____

09

(가)의 구절을 〈보기〉의 두 경우로 읽어 보고, 그 의미를 〈조건〉에 맞추어 각각 서술하시오.

보기

(1) 이시라 ᄒᆞ더면 가랴마ᄂᆞᆫ 제 구ᄐᆡ야
(2) 이시라 ᄒᆞ더면 가랴마ᄂᆞᆫ / 제 구ᄐᆡ야

조건

- '제 구ᄐᆡ야'가 속하는 구절에 따라 '제'가 지칭하는 사람이 누구인지 밝힌 후 시구를 해석할 것.
- 각 경우에 사용된 표현 방법을 제시할 것.

(1) ______________________________

____

(2) ______________________________

____

____

10

〈보기〉를 참고하여 (가)~(다)를 비교할 때, (다)에 나타나는 형식적 특징과 그러한 형식의 효과는 무엇인지 서술하시오.

보기

시조는 3장 6구 4음보 형식의 정형시이다. 이러한 정형성은 시조가 발생할 때의 작가층이었던 사대부들의 세계관이나 문학적 지향과 관련이 있다. 그러나 중세에서 근대로 이행하는 시기에 이러한 정형성이 느슨해지면서 장형화된 사설시조가 등장하였다. 이로 인해 시조의 미학적 성격도 변화하여, 간결하고 정제된 아름다움 대신 가벼움이나 희화화와 같은 해학적인 요소가 담긴 작품도 등장하게 되었다.

형식적 특징	효과

진솔한 사랑 노래

시조

06강

가 조선 후기
나 조선 후기
다 조선 후기

님이 오마 ᄒᆞ거ᄂᆞᆯ | 어이 못 오던가 | 개를 여라믄이나 기르되

출제 포인트 › 가 #과장법·열거법 #반어적 표현 #음성 상징어 나 #과장법·열거법 #연쇄적·반복적 표현 다 #원망의 전가 #음성 상징어

가 님이 오마 ᄒᆞ거ᄂᆞᆯ 져녁밥을 일지어 먹고❶

중문(中門) 나셔 대문(大門) 나가 지방 우희 치ᄃᆞ라 안자 이수(以手)로 가액(加額)ᄒᆞ고* 오ᄂᆞᆫ가 가ᄂᆞᆫ가 건넌산(山) ᄇᆞ라보니❷ 거머흿들* 셔 잇거ᄂᆞᆯ 져야 님이로다 보션 버서 품에 품고 신 버서 손에 쥐고 곰븨님븨* 님븨곰븨 천방지방* 지방천방 ᄌᆞᆫ 듸 ᄆᆞ른 듸 ᄀᆞᆯ희지 말고 워렁충창 건너가셔❸ 정(情)엣말 ᄒᆞ려 ᄒᆞ고 겻눈을 흘긧 보니 상년(上年) 칠월(七月) 열사흔날 ᄀᆞᆯ가 벅긴 ㉠주추리 삼대 ᄉᆞᆯ드리도 날 소겨다❹

모쳐라 밤일ᄉᆡ만졍 힝혀 낫이런들 ᄂᆞᆷ 우일 번ᄒᆞ괘라❺

– 작자 미상

*임이 오겠다고 하기에 저녁밥을 일찍 지어 먹고
중문을 나와서 대문으로 나가 문지방 위에 올라가서, 손을 이마에 대고 임이 오는가 하여 건넛산을 바라보니, 거무희뜩한 것이 서 있으니 저것이 임이로구나, 버선을 벗어 품에 품고 신을 벗어 손에 쥐고, 엎치락뒤치락 허둥거리며 진 곳 마른 곳 가리지 않고 우당탕퉁탕 건너가서, 정이 넘치는 말을 하려고 곁눈으로 흘깃 보니, 작년 7월 13일날 껍질을 벗긴 주추리 삼대가 살뜰하게도 나를 속였구나.
마침 밤이기 망정이지 행여 낮이었다면 남 웃길 뻔하였구나.

- **이수로 가액ᄒᆞ고:** 이마에 손을 얹고. 사람을 몹시 기다림을 이르는 말.
- **거머흿들:** 거무희뜩. 검은빛과 흰빛이 뒤섞인 모양.
- **곰븨님븨:** 업치락뒤치락 급히 구는 모양.
- **천방지방:** 허둥대는 모양.

나 어이 못 오던가 무ᄉᆞᆷ 일노 못 오던가❶

너 오ᄂᆞᆫ 길에 무쇠로 성(城)을 ᄊᆞ고 성(城)안에 담 ᄊᆞ고 담 안에 집을 짓고 집 안에 두지 노코 두지 안에 궤(櫃)를 노코 그 안에 너를 필자형(必字形)으로 결박(結縛)ᄒᆞ여 너코 쌍ᄇᆡ목* 걸쇠*에 금(金)거북 자물쇠로 수기수기*❷ ᄌᆞᆷ갓더냐 네 어이 그리 못 오던다❸

ᄒᆞᆫ ᄒᆡ도 열두 ᄃᆞᆯ이오 ᄒᆞᆫ ᄃᆞᆯ 셜흔 ᄂᆞᆯ의 날 보라 올 ᄒᆞᆯ리* 업스랴❹

– 작자 미상

*어이 못 오던가 무슨 일로 못 오던가.
너 오는 길 위에 무쇠로 성을 쌓고 성안에 담을 쌓고, 담 안에 집을 짓고 집 안에 뒤주 놓고 뒤주 안에 궤를 놓고 궤 안에 너를 단단히 묶어 넣고 쌍배목 걸쇠에 금거북 자물쇠로 깊이깊이 잠갔더냐 네 어이 그리 못 오더냐.
한 해도 열두 달이요, 한 달 서른 날에 날 보러 올 하루가 없으랴.

- **쌍ᄇᆡ목:** 쌍으로 된 문고리를 거는 쇠.
- **걸쇠:** 대문이나 방의 여닫이문을 잠그기 위하여 빗장으로 쓰는 'ㄱ' 자 모양의 쇠.
- **수기수기:** 깊이깊이.
- **ᄒᆞᆯ리:** 하루가.

Step 1 포인트 분석

가 「님이 오마 ᄒᆞ거ᄂᆞᆯ」

시적 상황
임이 온다는 소식을 들은 화자가 들뜬 마음으로 기다리다가 주추리 삼대를 임으로 착각하였다.

표현
❶님이 오마~일지어 먹고, ❷중문 나셔~ᄇᆞ라보니, ❸보션 버서~건너가셔
→ **열거법:** 화자의 행동을 열거하여 임을 만나고 싶은 마음을 표현함. 과장되고 수다스러운 어조를 통해 해학적인 효과를 얻음.
❸보션 버서~건너가셔
→ **과장된 표현, 음성 상징어:** 과장되고 장황한 어조와 의태어를 사용하여 임에 대한 화자의 그리움을 표현함.
❹ᄉᆞᆯ드리도 날 소겨다
→ **반어적 표현:** 자신을 속인 것, 자신이 착각한 것을 긍정적인 의미를 지닌 'ᄉᆞᆯ드리도'라는 말로 반어적으로 표현하여 화자의 낭패감을 잘 드러냄.

정서와 태도
❶님이 오마~일지어 먹고, ❷중문 나셔~ᄇᆞ라보니, ❸보션 버서~건너가셔
→ 임을 만나고 싶은 간절한 마음
❹ᄉᆞᆯ드리도 날 소겨다, ❺모쳐라~번ᄒᆞ괘라
→ 자신의 경솔한 행동에 대한 낭패감, 멋쩍음

나 「어이 못 오던가」

시적 상황
화자는 오지 않는 '너(임)'를 기다리고 있다.

표현
❶어이~못 오던가
→ **질문의 방식, 반복적 표현:** 원망의 심정을 효과적으로 드러냄.
❷수기수기
→ **의태어 사용:** 리듬감을 형성하고 해학적 분위기를 형성함.
❸너 오ᄂᆞᆫ 길에~못 오던다
→ ① **청자에 대한 직접적 원망 표출:** 화자의 심정을 솔직하게 드러내 사설시조의 특징을 보여 줌. ② **열거법, 연쇄법, 과장법:** 해학적 분위기와 '너(임)'를 기다리는 안타까움, 원망의 심정을 드러냄.
❹날 보라 올 ᄒᆞᆯ리 업스랴
→ **설의적 표현:** 올 수 없는 상황이 아님에도 임이 오지 않음을 강조하여 임에 대한 원망의 정서를 부각함.

정서와 태도
❶어이~못 오던가, ❹날 보라 올 ᄒᆞᆯ리 업스랴
→ 오지 않는 임에 대한 답답함과 안타까움, 원망

다 개를 여라믄이나 기르되 ⓒ요 개ᄀᆞᆺ치 얄믜오랴❶

뮈온 님 오며ᄂᆞᆫ ᄭᅩ리를 홰홰 치며 ᄯᅱ락 ᄂᆞ리 ᄯᅱ락 반겨서 내ᄃᆞᆺ고

고온 님 오며ᄂᆞᆫ 뒷발을 버동버동 므르락 나으락 캉캉 즈져셔 도라가게 ᄒᆞᆫ다❷

쉰밥이 그릇그릇 난들 너 머길 줄이 이시랴❸

– 작자 미상

*개를 열 마리 넘게 기르되 이 개처럼 얄미운 놈이 있겠느냐?
미운 임이 오면 꼬리를 홰홰 치며 올려 뛰고 내려 뛰며 반겨서 내닫고, 고운 임이 오면 뒷발을 버티고 서서 뒤로 물러났다 앞으로 나아갔다 하며 캉캉 짖어 돌아가게 한다.
쉰밥이 그릇그릇 남아도 너에게 먹일 줄이 있으랴.

다 「개를 여라믄이나 기르되」

시적 상황
화자는 오지 않는 임을 기다리고 있다.

표현
❶ 개를 여라믄이나~얄믜오랴
→ **원망의 전가, 설의적 표현:** 오지 않는 임에 대한 원망을 개에 대한 원망으로 옮겨 표현함으로써 해학성을 유발함.
❷ 뮈온 님~도라가게 ᄒᆞᆫ다
→ ① **음성 상징어:** 운율을 형성하고 생동감, 해학성을 살림. ② **과장:** 해학적 분위기를 형성함. ③ **대조:** '뮈온 님'과 '고온 님'의 대비를 통해 시적 상황과 임에 대한 화자의 정서를 부각함.
❸ 쉰밥이~이시랴 → **설의적 표현:** 개에 대한 원망을 구체화함.

정서와 태도
❶ 개를~얄믜오랴, ❸ 쉰밥이~이시랴
→ 표면적으로는 개를, 이면적으로는 임을 원망하고 있음.

Step 2 포인트 체크

[01~05] 윗글에 대하여 맞으면 ○, 틀리면 ×표를 하시오.

01 (가)에서 화자는 주추리 삼대를 보며 동병상련의 심정을 느끼고 있다. [○, ×]

02 (가)의 중장에서는 음성 상징어를 활용하여 화자의 행동을 과장되게 표현하였다. [○, ×]

03 (나)에서 화자는 오지 않는 임을 애타게 기다리고 있다. [○, ×]

04 (나)의 중장에서는 열거법과 과장법을 활용하여 해학적 분위기를 형성하고 있다. [○, ×]

05 (다)의 화자는 기다려도 오지 않는 임에 대한 원망을 직접적으로 솔직하게 표현하고 있다. [○, ×]

[06~08] 다음 빈칸에 알맞은 말을 쓰시오.

06 (가)는 [ㄱ][ㅈ]되고 수다스러운 어조를 통해 [ㅎ][ㅎ][ㅈ]인 분위기를 형성하고 있다.

07 (나)의 초장에서는 [ㅈ][ㅁ]의 방식을 통해 임에 대한 화자의 [ㅇ][ㅁ]을 표출하고 있다.

08 (다)에서는 [ㅇ][ㅌ][ㅇ]와 [ㅇ][ㅅ][ㅇ]를 활용하여 개의 행동을 실감 나게 묘사하고 있다.

정답 | 01 × 02 ○ 03 ○ 04 ○ 05 × 06 과장, 해학적 07 질문, 원망 08 의태어, 의성어

작품 정리

가 님이 오마 ᄒᆞ거놀
- **갈래:** 사설시조, 연정가
- **성격:** 해학적, 과장적, 연정가
- **주제:** 애타게 임을 기다리는 마음
- **구성:** 초장 | 임을 기다리는 초조한 마음
  중장 | 주추리 삼대를 임으로 착각하고 마중 나감.
  종장 | 경솔한 행동에 대한 멋쩍음.

» **해제:** 이 작품은 임을 빨리 만나고 싶어 허둥대다가 주추리 삼대를 임으로 착각한 모습을 해학적으로 드러내고 있다.

나 어이 못 오던가
- **갈래:** 사설시조, 연정가
- **성격:** 해학적, 과장적
- **주제:** 오지 않는 임을 기다리는 답답하고 안타까운 마음
- **구성:** 초장 | '너(임)'가 못 오는 이유에 대해 궁금해함.
  중장 | '너(임)'가 못 오는 이유를 추측함.
  종장 | 오지 않는 '너(임)'를 원망함.

» **해제:** 이 작품은 경쾌한 분위기와 해학과 과장을 통해 오지 않는 임에 대한 그리움과 원망의 정서를 효과적으로 드러내고 있다.

다 개를 여라믄이나 기르되
- **갈래:** 사설시조, 연정가
- **성격:** 해학적, 과장적
- **주제:** 임을 기다리는 애절한 마음
- **구성:** 초장 | 개에 대한 원망의 심정
  중장 | 얄미운 개의 행동
  종장 | 개에 대한 원망의 구체화

» **해제:** 이 작품은 사랑하는 임을 기다리는 화자의 애절한 마음을 노래하고 있다. 오지 않는 임에 대한 원망을 개에게 전가하여 표현함으로써 해학성을 높이고 있다.

Step 3 실전 문제

01

(가)~(다)의 공통점으로 적절한 것은?

① 화자가 처한 참담한 생활상이 나타나 있다.
② 자신의 처지에 대한 원망이 표출되어 있다.
③ 상대에 대한 연민의 정서가 노출되어 있다.
④ 대상의 부재에서 느끼는 정서가 드러나 있다.
⑤ 자연에 대한 친화적인 태도가 부각되어 있다.

02

(가)와 (나)에 대한 설명으로 적절하지 않은 것은?

① (가)는 반어적 표현을 활용하여 상황에서 느낀 낭패감을 드러내고 있다.
② (나)는 일상적 소재를 연쇄적으로 연결하여 임을 기다리는 심정을 표현하고 있다.
③ (가)는 (나)와 달리 설의적 표현을 활용하여 임에 대한 화자의 원망을 보여 주고 있다.
④ (나)는 (가)와 달리 질문의 방식을 활용하여 오지 않는 임에 대한 안타까움을 나타내고 있다.
⑤ (가)와 (나)는 과장된 표현을 나열하여 임을 만나고 싶은 마음을 부각하고 있다.

03

고난도 기출 2013학년도 3월 고2 교육청 A·B형

〈보기〉에 근거하여 (가)를 분석한 것으로 적절하지 않은 것은?

보기

한 작품 속에 화자의 상이한 두 가지 모습이 동시에 나타나는 경우가 있다. 즉 아무도 안 보는 곳에서 타인의 시선을 전혀 의식하지 않고 꾸밈없이 행동하는 모습(Ⅰ)과 타인의 시선을 의식한 뒤에 보이는 모습(Ⅱ)이 그것이다.

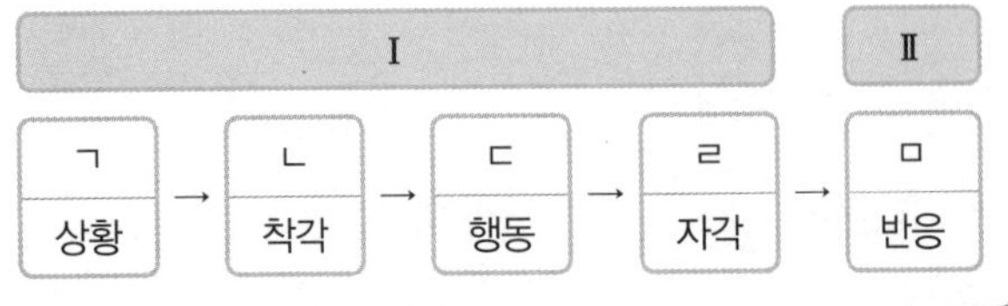

① ㄱ: '님이~ᄇᆞ라보니'는 임을 기다리는 상황이다.
② ㄴ: '거머흿들~님이로다'는 간절한 그리움으로 인해 생긴 착각이다.
③ ㄷ: '보션~건너가셔'는 타인의 시선을 의식하지 않고 취한 행동이다.
④ ㄹ: '정엣말~소겨다'는 사랑하는 임에게 속았음을 자각하는 부분이다.
⑤ ㅁ: '모쳐라~번ᄒᆞ괘라'는 타인의 시선을 의식하며 자신의 행동을 애써 합리화하는 반응이다.

04

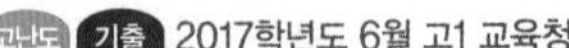
고난도 기출 2017학년도 6월 고1 교육청

〈보기〉를 바탕으로 (가)를 감상한 내용으로 적절하지 않은 것은?

보기

조선 후기에 등장한 사설시조는 형식 면에서 평시조와 달리 중장이 제한 없이 길어졌다. 내용 면에서는 실생활 소재들을 활용하여 일상에서 일어나는 문제를 주로 다루었는데 솔직함, 해학성, 애정을 서슴없이 표현하려는 대담성 등을 그 특징으로 하며 비유, 상징 등 다양한 표현 기법을 활용하여 대상을 생동감 있게 그려 냈다.

① '곰븨님븨', '천방지방' 같은 음성 상징어를 활용하여 화자의 행동을 생동감 있게 표현하고 있군.
② 일상에서 흔히 볼 수 있는 '보션', '신'이라는 소재를 활용하여 임의 소중함을 상징하고 있군.
③ '주추리 삼대'를 임으로 착각하여 달려가는 화자의 우스꽝스러운 모습에서 해학성을 느낄 수 있군.
④ 임을 그리워하는 절실한 마음을 드러내기 위해 화자의 행동을 구체적으로 제시하다 보니 중장이 길어졌군.
⑤ '즌 듸 ᄆᆞ른 듸 ᄀᆞᆯ희지' 않고 임에게 가서 '정엣말'을 하려는 모습에서 애정을 표현하려는 화자의 대담성을 엿볼 수 있군.

05

(나)에 대한 설명으로 적절하지 않은 것은?

① 임에 대한 그리움의 정서를 표현하고 있다.
② 유사한 어구의 반복을 통해 율격을 형성하고 있다.
③ 배경 설화를 바탕으로 시적 상황을 표현하고 있다.
④ 연쇄적 표현을 통해 임을 기다리는 괴로움을 표현하고 있다.
⑤ 임이 오지 않는 상황에서 임에 대한 원망과 함께 간절한 그리움을 표현하고 있다.

06

〈보기〉를 참고하여 (다)를 감상한 내용으로 적절하지 않은 것은?

보기

(다)에서 화자의 정서와 태도는 화자와 개 사이의 표면적인 관계와 화자와 임 사이의 이면적인 관계로 나누어 파악해야 한다. 이렇게 화자의 감정을 복합적으로 표현한 것은 임을 직접적으로 원망하지 않으려는 장치라 할 수 있는데 여기에서 소박한 해학의 묘미를 확인할 수 있다.

① 설의적 표현을 활용하여 개에 대한 화자의 정서를 드러낸 것이군.
② 다양한 음성 상징어로 개의 행동을 묘사하여 화자와 개 사이의 관계를 보여 준 것이군.
③ 개에 대한 미움을 구체적으로 표현하여 임에 대한 화자의 원망을 간접적으로 드러낸 것이군.
④ 임에 대한 원망을 개에게 전가하는 장치를 통해 화자의 내면적 갈등을 복합적으로 드러낸 것이군.
⑤ 대조되는 대상에 대한 개의 상반된 행동을 서술하여 개에 대한 화자의 정서가 임과 관련되어 있음을 보여 준 것이군.

07

㉠과 ㉡을 비교한 내용으로 적절한 것은?

① ㉠과 ㉡은 모두 화자가 경외감을 가지고 바라보는 소재이다.
② ㉠과 ㉡은 모두 세월의 흐름을 나타내어 인생의 허무감을 느끼게 하는 소재이다.
③ ㉠은 화자의 처지와 대비되는 소재이고, ㉡은 화자와 처지가 동일한 소재이다.
④ ㉠은 현재의 상황에 대한 인식의 계기가 되는 소재이고, ㉡은 과거의 사건에 대한 반성의 계기가 된 소재이다.
⑤ ㉠은 임과의 만남을 기대하게 하는 소재로 활용되었고, ㉡은 임과의 만남을 방해하는 소재로 활용되고 있다.

08

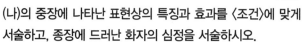

(나)의 중장에 나타난 표현상의 특징과 효과를 〈조건〉에 맞게 서술하고, 종장에 드러난 화자의 심정을 서술하시오.

조건

• 표현상의 특징을 2가지 이상 제시할 것.
• 효과는 화자의 정서와 관련지어 서술할 것.
• 각각 한 문장으로 쓸 것.

• 표현상의 특징: ______________________

• 효과: ______________________

• 화자의 심정: ______________________

09

(다)에 쓰인 음성 상징어를 모두 찾아 쓰고, 그러한 음성 상징어의 활용이 주는 효과는 무엇인지 서술하시오.

____

시조 **07강**

㉮ 조선 후기
㉯ 조선 후기

창 내고쟈 창을 내고쟈 | 한숨아 셰 한숨아

출제 포인트 › ㉮ #a–a–b–a 구조 #불가능한 상황 설정 #해학적 표현 ㉯ #의인법 #해학적 표현

가 ⓐ창(窓) 내고쟈 창을 내고쟈 이내 가슴에 창 내고쟈❶

고모장지* 셰살장지* 들장지* 열장지* 암돌져귀 수돌져귀* 빅목걸새* 크나큰 ⓑ쟝도리*로 뚱닥 바가 이내 가슴에 창 내고쟈❷

잇다감 하 답답ᄒᆞᆯ 제면 여다져 볼가 ᄒᆞ노라❸

– 작자 미상

*창을 내고 싶구나. 창을 내고 싶구나. 이내 가슴에 창을 내고 싶구나.
고모장지, 세살장지, 들장지, 열장지, 암톨쩌귀, 수톨쩌귀, 배목걸쇠를 크나큰 장도리로 뚝딱 박아 이내 가슴에 창을 내고 싶구나.
이따금 너무 답답할 때면 열고 닫아 답답함을 풀고자 하노라.

- **고모장지:** 창문의 일종. '장지'는 방과 방 사이, 또는 방과 마루 사이에 칸을 막아 끼우는 문을 말함.
- **셰살장지:** 가는 살의 장지.
- **들장지:** 들어 올려서 매달아 놓게 된 장지.
- **열장지:** 좌우로 열어젖히게 된 장지.
- **암돌져귀 수돌져귀:** 문짝을 문설주에 달아 여닫는 데 쓰는 두 개의 쇠붙이.
- **빅목걸새:** 문고리에 꿰는 쇠.
- **쟝도리:** 망치.

Step 1 포인트 분석

가 「창 내고쟈 창을 내고쟈」

시적 상황
화자는 힘겨운 현실 속에서 몹시 답답해하고 있다.

표현
❶창 내고쟈~창 내고쟈
→ ① **a–a–b–a 구조, 반복법:** 운율감을 형성하고 화자의 간절한 소망을 부각함. ② **불가능한 상황 설정:** 화자의 간절함을 강조함. ③ **비유적 표현, 추상적 관념의 구체화:** 답답한 화자의 심정을 꽉 막힌 방에 비유하여 부각함.
❷고모장지~창 내고쟈
→ **열거법:** 창을 만드는 재료와 창 만드는 과정을 열거함으로써 창을 내고 싶은 절실한 마음을 강조함.
❶창 내고쟈~창 내고쟈, ❷고모장지~창 내고쟈
→ **수다스럽고 과장된 표현:** 해학적 표현으로 웃음을 유발하고 소망의 간절함을 드러냄.

정서와 태도
❶창 내고쟈~창 내고쟈, ❸잇다감~ᄒᆞ노라
→ 괴로운 삶과 답답한 심정에서 벗어나고자 하는 마음

나 ⓒ한숨아 셰 한숨아 ㉠네 어ᄂᆡ 틈으로 드러온다❶

고모장ᄌᆞ 셰살장ᄌᆞ 가로다지* 여다지에 암돌져귀 수돌져귀 빅목걸새 뚝닥 박고 용(龍) 거북 ⓓᄌᆞ믈쇠로 수기수기* ᄎᆞ엿ᄂᆞᆫᄃᆡ ⓔ병풍(屛風)이라 덜걱 져븐 족자(簇子)ㅣ라 ᄃᆡᄃᆡ글* ᄆᆞᆫ다 네 어ᄂᆡ 틈으로 드러온다❷

어언지 너 온 날 밤이면 ᄌᆞᆷ 못 드러 ᄒᆞ노라❸

– 작자 미상

*한숨아 가는 한숨아, 네 어느 틈으로 들어오느냐.
고모장지, 세살장지, 가로닫이, 여닫이에 암톨쩌귀, 수톨쩌귀, 배목걸쇠 뚝딱 박고, 용과 거북 수놓은 자물쇠로 꼭꼭 채웠는데, 병풍이라 덜컥 접고 족자라 대굴대굴 말았느냐 네 어느 틈으로 들어오느냐.
어찌 된 일인지 너 온 날 밤이면 잠 못 들어 하노라.

- **가로다지:** 가로로 여닫는 창이나 문.
- **수기수기:** 꼭꼭. 몇 번이나 확인하며 꼭꼭 채우는 것을 나타내는 말.
- **ᄃᆡᄃᆡ글:** 작은 물건이 계속 구르는 모양.

나 「한숨아 셰 한숨아」

시적 상황
화자는 힘겨운 세상살이에 시름을 느끼며 잠을 이루지 못하고 있다.

표현
❶한숨아~드러온다, ❷네 어ᄂᆡ 틈으로 드러온다, ❸너 온 날~ᄒᆞ노라
→ **의인법:** 한숨을 의인화하여 삶의 애환을 구체적으로 표현함.
❷고모장ᄌᆞ~드러온다
→ ① **열거법:** 문을 닫아 한숨을 막으려는 행동을 장황하게 나열함으로써 화자가 근심에 잠겨 있는 상황을 해학적으로 표현함. ② **과장법:** 문을 닫아 한숨을 막으려는 행동을 과장하여 표현함으로써 시름에서 벗어나고픈 마음을 강조함.
❶한숨아~드러온다, ❷고모장ᄌᆞ~드러온다
→ **관념의 구체화:** 근심과 애환을 문틈으로 들어오는 대상인 것처럼 구체화하여 보여 줌으로써 생생한 표현의 묘미를 얻음.

정서와 태도
❸너 온 날~ᄒᆞ노라
→ 근심 때문에 잠을 이루지 못해 괴로워함.

Step 2 포인트 체크

[01~06] 윗글에 대하여 맞으면 ○, 틀리면 ×표를 하시오.

01 (가)에는 가난으로 인해 삶에 고단함을 느끼는 화자의 처지가 드러나 있다. (○, ×)

02 (가)에서는 열거법과 반복법을 사용하여 답답한 마음을 풀고 싶은 소망을 강조하고 있다. (○, ×)

03 (가)에서는 수다스럽고 과장된 표현으로 해학적인 분위기를 조성하였다. (○, ×)

04 (나)의 화자는 임과의 이별로 인한 슬픔으로 잠들지 못하고 있다. (○, ×)

05 (나)에서는 눈에 보이지 않는 한숨이 들어오는 상황을 시각적으로 제시하고 있다. (○, ×)

06 (나)의 화자는 근심이 계속되는 상황을 운명으로 받아들이고 있다. (○, ×)

[07~12] 다음 빈칸에 알맞은 말을 쓰시오.

07 (가)에서는 화자의 답답한 마음을 [ㅂ]에 비유하였다.

08 (가)에서 '[ㅊ]'은 화자의 답답한 마음을 해소시켜 주는 매개체이다.

09 (가)에서는 [ㅂ][ㄱ][ㄴ]한 상황을 설정하여 화자의 간절한 마음을 드러내고 있다.

10 (나)의 화자는 '한숨'을 [ㅇ][ㅇ][ㅎ]하여 '너'라고 부르며 밖에서 들어오는 것으로 표현하였다.

11 (나)의 중장에서 화자는 [ㅁ]이나 [ㅊ][ㅁ]과 관련된 여러 사물로 한숨을 막으려는 노력을 형상화하였다.

12 (나)의 종장에는 [ㅅ][ㄹ]으로 인한 화자의 현재 상황이 구체적으로 드러나 있다.

작품 정리

가 창 내고자 창을 내고자

- **갈래:** 사설시조
- **성격:** 해학적, 의지적
- **주제:** 삶의 답답함에서 벗어나고 싶은 마음
- **구성:** 초장 | 내 가슴에 창을 내고 싶음.
  중장 | 장지문의 부속품의 종류를 나열함.(창을 만들고 싶음.)
  종장 | 마음의 창을 여닫아 답답함을 풀고 싶음.

» **해제:** 이 작품은 근심이 쌓여 답답한 화자의 마음을 사방이 꽉 막힌 '방'에 비유하고, 가슴에 창문을 내서라도 그 답답함을 풀고 싶다는 소망을 담은 사설시조이다. 일상 속에서 보는 사물을 수다스럽게 나열하여 화자가 처한 상황을 해학적으로 표현하고 있는데, 이는 삶의 비애와 고통을 웃음으로 승화하고자 하는 민중들의 삶의 태도를 보여 준다.

나 한숨아 세 한숨아

- **갈래:** 사설시조
- **성격:** 해학적
- **주제:** 그칠 줄 모르는 시름으로 인한 괴로움
- **구성:** 초장 | 한숨이 나옴.
  중장 | 한숨을 막으려는 노력이 실패로 돌아감.
  종장 | 한숨을 원망함.

» **해제:** 이 작품은 깊은 근심으로 잠들지 못하는 화자의 상황을 표현한 사설시조이다. '문'이나 '창문'과 관련된 일상적 소재를 나열하여 철저한 문단속에도 불구하고 한숨이 틈을 비집고 들어온다고 표현하여 해학적인 분위기를 자아낸다.

정답 | 01 × 02 ○ 03 ○ 04 × 05 ○ 06 × 07 방 08 창 09 불가능 10 의인화 11 문, 창문 12 시름

Step 3 실전 문제

01

(가)와 (나)의 공통점으로 가장 적절한 것은?

① 자연물에 인격을 부여하여 생동감을 느끼게 하고 있다.
② 의문형 어미를 활용하여 화자의 정서를 강조하고 있다.
③ 특정 대상과 대화하는 방식으로 주제를 부각하고 있다.
④ 추상적인 관념을 구체화하여 시적 상황을 제시하고 있다.
⑤ 계절적 배경을 소재로 하여 시적 분위기를 고조하고 있다.

02

(가), (나)의 화자에 대한 이해로 가장 적절한 것은?

① 자신의 처지를 운명으로 받아들이는 태도를 드러낸다.
② 현재의 문제 상황을 해결하고자 하는 적극적 의지를 드러낸다.
③ 현실에서 벗어나 이상적인 공간으로 가고 싶은 소망을 드러낸다.
④ 서민들의 고통을 외면하는 양반들의 욕심에 대한 비판을 드러낸다.
⑤ 자신의 능력으로는 현실의 문제를 해결하지 못하는 데 대한 자책을 드러낸다.

03

(가)와 (나)에서 확인할 수 있는 갈래적 특징으로 적절하지 않은 것은?

① 4음보 율격에서 벗어나 중장이 현저하게 길어졌다.
② 현실에서 오는 고통이나 슬픔을 웃음으로 승화시켰다.
③ 관념적인 표현을 통해 정제된 아름다움을 표현하였다.
④ 기발하고 참신한 발상을 통해 서민들의 애환을 그려 냈다.
⑤ 일상적인 언어와 생활 속 소재들을 활용하여 삶의 태도를 드러냈다.

04

(가)에 대한 이해로 적절하지 않은 것은?

① '창을 내'는 것은 화자가 마음의 답답함을 해소하기 위해 필요한 것이군.
② '가슴에 창'을 내는 불가능한 상황을 설정하여 화자가 바라는 바를 드러내는군.
③ 문의 종류와 부속물들을 나열함으로써 화자가 처한 상황이 해학적으로 제시되는군.
④ '창 내고쟈'를 반복하여 괴로운 상황에서 벗어나려는 화자의 간절한 정서가 부각되는군.
⑤ 마음이 답답한 상황을 고통과 비애로 표현함으로써 이를 극복하려는 화자의 노력이 강조되는군.

05

(가)와 〈보기〉의 화자에 대한 설명으로 적절한 것은?

| 보기 |

서방(書房)님 병(病) 들어 두고 쓸 것 없어
종루(鐘樓) 저자에 다리 팔아 배 사고 감 사고 유자(榴子) 사고 석류(石榴) 샀다 아차아차 잊었구나 오화당(五花糖)을 잊어버렸구나.
수박(水朴)에 술 꽂아 놓고 한숨 겨워 하노라.

– 김수장

① 현실에 대해 냉소적 태도를 견지하고 있다.
② 현실의 어려움을 해학적 태도로 견뎌 내고 있다.
③ 극복 불가능한 상황을 극복하려는 의지를 다지고 있다.
④ 인생을 즐기면서 살고자 하는 삶의 태도를 드러내고 있다.
⑤ 가난한 생활 속에서도 혼란스러운 세상에 대해 근심하고 있다.

06

(나)에 대한 감상으로 적절하지 않은 것은?

① '쑥닥', '딕딕글'과 같은 음성 상징어를 사용해서 상황을 생동감 있게 표현하였군.
② '한숨'에 인격을 부여하여 '너'로 지칭함으로써 대상에게 말을 건네는 듯한 형식을 취하였군.
③ '한숨'을 '틈으로 드러온다'라고 표현한 것은 눈에 보이지 않는 한숨을 구체적으로 형상화한 것이군.
④ '즈물쇠'까지 '수기수기 추엿는듸'도 '한숨'이 들어오는 모습을 형상화하여 애상적 분위기를 자아내는군.
⑤ '장즈', '돌져귀', '즈물쇠' 등 친근한 일상생활 속 소재들을 나열하여 화자의 정서를 진솔하게 표현하였군.

07

㉠에 대한 설명으로 적절한 것은?

① 화자는 일어나지 않은 일에 대하여 해결 방법을 고민하고 있군.
② 화자는 다른 이에게 영향을 주는 한숨에 대해 못마땅한 마음을 표현하고 있군.
③ 화자는 자신이 의도하지 않았음에도 근심거리가 생긴 것에 대해 의구심을 갖고 있군.
④ 화자는 한숨을 자꾸 쉬어서 자신이 가진 긍정적 기운이 빠져나갈까 봐 근심하고 있군.
⑤ 화자는 한숨을 밖에서 들어오는 것으로 인식하고 그것이 들어오지 못하게 막으려 하고 있군.

08

ⓐ~ⓔ에 대한 설명으로 적절하지 않은 것은?

① ⓐ: 화자의 내면적 고뇌를 해소할 수 있는 매개체이다.
② ⓑ: 화자의 답답한 심정을 해소할 수 있게 해 주는 소재이다.
③ ⓒ: 화자의 고달픈 삶의 애환과 시름을 형상화한 대상이다.
④ ⓓ: 화자가 답답한 상황에 처하지 않기를 바라는 마음이 담겨 있는 사물이다.
⑤ ⓔ: 근심과 걱정으로 잠을 이루지 못하는 화자의 감정이 이입된 대상이다.

09

(가)의 '창(窓)'이 지닌 상징적 의미를 서술하고, 이와 관련하여 종장에 드러난 화자의 삶의 자세를 서술하시오.

(1) '창'의 상징적 의미: ______

(2) 화자의 삶의 자세: ______

______

10

(가)와 (나)의 중장에 드러난 표현상의 공통점과 내용상의 차이점을 〈조건〉에 맞게 문장의 형태로 서술하시오.

> **조건**
> - '표현상의 공통점'은 2개를 쓸 것.
> - '내용상의 차이점'은 화자가 행위를 하는 의도나 목적의 측면에서 서술할 것.

(1) 표현상의 공통점: ______

______

______

(2) 내용상의 차이점: ______

______

______

해학과 풍자

시조

08강

시어머님 며늘아기 나빠 / 두터비 파리를 물고 / 일신이 사쟈 ᄒᆞᆫ이

출제 포인트 › ㉮ #해학 #풍자 ㉯ #탐관오리 풍자 #우의 ㉰ #열거 #탐관오리의 횡포

㉮ 조선 후기
㉯ 조선 후기
㉰ 조선 후기

가 시어머님 며늘아기 나빠 부억 바닥을 구르지 마오❶

빗에 받은 며느린가 값에 쳐 온 며느린가❷ 밤나무 썩은 등걸에 휘초리*나 갈이 알살피신* 시아버님 볕 쬔 쇠똥같이 되종고신* 시어머님 삼년(三年) 결은 망태에 새 송곳 부리같이 뾰족하신 시누이님 당피* 간 밭에 돌피* 난 것같이 샛노란 외꽃 같은 피똥 누는 아들 하나 두고❸

건밭에 메꽃 같은 며느리를 어디를 나빠 하시는고❹

– 작자 미상

*시어머니 며느리 미워하여 부엌 바닥을 구르지 마오.
빚에 받은 며느리인가 돈을 주고 사 온 며느리인가 밤나무 썩은 등걸에 회초리같이 매서우신 시아버지, 볕 쬔 소똥같이 말라빠진 시어머님, 삼 년 동안 찌든 망태에 새 송곳 부리같이 뾰족하신 시누이, 좋은 곡식 간 밭에 안 좋은 곡식 난 것같이 샛노란 오이꽃 같은 피똥 누는 아들 하나 두고,
기름진 밭에 메꽃 같은 며느리를 어디를 나쁘다 하시는가?

- **휘초리:** 회초리. 가는 나뭇가지.
- **알살피신:** 앙상궂은. 살이 빠져서 뼈만 남을 만큼 매우 바짝 마른.
- **되종고신:** 말라빠진.
- **당피:** 품질 좋은 곡식.
- **돌피:** 품질 낮은 곡식.

나 두터비 파리를 물고 ⓐ<u>두엄 우희</u> 치다라 안자❶

ⓑ<u>것넌 산</u> 바라보니 백송골(白松鶻)*이 떠 잇거늘 가슴이 금즉하여 풀덕 뛰여 내닷다가 두엄 아래 잣바지거고❷

㉠<u>모쳐라 날낸 낼싀만졍 에헐* 질 번하괘라</u>❸

– 작자 미상

*두꺼비 파리를 물고 두엄 위에 치달아 앉아
건넛산 바라보니 백송골이 떠 있거늘 가슴이 섬뜩하여 풀떡 뛰어 내닫다가 두엄 아래 자빠졌구나.
마침 날랜 나였기에 망정이지 다칠 뻔했구나.

- **백송골:** 송골매.
- **에헐:** 어혈. 타박상 등으로 피부에 피가 맺힌 것.

다 일신(一身)이 사쟈 ᄒᆞᆫ이 물썻 계워* 못 견딜쐬❶

피(皮)ㅅ겨 ᄀᆞ튼 갈앙니 볼리알 ᄀᆞ튼 슈통니 줄인 니 갓ᄭᅵᆫ 니 ᄌᆞᆫ 별록* 굴근 별록 강별록 왜(倭)별록 긔는 놈 ᄲᅱ는 놈에 비파(琵琶) ᄀᆞ튼 빈대 삿기 사령(使令) ᄀᆞ튼 등에아비 갈ᄶᅡ귀 삼의 약이 셴 박휘 누른 박휘 바금이 거절이 부리 ᄲᅩ족ᄒᆞᆫ 목의 달이 긔다ᄒᆞᆫ 목의 야윈 목의 ᄉᆞᆯ진 목의 글임애* ᄲᅢ록이 주야(晝夜)로 뱐ᄣᅢ업씨 물건이 쏘건이 ᄲᅢᆯ건이 ᄯᅳᆺ건이 심(甚)한 당(唐)비리 예서 얼여왜라❷

그중(中)에 ᄎᆞᆷ아 못 견들쓴 오뉴월 복(伏)더위예 쉬ᄑᆞ린가 ᄒᆞ노라❸

– 이정보

Step 1 포인트 분석

가 「시어머님 며늘아기 나빠」

시적 상황
작품 속의 '며느리'와 비슷한 처지에 처해 있을 것으로 추정되는 화자가 시어머니의 미움을 받으며 시집살이를 하고 있는 대상을 두둔하고 있다.

표현
❶시어머님 며늘아기~구르지 마오
➜ **명령형 문장:** 시어머니를 향한 화자의 당부를 드러냄.
❷빗에 받은~온 며느린가 ➜ **의문형 문장, 종결 어미의 반복:** 며느리를 미워할 이유가 없는 상황임을 강조하여 드러냄.
❸휘초리나 갈이, 볕 쬔 쇠똥같이, 새 송곳 부리같이, 돌피 난 것같이, 샛노란 외꽃 같은, ❹건밭에 메꽃 같은
➜ **비유적 표현:** 대상의 성격이나 외양적 특징을 인상적으로 표현함.
❸시아버님, 시어머님, 시누이님, 아들 ➜ **열거적 표현:** 시집 식구들을 열거하여 시집살이의 어려움을 강조함.
❹어디를 나빠 하시는고
➜ **설의적 표현:** 시집살이의 어려움과 억울한 심정을 표출함.

정서와 태도
❶시어머님 며늘아기~구르지 마오
➜ 며느리를 미워하는 시어머니에 대한 한탄
❹건밭에 메꽃~나빠 하시는고
➜ 시집살이의 어려움과 억울한 심정

나 「두터비 파리를 물고」

시적 상황
파리를 물고 있던 두꺼비가 백송골을 보고 놀라 자빠질 뻔한 상황을 묘사하고 있다.

표현
❶두터비, 파리, ❷백송골 ➜ **상징:** 두터비는 탐관오리인 지방 관리, 파리는 백성, 백송골은 중앙 관리를 상징함.
❶두터비 파리를~치다라 안자, ❷것넌 산~잣바지거고
➜ **묘사, 풍자:** 부패한 주제에 위엄을 부리다 굴욕을 당하는 두꺼비의 우스꽝스러운 모습을 그림.
❸모쳐라 날낸~번하괘라
➜ **인용, 영탄적 표현:** 잔뜩 놀랐던 두꺼비가 안도하며 했을 말을 감탄형의 어조로 인용함.

정서와 태도
❶두터비 파리를~치다라 안자
➜ 두꺼비의 횡포와 부패 풍자
❸모쳐라~번하괘라 ➜ 두꺼비의 허세 풍자

다 「일신이 사쟈 ᄒᆞᆫ이」

시적 상황
세상살이를 하는 데에 무는 것이 많아 견디기가 어려움을 토로하고 있다.

표현
❶물썻 계워 못 견딜쐬 ➜ **상징:** 착취를 일삼는 탐관오리를 '물것(벌레)'으로 표현함.

*이 한 몸 살자 하니 무는 것이 많아 견디지 못하겠구나.

피의 껍질 같은 작은 이, 보리알같이 크고 살찐 이, 굶주린 이, 막 알에서 깨어난 이, 작은 벼룩, 굵은 벼룩, 잔 벼룩, 왜 벼룩, 기는 놈 뛰는 놈에 비파 같은 빈대 새끼, 사령 같은 등에, 각다귀, 사마귀, 흰 바퀴벌레, 누런 바퀴벌레, 바구미, 고자리, 부리 뾰족한 모기, 다리 기다란 모기, 여윈 모기, 살찐 모기, 집게벌레, 뾰록이, 밤낮을 가리지 않고 빈 때 없이 물거니 쏘거니 빨거니 물어뜯거니 하는 것이 심한 당벼룩에 더 어려워라.

그중에 차마 못 견딜 것은 오뉴월 복더위에 쉬파리가 하노라.

• **계워:** 이기지 못하여. • **벌룩:** 벼룩. • **글임에:** 그리매(집게벌레).

❶못 견딜쐬, ❸쉬ᄑ린가 ᄒᆞ노라
→ **영탄적 표현:** 견디기 어려운 상황을 강조함.
❷피ㅅ겨 ᄀᆞ튼~예서 얼여왜라 → **열거:** 사람을 무는 벌레를 열거함으로써 탐관오리의 횡포와 그로 인한 고통을 강조함.

정서와 태도
❶물쎳 계워 못 견딜쐬, ❸오뉴월 복더위예 쉬ᄑ린가 ᄒᆞ노라 → 탐관오리의 착취로 인한 삶의 어려움을 드러내며 탐관오리를 비판, 풍자함.

Step 2 포인트 체크

[01~07] 윗글에 대하여 맞으면 ○, 틀리면 ×표를 하시오.

01 (가)는 표면에 드러난 화자가 특정인에 대한 비판을 직접적으로 드러내고 있다. [○, ×]

02 (가)의 화자는 시집살이의 어려움을 토로하고 있다. [○, ×]

03 (가)는 직유법을 통해 대상의 특징을 강조하고 있다. [○, ×]

04 (나)의 '두터비'는 '파리'의 조력자 역할을 하고 있다. [○, ×]

05 (나)에는 '두터비'가 했을 법한 말이 직접적으로 제시되어 있다. [○, ×]

06 (다)에서 화자는 직접 나서서 벌레를 잡으려고 하였지만 실패하였다. [○, ×]

07 (다)의 화자는 상황이 바뀔 것에 대한 기대감을 표출하고 있다. [○, ×]

[08~10] 다음 빈칸에 알맞은 말을 쓰시오.

08 현실의 부정적 현상이나 모순 따위를 비웃음으로써 비판하는 것을 [ㅍ][ㅈ]라고 한다.

09 (가)의 초장의 '구르지 마오'에는 [ㅁ][ㄹ][ㅎ] 어미가 사용되었다.

10 (나)와 (다)는 공통적으로 [ㅌ][ㄱ][ㅇ][ㄹ]의 횡포를 드러내고 있다.

정답 | 01 × 02 ○ 03 ○ 04 × 05 ○ 06 × 07 × 08 풍자 09 명령형 10 탐관오리

작품 정리

가 시어머님 며늘아기 나빠
- **갈래:** 사설시조
- **성격:** 비판적, 일상적, 해학적
- **주제:** 시집살이의 어려움에 대한 한탄. 고된 시집살이에 대한 풍자
- **구성:** 초장 | 시어머니가 며느리를 미워함.
  중장 | 시집 식구들의 모습과 성격
  종장 | 시집살이에 대한 며느리의 억울한 심정

» **해제:** 시집살이의 어려움과 부족함 없는 며느리를 구박하는 시집 식구들에 대한 원망과 한탄을 담고 있는 사설시조이다. 시집 식구들의 모습, 성격을 일상적 소재들에 비유하여 해학적으로 표현하였다.

나 두터비 파리를 물고
- **갈래:** 사설시조
- **성격:** 우의적, 풍자적, 해학적
- **주제:** 탐관오리인 지방 관리의 횡포와 허세에 대한 비판
- **구성:** 초장 | 두꺼비가 파리를 괴롭힘.
  중장 | 두꺼비가 백송골을 보고 자빠질 뻔함.
  종장 | 두꺼비가 자신을 합리화하며 허세를 부림.

» **해제:** 강자에게는 약하고 약자에게는 강하게 구는 중간 관리의 모습을 두꺼비에 빗대어 풍자하는 내용의 사설시조이다. 두꺼비가 힘없는 백성을 괴롭히다가 강한 권력자 앞에서 비굴해지는 모습을 익살스럽게 희화화하였다.

다 일신이 사쟈 ᄒᆞᆫ이
- **갈래:** 사설시조
- **성격:** 우의적, 풍자적
- **주제:** 백성을 착취하는 탐관오리에 대한 비판
- **구성:** 초장 | 물것(탐관오리)으로 인한 세상살이의 어려움
  중장 | 물것(탐관오리)들의 착취와 횡포
  종장 | 견디기 어려운 물것(탐관오리)의 착취와 횡포

» **해제:** 사람에게 해를 입히는 벌레들에 빗대어 세상살이의 고단함과 탐관오리에 대한 비판을 드러내고 있는 사설시조이다. 사람을 괴롭히는 수많은 물것들을 비유와 열거를 활용하여 익살스럽게 표현하였다.

Step 3 실전 문제

01

(가)에 사용된 표현으로 적절하지 않은 것은?

① 비유적 표현 ② 명령형 어미 ③ 해학적 표현
④ 의문형 문장 ⑤ 반어적 표현

02

(가)에 대한 설명으로 적절한 것은?

① '부엌 바닥'은 '시어머님'과 '며늘아기'가 살림의 어려움을 공유하고 나누는 공간이다.
② '휘초리'는 '며늘아기'를 대하는 '시아버님'의 매서운 태도를 드러낸다.
③ '삼 년 결은 망태'는 '며늘아기'가 겪어야 하는 시집살이의 기간을 표현한 것이다.
④ '당피 간 밭에 돌피'는 시댁 식구들에게 환영받지 못하는 '며늘아기'의 모습을 가리킨다.
⑤ '샛노란 외꽃 같은 피똥 누는 아들'은 '시어머님'이 '며늘아기'를 미워하게 된 이유를 설명해 준다.

03

(가)를 이해한 내용으로 적절하지 않은 것은?

① '구르지 마오'는 시어머님의 행동이 달라지기를 바라며 당부를 전하는 표현으로 이해할 수 있군.
② '빚에 받은 며느리', '값에 쳐 온 며느리'는 며느리에 대한 하대가 만연한 세태를 드러내는 것이라고 할 수 있군.
③ '알살피신', '되종고신', '뾰족하신'은 시집 식구들에 대한 부정적 인식을 드러낸 것이라고 할 수 있군.
④ '볕 뵌 쇠똥'은 시어머니의 외양을 희화화하여 표현한 것이라고 할 수 있군.
⑤ '건밭에 메꽃 같은 며느리'는 시집 식구들의 모습과 대비하여 며느리의 건강하고 아름다운 모습을 부각하는 표현이라고 할 수 있군.

04

(나)의 ⓐ와 ⓑ에 대한 설명으로 가장 적절한 것은?

① ⓐ는 '두터비'가 위엄을 부리는 곳이다.
② ⓐ는 '두터비'가 '파리'로부터 빼앗고자 하는 곳이다.
③ ⓑ는 '백송골'이 '파리'를 괴롭히는 곳이다.
④ ⓑ는 '백송골'이 '두터비'를 두려워하여 도망한 곳이다.
⑤ ⓑ는 '두터비'가 '파리'를 통해 마침내 도달하는 곳이다.

05

기출 2016학년도 3월 고2 교육청

(나)와 관련하여 〈보기〉의 선생님의 질문에 대한 대답으로 가장 적절한 것은?

보기

선생님: (나)의 경우 화자가 일관되게 유지된다는 견해와 시상 전개 과정에서 원래 시적 대상이던 '두터비'가 화자로 바뀐다는 견해가 양립하고 있습니다. 만약 (나)의 중장부터 화자가 '두터비'로 바뀐다고 가정한다면 어떻게 이해할 수 있을까요?

① 중장에서 '백송골'과 '두터비' 사이의 우열 관계가 역전될 것입니다.
② 중장에서 '백송골'과 '두터비' 사이의 갈등의 원인을 다각적으로 살펴볼 수 있을 것입니다.
③ 중장은 '두터비'가 자신이 체험한 상황과 그에 대한 감정을 직접적으로 드러냈다고 볼 수 있을 것입니다.
④ 종장에서 부정적인 상황에 맞서려는 '두터비'의 의지가 부각될 것입니다.
⑤ 종장은 '두터비'가 과거의 행적을 반성적으로 성찰하는 독백이 될 것입니다.

06

(나)의 ㉠을 설명하기에 가장 적절한 것은?

① 오매불망(寤寐不忘)
② 자가당착(自家撞着)
③ 침소봉대(針小棒大)
④ 호가호위(狐假虎威)
⑤ 허장성세(虛張聲勢)

07

(다)의 표현상 특징으로 가장 적절한 것은?

① 청유형 어미를 사용하여 공감을 유도하고 있다.
② 자연물에 감정을 이입하여 정서를 객관화하고 있다.
③ 대조적 소재를 열거하여 시적 긴장감을 고조시키고 있다.
④ 비슷한 대상을 열거하여 대상에 대한 태도를 강조하고 있다.
⑤ 비유적 표현을 활용하여 문제 해결의 시급성을 드러내고 있다.

08

(다)에 대한 설명으로 적절하지 않은 것은?

① 초장에서는 화자가 겪고 있는 어려움의 원인을 드러내고 있다.
② 중장에서는 화자가 주목하고 있는 대상들의 외적 특성을 드러내고 있다.
③ 중장에서는 화자가 부정적으로 인식하고 있는 대상들을 통해 상황에 대한 화자의 비판적 태도를 드러내고 있다.
④ 종장에서는 화자의 어려움이 극대화되는 시기와 대상을 명시적으로 드러내고 있다.
⑤ 종장에서는 화자의 말을 통해 어려움을 겪은 이후 변화된 화자의 생활상을 드러내고 있다.

09

〈보기〉를 바탕으로 (가)~(다)를 감상한 내용으로 적절하지 않은 것은?

보기
조선 후기에 등장한 사설시조는 주로 서민들에 의해 창작되었다. 이에 따라 사설시조는 일상에서 일어나는 문제를 서민의 시각으로 포착하고, 일상의 소재를 다양하게 활용하여 솔직하게 내면을 표출한 작품들이 많다. 특히 사설시조는 서민층과 밀착하여 서민들의 삶의 문제를 해학적이면서도 비판이 가미된 풍자의 시선으로 담아내어 조선 후기 사회상에 대한 시사점을 제공한다.

① (가)는 시집살이를 다루고 있다는 점에서, 일상에서 일어나는 문제 상황을 다룬 작품이라고 말할 수 있겠군.
② (나)는 '두터비'의 행동과 말을 희화화하여 드러내고 있다는 점에서, 해학성이 두드러진 작품이라고 말할 수 있겠군.
③ (다)는 지식이 부족한 서민들이 겪는 문제를 풍자하고 있다는 점에서, 서민들의 일상적 고통을 표출하고 있는 작품이라고 할 수 있겠군.
④ (나)의 '두터비'와 (다)의 '쉬ᄑᆞ리'가 서민들을 착취하는 관리들을 나타낸다는 점에서, (나), (다)는 모두 조선 후기의 사회상을 비판적으로 보여 주는 작품이라고 할 수 있겠군.
⑤ (가)에서 '쇠똥', (나)에서 '두엄', (다)에서 '벌록' 등의 소재를 활용하고 있다는 점에서, (가), (나), (다)는 모두 일상적 소재를 활용하고 있는 작품이라고 할 수 있겠군.

10

(다)의 내용을 다음과 같이 정리할 때, ㉮와 ㉯에 들어갈 내용을 각각 쓰시오.

일신을 괴롭히는 물것	이, 벼룩, 빈대, 등에, 각다귀, 사마귀, 바퀴벌레, 바구미, 고자리, 모기 등	㉮
	㉯	극악한 탐관오리

↓

백성을 착취하는 탐관오리의 해악을 비판함.

㉮: ______________________

㉯: ______________________

● 조선 중기

도산십이곡

출제 포인트 › #학문 권장 #설의법 #비유와 상징

천운대(天雲臺) 도라드러 완락재(玩樂齋)* 소쇄(蕭灑)ᄒᆞᆫ듸	천운대를 돌아들어 완락재는 맑고 깨끗한데,
ⓐ만권생애(萬卷生涯)로 낙사(樂事)ㅣ 무궁(無窮)ᄒᆞ얘라❶	많은 책을 읽으며 일생을 보내는 즐거움이 끝이 없어라.
이 듕에 왕래(往來) 풍류ᄅᆞᆯ 닐러 므슴ᄒᆞᆯ고	이 가운데 오가며 즐기는 풍류를 말해 무엇하겠는가?
〈제7곡: 언학 1〉	
뇌정(雷霆)이 파산(破山)ᄒᆞ야도 농자(聾者)는 몯 듣ᄂᆞ니	천둥과 벼락이 산을 깨뜨릴 듯해도 귀먹은 사람은 못 듣고,
백일(白日)이 중천(中天)ᄒᆞ야도 고자(瞽者)는 몯 보ᄂᆞ니❷	밝은 해가 하늘 높이 올라도 눈먼 사람은 못 보니,
우리는 이목총명(耳目聰明) 남자로 농고(聾瞽)ᄀᆞ디 마로리❸	우리는 눈과 귀가 밝은 남자로 귀와 눈이 먼 자와 같아지지 말아야 하리.
〈제8곡: 언학 2〉	
[A] 고인(古人)도 날 몯 보고 나도 고인 몯 뵈	옛 성현도 나를 못 보고 나도 옛 성현을 못 뵙고,
고인을 몯 뵈도 녀던 길 알ᄑᆡ 잇ᄂᆡ❹	성현들을 못 뵈어도 성현들이 가던 학문의 길 앞에 있네.
녀던 길 알ᄑᆡ 잇거든 아니 녀고 엇뎔고❺	학문의 길이 앞에 있는데 아니 가고 어찌할 것인가?
〈제9곡: 언학 3〉	
[B] 당시(當時)예 녀든 길흘 몃 ᄒᆡ를 ᄇᆞ려두고	당시에 가던 학문의 길을 몇 해를 버려두고,
어듸 가 ᄃᆞᆫ니다가 이제ᅀᅡ 도라온고	어디 가 다니다가 이제야 돌아왔는가?
이제나 도라오나니 년 듸 ᄆᆞᅀᆞᆷ 마로리❻	이제나 돌아왔으니 다른 데 마음 두지 말으리.
〈제10곡: 언학 4〉	
청산(靑山)은 엇뎨ᄒᆞ야 만고(萬古)애 프르르며	푸른 산은 어찌하여 오랜 세월 푸르르며,
유수(流水)ᄂᆞᆫ 엇뎨ᄒᆞ야 주야(晝夜)애 긋디 아니ᄂᆞᆫ고❼	흐르는 물은 어찌하여 밤낮으로 그치지 아니하는가?
우리도 그티디 마라 만고상청(萬古常靑)* 호리라❽	우리도 그치지 말고 영원히 푸르리라.
〈제11곡: 언학 5〉	
우부(愚夫)도 알며 ᄒᆞ거니 긔 아니 쉬운가	어리석은 이도 알며 하니 그 아니 쉬운가?
성인(聖人)도 몯다 ᄒᆞ시니 긔 아니 어려온가❾	성인도 못다 하니 그 아니 어려운가?
쉽거나 어렵거낫 듕에 늙ᄂᆞᆫ 주를 몰래라	쉽거나 어렵거나 학문을 하면서 늙는 줄 모르겠구나.
〈제12곡: 언학 6〉	

– 이황, 「도산십이곡(陶山十二曲)」

Step 1 포인트 분석

「도산십이곡」

제목의 의미
이황이 '도산 서원에서 지은 12수의 연시조'라는 의미이다. 실제 이 작품은 언지(言志) 6수, 언학(言學) 6수로 이루어져 있다.

시적 상황
화자는 자연 속에서 학문에 정진하는 삶에 만족하고 있다.

표현
❶만권생애로 낙사ㅣ 무궁ᄒᆞ얘라
➜ **영탄적 표현:** 학문에 정진하며 사는 삶에 대한 만족감을 드러냄.
❷뇌정이~몯 듣ᄂᆞ니 / 백일이~몯 보ᄂᆞ니
➜ **대구적 표현:** 진리를 알아보지 못하는 사람들의 모습을 지적함.
❷뇌정, 농자, 백일, 고자
➜ **비유적 표현:** 진리에 대한 가르침(뇌정, 백일)을 주어도 깨닫지 못하는 사람들(농자, 고자)에 대한 안타까움을 부각함.
❹고인도 날~알ᄑᆡ 잇ᄂᆡ
➜ **연쇄적 표현:** 성현의 가르침을 따르겠다는 의지를 강조함.
❺아니 녀고 엇뎔고, ❼긋디 아니ᄂᆞᆫ고
➜ **설의적 표현:** 의문형 문장을 통해 학문에 정진하고자 하는 뜻을 강조함.
❼청산은 엇뎨ᄒᆞ야~긋디 아니ᄂᆞᆫ고
➜ **대구적 표현:** 각각 불변성, 영원성을 상징하는 청산과 유수를 짝지어 의미를 강조함.
❾우부도 알며~긔 아니 어려온가
➜ **대구, 대조:** 학문의 이중적 특징(접근하기는 쉬우나 완성하기는 어려움.)을 나타냄.

정서와 태도
❶만권생애로 낙사ㅣ 무궁ᄒᆞ얘라
➜ 학문에 정진하며 사는 삶에 대한 만족감
❷뇌정이 파산ᄒᆞ야도~몯 보ᄂᆞ니
➜ 학문이나 진리를 추구하지 않는 사람에 대한 안타까움
❸우리는 이목총명~ᄀᆞ디 마로리, ❻이제나~ᄆᆞᅀᆞᆷ 마로리, ❽우리도~만고상청 호리라
➜ 학문에 정진하려는 의지

- **완락재:** 도산 서원에서 이황이 주로 거처하던 서재의 이름으로, 완상하며 즐거움을 누리는 집이라는 뜻을 가짐.
- **만고상청:** 아주 오랜 세월 동안 항상 푸름. 여기서는 오랜 세월 동안 학문에 정진하는 것을 의미함.

Step 2 포인트 체크

[01~09] 윗글에 대하여 맞으면 ○, 틀리면 ×표를 하시오.

01 화자는 현재 자연 속에 있다. [○, ×]

02 화자는 벼슬길에 나아갔다가 학문을 소홀히 한 적이 있다. [○, ×]

03 〈제8곡〉의 초장과 중장은 대구를 이루고 있다. [○, ×]

04 〈제9곡〉에서는 영탄적 표현을 통해 학문 정진의 어려움을 토로하고 있다. [○, ×]

05 윗글에서는 자연물을 소재로 삼아 화자가 지향하는 가치를 표현하고 있다. [○, ×]

06 〈제12곡〉에는 대조적 표현이 드러나 있다. [○, ×]

07 화자는 학문에 정진하고 있는 자신의 모습에 만족하고 있다. [○, ×]

08 화자는 세속과 단절해야만 높은 학문의 경지에 도달할 수 있다고 생각하고 있다. [○, ×]

09 화자는 한결같은 자세로 학문에 임할 것을 다짐하고 있다. [○, ×]

[10~14] 다음 빈칸에 알맞은 말을 쓰시오.

10 윗글은 작가가 [ㄷ][ㅅ] [ㅅ][ㅇ]에서 지은 12수의 시조로 구성되어 있다.

11 〈언학〉에서 화자는 [ㅎ][ㅁ]에 정진하고자 하는 마음을 표현하고 있다.

12 〈제8곡〉에서 화자가 안타까워하며 비판적으로 바라보고 있는 대상을 가리키는 시어는 [ㄴ][ㅈ]와 [ㄱ][ㅈ]이다.

13 〈제9곡〉에서 '고인'은 학문적 성취를 이룬 옛 [ㅅ][ㅎ]을 의미한다.

14 윗글에서는 화자가 지향하고 있는 가치를 지니고 있는 자연물로 [ㅊ][ㅅ]과 [ㅇ][ㅅ]가 제시되고 있다.

정답 | 01 ○ 02 ○ 03 ○ 04 × 05 ○ 06 ○ 07 ○ 08 ○ 09 ○ 10 도산 서원 11 학문 12 농자, 고자 13 성현 14 청산, 유수

작품 정리

도산십이곡

- **갈래:** 연시조
- **성격:** 교훈적, 예찬적
- **주제:** 자연에서의 감흥, 학문 수양의 의지
- **구성:** 〈언지〉 6곡, 〈언학〉 6곡으로 이루어져 있음.
  - 〈언지 1〉 자연을 사랑하는 마음
  - 〈언지 2〉 자연을 벗 삼아 살아가는 삶
  - 〈언지 3〉 인간의 선한 성품과 순박한 풍습
  - 〈언지 4〉 임금을 그리워하는 마음
  - 〈언지 5〉 자연을 멀리하는 현실에 대한 안타까움
  - 〈언지 6〉 아름다운 자연의 모습
  - 〈언학 1〉 독서하는 삶의 즐거움
  - 〈언학 2〉 진리 터득의 중요성
  - 〈언학 3〉 옛 성현의 가르침을 따르려는 마음
  - 〈언학 4〉 학문 수양에 대한 다짐
  - 〈언학 5〉 학문 수양에 대한 의지
  - 〈언학 6〉 영원한 학문 수양의 길

» **해제:** 벼슬을 그만두고 자연으로 돌아온 작가가 도산 서원을 짓고 이곳에서 후학을 양성할 때의 심정을 담아 지은 연시조이다. 자연에서 사는 삶에 대한 만족감과 자연에 대한 예찬이 드러난 〈언지〉, 학문 수양의 즐거움과 학문 정진에 대한 다짐을 밝힌 〈언학〉으로 구성되어 있으며, 자연 속에서 학문을 수양하고 진리를 탐구하고자 하는 작가의 지향성이 잘 드러나는 작품이라고 할 수 있다.

Step 3 실전 문제

01

윗글의 화자에 대한 설명으로 적절하지 않은 것은?

① 화자는 자연 속에서 생활하고 있다.
② 화자는 벼슬길에 나아간 적이 있었다.
③ 화자는 학문의 길이 쉽지만은 않다고 생각하고 있다.
④ 화자는 학문에 소홀했던 때가 있었음을 후회하고 있다.
⑤ 화자는 목표 의식 없이 학문을 하는 제자들을 꾸짖고 있다.

02

윗글의 표현상 특징으로 가장 적절한 것은?

① 대구적 표현을 활용하여 운율감을 강화하고 있다.
② 명사형 종결을 활용하며 시상에 여운을 주고 있다.
③ 계절적 배경을 활용하여 시적 의미를 강조하고 있다.
④ 청각적 심상을 활용하여 시적 분위기를 형성하고 있다.
⑤ 대화체를 활용하여 화자의 심리적 갈등을 표출하고 있다.

03

ⓐ에 대한 설명으로 가장 적절한 것은?

① 화자가 미래에 이루고자 하는 바를 말해 준다.
② 화자가 지향하는 삶의 모습에 대해 말해 준다.
③ 화자가 한가롭게 살 수 있게 된 까닭을 말해 준다.
④ 화자가 쓸쓸함과 적막함을 느끼고 있음을 말해 준다.
⑤ 화자가 내적으로 갈등하고 있는 원인에 대해 말해 준다.

04

윗글의 화자가 지닌 생각으로 볼 수 없는 것은?

① 학문에 정진하는 것을 게을리하면 안 된다.
② 옛 성현들의 가르침을 배우고 따르겠다.
③ 벼슬에 뜻을 두지 않고 진리 탐구에만 매진하겠다.
④ 학문은 누구나 할 수 있지만 제대로 하기는 어렵다.
⑤ 인재를 양성하는 일은 국가 발전을 위해 꼭 필요한 일이다.

05

윗글의 시어나 시구와 관련한 설명으로 적절하지 않은 것은?

① 〈제7곡〉에서 '왕래 풍류'는 '완락재'에서 즐길 수 있는 것이라고 할 수 있다.
② 〈제8곡〉에서 '농자'와 '고자'는 '이목총명 남자'와 대조적인 존재라고 할 수 있다.
③ 〈제9곡〉에서 '고인'은 '나'가 가고자 하는 학문의 길을 먼저 갔던 사람이라고 할 수 있다.
④ 〈제10곡〉에서 '당시예 녀든 길'은 '년 듸 ᄆᆞᄋᆞᆷ'을 좇아 행하던 일이라고 할 수 있다.
⑤ 〈제11곡〉에서 '청산'은 '유수'와 함께 '우리'에게 가르침을 주는 대상이라고 할 수 있다.

06

기출 2021학년도 3월 고1 교육청

[A]와 [B]에 대한 설명으로 적절하지 않은 것은?

① [A]는 유사한 문장 구조를 활용하여 운율감을 형성하고 있다.
② [B]는 시간과 관련된 표현을 활용하여 상황 변화의 기점을 강조하고 있다.
③ [A]와 [B]는 모두 의문형 어구를 활용하여 화자의 태도를 드러내고 있다.
④ [A]와 [B]는 모두 부정 표현을 사용하여 반성하는 자세를 드러내고 있다.
⑤ [A]와 [B]는 모두 앞 구절의 일부를 다음 구절에서 반복하여 내용을 연결하고 있다.

07

고난도 기출 변형 2021학년도 3월 고1 교육청

〈보기〉를 참고하여 윗글을 감상한 내용으로 적절하지 않은 것은?

보기

문학 작품의 감상 과정에서 독자는 작품에 제시된 대상이나 상황 간의 관계를 파악함으로써 내용을 더 잘 이해할 수 있다. 이 시의 독자는 이러한 방식을 통해 학문의 길을 걷는 사람이 지녀야 하는 올바른 삶의 태도를 발견하게 된다.

① 〈제8곡〉에서는 '뇌정'과 '백일'을 알아채지 못할 정도로 학문에 열중하는 모습을 표현함으로써 학문에 몰두하는 자세를 중시하는 화자의 태도가 드러나고 있다.
② 〈제9곡〉에서는 '고인'과 '나'가 만나지 못하는 현실을 인식하고 학문 수양이라는 '녀던 길'을 매개로 '고인'을 따르겠다는 화자의 의도가 드러나고 있다.
③ 〈제10곡〉에서는 '당시예 녀든 길'과 '년 듸'가 대비되면서 학문 수양 이외에 다른 것에는 힘을 쏟지 않겠다는 화자의 의지가 드러나고 있다.
④ 〈제11곡〉에서는 '청산'과 '유수'의 공통적 속성이 '우리도 그티디' 않겠다는 다짐과 연결되면서 끊임없이 학문에 정진하겠다는 자세가 드러나고 있다.
⑤ 〈제12곡〉에서는 '성인도 몯다' 할 정도로 학문을 완성하기가 어렵다는 생각을 드러냄으로써 학문 수양을 위해 끊임없이 노력하려는 태도를 보이고 있다.

08

〈제11곡〉에 대한 설명으로 가장 적절한 것은?

① 색채어를 다양하게 활용하여 대상의 다채로움을 강조하고 있다.
② 시적 공간을 묘사하여 공간이 지닌 탈속적 특성을 부각하고 있다.
③ 다른 속성을 지닌 두 대상을 대비하여 자연의 모습을 보여 주고 있다.
④ 의문형 문장을 활용하여 부정적 현실에 대한 비판적 시각을 드러내고 있다.
⑤ 자연물을 소재로 하여 자연물의 속성을 본받고자 하는 마음을 표현하고 있다.

09

〈보기 1〉을 바탕으로 〈보기 2〉의 선생님의 질문에 답한 것으로 가장 적절한 것은?

보기 1

오늘의 시는 옛날의 시와는 달라서 읊을 수는 있겠으나 노래하기에는 어렵게 되었다. 이제 만일에 노래를 부른다면 반드시 이속(俚俗)의 말*로써 지어야 할 것이니, 이는 대체로 우리 국속(國俗)의 음절이 그렇지 않을 수 없기 때문이다.

– 이황, 「도산십이곡 발(陶山十二曲跋)」

* 이속의 말: 상스럽고 속된 말이라는 뜻으로, 여기서는 우리말을 의미함.

보기 2

선생님: 「도산십이곡 발」은 이황이 스스로 작품의 창작 동기를 설명한 것입니다. 이 시에서 〈보기 1〉의 설명에 가장 잘 부합하는 구절을 찾아볼까요?

① 천운대 도라드러 완락재 소쇄ᄒᆞᆫ듸
② 뇌정이 파산ᄒᆞ야도 농자는 몯 듣ᄂᆞ니
③ 녀던 길 알픠 잇거든 아니 녀고 엇뎔고
④ 유수ᄂᆞᆫ 엇뎨ᄒᆞ야 주야애 긋디 아니ᄂᆞᆫ고
⑤ 우리도 그티디 마라 만고상청 호리라

10

서술형

윗글에서 〈보기〉의 ㉠이 드러난 구절을 찾아 쓰고, 그 구절에 드러난 화자의 다짐을 서술하시오.

보기

「도산십이곡」의 작가는 벼슬을 사직한 후 경북 안동에 도산 서원을 세우고 학문에 정진하면서 후학을 가르쳤다. 이 작품에서 작가는 ㉠학문 정진의 뜻을 버리고 벼슬을 지낸 과거의 삶을 회고하면서 자신의 다짐을 표현하고 있다.

(1) ㉠이 드러난 구절

(2) ㉠에 드러난 화자의 다짐

● 조선 중기

고산구곡가

출제 포인트 › #자연의 아름다움 #예찬적 #학문의 즐거움 #반복법 · 설의법

고산구곡담(高山九曲潭)을 사ᄅᆞᆷ이 모로더니 / 고산의 구곡담을 사람이 모르고 있다가
주모복거(誅茅卜居)*ᄒᆞ니 벗님ᄂᆡ 다 오신다 / 내가 집터를 마련해 살아가니, 친구들이 다 오는구나.
어즈버 무이(武夷)*를 상상(想像)ᄒᆞ고 학주자(學朱子)*를 ᄒᆞ리라❶ 〈제1수〉 / 어즈버, 주자가 노래한 무이산을 떠올리며 주자에 대해 배우리라.

[A]
일곡(一曲)은 어ᄃᆡ미오 관암(冠巖)에 ᄒᆡ 비췬다❷ / 첫 번째 굽이는 어디인가, 우뚝 솟은 바위에 해가 비친다.
평무(平蕪)에 ᄂᆡ 거드니 원산(遠山)이 그림이로다❸ / 잡초가 우거진 들판에 안개가 걷히니 먼 산이 그림 같구나.
송간(松間)에 녹준(綠樽)*을 노코 벗 오ᄂᆞᆫ 양 보노라 〈제2수〉 / 소나무 숲 사이에 술통을 놓고 친구들이 찾아오는 모습을 보노라.

이곡(二曲)은 어ᄃᆡ미오 화암(花巖)에 춘만(春晩)커다❹ / 두 번째 굽이는 어디인가, 꽃 핀 바위에 봄이 가득하구나.
벽파(碧波)에 곳을 ᄯᅴ워 야외(野外)*로 보ᄂᆡ노라 / 푸른 물에 꽃을 띄워 멀리 야외로 보내노라.
사ᄅᆞᆷ이 승지(勝地)를 모로니 알게 ᄒᆞᆫ들 엇더리❺ 〈제3수〉 / 사람들이 이 경치 좋은 곳을 모르니, 알게 한들 어떠리?

오곡(五曲)은 어ᄃᆡ미오 은병(隱屛)이 보기 됴타 / 다섯 번째 굽이는 어디인가, 병풍 같은 절벽이 보기도 좋구나.
수변(水邊) 정사(精舍)*ᄂᆞᆫ 소쇄ᄒᆞᆷ*도 ᄀᆞ이 업다❻ / 물가의 정사는 맑고 깨끗하여 좋구나.
㉠이 중에 강학(講學)*도 ᄒᆞ려니와 영월음풍(詠月吟風)ᄒᆞ리라❼ 〈제6수〉 / 여기서 글도 가르치고 시도 지어 읊으면서 흥겹게 지내리라.

육곡(六曲)은 어ᄃᆡ미오 조협(釣峽)에 물이 넙다 / 여섯 번째 굽이는 어디인가, 좁은 골짜기에는 물이 많이 고여 있다.
㉡나와 고기와 뉘야 더욱 즐기ᄂᆞᆫ고❽ / 나와 물고기 중 누가 더욱 즐길 수 있으랴?
황혼(黃昏)에 낙대를 메고❾ 대월귀(帶月歸)를 ᄒᆞ노라 〈제7수〉 / 해가 저물거든 낚싯대를 메고 달빛을 받으며 돌아가리라.

구곡(九曲)은 어ᄃᆡ미오 문산(文山)에 세모(歲暮)커다 / 아홉 번째 굽이는 어디인가, 문산에 해가 저무는구나.
기암괴석(奇巖怪石)이 눈 속에 무쳐셰라❿ / 바위와 돌이 눈 속에 깊이 묻혔구나.
유인(遊人)*은 오지 아니ᄒᆞ고 볼 것 업다 ᄒᆞ더라 〈제10수〉 / 사람들은 이곳을 와 보지도 않고 볼 것이 없다고 하더라.

– 이이, 「고산구곡가(高山九曲歌)」

Step 1 포인트 분석

「고산구곡가」

제목의 의미
'고산의 아홉 굽이의 경치에 대한 노래'라는 뜻이다. 자연을 누리고 후학을 양성하면서 지내는 즐거움이 드러나 있다.

시적 상황
화자는 자연 속에서 풍류를 즐기면서 학문을 가르치고 연구하는 삶을 살고 있다.

표현
❶ 어즈버 무이를~학주자를 ᄒᆞ리라
→ **영탄적 표현:** 자신이 지향하는 삶의 태도를 드러냄.
❷ 일곡은 어ᄃᆡ미오, ❹ 이곡은 어ᄃᆡ미오
→ **반복적 표현:** 유사한 문장 구조와 동일한 어휘를 반복하여 아홉 굽이가 있는 고산의 모습을 부각하고, 운율감을 살림.
❷ 일곡은 어ᄃᆡ미오 관암에 ᄒᆡ 비췬다
→ **자문자답의 방식:** 〈제2수〉부터 〈제10수〉까지 매 수에서 사용됨. 소개할 경치에 대해 묻고, 이어서 이 경치의 아름다움을 표현함.
❸ 원산이 그림이로다 → **비유적 표현:** 자연의 경치가 그림같이 아름답다는 것을 의미함.
❺ 사ᄅᆞᆷ이 승지를~ᄒᆞᆫ들 엇더리
→ **설의적 표현:** 아름다운 경치를 함께 즐기고자 하는 화자의 마음을 부각함.
❾ 황혼에 낙대를 메고
→ **시간적 배경:** 화자가 해질 무렵 자연에서의 감흥을 표현하고 있음을 드러냄.
❿ 기암괴석이 눈 속에 무쳐셰라
→ **계절적 배경:** 고산의 겨울 풍경을 묘사함.

정서와 태도
❶ 무이를~ᄒᆞ리라, ❼ 강학도~영월음풍ᄒᆞ리라 → 학문 정진에 대한 뜻
❸ 원산이 그림이로다, ❻ 소쇄ᄒᆞᆷ도 ᄀᆞ이 업다 → 자연에 대한 예찬
❽ 나와 고기와 뉘야 더욱 즐기ᄂᆞᆫ고
→ 자연과의 동화, 물아일체

- **주모복거:** 풀을 베고 주거지를 마련함.
- **무이:** 주자가 후학을 가르친 무이산을 가리킴.
- **학주자:** 주자에 대하여 배움.
- **녹준:** 술잔 또는 술동이.
- **야외:** 여기서는 속세, 세상을 의미함.
- **정사:** 학문을 가르치기 위하여 지은 집.
- **소쇄ᄒᆞᆷ:** 기운이 맑고 깨끗함.
- **강학:** 학문을 닦고 연구함.
- **유인:** 노는 사람, 혹은 학문에 뜻이 없는 사람.

Step 2 포인트 체크

[01~09] 윗글에 대하여 맞으면 ○, 틀리면 ×표를 하시오.

01 〈제1수〉에는 화자를 고산으로 오게 한 사건이 드러나 있다. [○, ×]

02 〈제2수〉의 시간적 배경은 해가 뜬 아침이다. [○, ×]

03 화자는 자연 속에서 후학들에게 학문을 가르치고 있다. [○, ×]

04 〈제3수〉는 고산의 여러 풍경 중 봄의 풍경에 주목하고 있다. [○, ×]

05 윗글에는 자문자답의 방식이 활용되고 있다. [○, ×]

06 〈제3수〉는 설의적 표현을 활용하여 화자의 심리를 부각하고 있다. [○, ×]

07 〈제10수〉에서는 반어적 표현을 활용하여 특정 대상에 대한 화자의 부정적 평가를 드러내고 있다. [○, ×]

08 화자는 현재와의 비교를 통해 과거에 대한 회한을 드러내고 있다. [○, ×]

09 화자는 자연의 아름다움을 모르는 사람들을 안타깝게 여기고 있다. [○, ×]

[10~15] 다음 빈칸에 알맞은 말을 쓰시오.

10 '[ㅅ][ㅈ]'는 경치가 좋기로 이름난 곳을 이르는 말이다.

11 윗글은 반복적 표현을 통해 의미를 강조하고 [ㅇ][ㅇ][ㄱ]을 형성하고 있다.

12 화자는 자신이 거처하고 있는 고산을 주자가 후학을 가르쳤던 곳인 [ㅁ][ㅇ][ㅅ]에 견주고 있다.

13 화자는 시를 읊고 [ㄴ][ㅅ]를 하면서 자연 속에서 한가롭게 지내고 있다.

14 윗글은 자연에 대한 [ㅇ][ㅊ][ㅈ] 태도를 보여 주고 있다.

15 〈제3수〉에서는 [ㅅ][ㅇ][ㅈ] 표현을 통해 고산 구곡에서의 즐거움을 알리고 싶은 마음을 강조하고 있다.

정답 | 01 × 02 ○ 03 ○ 04 ○ 05 ○ 06 ○ 07 × 08 × 09 ○ 10 승지 11 운율감 12 무이산 13 낚시 14 예찬적 15 설의적

작품 정리

고산구곡가

- **갈래:** 연시조
- **성격:** 예찬적, 교훈적
- **주제:** 자연의 아름다운 경치와 풍류적 삶
- **구성:** 총 10수로 되어 있으며, 〈제1수〉는 전체의 서문 역할을 함. 자연의 아름다운 경치를 계절의 변화(봄, 여름, 가을, 겨울), 하루의 시간적 흐름(해가 떠서 질 때까지의 시간)과 관련지어 표현하고 있음.
  - 〈제1수〉 고산에서의 삶과 학문에 대한 지향
  - 〈제2수〉 첫 번째 굽이 – 관암의 아름다운 아침 경치
  - 〈제3수〉 두 번째 굽이 – 화암의 봄 경치
  - 〈제4수〉 세 번째 굽이 – 취병의 여름 풍경
  - 〈제5수〉 네 번째 굽이 – 송애의 석양 풍경
  - 〈제6수〉 다섯 번째 굽이 – 은병 정사에서의 생활
  - 〈제7수〉 여섯 번째 굽이 – 조협에서의 낚시
  - 〈제8수〉 일곱 번째 굽이 – 풍암의 가을 경치
  - 〈제9수〉 여덟 번째 굽이 – 금탄의 달밤
  - 〈제10수〉 아홉 번째 굽이 – 문산의 겨울 풍경

» **해제:** 작가가 벼슬에서 물러나 황해도 해주 고산 석담에 은병 정사를 짓고 제자들에게 학문을 가르칠 때에 지은 연시조이다. 주자가 「무이도가」에서 무이구곡의 경치를 노래한 것을 본따, 주자와 같이 자연 속에서 후학을 양성하고 풍류를 즐기며 살고자 하는 심정을 드러내고 있다. 자연의 아름다움에 대한 묘사와 자연을 예찬하는 태도가 두드러진 작품이다.

Step 3 실전 문제

01

기출 2020학년도 9월 고3 평가원

윗글에 대한 설명으로 가장 적절한 것은?

① 과거를 회상하며 현실의 덧없음을 환기하고 있다.
② 음성 상징어의 사용으로 생동감을 부각하고 있다.
③ 점층적인 표현으로 대상과의 거리감을 강조하고 있다.
④ 역사적 인물들을 호명하여 회고적 분위기를 조성하고 있다.
⑤ 자연물을 통하여 시간적 배경을 시각적으로 드러내고 있다.

02

윗글의 시어와 관련한 설명으로 가장 적절한 것은?

① 〈제1수〉의 '사룸'은 화자와 마찬가지로, '학주자'의 중요성에 대해 모르고 있는 이들을 가리킨다.
② 〈제2수〉의 '녹준'은 화자에게 세속에서의 부귀영화를 떠올리게 하는 대상이다.
③ 〈제3수〉의 '승지'는 화자가 동경하는 공간으로 이상향을 의미한다.
④ 〈제6수〉의 '은병'은 화자가 속세와 철저하게 단절되어 있음을 나타낸다.
⑤ 〈제10수〉의 '유인'은 화자가 누리고 있는 삶의 가치에 대해 알지 못하는 사람에 해당한다.

03

[A]에 대한 설명으로 적절하지 않은 것은?

① 해가 뜬 아침을 시간적 배경으로 하고 있다.
② 원산의 모습을 '그림'에 빗대어 표현하고 있다.
③ 원산을 통해 그리운 '벗'의 모습을 떠올리고 있다.
④ 안개가 걷히며 달라진 원산의 풍경을 표현하고 있다.
⑤ 아름다운 원산의 풍경을 바라보고 있는 기쁨을 나타내고 있다.

04

㉠을 이해한 내용으로 가장 적절한 것은?

① 후학을 양성하는 것에 대해 자부심을 느끼고 있군.
② 자연이 지닌 가치를 내면화하려는 노력을 하고 있군.
③ 속세에서 못다 이룬 꿈을 자연 속에서 이루고자 하고 있군.
④ 자연을 완상하는 데 그치지 않고 학문에도 정진하고자 하고 있군.
⑤ 풍류를 즐기는 삶과 학문에 열중하는 삶 사이에서 심리적 갈등을 겪고 있군.

05

㉡에 드러난 화자의 정서와 가장 관련이 깊은 것은?

① 춘산에 눈 녹인 바람 건듯 불고 간데없다
젹근덧 빌려다가 머리 위에 불리고저
귀밑에 해묵은 서리를 녹여 볼까 하노라
② 가마귀 싸우는 골에 백로야 가지 마라
성낸 가마귀 흰빛을 샘하나니
청강(淸江)에 좋이 씻은 몸을 더럽힐까 하노라
③ 눈 맞아 휘어진 대를 뉘라서 굽다던고
굽을 절(節)이면 눈 속에 푸를쏘냐
아마도 세한 고절(歲寒孤節)은 너뿐인가 하노라
④ 십 년을 경영(經營)하여 초려삼간(草廬三間) 지어 내니
나 한 칸 달 한 칸에 청풍(淸風) 한 칸 맡겨 두고
강산(江山)은 들일 데 없으니 둘러 두고 보리라
⑤ 묏버들 가려 꺾어 보내노라 님에게
자시는 창밖에 심어 두고 보소서
밤비에 새잎이 나거든 나인가도 여기소서

06

〈보기〉를 참고하여 윗글을 감상한 내용으로 적절하지 않은 것은?

보기

「고산구곡가」는 율곡 이이가 석담에서 지내면서 창작한 작품이다. 이이는 주자의 정신을 이어받아 주자가 지은 시가의 7곡에 해당하는 '대은병(大隱屛)'이라는 이름을 따 해주(海州) 석담(石潭)에 은병 정사(隱屛精舍)를 세우고 후학을 양성하였다. 이 작품에는 자연 속에서 한가롭게 생활하면서 강학하는 작가의 만족감이 드러나 있다.

① '무이'를 상상한다는 것은 화자가 주자와 같은 삶을 살고자 한다는 것을 드러내는군.
② '승지'는 속세와 떨어져 있는 곳으로, '무이산'과 같은 아름다운 자연을 가리키는 것이로군.
③ '은병'은 '은병 정사'를 가리키는 것으로, 화자의 삶의 터전이 주자의 '무이산'과 유사한 성격을 지님을 보여 주는군.
④ '수변 정사'는 세속과 연결되는 공간으로서 자연에서의 삶의 가치를 모르는 사람들을 일깨우는 공간으로 기능하는군.
⑤ '강학'과 '영월음풍'의 공간인 자연은 심성과 학문을 수양하는 장소로서 화자가 만족감을 느끼는 공간이라 할 수 있군.

07

〈보기〉의 ⓐ의 설명에 해당하는 구절을 윗글에서 찾아 쓰시오.

보기

이 작품은 시간적 질서와 계절의 변화를 바탕으로 하여 다채로운 자연의 모습을 보여 주고 있다. 해가 비치는 아침, 해가 지는 저녁 무렵 등 시간적 배경을 드러내기도 하고, 봄, 여름, 가을, 겨울의 계절적 배경을 나타내는 소재를 활용하기도 하며, ⓐ색채 이미지를 제시하여 자연의 아름다움을 인상적으로 표현하기도 한다.

08

서술형

〈보기〉의 선생님의 질문에 대한 답을 서술하시오.

보기

선생님: 이 작품은 고산의 아홉 굽이의 경치를 다룬 9수에 서사에 해당하는 〈제1수〉를 포함하여 총 10수로 되어 있습니다. 이 작품은 일곡에서부터 구곡까지 형식적인 면에서 통일성을 갖추어 완성도가 높다고 평가됩니다. 이 작품에서 통일성이 어떠한 방식을 통해 드러나고 있는지 찾아볼까요?

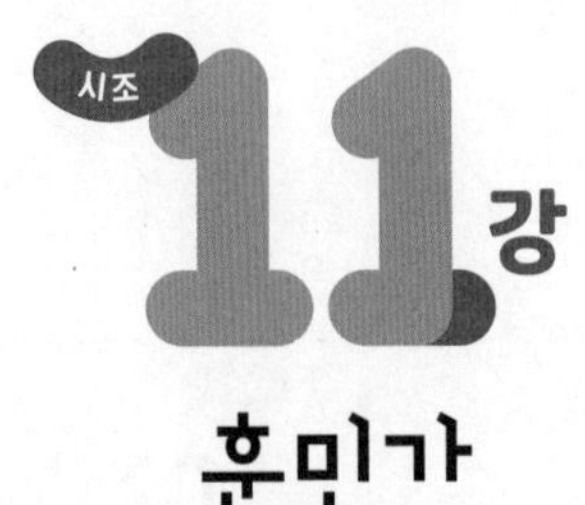

● 조선 후기

훈민가

출제 포인트 › #유교적 덕목 #명령형·청유형 어미 #계몽적·교훈적

형아 아ᄋᆡ야❶ 네 ᄉᆞᆯ홀 문져 보아	형아 아우야 네 살을 만져 보아라.
뉘손ᄃᆡ* 타나관ᄃᆡ 양ᄌᆞ*조차 ᄀᆞᄐᆞᆫ다	누구에게 태어났기에 모습까지 같은가?
ᄒᆞᆫ 졋 먹고 길러나이셔 닷ᄆᆞᄋᆞᆷ을 먹디 마라❷	한 젖을 먹고 자라났으니 딴마음을 먹지 마라.
〈제3수〉	
어버이 사라신 제 셤길 일란 다ᄒᆞ여라❸	어버이 살아 계실 때 섬기는 일을 다하여라.
디나간 후(後)ㅣ면 애ᄃᆞᆲ다 엇지ᄒᆞ리	부모님 돌아가신 후에는 애달프다 한들 어찌하리?
평ᄉᆡᆼ애 곳쳐* 못ᄒᆞᆯ 일이 잇ᄲᅮᆫ인가 ᄒᆞ노라	평생에 다시 못할 일이 이뿐인가 하노라.
〈제4수〉	
ᄆᆞ올 사ᄅᆞᆷ들하 올ᄒᆞᆫ 일 ᄒᆞ쟈ᄉᆞ라❹	마을 사람들아 옳은 일 하자꾸나.
사ᄅᆞᆷ이 되여 나셔 올티곳 못ᄒᆞ면	사람이 되고 나서 옳지를 못하면
ᄆᆞ쇼를 갓 곳갈 ᄡᅴ워 밥 머기나 다ᄅᆞ랴❺	마소를 갓 고깔 씌워 밥 먹이는 것과 다르랴?
〈제8수〉	
ᄑᆞᆯ목 쥐시거든 **두 손**으로 바티리라	팔목 쥐시거든 두 손으로 받치리라.
나갈 데 겨시거든 막대 들고 조ᄎᆞ리라	나갈 데 계시거든 지팡이 들고 쫓으리라.
향음쥬(鄕飮酒)* 다 파ᄒᆞᆫ 후에 뫼셔 가려 ᄒᆞ노라	향음주 다 파한 후에 모셔 가려 하노라.
〈제9수〉	
오ᄂᆞᆯ도 다 새거다 **호믜** 메고 가쟈ᄉᆞ라❻	오늘도 날이 밝았구나, 호미 메고 가자꾸나.
㉠ <u>내 논 다 매여든 네 논 졈 매여 주마</u>❼	내 논 다 매면 네 논도 좀 매어 주마.
올 길에 뽕 ᄯᅡ다가 누에 먹겨 보쟈ᄉᆞ라❽	오는 길에 뽕 따다 누에 먹여 보자꾸나.
〈제13수〉	
비록 못 니버도 ᄂᆞᄆᆡ 오ᄉᆞᆯ 앗디 마라	비록 못 입어도 남의 옷을 빼앗지 마라.
비록 못 머거도 ᄂᆞᄆᆡ **밥**을 비디 마라❾	비록 못 먹어도 남의 밥을 빌어먹지 마라.
ᄒᆞᆫ 적곳 ᄯᅵ 시른 후(後)ㅣ면 곳쳐 싯기 어려우리	한 번이라도 때 묻은 후면 다시 씻기 어려우니라.
〈제14수〉	

– 정철, 「훈민가(訓民歌)」

Step 1 포인트 분석

「훈민가」

제목의 의미
'백성들을 가르치기 위한 노래'라는 뜻으로, 작가가 관찰사로 재직하면서 백성들을 교화하기 위해 쓴 것이다.

시적 상황
화자가 유교적인 가르침을 전달하고 있다.

표현
❶ 형아 아ᄋᆡ야
→ **돈호법:** 사람을 부르는 방식을 사용하여 청자를 드러내고 주의를 환기함.
❷ 닷ᄆᆞᄋᆞᆷ을 먹디 마라, ❸ 셤길 일란 다ᄒᆞ여라
→ **명령형 문장:** 우애와 효도 같은 유교적 윤리를 지키기 위한 구체적인 행동 지침을 전달하고 있음.
❹ 올ᄒᆞᆫ 일 ᄒᆞ쟈ᄉᆞ라, ❻ 호믜 메고 가쟈ᄉᆞ라, ❽ 올 길에 뽕 ᄯᅡ다가 누에 먹겨 보쟈ᄉᆞ라
→ **청유형 문장:** 함께 행동하기를 요청하고 있음.
❺ ᄆᆞ쇼를 갓~다ᄅᆞ랴
→ **설의적 표현:** 의문형 문장을 활용하여 옳은 일을 행할 것을 강조함.
❼ 네 논 졈 매여 주마
→ **말을 건네는 방식:** '너'라는 구체적 청자를 설정하여 전달하고자 하는 의미를 강화하고 있음.
❾ 비록 못 니버도~밥을 비디 마라
→ **대구적 표현:** 통사 구조의 반복을 통해 운율감을 살리고 도둑질, 구걸에 대한 경계를 강조함.

정서와 태도
❷ 닷ᄆᆞᄋᆞᆷ을 먹디 마라, ❸ 셤길 일란 다ᄒᆞ여라, ❾ 비록 못 니버도~밥을 비디 마라
→ 가르침의 전달과 교화
❻ 오ᄂᆞᆯ도 다 새거다 호믜 메고 가쟈ᄉᆞ라, ❼ 내 논 다 매여든 네 논 졈 매여 주마, ❽ 올 길에 뽕 ᄯᅡ다가 누에 먹겨 보쟈ᄉᆞ라
→ 근면함과 상부상조(相扶相助)의 정신 강조

- **뉘손ᄃᆡ:** 누구에게.
- **양ᄌᆞ:** 모습.
- **곳쳐:** 다시.
- **향음쥬:** 마을 유생들이 모여 향약을 읽고 술을 마시며 잔치하는 예식.

Step 2 포인트 체크

[01~09] 윗글에 대하여 맞으면 ○, 틀리면 ×표를 하시오.

01 화자는 과거를 돌아보며 자신의 잘못을 반성하고 있다. (○, ×)

02 청자에게 말을 건네는 듯한 어투를 사용하여 가르침을 전달하고 있다. (○, ×)

03 〈제3수〉에서는 형제가 가져야 할 마음가짐과 관련하여 명령형 문장을 구사하고 있다. (○, ×)

04 〈제4수〉에서는 자식에 대한 부모의 사랑을 비유적 표현을 통해 인상적으로 제시하고 있다. (○, ×)

05 〈제4수〉에서는 설의적 표현을 통해 효도에는 때가 있음을 말하고 있다. (○, ×)

06 〈제8수〉에서는 비교의 방식을 통해 말하고자 하는 바를 강조하고 있다. (○, ×)

07 〈제9수〉에는 돌아가신 부모님에 대한 화자의 그리움이 드러나 있다. (○, ×)

08 〈제13수〉에는 계절의 흐름에 따라 변화하는 화자의 심리가 드러나 있다. (○, ×)

09 〈제14수〉에는 경제적으로 어려운 백성들에 대한 연민이 나타난다. (○, ×)

[10~15] 다음 빈칸에 알맞은 말을 쓰시오.

10 〈제14수〉에는 비슷한 문장 구조를 반복하여 표현의 효과를 나타내는 [ㄷ][ㄱ][ㅂ]이 사용되었다.

11 윗글에는 작가의 [ㅇ][ㄱ][ㅈ] 가치에 대한 지향성이 드러난다.

12 '가쟈ᄉᆞ라'에는 [ㅊ][ㅇ][ㅎ] 어미가 활용되었다.

13 윗글에서 옳지 않은 일을 하는 사람은 [ㅁ][ㅅ]와 같다고 표현하고 있다.

14 윗글은 시가이지만 서정적이지 않고 [ㄱ][ㅎ][ㅈ] 성격이 두드러진다.

15 윗글은 유교적 덕목으로서 우애와 효행, [ㄱ][ㅁ] 등의 가치를 제시하고 있다.

정답 | 01 × 02 ○ 03 ○ 04 × 05 ○ 06 ○ 07 × 08 × 09 × 10 대구법 11 유교적
12 청유형 13 마소(우마) 14 교훈적 15 근면

작품 정리

훈민가

- **갈래:** 연시조
- **성격:** 교훈적, 계몽적
- **주제:** 바르고 옳은 삶에 대한 가르침, 유교적인 삶의 도리
- **구성:** 총 16수로 되어 있는 연시조로, 임금에 대한 충성, 형제간의 우애, 풍수지탄의 경계, 옳은 일의 권장, 좋은 벗과의 교우, 벗과의 신의, 근면함과 상부상조의 정신, 노인에 대한 공경, 도둑질과 동냥에 대한 경계 등 유교적인 도리를 따르기 위한 덕목을 구체적이고 다양하게 나열하고 있다.
  - 〈제3수〉 형제간의 우애
  - 〈제4수〉 부모에 대한 효행
  - 〈제8수〉 바르고 옳은 행실
  - 〈제9수〉 어른을 공경하고 따르는 행동
  - 〈제13수〉 근면과 상부상조의 정신
  - 〈제14수〉 도둑질과 동냥에 대한 경계

» **해제:** 작가가 강원도에서 관찰사로 있을 때 백성들을 교화하기 위해 지은 연시조이다. 이 작품은 작가의 유교적 가치에 대한 지향 의식을 바탕으로 하여 백성들에게 유교적 덕목을 가르치려는 의도로 창작된 것으로서, 교훈적 성격이 두드러진다. 또한 이 작품은 백성들을 독자층으로 하였기 때문에 어려운 한자어보다는 쉬운 우리말을 구사하고 있다. 명령형과 청유형 문장을 구사하여 말하고자 하는 바를 직접적·효과적으로 전달하고 있다.

Step 3 실전 문제

01

윗글의 성격으로 가장 적절한 것은?

① 서정적 ② 교훈적 ③ 예찬적
④ 비판적 ⑤ 관조적

02

화자가 말하고자 하는 바가 직접적으로 드러난 구절로 볼 수 없는 것은?

① 〈제3수〉의 'ᄒᆞᆫ 졋 먹고 길러나이셔 닷ᄆᆞᄋᆞᆷ을 먹디 마라'
② 〈제4수〉의 '어버이 사라신 제 셤길 일란 다ᄒᆞ여라'
③ 〈제8수〉의 'ᄆᆞᄋᆞᆯ 사ᄅᆞᆷ ᄃᆞᆯ하 올ᄒᆞᆫ 일 ᄒᆞ쟈ᄉᆞ라'
④ 〈제9수〉의 '풀목 쥐시거든 두 손으로 바티리라'
⑤ 〈제14수〉의 '비록 못 니버도 ᄂᆞᄆᆡ 오ᄉᆞᆯ 앗디 마라'

03

기출 변형 2020학년도 11월 고1 교육청

윗글에 대한 설명으로 적절한 것은?

① 고사성어를 활용하여 주제 의식을 강조하고 있다.
② 선경 후정의 방식을 활용하여 시상을 전개하고 있다.
③ 유사한 통사 구조를 활용하여 운율을 형성하고 있다.
④ 계절의 순환을 활용하여 시적 의미를 부각하고 있다.
⑤ 청유형 어미를 활용하여 문제 해결을 강조하고 있다.

04

윗글에 대해 이해한 내용으로 적절하지 않은 것은?

① 〈제3수〉에서 '네 ᄉᆞᆯ ᄒᆞᆯ 믄져 보아'라고 한 것은 형과 아우가 한 핏줄에서 태어났음을 잊지 말라는 뜻을 담은 것이라고 할 수 있겠군.
② 〈제4수〉의 '평ᄉᆡᆼ애 곳쳐 못ᄒᆞᆯ 일'은 부모님이 돌아가신 후에는 효도를 다시 할 수 없음을 부각하는 것이라고 할 수 있겠군.
③ 〈제9수〉의 '막대 들고 조ᄎᆞ리라'는 사람으로서 올바른 도리를 다하지 않으면 그에 상응하는 대가를 치를 수 있음을 강조한 것이라고 할 수 있겠군.
④ 〈제13수〉의 '올 길에 뽕 따다가'는 본업인 논일을 하고 나서 돌아가는 길에도 쉬지 않고 부지런하게 일을 하는 태도를 보여 주는 것이라고 할 수 있겠군.
⑤ 〈제14수〉의 '곳쳐 싯기 어려우리'는 한번 도둑질이나 동냥을 하면 그것이 계속 자신의 삶에 영향을 미칠 수 있음을 말한 것이라고 할 수 있겠군.

05

윗글의 시어에 대한 설명으로 적절하지 않은 것은?

① 'ᄒᆞᆫ 졋'은 한 부모를 가리키는 것이다.
② '두 손'은 어른에 대한 공경의 자세를 보여 주는 것이다.
③ '향음쥬'는 어른께 드리는 좋은 음식을 가리키는 것이다.
④ '호믜'는 노동을 가리키는 것이다.
⑤ 'ᄂᆞᄆᆡ 밥'은 탐내거나 빗겨서는 안 될 것을 말하는 것이다.

06

〈제4수〉를 설명하기에 가장 적절한 것은?

① 간난신고(艱難辛苦) ② 경이원지(敬而遠之)
③ 맥수지탄(麥秀之嘆) ④ 풍수지탄(風樹之嘆)
⑤ 함구무언(緘口無言)

07

고난도 기출 변형 2020학년도 11월 고1 교육청

〈보기〉를 바탕으로 윗글을 감상한 내용으로 적절하지 않은 것은?

| 보기 |

조선 시대에는 옳은 일의 실천, 어른 공경, 상부상조, 부녀자의 덕목과 같은 가르침을 전달하고자 하는 작품들이 있었다. 이러한 작품들은 가르침의 전달 효과를 높이기 위해 비유 대상 혹은 화자와 대비되는 대상을 활용하거나 구체적인 청자를 제시했다. 또한 화자가 스스로 실천하려는 행위를 제시하는 방식을 활용하여 설득 효과를 높이기도 하였다.

① '디나간 후ㅣ면' 어찌할 수 없다고 한 것을 통해, 특정한 사람에게 잘못에 대한 반성을 촉구하고 있음을 짐작할 수 있군.
② 'ᄆᆞᄋᆞᆯ 사ᄅᆞᆷ ᄃᆞᆯ'에게 '올ᄒᆞᆫ 일 ᄒᆞ쟈ᄉᆞ라'라고 한 것을 통해, 구체적인 청자를 제시하고 있음을 짐작할 수 있군.
③ '갓 곳갈'을 쓰고 '밥'을 먹는 'ᄆᆞ쇼'라는 비유 대상을 활용해 옳은 일의 실천을 강조하고 있음을 짐작할 수 있군.
④ 'ᄑᆞᆯ목'을 '쥐시'면 '두 손으로 바티리라'는 것을 통해, 어른에 대한 공경을 드러내고 있음을 짐작할 수 있군.
⑤ '내'가 자신의 '논'을 다 매거든 '네 논'도 매어 준다는 것을 통해, 화자가 스스로 실천하려는 행위를 제시하고 있음을 짐작할 수 있군.

08

〈보기〉의 ㉮를 뒷받침할 수 있는 구절을 윗글에서 모두 찾아 쓰고, 그 구절의 표현상 특징에 대해 서술하시오.

| 보기 |

「훈민가」는 작가 정철이 강원도에서 관찰사로 재직하면서 백성들에게 유교적인 가르침을 전달하기 위해 지은 작품이다. 백성들을 교화할 목적으로 지은 것이기는 하지만, 작가는 사대부로서의 위엄을 내세워 일방적으로 가르침을 따르도록 명령하는 것이 아니라 ㉮<u>같은 인간으로서 바람직한 행실을 함께해 나갈 것을 강조하고</u> 있다.

(1) ㉮를 뒷받침할 수 있는 구절: ______________

____

(2) 표현상 특징: ______________

____

09

윗글과 〈보기〉를 비교하여 설명한 내용으로 적절하지 않은 것은?

| 보기 |

아바님 날 나ᄒᆞ시고 어마님 날 기ᄅᆞ시니
부모(父母)옷 아니시면 내 몸이 업실랏다
이 덕(德)을 갑ᄑᆞ려 ᄒᆞ니 하ᄂᆞᆯ ᄀᆞ이 업스샷다

〈제2수〉

형(兄)님 자신 져ᄌᆞᆯ 내 조처 머궁이다•
어와 우리 ᄋᆞ아 어마님 너 ᄉᆞ랑이야
형제(兄弟)오 불화(不和)ᄒᆞ면 ᄀᆡ도치•라 ᄒᆞ리라

〈제5수〉

• 머궁이다: 먹습니다.
• ᄀᆡ도치: 개돼지.

– 주세붕, 「오륜가(五倫歌)」

① 윗글과 달리 〈보기〉는 대화를 주고받는 형식을 활용하여 형제간 우애가 중요함을 말하고 있다.
② 〈보기〉와 달리 윗글은 가정 내에서 아버지의 역할과 어머니의 역할을 통해 부모에게 감사하는 마음을 강조하고 있다.
③ 윗글과 〈보기〉는 모두 부모에게 효행을 다할 것을 강조하고 있다.
④ 윗글과 〈보기〉는 모두 형제가 한 부모의 양육 아래서 자라났음을 말하고 있다.
⑤ 윗글과 〈보기〉는 모두 유교적 덕목을 지키지 않으면 사람이 짐승과 같아진다고 표현하고 있다.

10

윗글의 ㉠에 드러난 덕목이 무엇인지 네 글자로 쓰고, 그 구체적 내용을 서술하시오.

____

조선 후기

전원사시가

출제 포인트 › #계절감의 표현 #시각적·청각적 형상화 #비유적 표현 #권계의 내용

봄날이 점점 기니 **잔설(殘雪)이 다 녹겼다**
ⓐ 매화(梅花)는 발서 지고 **버들가지 누르렷다**❶
아해야 울 잘 고치고 채전(采田) 갈게 하야라 〈춘(春) 1〉

*봄날이 점점 길어지니 남은 눈 다 녹는다.
매화는 벌써 지고 버들가지 누르렀다.
아이야 울타리 잘 고치고 채소밭 갈게 하여라.

양파(陽坡)*에 풀이 기니 봄빛이 늦어 있다
㉠ 소원(小園) **도화(桃花)**는 밤비에 다 피것다
아해야 쇼 좋이 먹여 논밧 갈게 하야라❷ 〈춘(春) 2〉

*양지 언덕에 풀이 기니 봄빛이 늦어 있다.
작은 정원 복숭아꽃은 밤비에 다 피었다.
아이야 소 좋게 먹여 논밭 갈게 하여라.

ⓑ 잔화(殘花) 다 진 후(後)에 **녹음(綠陰)이 깊피 간다**
백일(白日) ㉡ 고촌(孤村)에 낫닭의 소래노다❸
아해야 계면조* 불러라 긴 조름 깨우자❹ 〈하(夏) 1〉

*남은 꽃 다 진 뒤에 녹음이 깊어 간다.
한낮에 외딴 마을에 낮닭의 소리로다.
아이야 계면조 불러라. 긴 졸음 깨워 보자.

흰 이슬 **서리** 되니 가을이 늦어 잇다
긴 들 황운(黃雲)이 한 빛이 되겼고나❺
아해야 **비진 술 걸러라** 추흥(秋興) 겨워 하노라❻ 〈추(秋) 1〉

*흰 이슬 서리 되니 가을이 늦어 있다.
긴 들판 황운이 같은 빛으로 되는구나.
아이야 빚은 술 걸러라. 가을의 흥을 못 이겨 하노라.

북풍(北風)이 높이 부니 **앞 뫼**해 **눈**이 진다
모첨(茅簷)* 찬 빛이 석양(夕陽)이 거의로다
아해야 두죽(豆粥)이나 걸러라 먹고 자랴 하노라❼ 〈동(冬) 1〉

*북풍이 높이 부니 앞산에 눈이 내린다.
초가지붕 처마의 찬 빛을 보니 석양이 거의로다.
아이야 팥죽 익었느냐? 먹고 잘까 하노라.

Step 1 포인트 분석

「전원사시가」

제목의 의미
'전원에서의 네 계절 봄, 여름, 가을, 겨울에 대한 노래'라는 의미이다.

시적 상황
화자는 전원에 묻혀 계절의 변화에 따라 펼쳐지는 아름다운 자연의 정경을 즐기며 한가로운 생활을 하고 있다. 그리고 세밑에 이르러서는 세월의 흐름에 대해 생각하고 있다.

표현
❶ 매화는~누르렷다
→ **시간의 흐름에 대한 시각적 형상화:** 시간의 흐름을 자연물의 모습이 변화하는 것을 통해 형상화함. 매화가 지고 버들가지 잎이 누르게 변한다는 색채 표현을 통해 시간의 흐름을 시각적으로 표현함.
❸ 백일~소래노다
→ **공간의 분위기에 대한 청각적 형상화:** 여름날 한낮에 햇빛이 비치는 가운데 닭의 울음소리가 들리는 마을의 분위기를 표현함. 청각적 심상을 환기함으로써 마을의 정경을 감각적으로 표현함.
❺ 긴 들~되겼고나
→ **비유적 표현을 통한 가을 정경의 표현:** '황운'은 넓은 들판에 벼가 누렇게 익은 모습을 구름에 비유하여 이르는 말임. 이와 같은 비유적 표현을 사용하여 가을 들판의 모습을 시각적으로 형상화함.

정서와 태도
❷ 아해야~하야라
→ 〈춘 1〉의 종장과 마찬가지로 봄날에 해야 할 일을 제시하고 명령형 표현을 통해 그 일을 독려하고 있음.
❹ 아해야~깨우자
→ 여름에 낮잠을 길게 자다 깨어 아이에게 노래를 시키는 것으로, 여름날의 한가로운 삶의 모습을 보여 줌.
❻ 아해야~겨워 하노라
→ 풍요로운 가을에 빚어 두었던 술을 걸러 마심으로써 가을날의 흥취를 즐기려는 태도를 표현함.
❼ 아해야~자랴 하노라
→ 풍습을 따르고 중시하는 태도를 보이고 있음.

- **양파:** 햇볕이 잘 비치는 언덕.
- **계면조(界面調):** 국악에서 쓰는 음계의 하나. 슬프고 애타는 느낌을 주는 음조.
- **모첨:** 초가지붕의 처마.

어제 쇼 친 **구들*** 오날이야 채 덥거니
긴 잠 겨우 깨니 아젹 날이 놉파 잇다
아해야 서리 녹앗느냐 닐고 쟈고 하노라❽ 〈동(冬) 2〉

*어제 놓은 구들 오늘에야 채 따뜻해지니
긴 잠 겨우 깨니 아직 밤이 지속되고 있다.
아이야 서리 녹았느냐 깨고 자고 하노라.

이바 아해들아 새해 온다 질겨 마라❾
헌서한 세월(歲月)이 소년(少年) 아사 가느이라
우리도 새해 질겨하다가 이 백발(白髮)이 되엿노라 〈제석(除夕) 1〉

*이봐 아이들아 새해 온다 즐거워 마라.
야단스런 세월이 젊음을 앗아 가느니라.
우리도 새해 즐기다가 이 백발이 되었구나.

[A]

이바 아해들아 날 샌다 깃거 마라
자고 새고 자고 새니 세월(歲月)이 먼저 간다
백년(百年)이 하 초초(草草)하니* 나는 굿버 하노라❿ 〈제석(除夕) 2〉

*이봐 아이들아 날 샌다 기뻐 마라.
자고 새고 자고 새니 세월이 먼저 간다.
백 년이 급하게 지나니 나는 심란하노라.

– 신계영, 「전원사시가(田園四時歌)」

표현

❽ 아해야~쟈고 하노라
➜ **일상의 형상화:** 사시(四時)에 관한 노래를 할 때 각 수의 종장에서는 '아해'에게 말을 하는 형식을 취해 일상적인 생활의 모습을 제시하고 있음. <동 2>에서는 겨울에 밤이 몹시 길어 깨고 자고 해도 아직 미처 날이 밝지 않은 것에 대해 말하고 있음.

❾ 이바 아해들아~마라
➜ **부정 표현을 활용한 권계의 제시:** '제석(除夕)'에서는 각 수의 초장에서 '이바 아해들아~마라'의 형식을 반복적으로 사용하여 젊은 사람들을 향한 권계의 뜻을 나타내고 있음. '마라'라는 부정 표현은 경계해야 할 태도를 효과적으로 나타내고 있음.

정서와 태도

❿ 백년이~굿버 하노라
➜ 세월이 빠르게 흘러가는 것에 대해 덧없음을 느끼고 안타까워함.

- **구들:** 불을 때어 난방을 하는 구조물.
- **초초하니:** 바쁘고 급하니.

Step 2 포인트 체크

[01~07] 윗글에 대하여 맞으면 ○, 틀리면 ×표를 하시오.

01 화자는 봄빛이 내리쬐는 풍경에 대해 긍정적 태도를 보이고 있다. 〔○, ×〕

02 봄의 정경을 표현하는 데 색채어를 사용하고 있다. 〔○, ×〕

03 화자는 가을에 거두어들이는 곡식의 양이 적을까 염려하고 있다. 〔○, ×〕

04 화자는 아름다운 자연의 정취를 함께 즐길 사람이 곁에 없어 아쉬워하고 있다. 〔○, ×〕

05 〈춘 1〉, 〈춘 2〉, 〈추 1〉, 〈동 1〉의 초장은 유사한 문장 형식을 사용하여 계절의 정경을 제시하고 있다. 〔○, ×〕

06 화자는 겨울의 절기와 관련하여 음식을 먹는 풍습을 보여 주고 있다. 〔○, ×〕

07 화자는 전원에서의 여러 일에 직접 참여하고 있다. 〔○, ×〕

[08~11] 다음 빈칸에 알맞은 말을 쓰시오.

08 윗글은 [ㅊ][ㅎ][ㅊ][ㄷ]의 계절 순서에 따라 시상을 전개하는 부분과 한 해의 마지막 날인 섣달 그믐날의 밤에 느낀 정회를 제시한 [ㅈ][ㅅ] 부분으로 구성되어 있다.

09 〈춘 1〉의 '잔설이 다 녹겄다'와 〈춘 2〉의 '봄빛이 늦어 있다'를 비교해 보면 〈춘 1〉의 [ㅅ][ㄱ][ㅈ] [ㅂ][ㄱ]이 〈춘 2〉보다 앞섬을 알 수 있다.

10 〈동 2〉의 '긴 잠 겨우 깨니 아젹 날이 놉파 잇다'는 겨울의 [ㅂ]이 길어 오랜 시간 동안 [ㅈ]을 자고 일어났음에도 날이 새지 않았음을 나타내고 있다.

11 〈제석 1〉의 종장에서 화자는 세월의 흐름으로 인한 [ㅁ][ㅅ][ㄱ]을 표출하고 있다.

작품 정리

전원사시가
- **갈래:** 연시조
- **성격:** 서정적, 전원적
- **주제:** 전원에서의 유유자적한 삶
- **구성:** 〈춘 1〉~〈춘 2〉 잔설이 녹는 봄의 정취와 분주한 모습
  〈하 1〉 녹음이 깊어 가는 한가로운 여름
  〈추 1〉 가을의 흥취
  〈동 1〉~〈동 2〉 겨울의 모습
  〈제석 1〉~〈제석 2〉 세월의 흐름에 대한 안타까움

» **해제:** 이 작품은 총 10수의 연시조로, '춘하추동'의 '사시'와 '제석'의 두 부분으로 크게 나뉜다. '사시'에서는 사계절의 순서에 따라 계절의 정취를 제시하고 계절과 관련지어 일상의 상황이나 삶의 모습을 제시하고 있으며, '제석'에서는 세월의 흐름에 대한 안타까움을 제시하고 있다. 춘하추동의 계절에 대해 노래한 후, 섣달 그믐날에 느끼는 감상을 제시하고 있는 것이다.

정답 | 01 ○ 02 ○ 03 × 04 × 05 ○ 06 ○ 07 × 08 춘하추동, 제석 09 시간적 배경 10 밤, 잠 11 무상감

Step 3 실전 문제

정답 021쪽

01

윗글에 대한 설명으로 적절한 것은?

① 의인화를 통해 사물의 속성을 선명하게 부각하고 있다.
② 섬세하고 부드러운 어조로 애상적 분위기를 고조시키고 있다.
③ 공간의 이동 경로에 따라 사물의 다양한 속성을 드러내고 있다.
④ 동일한 시어를 반복적으로 사용하여 형식적 통일감을 주고 있다.
⑤ 설의적 표현을 사용하여 화자의 현실 극복 의지를 강조하고 있다.

02

㉠, ㉡에 대한 이해로 적절한 것은?

① ㉠은 화자가 미래에 거주하고자 소망하는 곳이고, ㉡은 화자가 현재 거주하고 있는 곳이다.
② ㉠은 화자가 봄의 아름다운 정경을 접한 곳이고, ㉡은 화자가 여름의 한가로움과 여유를 느낀 곳이다.
③ ㉠은 화자가 현재 삶에 대한 충족감을 느낀 곳이고, ㉡은 화자가 외로움으로 인한 결핍을 느낀 곳이다.
④ ㉠은 화자가 속세와 단절되어 자연과 하나 되는 곳이고, ㉡은 화자가 속세에서의 삶을 이어 가는 곳이다.
⑤ ㉠은 화자가 계절에 따라 해야 할 일을 준비하는 곳이고, ㉡은 화자가 계절에 따라 해야 할 일을 시행하는 곳이다.

03

[A]에 대한 설명으로 적절하지 않은 것은?

① 명령형 문장을 사용하여 경계해야 할 내용을 제시하고 있다.
② 대상을 부르는 형식을 취해 청자를 명시적으로 드러내고 있다.
③ 화자의 경험을 바탕으로 청자가 깨우쳐야 할 내용을 제시하고 있다.
④ 화자가 자신이 늙어 감에 대해 안타까워하는 심정을 드러내고 있다.
⑤ 자연물에 감정을 이입하여 과거를 대하는 화자의 태도를 드러내고 있다.

04

ⓐ와 ⓑ의 공통된 시적 기능으로 가장 적절한 것은?

① 시적 분위기를 반전시키고 있다.
② 시간이 경과했음을 나타내고 있다.
③ 화자의 상실감을 불러일으키고 있다.
④ 화자와 자연물의 친밀감을 보여 주고 있다.
⑤ 화자가 자신의 처지를 깨닫는 계기를 제공하고 있다.

05

〈보기〉를 참고하여 윗글을 감상한 내용으로 적절하지 않은 것은?

보기

신계영의 「전원사시가」는 춘하추동을 노래한 '사시(四時)' 부분에서 여러 방법으로 계절감을 부각하고 있다. 계절의 특징적인 전개 양상을 제시하고 있으며, 계절을 대표하는 자연물을 소재로 활용하거나 계절의 정취를 감각적으로 표현하고 있다. 그리고 한 계절 안에서의 시간적 차이를 드러내어 그 계절에서 일어나는 자연 현상의 순차성을 나타내고 있으며, 계절의 정취에 취해 풍류를 즐기고자 하는 모습도 제시하고 있다.

① 〈춘 1〉의 '버들가지 누르렀다'는 시각적 이미지로 계절감을 나타낸다.
② 〈춘 1〉의 '잔설이 다 녹겄다'와 〈하 1〉의 '녹음이 깃피 간다'는 각각 봄과 여름의 특징적인 전개 양상을 제시한다.
③ 〈춘 2〉의 '도화', 〈추 1〉의 '서리', 〈동 1〉의 '눈'은 계절을 대표하는 자연물들을 시상 전개에 활용한 것이다.
④ 〈추 1〉에서 '비진 술 걸러라'라고 하는 것은 가을의 정취에 취해 풍류를 즐기고자 하는 모습이다.
⑤ 〈동 1〉에서 '앞 뫼'의 차가움을, 〈동 2〉에서 '구들'의 따뜻함을 제시한 것은 겨울에 일어나는 자연 현상의 순차성을 나타낸 것이다.

06

다음 빈칸에 공통적으로 들어갈 말을 쓰시오.

이 작품에서 (   ) 따라 시상을 전개한 각 수의 종장은 일상의 상황이나 삶의 모습을 (   )와/과 관련하여 표현하고 있다는 점에서 공통점을 갖는다.

● 조선 후기

만흥

출제 포인트 › #화자와 대상과의 거리 #유교적 가치의 표현 #물아일체·자연 친화의 태도

산수 간(山水間) 바회 아래 뛰집을 짓노라 ᄒᆞ니
그 모론 놈들은 **웃**는다 ᄒᆞᆫ다마ᄂᆞᆫ
ⓐ어리고 햐암*의 뜻에ᄂᆞᆫ 내 분인가 ᄒᆞ노라❶ 〈제1수〉

*산수 사이 바위 아래 띠집을 지으려 하니,
그것을 모르는 남들은 비웃는다지만,
어리석고 세상 물정 모르는 내 생각으로는 내 분수에 맞는 일로 여겨지노라.

㉠보리밥 풋ᄂᆞ물을 알마초 머근 후(後)에
ⓑ바횟 긋 믉ᄀᆞ의 슬ᄏᆞ지 노니노라
그 **나믄 녀나믄 일**이야 부롤 줄이 이시랴❷ 〈제2수〉

*보리밥과 풋나물을 알맞게 먹은 후에,
바위 끝이나 물가에서 실컷 노니노라.
그 밖에 다른 일이야 부러워할 까닭이 있으랴.

잔 들고 혼자 안자 **먼 뫼흘** ᄇᆞ라보니
그리던 님이 오다 반가옴이 이러ᄒᆞ랴❸
ⓒ말숨도 우움도 아녀도 몯내 됴하ᄒᆞ노라❹ 〈제3수〉

*잔을 들고 혼자 앉아 먼 산을 바라보니
그리워하던 임이 온다고 한들 반가움이 이보다 더하겠는가?
말하거나 웃음 짓지 않아도 그것을 한없이 좋아하노라.

누고셔 삼공(三公)도곤 낫다 ᄒᆞ더니 만승(萬乘)이 이만ᄒᆞ랴❺
㉮이제도 헤여든 소부 허유(巢父許由)* ㅣ 냑돗더라
아마도 님천 한흥(林泉閑興)을 비길 곳이 업세라❻ 〈제4수〉

*누군가 삼정승보다 낫다 하더니 일만 수레를 가진 천자라고 한들 이만큼 좋겠는가?
이제 생각해 보니 소부와 허유가 영리하도다.
아마도 자연 속에서 노니는 즐거움은 비할 데가 없으리라.

내 셩이 게으르더니 **하늘히 아ᄅᆞ실샤**
인간 만ᄉᆞ(人間萬事)롤 ᄒᆞᆫ 일도 아니 맛뎌
ⓓ다만당 ᄃᆞ토리 업ᄉᆞᆫ 강산(江山)을 딕히라 ᄒᆞ시도다❼ 〈제5수〉

*내 천성이 게으른 것을 하늘이 아셔서,
세상의 많은 일 가운데 하나도 맡기지 않으시고,
다만 다툴 상대가 없는 자연을 지키라고 하셨도다.

Step 1 포인트 분석

「만흥」

제목의 의미
'흥이 가득차다, 넘치다'라는 의미이다.

시적 상황
화자는 어지러운 정치 현실에서 벗어나 자연 속에 묻혀 한가롭게 생활하고 있다. 자연에서 자연과 더불어 유유자적 생활하며 흥취를 느끼고 있다.

표현
❷그 나믄~줄이 이시랴
→ **설의적 표현:** 자연 속에서 유유자적하는 삶을 즐기는 일에만 관심이 있을 뿐, 세속의 일에는 관심을 두지 않겠다는 의지를 설의적 표현을 통해 강조함.
❸잔 들고~반가옴이 이러ᄒᆞ랴
→ **비교, 설의적 표현:** 술잔을 들고 산을 바라보는 기쁨과 그리워하던 임을 만난 기쁨을 비교하여 산을 바라보는 기쁨이 더 크다고 말하고 있음. 이러한 표현 방법을 통해 인간 세계보다 자연 세계를 더 가치 있게 여기는 자연 친화적 인식을 드러내고 있음.
❹말숨도 우움도 아녀도
→ **의인화:** '뫼(산)'를 말을 하거나 웃음을 짓는 사람처럼 표현하여 친밀감을 나타냄.

정서와 태도
❶그 모론 놈들은~내 분인가 ᄒᆞ노라
→ 화자는 명리를 추구하는 세속적인 사람들과 대비하여 자연을 벗하며 소박하게 사는 삶, 즉 안빈낙도(安貧樂道)에 대한 만족감을 표출하고 있음.
❹말숨도~됴하ᄒᆞ노라
→ 화자가 산과 이심전심(以心傳心)을 느낄 정도로 자연 친화 의식을 지니고 있음.
❺누고셔~이만ᄒᆞ랴, ❻아마도~업세라
→ 자연에 묻혀 한가하게 지내는 삶에 대해 화자 스스로가 자부심을 느끼고 있음을 나타냄.
❼하놀히 아ᄅᆞ실샤~딕히라 ᄒᆞ시도다
→ 자연에서의 삶을 하늘로부터 부여받은 숙명적인 것으로 정당화하는 것이라고 볼 수 있음. 아울러 다툴 일이 많은 인간 세상에 대한 비판적인 관점이 드러나며, 현실 도피적인 성향도 드러난다고 볼 수 있음.

• **햐암:** 향암(鄕闇). 시골에 사는 견문이 좁고 어리석은 사람.
• **소부 허유:** 고대 중국의 인물들로 속세의 높은 지위를 선택하지 않고 자연을 벗하며 사는 삶을 선택함.

강산(江山)이 됴타 흔들 내 분(分)으로 누얻느냐

님군 은혜(恩惠)를 이제 **더옥 아노이다**

ⓔ아므리 갑고쟈 흐야도 히올 일이 업세라[8] 〈제6수〉

*강산이 좋다고 한들 내 분수로 누워 있겠는가?

임금 은혜인 것을 이제 더욱 알겠도다.

이 은혜를 아무리 갚으려 해도 내가 할 수 있는 일이 없구나.

– 윤선도, 「만흥(漫興)」

표현

❽아므리~업세라

→ **부정 표현을 통한 강조:** '아므리 ~ 업세라'의 부정 표현을 사용하여 임금의 은혜가 매우 큼을 강조함. 그 은혜를 갚고자 하지만 할 수 있는 일이 없다는 것은 그 은혜의 크기가 너무 커서 쉽게 갚기 힘들다는 의미임.

Step 2 포인트 체크

[01~07] 윗글에 대하여 맞으면 ○, 틀리면 ×표를 하시오.

01 화자는 자연과 더불어 한가롭게 살아가는 생활을 하고 있다. (○, ×)

02 인간사에 대한 비판적 인식을 통해 현실 도피적 태도를 드러내고 있다. (○, ×)

03 외물(外物)과 자아가 하나가 되어 어울리는 정신적 경지를 보여 주고 있다. (○, ×)

04 화자는 자신을 어리석다고 비웃는 사람들의 문제점을 지적하고 있다. (○, ×)

05 화자는 사람들이 자신의 삶에 대해 비웃어도 담담하고 의연한 태도를 보이고 있다. (○, ×)

06 속세와 자연을 대립적 공간으로 설정하여 시상을 전개하고 있다. (○, ×)

07 공간의 수직적 이동을 통해 화자의 정서 변화 양상을 나타내고 있다. (○, ×)

[08~11] 다음 빈칸에 알맞은 말을 쓰시오.

08 〈제1수〉에서 '놈'과 '[ㅎ][ㅇ]'의 대조적 태도를 바탕으로 시상을 전개하고 있다.

09 〈제2수〉의 '그 나믄 녀나믄 일'은 〈제4수〉에서 '[ㅅ][ㄱ]', '[ㅁ][ㅅ]'에 해당한다.

10 〈제4수〉에서 종장은 자연에서 [ㅇ][ㅇ][ㅈ][ㅈ]하며 살아가는 삶에 대한 화자의 [ㅈ][ㅂ][ㅅ]을 나타내고 있다.

11 〈제5수〉에서 '[ㄱ][ㅅ]'은 정쟁(政爭)이 벌어지는 현실과 대비되는 공간을 의미한다.

정답 | 01 ○ 02 ○ 03 ○ 04 × 05 ○ 06 ○ 07 × 08 햐암 09 삼공, 만승 10 유유자적, 자부심 11 강산

작품 정리

만흥

- **갈래:** 연시조
- **성격:** 서정적, 전원적, 자연 친화적
- **주제:** 자연 속에 묻혀 사는 즐거움
- **구성:** 〈제1수〉 안분지족의 삶을 추구함.
  〈제2수〉 보리밥과 풋나물을 먹고 물가에서 노는 즐거움
  〈제3수〉 자연에 몰입된 삶의 즐거움
  〈제4수〉 자연을 누리는 삶에 대한 자부심
  〈제5수〉 자연 귀의의 삶에 대한 만족감
  〈제6수〉 임금의 은혜에 감사함.

» **해제:** 작가가 고향인 해남 금쇄동에서 은거할 때 지은 작품으로, 세속을 멀리하고 자연에 묻혀 사는 즐거움을 노래한 총 6수의 연시조이다. 작가는 속세에서의 부귀공명을 부러워하지 않고 자연에 묻혀 사는 생활에 대한 만족감을 표출하고 있는데, 이러한 삶이 임금의 은혜 때문에 가능하다는 인식을 보여 줌으로써 자연에서 생활하지만 성리학적 가치를 실현하는 삶을 살고 있음도 나타내고 있다.

Step 3 실전 문제

01

윗글의 표현상 특징으로 적절하지 않은 것은?

① 대상에 인격을 부여하여 친밀감을 나타내고 있다.
② 설의적 표현을 사용하여 화자의 태도를 강조하고 있다.
③ 감정 이입을 통해 화자가 누린 즐거움을 부각하고 있다.
④ 비교를 통해 자신의 삶에 대한 긍정적 태도를 드러내고 있다.
⑤ 과장된 표현을 통해 자신의 선택에 대한 만족감을 표출하고 있다.

02

㉠에 대한 이해로 가장 적절한 것은?

① 속세에서의 괴로움을 자연에서 해소하고 싶어 하는 바람을 표상한다.
② 세속의 명리를 추구하는 삶에서 맞닥뜨릴 수 있는 문제점을 표상한다.
③ 자연을 즐기면서도 속세에 대한 미련을 완전히 버리지 못한 상태를 표상한다.
④ 경제적인 어려움에 처한 화자가 자신에게 닥친 문제를 해결하려는 태도를 표상한다.
⑤ 소박한 생활을 하면서도 편안한 마음으로 도를 즐겨 지키고자 하는 태도를 표상한다.

03

ⓐ~ⓔ에 대한 설명으로 적절하지 않은 것은?

① ⓐ: 화자가 자신을 겸손하게 지칭하며 안분지족의 태도를 드러내고 있다.
② ⓑ: 화자가 자연에서 은거하며 자연을 즐기는 풍류를 누리고 있음을 보여 주고 있다.
③ ⓒ: 화자가 자연과 마음과 마음으로 서로 뜻이 통하는 관계를 맺고 있다고 여기고 있음을 나타내고 있다.
④ ⓓ: 화자가 속세에서와 마찬가지로 자연에서도 많은 일들을 이룰 수 있다는 자신감을 지니고 있음을 보여 주고 있다.
⑤ ⓔ: 화자가 자신에게 미친 임금의 은혜가 매우 크다고 생각하고 있음을 나타내고 있다.

04

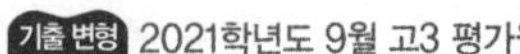
기출 변형 2021학년도 9월 고3 평가원

윗글을 감상한 내용으로 적절하지 않은 것은?

① '산수 간'에서 살고자 하는 마음과 이에 공감하지 못하는 '놈들'의 생각을 병치하여 화자와 '놈들' 사이의 거리가 드러난다.
② '바횟 긋 믉ᄀ'에서 즐거움을 누리는 삶과 '녀나믄 일'을 대비하여 세상일과 거리를 두려는 화자의 태도가 드러난다.
③ '님'에 대한 '반가옴'보다 더한 감흥을 불러일으키는 '뫼'의 의미를 부각하여 화자와 '님' 사이의 거리가 멀게 나타난다.
④ '님천'에서의 '한흥'이 '삼공'이나 '만승'보다 더한 가치를 지닌다고 강조하여 화자와 '님천' 사이의 거리가 가깝게 나타난다.
⑤ '강산' 속에서의 삶이 '님군'의 '은혜' 덕택임을 제시하여 화자와 '님군' 사이의 거리가 가깝게 나타난다.

05

기출 변형 2021학년도 9월 고3 평가원

윗글의 시상 전개에 대한 설명으로 가장 적절한 것은?

① 〈제1수〉에서는 경험적 성격과 연결된 공간으로부터, 〈제6수〉에서는 관념적 성격과 연결된 공간으로부터 시상이 전개된다.

② 〈제2수〉에서는 구체성이 드러나는 소재로, 〈제3수〉에서는 추상성이 강화된 소재로 시상이 시작된다.

③ 〈제2수〉에서 제기된 화자의 자신의 삶에 대한 의문이 〈제5수〉에서 해소되었음이 영탄적 표현으로 드러난다.

④ 〈제3수〉에서의 현재에 대한 긍정이 〈제4수〉에서의 역사에 대한 부정으로 바뀌며 시상이 전환된다.

⑤ 〈제3수〉에 나타난 정서적 반응이 〈제6수〉에서 감각적 표현을 통해 구체화된다.

06

윗글과 〈보기〉를 비교하여 감상한 내용으로 적절하지 않은 것은?

보기

공명(功名)도 날 꺼리고 부귀(富貴)도 날 꺼리니
청풍명월(淸風明月) 외에 어떤 벗이 있사올고
단표누항(簞瓢陋巷)에 헛된 생각 아니 하네
아모타 백년행락(百年行樂)이 이만한들 어찌하리

– 정극인, 「상춘곡(賞春曲)」 중에서

① 윗글과 〈보기〉 모두 자연에 대한 친근감을 드러내고 있군.

② 윗글과 〈보기〉 모두 세속적 이익을 좇지 않는 태도를 나타내고 있군.

③ 윗글과 〈보기〉 모두 자연에서의 생활에 대한 만족감을 드러내고 있군.

④ 윗글은 〈보기〉와 달리 화자의 심정을 자연물에 이입해 나타내고 있군.

⑤ 〈보기〉는 윗글과 달리 주체와 객체가 전도된 표현을 사용하고 있군.

07

〈보기〉를 참고하여 윗글을 감상한 내용으로 적절하지 않은 것은?

보기

윤선도는 노년에 해남의 금쇄동과 보길도의 부용동을 오가며 생활했다. 「만흥」은 이때의 생활을 반영한 작품이다. 이 작품에서 윤선도는 여러 수에서 현실과 거리를 두고자 하는 자연 친화적인 태도를 나타내고 있다. 그리고 자연 친화적인 삶 속에서 성리학에서 중시하는 가치를 실천하고 있음을 강조함으로써 자신의 삶의 태도에 대한 비판을 피하고자 했다.

① 〈제1수〉에서 '그 모론 놈들'의 '웃'음에도 불구하고 '뛰집'을 짓고자 하는 데서 현실과 거리를 두고자 하는 화자의 의지가 드러나고 있군.

② 〈제2수〉에서 '그 나믄 녀나믄 일'을 부러워하지 않겠다고 말한 데서 현실에서의 삶보다 자연에서의 삶을 가치 있게 여기는 태도가 드러나고 있군.

③ 〈제3수〉에서 '그리던 님'보다 '먼 뫼'를 더 반가워하는 데서 자연 친화적인 태도가 드러나고 있군.

④ 〈제5수〉에서 '하늘히 아ᄅᆞ실샤'라고 자신의 삶의 태도가 지닌 당위성을 제시한 데서 자연에서 생활하는 자신의 능력에 대한 자부심이 드러나고 있군.

⑤ 〈제6수〉에서 '더옥 아노이다'라고 말한 데서 성리학에서 중시하는 가치인 충을 실천하며 살아가고 있음을 강조하는 태도가 드러나고 있군.

08

다음은 ㉮와 관련 있는 중국 고사의 내용이다. 이를 참고하여 ㉮에서 알 수 있는 화자의 가치관을 한 문장으로 쓰시오.

중국 고대의 요(堯)임금은 후계자를 찾기 위해 고민하던 중 허유에 대한 말을 듣고 그를 찾아가 임금이 되어줄 것을 부탁했다. 그러자 허유는 한마디로 거절하고 더러운 말을 들었다며 영천에서 귀를 씻었다. 그때 마침 소에게 물을 먹이려고 온 소부가 전후 사정을 듣고 더러운 물을 소에게 마시게 할 수 없다며 돌아갔다.

조선 후기

어부사시사

출제 포인트 › #'어부'의 의미 #계절 표현 #대상·세계와의 거리감 표현 #여음과 후렴구의 사용

압개예 안ᄀᆡ 것고 뒫뫼희 ᄒᆡ 비췬다	앞 포구에 안개가 걷히고, 뒷산에 해가 비친다.
ᄇᆡ 떠라 ᄇᆡ 떠라❶	배 띄워라. 배 띄워라.
밤믈은 거의 디고 낟믈이 미러온다❷	썰물은 거의 빠지고 밀물이 밀려온다.
지국총 지국총 어ᄉᆞ와	찌그덩 찌그덩 어여차
강촌(江村) 온갓 고지 먼 빗치 더옥 됴타❸	강촌 온갖 꽃이 멀리서 보는 빛이 더욱 좋구나.
〈춘 1〉	
[A] 석양(夕陽)의 빗겨시니 그만ᄒᆞ야 도라가쟈	석양이 비치니 그만하고 돌아가자꾸나.
돋 디여라 돋 디여라	돛 내려라. 돛 내려라.
안류뎡화(岸柳汀花)ᄂᆞᆫ 고븨고븨 새롭고야	언덕 위의 버들과 물가의 꽃들은 굽이굽이 새롭구나.
지국총 지국총 어ᄉᆞ와	찌그덩 찌그덩 어여차
㉠ 삼공(三公)을 불리소냐 만ᄉᆞ를 ᄉᆡᆼ각ᄒᆞ랴❹	삼정승을 부러워할쏘냐? 만사를 생각하랴?
〈춘 6〉	
구즌비 머저 가고 시낻물이 ᄆᆞᆰ아 온다	궂은비가 멎어 가고 시냇물도 맑아진다.
ᄇᆡ 떠라 ᄇᆡ 떠라	배 띄워라. 배 띄워라.
낙ᄃᆡᄅᆞᆯ 두러메니 기픈 흥(興)을 금(禁) 못ᄒᆞᆯ돠	낚싯대를 둘러메니 깊은 흥을 금할 수 없구나.
지국총 지국총 어ᄉᆞ와	찌그덩 찌그덩 어여차
㉡ 연강 텹쟝(煙江疊嶂)은 뉘라셔 그려 낸고❺	안개 낀 강 겹겹의 봉우리는 누가 그려 낸 그림인가?
〈하 1〉	
[B] 긴 날이 져므ᄂᆞᆫ 줄 흥(興)의 미쳐 모ᄅᆞ도다❻	긴 날이 저무는 줄을 흥에 미쳐 몰랐도다.
돋 디여라 돋 디여라	돛 내려라. 돛 내려라.
빗대ᄅᆞᆯ 두드리고 수됴가(水調歌)*ᄅᆞᆯ 블러 보쟈	뱃전을 두드리며 노래를 불러 보자.
지국총 지국총 어ᄉᆞ와	찌그덩 찌그덩 어여차
애내셩듕(欸乃聲中)에 만고심(萬古心)*을 긔 뉘 알고❼	노랫소리에 배어 있는 옛사람의 마음을 그 누가 알겠는가?
〈하 6〉	

- **수됴가:** 수양제가 만들었다는 곡조의 이름.
- **애내셩듕에 만고심:** 주자의 「무이구곡가」 중 한 구절. '애내셩(어부가 배를 저으면서 부르는 노랫소리)'에 드러난 세상 만고의 근심을 의미함.

Step 1 포인트 분석

「어부사시사」

제목의 의미
'어부의 사계절에 대해 노래한 시'라는 의미이다.

시적 상황
화자는 섬과 바다에서 계절마다 펼쳐지는 아름다운 경치를 즐기며 여유롭고 한가한 생활을 누리고 있다.

표현

❶ ᄇᆡ 떠라 ᄇᆡ 떠라
→ **초장과 중장 사이의 여음:** 이 작품은 춘하추동(春夏秋冬) 각 계절마다 10수씩 제시하고 있는데, 각 계절의 제1수~제10수마다 출항에서 귀항까지의 일련의 과정을 초장과 중장 사이의 여음을 통해 보여 주고 있음.

제1수	ᄇᆡ 떠라 ᄇᆡ 떠라(배 띄워라)
제2수	닫 드러라 닫 드러라(닻 올려라)
제3수	돋 ᄃᆞ라라 돋 ᄃᆞ라라(돛 달아라)
제4, 5수	이어라 이어라(저어라)
제6수	돋 디여라 돋 디여라(돛 내려라)
제7수	ᄇᆡ 셰여라 ᄇᆡ 셰여라(배 세워라)
제8수	ᄇᆡ ᄆᆡ여라 ᄇᆡ ᄆᆡ여라(배 매어라)
제9수	닫 디여라 닫 디여라(닻 내려라)
제10수	ᄇᆡ 브텨라 ᄇᆡ 브텨라(배 대어라)

❷ 압개예~미러온다
→ **대구:** 초장과 중장을 유사한 형식의 시구로 대응시켜 정경의 변화를 표현하고 있음.
→ **대조:** 썰물이 밀려 나가고 밀물이 밀려 들어오는 것을 대조하고 있음.

❺ 연강 텹쟝~그려 낸고
→ **물음을 통한 정서·태도의 강조:** '뉘라셔 그려 낸고'라는 물음을 통해 아름다운 자연의 정경에 대한 감탄을 강조함.

정서와 태도

❸ 강촌~됴타
→ 자연에 대한 예찬적 태도

❹ 삼공을~ᄉᆡᆼ각ᄒᆞ랴 → 자신의 생활에 대한 만족감

❻ 긴 날이~모ᄅᆞ도다 → 자연을 벗하며 즐기는 흥취에 몰입하는 태도

❼ 애내셩듕에~뉘 알고 → **현실에 대한 근심:** 화자는 속세를 떠나 자연에서 생활하고 있지만 현실에 대한 근심을 드러내기도 함. '만고심'은 현실에 대한 걱정을 의미함.

㉢ 물외(物外)에 조흔 일이 어부 싱애(漁父生涯) 아니러냐[8]

속세를 벗어난 곳에서 깨끗한 일로 소일함이 어부의 생활이 아니더냐.

빈 떠라 빈 떠라

배 띄워라. 배 띄워라.

어옹(漁翁)을 웃디 마라 그림마다 그렷더라

어옹이라고 비웃지 마라, 그림마다 그려져 있더라.

지국총 지국총 어ᄉᆞ와

찌그덩 찌그덩 어여차

ᄉᆞ시(四時) 흥(興)이 ᄒᆞᆫ가지나 츄강(秋江)이 은듬이라 〈추 1〉

사계절의 흥취가 한가지나 그중에서도 가을 강이 제일이라.

슈국(水國)에 ᄀᆞ올히 드니 고기마다 ᄉᆞᆯ져 읻다[9]

바다에 가을이 찾아오니 고기마다 살져 있다.

닫 드러라 닫 드러라

닻 들어라. 닻 들어라.

만경딩파(萬頃澄波)•에 슬ᄏᆞ지 용여(容與)•ᄒᆞ쟈[10]

아득히 넓고 맑은 파도에 실컷 한가롭게 노닐자.

지국총 지국총 어ᄉᆞ와

찌그덩 찌그덩 어여차

인간(人間)을 도라보니 머도록 더욱 됴타 〈추 2〉

인간 세상을 돌아보니 멀수록 더욱 좋구나.

㉣ 믉ᄀᆞ의 외로온 솔[11] 혼자 어이 싁싁ᄒᆞᆫ고

물가의 외로운 소나무 어이 홀로 씩씩하게 서 있는가.

빈 ᄆᆡ여라 빈 ᄆᆡ여라

배 매어라. 배 매어라.

머흔 구룸 한(恨)티 마라 세상(世上)을 ᄀᆞ리온다

험한 구름을 원망하지 마라, 인간 세상을 가려 준다.

지국총 지국총 어ᄉᆞ와

찌그덩 찌그덩 어여차

㉤ 파랑셩(波浪聲)을 염(厭)티 마라 딘훤(塵喧)을 막ᄂᆞᆫ또다[12] 〈동 8〉

파도 소리 꺼리지 마라, 속세의 더러움과 소음을 막아 준다.

– 윤선도, 「어부사시사(漁父四時詞)」

• **만경딩파:** 끝없이 넓고 푸른 바다의 물결.
• **용여:** 한가롭고 풍요로워 흥에 겨움.

표현

[9] **슈국에~ᄉᆞᆯ져 읻다**
→ **자연물을 활용한 표현:** 물고기마다 살져 있다고 언급함으로써 가을이 화자뿐만 아니라 만물이 함께 풍요로움을 누리는 계절임을 표현함.

[10] **만경딩파에~용여ᄒᆞ쟈**
→ **청유형 표현:** 여러 수에서 청유형 표현을 사용하여 각각의 계절에서 풍류를 즐기고자 하는 태도를 나타내고 있음.

[11] **믉ᄀᆞ의 외로온 솔**
→ **객관적 상관물:** 겨울에도 변함없는 소나무의 모습을 자신과 동일시함.

정서와 태도

[8] **물외에~아니러냐**
→ **어부 생애에 대한 자부심:** 화자는 고기잡이를 생업으로 하는 '어부(漁夫)'가 아니라 취미와 풍류로 고기를 잡으며 어촌에서의 생활을 즐기는 '어부(漁父)'로 생활하고 있음. 이와 같은 생활이 깨끗한, 즉 고결한 것이라고 말한 데서 자부심이 드러남.

[12] **머흔 구룸~막ᄂᆞᆫ또다**
→ **속세와의 거리감:** 화자는 세속적인 가치를 추구하고 당쟁이 심한 현실에 대한 거부감을 드러내고 있음. 화자에게 '머흔 구룸', '파랑셩'은 속세의 부정적인 요소들이 보이지 않게, 들리지 않게 막아 주는 역할을 하는 것으로 인식되고 있음.

Step 2 포인트 체크

[01~06] 윗글에 대하여 맞으면 ○, 틀리면 ×표를 하시오.

01 윗글은 계절에 따라 변화하는 자연의 모습을 표현하였다. [○, ×]

02 화자는 섬과 바다에서 여유롭고 한가로운 풍류 생활을 누리고 있다. [○, ×]

03 윗글에서는 노를 저을 때 나는 소리를 후렴구로 사용하였다. [○, ×]

04 〈춘 1〉은 근경을 선명하게 제시하고 있다. [○, ×]

05 〈하 1〉에서 화자는 인간 세상에 대한 미련을 드러내고 있다. [○, ×]

06 〈추 1〉에서는 자연 속에서의 삶에 대한 자부심을 표현하였다. [○, ×]

[07~09] 다음 빈칸에 알맞은 말을 쓰시오.

07 윗글에서 [ㅇ][ㅂ]는 배를 타고 다니며 취미로 고기를 낚는 풍류를 즐기는 풍류객을 의미한다.

08 윗글에서는 각 수에서 배를 다루는 데 필요한 동작을 명령조로 표현한 [ㅇ][ㅇ][ㄱ]를 사용하고 있다.

09 이 작품은 각 계절별로 구성된 10수마다 배가 [ㅊ][ㅎ]하였다가 [ㄱ][ㅎ]하는 과정을 순서대로 나타내고 있다.

정답 | 01 ○ 02 ○ 03 ○ 04 × 05 × 06 ○ 07 어부 08 여음구 09 출항, 귀항

작품 정리

어부사시사

- **갈래:** 연시조(전 40수)
- **성격:** 서정적, 전원적, 자연 친화적, 풍류적
- **주제:** 자연 속에서 한가롭게 살아가는 어부 생활의 여유와 흥취
- **구성:** 춘사 | 봄의 아름다운 경치와 유유자적하는 삶
  하사 | 여름의 아름다운 경치와 물아일체의 삶
  추사 | 가을의 아름다운 경치와 풍요로운 삶
  동사 | 겨울의 아름다운 경치와 탈속적인 삶

» **해제:** 이 작품은 작가가 보길도에 은거하며 지은 것으로, 계절마다 펼쳐지는 강촌의 아름다운 경치와 어부 생활의 흥취를 한 계절당 10수씩 읊고 있다. 각 계절의 10수는 출항에서 귀항까지 어부의 하루 일과를 시간 순서에 따라 형상화하고 있다. 세속을 벗어나 자연과의 합일을 추구하는 삶의 경지를 우리말로 아름답고 격조 있게 표현하였다. 후렴과 여음을 떼고 보면 3장 6구의 시조 형식이 드러나는데, 대구법, 원근법, 반복법 등의 다양한 수사법을 사용하여 매우 뛰어난 표현미가 나타나고 있다.

Step 3 실전 문제

정답 024쪽

01

윗글에 대한 설명으로 적절하지 않은 것은?

① 음보를 규칙적으로 사용하여 운율감을 형성하고 있다.
② 대구를 사용하여 자연이 변화하는 모습을 나타내고 있다.
③ 자연물에 인격을 부여하여 자연물의 속성을 나타내고 있다.
④ 불가능한 상황을 설정하여 화자가 지향하는 가치를 드러내고 있다.
⑤ 후렴구를 반복적으로 사용하여 작품의 유기성과 통일성을 높이고 있다.

02

화자에 대해 이해한 내용으로 적절하지 않은 것은?

① 봄에 온갖 꽃이 아름답게 피어 어울려 있는 모습을 보았군.
② 봄에 언덕과 강가에 있는 나무와 꽃의 다양한 모습을 보았군.
③ 여름에 비 온 후 맑아진 물에서 물고기를 잡으려 했군.
④ 여름에 배를 타고 노닐면서 뱃전을 두드리며 노래를 불렀군.
⑤ 가을에 강에서 계절의 변화를 접하고 무상감을 느꼈군.

03

[A]와 [B]의 공통점으로 가장 적절한 것은?

① 감탄형 표현을 사용하여 자연의 아름다운 모습을 강조하고 있다.
② 설의적 표현을 사용하여 자연에서 생활하면서 지니는 태도를 드러내고 있다.
③ 명령형 표현을 사용하여 자연을 즐기기 위해 필요한 태도를 강조하고 있다.
④ 청유형 표현을 사용하여 자연과 하나가 되고자 하는 바람을 강조하고 있다.
⑤ 의문형 표현을 사용하여 자연과 거리를 두는 사람들에 대한 안타까움을 강조하고 있다.

04

기출 변형 2016학년도 10월 고3 교육청

윗글을 감상한 내용으로 적절하지 않은 것은?

① 〈춘 1〉에서 시간의 흐름에 따라 교차하는 '안개'와 '히', '밤믈'과 '낟믈'은 자연의 질서와 조화를 드러내는 것으로 볼 수 있군.
② 〈하 6〉에서 '긴 날이 져므는' 풍경은 '수됴가'를 부르고자 하는 화자의 태도와 대조되어 현실의 혼탁한 이미지를 드러내는 것으로 볼 수 있군.
③ 〈하 6〉에서 '만고심'이란 어부 생활의 풍류를 즐기면서도 한편으로는 현실을 떠올리고 안타까워하는 화자의 내면을 가리키는 것으로 볼 수 있군.
④ 〈추 2〉에서 '만경딩파에 슬ㅋ지 용여ᄒᆞ쟈'는 화자의 말은 자연에 몰입하여 흥취를 즐기고자 하는 태도를 드러낸 것으로 볼 수 있군.
⑤ 〈추 2〉에서 '머도록 더욱 됴타'는 것은 '인간'으로 제시된 현실의 부조리함에 대해 느끼는 화자의 거리감을 반영한 표현으로 볼 수 있군.

05

기출 2020학년도 9월 고1 교육청

〈보기〉를 참고하여 ㉠~㉤을 감상한 내용으로 적절하지 않은 것은?

> **보기**
> 이 작품에는 속세를 벗어나 자연의 아름다움을 즐기면서 유유자적한 삶을 살고자 하는 화자의 모습이 드러나 있다. 이 작품에서 자연은 화자가 지향하는 공간으로 인간 세상과 대립되는 공간을 의미한다. 화자는 인간 세상을 멀리하고 자연에 귀의하고자 하는 태도를 보이고 있다.

① ㉠은 속세의 사람들이 추구하는 가치에서 벗어난 화자의 모습을 드러낸다고 볼 수 있군.
② ㉡은 화자가 자연의 아름다움에 감탄하며 이를 즐기고 있는 것이라고 볼 수 있군.
③ ㉢은 인간 세상과 대립되는 자연으로 화자가 지향하는 공간으로 볼 수 있군.
④ ㉣은 자연에 귀의하지 못한 사람으로 화자가 안타까워하는 대상으로 볼 수 있군.
⑤ ㉤은 인간 세상을 멀리하고자 하는 화자의 태도를 드러낸다고 볼 수 있군.

06

윗글에서 자연과 대조되는 인간 세상의 부정적 속성을 비유적으로 나타내고 있는 시어를 찾아 쓰시오.

율리유곡

출제 포인트 #도연명과의 동일시 #백구에 대한 태도 #공간의 표현

㉠ 도연명(陶淵明)* 주근 후에 또 연명(淵明)이 나닷말이
밤ᄆᆞ을 녜 이름이 마초와 같을시고
돌아와 **수졸전원(守拙田園)**이야 그와 내가 다르랴❶ 〈제1곡〉

*도연명 죽은 후에 또 도연명이 나다니.
밤마을 옛 이름이 때마침 같을시고.
돌아와 전원에서 분수를 지키며 소박하게 살아가는 것이 그와 내가 다르랴.

공명(功名)도 니젓노라 **부귀(富貴)**도 **니젓노라**
세상(世上) 번우한 일 다 주어 니젓노라❷
내 몸을 내ᄆᆞ자 니즈니 ᄂᆞᆷ이 아니 니즈랴 〈제2곡〉

*공명도 잊었노라 부귀도 잊었노라.
세상 번잡하고 근심스러운 일 다 주어 잊었노라.
내 몸을 나마저 잊으니 남이 아니 잊으랴.

어와 져 ⓐ 백구(白鷗)야 므슴 슈고 ᄒᆞᄂᆞᆫ다
ᄀᆞᆯ숩흐로 바자니며 고기 엇기 ᄒᆞᄂᆞᆫ괴야❸
날ᄀᆞᆺ치 군ᄆᆞ음* 업시 ᄌᆞᆷ만 들면 엇더리❹ 〈제6곡〉

*어와 저 갈매기야 무슨 수고 하느냐.
갈대숲으로 배회하며 고기 엿보기 하는구나.
나같이 군마음 없이 잠만 들면 어떠리.

㉡ 삼공(三公)이 귀(貴)타 ᄒᆞᆫ들 이 강산과 밧골소냐❺
편주(片舟)에 ᄃᆞᆯ을 싯고 낙대를 훗더질 제
이 몸이 이 청흥(淸興) 가지고 만호후(萬戶侯)*인들 부르랴❻ 〈제8곡〉

*삼정승이 귀하다 한들 이 강산과 바꿀쏘냐.
조각배에 달을 싣고 낚시대를 흩던질 때
이 몸이 이 맑은 흥 가지고 부유한 세도가인들 부러우랴.

Step 1 포인트 분석

「율리유곡」

제목의 의미
율리(栗里)는 '밤마을'이라는 뜻으로 작가의 고향이다. '율리에 남긴 노래'라는 제목의 이 작품은 정계에서 은퇴한 작가가 고향에 내려가 자연 속에서 사는 감흥을 그리고 있다.

시적 상황
작품 속 화자는 속세를 잊고 자연에 묻혀 생활하고 있다.

표현
❶ 도연명~다르랴
→ **동일시:** 도연명이 '밤ᄆᆞ을', 즉 '율리(栗里)'에 은둔하며 자연과 벗하여 생활했던 것과 마찬가지로 자신 또한 '율리'에 은둔해 자연과 벗하며 생활하는 것에 착안하여 도연명과 공통된 자신의 삶의 태도를 강조함.
❷ 공명도~주어 니젓노라
→ **열거:** '공명', '부귀', '세상 번우한 일' 등을 잊었다는 것을 열거를 통해 제시함으로써 자연이 세속적인 가치와 일들을 모두 잊을 수 있는 곳임을 표현함.
❸ 어와 져~ᄒᆞᄂᆞᆫ괴야
→ **비유적 표현:** 자연물인 '백구'의 태도에 빗대어 남을 해쳐 사욕을 채우고자 하는 정치 현실을 나타내고 있음.
→ **자문자답의 형식:** '백구'에게 물음을 건네는 형식을 통해 '백구'에 대한 관심을 환기한 후 스스로 대답하며 남을 해칠 기회를 엿보는 '백구'의 태도를 지적함.
❺ 삼공이~밧골소냐
→ **설의적 표현:** 영의정, 좌·우의정의 삼정승보다 강산의 가치가 더 크다는 인식을 설의적 표현을 통해 나타내고 있음.

정서와 태도
❶ 도연명~다르랴
→ 전원에서 분수를 지키며 소박하게 살아가고자 함.
❹ 날ᄀᆞᆺ치~엇더리
→ 붕당끼리 서로 해칠 기회만 엿보며 서로를 공격하던 당대의 정치 현실에 대한 비판적 태도
❻ 이 몸이~부르랴
→ 화자는 많은 것을 갖지는 못했어도 자연에서 생활하는 것에 대해 만족감을 가짐.

- **도연명:** 자연에 은둔하며 생활했던 중국의 대표적 시인.
- **군ᄆᆞ음:** 쓸데없는 생각을 품은 마음. 여기서는 남을 해쳐 사욕을 채우고자 하는 마음을 의미함.
- **만호후:** 일만 호의 백성이 사는 영지를 가진 제후. 재력과 권력을 겸비한 세력가.

헛글고 싯근 문서(文書) 다 주어 후리치고
필마(匹馬) 추풍(秋風)에 채를 쳐 도라오니
아므리 ᄆᆡ인 새 노히다 **이대도록 싀훤ᄒᆞ랴**❼ 〈제10곡〉

*(벼슬하면서) 어지럽고 시끄러운 문서 다 주어 내던지고
한 필 말을 가을바람에 채를 쳐 (율리로) 돌아오니
아무리 매인 새 놓였다고 이토록 시원하랴.

대막대 너를 보니 **유신(有信)**ᄒᆞ고 반갑괴야
나니 아힛적의 너를 ᄐᆞ고 ᄃᆞᆫ니더니
이제란 창(窓) 뒤헤 셧다가 날 뒤셰고 ᄃᆞᆫ녀라❽ 〈제11곡〉

*대나무 막대기 너를 보니 미덥고 반갑구나.
내 아이 적에 너를 타고 다니더니
이제란 창 뒤에 섰다가 (지팡이가 되어) 날 뒤세우고 다니는구나.

㉢ 셰버들 가지 것거 낙근 ㉣ 고기 ᄢᅦ여 들고
주가(酒家)를 ᄎᆞ즈려 **단교(斷橋)***로 건너가니
왼 골에 행화(杏花) 져 ᄡᅡ히니 갈 길 몰라 호노라❾ 〈제15곡〉

*세버들 가지 꺾어 낚은 고기 꿰어 들고
술집을 찾으려 끊어진 다리로 건너가니
온 골에 살구꽃 져 쌓이니 갈 길 몰라 하노라.

최 행수(行首)* ᄡᅮᆨ달힘*ᄒᆞ새 조 동갑(同甲) 곳달힘*ᄒᆞ새❿
ᄃᆞᆰᄧᅵᆷ 게ᄧᅵᆷ 오려 점심 날 시기소
매일(每日)에 이렁셩 굴면 므슴 ㉤ 시름 이시랴⓫ 〈제17곡〉

*최 행수 쑥달임하세. 조 동갑 꽃달임하세.
닭찜 게찜 올벼 점심은 날 시키소.
매일 이렇게 지내면 무슨 시름 있으랴.

– 김광욱, 「율리유곡(栗里遺曲)」

표현

❽ 대막대 너를 보니~뒤셰고 ᄃᆞᆫ녀라
➜ **대비, 의인화:** '대막대'를 '너'로 의인화하여 어렸을 때와 현재를 대비하고 있음. 어렸을 때는 '대막대'를 놀이 기구로 삼아 타고 놀았으나, 현재는 '대막대'를 지팡이로 삼아 짚고 다님. 이러한 대비를 통해 세월이 많이 흘러 화자가 나이가 많이 들었음을 표현함.

❿ 최 행수~곳달힘ᄒᆞ새
➜ **청유형 표현:** 청유형 표현을 사용하여 지인들에게 함께 쑥달임과 꽃달임을 하자고 권함으로써 자연에서 풍류를 즐기는 삶의 태도를 나타내고 있음.

정서와 태도

❼ 아므리~싀훤ᄒᆞ랴
➜ 작가는 관직을 빼앗기고 '율리'로 돌아왔는데, 그간 벼슬에 얽매여 있다가 놓인 자신의 처지에 대해 '싀훤ᄒᆞ랴'라고 표현함으로써 긍정적으로 인식하는 태도를 나타냄.

❾ 왼 골에~몰라 호노라
➜ 온 골짜기에 살구꽃이 져 쌓여 있는 풍경에 대한 감탄

⓫ 매일에~이시랴
➜ 쑥달임, 꽃달임 등을 하며 풍류를 즐기고 닭찜, 게찜 등의 음식을 해 먹는 생활에 대한 자족감

- **단교:** 중간이 끊어진 다리. 여기서는 '율리'와 '율리' 밖 세상의 경계를 의미하기도 함.
- **행수:** 벼슬아치를 부르던 칭호.
- **쑥달힘:** 쑥을 이용해 음식을 해 먹으며 즐김.
- **곳달힘:** 꽃을 이용해 음식을 해 먹으며 즐김.

Step 2 포인트 체크

[01~07] 윗글에 대하여 맞으면 ○, 틀리면 ×표를 하시오.

01 화자는 '밤마을(율리)'로 돌아와 자연과 벗하는 생활을 하게 되었다. [○, ×]

02 화자는 훗날 기회가 주어지면 속세에서 못다 이룬 것을 이루겠다는 의지를 품고 있다. [○, ×]

03 중국의 고사를 차용하여 화자가 지향하는 삶의 태도를 나타내고 있다. [○, ×]

04 반어적인 표현을 사용하여 현실에 대한 비판적인 의식을 드러내고 있다. [○, ×]

05 자연물이 보여 주는 태도에 빗대어 남을 해쳐 자신의 욕구를 실현하려는 태도를 비판하고 있다. [○, ×]

06 과거와 현재의 모습을 대비하여 세월의 흐름에 대한 인식을 표현하고 있다. [○, ×]

07 자연을 벗하며 한가롭게 생활하는 것에 대한 자부심을 나타내고 있다. [○, ×]

[08~11] 다음 빈칸에 알맞은 말을 쓰시오.

08 윗글은 혼탁한 정치 현실에서 [ㄱ][ㄱ][ㄹ]하는 소회를 읊고 있다.

09 윗글에서 화자가 돌아온 '[ㅂ][ㅁ][ㅇ]'은 세상의 번우한 일을 잊고 자연과 벗하며 한가로운 생활을 할 수 있는 공간이다.

10 화자는 온 골짜기에 [ㅎ][ㅎ]가 떨어져 쌓여 있는 아름다운 풍경을 접하고 갈 길을 잊고 있다.

11 〈제17곡〉에서 화자는 벗들과 함께하는 소박한 일상에 대한 [ㅁ][ㅈ][ㄱ]을 표출하고 있다.

율리유곡

- **갈래:** 연시조(전 17수)
- **성격:** 서정적, 전원적, 자연 친화적, 풍류적
- **주제:** 자연 속에서 유유자적하게 풍류를 즐기는 삶에 대한 만족감
- **구성:** 〈제1곡〉 자연으로 돌아온 것에 대한 자부심
  〈제2곡〉 속세와 단절하여 부귀공명을 멀리하고 싶은 마음
  〈제6곡〉 욕심 없이 살아가는 삶에 대한 자부심
  〈제8곡〉 삼정승이나 만호후도 부럽지 않은 자연에서의 유유자적한 삶
  〈제10곡〉 속세의 일들을 모두 버리고 자연으로 돌아온 것에 대한 만족감
  〈제11곡〉 밤마을에서 느끼는 세월의 흐름
  〈제15곡〉 한가롭게 지내는 가운데 경험한 밤마을의 아름다운 풍경
  〈제17곡〉 소박한 삶에 대한 만족감

» **해제:** 김광욱은 인목 대비 폐모론으로 관직을 삭탈당하고 이후 8년 동안 한양 인근 지역인 '율리'에 머물렀는데, 이때 지어진 작품이다. 전체 17곡의 연시조로 『진본 청구영언』에 수록되어 있으며, 작가는 속세를 잊고 자연 속에 묻혀 살면서 느끼는 유유자적한 삶에 대한 만족감을 노래하고 있다.

정답 | 01 ○ 02 × 03 ○ 04 × 05 ○ 06 ○ 07 ○ 08 귀거래 09 밤마을 10 홍화 11 만족감

정답 025쪽

01

윗글의 표현상의 특징으로 적절한 것은?

① 가정적 진술을 통해 화자의 소망을 드러내고 있다.
② 연쇄적 표현을 사용하여 시적 상황을 나타내고 있다.
③ 과거와 현재를 대비하여 화자의 지향을 밝히고 있다.
④ 설의적 표현을 사용하여 화자의 태도를 부각하고 있다.
⑤ 상대와의 대화를 통해 화자의 가치관을 보여 주고 있다.

02

기출 2022학년도 6월 고3 평가원

윗글에 대한 이해로 적절하지 않은 것은?

① 〈제1곡〉에서는 지명에 주목하여 화자의 지향을 드러내고 있다.
② 〈제8곡〉에서는 자연의 가치를 부각하여 화자가 즐기는 흥취를 강조하고 있다.
③ 〈제10곡〉에서는 화자의 현재 상황에 대한 만족감을 바탕으로 자연물에 대한 연민을 드러내고 있다.
④ 〈제15곡〉에서는 다양한 행위를 연속적으로 나열하여 화자가 누리는 생활의 일면을 제시하고 있다.
⑤ 〈제17곡〉에서는 청자를 호명하며 즐거움을 함께하려는 화자의 마음을 전달하고 있다.

03

㉠~㉤에 대한 이해로 적절하지 않은 것은?

① ㉠은 화자가 행적을 따르고자 하는 인물이라고 볼 수 있다.
② ㉡은 세속에서 높은 지위를 차지하고 있는 이들을 가리킨다고 볼 수 있다.
③ ㉢은 화자가 자신과 동일시하고 있는 대상이라고 볼 수 있다.
④ ㉣은 화자가 자연 속에서 유유자적한 삶을 누리는 모습을 드러내는 데 기여하고 있다고 볼 수 있다.
⑤ ㉤은 화자 자신을 억압하는 존재를 염두에 둔 표현이라고 볼 수 있다.

04

기출 변형 2022학년도 6월 고3 평가원

〈보기〉를 바탕으로 윗글을 감상한 내용으로 적절하지 않은 것은?

보기

문학 작품에서 공간에 대한 인식을 형상화하는 방식은 다양하다. 공간에 대한 인식을 직접적으로 드러내는 표현을 사용하거나, 공간 내 특정 대상의 속성으로써 그 대상이 포함된 공간 전체를 표상하기도 한다. 또한 이러한 인식은 공간 간의 관계를 통해 표현되기도 한다. 이때 관계를 이루는 공간에는 작품에 명시된 공간은 물론 그 이면에 전제된 공간도 포함된다.

① 〈제1곡〉에서 '수졸전원'은 '밤ᄆᆞ을'에 대한 화자의 인식을 직접적으로 드러내는 것으로서, 화자가 생활하는 공간에 대한 긍정적 인식을 보여 주는 것이겠군.
② 〈제2곡〉에서 '공명'과 '부귀'를 '니젓노라'라는 말은 화자가 있는 〈제1곡〉의 '밤ᄆᆞ을'과 대립되는 곳으로서 공명과 부귀가 있는 공간이 이면에 전제된 것이라 할 수 있겠군.
③ 화자가 돌아온 곳은 〈제10곡〉에서 '헛글고 싯근 문서'로 표상되는 공간과 대비되는 공간으로서, '이대도록 싀훤ᄒᆞ랴'와 같은 반응을 일으키는 곳이겠군.
④ 〈제11곡〉에서는 '대막대'를 의인화하고 그 특성으로 '유신'함을 드러내어, '대막대'가 포함되어 있는 공간에 대한 화자의 친밀감을 나타내고 있겠군.
⑤ 〈제15곡〉에서 '단교'는 '주가'와 '왼 골'이라는 대비되는 속성을 지닌 두 공간의 경계를 표현하여, 양쪽 모두에 미련을 버리지 못한 화자의 상황을 상징하고 있겠군.

05

기출 변형 2021학년도 6월 고2 교육청

ⓐ에 대한 설명으로 가장 적절한 것은?

① 즐거움을 주어 화자가 함께하고 싶어 하는 대상이다.
② 욕심을 품고 있어 화자가 비판적으로 보는 대상이다.
③ 화자의 처지와 대비되어 화자가 부러워하는 대상이다.
④ 먼 곳의 소식을 전해 주어 그리움을 유발하는 대상이다.
⑤ 자연에서의 삶에 대한 화자의 기대감을 높이는 대상이다.

가사는

시조와 함께 조선의 시가 문학을

대표하는 갈래이지요.

3(4)·4조 4음보를

기본으로 하며

행 수에 특별한 제한이 없는

연속체의 시가 문학이에요.

'서사-본사-결사'의 짜임으로, 운문 형식이지만

내용은 산문으로 표현할 법한 것들을 담고 있어서

운문 문학과 산문 문학의 중간 형태인

교술 갈래로 보기도 합니다.

조선 전기에는 주로 양반 사대부들에 의해 창작되었지만

조선 후기에는 여성 및 평민 작자층이 나타나

주제와 표현 양식이 다양해졌어요.

Ⅱ

가 사

면앙정가

출제 포인트 › #자연의 풍류 #임금의 은혜 #비유·영탄·설의법

흰구름 브흰 연하(煙霞) 프로니ᄂᆞᆫ 산람(山嵐)이라	흰 구름, 뿌연 안개와 노을, 푸른 것은 산 아지랑이로구나.
천암만학(千巖萬壑)을 제 집을 삼아 두고	수많은 바위와 골짜기를 제 집으로 삼아 두고
나명셩 들명셩 **일**히도 구ᄂᆞᆫ지고[1]	나면서 들면서 아양도 떠는구나.
오르거니 ᄂᆞ리거니 장공(長空)의 ᄯᅥ나거니	날아오르거니 내려앉거니, 공중으로 떠났다가,
광야(廣野)로 거너거니 프르락 블그락[2]	넓은 들로 건너갔다가 푸르기도 하고 붉기도 하고,
여트락 지트락 사양(斜陽)과 서거지어	옅기도 하고 짙기도 하고 석양과 섞여
세우(細雨)조ᄎᆞ ᄲᅳ리ᄂᆞᆫ다 **남여**(藍輿)ᄅᆞᆯ ᄇᆡ야 타고	가랑비조차 뿌린다. 뚜껑 없는 가마를 재촉해 타고
솔 아ᄅᆡ 구븐 길로 오며 가며 ᄒᆞᄂᆞᆫ 적의	소나무 아래 굽은 길로 오며 가며 하는 때에
㉠녹양(綠楊)의 우ᄂᆞᆫ 황앵(黃鶯) 교태(嬌態)• 겨워 ᄒᆞᄂᆞᆫ괴야[3]	푸른 버드나무에서 우는 꾀꼬리는 흥에 겨워 아양을 떠는구나.
나모 새 ᄌᆞᄌᆞ지어 수음(樹陰)이 얼린 적의	나무와 억새가 우거져 녹음이 짙어진 때에
백 척(百尺) 난간(欄干)의 긴 조으름 내여 펴니	백 척 난간에서 긴 졸음을 내어 펴니
수면(水面) 양풍(凉風)이야 긋칠 줄 모르ᄂᆞᆫ가	물 위의 서늘한 바람이야 그칠 줄을 모르는구나.
ᄌᆞᆫ 서리 ᄲᅡ진 후의 산 빗치 금수(錦繡)로다[4]	된서리 걷힌 후에 산빛이 수놓은 비단 같구나.
황운(黃雲)은 ᄯᅩ 엇지 만경(萬頃)에 편거지요[5]	누렇게 익은 곡식은 또 어찌 넓은 들에 퍼져 있는가?
어적(漁笛)도 흥을 계워 ᄃᆞᆯ를 ᄯᆞ라 브니ᄂᆞᆫ다	어부들의 피리도 흥을 이기지 못하여 달을 따라 계속 부는구나.
초목(草木) 다 진 후의 강산(江山)이 매몰커ᄂᆞᆯ	초목이 다 떨어진 후에 강산이 묻혔거늘
조물(造物)리 헌ᄉᆞᄒᆞ야 빙설(氷雪)노 ᄭᅮ며 내니	조물주가 야단스러워 얼음과 눈으로 꾸며 내니
ⓐ경궁요대(瓊宮瑤臺)•와 옥해 은산(玉海銀山)이[6] 안저(眼底)에 버러셰라[7]	구슬로 지은 궁궐과 옥으로 된 바다, 은으로 된 산 같은 설경이 눈 아래 펼쳐져 있구나.
건곤(乾坤)도 가ᅀᆞᆷ열샤 ⓑ간 대마다 경(景)이로다[8]	하늘과 땅도 풍성하구나. 가는 곳마다 아름다운 경치로구나.
ⓒ인간(人間)을 ᄯᅥ나와도 내 몸이 **겨를 업다**[9]	인간 세상을 떠나와도 내 몸이 한가로울 겨를이 없다.
니것도 보려 ᄒᆞ고 져것도 드르려코	이것도 보려 하고 저것도 들으려 하고
ᄇᆞ람도 혀려 ᄒᆞ고 ᄃᆞᆯ도 마즈려코	바람도 쐬려 하고 달도 맞으려 하고
ᄇᆞᆷ으란 언제 줍고 고기란 언제 낙고	밤은 언제 줍고 고기는 언제 낚고
시비(柴扉)란 뉘 다드며 딘 곳츠란 뉘 쓸려뇨	사립문은 누가 닫으며 떨어진 꽃은 누가 쓸 것인가?
아ᄎᆞᆷ이 낫브거니 나조ᄒᆡ라 슬흘소냐	아침에도 부족한데 저녁이라고 싫을쏘냐?
오ᄂᆞᆯ리 부족(不足)거니 내일(來日)리라 유여(有餘)ᄒᆞ랴[10]	오늘도 부족한데 내일이라고 넉넉하랴?
ⓓ이 뫼ᄒᆡ 안ᄌᆞ 보고 져 뫼ᄒᆡ 거러 보니	이 산에 앉아 보고 저 산에 걸어 보니
ⓔ번로(煩勞)ᄒᆞᆫ ᄆᆞᄋᆞᆷ의 ᄇᆞ릴 일리 아조 업다	번거로운 마음이지만 버릴 일이 전혀 없다.

Step 1 포인트 분석

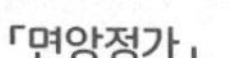

「면앙정가」

제목의 의미

'면앙정가'는 '면앙정(작가가 벼슬을 마친 후 고향에 내려가 지은 정자)에서 지은 노래'라는 뜻이다.

시적 상황

고향 주위의 자연에 은둔하며 마음 놓고 풍류를 즐기고, 임금의 은혜를 생각하고 있다.

표현

❶ 천암만학을~구ᄂᆞᆫ지고
→ **의인법:** 연하와 산람이 바위와 골짜기를 들락날락하는 모습 → 연하와 산람의 변화무쌍한 아름다운 경치를 묘사함.

❷ 프르락 블그락
→ **색채 이미지:** 경쾌하고 밝은 느낌으로 연하, 산람을 묘사함.

❸ 녹양의~교태 겨워 ᄒᆞᄂᆞᆫ괴야
→ **감정 이입:** 여름을 즐기는 화자의 즐거운 마음을 꾀꼬리에 투영함.

❹ 산 빗치 금수로다
→ **비유적 표현:** 단풍으로 아름답게 물든 가을의 풍경을 묘사함.

❺ 황운은~편거지요
→ **비유적 표현:** 잘 익은 곡식의 누런 물결을 구름에 비유함.

❻ 경궁요대와 옥해 은산
→ **비유적 표현:** 흰 눈과 얼음으로 뒤덮인 면앙정 주위의 겨울 풍경을 묘사함.

❼ 안저에 버러셰라
→ **영탄적 표현:** 눈 아래로 펼쳐진 면앙정 주위의 아름다운 풍경에 대한 감탄을 나타냄.

❿ 시비란~유여ᄒᆞ랴
→ **설의적 표현:** 자연을 즐기는 바쁜 생활을 의문문의 형식을 통해 강조함.

정서와 태도

❶ 나명셩 들명셩~구ᄂᆞᆫ지고, ❹ 산 빗치 금수로다, ❼ 안저에 버러셰라, ❽ 건곤도~경이로다
→ 자연의 풍경에 대한 감탄

❾ 인간을~겨를 업다, ❿ 시비란~유여ᄒᆞ랴
→ 자연을 즐기는 바쁜 마음

- **남여:** 의자와 비슷한, 뚜껑이 없는 작은 가마.
- **교태:** 아양을 부리는 모습이나 태도.
- **경궁요대:** 옥으로 꾸민 궁전과 누대란 뜻으로 화려한 궁전을 이르는 말.

쉴 ᄉᆞ이 업거든 길히나 젼ᄒᆞ리야⑪ — 쉴 사이도 없는데 길이나마 전할 틈이 있으랴?

다만 ᄒᆞᆫ 청려장(青藜杖)이 다 뫼되여 가노ᄆᆡ라 — 다만 푸른 명아주 지팡이 하나가 다 무디어져 가는구나.

㉡술리 닉어거니 벗지라 업슬소냐⑫ — 술이 익었으니 벗이 없을 것인가?

블ᄂᆡ며 ᄐᆞ이며 혀이며 이아며 — (노래를) 부르게 하며, (악기를) 타게 하며, 켜게 하며, 흔들며

온가짓 소ᄅᆡ로 취흥(醉興)•을 ᄇᆡ야거니 — 온갖 소리로 취흥을 재촉하니

근심이라 이시며 시ᄅᆞᆷ이라 ᄇᆞ터시랴 — 근심이라 있겠으며 시름이라 붙었으랴.

누으락 안즈락 구부락 져츠락 — 누웠다가 앉았다가 구부렸다가 젖혔다가

을프락 ᄑᆞ람ᄒᆞ락 노혜로 노거니 — 읊다가 휘파람을 불었다가 마음 놓고 노니

천지(天地)도 넙고넙고 일월(日月)도 ᄒᆞᆫ가ᄒᆞ다⑬ — 천지도 넓디넓고 세월도 한가하다.

희황(羲皇)•을 모을너니⑭ ᄂᆡ적이야 긔로고야 — 복희씨의 태평성대를 몰랐더니 지금이야말로 그때로구나.

신선(神仙)이 엇더턴지 이 몸이야 긔로고야 — 신선이 어떤 것인지, 이 몸이야말로 신선이로구나.

강산풍월(江山風月) 거ᄂᆞ리고 내 백 년(百年)을 다 누리면 — 아름다운 자연을 거느리고 내 평생을 다 누리면

악양루(岳陽樓)• 상(上)의 이태백(李太白)•이 사라오다 — 악양루 위에 이태백이 살아온들

호탕(浩蕩) 정회(情懷)야 이예셔 더ᄒᆞᆯ소냐⑮ — 넓고 끝없는 정다운 회포야 이보다 더할쏘냐?

이 몸이 이렁 굼도 역군은(亦君恩)이샷다⑯ — 이 몸이 이렇게 지내는 것도 역시 임금의 은혜이시도다.

– 송순, 「면앙정가(俛仰亭歌)」

표현

⑪쉴 ᄉᆞ이~젼ᄒᆞ리야, ⑫술리~업슬소냐, ⑮호탕 정회야~더ᄒᆞᆯ소냐

➜ **설의적 표현:** 자연을 즐기는 바쁜 생활과 자연 속에서의 즐거운 생활을 의문문의 형식을 통해 강조함.

⑭희황을 모을너니

➜ **대유적 표현:** 대표적인 성군(聖君)인 복희 황제를 거론해 태평성대를 나타냄.

정서와 태도

⑫술리~업슬소냐, ⑬천지도~ᄒᆞᆫ가ᄒᆞ다, ⑮호탕 정회야~더ᄒᆞᆯ소냐

➜ 자연 속에서의 여유로운 생활

⑯이 몸이~역군은이샷다

➜ 유교적 충의 사상의 표명

- **취흥:** 술에 취하여 일어나는 흥취.
- **희황:** 중국 전설상의 제왕으로 복희씨를 가리킴. 복희씨는 처음으로 백성에게 어렵(漁獵)·농경·목축 등을 가르쳤다고 함.
- **악양루:** 중국 후난성(湖南省) 웨양(악양)에 있는 누각.
- **이태백:** 중국 당나라 때의 시인으로 시선(詩仙)으로 불리며 호탕하고 자유분방한 시 세계를 보여 줌.

Step 2 포인트 체크

[01~03] 윗글에 대하여 맞으면 ○, 틀리면 ×표를 하시오.

01 화자는 자연 속의 소박한 생활에 아쉬움을 나타내고 있다. [○, ×]

02 화자는 면앙정 주위의 자연을 여기저기 다니며 즐기고 있다. [○, ×]

03 화자는 자연을 즐기는 일이 임금의 은혜라고 생각하고 있다. [○, ×]

[04~06] 다음 빈칸에 알맞은 말을 쓰시오.

04 9행의 '녹양', 10행의 '수음', 14행의 '황운', 17행의 '빙설'이 순서대로 제시되는 것을 통해 [ㄱ][ㅈ][ㅈ] 순서에 따른 구성이 나타남을 알 수 있다.

05 25~26행의 '슬흘소냐', '유여ᄒᆞ랴' 등 [ㅅ][ㅇ][ㅈ] 표현을 통해 화자의 정서를 강조하고 있다.

06 화자는 '[ㅇ][ㄱ][ㅇ]'을 통해 임금의 은혜에 감사하는 태도를 나타내고 있다.

정답 | 01 × 02 ○ 03 ○ 04 계절적 05 설의적 06 역군은

작품 정리

면앙정가

- **갈래:** 은일 가사
- **성격:** 풍류적, 유교적
- **주제:** 자연에서의 풍류 생활과 임금의 은혜에 대한 감사
- **구성:** 1~19행(흰구름~경이로다) | 면앙정의 사계절 모습
  20행~끝(인간을~역군은이샷다) | 풍류 생활의 만족감과 임금의 은혜에 대한 감사

» **해제:** 면앙정에서 느낀 감흥을 바탕으로 자연을 즐기는 풍류와 임금의 은혜에 대한 감사의 마음을 표현하였다. 비록 몸은 자연 공간에 존재하지만 임금에 대한 마음과 현실적인 정치를 고민하는 모습을 같이 담아내는 작품들을 흔히 '강호가도(江湖歌道) 문학'이라고 하는데 「면앙정가」는 강호가도 문학의 효시라고 할 수 있는 정극인(丁克仁)의 「상춘곡(賞春曲)」에서 영향을 받고, 정철(鄭澈)의 「성산별곡(星山別曲)」에 영향을 주었다는 점에서 문학사적 의의를 갖는 작품이다.

01

윗글에서 계절적 배경을 나타내는 시어가 아닌 것은?

① 수음 ② 즌 서리 ③ 황운
④ 빙설 ⑤ 취홍

02

윗글의 표현상 특징으로 적절하지 않은 것은?

① 색채 이미지를 제시해 대상을 묘사하고 있다.
② 유사한 통사 구조를 통해 운율을 만들고 있다.
③ 설의법을 활용해 화자의 정서를 드러내고 있다.
④ 반어적 진술을 통해 화자의 심리를 강조하고 있다.
⑤ 청각적 심상을 통해 대상의 특성을 나타내고 있다.

03

윗글에 대한 이해로 적절하지 않은 것은?

① '일히'는 '연하'와 '산람'이 '천암만학'을 들락거리는 모습을 나타낸 것이군.
② '남여'는 '광야'까지 내리는 '세우'를 피하기 위해 재촉해서 타는 소재로군.
③ '수음'은 '나모'와 '새'가 어우러져 드리우는 것으로 '조으름'을 느낄 수 있는 배경이 되고 있군.
④ '겨를 업다'는 '니것', '져것'을 보고 싶고 듣고 싶은 화자의 마음과 관련된 것이군.
⑤ '신선'은 '을프락 프람ᄒᆞ락'하며 노닐 수 있었던 화자 자신을 나타낸 것이군.

04

고난도 기출 변형 2018학년도 3월 고3 교육청

〈보기 1〉의 선생님의 질문에 대한 대답으로 적절한 내용만을 〈보기 2〉에서 있는 대로 고른 것은?

보기 1

선생님: 이 노래는 벼슬에서 물러난 작가가 귀향한 후의 삶을 표현한 작품으로, 우리 문학사에 나타나는 시가의 특정한 경향을 보여 주고 있어요. 어떤 특징이 있는지 확인해 볼까요?

보기 2

ㄱ. 임금의 은혜를 떠올리며 감사하는 태도가 드러나 있습니다.
ㄴ. 속세와 거리를 두고 지내는 삶의 모습이 드러나 있습니다.
ㄷ. 자연에서 느끼는 흥취를 타인과 나누려는 마음가짐이 드러나 있습니다.
ㄹ. 궁핍한 생활상을 보여 주면서도 그것을 수용하는 자세가 드러나 있습니다.

① ㄱ, ㄴ ② ㄴ, ㄷ ③ ㄴ, ㄹ
④ ㄱ, ㄴ, ㄷ ⑤ ㄱ, ㄷ, ㄹ

05

㉠과 표현 방법이 가장 유사한 것은?

① 한숨아 세한숨아 네 어느 틈으로 드러온다
② 바람도 쉬어 넘는 고개 구름이라도 쉬어 넘는 고개
③ 빚에 받은 며느린가 값에 쳐 온 며느린가 밤나무 썩은 등걸에 휘초리 난 것같이 알살피신 시아버님
④ 어인 귀또리 지는 달 새는 밤의 긴 소리 짧은 소리 절절이 슬픈 소리 저 혼자 울어 예어 사창에 여윈 잠을 살뜨리도 깨우는구나
⑤ 미운 님 오며는 꼬리를 홰홰 치며 뛰락 내리 뛰락 반겨서 내닫고 고운 님 오며는 뒷발을 버동버동 므르락 나으락 캉캉 짖어서 돌아가게 한다

06

㉡과 〈보기〉의 ㉢을 비교한 내용으로 가장 적절한 것은?

보기

가다니 빈부른 도긔 설진 ㉢강수를 비조라
조롱곳 누로기 미와 잡ᄉᆞ와니 내 엇디 ᄒᆞ리잇고
얄리얄리 얄라셩 얄라리 얄라

–「청산별곡」 중에서

	㉡	㉢
①	풍류를 즐기는 수단	갈등 해소의 수단
②	반성과 성찰의 계기	자책과 회한의 계기
③	부정적 현실 인식의 계기	부정적 현실과의 갈등의 계기
④	과거의 기억을 일깨우는 계기	미래의 현실을 자각하는 계기
⑤	화자의 의지를 표명하는 수단	화자가 처한 현실을 환기하는 수단

07

〈보기〉를 참고하여 윗글의 ⓐ~ⓔ를 감상한 내용으로 적절하지 않은 것은?

보기

이 시가는 '면앙정'에서 본 경치를 중심으로 화자가 느끼는 정서를 표현한 가사로, 계절의 변화에 따라 달라지는 면앙정 주변의 경치가 보여 주는 다양함과 아름다움을 잘 묘사하고 있다. 이를 통해 세속적 욕망에서 벗어나 자연을 즐기려는 화자의 모습을 드러내고 있다.

① ⓐ는 면앙정에서 바라본 겨울의 아름다운 경치를 나타내는군.
② ⓑ는 면앙정에서 바라본 아름다운 경치에 대한 감탄의 정서를 나타내는군.
③ ⓒ는 화자가 벗어나고자 하는 세속적 욕망으로 가득한 인간 세상을 나타내는군.
④ ⓓ는 자연의 여러 곳을 다니며 즐기려는 화자의 모습을 나타내는군.
⑤ ⓔ는 면앙정 주변의 경치가 쉽게 변화하는 일에 대한 아쉬움을 나타내는군.

08

윗글에 대한 〈보기〉의 설명에서 빈칸에 들어갈 알맞은 말을 순서대로 쓰시오.

보기

화자는 여기저기 바쁘게 다니며 자연을 즐기는 생활을 나타내기 위해 (　　　)이/가 무디어 간다고 표현하고 있다. 이러한 세상을 (　　　)(으)로 대표되는 태평성대로 인식하며 (　　　)이/가 살아온다고 해도 자신이 느끼는 호탕함이 더 클 것이라며 자연을 즐기는 자부심을 표현하고 있다.

09

〈보기〉의 밑줄 친 ㉮의 근거를 윗글의 구절을 들어 설명하고, ㉯가 잘 나타난 구절을 찾아 쓰시오.

보기

속세를 떠나 자연 속에 묻혀 사는 즐거움을 노래하는 풍조를 강호가도(江湖歌道)라고 한다. 조선 전기 시가 중에는 강호가도가 나타나는 작품들이 많다. 이 중에는 자연을 군주의 통치가 연장되는 공간으로 보고 유교적 충(忠)의 사상을 드러내는 풍조가 나타나기도 하는데 ㉮「면앙정가」도 여기에 속한다.

아울러 「면앙정가」에는 자유롭고 유려한 우리말의 활용도 돋보이는데 특히 ㉯취흥을 돋우는 온갖 악기 소리를 표현하는 부분에서 이 점이 잘 드러난다.

(1) ㉮의 근거: ______________________

____

____

(2) ㉯가 가장 잘 드러난 구절: ______________________

____

조선 중기

관동별곡

출제 포인트 › #자연의 아름다움 #신선적 풍모 #비유·영탄법 #선정에 대한 포부

산듕(山中)을 ᄆᆡ양 보랴 동ᄒᆡ(東海)로 가쟈ᄉᆞ라	금강산(내금강)을 항상 보랴? 동해로 가자꾸나.
남여 완보(籃輿緩步)ᄒᆞ야 **산영누(山映樓)**의 올나ᄒᆞ니	뚜껑 없는 가마를 타고 느린 걸음으로 산영루에 올라 보니,
녕농 벽계(玲瓏碧溪)와 수셩 뎨됴(數聲啼鳥)ᄂᆞᆫ ㉠니별(離別)을 원(怨)ᄒᆞᄂᆞᆫ 듯❶	반짝이는 푸른 시냇물과 온갖 소리로 우는 새는 이별을 원망하는 듯
졍긔(旌旗)를 ᄯᅥᆯ티니 오ᄉᆡᆨ(五色)이 넘노ᄂᆞᆫ 듯	관찰사의 행렬을 상징하는 깃발을 떨치니 오색이 넘노는 듯
㉮고각(鼓角)을 섯부니 ᄒᆡ운(海雲)이 다 것ᄂᆞᆫ 듯❷	북과 나발을 섞어 부니 바다 구름이 다 걷힌 듯
명사(鳴沙)길 니근 ᄆᆞᆯ이 취션(醉仙)을 빗기 시러❸	바다 모랫길에 익숙한 말이 취선(술 취한 신선)을 비스듬히 싣고
바다ᄒᆞᆯ 겻ᄐᆡ 두고 ᄒᆡ당화(海棠花)로 드러가니	바다를 곁에 두고 해당화로 들어가니
㉯ᄇᆡᆨ구(白鷗)야 ᄂᆞ디 마라 네 버딘 줄 엇디 아ᄂᆞᆫ❹	백구야 날지 마라. 네 벗인 줄 어찌 아냐?
금난굴(金蘭窟) 도라드러 **총셕뎡(叢石亭)** 올라ᄒᆞ니	금란굴 돌아들어 총석정 올라가니
ᄇᆡᆨ옥누(白玉樓) 남은 기동 다만 네히 셔 잇고야	옥황상제가 오른다는 누각은 남은 기둥 다만 넷이 서 있구나.
공슈(工倕)•의 셩녕인가 귀부(鬼斧)•로 다ᄃᆞᆷ은가	공수의 솜씨인가? 귀부로 다듬었는가?
구ᄐᆞ야 뉵면(六面)은 므어슬 샹(象)톳던고	구태여 육면은 무엇을 본떴는가?
㉰고셩(高城)을란 뎌만 두고 **삼일포(三日浦)**를 ᄎᆞ자가니	고성은 저만큼 두고 삼일포를 찾아가니
단셔(丹書)•ᄂᆞᆫ 완연(宛然)ᄒᆞ되 ᄉᆞ션(四仙)•은 어ᄃᆡ가니	단서는 뚜렷한데 사선은 어디 갔나?
예 사흘 머믄 후의 어ᄃᆡ 가 ᄯᅩ 머믈고	예서 사흘 머문 후에 어디 가 또 머물까?
션유담(仙遊潭) 영낭호(永郎湖) 거긔나 가 잇ᄂᆞᆫ가	선유담 영랑호 거기에나 가 있는가?
쳥간뎡(淸澗亭) 만경ᄃᆡ(萬景臺) 몃 고ᄃᆡ 안돗던고	청간정 만경대 몇 곳에 앉았던가?
니화(梨花)ᄂᆞᆫ ᄇᆞᆯ셔 디고 졉동새 슬피 울 제	배꽃은 벌써 지고 접동새 슬피 울 때
낙산 동반(洛山東畔)으로 **의샹ᄃᆡ(義相臺)**예 올라 안자	낙산 동쪽 언덕으로 의상대에 올라 앉아
일츌(日出)을 보리라 밤듕만 니러ᄒᆞ니	일출을 보려고 밤중에 일어나니
샹운(祥雲)이 집픠ᄂᆞᆫ 동 뉵뇽(六龍)이 바퇴ᄂᆞᆫ 동❺	상서로운 구름이 피어나는 듯 육룡이 떠받치는 듯
바다ᄒᆡ ᄯᅥ날 제ᄂᆞᆫ 만국(萬國)이 일위더니	바다에서 떠날 때는 만국이 일렁이더니
텬듕(天中)의 티ᄯᅳ니 ⓐ호발(毫髮)을 혜리로다	하늘에 치뜨니 가는 털을 세겠도다.
아마도 ㉡녈구름 근쳐의 머믈셰라❻	혹시나 뜬구름이 근처에 머무를까?
시션(詩仙)은 어ᄃᆡ 가고 ᄒᆡ타(咳唾)•만 나맛ᄂᆞ니	시선 이백은 어디 가고 그 시만 남았는가?
텬디간(天地間) 장(壯)ᄒᆞᆫ 긔별 ᄌᆞ셰히도 ᄒᆞᆯ셔이고	천지간에 장한 기별 자세히도 하였구나!

Step 1 포인트 분석

「관동별곡」

제목의 의미

'관동 지방(강원도의 별칭)을 유람한 감상을 기록한 노래'라는 뜻으로, 금강산과 동해의 여러 명승지를 돌아본 후 느낀 감탄과 흥취를 노래하고 있다.

시적 상황

관동 지방의 여러 명승지를 돌아보며 느낀 감흥을 노래하고 있다. 제시된 부분은 금강산 유람을 끝내고 동해를 유람하며 본 풍경들을 담고 있는 부분이다.

표현

❶녕농 벽계와~니별을 원ᄒᆞᄂᆞᆫ 듯
→ **감정 이입:** 산중(금강산)을 떠나는 아쉬운 마음을 '녕농 벽계와 수셩 뎨됴'에 투영하여 표현함.

❷졍긔를~ᄒᆡ운이 다 것ᄂᆞᆫ 듯, ❿동용ᄒᆞᆫ댜 이 긔샹 활원ᄒᆞᆫ댜 뎌 경계
→ **대구적 표현:** 통사 구조를 반복하여 말하고자 하는 것을 강조하고 운율을 형성함.

❺샹운이 집픠ᄂᆞᆫ 동 뉵뇽이 바퇴ᄂᆞᆫ 동
→ **비유적 표현:** '뉵뇽이 바퇴ᄂᆞᆫ'은 바다가 해를 떠받치는 모습을 나타냄.
→ **대구:** 운율을 형성하고 의미를 강조함.

❻녈구름 근쳐의 머믈셰라
→ **비유:** 구름은 간신배의 비유로, 해로 상징된 임금의 총명함을 가리는 존재임.

정서와 태도

❸명사길 니근 ᄆᆞᆯ이 취션을 빗기 시러, ❼우개지륜이 경포로 ᄂᆞ려가니
→ 자신의 신선적 풍모에 대한 자부심

❹ᄇᆡᆨ구야 ᄂᆞ디 마라 네 버딘 줄 엇디 아ᄂᆞᆫ
→ 자연 친화 의식

❻녈구름 근쳐의 머믈셰라
→ 우국지정(憂國之情), 임금에 대한 걱정

- **공슈:** 중국 고대 순(舜)임금 시대에 있었던 뛰어난 목수.
- **귀부:** 무엇이든 만들어 내는 신기한 도끼.
- **단셔:** 붉은 글씨. 삼일포 남쪽 절벽에 사선이 쓴 '영랑도남석행(永郎徒南石行: 영랑의 일행이 남쪽 바위에 오다)'이라는 붉은 글씨가 있었다고 함.
- **ᄉᆞ션:** 삼일포에 구경 와서 사흘을 머물렀다는 신라 때의 화랑 네 사람(영랑, 남랑, 술랑, 안상)을 가리킴.
- **ᄒᆡ타:** 기침과 침. 훌륭한 사람의 말이나 글을 이르는 말로, 여기서는 이백이 남긴 시를 가리킴.

㉣ 샤양 현산(斜陽峴山)의 텩튝(躑躅)을 므니볼와	저녁 햇빛이 비껴드는 현산의 철쭉을 계속 밟아
우개지륜(羽蓋芝輪)•이 경포(鏡浦)로 ᄂᆞ려가니⑦	우개지륜을 타고 경포로 내려가니
십 리 빙환(十里氷紈)을 다리고 고텨 다려⑧	십 리나 뻗쳐 있는 얼음같이 희고 빛이 고운 명주를 다리고 다시 다린 것 같이
댱숑(長松) 울흔 소개 슬ᄏᆞ장 펴뎌시니	큰 소나무 울창한 속에 (맑고 잔잔한 호수가) 한껏 펼쳤으니
믈결도 자도 잘샤⑨ ⓑ 모래ᄅᆞᆯ 혜리로다	물결도 잔잔하여 모래를 세겠도다.
㉤ 고쥬(孤舟) 히람(解纜)ᄒᆞ야 뎡ᄌᆞ(亭子) 우ᄒᆡ 올나가니	홀로 있는 한 척 배의 닻줄을 풀어 배를 띄워 정자 위에 올라가니
강문교(江門橋) 너믄 겨ᄐᆡ **대양(大洋)**이 거긔로다	강문교 넘은 곁에 대양(동해)이 거기로다.
둉용(從容)ᄒᆞᆫ댜 이 긔샹(氣像) 활원(闊遠)ᄒᆞᆫ댜 뎌 경계(境界)⑩	조용하다 이 기상 넓고 넓구나 저 경계
이도곤 ᄀᆞᄌᆞᆫ ᄃᆡ 또 어듸 잇닷 말고⑪	이보다 갖춘 곳 또 어디 있단 말인가?
㉢ 홍장 고ᄉᆞ(紅粧古事)•ᄅᆞᆯ 헌ᄉᆞ타 ᄒᆞ리로다	홍장 고사를 야단스럽다 하리로다.
강능(江陵) 대도호(大都護) 풍쇽(風俗)이 됴흘시고	강릉 대도호 구역은 풍속이 좋구나.
절효정문(節孝旌門)이 골골이 버러시니	열녀와 효자를 기리는 정문이 고을마다 벌여 있으니
비옥가봉(比屋可封)•이 이제도 잇다 ᄒᆞᆯ다⑫	비옥가봉이 이제도 있다 할 것이로다.

– 정철, 「관동별곡(關東別曲)」

표현

⑧ 십 리 빙환을 다리고 고텨 다려
→ **비유적 표현:** 경포호의 잔잔한 수면을 명주에 비유하여 표현함.

⑨ 믈결도 자도 잘샤
→ **영탄적 표현:** 잔잔한 물결이 이는 경포호에 대한 감탄을 나타냄.

⑪ 이도곤 ᄀᆞᄌᆞᆫ ᄃᆡ 또 어듸 잇닷 말고
→ **설의적 표현:** 호수와 바다가 함께 있는 경포의 아름다움을 강조함.

⑫ 비옥가봉 → **비유적 표현:** 태평성대를 비유하며 강릉의 풍속이 좋음을 나타냄.

정서와 태도

⑫ 절효정문이 골골이 버러시니 비옥가봉이 이제도 잇다 ᄒᆞᆯ다 → 선정에 대한 자부심

- **우개지륜:** 새털로 된, 왕후·신선의 수레.
- **홍장 고ᄉᆞ:** 고려 말 기생 홍장과 강원 감사 박신(朴信)의 이야기. 박신이 임기가 끝나 서울로 돌아가려 할 때, 강릉 부사가 경포 호수에 뱃놀이를 마련하고 홍장을 선녀로 변장시켜 박신을 현혹한 일. 경포호의 아름다움을 말하고자 든 고사임.
- **비옥가봉:** 즐비하게 늘어선 집마다 모두 벼슬에 봉할 만하다는 뜻으로, 태평성대에 백성들이 모두 착한 것을 이름.

Step 2 포인트 체크

[01~04] 윗글에 대하여 맞으면 ○, 틀리면 ×표를 하시오.

01 화자는 금강산 유람을 마치고 동해로 향했다. [○, ×]

02 화자는 금강산을 떠나는 아쉬운 마음을 나타내었다. [○, ×]

03 화자는 구름 때문에 낙산에서 일출을 제대로 보지 못했다. [○, ×]

04 화자는 호수와 바다를 모두 갖춘 경포의 모습을 바라보았다. [○, ×]

[05~07] 다음 빈칸에 알맞은 말을 쓰시오.

05 '산중'에서 '동해'로 [ㄱ][ㄱ]의 이동에 따라 시상이 전개되고 있다.

06 이 시에서 '우개지륜'은 화자가 자신을 [ㅅ][ㅅ]으로 여기고 있음을 나타낸다.

07 화자는 '[ㅎ][ㅈ] [ㄱ][ㅅ]'를 언급하며 경포의 고요한 아름다움을 강조하였다.

정답 | 01 ○ 02 ○ 03 × 04 ○ 05 공간 06 신선 07 홍장 고사(고ᄉᆞ)

작품 정리

관동별곡

- **갈래:** 기행 가사
- **성격:** 풍류적, 도교적
- **주제:** 관동 지방의 절경 유람과 애민의 정신
- **구성:** 1~5행(산듕을~다 것는 듯) | 금강산 유람을 마치고 동해로 향함.
  6~8행(명사길~엇디 아ᄂᆞᆫ) | 동해로 가는 감회
  9~17행(금난굴~안돗던고) | 총석정의 장관과 삼일포에서의 회고
  18~26행(니화ᄂᆞᆫ~ᄒᆞᆯ셔이고) | 의상대에서의 일출
  27행~끝(사양 현산~잇다 ᄒᆞᆯ다) | 경포호의 장관, 강릉의 미풍양속과 선정에 대한 자부심

» **해제:** 이 작품은 여정에 따라 동해의 여러 명승지를 다니며 보고 들은 것과 거기에서 느낀 감흥을 다양한 표현 방법을 활용해 나타내었다.

Step 3 실전 문제

01

윗글에 대한 설명으로 적절하지 않은 것은?

① '산영누'는 화자에게 상실감을 느끼게 하는 공간이군.
② '청간명'은 사선의 행적을 상기하게 하는 공간이군.
③ '우개지륜'은 자신의 풍모를 과시하려는 화자의 마음을 나타내는군.
④ '대양'은 화자의 감탄을 자아내는 공간이군.
⑤ '비옥가봉'은 화자의 자부심을 나타내는군.

02

윗글에 나타난 시상 전개 방식으로 가장 적절한 것은?

① 공간의 이동에 따른 전개를 보이고 있다.
② 점층적 흐름에 따른 전개를 보이고 있다.
③ 기승전결의 구성에 따른 전개를 보이고 있다.
④ 과거와 현재를 교차하는 전개를 보이고 있다.
⑤ 역순행적 시간 구성에 따른 전개를 보이고 있다.

03

윗글의 표현상 특징으로 적절하지 않은 것은?

① 유사한 통사 구조를 활용해 시상을 전개한다.
② 동일한 시어를 반복해 화자의 정서를 표출한다.
③ 의문형 어미를 활용해 화자의 생각을 나타낸다.
④ 고사 속 인물을 제시해 화자의 심리를 부각한다.
⑤ 감탄형 말투를 활용해 대상에 대한 감흥을 강조한다.

04

㉠에 담긴 마음으로 가장 적절한 것은?

① 산영루에 오르는 일에 대한 고단함
② 동해로 갈 때 날이 흐린 것에 대한 걱정
③ 남여(籃輿)가 느리게 가는 일에 대한 답답함
④ 산중을 떠나 여정을 옮기는 일에 대한 아쉬움
⑤ 정기(旌旗)를 떨치며 맞아 주지 않는 데 대한 불만스러움

05

㉡과 〈보기〉의 구름이 공통적으로 나타내는 의미는?

보기

구름이 무심(無心)탄 말이 아마도 허랑(虛浪)하다.
중천(中天)에 떠 있어 임의(任意)로 다니면서
구태여 광명(光明)한 날빛을 따라가며 덮나니.

- 이존오

① 임금에게 무관심한 백성들
② 장차 왕위를 이어받을 후손들
③ 임금에 맞서 저항하는 농민들
④ 임금의 총명함을 가리는 간신배
⑤ 욕심 없이 임금에게 충성하는 신하들

06

윗글을 바탕으로 관동 지방 답사를 계획하였다. 윗글의 내용을 잘못 이해한 것은?

① '산영루'에 올라서 시냇물을 바라보며 새소리를 들어 본다.
② '총석정' 앞에 있는 네 개의 기둥에 올라서 바다를 굽어 본다.
③ '삼일포'를 찾아가 사선이 남겼다는 단서를 찾아 구경해 본다.
④ 일출 시각을 고려하여 '의상대'에 가는 일정을 잡는다.
⑤ '강릉'의 도시 곳곳에 세워져 있는 정문을 찾아 구경해 본다.

07

㉮~㉲ 중 〈보기〉의 밑줄 친 부분에 해당하는 것은?

보기

이 작품은 작가가 여정을 따라 보게 되는 자연의 경물을 예찬하는 내용이 주를 이루고 있다. 하지만 이 작품은 자연의 아름다움에 대한 묘사나 서술뿐 아니라, 작가가 지향하는 정신이나 태도를 드러내는 서술도 찾아볼 수 있다.

① ㉮ ② ㉯ ③ ㉰
④ ㉱ ⑤ ㉲

08

〈보기〉는 ㉢의 '홍장 고사'의 내용이다. 〈보기〉를 참고할 때 화자가 ㉢과 같이 말한 의도로 가장 적절한 것은?

보기

고려 우왕 때 '박신'은 강원 감사로 강릉에 왔다가 명기 '홍장'을 만나 사랑하는 사이가 되어 정이 깊었다. 박신이 임기를 마치고 떠나려는데, 부사가 거짓으로 홍장이 갑자기 죽었다고 전했다. 박신이 비탄에 젖어 지내자 부사가 박신을 위로한다며 경포로 데려가 홍장을 선녀같이 꾸며서 나오게 하자 박신이 전모를 알고 웃었다고 한다.

① 경포호가 고요하고 아름다운 곳임을 강조한다.
② 경포호가 볼 거리가 매우 많은 곳임을 강조한다.
③ 경포호가 사람들이 많이 찾아오는 곳임을 강조한다.
④ 경포호가 사랑에 얽힌 이야기가 많은 곳임을 강조한다.
⑤ 경포호가 양반들의 사랑을 많이 받은 곳임을 강조한다.

09

ⓐ, ⓑ와 관련하여 〈보기〉의 (1), (2)에 들어갈 내용이 각각 바르게 짝지어진 것은?

보기

ⓐ, ⓑ에는 공통적으로 '헤리로다'라는 서술어가 사용되는데 서술하는 대상의 특성에 따라 그 의미가 매우 다르다. ⓐ는 해가 하늘에 치솟아 뜬 뒤의 상황을 서술하며, ⓑ는 물결이 잔잔함을 강조하여 서술한다. 따라서 ⓐ는 '(1)'의 의미로, ⓑ는 '(2)'의 의미로 이해된다.

	(1)	(2)
①	매우 많다	매우 적다
②	매우 크다	매우 작다
③	매우 밝다	매우 맑다
④	매우 넓다	매우 좁다
⑤	매우 빠르다	매우 느리다

10

서술형

윗글을 참고하여 〈보기〉의 밑줄 친 Ⓐ의 평가의 근거를 쓰고, Ⓐ를 뒷받침하는 시어 두 개를 윗글에서 찾아 쓰시오.

보기

「관동별곡」은 유교적 정신에 입각해 창작된 작품이지만 Ⓐ도교적 사상도 나타나 있다고 평가받고 있다. 즉 당대의 정치적 현실에 주목하면서도 작가 나름대로 자신이 지향하는 세계를 노출하고 있다고 할 수 있다.

(1) Ⓐ의 평가의 근거: ______________________

____

(2) Ⓐ를 뒷받침하는 시어: ______________________

____

● 조선 중기

사미인곡

출제 포인트 › #충신연주지사 #대구 · 비유 · 영탄 · 설의법 #사계절의 변화에 따른 시상 전개

이 몸 삼기실 제 님을 조차 삼기시니	이 몸이 태어날 때에 임을 따라 태어나니,
ᄒᆞᆫᄉᆡᆼ **연분(緣分)**이며 **하**ᄂᆞᆯ 모ᄅᆞᆯ 일이런가	한평생 함께 살아갈 인연이며 이 또한 하늘이 모를 일이던가?
나 ᄒᆞ나 **졈어 잇고** 님 ᄒᆞ나 날 괴시니	나는 오직 젊어 있고, 임은 오직 나를 사랑하시니,
이 ᄆᆞ음 이 ᄉᆞ랑 견졸 ᄃᆡ 노여 업다	이 마음과 이 사랑을 비교할 데가 전혀 없다.
평ᄉᆡᆼ(平生)애 원(願)ᄒᆞ요ᄃᆡ ᄒᆞᆫᄃᆡ 녜쟈 ᄒᆞ얏더니	평생에 원하되 임과 함께 살아가려 하였더니,
늙거야 므ᄉᆞ 일로 외오 두고 글이ᄂᆞᆫ고❶	늙어서야 무슨 일로 외따로 두고 그리워하는가?
엇그제 님을 뫼셔 ㉠광한뎐(廣寒殿)•의 올낫더니	엊그제에는 임을 모시고 광한전에 올라 있었는데,
그 더ᄃᆡ 엇디ᄒᆞ야 ㉡하계(下界)•예 ᄂᆞ려오니	그동안에 어찌하여 속세에 내려오게 되니
올 적의 **비슨 머리** 얼킈연 디 **삼 년(三年)**일ᄉᆡ	내려올 때에 빗은 머리가 헝클어진 지 3년이라.
연지분(臙脂粉)• 잇ᄂᆡ마ᄂᆞᆫ 눌 위ᄒᆞ야 고이 ᄒᆞᆯ고❷	연지와 분이 있지마는 누구를 위하여 곱게 단장할까?
ᄆᆞ음의 ᄆᆡ친 실음 텹텹(疊疊)이 ᄧᅡ혀 이셔❸	마음에 맺힌 근심이 겹겹으로 쌓여 있어서
짓ᄂᆞ니 한숨이오 디ᄂᆞ니 눈물이라❹	짓는 것이 한숨이요, 흐르는 것이 눈물이라.
ⓐ**인ᄉᆡᆼ(人生)은 유ᄒᆞᆫ(有限)**ᄒᆞᆫᄃᆡ 시ᄅᆞᆷ도 그지업다❺	인생은 끝이 있는데 근심은 끝이 없다.
무심(無心)ᄒᆞᆫ **셰월(歲月)**은 믈 흐ᄅᆞ듯 ᄒᆞᄂᆞᆫ고야❻	무심한 세월은 물 흐르듯 하는구나.
염냥(炎涼)❼이 ᄯᅢ를 아라 **가**ᄂᆞᆫ ᄃᆞᆺ **고텨** 오니	더웠다 서늘했다 하는 계절이 때를 알아 지나갔다가는 다시 돌아오니,
ⓑ듯거니 보거니 ᄂᆞᆺ길 일도 하도 할샤	듣거니 보거니 하는 가운데 느낄 일이 많기도 하구나.
동풍(東風)이 건듯 부러 **젹셜(積雪)**을 헤텨 내니❽	봄바람이 문득 불어 쌓인 눈을 헤쳐 내니,
창(窓)밧긔 심근 ᄆᆡ화(梅花) 두세 가지 ᄑᆡ여셰라	창밖에 심은 매화가 두세 가지 피었구나.
ᄀᆞᆺ득 ᄂᆡᆼ**담(冷淡)**ᄒᆞᆫᄃᆡ **암향(暗香)은 므ᄉᆞ 일고**❾	가뜩이나 쌀쌀하고 적막한데, 그윽히 풍겨 오는 향기는 무슨 일인가?
황혼(黃昏)의 ᄃᆞᆯ이 조차 벼마ᄐᆡ 빗최니	황혼에 달이 따라와 베갯머리에 비치니,
ⓒ늣기ᄂᆞᆫ ᄃᆞᆺ 반기ᄂᆞᆫ ᄃᆞᆺ 님이신가 아니신가	흐느끼는 듯 반기는 듯하니, 임이신가 아니신가?
뎌 ᄆᆡ화 것거 내여 님 겨신 ᄃᆡ 보내오져❿	저 매화를 꺾어 내어 임 계신 데 보내고 싶다.
님이 너ᄅᆞᆯ 보고 엇더타 너기실고⓫	(그러면) 임이 너를 보고 어떻다 생각하실까?
ᄭᅩᆺ 디고 **새닙** 나니 **녹음(綠陰)**이 ᄭᆞᆯ렷ᄂᆞᆫᄃᆡ⓬	꽃이 지고 새잎이 나니 녹음이 우거져 나무 그늘이 깔렸는데
나위(羅幃) 젹막(寂寞)ᄒᆞ고 슈막(繡幕)이 뷔여 잇다	비단 휘장은 쓸쓸히 걸렸고, 수놓은 장막은 텅 비어 있다.
부용(芙蓉)을 거더 노코 공작(孔雀)을 둘러 두니	연꽃 무늬 방장을 걷어 놓고, 공작을 수놓은 병풍을 둘러 두니,
ᄀᆞᆺ득 시ᄅᆞᆷ 한ᄃᆡ 날은 엇디 기돗던고	가뜩이나 근심이 많은데, 날은 어찌 길던가?
원앙금(鴛鴦錦) 버혀 노코 **오ᄉᆡᆨ션(五色線) 플텨 내여**	원앙 무늬 비단을 베어 놓고 오색실을 풀어 내어
금자히 견화이셔• 님의 옷 지어 내니⓭	금으로 만든 자로 재어서 임의 옷을 만들어 내니,
슈품(手品)은ᄏᆞ**니와 졔도(制度)**도 ᄀᆞᄌᆞᆯ**시고**	솜씨는 물론이거니와 격식도 갖추었구나.

Step 1 포인트 분석

「사미인곡」

제목의 의미

'미인, 즉 임금을 생각하고 그리워하는 노래'라는 뜻으로, 이별한 임(임금)에 대한 변함없는 마음을 노래하고 있다.

시적 상황

관직에서 물러나 귀향지에서 임금에 대한 그리움과 충정심을 드러내고 있다.

표현

❷연지분 잇ᄂᆡ마ᄂᆞᆫ~고이 ᄒᆞᆯ고
→ **설의적 표현:** 그 누구를 위하여 연지분을 쓸 필요가 없는 상황, 즉 임과 이별한 상황임을 강조함.

❷비슨 머리, 연지분
→ **여성 화자:** 머리를 빗고 연지분을 바르는 치장을 통해 화자가 여성임을 드러냄.

❸ᄆᆞ음의 ᄆᆡ친~ᄧᅡ혀 이셔, ❻무심ᄒᆞᆫ~ᄒᆞᄂᆞᆫ고야 → **추상적 관념의 구체화:** 추상적 관념인 '시름'과 '세월'을 겹겹이 쌓이고 물처럼 흐르는 것으로 형상화함.

❸텹텹이 ᄧᅡ혀 이셔 → **과장적 표현:** 화자의 시름과 고뇌를 강조함.

❹짓ᄂᆞ니 한숨이오 디ᄂᆞ니 눈물이라
→ **대구적 표현, 도치법:** '한숨을 짓고 눈물을 짓는다'의 의미를 강조함.

❼염냥 → **대유적 표현:** 더위와 추위의 반복을 통해 세월의 흐름을 표현함.

❽동풍이 건듯~헤텨 내니, ⓬ᄭᅩᆺ 디고~녹음이 ᄭᆞᆯ렷ᄂᆞᆫᄃᆡ, ⓱ᄒᆞᄅᆞ밤~우러 녤 제
→ **시간의 흐름에 따른 구성:** ❽은 봄, ⓬는 여름, ⓱은 가을을 묘사한 것이다. 이 글의 후략된 뒷부분에는 겨울에 대한 내용도 나타난다.

❾암향은 므ᄉᆞ 일고 → **후각적 심상:** 임에 대한 변함없는 충성심을 표현함.

정서와 태도

❶늙거야~글이ᄂᆞᆫ고, ❺인ᄉᆡᆼ은~그지업다
→ 이별의 슬픔과 시름

❿뎌 ᄆᆡ화~보내오져, ⓭금자히~지어 내니
→ 임에 대한 변치 않는 충정과 사랑

⓫님이 너ᄅᆞᆯ~너기실고, ⓰니거든~반기실가 → 의구심, 임의 사랑에 대한 확신이 없음.

- **광한뎐:** 달나라에 있다는 궁전. 여기서는 대궐을 가리킴.
- **하계:** 인간 세상. 여기서는 전라도 창평(昌平)을 가리킴.
- **연지분:** 잇꽃의 꽃잎에서 뽑아낸 붉은 빛의 안료. 여자의 얼굴 화장에 쓰였음.
- **견화이셔:** 겨누어서. 재서.

산호슈(珊瑚樹) 지게 우희 **빅옥함(白玉函)**의 다마 두고⑭	산호수로 만든 지게 위에 백옥으로 만든 함에 담아 두고,
님의게 보내오려 님 겨신 듸 ᄇᆞ라보니	임에게 보내려고 임 계신 데를 바라보니,
산(山)인가 구름인가 머흐도 머흘시고	산인지 구름인지 험하기도 험하구나.
천리만리(千里萬里) 길흘 뉘라셔 ᄎᆞ자갈고⑮	천리만리 길을 누가 찾아갈까?
니거든 여러 두고 날인가 반기실가⑯	가거든 열어 두고 나를 보신 듯이 반가워하실까?
ᄒᆞᄅᆞ밤 **서리**김의 기러기 우러 녤 제⑰	하룻밤 사이 서리 내릴 무렵에 기러기 울며 갈 때,
위루(危樓)에 혼자 올나 **수정렴(水晶簾) 거든 말이**	높다란 누각에 혼자 올라서 수정 구슬로 만든 발을 걷으니,
동산(東山)의 ᄃᆞᆯ이 나고 북극(北極)의 별이 뵈니	동산에 달이 떠오르고 북극성이 보이므로,
ⓓ 님이신가 반기니 눈물이 절로 난다	임이신가 하여 반가워하니 눈물이 절로 난다.
청광(淸光)을 쥐여 내여 봉황누(鳳凰樓)*의 븟티고져⑱	저 맑은 달빛을 쥐어 내어 임이 계신 궁궐에 부쳐 보내고 싶다.
누(樓) 우희 거러 두고 팔황(八荒)의 다 비최여	누각 위에 걸어 두고 온 세상에 다 비추어,
ⓔ 심산 궁곡(深山窮谷) 졈낫ᄀᆞ티 ᄆᆡᆼ그쇼서	깊은 산골짜기도 대낮같이 환하게 만드소서.

– 정철, 「사미인곡(思美人曲)」

표현

⑭ 산호슈 지게 우희 빅옥함의 다마 두고
➜ **미화법:** 임에 대한 정성과 사랑을 강조하기 위해 '산호수 지게', '백옥함'이라고 미화하여 표현함.

⑮ 천리만리 길흘 뉘라셔 ᄎᆞ자갈고
➜ **설의적 표현:** 간신배로 인해 자신의 마음을 임에게 전할 수 있을까 걱정하는 화자의 마음을 나타냄.

정서와 태도

⑱ 청광을~븟티고져
➜ 임의 선정에 대한 바람과 소망

• **봉황누:** 임금이 계신 궁궐.

Step 2 포인트 체크

[01~04] 윗글에 대하여 맞으면 ○, 틀리면 ×표를 하시오.

01 화자는 임과 떨어져 지내는 처지이다. (○, ×)

02 19행의 '암향'은 임을 향한 충성심을 청각적 심상으로 드러낸다. (○, ×)

03 화자는 옷을 보내 임에 대한 사랑과 충정을 나타내고 있다. (○, ×)

04 화자는 임을 위해 자신이 선정을 펼 것을 다짐하고 있다. (○, ×)

[05~07] 다음 빈칸에 알맞은 말을 쓰시오.

05 윗글은 'ㄱㅎㅈ'과 'ㅎㄱ'를 공간적으로 대비시켜 시상을 전개하고 있다.

06 9~10행의 '비슨 머리'와 '연지분'은 이 시의 화자가 ㅇㅅ으로 설정되어 있음을 나타낸다.

07 화자는 ㄱㅈ적 흐름에 따라 임에 대한 그리움, 이별의 슬픔 등을 드러내고 있다.

정답 | 01 ○ 02 × 03 × 04 × 05 광한전(궁궐), 하계 06 여성 07 계절

작품 정리

사미인곡

• **갈래:** 연군 가사, 유배 가사
• **성격:** 애상적, 서정적
• **주제:** 임에 대한 변함없는 충정과 그리움, 연군지정
• **구성:** 서사(이 몸~하도 할샤) | 임과의 인연과 이별
본사 1(동풍이~엇더타 너기실고) | 봄 – 임에 대한 충심을 전하고 싶음.
본사 2(꼿 디고~날인가 반기실가) | 여름 – 임에게 자신의 정성을 전하고 싶음.
본사 3(ᄒᆞᄅᆞ밤~졈낫ᄀᆞ티 ᄆᆡᆼ그쇼서) | 가을 – 임이 선정을 펼 것을 갈망함.

» **해제:** 이 작품은 이별한 임을 그리워하는 형식을 빌려 유배지에서 임금을 그리워하며 변함없는 충성을 다짐하는 마음을 드러내었다. 이 작품의 본사는 계절의 흐름에 따라 진행되며, '겨울'에 관한 '본사 4'와 결사는 생략된 채 제시되었다.

Step 3 실전 문제

01

윗글의 화자에 대한 설명으로 적절하지 <u>않은</u> 것은?

① 임을 하늘이 정해 준 인연이라 생각하고 있다.
② 임에 대해 비교할 데 없는 깊은 사랑을 지녔다.
③ 늙어서야 헤어진 일이 다행이라 생각하고 있다.
④ 한평생 임과 함께하고 싶은 마음을 갖고 있었다.
⑤ 멀리 떨어진 곳에서 임을 그리워하는 마음을 표출하고 있다.

02

윗글의 화자가 여성임을 드러내는 시어끼리 묶인 것은?

① 비슨 머리, 연지분
② 염냥, 적셜
③ 창, 부용
④ 황혼, 새닙
⑤ 금자, ᄇᆡᆨ옥함

03

㉠, ㉡에 대한 이해로 적절하지 <u>않은</u> 것은?

① ㉠은 화자가 과거 임과 함께 지내던 공간이다.
② ㉠은 임을 향한 화자의 마음이 표출되는 공간이다.
③ ㉡은 임과 멀어진 화자가 불행을 느끼는 공간이다.
④ ㉡은 화자가 앞으로 임과 재회하기를 원하는 공간이다.
⑤ ㉠, ㉡은 상징적 의미로 볼 때 대조적인 공간이다.

04

윗글의 시상 전개가 [A]~[C]와 같다고 할 때, 이를 이해한 내용으로 적절하지 <u>않은</u> 것은?

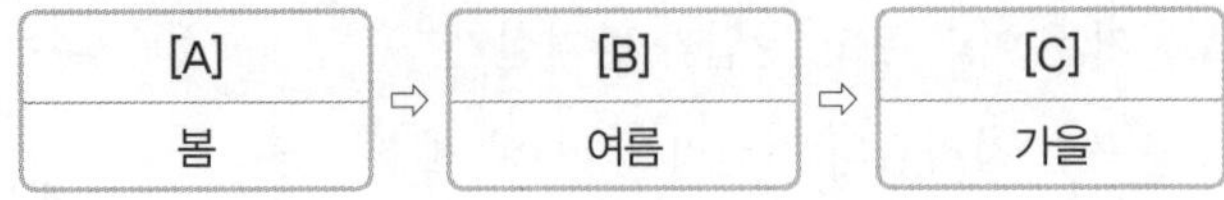

① [A]는 '동풍', [B]는 '녹음', [C]는 '서리'에서 확인된다.
② [A]와 달리 [B], [C]에는 임을 상징하는 소재가 제시되어 있다.
③ [B]의 '오ᄉᆡᆨ션 플텨 내여', [C]의 '수정렴 거든 말이'는 화자의 행동을 묘사한 것이다.
④ [A], [B], [C]에는 모두 임이 없이 홀로 지내는 화자의 상황이 제시되어 있다.
⑤ [A], [B], [C]에는 모두 화자의 마음을 나타내기 위해 임에게 보내려는 소재가 제시되어 있다.

05

〈보기〉를 바탕으로 윗글을 감상한 내용으로 적절하지 <u>않은</u> 것은?

> **보기**
> 이 글의 작가는 이별의 슬픔과 시름을 겪는 상황에서도 임금과 한 몸이라는 생각을 바탕으로 신하의 직분을 다하고자 하였다. 임금에 대한 자신의 마음을 전달하기 어렵다고 생각하면서도 임금을 향한 변함없는 마음으로 충성을 다해 이상을 실현하고자 했던 것이다.

① '이 몸 삼기실 제 님을 조차 삼기시니'에서 임과 한 몸이라는 화자의 인식을 나타내고 있군.
② '짓ᄂᆞ니 한숨이오 디ᄂᆞ니 눈물이라'에서 이별의 슬픔과 시름을 나타내고 있군.
③ 'ᄀᆞᆺ득 ᄂᆡᆼ담ᄒᆞᆫᄃᆡ 암향은 므ᄉᆞ 일고'에서 임을 향한 변함없는 마음을 나타내고 있군.
④ '슈품은ᄏᆞ니와 졔도도 ᄀᆞᄌᆞᆯ시고'에서 임금을 향해 신하의 직분을 다하겠다는 태도를 나타내고 있군.
⑤ '쳔리만리 길흘 뉘라셔 ᄎᆞ자갈고'에서 자신의 충성을 전달하기 어렵다는 생각을 나타내고 있군.

06

ⓐ~ⓔ 중 〈보기〉의 설명에 해당하는 것은?

보기

이 글은 시끄러운 조정을 은근히 풍자하며 임금의 선정을 기대하는 심정을 표현하고, 아울러 자신이 은거하고 있는 곳까지도 임금의 은혜가 미치기를 바라는 마음을 표현하고 있다.

① ⓐ ② ⓑ ③ ⓒ
④ ⓓ ⑤ ⓔ

07

고난도 기출 2021학년도 수능

〈보기〉를 바탕으로 윗글을 감상한 내용으로 적절하지 않은 것은?

보기

이 글에는 천상의 시간과 지상의 시간이 모두 나타난다. 천상에서는 지상과 달리 생로병사의 과정 없이 끝없는 사랑이 지속된다. 이러한 시간적 질서는 지상에 내려온 화자를 힘겹게 하는데, 이 과정에서 화자는 지상의 물리적 시간을 심리적으로 변형하여 자신의 심경을 드러낸다.

① 임과의 '연분'을 '하ᄂᆞᆯ'과 연결 짓는 것은, 임과의 사랑이 천상의 시간처럼 끝없이 이어지기를 바라는 마음이 반영된 것이라 볼 수 있겠어.
② '졈어 잇고'와 '늙거야'를 통해 화자가 천상의 시간에서 벗어나 지상의 시간으로 편입되었음을 알 수 있겠어.
③ '삼 년' 전을 '엇그제'로 인식하는 것에서, 임과 함께한 기억이 아직도 선명하게 남아 있어 지상의 물리적 시간이 심리적으로 압축되어 나타나고 있음을 알 수 있겠어.
④ '인ᄉᆡᆼ은 유ᄒᆞᆫ'과 '무심ᄒᆞᆫ 셰월'을 통해 지상의 시간적 질서에 따라 소망을 이룰 수 있는 시간이 줄고 있는 것에 대한 불안한 마음을 엿볼 수 있겠어.
⑤ '염냥'이 '가ᄂᆞᆫ ᄃᆞᆺ 고텨' 온다는 인식에서, 임과의 관계 단절에 따른 절망감으로 인해 지상의 물리적 시간이 심리적으로 지연되어 나타나고 있음을 알 수 있겠어.

08

〈보기〉는 윗글에 대한 설명이다. ㉮~㉰에 들어갈 알맞은 시어를 윗글에서 찾아 쓰시오.

보기

화자는 유배를 당해 임금과 멀리 떨어져 있으면서도 자신의 충정을 알리고자 노력한다. 하지만 자신의 충정을 알리는 데 방해가 되는 존재인 (㉮) 때문에 갈 길도 멀고 험하다고 한탄하고 있다. 이어 화자는 (㉯)을/를 임금에게 보내 임금이 그것을 (㉰), 즉 온누리에 다 비추어 이 세상을 태평성대로 만들어 주기를 바라는 마음을 나타내고 있다.

㉮(답 2개): ____________________

㉯: ____________________

㉰: ____________________

09

윗글에 대한 〈보기〉의 설명 Ⓐ, Ⓑ와 관련하여 (1), (2)에 각각 알맞은 답을 쓰시오.

보기

이 글에서 화자는 창밖에 심어 놓아 두세 가지 핀 Ⓐ<u>'매화'를 꺾어 임금에게 보내고자 한다</u>. 그렇지만 유배를 와 있는 처지에서 자신이 보낸 매화를 보고 Ⓑ<u>임이 반겨 주실지 어떨지 걱정하는 모습을 보인다</u>.

(1) Ⓐ의 이유를 매화의 특성 및 상징성과 관련지어 서술하시오.

____

____

(2) Ⓑ가 가장 잘 드러난 구절을 윗글에서 찾아 쓰시오.

____

● 조선 중기

속미인곡

출제 포인트 › #충신연주지사 #대화의 형식 #임의 상징성 #고통의 비유

뎨 가ᄂᆞᆫ **뎌 각시** 본 듯도 ᄒᆞᆫ뎌이고
텬샹(天上) ᄇᆡᆨ옥경(白玉京)•을 엇디ᄒᆞ야 니별(離別)ᄒᆞ고
ᄒᆡ 다 뎌 져믄 날의 눌을 보라 가시ᄂᆞᆫ고❶
어와 네여이고 ㉠내 ᄉᆞ셜 드러 보오❷
내 얼굴 이 거동이 님 괴얌 즉ᄒᆞᆫ가마ᄂᆞᆫ
엇딘디 날 보시고 네로다 녀기실ᄉᆡ
나도 님을 미더 군ᄠᅳ디 전혀 업서
이ᄅᆡ야 교ᄐᆡ야 어ᄌᆞ러이 구돗썬디
반기시ᄂᆞᆫ **ᄂᆞᆺ비치** 녜와 엇디 다ᄅᆞ신고
누어 ᄉᆡᆼ각ᄒᆞ고 니러 안자 혜여ᄒᆞ니•
내 몸의 지은 죄 뫼ᄀᆞ티 빠혀시니❸
하ᄂᆞᆯ히라 **원망**ᄒᆞ며 사ᄅᆞᆷ이라 **허믈**ᄒᆞ랴❹
셜워 플텨 혜니 조믈(造物)의 타시로다❺
글란 ᄉᆡᆼ각 마오❻
ᄆᆡ친 일이 이셔이다❼
님을 뫼셔 이셔 님의 일을 내 알거니
믈 ᄀᆞᄐᆞᆫ **얼굴**이 편ᄒᆞ실 적 몃 날일고❽
츈한 고열(春寒苦熱)은 엇디ᄒᆞ야 디내시며
츄일 동텬(秋日冬天)은 뉘라셔 뫼셧ᄂᆞᆫ고
죽조반(粥早飯)• 죠셕(朝夕) 뫼• 녜와 ᄀᆞᆺ티 셰시ᄂᆞᆫ가
기나긴 밤의 ᄌᆞᆷ은 엇디 자시ᄂᆞᆫ고
님 다히 쇼식(消息)을 아므려나 아쟈 ᄒᆞ니❾
오ᄂᆞᆯ도 거의로다 ᄂᆡ일이나 사ᄅᆞᆷ 올가
내 ᄆᆞᄋᆞᆷ 둘 ᄃᆡ 업다 어드러로 가쟛 말고❿
잡거니 밀거니 **놉픈 뫼**히 **올라가**니
구름은ᄏᆞ니와 안개ᄂᆞᆫ ᄆᆞᄉᆞ 일고
산쳔(山川)이 어둡거니 ㉮일월(日月)을 엇디 보며
지쳑(咫尺)을 모ᄅᆞ거든 쳔리(千里)를 ᄇᆞ**라보랴**
출하리 **믈ᄀᆞ의 가** ᄇᆡ **길히나 보쟈** ᄒᆞ니
ᄇᆞ람이야 믈결이야 어둥졍 된뎌이고
샤공은 어ᄃᆡ 가고 빈 ᄇᆡ⓫만 걸렷ᄂᆞ니

저기 가는 저 부인, 본 듯도 하구나.
천상의 임금이 계시는 대궐을 어찌하여 이별하고
해가 다 져서 저문 날에 누구를 만나러 가시는가?
아, 너로구나. 내 사정 이야기를 들어 보오.
내 얼굴과 이 태도가 임께서 사랑함 직한가마는
어쩐지 나를 보시고 너로구나 하고 여기시기에
나도 임을 믿어 딴생각이 전혀 없어,
응석과 아양을 부리며 지나치게 굴었던지
반기시는 얼굴빛이 옛날과 어찌 다르신가?
누워 생각하고 일어나 앉아 헤아려 보니
내 몸 지은 죄가 산같이 쌓였으니
하늘을 원망하며 사람을 탓하랴.
서러워 여러 일을 풀어 헤아려 보니, 조물주의 탓이로다.
그렇게는 생각하지 마오.
마음속에 맺힌 일이 있습니다.
예전에 임을 모시어서 임의 일을 내가 알거니와,
물 같이 연약한 몸이 편하실 때가 몇 날일까?
이른 봄날의 추위와 여름철의 무더위는 어떻게 지내시며,
가을, 겨울은 누가 모셨는가?
자릿조반과 아침저녁 진지는 예전과 같이 잘 잡수시는가?
기나긴 밤에 잠은 어떻게 주무시는가?
임 계신 곳의 소식을 어떻게 해서라도 알려고 하니,
오늘도 거의 저물었구나. 내일이나 임의 소식을 전해 줄 사람이 있을까?
내 마음 둘 곳이 없다. 어디로 가자는 말인가?
(나무, 바위 등을) 잡기도 하고 밀기도 하면서 높은 산에 올라가니,
구름은 물론이거니와 안개는 무슨 일로 저렇게 끼어 있는가?
산천이 어두운데 일월을 어떻게 바라보며,
눈앞의 가까운 곳도 모르는데, 천 리나 되는 먼 곳을 바라볼 수 있으랴?
차라리 물가에 가서 뱃길이나 보려고 하니
바람과 물결로 어수선하게 되었구나.
뱃사공은 어디 가고 빈 배만 걸렸는가?

Step 1 포인트 분석

「속미인곡」

제목의 의미
'속미인곡'은 '미인곡', 즉 「사미인곡」의 속편이라는 뜻이므로, '임을 계속 그리워하는 노래'라고 해석할 수 있다.

시적 상황
임과 이별한 상황에서 임 생각에 눈물 흘리며 한숨짓고 있다.

표현
❶뎨 가ᄂᆞᆫ 뎌 각시~눌을 보라 가시ᄂᆞᆫ고, ❷어와 네여이고 내 ᄉᆞ셜 드러 보오, ❻글란 ᄉᆡᆼ각 마오, ❼ᄆᆡ친 일이 이셔이다, ⓯번드시 비최리라, ⓰각시님~구ᄌᆞᆫ비나 되쇼셔
→ **두 여성 화자의 대화:** 두 명의 여성 화자, 즉 '각시'로 불리는 여성과, '각시'에게 '너'(← '네여이고')로 불리며 '각시'의 사연을 들어 주는 또 다른 여성이 나누는 대화에 의해 시상이 전개됨.
❸뫼ᄀᆞ티 빠혀시니
→ **비유, 과장적 표현:** 임과의 이별에 대한 화자의 자책을 강조함.
❹하ᄂᆞᆯ히라~허믈ᄒᆞ랴
→ **대구, 설의적 표현:** 임을 탓하지 않음을 강조하고 충신연주지사의 성격을 드러냄.
❿어드러로 가쟛 말고
→ **설의적 표현:** 임에 관한 소식을 알 길 없어 막막한 화자의 심정을 강조함.
⓫빈 ᄇᆡ
→ **객관적 상관물:** 화자의 외롭고 쓸쓸한 처지를 대변함.

정서와 태도
❸내 몸의 지은 죄 뫼ᄀᆞ티 빠혀시니
→ 임과의 이별에 대한 자책
❺하ᄂᆞᆯ히라 원망ᄒᆞ며~조믈의 타시로다
→ 임과의 이별을 운명에 의한 것으로 여김.
❽님을 뫼셔 이셔~몃 날일고
→ 임에 대한 걱정과 염려
❾님 다히~아쟈 ᄒᆞ니
→ 임에 관한 소식을 알고 싶은 마음

- **ᄇᆡᆨ옥경:** 도가(道家)에서 이르는 옥황상제가 산다는 곳. 여기서는 임금이 있는 서울이나 대궐을 가리킴.
- **혜여ᄒᆞ니:** 생각하니.
- **쥭조반:** 자릿조반. 아침 먹기 전에 일찍 먹는 죽.
- **뫼:** 밥. 진지.

강텬(江天)의 혼쟈 셔셔 디ᄂᆞᆫ ᄒᆡ를 구버보니	강가에 혼자 서서 저무는 해를 굽어보니
님 다히 쇼식(消息)이 더옥 아득ᄒᆞᆫ뎌이고	임 계신 곳의 소식이 더욱 아득하구나.
모쳠(茅簷) ᄎᆞᆫ **자리**의 밤듕만 도라오니	초가집 찬 잠자리에 한밤중이 돌아오니,
반벽쳥등(半壁靑燈)⑫은 눌 위ᄒᆞ야 ᄇᆞᆰ갓ᄂᆞᆫ고	벽 가운데 걸려 있는 등불은 누구를 위하여 밝았는가?
오ᄅᆞ며 ᄂᆞ리며 헤쓰며* 바니니*	산을 오르내리며 여기저기를 헤매며 시름없이 오락가락하니,
져근덧 녁진(力盡)ᄒᆞ야 픗ᄌᆞᆷ을 잠간 드니	잠깐 사이에 힘이 다해 풋잠을 잠깐 드니,
정셩(精誠)이 지극ᄒᆞ야 ㉡ ᄭᅮᆷ의 님을 보니	정성이 지극하여 꿈에 임을 보니
옥(玉) ᄀᆞᄐᆞᆫ 얼굴이 반(半)이나마 늘거셰라	옥과 같이 곱던 모습이 반 넘어 늙었구나.
ᄆᆞ음의 머근 말ᄉᆞᆷ 슬ᄏᆞ장 ᄉᆞᆲ쟈* ᄒᆞ니	마음속에 품은 생각을 실컷 사뢰려고 하였더니
눈믈이 바라 나니 말인들 어이 ᄒᆞ며	눈물이 계속 나니 말인들 어찌 하며,
졍(情)을 못다 ᄒᆞ야 목이조차 몌여ᄒᆞ니	정회를 못다 풀어 목마저 메니,
오뎐된 계셩(鷄聲)의 ᄌᆞᆷ은 엇디 ᄭᆡ돗던고	방정맞은 닭소리에 잠은 어찌 깨었는가?
어와 허ᄉᆞ(虛事)로다 이 님이 어ᄃᆡ 간고⑬	아 헛된 일이로구나. 이 임이 어디 갔는가?
결의 니러 안자 창(窓)을 열고 ᄇᆞ라보니	꿈결에 일어나 앉아 창을 열고 밖을 바라보니
어엿븐* 그림재⑭ 날 조촐 ᄲᅮᆫ이로다	가엾은 그림자만이 나를 따를 뿐이로다.
출하리 싀여디여 ㉯ 낙월(落月)이나 되야 이셔	차라리 죽어 없어져 지는 달이나 되어서
님 겨신 창(窓) 안히 번드시 비최리라⑮	임이 계신 창 안에 환하게 비치리라.
각시님 ᄃᆞᆯ이야ᄏᆞ니와 **구ᄌᆞᆫ비**나 되쇼셔⑯	각시님, 달은커녕 궂은비나 되십시오.

– 정철, 「속미인곡(續美人曲)」

표현

⑫ 반벽쳥등
➜ **객관적 상관물:** 화자의 외롭고 쓸쓸한 처지를 대변함.

⑬ 어와 허ᄉᆞ로다
➜ **영탄적 표현:** 임의 부재를 확인한 뒤의 허탈한 심정을 강조함.

⑭ 어엿븐 그림재
➜ **감정 이입:** 임과 헤어져 쓸쓸한 화자의 정서가 투영됨.

⑮ 낙월이나 되야 이셔
➜ **상징적 표현:** 화자의 분신으로 상징되는 소재를 활용해 임에 대한 변함없는 충정을 나타냄.

정서와 태도

⑬ 어와 허ᄉᆞ로다 이 님이 어ᄃᆡ 간고
➜ 임의 부재에 대한 외로움과 쓸쓸함

⑮ 출하리 싀여디여~번드시 비최리라
➜ 재회의 소망과 임에 대한 변함없는 충정

- **헤쓰며:** 헤매며.
- **바니니:** 부질없이 오락가락 거니니.
- **ᄉᆞᆲ쟈 :** 아뢰고자, 말하고자.
- **어엿븐:** 불쌍한.

Step 2 포인트 체크

[01~04] 윗글에 대하여 맞으면 ○, 틀리면 ×표를 하시오.

01 두 여성 화자가 대화를 나누고 있는 상황이다. (○, ×)

02 '각시'의 'ᄉᆞ셜'에는 임을 향한 간절한 그리움이 담겨 있다. (○, ×)

03 '각시'는 '군ᄠᅳ디 전혀 업서' 임에게 버림받았다고 생각하고 있다. (○, ×)

04 '님'을 임금으로 볼 때 윗글에는 '낙월(落月)'이 되어 임금에게 충성을 다하겠다는 다짐이 나타난다고 볼 수 있다. (○, ×)

[05~07] 다음 빈칸에 알맞은 말을 쓰시오.

05 '믈 ᄀᆞ툰 얼굴'은 헤어진 임에 대한 [ㄱ][ㅈ]의 마음을 나타낸 것이다.

06 '결사'에서 '어엿븐 그림재'는 임과 헤어진 화자의 처지를 그림자에 [ㄱ][ㅈ] [ㅇ][ㅇ]하여 표현한 것이다.

07 '낙월'보다 적극적인 사랑의 태도를 나타내는 소재는 '[ㄱ][ㅈ][ㅂ]'이다.

정답 | 01 ○ 02 ○ 03 × 04 ○ 05 걱정 06 감정 이입 07 구즌비

작품 정리

속미인곡
- **갈래:** 연군 가사, 유배 가사
- **성격:** 애상적, 의지적
- **주제:** 임에 대한 사랑과 충정
- **구성:** 서사 1(뎨 가ᄂᆞᆫ~가시ᄂᆞᆫ고) | 갑녀의 질문 – 백옥경을 떠난 이유
  서사 2(어와~타시로다) | 을녀의 대답 – 자책과 체념
  본사 1(글란 싱각 마오) | 갑녀의 위로
  본사 2(미친~자시ᄂᆞᆫ고) | 을녀의 하소연 – 임에 대한 염려
  본사 3(님 다히~아득ᄒᆞᆫ뎌이고) | 을녀의 하소연 – 임의 소식을 듣고 싶은 마음
  본사 4(모쳠~ᄭᆡ돗던고) | 을녀의 하소연 – 독수공방의 애달픔과 꿈에서 만난 임
  결사 1(어와~비최리라) | 을녀의 하소연 – 죽어서라도 임을 따르고 싶은 마음
  결사 2(각시님~되쇼셔) | 갑녀의 위로

» **해제:** 두 여인의 대화 형식을 활용하여 임과 이별한 슬픔과 임에 대한 그리움을 토로하며 변함없는 사랑과 충정의 마음을 드러내었다.

Step 3 실전 문제

01

윗글의 주요 시상 전개 방식으로 가장 적절한 것은?

① 대화식 구성으로 시상이 전개되고 있다.
② 역순행적 구성으로 시상이 전개되고 있다.
③ 시선의 이동에 따라 시상이 전개되고 있다.
④ 계절의 흐름에 따라 시상이 전개되고 있다.
⑤ 과거와 현재의 교차를 통해 시상이 전개되고 있다.

02

윗글의 '각시'를 '을', 각시에게 '네(너)'로 불리는 인물을 '갑'이라고 할 때, '갑'과 '을'에 대한 설명으로 적절하지 않은 것은?

① '갑'은 보조적 위치에 있는 화자이다.
② '을'은 작가의 처지를 대변하는 중심 화자이다.
③ '갑'은 '을'의 하소연을 유발하고 있다.
④ '갑'은 자책하는 '을'의 처지에 공감하고 있다.
⑤ '을'은 '갑'의 질문에 응하여 신세 한탄을 하고 있다.

03

윗글의 시어나 시구에 대한 이해로 적절하지 않은 것은?

① '믈 ᄀᆞᄐᆞᆫ 얼굴'은 '각시'가 임을 걱정하는 이유가 되는군.
② '강텬'은 '각시'가 헤어진 임과 만나기로 한 약속의 공간이군.
③ '졍셩'은 '각시'가 임과 다시 만나기를 소원하는 마음을 나타내는군.
④ '눈믈'은 '각시'가 임을 만난 상황에서 느끼는 반가움으로 인한 것이군.
⑤ '구즌비'는 임에게 '각시'의 비통함이라도 전해야 한다는 다른 이의 생각이 반영된 것이로군.

04

㉠에 대한 설명으로 적절하지 않은 것은?

① '뎌 각시'가 지내 온 사연과 관련 있다.
② '텬샹 ᄇᆡᆨ옥경'에 있었던 과거가 제시된다.
③ '내 몸의 지은 죄'와 관련 있는 이야기이다.
④ '반기시는 ᄂᆞᆺ비치' 달라진 사건과 관련 있다.
⑤ 임에 대한 '원망'과 '허믈'의 이유가 제시된다.

05

㉡의 기능으로 가장 적절한 것은?

① 화자의 간절한 소망을 이루게 하는 매개체이다.
② 화자와 다른 인물 간의 갈등을 해소하는 계기가 된다.
③ 화자가 살아온 과거의 이력을 모두 밝히는 계기가 된다.
④ 화자가 지향하는 이상적인 세계를 암시하는 역할을 한다.
⑤ 화자에게 벌어질 앞으로의 사건을 예고하는 역할을 한다.

06

㉮, ㉯의 의미로 가장 적절한 것은?

	㉮	㉯
①	화자의 그리움의 대상	화자의 회피의 대상
②	화자의 그리움의 대상	화자의 분신
③	화자의 그리움의 대상	화자의 기원의 대상
④	화자의 회피의 대상	화자의 분신
⑤	화자의 회피의 대상	화자의 기원의 대상

07

고난도 기출 변형 2002학년도 10월 고3 교육청

〈보기〉는 윗글에 대한 비평의 일부이다. 이를 활용하여 작품을 감상할 때, 적절하지 않은 것은?

보기

이 작품에서 ⓐ화자와 임 사이에는 일정한 거리가 존재한다. ⓑ임과의 거리를 좁혀 보려는 화자의 간절한 노력에도 불구하고, ⓒ실제로 그 거리는 조금도 가까워지지 않는다는 데에 이 작품의 비장성이 있다. 거리를 좁혀 보려는 허망한 노력을 계속하던 화자는 마침내 이의 불가능함을 깨닫고 ⓓ비극적 초월을 통해 이를 극복해 보려 한다. 임을 향한 화자의 노력과 사념은 작품이 진행되면서 점차 강화되며, 이와 동시에 ⓔ화자의 실의와 고뇌 역시 점점 깊어진다.

① '님 다히 쇼식을 아므려나 아쟈 ᄒᆞ'는 모습에서 ⓐ를 알 수 있겠군. 임이 화자의 곁에 있다면 그렇듯 간절히 임의 소식을 기다릴 필요는 없을 테니까.
② '놉픈 뫼희 올라가'는 것이나 'ᄆᆞᆯ ᄀᆞ의 가 ᄇᆡ 길히나 보쟈 ᄒᆞ'는 것이 ⓑ에 해당하겠군. 임과의 거리를 좁히고 싶기에 가만히 앉아 기다리고만 있을 수는 없었을 거야.
③ '지척을 모ᄅᆞ거든 쳔리ᄅᆞᆯ ᄇᆞ라보랴'는 ⓒ에 해당하겠군. 임에게 다가가려고 노력하지만, 결국 임과의 거리를 좁히지 못하고 있어.
④ '모쳠 ᄎᆞᆫ 자리'를 찾는 것은 ⓓ를 위한 노력이겠군. 스스로 차가운 잠자리를 고집함으로써 비극적인 방향으로 문제를 해결하려 하는 거야.
⑤ '출하리 싀여디여'라는 구절은 ⓔ를 잘 보여 주고 있군. 죽기 전에는 임과의 만남이 불가능하다는 인식에서 오는 좌절감의 표현인 거야.

08

윗글의 시어 중 〈보기〉의 개와 기능이 가장 유사한 것은?

보기

개를 여라믄이나 기르되 요 개같이 얄미우랴
뮈온 님 오며는 꼬리를 홰홰 치며 뛰락 나리 뛰락 반겨서 내닫고 고운 님 오며는 뒷발을 버동버동 므르락 나으락 캉캉 즈져서 도라가게 한다
쉰 밥이 그릇그릇 난들 너 머길 줄이 이시랴

– 작자 미상

① 쥭조반 ② 즘 ③ 뫼
④ 반벽청등 ⑤ 계셩

09

〈보기〉는 윗글에 대한 설명이다. Ⓐ, Ⓑ에 들어갈 알맞은 시어를 윗글에서 찾아 각각 2개씩 쓰시오.

보기

이 글에서는 임과 멀리 떨어져 있는 화자가 임에게 가까이 가고 싶어 하지만 뜻을 이루지 못하는 상황을 잘 표현하고 있다. 화자는 임에게 가고 싶은 마음에, 또 임의 소식이라도 알고 싶은 마음에 '놉픈 뫼'로 가나 '(Ⓐ)'에 가려 뜻을 이루지 못하고, 'ᄆᆞᆯ ᄀᆞ'로 가나 '(Ⓑ)' 때문에 뜻을 이루지 못한다.

Ⓐ: ____________________

Ⓑ: ____________________

10

서술형

〈보기〉를 참고하여 윗글의 작가가 자신의 처지와 심정을 여성 화자에 의탁해 나타냄으로써 거두고 있는 효과를 서술하시오.

보기

정철의 「속미인곡」은 작가가 당쟁으로 관직에서 물러나 고향인 전라남도 창평에서 은거할 때 지은 작품이다. 이 글에서 작가는 조정에서 쫓겨났는데도 임금을 원망하지 않고 그리워하는 신하의 애절한 마음을 여성 화자의 목소리를 통해 효과적으로 표현하고 있다. 이처럼 남성인 작가가 여성 화자의 목소리로 노래하는 것은 우리 문학에서 쉽게 찾아볼 수 있는 전통으로, 오랫동안 이어져 현대시에까지 계승되고 있다.

____

____

누항사

출제 포인트 〉 #세상의 인심 #강호 한정 #대화의 삽입 #영탄·설의법

[A] 한기 태심(旱旣太甚)* ᄒᆞ야 시절(時節)이 다 느즌 졔	가뭄이 아주 심하여 농사지을 시기가 다 늦어진 때에,
서주(西疇) 놉흔 논애 잠깐 긴 널비예	서쪽 언덕의 높은 논에 잠깐 지나가는 비에,
도상 무원수(道上無源水)를 반만짠 ᄃᆡ혀 두고❶	길 위에 흘러다니는 물을 반만큼 대어 두고,
ⓐ쇼 ᄒᆞᆫ 젹 듀마 ᄒᆞ고 엄섬이* ᄒᆞᄂᆞᆫ 말삼	'소 한 번 빌려주겠다.' 하고 엉성하게 하는 말씀을
친절(親切)호라 너긴 집의 ㉠ᄃᆞᆯ 업슨 황혼(黃昏)의 허위허위 다라가셔❷	친절하다고 여긴 집에 달 없는 황혼에 허둥지둥 달려가서
구디 다든 문(門)밧긔 어득히 혼자 셔셔	굳게 닫은 문밖에 우두커니 혼자 서서
큰 기춤 **아함이**를 양구(良久)토록 ᄒᆞ온 후(後)에	큰 기침 에헴 소리를 꽤 오래도록 한 뒤에
어와 긔 뉘신고 ⓑ염치(廉恥) 업산 ᄂᆡ옵노라❸	"아, 거기 누구십니까?" 묻자 "염치없는 저입니다."
ⓒ초경(初更)*도 거읜ᄃᆡ 긔 엇지 와 겨신고	"초경도 거의 지났는데 그대 어찌 와 계십니까?"
ⓓ연년(年年)에 이러ᄒᆞ기 구차(苟且)ᄒᆞᆫ 줄 알건마ᄂᆞᆫ	"해마다 이러하기가 염치없는 줄 알건마는
㉡쇼 업슨 궁가(窮家)애 혜염 만하 왓삽노라❹	소 없는 가난한 집에 걱정이 많아 왔습니다."
공ᄒᆞ니나 갑시나 주엄 즉도 ᄒᆞ다마ᄂᆞᆫ	"공짜로나 값을 치르거나 빌려줄 만도 하지만
다만 어제 밤의 거넨 집 져 사람이	다만 어젯밤에 건넛집 저 사람이
목 불근 수기치(雉)을 옥지읍(玉脂泣)게 ᄭᅮ어 ᄂᆡ고	목 붉은 수꿩을 구슬 같은 기름이 끓어오르게 구워 내고,
간 이근 삼해주(三亥酒)을 취(醉)토록 권(勸)ᄒᆞ거든	갓 익은 삼해주를 취하도록 권하였으니
ⓔ이러한 은혜(恩惠)을 어이 아니 갑흘넌고❺	이러한 은혜를 어찌 안 갚겠습니까?
내일(來日)로 주마 ᄒᆞ고 큰 언약(言約) ᄒᆞ야거든	내일 소를 빌려주마 하고 큰 언약을 하였거든,
㉢실약(失約)이 미편(未便)ᄒᆞ니 사셜이 어려왜라	약속을 어김이 미안하니 말씀드리기 어렵습니다."라고 한다.
실위(實爲) 그러ᄒᆞ면 혈마 어이ᄒᆞᆯ고	"사실이 그렇다면 설마 어찌하겠습니까?"
[B] 헌 먼덕 수기 스고 측 업슨 집신에 설피설피 물너오니	헌 갓을 숙여 쓰고, 축이 없는 짚신에 맥없이 어슬렁 물러나 오니
풍채(風採)* 저근 형용(形容)애 ᄀᆡ 즈칠 ᄲᅮᆫ이로다	초라한 모습에 개가 짖을 뿐이로구나.
와실(蝸室)에 드러간ᄃᆞᆯ 잠이 와사 누어시랴❻	작고 누추한 집에 들어간들 잠이 와서 누워 있을까?
㉣북창(北窓)을 비겨 안자 새배ᄅᆞᆯ 기다리니	북쪽 창문에 기대어 앉아 새벽을 기다리니,
무정(無情)한 대승(戴勝)은 이ᄂᆡ 한(恨)을 도우ᄂᆞ다❼	무정한 오디새는 이내 한을 돋우는구나.
(중략)	
춘경(春耕)도 거의거다 후리쳐 더뎌두쟈	봄갈이도 거의 지났다. 팽개쳐 던져두자.
강호(江湖) ᄒᆞᆫ ᄭᅮᆷ을 ᄭᅮ언지도 오ᄅᆡ려니	자연을 벗 삼아 살겠다는 꿈을 꾼 지도 오래인데
구복(口腹)이 위루(爲累)ᄒᆞ야 어지버 이져ᄯᅥ다	먹고사는 데 어려움이 있어, 아아! 슬프게도 그 꿈을 잊었다.
첨피 기욱(瞻彼淇澳)*혼ᄃᆡ **녹죽(綠竹)**도 하도 할샤❽	저 기수의 물가를 보건대 푸른 대나무도 많기도 많구나!
ⓜ**유비군자(有斐君子)***들아 낙ᄃᆡ ᄒᆞ나 빌려ᄉᆞ라❾	교양 있는 선비들아, 낚싯대 하나 빌려 다오.

Step 1 포인트 분석

「누항사」

제목의 의미
'누추한 거리에서의 노래'라는 뜻으로, 강호에 묻혀 소박한 생활을 하며 유교적 도리를 다하겠다는 다짐을 노래하고 있다.

시적 상황
화자가 농사에 필요한 소를 빌리려 하다 빌리지 못해 낙담하고 농사짓기를 포기하였으나 가난을 원망하지 않고 유교적 도리에 따른 삶을 살 것을 다짐하고 있다.

표현
❷허위허위 다라가셔, ❸아함이를~ᄒᆞ온 후에
➜ **음성 상징어 사용:** 소를 빌리려는 화자의 다급한 마음을 사실감 있게 나타냄.
❸어와 긔 뉘신고 염치 업산 ᄂᆡ옵노라
➜ **대화의 인용:** 소 주인의 말, 화자의 말을 생생하게 나타냄.
❺어이 아니 갑흘넌고
➜ **설의적 표현:** 자신에게 맛있는 음식과 술을 대접한 이웃에게 은혜를 갚기 위해 소를 빌려주어야 하기에 화자에게 소를 빌려줄 수 없다는 뜻을 우회적으로 나타냄.
❻잠이 와사 누어시랴
➜ **설의적 표현:** 소를 빌리지 못한 일로 낙담하며 잠을 이루지 못하는 화자의 상황을 나타냄.
❽첨피 기욱혼ᄃᆡ 녹죽도 하도 할샤
➜ **영탄적 표현:** 아름다운 자연에 대한 감탄을 나타냄.
❾유비군자들아 낙ᄃᆡ ᄒᆞ나 빌려ᄉᆞ라
➜ **청유형 어미:** 자연에 묻혀 풍류를 즐기고자 하는 화자의 의지를 나타냄.

정서와 태도
❶도상 무원수를 반만싼 ᄃᆡ혀 두고, ❹쇼 업ᄉᆞᆫ 궁가애 혜염 만하 왓삽노라
➜ 농사를 짓겠다는 현실적 태도
❻와실에~누어시랴, ❼무정한~도우ᄂᆞ다
➜ 세상 인심에 대한 실망과 고뇌

- **한기 태심:** 여름의 가뭄이 극심함.
- **엄섬이:** 엉성히, 탐탁지 않게.
- **초경:** 저녁 7시에서 9시 사이.
- **풍채:** 드러나 보이는 사람의 겉모양.
- **첨피 기욱:** 저 기수(중국에 있는 강의 이름)의 물굽이를 바라봄.
- **유비군자:** 아름다운 광채가 나는 군자라는 뜻으로, 학식과 인격이 훌륭한 사람을 이르는 말.

노화(蘆花) 깁픈 곳애 명월청풍(明月清風) 벗이 되야
님ᄌᆡ 업ᄉᆞᆫ 풍월강산(風月江山)애 절로절로 늘그리라⑩
무심(無心)한 백구(白鷗)야 오라 ᄒᆞ며 말라 ᄒᆞ랴
다토리 업슬ᄉᆞᆫ 다문 인가 너기로라
무상(無狀)한 이 몸애 무슨 지취(志趣) 이스리마ᄂᆞᆫ
두세 이렁 밧논를 다 무겨 더뎌두고
이시면 **죽(粥)**이오 업시면 굴물망정
남의 집 남의 거슨 전혀 부러 말렷노라
ᄂᆡ **빈천(貧賤)** 슬히 너겨 손을 헤다 물너가며
남의 **부귀(富貴)** 불리 너겨 손을 치다 나아오랴⑪
인간(人間) 어ᄂᆡ 일이 명(命) 밧긔 삼겨시리⑫
가난타 이제 죽으며 가ᄋᆞ며다 백년(百年) 살냐
원헌*이ᄂᆞᆫ 몃 날 살고 석숭*이ᄂᆞᆫ 몃 ᄒᆡ 산고
빈이무원(貧而無怨)을 어렵다 ᄒᆞ건마ᄂᆞᆫ
ᄂᆡ 생애(生涯) 이러호ᄃᆡ 설온 뜻은 업노왜라
단사표음(簞食瓢飮)*을 이도 족(足)히 너기로라⑬
평생(平生) ᄒᆞᆫ 뜻이 **온포(溫飽)**애ᄂᆞᆫ 업노왜라
태평천하(太平天下)애 충효(忠孝)를 일을 삼아⑭
화형제(和兄弟) 신붕우(信朋友) 외다 ᄒᆞ리 뉘 이시리⑮
그 밧긔 남은 일이야 **삼긴 ᄃᆡ로 살렷노라**

갈대꽃 깊은 곳에 밝은 달과 맑은 바람이 벗이 되어,
임자 없는 자연 속 풍월강산에 절로절로 늙으리라.
무심한 갈매기야 나더러 오라고 하며 말라고 하겠는가?
다툴 이가 없는 것은 다만 이것뿐인가 여기노라.
보잘것없는 이 몸이 무슨 소원이 있을까마는
두세 이랑 되는 밭과 논을 다 묵혀 던져두고,
있으면 죽이요 없으면 굶을망정
남의 집, 남의 것은 전혀 부러워하지 말 것이다.
나의 빈천함을 싫게 여겨 손을 내젓는다고 (빈천함이) 물러가며,
남의 부귀를 부럽게 여겨 손짓을 한다고 (부귀가) 나에게 오겠는가?
인간 세상의 어느 일이 운명 밖에 생겼겠는가?
가난하다고 금방 죽으며 부유하다고 백 년 살겠는가?
원헌이는 몇 날을 살았고, 석숭이는 몇 해나 살았는가?
가난하여도 원망하지 않음을 어렵다고 하건마는
내 생활이 이러하되 서러운 뜻은 없다.
대나무 밥그릇의 밥을 먹고, 표주박의 물을 마시는 어려운 생활도 만족하게 여긴다.
평생의 내 뜻이 따뜻이 입고, 배불리 먹는 데에는 없다.
태평스러운 세상에 충성과 효도를 일로 삼아,
형제 간에 화목하고 벗끼리 신의 있게 사귀는 일을 그르다고 할 사람이 누가 있겠느냐?
그 밖에 나머지 일이야 태어난 대로 살아가겠노라.

– 박인로, 「누항사(陋巷詞)」

표현

⑪손을 치다 나아오랴, ⑫명 밧긔 삼겨시리
➜ **설의적 표현:** 빈천한 삶을 운명으로 받아들이며 살겠다는 뜻을 강조함.

정서와 태도

⑩님ᄌᆡ 업ᄉᆞᆫ~절로절로 늘그리라
➜ 자연 속에서 자연스럽게 살아갈 것을 다짐함.

⑪남의 부귀~나아오랴
➜ 부귀를 부러워하며 따르려 하지 않겠다는 결심을 나타냄.

⑫인간 어ᄂᆡ 일이 명 밧긔 삼겨시리
➜ 빈천과 부귀를 모두 운명의 탓으로 돌림.

⑬단사표음을 이도 족히 너기로라, ⑭태평천하애 충효를 일을 삼아, ⑮화형제 신붕우 외다 ᄒᆞ리 뉘 이시리
➜ 자연에 묻혀 소박하게, 유교적 도리를 다하며 살겠다는 소망

- **원헌:** 공자의 제자로 자는 자사(子思). 집안은 가난했지만 절의를 지키고, 안빈낙도의 생활을 추구했다고 함.
- **석숭:** 진(晉)나라 때의 큰 부자.
- **단사표음:** 대나무로 만든 밥그릇에 담은 밥과 표주박에 든 물이라는 뜻으로, 청빈하고 소박한 생활을 비유적으로 이르는 말.

Step 2 포인트 체크

[01~04] 윗글에 대하여 맞으면 ○, 틀리면 ×표를 하시오.

01 화자는 자신이 갖지 못한 소를 남에게 빌리는 일이 당연하다는 태도를 보이고 있다. [○, ×]

02 22행 '잠이 와사 누어시랴'는 이득 없이는 소를 빌려주지 않는 세상 인심에 대한 실망을 설의법으로 표현한 것이다. [○, ×]

03 화자는 자연에 묻혀 소박한 생활을 하고자 한다. [○, ×]

04 화자는 '온포(溫飽)'에 뜻을 두고 유교적 도리를 다하려 하고 있다. [○, ×]

[05~07] 다음 빈칸에 알맞은 말을 쓰시오.

05 5행의 '허위허위'는 소를 빨리 빌리고 싶은 화자의 행동을 [ㅇ][ㅅ] [ㅅ][ㅈ][ㅇ]를 통해 표현한 것이다.

06 화자는 농사짓는 일을 포기하고 [ㅂ][ㅇ][ㅁ][ㅇ]하고자 한다.

07 화자는 충효, 화형제 등 [ㅇ][ㄱ]적 도리를 다하겠다고 다짐하고 있다.

정답 | 01 × 02 ○ 03 ○ 04 × 05 음성 상징어 06 빈이무원 07 유교

작품 정리

누항사
- **갈래:** 은일 가사
- **성격:** 현실적, 자연 친화적
- **주제:** 누항에 묻혀 사는 선비의 곤궁한 삶과 안빈낙도의 추구
- **구성:** 1~21행(한기 태심ᄒᆞ야~즈칠 뿐이로다) | 농사를 짓기 위해 이웃집에 소를 빌리러 갔다가 허탕을 침.
  22~25행(와실에~후리쳐 더뎌두쟈) | 농사일을 포기함.
  26행~끝(강호 ᄒᆞᆫ~삼긴 ᄃᆡ로 살렷노라) | 빈이무원, 안분지족과 유교적 가치를 추구함.

» **해제:** 임진왜란에 참전했던 작가가 임진왜란 직후 고향으로 돌아가 가난한 현실의 어려움에 좌절감을 느끼지만, 가난해도 아무도 원망하지 않으며 유교적 이상에 따라 살겠다는 사대부의 정신을 드러낸 가사이다. 제시된 부분에는 서사와 본사 중 앞부분의 내용(죽을 각오를 하고 참전했던 임진왜란에 대한 회상, 전란 후에 누항에서 몸소 농사를 짓고자 한 결심 등)이 생략되고 고향에서의 생활 부분과 결사가 실려 있다.

Step 3 실전 문제

정답 032쪽

01

윗글에서 알 수 있는 조선 후기 가사의 대표적인 특징은?

① 구체적인 삶의 현실을 다루고 있다.
② 선경 후정의 방식으로 시가의 내용을 구성하고 있다.
③ 압축과 생략의 방식으로 시가의 내용을 구성하고 있다.
④ 정형화된 운율 형성 방법에 따라 운율감을 조성하고 있다.
⑤ 한자어를 많이 사용하여 사대부의 지식과 교양을 나타내고 있다.

02

[A]에서 [B]로의 정서 변화를 가장 적절하게 표현한 것은?

① 의심에서 확신으로
② 좌절에서 의욕으로
③ 기대에서 실망으로
④ 허탈감에서 안도감으로
⑤ 두려움에서 편안함으로

03

윗글에 대한 설명으로 적절하지 않은 것은?

① 대화를 직접 인용해 현장감을 주고 있다.
② 설의적 표현을 통해 화자의 생각을 강조하고 있다.
③ 의인법을 통해 대상을 생동감 있게 나타내고 있다.
④ 음성 상징어를 활용해 화자의 행동을 묘사하고 있다.
⑤ 영탄적 표현을 통해 대상에 대한 감탄을 나타내고 있다.

04

[풍월강산]에 대한 설명으로 가장 적절한 것은?

① 전통적인 정한과 애상이 깃든 공간이다.
② 화자가 지닌 현재의 소망을 다짐하는 공간이다.
③ 과거의 삶을 생각하며 추억을 떠올리는 공간이다.
④ 현실과 이상의 괴리를 느끼며 고뇌하는 공간이다.
⑤ 낭만과 신비를 느끼게 하며 환상을 유발하는 공간이다.

05

윗글을 이해한 내용으로 적절하지 않은 것은?

① '아함이'는 자신의 존재를 알리기 위한 의도로 한 행동이다.
② '와실(蝸室)'은 화자의 현재 처지가 매우 곤궁한 상태임을 나타낸다.
③ '두세 이렁 밧논를 다 무겨 더뎌두고'는 화자가 게을렀던 행동에 대한 반성의 태도를 나타낸다.
④ '인간 어니 일이 명 밧긔 삼겨시리'는 화자가 가난을 숙명적인 것으로 받아들였음을 나타낸다.
⑤ '삼긴 딕로 살렷노라'는 자신에게 주어진 대로, 욕심 부리지 않고 살겠다는 화자의 태도를 나타낸다.

06

ⓐ~ⓔ에 대한 이해로 적절하지 않은 것은?

① ⓐ의 약속은 소 주인의 진심에서 나온 말이 아니었군.
② ⓑ로 보아 화자는 소를 빌리는 일에 대해 미안한 마음을 느끼고 있다고 할 수 있군.
③ ⓒ에서는 소 주인이 화자가 자신을 찾아온 이유를 모르는 척하는 태도를 보이고 있군.
④ ⓓ를 통해 화자가 소를 빌리는 일이 이번이 처음이 아님을 알 수 있군.
⑤ ⓔ에서는 소를 빌려준 일에 대해 은혜를 꼭 갚겠다는 태도를 엿볼 수 있군.

07

〈보기〉의 설명을 읽고, 윗글에서 〈보기〉의 ㉮, ㉯, ㉰가 가장 잘 드러난 시어를 찾아 쓰시오. (단, ㉰에는 3개의 시어를 쓸 것.)

보기
이 글의 화자는 강호 한정을 지향하고 있다. ㉮자연과 하나가 되는 물아일체의 사상과 ㉯가난하지만 소박한 삶에 만족하는 빈이무원의 태도가 드러나 있다. 한편 화자는 강호 한정의 생활 속에서도 ㉰유교적 도리를 추구하고 있다.

㉮: ______

㉯: ______

㉰: ______

08

〈보기〉를 바탕으로 윗글을 감상한 내용으로 적절하지 않은 것은?

보기
이 글은 유사한 의미나 내용, 기능을 나타내는 시어들을 제시함으로써 화자의 정서나 신념, 시적 상황 등을 반복하여 강조하는 효과가 나타난다.

① '목 불근 수기치'와 '간 이근 삼해주'는 모두 화자의 부탁을 거절하는 명분으로서의 기능을 하는군.
② '녹죽'과 '노화'는 자연에 있는 사물들로서 화자가 지향하는 것을 나타내는군.
③ '유비군자'와 '님즈'는 세속의 물욕을 취하려는 존재로서 화자가 회피하는 대상이군.
④ '죽'과 '빈천'은 가난한 화자의 현재 상황과 관련 있는 시어에 해당하는군.
⑤ '부귀', '온포'는 세속적 가치로 화자가 관심을 두지 않는 대상에 해당하는군.

09

고난도 기출 변형 2018학년도 6월 고1 교육청

〈보기〉를 참고하여 ㉠~㉤을 이해한 것으로 적절하지 않은 것은?

보기
「누항사」는 전란을 겪은 사대부가 누항에서 스스로 노동하며 가난하게 살면서도 이상적 삶을 추구하려고 노력하는 모습을 그리고 있다. 화자가 처한 상황과 심리의 변화는 다음과 같은 흐름을 나타낸다.

	Ⓐ		Ⓑ		Ⓒ
상황	몸소 농사를 지어야 함.	⇨	농사를 짓기 위한 소를 빌리지 못함.	⇨	자연과 더불어 한가롭게 삶.
심리	빈이무원을 추구함.		암담함을 느낌.		시름을 잊고자 함.

① ㉠에는 Ⓐ의 상황에서 발생한 어려움을 해결하고자 하는 화자의 다급한 마음이 드러나고 있다.
② ㉡을 통해 화자는 Ⓐ의 상황에서 느끼는 심리를 솔직하게 드러내고 있다.
③ ㉢을 통해 Ⓑ의 상황이 확정되고 있다.
④ ㉣에는 Ⓒ의 상황을 추구하겠노라는 화자의 결심이 나타나 있다.
⑤ ㉤에는 Ⓒ의 심리를 충족하고자 하는 화자의 의도가 드러나 있다.

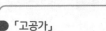

● 조선 후기

고공가

출제 포인트 › #비유·설의적 표현 #고공의 의미 #작중 상황에 반영된 시대상

집의 옷 밥을 언고 들먹ᄂᆞᆫ 져 고공(雇工)아❶	집에 옷과 밥을 두고 (이 집 저 집) 들락날락하며 빌어먹는 저 머슴아
우리 집 긔별을 아ᄂᆞᆫ다 모로ᄂᆞᆫ다	우리 집 내력을 아느냐, 모르느냐?
비 오ᄂᆞᆫ ᄂᆞᆯ 일 업ᄉᆞᆯ ᄌᆡ ᄉᆞᆺ ᄭᅩ면셔 니ᄅᆞ리라	비 오는 날 일 없을 때 새끼 꼬면서 이르리라.
처음의 ⓐ한어버이 사롬ᄉᆞ리 ᄒᆞ려 ᄒᆞᆯ ᄌᆡ	처음의 조부모님께서 살림살이하려 할 때
인심(仁心)을 만히 쓰니 사ᄅᆞᆷ이 졀로 모다	어진 마음을 많이 쓰니 사람이 절로 모여
플 쌧고 터을 닷가 큰 집을 지어 내고	풀을 베고 터를 닦아 큰 집을 지어 내고
셔리 보십 장기 쇼로 전답(田畓)을 긔경ᄒᆞ니	써레, 보습, 쟁기, 소로 논밭을 갈아 일구니
㉠오려논 터밧치 여드레 ᄀᆞ리로다❷	올벼 논과 텃밭이 여드레 동안 갈 만한 큰 땅이 되었도다.
자손(子孫)에 전계(傳繼)* ᄒᆞ야 대대(代代)로 나려오니	자손에게 물려주어 대대로 내려오니
논밧도 죠커니와 고공도 근검터라❸	논밭도 좋거니와 머슴도 부지런하고 검소하더라.
저희마다 여름지어 가ᄋᆞᆷ여리 사던 것슬	저희마다 농사지어 부유하게 살던 것을
요ᄉᆞ이 고공들❹은 혬*이 어이 아조 업서	요사이 머슴들은 철이 어찌 전혀 없어
밥사발 큰나 쟈그나 동옷시 죠코 즈나	밥그릇이 큰지 작은지 동옷이 좋은지 궂은지에만
ᄆᆞᄋᆞᆷ을 ᄃᆞᆺ호ᄂᆞᆫ 듯 호슈을 ᄉᆡ오ᄂᆞᆫ 듯	마음을 다투는 듯 우두머리를 시기하는 듯
무ᄉᆞᆷ 일 걈드러* 흘긧할긧 ᄒᆞᄂᆞᄉᆞᆫ다❺	무슨 일에 관심을 두고 흘깃흘깃하느냐?
㉮ 너희ᄂᆡ 일 아니코 시절(時節)좃ᄎᆞ ᄉᆞ오나와	너희들 일 아니하고 시절조차 사나워
ᄀᆞᆺ득의 ⓑᄂᆡ 셰간이 플러지게 되야ᄂᆞᆫᄃᆡ	가뜩이나 내 살림살이가 줄어들게 되었는데
엇그ᄌᆡ 화강도(火强盜)에 가산(家産)이 탕진(蕩盡)ᄒᆞ니	엊그제 날강도에 재산을 잃으니
집 ᄒᆞ나 불타 붓고 먹을 껏시 젼혀 업다	집 하나 불타 버리고 먹을 것이 전혀 없다.
큰나큰 셰ᄉᆞ을 엇지ᄒᆞ여 니로려료	크나큰 세간을 어찌하여 일으키려는가?
김가 이가(金哥李哥) 고공들아 ᄉᆡ ᄆᆞᄋᆞᆷ **먹어슬라**❻	김가 이가 머슴들아 새 마음을 먹으려무나.
㉡너희ᄂᆡ 졀머ᄂᆞᆫ다 혬 혈나 아니ᄉᆞᆫ다❼	너희들 젊었다 하여 생각하려고 아니하느냐?
ᄒᆞᆫ 소ᄐᆡ 밥 먹으며 매양의 회회(恢恢)* ᄒᆞ랴	한 솥에 밥 먹으며 항상 다투기만 하면 되겠느냐?
ᄒᆞᆫᄆᆞᄋᆞᆷ ᄒᆞᆫ뜻으로 녀름을 지어스라❽	한마음 한뜻으로 농사를 짓자꾸나.
ᄒᆞᆫ 집이 가ᄋᆞᆷ 열면 옷 밥을 분별(分別)ᄒᆞ랴❾	한 집이 부자가 되면 옷과 밥을 인색하게 하겠는가?
㉯누고ᄂᆞᆫ 장기 잡고 누고ᄂᆞᆫ 쇼을 몰니❿	누구는 쟁기 잡고 누구는 소를 모니
밧 갈고 논 살마 벼 셰워 더져 두고	밭 갈고 논 갈아 벼 세워 던져 두고
㉢ᄂᆞᆯ 됴흔 호ᄆᆡ로 기ᄋᆞᆷ을 ᄆᆡ야스라⓫	날이 좋은 호미로 김을 매자꾸나.

Step 1 포인트 분석

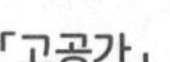

「고공가」

제목의 의미
'고공(머슴)에 대한 노래'라는 뜻이다.

시적 상황
집주인이 머슴들의 잘못을 질책하고 있다. 이것은 임진왜란 직후 무너진 조정의 기강을 한 집안에 빗댄 것이다.

표현

❶져 고공아 → **청자의 설정:** '고공'을 구체적 청자로 설정하고 고공을 불러 주의를 끎.

❶고공, ❷우리 집 긔별을~ᄀᆞ리로다
→ **비유적 표현:** 조선, 즉 한 나라의 일을 집안의 사람, 일에 비유하여 표현함.

비유적 표현	원관념
고공(머슴)	당대 조정의 신하
우리 집 긔별	조선의 역사
처음의 한어버이	조선을 건국한 이성계
사롬ᄉᆞ리 ᄒᆞ려 ᄒᆞᆯ 지	조선을 건국하려 할 때
큰 집을 지어 내고	나라를 세우고
여드레 ᄀᆞ리로다	조선 팔도가 되다

❸고공도 근검터라, ❹요ᄉᆞ이 고공들
→ **대조적 표현:** 현재의 고공을 예전의 고공과 대조하여 화자의 비판을 부각함.

❺흘긧할긧 → **음성 상징어:** 고공들이 서로 반목하는 부정적 모습을 생동감 있게 제시함.

❾ᄒᆞᆫ 집이~분별ᄒᆞ랴
→ **상황의 가정, 설의적 표현:** 부유하게 되면 인색하지 않게 지낼 수 있음을 강조함.

❿누고ᄂᆞᆫ 장기~쇼을 몰니
→ **대구적 표현:** 시기, 질투에서 벗어나 협동해야 할 필요성을 구체적 모습으로 운율감 있게 제시함.

정서와 태도

❸논밧도~근검터라 → 예전 고공에 대한 예찬

❺밥사발~ᄒᆞᄂᆞᄉᆞᆫ다, ❼너희ᄂᆡ~아니ᄉᆞᆫ다 → 현재 고공에 대한 비판

❻김가 이가~ᄆᆞᄋᆞᆷ 먹어슬라, ❽ᄒᆞᆫᄆᆞᄋᆞᆷ~지어스라, ⓫ᄂᆞᆯ 됴흔~기ᄋᆞᆷ을 ᄆᆡ야스라
→ 고공에 대한 타이름과 당부의 태도

- **전계:** 재산을 누구에게 상속한다는 뜻을 문서에 적던 일.
- **혬:** 생각 혹은 사리분별.
- **걈드러:** 감겨 들어. 관심을 둔다는 의미.
- **회회:** 서로 아옹다옹하는 모양.

산전(山田)도 것츠럿고 무논도 기워 간다	산밭 잡초도 우거지고 물 고인 논도 김이 무성해 간다.
사립피* ᄆᆞᆯ목 나셔 볏 겨틔 셰올셰라⑫	도롱이와 삿갓 말뚝에 씌워서 벼 곁에 세워라.
칠석(七夕)의 호ᄆᆡ 씻고 기음을 다 ᄆᆡᆫ 후의	칠석에 호미 씻고 김을 다 맨 후에
ᄉᆞᆺ ᄭᅩ기 뉘 잘ᄒᆞ며 셤*으란 뉘 엿그랴⑬	새끼 꼬기 누가 잘하며, 섬은 누가 엮으랴?
너희 ᄌᆡ조 셰아려 자라자라 맛스라	너희 재주 헤아려 서로서로 맡아라.
ᄀᆞ을 거둔 후면 성조(成造)를 아니ᄒᆞ랴⑭	추수를 한 후면 집 짓기를 아니하랴?
집으란 내 지으게 움으란 녜 무더라	집은 내가 지을 것이니 움은 네가 묻어라.
너희 ᄌᆡ조을 내 짐작(斟酌)ᄒᆞ엿노라	너희 재주를 내가 짐작하였노라.
㉣ <u>너희도 머글 일을 분별(分別)을 ᄒᆞ려므나</u>⑮	너희도 먹고살 일을 깊이 생각하려무나.
명셕의 벼ᄅᆞᆯ 넌들 됴흔 ᄒᆡ 구름 ᄭᅵ여 볏뉘을 언ᄌᆡ 보랴	멍석에 벼를 널어놓은들 좋은 해에 구름 끼어 햇볕을 언제 보랴?
방하을 못 ᄶᅵ거든 거츠나 거츤 오려	방아를 못 찧거든 거칠고 거친 올벼
옥 ᄀᆞᄐᆞᆫ 백미(白米) 될 쥴 뉘 아라 오리스니⑯	옥 같은 백미 될 줄을 누가 알아보겠는가?
너희ᄂᆡ ᄃᆞ리고 새 ᄉᆞ리 사쟈 ᄒᆞ니⑰	너희들 데리고 새 살림 살고자 하니
엇그지 왓던 도적 아니 멀리 갓다 ᄒᆞᄃᆡ	엊그제 왔던 도적 멀리 가지 않았다 하되
너희ᄂᆡ 귀눈 업서 져런 줄 모르관ᄃᆡ⑱	너희들 귀와 눈이 없어 저런 줄을 모르는 것인지
화살을 젼혀 언고 옷 밥만 닷토ᄂᆞᆫ다⑲	화살은 제쳐 놓고 옷과 밥만 다투느냐?
[A] 너희ᄂᆡ ᄃᆞ리고 텁ᄂᆞᆫ가 주리ᄂᆞᆫ가	너희들 데리고 추운가 굶주리는가 (염려하여)
죽조반(粥早飯)* 아ᄎᆞᆷ져녁 더 하다 먹엿거든	죽조반 아침저녁 더 해다 먹였거든
은혜란 ᄉᆡᆼ각 아녀 졔 일만 ᄒᆞ려 ᄒᆞ니⑳	은혜는 생각하지 않고 제 일만 하려 하니
혬 헤ᄂᆞᆫ 새 들이리 어ᄂᆡ 제 어더 이셔	사려 깊은 새 머슴을 어느 때 얻어서
집일을 맛치고 시름을 니즈려뇨㉑	집안일을 맡기고 시름을 잊을 수 있겠느냐?
㉤ <u>너희 일 ᄋᆡᄃᆞ라ᄒᆞ며셔㉒ ᄉᆞᆺ ᄒᆞᆫ ᄉᆞ리 다 ᄭᅩ괘라</u>	너희 일 애달파하면서 새끼 한 사리 다 꼬았도다.

– 허전, 「고공가(雇工歌)」

표현

⑫ 볏 겨틔 셰올셰라
→ **명령형 표현:** 주인의 위치에서 하인인 머슴들에게 한마음으로 농사를 짓는 과정을 제시함.

⑬ 칠석의 호ᄆᆡ~뉘 엿그랴
→ **열거, 의문형 표현:** 농사에서 해야 할 일을 열거를 통해 구체적으로 제시하고 의문형 표현을 통해 이를 강조함.

⑭ ᄀᆞ을 거둔~성조를 아니ᄒᆞ랴
→ **설의적 표현:** 집 짓는 일도 함께해야 할 중요한 일임을 강조함.

⑲ 화살을~닷토ᄂᆞᆫ다
→ **대유적 표현:** '화살(병력, 방비)'을 준비하지 않는 부정적 모습과 '옷 밥(눈앞의 이익)'만을 추구하는 부정적 모습을 나타냄.

㉑ 혬 헤ᄂᆞᆫ~니즈려뇨, ㉒ 너희 일 ᄋᆡᄃᆞ라ᄒᆞ며셔
→ **정서의 직접적 제시:** 현재의 상황에 대해 느끼는 걱정과 근심을 '시름'으로 나타내고 고공들이 보이는 부정적 모습에 대한 안타까움과 탄식을 '애달픔'으로 나타냄.

정서와 태도

⑮ 집으란 내~분별을 ᄒᆞ려므나
→ 화자의 솔선수범을 통한 타이름과 고공들의 재주에 대한 인정

⑯ 방하을~오리스니
→ 조정에서 탁상공론만 일삼는 관리들에 대한 비판

⑰ 너희ᄂᆡ~사쟈 ᄒᆞ니
→ 현재의 좋지 않은 상황에 대한 극복 의지

⑱ 너희ᄂᆡ~모르관ᄃᆡ, ⑲ 화살을~닷토ᄂᆞᆫ다, ⑳ 은혜란~ᄒᆞ려 ᄒᆞ니
→ 고공들의 인식과 행태에 대한 비판

㉑ 혬 헤ᄂᆞᆫ~니즈려뇨
→ 새로운 고공의 출현에 대한 기대

- **사립피:** 도롱이와 삿갓. 도롱이는 짚, 띠 따위로 엮어 허리나 어깨에 걸쳐 두르는 비옷.
- **셤:** 곡식 따위를 담기 위하여 짚으로 엮어 만든 그릇.
- **죽조반:** 아침 먹기 전에 일찍 먹는 죽.

Step 2 포인트 체크

[01~07] 윗글에 대하여 맞으면 ○, 틀리면 ×표를 하시오.

01 윗글은 화자가 고공들에게 말을 건네는 형식으로 시상이 전개된다. [○, ×]

02 4행의 '한어버이'는 조선의 시조인 이성계를 비유한 것이다. [○, ×]

03 10행의 '고공'과 12행의 '요ᄉᆞ이 고공들'은 대조적인 면모를 보이고 있다. [○, ×]

04 화자의 집안에서 도적은 사라졌지만 고공들이 보이는 태도는 변함없는 상황이다. [○, ×]

05 25행의 'ᄒᆞᆫ 집이 가옴 열면 옷 밥을 분별ᄒᆞ랴'에서는 설의적 표현을 사용하여 화자가 지니고 있는 원망의 심정을 강조하고 있다. [○, ×]

06 화자는 마음을 모아 농사를 지어야 함을 고공들에게 당부하고 있다. [○, ×]

07 화자는 새끼를 꼬는 일을 하는 고공들의 모습에 분노를 느끼고 있다. [○, ×]

[08~12] 다음 빈칸에 알맞은 말을 쓰시오.

08 윗글은 [ㅇ][ㅈ][ㅇ][ㄹ] 직후 나라의 혼란한 상황을 집안의 상황에 빗대어 표현하고 있다.

09 윗글은 당대의 관리들을 [ㅁ][ㅅ]을 뜻하는 '고공'에 비유하여 주제 의식을 드러내고 있다.

10 13~15행에서 화자는 고공들이 '밥사발' 등을 놓고 다투는 것은 '[ㅎ]'이 아주 없기 때문이라는 단정적 평가를 내리며 비판한다.

11 44행의 '화살'은 '병력'이나 '방비'의 의미를 지니고 있는 [ㄷ][ㅇ][ㅈ] 표현으로, 당대 관리들이 지닌 문제 상황과 관련된 소재이다.

12 화자는 고공들의 문제점을 지적하면서도 한편으로는 [ㅌ][ㅇ][ㄹ]과 [ㄷ][ㅂ]의 태도를 함께 보이기도 한다.

정답 | 01 ○ 02 ○ 03 ○ 04 × 05 × 06 ○ 07 × 08 임진왜란 09 머슴 10 혜 11 대유적 12 타이름, 당부

고공가

- **갈래:** 교훈 가사
- **성격:** 교훈적, 비판적, 비유적
- **주제:** 고공에 대한 훈계와 잘못된 현실에 대한 비판
- **구성:** 1~10행(집의 옷~근검터라) | 우리 집안의 내력
  11~21행(저희마다~먹어슬라) | 고공들의 반목으로 인한 폐해
  22~40행(너희님~오리스니) | 고공들에 대한 각성 촉구
  41행~끝(너희님~ᄉᆞ괘라) | 사려 깊은 새 고공의 출현에 대한 기대

» **해제:** 이 작품은 임진왜란 직후 나태해진 관리들을 집안의 고공에 비유하여 비판하고 있다. 나랏일에 힘쓰지 않고 이기적 욕심만을 추구하는 관리들을 게으르고 생각 없이 다투는 모습으로 그린다거나, 왜적에 의한 위험이 존재하는 현실에 무지하고 무능한 관리들의 모습을 옷밥만 챙기려는 고공들의 모습으로 형상화하고 있는 것이다. 이러한 상황에서 화자는 스스로 솔선수범하며 기존 고공들의 각성을 촉구하면서도 새 고공, 즉 새로운 충신의 출현을 기대하는 등 황폐해진 나라를 재건하고자 하는 의지를 보이기도 한다.

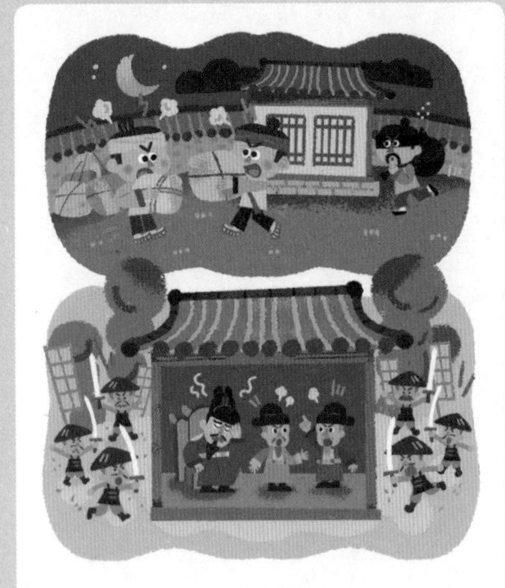

Step 3 실전 문제

정답 033쪽

01

윗글에 대한 설명으로 가장 적절한 것만을 〈보기〉에서 모두 고른 것은?

보기

ㄱ. 설의적 표현을 사용하여 화자가 예상하는 모습을 강조하고 있다.
ㄴ. 열거의 표현을 사용하여 해야 할 일들을 구체적으로 제시하고 있다.
ㄷ. 역설적 상황을 제시하여 대상에 대한 화자의 거리감을 드러내고 있다.
ㄹ. 음성 상징어를 활용하여 대상의 긍정적 모습을 생동감 있게 전달하고 있다.

① ㄱ, ㄴ ② ㄱ, ㄷ ③ ㄴ, ㄷ
④ ㄴ, ㄹ ⑤ ㄷ, ㄹ

02

우리 집 긔별에 대한 설명으로 적절하지 않은 것은?

① '우리 집'은 어진 마음을 바탕으로 다스려졌었다.
② '우리 집'은 대대로 좋은 논밭을 가진 집안이었다.
③ '우리 집'에는 사람들이 스스로 모여들기도 했었다.
④ '우리 집'의 고공들은 부지런하고 검소한 모습이었다.
⑤ '우리 집'은 다른 집보다 더 많은 농기구로 농사를 지어 왔다.

03

㉮와 ㉯를 나타낸 한자 성어로 적절한 것은?

① ㉮: 호사다마(好事多魔), ㉯: 부화뇌동(附和雷同)
② ㉮: 호사다마(好事多魔), ㉯: 상부상조(相扶相助)
③ ㉮: 설상가상(雪上加霜), ㉯: 고군분투(孤軍奮鬪)
④ ㉮: 설상가상(雪上加霜), ㉯: 부화뇌동(附和雷同)
⑤ ㉮: 설상가상(雪上加霜), ㉯: 상부상조(相扶相助)

04

㉠~㉤에 대한 이해로 적절하지 않은 것은?

① ㉠: 시간을 나타내는 표현을 사용하여 논밭의 크기로 상징되는 집안 경제가 번성하였었음을 드러내고 있다.
② ㉡: 시적 청자의 특징을 들어 태도를 문제 삼으려는 의도가 나타나 있다.
③ ㉢: 시적 청자가 갖추어야 할 모습을 농사짓는 도구의 속성으로 구체화하여 당부하고 있다.
④ ㉣: 시적 청자가 자신과 유사한 모습을 보이기를 바라며 이를 실천으로 옮길 것을 권유하고 있다.
⑤ ㉤: 시적 청자가 보이는 모습에 대한 안타까움의 정서를 화자가 직접적으로 제시하고 있다.

05

ⓐ와 ⓑ를 중심으로 윗글의 화자에 대해 이해한 내용으로 가장 적절한 것은?

① ⓐ에 만족하며 ⓑ의 현재 상황을 미처 예상치 못한 것에 대해 자탄하고 있다.
② ⓐ의 시절과 다른 ⓑ의 현재 상황에 대해 고공들에게 미안함을 표명하고 있다.
③ ⓐ와 상반되는 ⓑ의 현재 상황을 바탕으로 고공들에게 새 마음을 가질 것을 당부하고 있다.
④ ⓐ의 상황이 ⓑ의 현재 상황을 변화시킬 계기가 될 것임을 밝히며 고공들을 설득하고 있다.
⑤ ⓐ의 상황과 ⓑ의 현재 상황 사이의 유사한 점을 들어 고공들의 각별한 노력을 촉구하고 있다.

06

〈보기〉를 바탕으로 윗글을 감상한 내용으로 적절하지 않은 것은?

보기

이 작품은 전란 상황을 전후로 탐욕스럽고 이기적인 관리들의 모습을 한 집안의 고공들의 모습에 비유하여 나타내고 있다. 내적, 외적 요인으로 인해 궁핍하고 황폐해진 조선의 현실과, 이를 재건하기 위한 과정에 대한 작가의 생각과 통찰을 드러내고 있다.

① '밥사발 큰나 쟈그나 동옷시 죠코 즈나'와 같은 고공들의 모습은 당대 관리들의 이기적 행태를 보여 주는 것이겠군.
② '집 ᄒᆞ나 불타 붓고 먹을 썻시 전혀 업'는 상황은 전란이라는 외적 요인으로 인해 황폐해진 조선을 의미하는 것이겠군.
③ 'ᄉᆡᆨ ᄆᆞ음 먹어슬라'는 화자가 국가 재건을 위한 노력을 당시의 관리들에게 촉구하는 것이겠군.
④ '산전도 것츠럿고 무논도 기워' 가는 상태는 재건을 통해 풍요로워진 조선의 구체적 모습을 나타낸 것이겠군.
⑤ '너희 ᄌᆡ조 셰아려 자라자라 맛스라'는 국가의 재건을 위해서는 관리들이 각자의 능력에 따라 소임을 다해야 한다는 통찰을 보여 주는 것이겠군.

07

[A]에서 〈보기〉의 밑줄 친 부분이 잘 나타난 구절을 찾아 쓰시오.

보기

[A]에는 현실을 극복하고자 하는 화자의 의지와 여전히 해소되지 않는 부정적 모습이 함께 나타나 있다.

____

08

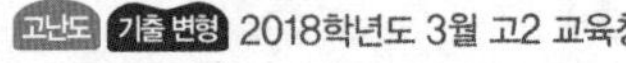

2018학년도 3월 고2 교육청

윗글과 〈보기〉를 종합하여 내린 판단으로 가장 적절한 것은?

보기

새끼 꼬기 멈추시고 내 말씀 들으소서
집일을 고치려면 종들을 휘어잡고
종들을 휘어잡으려면 상벌을 밝히시고
상벌을 밝히려면 어른 종을 믿으소서
진실로 이렇게 하시면 집안 절로 일어나리라

– 이원익, 「고공답주인가」

① 〈보기〉의 화자와 윗글의 화자는 모두 고공들의 생각 없음에 문제가 있다고 보고 있군.
② 〈보기〉의 화자는 윗글의 화자가 새끼를 꼬는 행동을 문제의 원인으로 지적하고 있군.
③ 〈보기〉의 화자는 윗글의 화자에 비해 고공들을 엄하게 대해야 한다고 말하고 있군.
④ 〈보기〉의 화자는 윗글의 화자와 달리 고공 사이의 위계를 새롭게 정해 줄 것을 요청하고 있군.
⑤ 〈보기〉의 화자는 윗글의 화자와 달리 집안의 상황이 저절로 나아질 것이라는 낙관적 전망을 드러내고 있군.

09

〈보기〉는 윗글을 읽은 후에 학생이 보인 반응의 일부이다. Ⓐ~Ⓒ에 들어갈 시어를 본문에서 찾아 쓰시오.

보기

이 작품의 화자는 고공들이 (Ⓐ)에 밥을 먹는 것과 같이 공동체적 존재임을 환기시키는 동시에 추수 후 성조(成造)를 할 때 (Ⓑ)은/는 자신이 지을 것이라며 솔선수범할 것임을 밝히고 있어. 또한 고공들의 (Ⓒ)을/를 인정하며 고공들을 타일러 개선시킴으로써 당면한 문제를 해결하려는 태도를 나타내고 있어.

Ⓐ: ______________ Ⓑ: ______________

Ⓒ: ______________

조선 중기

용추유영가

출제 포인트 › #계절의 흐름에 따른 구성 #자연에 대한 화자의 예찬과 지향

ⓐ 수간모옥(數間茅屋)을 구름 사이에 지어 두고	작은 초가집 구름 사이에 지어 두고
서창(西窓)을 비겨 안자 두 눈을 훗보내니	서쪽 창가에 비껴 앉아 두 눈을 흩보내니
원근(遠近) 푸른 산은 병풍이 되엿거ᄂᆞᆯ❶	가깝고 먼 푸른 산은 병풍처럼 둘러 있고
높고 낮은 석벽(石壁)은 그림엣 거시로다❷	높고 낮은 절벽은 그림처럼 되었구나.
㉠ 아ᄎᆞᆷ비 갓 개어 아지랑이 빗기 ᄂᆞᆯ고	아침 비 갓 개어 아지랑이 빗겨 날고
사양(斜陽)*이 산의 거러 ᄇᆞᆰ근 비치 비쵤 저긔❸	노을이 산에 걸려 밝은 빛이 비칠 적에
온가지 짙은 풍경 거두어 어듸 두리	온갖 짙은 풍경 거두어 어디 둘까?
ᄆᆞ음도 쉬 변하니 어ᄂᆡ 경(景)을 ᄇᆞ려 두리❹	마음도 쉽게 변하니 어느 경치를 버려 둘까?
사시(四時) 빼어난 경치 다 제각각 뵈와ᄂᆞ다❺	사계절 빼어난 경치가 다 제각각 보이는구나.
불어오는 봄바람이 춘광(春光)을 부처 내니❻	불어오는 봄바람이 봄볕을 부쳐 내니
[A] 지저귀는 산조(山鳥)ᄂᆞᆫ 노래ᄒᆞᆯ 소릐어ᄂᆞᆯ	지저귀는 새소리는 노래하는 소리이니
곱디고운 임화(林花)ᄂᆞᆫ 우음을 머금엇다❼	곱디고운 수풀 꽃은 웃음을 머금었다.
이 고ᄃᆡ 안자 보고 져 고ᄃᆡ 둘러보니	이곳에 앉아 보고 저곳을 둘러보니
㉡ 골 안의 청향(淸香)이 지팡이에 묻었구나❽	골짜기 안 맑은 향기 지팡이에 묻었구나.
봄빛이 흩어 날고 초목(草木)이 창무(暢茂)*ᄒᆞ니	봄빛이 흩어 날고 초목이 무성하니
푸른빛은 그늘 되어 녹수(綠樹)에 얼ᄋᆡ엿고	푸른빛은 그늘 되어 나무 아래 어리었고
반공(半空) 빗난 구름 골짜기예 ᄌᆞᆷ겨시니❾	하늘의 빛나는 구름 골짜기에 잠겨 있으니
송정(松亭) 긴 ᄌᆞᆷ의 고열(苦熱)도 모로리다❿	송정에서의 긴 잠은 더위도 모르더라.
ⓑ 장공(長空)이 맑디맑고 기러기는 우러 녜니	먼 하늘은 맑디맑고 기러기는 울며 가니
양안(兩岸) 단풍 숲은 홍금수(紅錦繡) 빗치어ᄂᆞᆯ	양쪽 언덕 단풍 숲은 붉은 비단처럼 비치거늘
㉢ 일대(一帶) 강 그림자 푸른 유리 되여 잇다⓫	일대의 강 그림자 푸른 유리 되었구나.
황화(黃花)ᄅᆞᆯ 잔의 ᄯᅴ워 무지개를 마자 오니	국화를 잔에 띄워 무지개를 맞아 오니
일반(一般) 청미(淸味)*ᄂᆞᆫ **세상(世上) 모ᄅᆞᆯ 이리로다**⓬	이 작은 즐거움은 세상이 모를 일이로구나.
바람이 소슬ᄒᆞ야 나뭇잎이 다 진 후의 ⓒ 계산(溪山)이 삭막거ᄂᆞᆯ	바람이 고요하고 쓸쓸하여 나뭇잎 다 진 후에 산 계곡이 삭막하고
겨울이 조화 부려 백설(白雪)을 ᄂᆞ리오니	겨울이 조화를 부려 백설이 내리오니
㉣ 수많은 산봉우리 골짜기가 경요굴*이 되엿거ᄂᆞᆯ⓭	수많은 봉우리가 경요굴이 되었거늘
눈썹을 찡그리며 어깨를 으쓱하고 눈을 노피 드니	눈썹을 찡그리며 어깨를 으쓱하고 눈을 높이 드니
가없는 설경(雪景)은 다 시(詩)의 제재가 되여시니⓮	끝없는 설경은 시의 제재가 되었으니

Step 1 포인트 분석

「용추유영가」

제목의 의미
'용추'는 지금의 지리산인 방장산이 위치한 용추동을 말하며, '유영'은 '시를 읊조리며 놂.'을 의미한다.

시적 상황
화자는 속세와 단절하여 지리산 일대의 빼어난 사계절 풍경 속에서 풍류를 즐기고 있다.

표현

❶원근~되엿거ᄂᆞᆯ
→ **색채 이미지:** 수간모옥을 둘러싼 풍경을 색채 이미지를 통해 선명하게 드러냄.

❸아ᄎᆞᆷ비 갓 개어~비쵤 저긔
→ **시간의 경과:** 아침~저녁 무렵의 시간 경과를 압축적으로 제시함.

❹온가지~ᄇᆞ려 두리
→ **설의적 표현:** 아름답고 선명한 자연 풍경을 담아 두고 싶은 마음을 강조함.

❻불어오는~부처 내니, ❾푸른빛, ❿고열, ⓫단풍, ⓭겨울, 백설, 경요굴, ⓮설경
→ **계절감 환기:** 화자가 즐기는 자연의 계절 변화를 알 수 있게 해 줌.

❼지저귀는 산조ᄂᆞᆫ~우음을 머금엇다
→ **청각적 이미지, 감정 이입:** 산새의 모습을 청각적 이미지를 통해 감각적이고 리듬감 있게 제시하고 자연에서 느끼는 화자의 즐거움을 '임화'에 투영하여 표현함.

❽청향이 지팡이에 묻었구나
→ **공감각적 표현:** 후각(향기)을 시각화하는 표현(지팡이에 묻음.)을 통해 자연과 어울리는 화자의 모습을 제시함.

⓫일대 강~되여 잇다
→ **비유적 표현:** 맑은 강을 푸른 유리에 비유하여 아름다운 자연의 모습을 부각함.

정서와 태도
❷높고~거시로다, ❹온가지~ᄇᆞ려 두리, ❺사시~뵈와ᄂᆞ다, ❼지저귀는~머금엇다, ❾푸른빛은~ᄌᆞᆷ겨시니, ⓭수많은~되엿거ᄂᆞᆯ → 자연의 경치 예찬
❽이 고ᄃᆡ~묻었구나, ❿송정~모로리다, ⓬황화ᄅᆞᆯ~이리로다, ⓮가없는~되여시니 → 자연에서 느끼는 흥취

- **사양:** 저녁 때의 햇빛 또는 해. 노을.
- **창무:** 풀과 나무가 잘 자라서 무성함.
- **일반 청미:** 사소하지만 맑고 의미있는 것들이라는 의미로, 작은 즐거움을 말함.
- **경요굴:** 경궁요대. 옥으로 장식한 궁전과 누대라는 의미로, 눈 쌓인 아름다운 풍경을 말함.

㉤ 우활(迂闊)*ᄒᆞᆫ 정신(精神)이 추위ᄅᆞᆯ 어이 알ᄉᆞᆺ[15]	세상 물정을 모르니 추위를 어이 알까?
사계절의 모습이 가ᄂᆞᆫ ᄃᆞᆺ 도라오니	사계절의 경치들이 가는 듯 돌아오니
아름다운 경치에 흥취도 ᄀᆞ즐셰고[16]	아름다운 경치에 흥취도 갖추었네.
㉮ 맑은 물 귀 씻으니 허유*를 내 부러워하랴	맑은 물에 귀 씻으니 허유가 부러우랴?
낚싯대 드리우니 칠리탄*과 엇더ᄒᆞᆫ고	낚싯대 드리우리 칠리탄과 (비교하면) 어떠한가?
ⓓ 이원의 반곡*이 이러턴가 엇더ᄒᆞ며	이원의 반곡이 이렇던가 어떠하며
무이산의 청계ᄂᆞᆫ 이예셔 더 됴흔가[17]	무이산의 맑은 계곡 이보다 더 좋을까?
화산(華山)의 한 부분은 나누자 ᄒᆞ거니와	화산의 한 부분도 나누자 하거니와
이 별천지는 나밖에 뉘 아ᄂᆞᆫ고[18]	이 별천지의 참된 풍경 나밖에 누가 아는가?
아ᄎᆞᆷ이 부족(不足)거니 나죄라 유여(有餘)ᄒᆞ며	아침이 부족한데 저녁이라고 여유가 있겠으며
오ᄂᆞᆯ이 낫부거니 ᄂᆡ일이라 슬믤런가*[19]	오늘이 부족한데 내일이라고 싫을런가?
청류(淸流)에 목욕ᄒᆞ고 죽장(竹杖)을 빗기 들어	맑은 물에 목욕하고 대지팡이 빗겨 들어
푸른 안개 의지하고 노픈 ⓔ 봉(峰)의 올라가니	푸른 안개 의지하고 높은 봉우리에 올라가니
녜 부던 바ᄅᆞᆷ이 무우(舞雩)*만 호자 분가	예 불던 바람이 무우에만 홀로 불었는가?
소쇄(瀟洒)*ᄒᆞᆫ 맑은 바람 슬커지 쐬온 후(後)에	깨끗하고 맑은 바람 실컷 쐰 후에
오륙(五六) 아이들과 노래하며 도라오니	대여섯 아이들과 노래하며 돌아오니
녯사ᄅᆞᆷ 기상(氣像)을 미ᄎᆞᆯ가 못 미ᄎᆞᆯ가[20]	옛사람 기상에 미칠까 못 미칠까?
만고(萬古)애 떠올리니 어제인 듯ᄒᆞ다마ᄂᆞᆫ	옛일을 떠올리니 어제인 듯하다마는
깨끗한 풍채(風采)ᄅᆞᆯ 꿈에나 어더 볼가	깨끗한 풍채를 꿈에서나 얻어 볼까?
옛ᄉᆞ람 못 보거든 이젯 사ᄅᆞᆷ 어이 알고	옛사람 못 보거든 지금 사람이 어찌 알 것인가?
이 몸이 ᄂᆞ저 나니 애통함도 쓸ᄃᆡ업다	이 몸이 늦게 나니 애통함도 쓸데없다.
산조산화(山鳥山花)ᄅᆞᆯ 내 **버즐 삼아 두고**	산새와 산꽃으로 내 벗을 삼아 두고
경치를 만끽하며 **삼긴 대로 노ᄂᆞᆫ 몸이**[21]	경치를 마음껏 즐기며 생긴 대로 노는 몸이니
공명(功名)을 생각ᄒᆞ며 **빈천(貧賤)을 셜워**ᄒᆞᆯ가	공명을 생각하며 가난하고 천함을 서러워할까?
단사표음(簞食瓢飮)*을 내 분수로 여기니 일월(日月)도 한가ᄒᆞᆯ샤[22]	단사표음이 내 분수라 여기니 세월도 한가롭구나.
[B] 이 계산(溪山) 경물(景物)을 슬토록 거ᄂᆞ리고	이 산 계곡의 경치를 실컷 즐기면서
백 년 세월을 노닐다가 마치리라[23]	한평생 세월을 노닐다가 마치리라.
아이야 사립문 닫아라 세상 알까 ᄒᆞ노라[24]	아이야 사립문 닫거라. 세상이 알까 하노라.

– 정훈, 「용추유영가(龍湫游詠歌)」

표현

[15] 우활ᄒᆞᆫ~어이 알ᄉᆞᆺ
➜ **설의적 표현:** 추위를 모르고 지낼 만큼 자연 속에서 즐기는 삶을 강조함.

[17] 맑은 물~더 됴흔가
➜ **고사 활용:** 고사 속 인물이나 공간(허유, 칠리탄, 이원의 반곡, 무이산의 청계)을 제시하여 이에 못지 않은 화자 자신의 즐거움과 현재 처지에 대한 만족감을 강조함.

[19] 오ᄂᆞᆯ이~슬믤런가
➜ **설의적 표현:** 자연을 누리느라 분주한 모습과 이를 계속 누리고자 함을 강조함.

[19] 아ᄎᆞᆷ이~슬믤런가, [20] 녯사ᄅᆞᆷ~못 미ᄎᆞᆯ가
➜ **다른 작품의 영향을 받은 표현:** 「**면앙정가**」(**아ᄎᆞᆷ이 낫브거니 나조ᄒᆡ라 슬흘소냐**), 「**상춘곡**」(**녯사ᄅᆞᆷ 풍류ᄅᆞᆯ 미ᄎᆞᆯ가 못 미ᄎᆞᆯ가**)과 유사한 표현을 활용해 자연에서의 분주한 삶과 자부심을 나타냄.

[22] 공명을 생각ᄒᆞ며~한가ᄒᆞᆯ샤
➜ **대비적, 설의적 표현:** 속세에서 '공명'을 추구하지 않고 현재의 '빈천'한 삶을 받아들이며 자연 속에서 속세와 단절하여 살아갈 것임을 강조함.

[24] 아이야 사립문 닫아라
➜ **돈호법, 명령형 어미:** 세상과 단절하고자 하는 화자의 의지를 나타냄.

정서와 태도

[16] 아름다운~ᄀᆞ즐셰고, [17] 이원의 반곡이~더 됴흔가, [18] 이 별천지는~뉘 아ᄂᆞᆫ고
➜ 자연의 경치 예찬

[16] 아름다운~ᄀᆞ즐셰고, [19] 아ᄎᆞᆷ이~슬믤런가, [21] 경치를~노ᄂᆞᆫ 몸이
➜ 자연에서 느끼는 흥취

[18] 이 별천지는~뉘 아ᄂᆞᆫ고, [20] 녯사ᄅᆞᆷ~못 미ᄎᆞᆯ가, [22] 단사표음을~한가ᄒᆞᆯ샤, [23] 이 계산~노닐다가 마치리라
➜ 자연 속의 삶을 지향하며 그러한 삶에 대한 자부심을 드러냄.

[24] 아이야 사립문~알까 ᄒᆞ노라
➜ 속세와의 단절을 추구하는 태도

- **우활:** 사리에 어둡고 세상 물정을 잘 모름.
- **허유:** 중국 요임금 때 은사(隱士).
- **칠리탄:** 중국 후한 시절 엄광이 몸을 숨긴 동강의 여울.
- **반곡:** 중국 당나라 때 이원이 은거한 곳.
- **슬믤런가:** 싫증날까.
- **무우:** 기우제를 지내는 제단.
- **소쇄:** 기운이 맑고 깨끗함.
- **단사표음:** 한 소쿠리 밥과 표주박의 물. 매우 소박한 생활이라는 의미.

Step 2 포인트 체크

[01~06] 윗글에 대하여 맞으면 ○, 틀리면 ×표를 하시오.

01 색채 이미지를 활용하여 자연의 풍경에 대해 묘사하고 있다. [○, ×]

02 화자는 자연을 벗으로 삼아 물질적, 정신적으로 풍족한 삶을 추구하고 있다. [○, ×]

03 역사적 인물과 자신의 삶을 비교하며 성현에 미치지 못했던 자신의 삶을 돌아보고 있다. [○, ×]

04 화자는 자신의 감정을 자연물에 투영하여 자연 속 삶에서 누리는 흥취를 드러내고 있다. [○, ×]

05 계절감을 환기하는 시어를 사용하여 용추동의 경치를 계절별로 제시하고 있다. [○, ×]

06 대비적 표현을 사용하여 화자가 지향하는 삶의 방향을 드러내고 있다. [○, ×]

[07~10] 다음 빈칸에 알맞은 말을 쓰시오.

07 윗글은 자연을 완상의 대상으로 삼아 이를 세밀하게 묘사하고 있는 [ㅅ][ㄱ][ㄱ][ㅅ]이다.

08 화자는 자신의 즐거운 감정을 '[ㅇ][ㅎ]'에 투영하고 있다.

09 끝부분에서 아이를 부르는 [ㄷ][ㅎ][ㅂ]을 사용하여 속세에 대한 화자의 인식을 드러내고 있다.

10 화자는 수간모옥을 둘러싸고 있는 깊은 산속의 풍경을 '[ㅂ][ㅍ]'에 비유하여 나타내고 있다.

정답 | 01 ○ 02 × 03 × 04 ○ 05 ○ 06 ○ 07 서경 가사 08 일화 09 돈호법 10 병풍

작품 정리

용추유영가

- **갈래:** 서경 가사
- **성격:** 전원적, 예찬적, 풍류적
- **주제:** 지리산 용추동의 아름다운 경치와 풍류 예찬
- **구성:** 1~4행(수간모옥을~거시로다) | 용추동과 화자의 거처 소개
  - 5~8행(아춤비~ᄇᆞ려 두리) | 용추동 일대의 빼어난 경치
  - 9~14행(사시~묻었구나) | 용추동의 봄 경치
  - 15~18행(봄빛이~모로리다) | 용추동의 여름 경치
  - 19~23행(장공이~이리로다) | 용추동의 가을 경치
  - 24~29행(바람이~어이 알쇠) | 용추동의 겨울 경치
  - 30~37행(사계절의~뉘 아ᄂᆞᆫ고) | 중국 명승지와 비견될 만큼 아름다운 용추동의 자연
  - 38~49행(아춤이~쓸ᄃᆡ업다) | 용추동의 자연 경치 속에서 누리는 한가로움
  - 50행~끝(산조산화롤~말까 ᄒᆞ노라) | 속세와의 단절과 자연에서 누리는 풍류 추구

» **해제:** 이 작품은 방장산(지금의 지리산)이 있는 용추동 일대의 경관을 읊은 서경 가사이다. 화자는 용추동의 빼어난 경치를 감각적 이미지를 사용하여 다채롭게 묘사하고 있다. 특히 용추동의 경치를 사계절로 나누어 제시하는 가운데 용추동이 중국의 명승지 못지 않다고 인식하고 그 속에서 지내는 자신의 삶에 대한 자부심과 만족감, 그리고 속세와 단절하여 자연에 몰입하는 삶에 대한 지향 등을 드러내고 있다. 이러한 화자의 태도는 관직에 나아가지 않은 채 살아가면서 현실에서 느낄 수 없었던 정신적 풍요로움의 공간으로 자연을 인식하는 태도가 반영된 것으로 이해할 수 있다.

Step 3 실전 문제

01

윗글에 대한 설명으로 적절하지 않은 것은?

① 빼어난 경치를 압축적으로 제시하며 이를 담아 두고 싶어 하는 화자의 태도가 나타난다.
② 다른 사람들과 자연 속에서 즐겁게 노니는 삶을 마음껏 즐기는 화자의 면모가 나타난다.
③ 자연 속에서의 삶이 끝없이 지속됨에도 싫증을 느끼지 못할 만큼 심취해 있는 화자의 인식이 나타난다.
④ 자연 속의 여러 활동을 통해 흥취를 더하고 그러한 자신의 삶에 자부심을 느끼는 화자의 모습이 나타난다.
⑤ 고결한 삶을 살았던 옛 성현들을 만나고자 하지만 이를 이루지 못한 슬픔을 극복하려는 화자의 태도가 나타난다.

02

윗글에서 나타나는 자연 풍경이나 화자의 태도로 적절하지 않은 것은?

① 인생무상(人生無常)　② 낙목한천(落木寒天)
③ 유유자적(悠悠自適)　④ 안분지족(安分知足)
⑤ 물아일체(物我一體)

03

ⓐ~ⓔ에 대해 이해한 내용으로 가장 적절한 것은?

① ⓐ는 '서창'을 통해 산이 병풍처럼 둘러싸인 자연 풍경을 바라보는 속세의 공간이다.
② ⓑ는 자연의 일부로, '기러기'가 울며 자아내는 서글픈 분위기와 대비되는 공간이다.
③ ⓒ는 '바람'이 불어 고요한 곳으로, '백설'이 떨어지면서 화자에게 더욱 삭막하게 느껴지는 공간이다.
④ ⓓ는 '아름다운 경치'로 인식되는 현재 공간과의 유사한 성격을 지닌 곳으로, 화자가 비교 대상으로 삼는 공간이다.
⑤ ⓔ는 '푸른 안개'에 기대어 오르게 되는 곳으로, 드높은 모습으로 인해 화자가 경외감을 느끼게 되는 공간이다.

04

기출 변형 2020학년도 9월 고2 교육청

㉠~㉤에 대한 설명으로 적절하지 않은 것은?

① ㉠: 시간을 나타내는 표현을 통해 변화하는 자연의 모습을 묘사하고 있다.
② ㉡: 공감각적 이미지를 통해 아름다운 자연과 함께하는 화자의 모습을 드러내고 있다.
③ ㉢: 비유적 표현을 통해 화자가 맞이하고 있는 자연의 맑고 잔잔한 풍경을 나타내고 있다.
④ ㉣: 행동 묘사를 통해 아름다운 자연 속에서 속세의 삶을 돌아보는 화자의 모습을 부각하고 있다.
⑤ ㉤: 설의적 표현을 통해 추위를 모르고 지내고 있는 화자의 삶을 강조하고 있다.

05

〈보기〉를 바탕으로 윗글을 향반 계층의 문학으로서 감상한 내용으로 적절하지 않은 것은?

보기

정치·경제적으로 몰락한 향반 계층에게 자연은 안빈낙도의 공간, 곧 자신의 신념을 실현할 수 있는 안식처였다. 이처럼 자연은 정신적 풍요로움을 주는 대상이었기 때문에 현실 소외에 대한 보상 공간으로서 의미가 있다고 할 수 있다.

① '일반 청미ᄂᆞᆫ 세상 모ᄅᆞᆯ 이리로다'라며 자부하는 모습에는 화자에게 자연이 현실 소외에 대한 보상 공간으로서 의미가 있음이 나타나는군.
② '가없는 설경'에서 느끼는 흥취를 '시'를 통해 표출해 내고자 하는 모습에는 자연을 정신적 풍요로움의 대상으로 여기는 화자의 인식이 나타나는군.
③ 자연을 '버즐 삼아 두고' '삼긴 대로 노ᄂᆞᆫ 몸'에는 정치·경제적으로 몰락하여 자연을 안식처로 여기며 살아가는 화자의 모습이 나타나는군.
④ '공명을 생각ᄒᆞ'지 않고 '빈천을 셜워'하지 않겠다는 모습에는 자연 속에서 자신의 신념을 지키며 살아가려는 화자의 태도가 드러나는군.
⑤ '단사표음을 내 분수로 여기니 일월도 한가'하다고 느끼는 모습에는 삶의 단조로움을 느끼고 안빈낙도하려는 화자의 의지가 드러나는군.

정답 035쪽

06

사시(四時) 빼어난 경치를 중심으로 윗글을 감상한 내용으로 가장 적절한 것은?

① '불어오는 봄바람'을 맞이하던 화자는, 분주한 일 때문에 아름다운 자연을 충분히 즐기지 못한 것에 아쉬워하는군.
② '푸른빛은 그늘' 된 자연 속에서 화자는, 구름이 골짜기에 잠기는 비현실적 경험을 계기로 여유로운 삶을 더욱 추구하게 되었군.
③ '양안 단풍 숲'이 비단처럼 비치는 풍경을 접했던 화자는, 자연과 어울려 풍류를 즐기는 삶에 대해 만족감을 느끼고 있군.
④ '바람이 소슬'하게 부는 자연에 있던 화자는, 눈 내리는 풍경을 맞게 된 자신의 처지를 하늘이 내린 운명으로 여기며 이를 수용하기로 결심하고 있군.
⑤ '아름다운 경치에 흥취'를 느끼는 화자는, 자신이 접한 사계절의 풍경이 다시 맞이할 수 없는 모습이라 여겨 더욱 깊은 애정을 가지게 되는 것이군.

07

〈보기〉를 바탕으로 ㉮에 대해 이해한 바로 적절하지 않은 것은?

보기

기산에 은거하던 허유는 세상에 나와 천하를 통치해 달라는 요임금의 제안을 거절하고 이를 다시 듣고 싶지 않아 영수라는 강물에 귀를 씻었다. 이후 그의 친구 은자(隱者) 소부가 그 사연을 알게 되고는 자신의 송아지에게 더러운 물을 먹일 수 없다며 영수의 상류로 올라갔다. 또한 소부는 제대로 은둔했다면 요임금의 제안 같은 것을 애초에 받지 않았을 것이라며 이후 허유를 보지 않았다.

① 용추동에서의 삶을 지속하겠다는 화자의 의지가 내포되어 있는 것이겠군.
② 용추동을 기산에, 자신을 허유에 대응시켜 의미를 강조하기 위해 제시된 것이겠군.
③ 용추동에서의 삶을 소부의 삶과 비교하는 것으로 바꾼다면 표현의 의도가 약화되겠군.
④ 용추동에서 허유가 보인 모습과 동일한 행동을 취하고 있는 화자의 모습이 제시된 것이겠군.
⑤ 용추동에서 벗어나 세상의 정계로 진출하는 것을 부정적으로 여기는 마음이 반영된 것이겠군.

08

[A]에 사용된 표현 방법 두 가지를 각각 한 문장으로 서술하시오.

09

[B]와 〈보기〉의 공통점을 〈조건〉에 맞게 서술하시오.

보기

강산풍월(江山風月)을 거느리고 내 백 년(百年)을 다 누리면
악양루(岳陽樓) 위에 이태백이 살아온들
넓고 끝없는 정다운 회포가 이에서 더할쏘냐

– 송순, 「면앙정가」

조건

[B]와 〈보기〉에 공통적으로 쓰인 시구를 통해 화자가 추구하는 삶의 태도를 밝힐 것.

● 조선 후기

규원가

출제 포인트 › #감정 이입 #자신의 처지에 대한 한탄 #남편에 대한 원망

엇그제 졂었더니 하마 어이 다 늙거니❶
엇그제 젊었더니 어찌 벌써 이렇게 다 늙어 버렸는가?

ⓐ소년행락(少年行樂) 생각하니 일러도 속절없다
어린 시절 즐겁던 일을 생각하니 말해도 소용없다.

늘거야 설운 말씀 하자 하니 목이 멘다❷
늙어서 서러운 사연 말하자니 목이 멘다.

부생모육(父生母育) 신고(辛苦)°하여 이내 몸 길러 낼 제
부모님이 낳고 길러 몹시 고생하여 이내 몸 길러 내실 때

공후배필(公侯配匹) 못 바라도 군자호구(君子好逑) 원(願)하더니
높은 벼슬아치의 배필 되기는 바라지 못해도 군자의 좋은 아내 되기를 원하였더니

삼생(三生)°의 원업(怨業)이오❸ **월하(月下)°의 연분(緣分)으로❹**
전생의 원망스러운 업보요, 부부의 인연으로

장안유협(長安遊俠) 경박자(輕薄子)❺를 꿈같이 만나이셔
장안(서울)의 호탕한 풍류객이자 경박한 사람을 꿈같이 만나서

당시(當時)의 용심(用心)하기 살어름 디디는 듯❻
당시에 마음 쓰기가 살얼음 디디는 듯

㉠삼오(三五) 이팔(二八) 겨오 지나 천연여질(天然麗質) 절로 이니
열다섯, 열여섯 살 겨우 지나 타고난 고운 모습 절로 나타나니

이 얼굴 이 태도(態度)로 백년기약(百年期約)하였더니
이 얼굴 이 태도로 평생을 약속하였더니

연광(年光)이 훌훌하고 조물(造物)이 다시(多猜)하여
세월이 빨리 지나가고 조물주가 시기가 많아

㉮봄바람 가을 물이 뵈오리 북° 지나듯❼
봄바람 가을 물이 (베틀에서) 베의 올(실가닥)이 북 지나가듯 빨리 지나

설빈화안(雪鬢花顔) 어디 가고 면목가증(面目可憎) 되거고나❽
꽃같은 아름다운 얼굴 어디 가고 보기 싫은 얼굴 되었구나.

㉡내 얼굴 내 보거니 어느 임이 날 괼소냐
내 얼굴 내 보고 알거니와 어느 임이 날 사랑할까?

스스로 참괴(慚愧)하니 누구를 원망(怨望)하랴❾
스스로 부끄러우니 누구를 원망할까?

삼삼오오(三三五五) 야유원(冶遊園)에 ⓑ새 사람이 나단 말가
삼삼오오 떼 지어 다니는 기생집에 새 기생이 나타났다는 말인가?

ⓒ꽃 피고 날 저문 제 정처(定處) 없이 나가 이셔
꽃 피고 날 저물 때 정처 없이 나가 있어

백마(白馬) 금편(金鞭)°으로 어디어디 머무는고
호사스러운 행장으로 어디어디 머물러 노는고?

원근(遠近)을 모르거니 소식(消息)이야 더욱 알랴❿
멀리 있는지 가까이 있는지 모르는데 소식이야 더욱 알 수 있으랴?

인연(因緣)을 그쳤은들 생각이야 없을소냐
인연을 끊어도 임에 대한 생각까지 없겠느냐?

얼굴을 못 보거든 그립기나 말으려믄⓫
얼굴을 못 보거든 그립지나 말았으면 좋으련만

㉯열두 때 김도 길샤 서른 날 지리(支離)하다⓬
열두 때 하루가 길기도 길구나. 한 달 서른 날이 지루하다.

Step 1 포인트 분석

「규원가」

제목의 의미
'규방(閨房: 부녀자가 거처하는 방)에서 원망하는 노래'라는 뜻이다.

시적 상황
기생집을 돌아다니며 행방조차 알 수 없이 지내는 남편을 둔 여인이 기약 없이 남편을 기다리며 남편에 대한 원망, 그리움, 신세 한탄의 모습을 보이고 있다.

표현
❶엇그제 졂었더니~다 늙거니, ❽설빈화안~면목가증 되거고나
➜ 대비적 표현: 과거의 젊고 행복했던 시절의 아름다운 용모와 현재의 늙고 외로운 처지, 보기 싫은 용모를 대비시켜 현재의 불우한 처지를 강조함.
❻당시의~디디는 듯 ➜ 비유적 표현: 결혼 생활에 있어 불안하고 조심스러웠던 마음(=여리박빙(如履薄氷))을 드러내고 있음.
❼봄바람 가을~북 지나듯(빠르게 흐른다고 느낌.) ↔ ⓬열두 때~서른 날 지리하다(느리게 흐른다고 느낌.)
➜ 시간에 대한 상반된 느낌: 시간의 흐름에 대해 상반되게 갖는 느낌을 표현함.
❾내 얼굴~누구를 원망하랴 ➜ 설의적, 자조적 표현: 젊음과 아름다움이 사라진 모습에 대한 자조를 의문의 형식으로 강조함.

정서와 태도
❷늘거야 설운~목이 멘다, ❽설빈화안~면목가증 되거고나
➜ 현재의 처지에 대한 한탄
❸삼생의 원업이오, ❺장안유협 경박자, ❿원근을 모르거니~더욱 알랴
➜ 남편에 대한 부정적 인식과 원망
❹월하의 연분으로, ❾내 얼굴~누구를 원망하랴 ➜ 자신의 삶에 대한 운명론적 인식
⓫인연을 그쳤은들~그립기나 말으려믄
➜ 남편에 대한 그리움

- **신고:** 어려운 일을 당해 몹시 애씀. 또는 그런 고생.
- **삼생:** 전생, 현생, 내생인 과거세, 현재세, 미래세를 통틀어 이르는 말.
- **월하:** 월하노인. 부부의 인연을 맺어 준다고 알려진 전설상의 늙은이.
- **북:** 베틀에 딸린 부속품의 한 가지. 씨올의 실꾸리를 넣는 제구로, 날실 틈으로 오가며 씨실을 푸는 구실을 함.
- **백마 금편:** 흰 말과 금 채찍이라는 뜻으로, 화려하게 꾸민 모습을 이름.

옥창(玉窓)에 심은 매화(梅花) 몇 번이나 피여 진고 | 창가에 심은 매화 몇 번이나 피었다가 졌는가?

겨울밤 차고 찬 제 자취눈 섞어 치니 | 겨울밤 차고 찬 때 자국눈(진눈깨비) 섞어 내리고

여름날 길고 길 제 궂은비는 무스 일고[13] | 여름날 길고 길 때 궂은비는 무슨 일인가?

삼춘화류(三春花柳) 호시절(好時節)에 ⓓ경물(景物)이 시름없다[14] | 봄날 온갖 꽃 피고 버들잎 돋는 좋은 시절에 경치를 보아도 아무 감흥이 없다.

가을 달 방에 들고 실솔(蟋蟀)이 상(床)에 울 제[15] | 가을 달빛 방에 비치고 귀뚜라미 침상에서 울 때

긴 한숨 지는 눈물 속절없이 혬만 만타 | 긴 한숨 흘리는 눈물 속절없이 생각만 많다.

아마도 모진 목숨 죽기도 어려울사[16] | 아마도 모진 목숨 죽기도 어렵겠구나.

도로혀 풀쳐 혜니 이리하여 어이 하리 | 돌이켜 하나하나 생각하니 이렇게 살아서 어찌 할 것인가?

청등(靑燈)을 돌려놓고 녹기금(綠綺琴) 빗겨 안아 | 등불을 돌려놓고 푸른 거문고 비스듬히 안아

벽련화(碧蓮花) 한 곡조를 시름조차 섞어 타니 | 벽련화 한 곡조에 시름까지 섞어 타니

소상야우(瀟湘夜雨)의 대 소리* 섯도는 듯 | 소상강 밤비에 댓잎 소리 섞여 들리는 듯

ⓒ화표천년(華表千年)의 별학(別鶴)*이 우니는 듯[17] | 망주석에 천년 만에 찾아온 특별한 학이 울고 있는 듯

옥수(玉手)의 타는 수단(手段) 옛 소리 있다마는 | 아름다운 손으로 타는 솜씨는 옛 가락이 아직 남아 있지마는

ⓔ부용장(芙蓉帳)* 적막(寂寞)하니 뉘 귀에 들릴소니 | 연꽃 무늬 휘장을 친 방이 적막하니 누구의 귀에 들릴 것인가?

간장(肝腸)이 구곡(九曲) 되야 굽이굽이 끊쳤세라[18] | 애끊는 심정이 굽이굽이 끊어지는구나.

차라리 잠을 들어 꿈에나 보려 하니[19] | 차라리 잠이 들어 꿈에나 임을 보려 하니

바람의 지는 잎과 풀 속에 우는 짐승 | 바람에 지는 잎과 풀 속에서 우는 짐승

무스 일 원수로서 잠조차 깨우는다 | 무슨 일로 원수가 되어 잠조차 깨우는가?

천상(天上)의 견우직녀(牽牛織女) 은하수(銀河水) 막혔어도 | 하늘의 견우와 직녀는 은하수가 막혔어도

칠월 칠석(七月七夕) 일년일도(一年一度) 실기(失期)*치 아니거든 | 칠월 칠석 일 년에 한 번씩 때를 놓치지 않고 만나는데

우리 임 가신 후는 **무슨 약수(弱水)* 가렸관대** | 우리 임 가신 후에는 무슨 약수가 가리었기에

오거니 가거니 소식(消息)조차 그쳤는고[20] | 오고 가는 소식조차 끊어졌는가?

ⓡ난간(欄干)에 빗겨 서서 임 가신 데 바라보니 | 난간에 기대어 서서 임 가신 데 바라보니

초로(草露)는 맺혀 잇고 모운(暮雲)이 지나갈 제 | 풀에 이슬은 맺혀 있고 저녁 구름이 지나갈 때

죽림(竹林) 푸른 곳에 새소리 더욱 설다[21] | 대나무 숲 푸른 곳에 새소리 더욱 서럽다.

세상의 설운 사람 수없다 하려니와 | 세상에 서러운 사람 수없이 많다고 하겠지만

박명(薄命)한 홍안(紅顔)이야 날 같은 이 또 있을까[22] | 운명이 기구한 여자야 나 같은 이 또 있을까?

ⓜ아마도 이 임의 지위로 살동말동하여라[23] | 아마도 이 임의 탓으로 살 듯 말 듯 하여라.

– 허난설헌, 「규원가(閨怨歌)」

표현

⑬겨울밤 차고~무스 일고
➜ **대구적 표현, 객관적 상관물:** 화자의 쓸쓸한 마음과 조응되는 풍경을 리듬감 있게 제시하고 있음. '자취눈'과 '궂은비'는 화자의 정서를 심화시키는 설상가상(雪上加霜)의 상황을 표현하는 객관적 상관물에 해당함.

⑮실솔이 상에 울 제, ㉑새소리 더욱 설다
➜ **감정 이입:** 침상에서 우는 '실솔(귀뚜라미)'과 서럽게 울고 있는 '새'를 자신과 동일시하고 있음.

⑰소상야우의 대 소리~별학이 우니는 듯
➜ **비유적 표현:** '녹기금'에서 울리는 소리를 '대 소리'와 '별학'이 우는 소리에 비유하여 나타내고 있음.

⑳천상의 견우직녀~소식조차 그쳤는고
➜ **대비적 표현:** 화자와 임의 사이와 달리, 은하수가 막혔어도 때를 놓치지 않고 만나는 견우직녀의 이야기를 제시함.

㉒박명한 홍안이야~또 있을까
➜ **설의적 표현:** 자신의 기구한 운명에 대한 한탄의 심정을 강조함.

정서와 태도

⑭삼춘화류 호시절에 경물이 시름없다, ⑯긴 한숨~죽기도 어려울사, ⑰소상야우의 대 소리~별학이 우니는 듯, ⑱부용장 적막하니~굽이굽이 끊쳤세라, ㉑초로는 맺혀~더욱 설다
➜ 남편 없이 지내는 외로움과 서글픔

⑲차라리 잠을~보려 하니
➜ 남편에 대한 그리움과 만남에 대한 소망

⑳천상의 견우직녀~소식조차 그쳤는고, ㉑초로는 맺혀~더욱 설다, ㉒박명한 홍안이야~또 있을까, ㉓아마도~살동말동하여라
➜ 남편에 대한 원망

- **소상야우의 대 소리:** 순임금의 두 비(妃)인 아황과 여영이 순임금이 죽었다는 소식을 듣고 소상강가에서 슬피 울다 몸을 던져 죽었는데 이때 흘린 눈물 자국이 대나무에 반점으로 남았다 하여 이를 소상반죽(瀟湘斑竹)이라고 하였으며, 남녀의 슬픈 이별을 뜻하는 고사로 인용됨.
- **화표천년의 별학:** 옛날 중국 요동의 정영위라는 사람이 영허산에 가서 도를 닦은 뒤 학이 되어 천 년 만에 돌아와 화표주(華表柱)에 앉았다고 하는 전설에서 인용된 표현으로, 아주 오랜만의 만남과 재회를 의미함.
- **부용장:** 연꽃을 수놓은 휘장.
- **실기:** 때를 놓침.
- **약수:** 신선이 살았다고 전해지며, 부력이 매우 약해 새의 깃털도 가라앉는다는 중국의 전설 속 강.

Step 2 포인트 체크

[01~08] 윗글에 대하여 맞으면 ○, 틀리면 ×표를 하시오.

01 윗글의 화자는 여성으로, 남성 중심적 사회에서 슬픔과 한을 느끼고 있다. [○, ×]

02 대비적 표현을 통해 외양이 변화한 화자 자신의 처지를 부각하고 있다. [○, ×]

03 5행의 '공후 배필'은 화자가 처음부터 바라고 있었던 꿈으로, 결국 이를 이루게 된다. [○, ×]

04 화자는 남편의 얼굴을 보지 못하고, 소식도 듣지 못한 지 오래되었다. [○, ×]

05 화자는 자신이 죽을만큼 고통스러운 상황에 이른 것은 임 때문이라고 여기고 있다. [○, ×]

06 화자는 자신이 처한 상황을 개선하려는 적극적 의지를 보이고 있다. [○, ×]

07 화자는 서글픈 심정으로만 지낼 수 없다고 생각해 악기를 연주하며, 이로 인해 심경이 전환되고 있다. [○, ×]

08 화자는 자신의 모습이 변했으므로 다른 이를 탓할 수 없다는 자조적 태도를 드러내고 있다. [○, ×]

[09~13] 다음 빈칸에 알맞은 말을 쓰시오.

09 윗글은 부녀자가 겪는 고통과 한스러움을 다룬 [ㄱ][ㅂ] [ㄱ][ㅅ]의 대표적 작품이다.

10 화자는 남편을 원망하면서도 한편으로는 남편에 대한 여전한 [ㄱ][ㄹ][ㅇ]을 가지고 있다.

11 27행의 '실솔'의 울음소리, 47행의 '새소리'는 화자의 [ㅅ][ㄹ][ㅇ] 감정이 이입된 소재다.

12 '[ㅇ]'과 '[ㅈ][ㅅ]'은 화자가 꿈속에서 임을 만나려는 것을 방해하는 소재로 사용되고 있다.

13 [ㄷ][ㄱ]의 표현을 통해 화자가 느끼는 쓸쓸함과 조응되는 주변 풍경을 리듬감 있게 묘사하고 있다.

정답 | 01 ○ 02 ○ 03 × 04 ○ 05 ○ 06 × 07 × 08 ○ 09 규방 가사 10 그리움
11 서러움 12 잎, 짐승 13 대구

작품 정리

규원가

- **갈래:** 규방 가사
- **성격:** 원망적, 체념적, 한탄적
- **주제:** 봉건 사회에서 독수공방하는 규방 부인의 외로움과 한
- **구성:** 1~15행(엊그제~원망하랴) | 과거에 대한 회상과 늙음에 대한 신세 한탄
  16~29행(삼삼오오~어려울사) | 임에 대한 원망과 서글픈 심정
  30~37행(도로혀~끊쳤세라) | 거문고로 달래는 외로움과 한
  38행~끝(차라리~살동말동하여라) | 임에 대한 기다림, 그리움과 자신의 비참한 삶에 대한 한탄

» **해제:** 이 작품은 자신을 떠나 있는 남편을 기다리며 홀로 지내는 여인의 슬픔과 한탄을 형상화하고 있는 규방 가사의 대표작이다. 화자의 남편은 경박하고 방탕하며 백년가약을 지키지 않는 존재로 그려지는데, 이러한 남편으로 인해 외롭게 지내는 상황에서 화자는 자조, 탄식, 원망 등 다양한 감정을 설의, 대조, 문답, 감정 이입 등의 표현 기법을 활용하여 진솔하고 섬세하게 그리고 있다. 특히 이 작품은 규방 가사의 초기 작품으로, 이후의 규방 가사에 많은 영향을 주었다.

01

윗글의 시적 상황에 대한 이해로 적절하지 않은 것은?

① 자신의 처지가 서럽다고 여기는 여인이 이를 토로하고 있다.
② 집을 나간 남편에 대한 소식이 여인에게 전해지지 않고 있다.
③ 여인은 고운 용모가 세월이 흘러 보기 싫게 변하여 임도 자기를 사랑하지 않는 것이라 여기고 있다.
④ 여인은 어진 인물의 아내가 되어 살기를 바랐으나 실제로는 그 바람을 이룰 수 없는 남편을 만났다.
⑤ 결혼 후 남편이 떠나가기 전까지 여인의 생활은 평안하고 즐거웠으나 남편이 떠난 후 반대의 처지가 되었다.

02

윗글에 나타난 화자의 모습으로 적절하지 않은 것은?

① 임과 인연이 끊어진 상황에서도 임에 대한 그리움을 그치지 못하고 있는 자신을 책망하고 있다.
② 옛날과 달리 변해 버린 자신의 모습을 언급함으로써 흐르는 세월에 대한 한탄을 드러내고 있다.
③ 꽃같은 아름다운 얼굴을 지니고 있었지만, 조물주의 시기로 현재에 이르게 되었다고 생각하고 있다.
④ 임과 함께하지 못하는 외로움을 달래기 위해 악기를 끼고 앉아 연주하는 곡조에 시름을 섞고 있다.
⑤ 설화 속 비운의 주인공과 자신의 사연을 비교함으로써 자신의 한스러운 처지를 강조하고 있다.

03

ⓐ~ⓔ에 대한 설명으로 가장 적절한 것은?

① ⓐ는 '연광이 훌훌'하기 전인 과거 회상의 대상으로, 화자가 돌아갈 수 있을 것이라 기대하는 시간이군.
② ⓑ는 남편이 찾아갔을 '야유원'에 있는 존재로, 남편의 귀가를 도와줄 것이라 여겨지는 인물이군.
③ ⓒ는 '백마 금편'으로 호사스럽게 꾸민 남편이 집에 돌아오지 않고 부재한 시간으로 제시되고 있군.
④ ⓓ는 '삼춘화류 호시절'과 대비되는 풍경으로, 이를 바라보는 화자는 아무런 감흥을 느끼지 못하고 있군.
⑤ ⓔ는 앞서 나온 '옛 소리'와 동일한 속성을 지니면서 독수공방하는 화자의 처지와 조응되는 공간적 배경으로 제시되고 있군.

04

〈보기〉를 바탕으로 윗글을 이해한 내용으로 적절하지 않은 것은?

> **보기**
>
> 심리학에서 '귀인'은 특정한 행동이나 사건의 원인에 대한 추론을 말한다. 이때 자신의 능력, 노력, 자질을 이유로 행동이나 사건을 설명하는 것을 내적 요인, 외부 환경이나 타인, 운(運) 등의 영향으로 원인을 파악하는 것을 외적 요인에 따른 귀인이라고 한다. 이러한 '귀인'은 개인이 스스로에게 사태를 납득시키고자 가동하는 심리적 기제로, 원인을 파악할 때 잘못된 판단을 내리는 귀인 오류의 경우도 많다.

① '월하의 연분으로'에는 부부의 인연을 이해하는 데에 있어 외적 요인을 중시하는 태도가 나타난다.
② '스스로 참괴하니 누구를 원망하랴'에는 현재와 같은 처지가 된 이유를 내적 요인으로 파악하려는 태도가 나타난다.
③ '무스 일 원수로서 잠조차 깨우는다'에는 잠에 들지 못하는 이유에 있어 귀인 오류를 범하는 모습이 드러난다.
④ '무슨 약수 가렸관대'에는 임이 자신에게 오지 않는 사태를 납득하고자 외적 요인을 동원하는 모습이 드러난다.
⑤ '박명한 홍안이야 날 같은 이 또 있을까'에는 이별의 원인을 내적 요인으로 보는 모습이 드러난다.

정답 038쪽

05

〈보기〉를 바탕으로 윗글을 감상한 내용으로 적절하지 않은 것은?

> **보기**
>
> 이 작품은 가부장적 사회를 살아갔던 여인의 고달픈 삶을 다양한 방식으로 형상화하고 있다. 이 과정에서 화자는 회한의 원인이나 깊이 등을 드러내기도 하고, 기다림을 강요당했던 전형적 삶의 모습이나 회한 섞인 삶을 바탕으로 주변 세계에 감응하는 모습 등을 진솔하게 나타낸다. 이를 통해 당대 여인들의 공감을 크게 얻을 수 있었다.

① '장안유협 경박자를 꿈같이 만나이셔'에는 회한의 원인이자 대상인 인물에 대한 진솔한 평가가 반영되어 있군.

② '긴 한숨 지는 눈물 속절없이 헴만 만타'에는 당대 여인들의 공감을 얻을 수 있었던 삶의 모습이 제시되고 있군.

③ '간장이 구곡 되야 굽이굽이 끊쳤세라'에는 회한이 깊어진 상황을 구체화된 대상의 모습으로 표현하고 있군.

④ '차라리 잠을 들어 꿈에나 보려 하니'에는 기다림을 강요당했던 현실 세계에서의 회한이 해소된 심경을 진솔하게 드러내고 있군.

⑤ '죽림 푸른 곳에 새소리 더욱 설다'에는 회한 섞인 삶을 주변 세계와 동일시해 감응하는 모습이 드러나 있군.

06

㉠~㉤에 대한 이해로 가장 적절한 것은?

① ㉠: 자신의 아름다움이 오랫동안 지속되었음을 드러내고 있다.

② ㉡: 설의적 표현을 통해 외양으로 드러나지 않는 내면의 아름다움을 몰라주는 것에 대한 아쉬움을 강조하고 있다.

③ ㉢: 비현실적 존재와의 만남을 통해 현실을 극복하고자 하는 간절한 의지를 부각하고 있다.

④ ㉣: 행동의 묘사를 통해 임과 떨어져 있는 상황이 변화하고 있는 순간에 대한 만족감을 나타내고 있다.

⑤ ㉤: 인과와 추측의 표현을 통해 자신의 비참한 처지가 임 때문이라는 원망을 드러내고 있다.

07

〈보기〉의 Ⓐ~Ⓓ에 들어갈 적절한 시어나 내용을 쓰시오.

> **보기**
>
> 이 작품의 다양한 소재들은 화자의 처지나 정서를 드러내는 시적 기능을 가진다. 예컨대, 겨울밤의 (Ⓐ)와/과 여름날의 (Ⓑ)은/는 일년 사시사철 쓸쓸한 화자의 마음을 부각하는 객관적 상관물로 제시된다. 또한 가을밤의 (Ⓒ)은/는 남편없이 지내는 외로움과 서글픔이 투영된 (Ⓓ)의 대상으로 나타나고 있다.

Ⓐ: ________ Ⓑ: ________

Ⓒ: ________ Ⓓ: ________

08

㉮와 ㉯에서 (1) 화자가 시간의 흐름에 대해 각각 어떻게 느끼는지를 비교하고, (2) 그렇게 느끼는 이유를 화자의 생각이나 정서 측면에서 서술하되, 다음 빈칸을 알맞게 채워 쓰시오.

(1) 화자는 ㉮에서는 ________ 느끼고 있고,

㉯에서는 ________ 느끼고 있다.

(2) ㉮에서는 ________

____

㉯에서는 ________

____

조선 후기

일동장유가

출제 포인트 › #사행 가사 #여정·견문의 표현 #비유, 과장, 설의법

장풍(長風)에 돛을 달고 **육선(六船)이 함께 떠나**❶	거센 바람에 돛을 달아 배 여섯 척이 함께 떠날 때,
삼현(三絃)과 군악 소리 산해(山海)를 진동하니	악기 소리가 산과 바다를 진동하니,
물속의 어룡(魚龍)들이 응당히 놀라리라❷	물속의 고기들이 마땅히 놀라도다.
㉠ 해구(海口)를 얼른 나서 오륙도(五六島) 뒤지우고	부산항을 얼른 떠나 오륙도를 뒤로하고,
고국(故國)을 돌아보니 야색(夜色)이 창망(滄茫)하여	고국을 돌아보니 밤빛이 아득하여,
아무것도 아니 뵈고 연해(沿海) 각진포(各鎭浦)에	아무것도 보이지 않고, 바닷가 각 포구의
불빛 두어 점이 구름 밖에 뵐 만하다	불빛 두어 점이 구름 밖에서 보일 듯 말 듯하네.
배 방에 누워 있어 **내 신세**를 생각하니	선실에 누워서 내 신세를 생각하니,
가뜩이 심란한데❸ **대풍(大風)이 일어나서**	가뜩이나 심란한데 큰 바람이 일어나서
태산(泰山) 같은 성난 물결 천지에 자욱하니	태산 같은 성난 물결 천지에 자욱하니,
크나큰 만곡주(萬斛舟)•가 **나뭇잎** 불리이듯❹	커다란 만곡주가 나뭇잎이 나부끼듯,
하늘에 **올랐다가** 지함(地陷)•에 **내려지니**❺	하늘에 올랐다가 땅 밑으로 떨어지니,
열두 발 쌍돛대는 차아(叉椏)•처럼 굽어 있고	열두 발 쌍돛대는 나뭇가지처럼 굽어 있고,
쉰두 폭 초석(草席) 돛은 반달처럼 배불렀네❻	쉰두 폭으로 풀을 엮어 만든 돛은 반달처럼 배가 불렀네.
굵은 우레 잔 벼락은 등[背] 아래서 진동하고	큰 천둥과 작은 벼락은 등 뒤에서 떨어지고,
성난 **고래** 동(動)한 **용(龍)**은 물속에서 희롱하니❼	성난 고래와 기운 찬 용이 물속에서 제멋대로 노니
방 속의 요강 타구(唾具)• 자빠지고 엎어지며	선실의 요강과 타구가 자빠지고 엎어지고,
상하좌우 배 방 널은 잎잎이 우는구나❽	상하좌우 선실의 널빤지들은 제각각 우는 듯한 소리를 내는구나.
이윽고 해 돋거늘 장관(壯觀)을 하여 보세	이윽고 해가 돋거늘 장대한 광경을 구경해 보세.
일어나 배 문 열고 문설주 잡고 서서	일어나서 선실 문을 열고 문설주를 잡고 서서,
사면(四面)을 돌아보니 **어와 장할시고**	사면을 바라보니, 아아, 굉장하도다.
인생 천지간에 ⓐ이런 구경 또 있을까❾	인생 천지간에 이런 구경이 또 어디 있을까?
구만 리 우주 속에 큰 물결뿐이로다	구만 리 우주 속의 큰 물결뿐이로다.
등 뒤쪽을 돌아보니 동래(東萊) 산이 눈썹 같고	등 뒤로 돌아보니 동래의 산이 가물가물 눈썹처럼 작게 보이고,
동남(東南)을 바라보니 바다가 가이없어	동남 쪽을 바라보니 바다가 끝없어,
위아래로 푸른빛이 하늘 밖에 닿아 있다❿	위아래로 푸른빛이 하늘 밖에 닿아 있다.
슬프다 **우리 길이 어디로 가는 건가**⓫	슬프다, 우리가 가는 길이 어디인가?

Step 1 포인트 분석

「일동장유가」

제목의 의미
'일본을 장쾌하게 유람한 내용을 담은 노래'라는 뜻이다.

시적 상황
통신사의 일원으로서 배를 타고 대마도를 향할 때 풍랑을 만나 위태로운 일을 겪었던 경험과 일본 문인 전승산과 만나 필담을 나눈 경험을 소개하고 있다.

표현
❶ 장풍에 돛을 달고 육선이 함께 떠나
→ **여정:** 객관적, 사실적으로 기록함.
❷ 삼현과 군악~응당히 놀라리라
→ **과장법:** 여정의 시작을 알리는 성대한 환송식의 모습을 구체적으로 묘사함.
❹ 태산 같은 성난 물결
→ **과장법, 직유법:** 바다에 큰 풍랑이 이는 모습을 표현함.
❹ 크나큰~불리이듯, ❺ 하늘에~내려지니
→ **비유적 표현, 상승과 하강의 이미지:** 풍랑으로 인해 큰 배가 가볍게 움직이는 위태로운 상황을 나타냄.
❻ 열두 발 쌍돛대는~반달처럼 배불렀네
→ **직유법, 대구법:** 큰 바람이 불어 돛대가 휘고 돛이 크게 부푼 모습을 생생하게 나타냄.
❼ 성난 고래 동한 용은 물속에서 희롱하니
→ **비유적 표현:** '고래', '용' 등 동물 이미지를 활용하여 파도와 풍랑의 역동적인 모습을 생동감 있게 나타냄.
❽ 널은 잎잎이 우는구나
→ **의인법:** 물이 뚝뚝 떨어지는 널의 모습을 사람이 우는 모양으로 나타냄.
❾ 이런 구경 또 있을까
→ **설의적 표현:** 풍랑이 진정된 뒤 넓게 펼쳐진 바다에서 일출을 본 감상을 나타냄.
❿ 위아래로 푸른빛이 하늘 밖에 닿아 있다
→ **색채 이미지:** 풍랑이 진정된 뒤의 맑은 바다의 드넓은 장관을 나타냄.

정서와 태도
❸ 배 방에 누워~가뜩이 심란한데
→ 타국으로 떠나는 배 안에서 객수를 느낌.
⓫ 슬프다 우리 길이 어디로 가는 건가
→ 망망대해에서 느끼는 두려운 마음과 막막함

- **만곡주:** 큰 배.
- **지함:** 땅이 움푹하게 가라앉은 곳.
- **차아:** 줄기에서 벋어 나간 곁가지.
- **타구:** 가래나 침을 뱉는 그릇.

함께 떠난 다섯 배는 간 데를 모르겠다	함께 떠난 다섯 척의 배는 간 곳을 모르겠도다.
사면을 돌아보니 이따금 물결 속에	사면을 두루 살펴보니 가끔 물결 속에
부채만 한 작은 돛이 들락날락하는구나	부채만 한 작은 돛이 들락날락하는구나.
배 안을 돌아보니 **저마다 수질(水疾)**[•]**하야**	배 안을 돌아보니 저마다 뱃멀미를 하여
똥물을 다 토하고 혼절하여 죽게 앓네	똥물을 토하고 까무러쳐 심하게 앓네.
다행할사 종사상(從事相)[•]은 태연히 앉았구나[⑫]	다행이도다, 종사상은 태연히 앉았구나.
배 방에 도로 들어 눈 감고 누웠더니	선실로 다시 들어와 눈 감고 누웠더니
대마도(對馬島) 가깝다고 사공이 이르거늘	대마도가 가깝다고 사공이 말하여
다시 일어 나와 보니 십 리는 남았구나 (중략)	다시 일어나 선실 밖으로 나와 보니 십 리 정도는 남았구나.
[A] 그중에 전승산이 글 쓰는 양(樣) 바라보고	그중에 전승산이 나의 글 쓰는 모습을 바라보고
[B] **필담(筆談)**[•]**으로 써서 뵈되**[⑬] 전문(傳聞)에 퇴석(退石) 선생	필담으로 써서 보이되 전하여 들으니 퇴석 선생
쉬 짓기가 유명(有名)터니 선생의 빠른 재주	쉽게 짓기가 유명하니 선생의 빠른 재주
일생 처음 보았으니 엎디어 묻잡나니	일생 처음 보았으니 엎드려 여쭈니
필연코 귀한 별호(別號) 퇴석인가 하나이다	분명 귀한 별호 퇴석인가 합니다.
[C] 내 웃고 써서 뵈되 늙고 병든 둔한 글을	내 웃고 써서 보이되 늙고 병든 둔한 글을
포장(褒奬)을 과히 하니 수괴(羞愧)[•]키 가이 없다[⑭]	포장을 지나치게 하니 부끄럽고 창피하다.
[D] **승산이 다시 하되** 소국(小國)의 천한 선비	승산이 다시 글을 써서 소국의 천한 선비
세상에 났삽다가 ⓑ장(壯)한 구경 하였으니	세상에 태어나 장한 구경 했으니
저녁에 죽사와도 여한이 없다 하고[⑮]	저녁에 죽어도 여한이 없다 하고
어디로 나가더니 또다시 들어와서	어디로 나가더니 또다시 들어와서
아롱보(袱)에 무엇 싸고 삼목궤(杉木櫃)에 무엇 넣어	아롱보에 무엇 싸고 삼나무 궤에 무엇 넣어
이마에 손을 얹고 엎디어 들이거늘	이마에 손을 얹고 엎드려 들이거늘
받아 놓고 피봉(皮封) 보니 봉(封)한 위에 쓰였으되	받아 놓고 겉봉을 보니 봉해 놓은 위에 쓰였는데
각색 대단(大緞) 삼단이요 사십삼 냥 은자(銀子)로다	각색 비단이 삼단이요 사십삼 냥 은자구나.
[E] 놀랍고 어이없어 종이에 써서 뵈되	놀랍고 어이없어 종이에 써서 보이는데
그대 비록 외국이나 선비의 몸으로서	그대 비록 외국인이지만 선비의 몸으로서
은화를 갖다 가서 글 값을 주려 하니	은화를 가지고는 글 값을 주려 하니
그 뜻은 감격하나 **의(義)에 크게 가하지 않아**	그 뜻은 고맙지만 사리에 맞지 않아
못 받고 도로 주니 허물하지 말지어다	못 받고 도로 주니 탓하지 말지어다.

– 김인겸, 「일동장유가(日東壯遊歌)」

표현

⑬ 필담으로 써서 뵈되
➜ **문답의 형식:** 일본인 문인 전승산과 화자가 필담으로 의사소통하는 상황을 구체적으로 보여 줌. 이 필담 대화 중 전승산은 화자를 '퇴석 선생'으로 호칭함.

정서와 태도

⑫ 다행할사 종사상은 태연히 앉았구나
➜ 위태로운 상황 속에서도 의연함을 잃지 않음.

⑭ 내 웃고 써서~수괴키 가이 없다
➜ 일본인 문인이 화자의 글을 칭찬하자 부끄러워하며 겸손한 태도를 보임.

⑮ 세상에 났삽다가~여한이 없다 하고
➜ 문인으로서의 자부심과 일본에 대한 우월감

- **수질:** 배를 탔을 때, 머리가 어지럽고 속이 메스꺼워지는 증세.
- **종사상:** 통신사를 수행하던 임시 벼슬.
- **필담:** 말이 통하지 않거나 말을 할 수 없을 때에, 글로 써서 서로 묻고 대답하는 것.
- **수괴:** 부끄럽고 창피함.

Step 2 포인트 체크

[01~06] 윗글에 대하여 맞으면 ○, 틀리면 ×표를 하시오.

01 화자는 통신사의 일원이다. [○, ×]

02 화자는 일본으로 가는 도중 거센 풍랑을 만나 배 안에서 괴로워하였다. [○, ×]

03 11행 '만곡주가 나뭇잎 불리이듯'은 큰 배가 거센 물결에 쉽게 휘둘리는 모습을 비유한 표현이다. [○, ×]

04 전승산은 화자에게 자신의 글을 보이고 자랑스러워하였다. [○, ×]

05 전승산이 화자에게 글 값을 주려고 하자 화자는 자존심이 상해 마음이 언짢았다. [○, ×]

06 화자는 전승산이 준 글 값을 도로 주고 섭섭해하지 말아 달라는 뜻을 나타내었다. [○, ×]

[07~10] 다음 빈칸에 알맞은 말을 쓰시오.

07 윗글은 일본으로 가는 [ㅇ][ㅈ], 일본에서의 견문 등을 시간적 흐름에 따라 보여 주고 있다.

08 13~14행 '열두 발 쌍돛대는 차아처럼 굽어 있고 / 쉰두 폭 초석 돛은 반달처럼 배불렀네'에서는 배에 바람이 거세게 부는 상황을 [ㄷ][ㄱ][ㅂ], [ㅈ][ㅇ][ㅂ]을 통해 표현하고 있다.

09 윗글에서 화자와 전승산은 종이에 글을 써서 묻고 대답하는 [ㅍ][ㄷ]을 통해 대화를 나누고 있다.

10 화자는 자신의 글에 대한 전승산의 과도한 [ㅊ][ㅊ]에 대해 부끄러움을 표현하고 있다.

정답 | 01 ○ 02 ○ 03 ○ 04 × 05 × 06 ○ 07 여정 08 대구법, 직유법 09 필담 10 칭찬

작품 정리

일동장유가
- **갈래:** 기행 가사, 사행 가사, 장편 가사
- **성격:** 서사적, 사실적, 묘사적
- **주제:** 일본을 다녀온 여정과 견문
- **구성:** 1~36행(장풍에~남았구나) | 일본으로의 출발과 풍랑을 만난 경험
  37행~끝(그중에~말지어다) | 전승산과의 필담과 문인으로서의 자부심

» **해제:** 이 작품은 영조 39년에 작가가 통신사의 일원이 되어 일본에 갔다가 돌아온 여정과 화자가 체험한 일본의 문물 제도, 인물, 풍속 등에 대한 견문을 시간적 흐름에 따라 사실적으로 기록한 글이다.

Step 3 실전 문제

01

윗글에 대한 설명으로 가장 적절한 것은?

① 공간의 이동에 따른 시상 전개를 보이고 있다.
② 계절의 변화를 통해 화자의 심리를 드러내고 있다.
③ 색채 이미지의 대조를 통해 대상을 부각하고 있다.
④ 과거를 회상하는 방식을 통해 주제를 강조하고 있다.
⑤ 대조적 소재를 활용해 교훈적 태도를 나타내고 있다.

02

고난도 기출 변형 2019학년도 수능

윗글에 대한 설명으로 적절하지 않은 것은?

① '태산'과 같은 거대한 자연물에 비유하여 악화된 기상 상황을 표현하고 있다.
② '나뭇잎'과 같은 식물의 연약한 속성을 활용하여 화자의 위태로운 상황을 드러내고 있다.
③ '올랐다가', '내려지니' 등 상승과 하강의 이미지를 대비하여 목전에 닥친 위기감을 강조하고 있다.
④ '고래'나 '용'과 같은 동물의 역동성을 통해 공간의 분위기를 긍정적으로 바꾸고 있다.
⑤ '필담으로 써서 뵈되', '승산이 다시 하되' 등 인물의 행동을 시간의 흐름에 따라 열거하여 상황을 구체적으로 보여 주고 있다.

03

윗글에 대한 이해로 적절하지 않은 것은?

① '산해를 진동하니'는 환송을 위해 연주하는 악기 소리가 매우 컸음을 나타내는군.
② '대풍이 일어나서'는 '내 신세'를 생각하며 마음이 심란해진 이유가 되고 있군.
③ '어와 장할시고'는 날이 밝아 끝없이 넓게 펼쳐진 바다를 바라본 후 감탄하는 모습을 나타내는군.
④ '저마다 수질하야'는 배에 탄 사람들을 더욱 고통스럽게 하는 상황을 나타내는군.
⑤ '의에 크게 가하지 않아'는 글 값에 대한 화자의 인식을 보여 주는군.

04

윗글의 내용에 대한 이해로 적절하지 않은 것은?

① 성난 물결을 만나 큰 배가 흔들려 위협을 느꼈다.
② 함께 떠난 배들이 서로 소통하며 풍랑을 견뎌 냈다.
③ 종사상은 혼란한 상황에서도 태연히 자리를 지켰다.
④ 화자와 전승산은 종이에 글을 써서 대화를 나누었다.
⑤ 전승산은 밖으로 나갔다가 돈 등을 담은 궤를 가져왔다.

05

고난도 기출 2019학년도 수능

〈보기〉를 바탕으로 윗글을 감상한 내용으로 적절하지 않은 것은?

> **보기**
>
> 사행 가사인 「일동장유가」에는 화자와 일본인 문인 사이의 필담 장면이 기술되어 있는데, 필담을 통한 문답 형식은 일종의 대화의 성격을 지닌다. 필담 속에는 대화가 시작되는 상황, 문답의 주요 내용, 의사소통의 심층적 의미, 선비로서의 예법 등이 자연스럽게 포함되어 있다.

① [A]는 [B]~[D]의 필담이 시작되는 계기를 보여 주는군.
② [B]의 '빠른 재주'는 '나'의 글에 대한 상대의 평가를, [C]의 '늙고 병든 둔한 글'은 자신의 글에 대한 '나'의 입장을 보여 주는군.
③ [B]의 '필담으로 써서 뵈되'와 [C]의 '내 웃고 써서 뵈되'를 통해, 문답의 형식을 활용하여 의사소통 장면을 구체적으로 제시하는군.
④ [B]의 '귀한 별호 퇴석'과 [D]의 '소국의 천한 선비'는 선비의 예법을 동원하여 동일한 사람을 다르게 지칭한 표현이군.
⑤ [D]에는 '나'의 글에 대한 상대의 찬사가 나타나 있고, [E]에는 상대의 글 값에 대한 '나'의 거절이 드러나 있군.

06

㉠을 통해 알 수 있는 내용으로 가장 적절한 것은?

① 배가 출발해 바다를 향해 나아감.
② 성대한 환대를 받으며 배가 출발함.
③ 배가 처음 당도한 오륙도가 멀리 있음.
④ 배가 출발하기까지 오랜 기간 준비를 했음.
⑤ 배가 출발하고 나서 본 오륙도가 매우 아름다움.

07

<보기>를 바탕으로 윗글을 감상한 내용으로 적절하지 않은 것은?

보기

사행 가사는 기행 가사의 한 갈래로, 국가에서 공식적인 외교 임무를 부여받고 파견된 사신이나 사신을 수행하는 사신단의 구성원이 외국의 풍속이나 문화 등을 경험하고 이를 기록한 가사를 말한다. 이 작품의 작가는 통신사의 서기로서 부산에서 일본으로 가기까지의 여정과 그 과정에서의 풍경, 일본의 문물과 풍속 등을 관찰하고 객관적으로 묘사하면서 주관적인 감상도 함께 전달하고 있다.

① '육선이 함께 떠났'다는 것은 객관적 사실을 전달한 것으로 볼 수 있군.
② '삼현과 군악 소리'로 일행을 배웅하는 데서 공식적인 임무를 부여받고 사행을 하는 상황임이 드러나는군.
③ '위아래로 푸른빛이 하늘 밖에 닿아 있다'는 데서 여정을 진행하며 관찰한 풍경이 묘사되고 있군.
④ '우리 길이 어디로 가는 건가'라며 한탄하는 데서 일본에 대한 부정적 평가가 드러나는군.
⑤ '대마도 가깝다'는 사공의 말은 사신의 구성원으로 외국을 향해 여정을 진행하고 있음을 나타내는군.

08

ⓐ, ⓑ에 대한 이해로 가장 적절한 것은?

① ⓐ는 화자의 의지와, ⓑ는 화자의 체념과 관계 있다.
② ⓐ는 내면적 갈등의 해소를, ⓑ는 인물 간 갈등의 해소를 동반한다.
③ ⓐ는 자신에 대한 만족감을, ⓑ는 대상에 대한 화자의 만족감을 나타낸다.
④ ⓐ는 자연 경관에 대한 감탄을, ⓑ는 인물의 능력에 대한 감탄을 나타낸다.
⑤ ⓐ는 과거와 달라진 모습에 대한, ⓑ는 과거와 똑같은 모습에 대한 감탄을 나타낸다.

09

윗글에 대한 다음 설명에서 ㉮~㉱에 들어갈 알맞은 말을 쓰시오.

이 작품은 조선 영조 때에 통신사의 일원으로 일본에 다녀온 김인겸이 지은 장편 기행 가사로, 부산에서 일본으로 향하는 (㉮)이/가 드러나며 자연의 풍광이나 (㉯) 등이 사실적으로 기록되어 있다. 또한 큰 풍랑을 만난 경험, 풍랑 뒤 (㉰)의 장관 등을 다양한 표현법을 활용하여 실감 나게 묘사하였는데, 특히 풍랑이 거세게 몰아치는 상황의 묘사에서 '열두 발 쌍돛대는~ 배불렀네'는 비유와 (㉱)의 표현이 돋보인다.

㉮: ________________ ㉯: ________________

㉰: ________________ ㉱: ________________

만언사

출제 포인트 › #다양한 감각적 이미지 #비유·대조적 표현 #유배 생활에 대한 묘사 #유배 생활에 대한 슬픔과 반성

보이나니 바다히요 들리나니 물소리라[1]	보이나니 바다요, 들리나니 물소리라.
벽해상전(碧海桑田)* 갈린 후에 모래 모여 섬이 되니	짙푸른 바다와 뽕나무 밭이 나뉜 후에 모래 모여 섬이 되니
추자섬 생길 제는 천작 지옥이로다	추자도가 생길 때는 하늘이 만든 지옥이로다.
해수(海水)로 성을 싸고 운산(雲山)으로 문을 지어	바닷물로 성을 싸고 구름 낀 산으로 문을 만들어
세상이 끈쳐시니 인간은 아니로다	세상과 끊어졌으니 사람이 사는 세상이 아니로다.
풍도(酆都)*섬이 어디메뇨 지옥이 여기로다[2]	풍도섬이 어디인가 지옥이 여기로다.
ⓐ어디로 가잔 말고 뉘 집으로 가잔 말고[3]	어디로 가잔 말인가 누구 집으로 가잔 말인가?
눈물이 가리우니 걸음마다 엎더진다[4]	눈물이 (앞을) 가리니 걸음마다 엎어진다.
이 집에 가 의지하자 가난하다 핑계하고	이 집에 가 의지하려니 가난하다 핑계하고
저 집에 가 주인하자 연고 있다 칭탈하네[5]	저 집에 가 의지하려니 사정 있다 핑계 대네.
ⓑ이 집 저 집 아모 덴들 적객 주인(謫客主人)* 뉘 좋달고[6]	이 집 저 집 어디인들 유배자 관리를 좋다고 할 것인가?
관력(官力)으로 핍박하고 세부득이(勢不得已) 맡았으니	관청이 압력하고 핍박하여 어쩔 수 없이 맡았으니
관채다려 못한 말을 만만할손 내가 듣네	아전에게 못한 말을 만만한 내가 듣네.
ⓒ세간 그릇 흩던지며 역정 내어 하는 말이	세간 그릇 흩어서 던지며 역정 내며 하는 말이
[A] ㉠저 나그네 헤어 보소 주인 아니 불상한가	"저 나그네야 헤아려 보소. 주인인 내가 불쌍하지도 않은가?
이 집 저 집 잘사는 집 한두 집이 아니어든	이 집 저 집 잘사는 집이 한두 집이 아니건만
관인(官人)들은 인정받고 손님네는 혹언 들어	관리들은 뇌물 받고 귀양객 그대는 모진 말 들어
구타여 내 집으로 연분 있어 와 계신가	구태여 내 집에 연분이 있어 와 계신가?
내 살이 담박한 줄 보시다야 아니 알가[7] (중략)	내 살림살이 가난한 줄 보시면 아니 알까?"
냉지에 누습하고 즘생도 하도 할사	찬 땅이 눅눅하고 짐승도 많기도 많네.
발 남은 구렁배암 뼘 넘운 청진의라	한 발 넘는 구렁이 한 뼘 넘는 푸른 지네
좌우로 둘렀으니 무섭고도 증그럽다[8]	좌우로 둘렀으니 무섭고도 징그럽다.
㉡서산에 일락하고 그믐밤 어두운데	서산에 해는 지고 그믐밤 어두운데
남북촌 두세 집에 솔불이 희미하다[9]	남북촌 두세 집에 솔불이 희미하다.
어디서 슬픈 소리 내 근심 더하는고	어디서 슬픈 소리 내 근심 더하는가?
별포에 배 떠나니 노 젓는 소리로다[10]	이별하는 포구에 배 떠나니 노 젓는 소리로다.
눈물로 밤을 새와[11] 아침에 조반 드니	눈물로 밤을 새워 아침에 조반 드니
덜 쓰른 보리밥에 무장떵이 한 종자라	덜 익은 보리밥에 날간장 한 종지라
한술을 떠서 보고 큰 덩이 내어 놓고	한술 떠서 보고 큰 덩이 내어 놓고

Step 1 포인트 분석

「만언사」

제목의 의미
'수많은 말을 담은 노래'라는 뜻이다.

시적 상황
화자가 죄를 지어 제주도의 추자도라는 유배지에서 홀대받고 궁핍한 생활을 경험한 후 자신의 신세를 한탄하고 과거의 삶을 반성하고 있다.

표현

❶보이나니~물소리라
➔ **시각적·청각적 이미지:** 추자도의 풍경을 감각적으로 제시함.

❺이 집에 가~칭탈하네
➔ **대구법:** 유배객인 자신을 맡지 않으려는 사람들의 모습을 통해 홀대받는 화자의 처지를 부각함.

❼저 나그네~아니 알가
➔ **말을 건네는 표현, 설의적 표현:** 화자를 맡은 사람이 자신의 가엾은 처지를 생각해 보라며 불평하는 모습을 강조함.

❽냉지에 누습하고~무섭고도 증그럽다
➔ **묘사:** '냉지'라는 감각적 이미지와 '짐승', '구렁이', '지네' 등의 구체적 소재를 바탕으로 공간적 배경을 묘사해 궁핍한 생활상을 부각함.

❾서산에 일락하고~솔불이 희미하다
➔ **하강, 어둠의 이미지:** 해가 지는 하강의 이미지와 불빛이 희미한 어둠의 분위기가 화자의 처지 및 정서와 조응됨.

❿어디서 슬픈 소리~노 젓는 소리로다
➔ **객관적 상관물, 청각적 이미지:** 처량함을 느끼며 슬픔에 빠진 화자의 정서를 '노 젓는 소리'로 부각함.

정서와 태도

❶보이나니~물소리라, ❸어디로~가잔 말고
➔ 유배지에서 느끼는 막막함

❷벽해상전 갈린~지옥이 여기로다, ❹눈물이~엎더진다, ⓫눈물로 밤을 새와
➔ 유배 온 처지에 대한 절망감

❻이 집 저 집~뉘 좋달고, ❽냉지에 누습하고~무섭고도 증그럽다
➔ 유배지에서의 처량한 신세를 한탄함.

- **벽해상전:** 뽕나무밭이 변해 푸른 바다가 된다는 뜻. 세상일의 변화가 심함을 비유함.
- **풍도:** 도교에서 말하는 지옥.
- **적객 주인:** 유배 온 사람을 관리하는 일을 맡은 사람.

그도 저도 아조 없어 굴물 적이 간간이라	그도 저도 아주 없어 굶을 때도 적지 않다.
여름날 긴긴 날에 배고파 어려웨라[12]	여름날 긴긴 날에 배고파 어려워라.
의복을 돌아보니 한숨이 절로 난다	의복을 돌아보니 한숨이 저절로 난다.
남방 염천(南方炎天) 찌는 날에 빨지 못한 누비바지	남쪽의 여름 찌는 날에 빨지 못한 누비바지
땀이 배고 때가 올라 굴뚝 막은 덕석인가	땀이 배고 때가 올라 굴뚝 막은 멍석인가?
ⓓ 덥고 검기 다 바리고 내암새를 어이하리[13]	덥고 검은 것은 다 버려 두고라도 냄새를 어찌하리?
어와 내 일이야 가련히도 되었고나[14]	아아, 내 신세야 가련하게도 되었구나.
손잡고 반기는 집 내 아니 가옵더니	(예전에는) 손잡고 반기는 집도 내가 가지 않았었는데
등 밀어 내치는 집 구차히 빌어 있어	(지금은) 등을 밀어 내치는 집에 구차하게 빌붙어 있으니
ⓒ 옥식 진찬(玉食珍饌) 어데 가고 맥반 염장(麥飯鹽藏) 대하오며	훌륭한 밥과 반찬은 어디 가고 보리밥에 소금과 간장을 대하며
금의 화복(錦衣華服) 어데 가고 현순백결(懸鶉百結)* 하였는고[15]	화려하고 비싼 옷은 어디로 가고 여기저기 기운 헌 옷을 입고 있는가?
이 몸이 살았는가 죽어서 귀신인가	이 몸이 살아 있는가? 죽어서 귀신이 되었는가?
말하니 살았으나 모양은 귀신일다	말을 하니 살아 있다고 볼 수 있으나 모양은 귀신이로다.
ⓡ 한숨 끝에 눈물 나고 눈물 끝에 한숨이라[16]	한숨 끝에 눈물이 나고 눈물 끝에 한숨이라.
도로혀 생각하니 어이없어 웃음 난다	돌이켜 생각하니 어이없어 웃음이 난다.
이 모양이 무슨 일고 미친 사람 되었고나	이 모양이 무슨 일인고? 미친 사람이 되었구나.
ⓜ 어와 보리가을 되었는가 전산 후산에 황금빛이로다	아아, 보리 수확하는 가을이 되었는가? 앞산 뒷산에 황금빛이로다.
남풍은 때때 불어 보리 물결 치는고나	남풍은 때때로 불어 보리 물결 치는구나.
지게를 벗어 놓고 전간(田間)에 굽닐면서	지게를 벗어 놓고 밭에서 일을 하며
[B] 한가히 베는 농부 묻노라 저 농부야[17]	한가하게 보이는 농부, 물어보노라, 저 농부야.
밥 우희 보리술을 몇 그릇 먹었느냐	밥 위에 보리술을 몇 그릇이나 먹었느냐?
청풍에 취한 얼골 깨연들 무엇하리	청풍에 취한 얼굴 깨운들 무엇하리?
연년(年年)이 풍년 드니 해마다 보리 베어	해마다 풍년이 드니 해마다 보리를 베어
마당에 두드려서 방아에 쓸어 내어	마당에서 두드려서 방아에 찧어 내어
일분(一分)은 밥쌀 하고 일분(一分)은 술쌀 하여	일부는 밥을 하고 일부는 술을 만들어
밥 먹어 배부르고 술 먹어 취한 후에	밥 먹어 배부르고 술 먹어 취한 후에
함포고복(含哺鼓腹)하여 격양가(擊壤歌)*를 부르나니	배를 두드리며 풍년에 태평한 세월을 노래하니
농부의 저런 흥미 이런 줄 알았더면	농부의 저런 즐거움 이런 줄 알았다면
ⓔ **공명을 탐치 말고 농사를 힘쓸 것을**[18]	공명을 탐하지 말고 농사에나 힘쓸 것을
백운(白雲)이 즐거운 줄 청운(靑雲)이 알았으면	흰 구름이 즐거운 줄 푸른 구름이 알았으면
탐화봉접(探花蜂蝶)이 그물에 걸렸으랴[19]	꽃을 탐하는 벌과 나비처럼 그물에 걸렸겠는가?

– 안도환, 「만언사(萬言詞)」

표현

⑬ 땀이 배고~내암새를 어이하리
➜ **비유적 표현, 복합적 이미지:** 때가 낀 바지를 '덕석'에 비유하고 '덥고'의 촉각적 이미지, '검기'의 시각적 이미지, '내암새'의 후각적 이미지를 나란히 제시하는 복합적 이미지를 사용해 유배지에서의 생활상을 구체화하고 있음.

⑭ 어와 내 일이야 가련히도 되었고나
➜ **영탄적 표현:** 감탄사 '어와'를 사용하여 신세를 한탄하는 화자의 모습을 나타냄.

⑮ 손잡고 반기는~현순백결 하였는고
➜ **대조적 표현:** 유배를 오기 전 상황과 유배 온 후의 상황을 나타내는 표현을 대비하여 현재의 고통스러운 처지를 부각함.

⑯ 한숨 끝에~한숨이라
➜ **대구적 표현, 시어의 반복:** '한숨', '눈물'이라는 시어를 반복하며 대구를 통해 화자의 정서를 강조함.

⑰ 묻노라 저 농부야
➜ **말을 건네는 표현:** 자신의 처지와 반대로 욕심이 없는 가운데에서도 풍요로움을 누리는 농부를 불러 말을 건네며 그들의 삶에 대해 밝히고 있음.

⑲ 백운이 즐거운 줄~그물에 걸렸으랴
➜ **비유적, 설의적, 대조적 표현:** 욕심 없는 삶을 '백운'에, 공명 추구의 삶을 '청운'에 비유하는 동시에 이 둘을 대조하고 있음. 또한 '탐화봉접'은 공명을 탐했던 화자 자신을 비유한 표현으로 욕심을 부려 유배 오게 된 상황에 대한 반성을 담고 있음. 또한 이러한 의도를 설의적 표현을 통해서도 강조하고 있음.

정서와 태도

⑫ 덜 쓰른 보리밥에~배고파 어려웨라, ⑭ 어와~가련히도 되었고나, ⑯ 말하니 살았으나~눈물 끝에 한숨이라
➜ 초라한 신세에 대한 한탄

⑱ 농부의 저런 흥미~힘쓸 것을, ⑲ 백운이 즐거운 줄~그물에 걸렸으랴
➜ 자신의 삶에 대한 반성

- **현순백결:** 옷이 해어져서 백 군데나 기웠다는 뜻으로, 누덕누덕 기워 짧아진 옷을 이르는 말.
- **격양가:** 풍년이 들어 농부가 태평한 세월을 즐기는 노래.

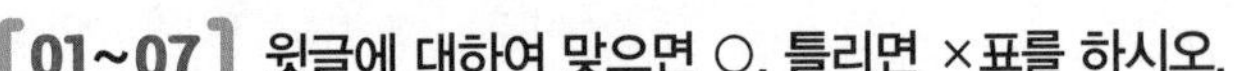

Step 2 포인트 체크

[01~07] 윗글에 대하여 맞으면 ○, 틀리면 ×표를 하시오.

01 화자는 자신이 유배를 간 것을 억울해하고 있다. (○, ×)

02 화자의 말과 화자를 대하는 추자도 사람의 말을 인용하고 있다. (○, ×)

03 화자는 자신이 도착한 유배지가 인간 세상에서 보기 힘든 공간이라고 여기고 있다. (○, ×)

04 화자를 맡은 추자도 사람은 화자를 맡은 것을 어쩔 수 없는 운명에 의한 것으로 수용하고 있다. (○, ×)

05 화자 자신의 삶과 농부의 삶에 대한 대조적 인식을 바탕으로 시상이 전개되고 있다. (○, ×)

06 자연물에 감정을 이입하여 화자가 지니고 있는 설움을 강조하고 있다. (○, ×)

07 계절의 흐름에 따라 변화하는 자연을 관찰하며 이로부터 삶의 깨달음을 얻고 있다. (○, ×)

[08~11] 다음 빈칸에 알맞은 말을 쓰시오.

08 윗글은 유배 생활의 구체적 모습들을 [ㅅ][ㅅ][ㅈ]으로 묘사하고 있는 조선 후기의 대표적 유배 가사이다.

09 '[ㅇ][ㅅ] [ㅈ][ㅊ]'과 '[ㄱ][ㅇ] [ㅎ][ㅂ]'은 유배 오기 전 화자가 누렸던 식생활과 의생활을 보여 준다.

10 화자는 욕심 때문에 죄를 지은 자신의 모습을 '[ㅌ][ㅎ][ㅂ][ㅈ]'에, 유배지에서 지내는 자신의 초라한 신세를 죽은 '[ㄱ][ㅅ]'에 비유하고 있다.

11 화자는 [ㄱ][ㄹ]하게 되었다며 자신의 신세에 대한 한탄을 직접적으로 드러내고 있다.

작품 정리

만언사

- **갈래:** 유배 가사, 장편 가사
- **성격:** 사실적, 반성적, 애상적
- **주제:** 고통스러운 유배 생활과 자신의 죄에 대한 반성
- **구성:** 1~6행(보이나니~여기로다) | 유배지인 추자도에 도착한 후 느끼는 절망감
  7~19행(어디로~아니 알가) | 유배지 사람들로부터 홀대받는 처지
  20~45행(냉지에~미친 사람 되었고나) | 유배지에서 겪는 궁핍한 생활과 신세 한탄
  46행~끝(어와~걸렸으랴) | 농부의 삶에 대한 부러움과 자신의 삶에 대한 반성

» **해제:** 조선 정조 때, 중인 신분이었던 작가가 국고를 횡령한 죄를 짓고 추자도에 유배 가게 된 일을 3,500여 구의 장대한 분량으로 풀어낸 조선 후기의 장편 가사이다. 여기에 실린 글은 본사의 일부로 유배 생활 중의 궁핍한 생활에 대한 내용이 실려 있다. 조선 전기의 유배 가사들의 경우 주로 정쟁에서 밀려난 양반 사대부들이 자신의 억울함을 호소하거나 임금에 대한 충(忠)을 강조하는 데에 비해, 이 작품은 일부 내용에서 충의 정신이 나타나기는 하지만 개인적인 비리에 의해 유배 온 화자가 자신의 생활을 사실적으로 드러내는 가운데 그러한 삶에 대해 한탄하고 자신의 지난 잘못을 뉘우치고 있다는 점에서 특징적이라고 할 수 있다.

정답 | 01 × 02 ○ 03 ○ 04 × 05 ○ 06 × 07 × 08 사실적 09 옥식 진찬, 금의 화복
10 탐화봉접, 가시 11 가련

정답 042쪽

01

윗글의 화자에 대한 이해로 적절하지 않은 것은?

① 유배를 온 자신의 처지에 대한 절망과 슬픔으로 제대로 걷지도 못하고 있다.
② 추자섬을 하늘이 내린 공간으로 여기면서 섬이 만들어진 과정에 대해 상상하고 있다.
③ 척박한 환경에서 지내는 가운데 배고픔으로 하루하루가 길다고 느끼며 지내고 있다.
④ 자신이 머물 거처를 정하기 위해 노력해 보지만 뜻대로 되지 않은 채 홀대받고 있다.
⑤ 불우한 자신의 처지를 돌이켜 생각해 보면서 현실을 변화시킬 가능성을 모색하고 있다.

02

기출 변형 2017학년도 7월 고3 교육청

㉠~㉤에 대한 이해로 적절하지 않은 것은?

① ㉠: 말을 건네는 표현을 사용하여 화자 자신과 유배객의 신세에 대한 연민을 드러내고 있다.
② ㉡: 하강적 이미지를 사용하여 처량하고 우울한 화자의 처지와 조응되는 배경이 제시되고 있다.
③ ㉢: 대조적 시어를 사용하여 현재의 궁핍한 삶을 부각하고 있다.
④ ㉣: 대구적 표현을 사용하여 화자가 자신의 처지에서 느끼는 한스러움을 부각하고 있다.
⑤ ㉤: 영탄적 표현을 사용하여 화자를 둘러싼 주변 풍경에 대한 감회를 나타내고 있다.

03

ⓐ~ⓔ에 대한 설명으로 적절하지 않은 것은?

① ⓐ: 동일한 어구를 반복적으로 제시하여 화자의 처지를 강조하고 있다.
② ⓑ: 설의적 표현을 활용하여 현실에 대한 화자의 인식을 드러내고 있다.
③ ⓒ: 행동을 묘사하여 인물의 심정을 간접적으로 드러내고 있다.
④ ⓓ: 복합적 이미지를 활용하여 불우한 처지에 놓인 화자의 상황을 감각적으로 나타내고 있다.
⑤ ⓔ: 반어적 표현을 사용하여 대상에 대해 화자가 지닌 긍정적 인식을 부각하고 있다.

04

윗글과 관련지어 〈보기〉를 이해한 내용으로 적절하지 않은 것은?

> **보기**
>
> 「만언사답」은 「만언사」의 화자에 대한 위로와 조언을 중심으로 내용이 전개된다. 그 내용의 일부는 다음과 같다.
>
> **하늘**에도 **변화** 있어 일월식을 하오시고
> 바다에도 진퇴 있어 **밀물**과 **썰물**이 있사오며
> **춘하추동 사시절**에 한서 온랭(寒暑溫冷) 돌아오니 (중략)
> 화려하게 치장한 **경대부(卿大夫)** 높은 신분 귀공자도
> 섬 고생 다 지내고 **천은** 입어 올라갔네
> 이 고생 다 겪은 이 손님뿐이 아니로세

① '하늘'의 '변화'를 통해 추자섬을 '풍도섬'이라 여기는 윗글의 화자를 위로하고 있군.
② '밀물'과 '썰물'이 있음을 통해 윗글의 '내 일'의 상황이 바뀌게 될 것임을 강조하고 있군.
③ '경대부'를 통해 '현순백결'을 겪고 있는 윗글의 화자의 고난과 유사한 상황을 언급하고 있군.
④ '천은'을 통해 윗글의 화자가 '미친 사람'의 처지에서 벗어날 가능성에 대한 희망을 제시하고 있군.
⑤ '춘하추동 사시절'을 통해 윗글의 '남풍'과 같이 순환하는 자연에 적응하며 살아갈 것을 조언해 주고 있군.

05

[A]와 [B]에 대한 이해로 가장 적절한 것은?

① [A]에는 유배 온 화자에 대한 '적객 주인'의 부당한 대우가, [B]에는 유배 온 화자가 부당한 대우를 했던 인물의 사연이 나타나 있다.
② [A]에는 유배 온 화자가 청자가 되어 '적객 주인'의 불만 소리를 듣는 이유가, [B]에는 유배 온 화자가 청자를 부러워하는 이유가 나타나 있다.
③ [A]에는 유배 온 화자를 맡게 되어 가난해진 '적객 주인'의 회한이, [B]에는 유배 온 화자의 사연을 모르는 인물의 흥겨움이 나타나 있다.
④ [A]에는 유배 온 화자를 맡은 '적객 주인'에게 가해진 관가의 압력이, [B]에는 유배 온 화자를 외면한 인물들이 조성하는 평화로운 분위기가 나타나 있다.
⑤ [A]에는 잘사는 집과 '적객 주인'의 형편 간의 차이가 벌어진 사연이, [B]에는 매년 반복되는 풍년 속에서 벌어지는 여유로운 삶이 나열되어 있다.

06

고난도 기출 변형 2017학년도 7월 고3 교육청

〈보기〉를 바탕으로 윗글을 감상한 내용으로 적절하지 않은 것은?

보기

유배 가사는 유배지로 가는 여정이나 유배지에서의 경험을 소재로 한 가사를 총칭하는 용어로, 이 작품은 조선 후기 대표적 유배 가사로 손꼽힌다. 이 작품에서는 정적에 대한 원망이나 임금에 대한 결백 호소에 중점을 두기보다는 유배지에서의 막막함이나 고통스러운 삶에 대한 사실적 체험, 자신의 과거 잘못에 대한 반성과 후회 등을 서술하는 데에 중점을 두고 있다.

① '보이나니 바다히요 들리나니 물소리라'에서, 유배지에서 화자가 느끼고 있는 막막함을 엿볼 수 있군.
② '남방 염천 찌는 날에 빨지 못한 누비바지'에서, 유배지에서 힘겨운 삶을 살았던 체험이 나타나는군.
③ '말하니 살았으나 모양은 귀신일다'에서, 삶과 죽음을 분간하지 못할 정도로 유배지 생활이 고통스러움을 알 수 있군.
④ '공명을 탐치 말고 농사를 힘쓸 것을'에서, 화자가 자신의 과거에 대해 후회하고 있음을 알 수 있군.
⑤ '탐화봉접이 그물에 걸렸으랴'에서 개인의 잘못으로 인한 유배를 그물에 걸린 것으로 비유하고 있군.

07

윗글의 소재에 대한 설명으로 가장 적절한 것은?

① '남북촌 두세 집'은 역동적 분위기를 조성한다.
② '덜 쓰른 보리밥'은 화자의 노고가 담긴 수확물이다.
③ '굴뚝 막은 덕석'은 화자의 갑갑한 심경을 대변한다.
④ '손잡고 반기는 집'은 화자의 기대가 실현됨을 보여 준다.
⑤ '지게'는 화자가 누리고 싶지만 불가능한 생활을 드러내는 도구이다.

08

윗글에서 〈보기〉의 설명에 해당하는 구절을 찾아 쓰시오.

보기

「만언사」의 화자가 유배지에서 느끼는 자신의 심경을 직접 표현하면서도 객관적 상관물을 동원하여 화자의 주관적인 감정을 표현하고 있다.

____

09

〈보기〉는 윗글의 내용에 대해 정리한 것이다. Ⓐ~Ⓓ에 들어갈 알맞은 말을 쓰시오.

보기

화자는 자신이 도착한 추자도를 인간 세상이 아닌 지옥으로 칭하면서 앞으로의 유배 생활에 대한 깊은 (Ⓐ)을/를 드러내고 있다. 또한 (Ⓑ)와/과 (Ⓒ)은/는 추자도의 거처에서 화자가 마주치는 대상으로, 이에 대한 화자의 반응에는 궁핍한 생활상에 대한 (Ⓓ)의 심리가 담겨 있다.

Ⓐ: ______________ Ⓑ: ______________

Ⓒ: ______________ Ⓓ: ______________

조선 후기

농가월령가

출제 포인트 › #농사일과 세시 풍속에 관한 정보 #사실성·교훈성 #명령형·청유형 어조

정월(正月)은 맹춘(孟春)이라 입춘(立春) 우수(雨水) 절기로다❶	정월은 초봄이라 입춘 우수 절기로다.
산중 간학(澗壑)에 빙설은 남았으나	산중 골짜기엔 눈과 얼음 남았어도
평교 광야에 운물(雲物)•이 변하도다	저 들판 넓은 벌은 자연 경치 변하도다.
어와 **우리 성상 애민 중농(愛民重農)하오시니**	아아, 나라님 백성들을 사랑하고 농사를 중히 여기시니
간측하신 권농 윤음 방곡(坊曲)에 반포하니	농사일을 권하는 임금님의 간절하신 말씀을 온 나라에 알리니
슬프다 농부들아 아무리 무지한들	슬프다 농부들아, 아무리 지식이 없은들
네 몸 이해 고사(姑捨)하고 **성의(聖意)를 어길쏘냐**❷	네 자신의 이해관계를 제쳐 놓고라도 임금님의 뜻을 어기겠느냐?
산전 수답(山田水畓) 상반(相半)하여 힘대로 하오리라	밭과 논을 반반씩 나누어 힘써 경작하오리라.
ⓐ일 년 풍흉은 측량하지 못하여도	한 해의 풍년 흉년 헤아리진 못하여도
ⓑ인력이 극진하면 천재는 면하리니	사람 힘이 극진하면 자연재해는 면하리니
제각각 권면하여 게을리 굴지 마라❸	제각각 권면하여 게을리 굴지 마라.
일년지계 재춘하니 범사(凡事)를 미리 하라❹	일 년의 계획은 봄에 하는 것이니 모든 일을 미리 하라.
ⓒ봄에 만일 실시(失時)•하면 종년(終年) 일이 낭패되네	봄에 만일 때 놓치면 해를 마칠 때까지 일이 낭패되네.
농기를 다스리고 농우(農牛)를 살펴 먹여	농기를 다스리고 농사일에 부리는 소를 살펴 먹여
재거름 재워 놓고 한편으로 실어 내니	재거름 재워 놓고 한편으로 실어 내니
보리밭에 오줌 치기 작년보다 힘써 하라❺	보리밭에 오줌 주기 작년보다 힘써 하라.
ⓓ늙은이 근력 없어 힘든 일은 못 하여도	늙은이 감당할 힘 없어 힘든 일은 못 하여도
낮이면 이엉• 엮고 밤이면 새끼 꼬아❻	낮이면 이엉 엮고 밤이면 새끼 꼬아
때 맞게 집 이으면 큰 근심 덜리로다	때에 맞게 지붕 위를 덮으면 큰 근심을 덜리로다.
실과나무 보굿• 깎고 **가지 사이 돌 끼우기**	과실나무 보굿 깎고 가지 사이 돌 끼우기
정조(正朝)날 미명시(未明時)에 시험조로 하여 보자❼	정월 초하루날 날이 밝기 전에 시험조로 하여 보자.
며느리 잊지 말고 소국주(小麴酒) 밋하여라•	며느리 잊지 말고 소국주를 걸러라.
삼춘 백화시에 화전 일취(花煎一醉) 하여 보자❽	봄날 꽃필 적에 화전을 안주 삼아 취해 보자.
상원(上元)날 달을 보아 수한(水旱)•을 안다 하니	정월 보름달을 보아 장마와 가뭄을 안다 하니
노농(老農)의 징험(徵驗)이라 대강은 짐작느니	늙은 농군의 경험이라 대강은 짐작하니
정조에 세배함은 돈후한 풍속이라	설날에 세배함은 인정 후한 풍속이라.

Step 1 포인트 분석

「농가월령가」

제목의 의미
'농가에서 월별로 부르는 노래'라는 의미이다.

시적 상황
정월의 절기와 농사일, 세시 풍속을 소개하고 있다.

표현

❶입춘 우수 절기로다
➔ **절기의 소개:** 정월의 절기를 소개하며 시작함으로써 월령체의 특징을 드러냄.

❷성의를 어길쏘냐
➔ **설의적 표현:** 백성을 아끼는 임금의 성스러운 뜻을 들어 이를 어기지 말고 농사일에 힘써야 함을 강조함.

❸게을리 굴지 마라, ❺작년보다 힘써 하라
➔ **명령형 어조:** 명령형 어미를 활용하여 농사일을 부지런히 해야 함을 강조함.

❺농기를 다스리고~보리밭에 오줌 치기
➔ **열거법:** 농사일과 세시 풍속 등을 나열하여 실제적인 정보를 제공함.

❻낮이면 이엉 엮고 밤이면 새끼 꼬아
➔ **대구적 표현:** 낮과 밤에 해야 할 농사일을 대구를 통해 드러내 정보를 제공하는 한편 운율을 조성함.

❼시험조로 하여 보자, ❽화전 일취하여 보자
➔ **청유형 어조:** 청유형 어조를 활용하여 절기에 따른 농사일과 풍속을 치를 것을 제안함.

정서와 태도

❸게을리 굴지 마라
➔ 농민들을 계몽하고 교훈을 주려는 태도

❹일년지계 재춘하니 범사를 미리 하라, ❺보리밭에 오줌 치기 작년보다 힘써 하라
➔ 농사일에 대한 교화적인 태도

- **운물:** 하늘 모양과 천지간의 경물. 경치를 의미함.
- **실시:** 때를 놓침.
- **이엉:** 초가집의 지붕이나 담을 이기 위하여 짚이나 새 따위로 엮은 물건.
- **보굿:** 굵은 나무줄기에 비늘 모양으로 덮여 있는 겉껍질.
- **밋하여라:** 걸러라.
- **수한:** 장마와 가뭄을 아울러 이르는 말.

새 의복 떨쳐 입고 친척 인리(隣里) 서로 찾아	새 의복 마련해 입고 친척과 이웃을 서로 찾아
노소 남녀 아동까지 삼삼오오 다닐 적에	노소 남녀 아동까지 삼삼오오 다닐 때에
㉠ 와삭버석 울긋불긋[9] 물색(物色)이 번화(繁華)하다	와삭버석 울긋불긋 차림새가 화려하다.
사내아이 연 띄우고 계집아이 널뛰기요	사내아이 연날리기 계집아이 널뛰기요,
윷 놀아 내기하기 소년들 놀이로다	윷 놀아 내기하기 소년들의 놀이로다.
ⓔ 사당(祠堂)에 세알(歲謁)하니 병탕*에 주과로다	사당에 설 인사는 떡국에 술과 과일이로다.
엄파*와 미나리를 무엄에 곁들이면	움파와 미나리를 무싹에 곁들이면
보기에 신신하여 오신채(五辛菜)*를 부러하랴[10]	보기에 새로워서 오신채를 부러워하랴?
보름날 약밥 제도 신라 적 풍속이라[11]	보름날 약밥 제도 신라 때의 풍속이라.
묵은 산채 삶아 내니 육미(肉味)와 바꿀쏘냐	묵은 산채 삶아 내니 고기와 바꿀소냐?
귀 밝히는 약술이며 부스럼 삭는 생밤이라	귀 밝히는 약술이며 부스럼 가라앉는 생밤이라.
먼저 불러 더위팔기 달맞이 횃불 켜기	먼저 불러 더위팔기 달맞이 횃불 놀이
흘러오는 풍속이요 아이들 놀이로다	예부터 내려오는 풍속이요 아이들 놀이로다.

– 정학유, 「농가월령가(農家月令歌)」

표현

[9] 와삭버석 울긋불긋
➜ **음성 상징어:** 형형색색의 새 옷을 마련해 입고 옷끼리 부딪히며 세배를 다니는 모습을 생동감 있게 표현함.

[10] 오신채를 부러하랴
➜ **설의적 표현:** 보름날 먹는 엄파와 미나리의 신선함과 맛에 대한 감탄을 드러냄.

정서와 태도

[11] 보름날 약밥 제도 신라 적 풍속이라
➜ 유서 깊은 우리 풍속에 대한 자부심

- **병탕:** 가래떡을 어슷썰기로 얇게 썰어 맑은 장국에 넣고 끓인 음식. 떡국을 가리킴.
- **엄파:** 움파. 겨울에 움 속에서 자란, 빛이 누런 파.
- **오신채:** 자극성이 있는 다섯 가지 채소류. 마늘, 달래, 무릇, 김장파, 실파.

Step 2 포인트 체크

[01~03] 윗글에 대하여 맞으면 ○, 틀리면 ×표를 하시오.

01 화자는 달의 순서에 따라 해야 할 농사일을 소개하고 있다. [○, ×]

02 7행의 '성의를 어길쏘냐'는 임금의 성스런 뜻을 어기지 말 것을 설의법으로 표현한 것이다. [○, ×]

03 화자는 우리의 세시 풍속에서 고쳐야 할 점에 대해 언급하고 있다. [○, ×]

[04~06] 다음 빈칸에 알맞은 말을 쓰시오.

04 정월의 절기로 [ㅇ][ㅊ]과 [ㅇ][ㅅ]가 제시되고 있다.

05 윗글은 정월에 해야 할 [ㄴ][ㅅ][ㅇ]과 [ㅅ][ㅅ] [ㅍ][ㅅ]을 제시하고 있다.

06 윗글에서는 '와삭버석', '울긋불긋' 등 [ㅇ][ㅅ] [ㅅ][ㅈ][ㅇ]를 활용하고 있다.

정답 | 01 ○ 02 ○ 03 × 04 입춘, 우수 05 농사일, 세시 풍속 06 음성 상징어

작품 정리

농가월령가

- **갈래:** 실학 가사, 월령체 가사, 장편 가사
- **성격:** 사실적, 교훈적, 계몽적
- **주제:** 각 달과 절기에 따른 농사일에 대한 권장과 세시 풍속 소개
- **구성:** 1행(정월은~절기로다) | 정월의 절기 소개
  2~11행(산중 간학에~게을리 굴지 마라) | 농사일의 태도에 대한 가르침
  12~19행(일년지계~근심 덜리로다) | 봄의 농사일에 관한 정보 제공
  20행~끝(실과나무~놀이로다) | 정조날과 대보름 등 정월에 해야 할 세시 풍속

» **해제:** 「농가월령가」는 전 13장으로 구성되어 있는 월령체 가사로, 정월부터 섣달까지 농가에서 각 달에 해야 할 농사일과 세시 풍속에 관한 실제적인 정보와 방법을 제시하고 있다.

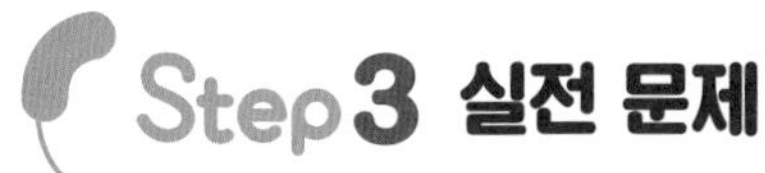

Step 3 실전 문제

정답 044쪽

01

윗글을 창작한 목적으로 가장 적절한 것은?

① 농사일로 힘든 농부들을 위로하고 격려하고자 한다.
② 농부들의 잘못된 행동을 지적하여 바로잡고자 한다.
③ 농사일에 관한 정보를 알려 실생활에 도움을 주고자 한다.
④ 농부들이 이루어 놓은 성과에 대해 감탄을 표현하고자 한다.
⑤ 농부들의 불만을 누그러뜨려 생업에 매진하도록 유도하고자 한다.

02

윗글의 시상 전개 방식으로 가장 적절한 것은?

① 계절적 배경을 바탕으로 한 전개
② 공간의 이동을 바탕으로 한 전개
③ 명암의 선명한 대비를 통한 전개
④ 화자의 시선의 이동에 따른 전개
⑤ 과거를 회상하는 방식을 통한 전개

03

윗글의 표현상 특징으로 적절하지 않은 것은?

① 대구법을 통해 운율감을 조성하고 있다.
② 음성 상징어를 통해 대상의 특성을 나타내고 있다.
③ 감정 이입을 활용하여 화자의 정서를 강조하고 있다.
④ 청유형 어미를 활용하여 화자의 생각을 나타내고 있다.
⑤ 설의적 표현을 활용하여 화자의 태도를 드러내고 있다.

04

윗글을 통해 알 수 있는 내용으로 적절하지 않은 것은?

① 정월에는 소국주를 만들어 취할 때까지 먹기도 했다.
② 보름날 달을 보며 장마나 가뭄이 있겠는지 짐작했다.
③ 봄에는 농기구를 살피고 밭에 거름을 주는 일을 했다.
④ 설날에는 아이들이 연 날리기, 널뛰기 등을 하며 보냈다.
⑤ 보름날에는 아이들이 더위팔기, 횃불 놀이 등을 하였다.

05

윗글의 화자의 생각으로 적절하지 않은 것은?

① 농부들이 힘써 일하면 천재지변은 면할 수 있다는 생각을 나타내고 있군.
② 한 해의 농사 계획은 봄에 해서 모든 일을 미리미리 준비해 두어야 한다고 생각하는군.
③ 정월 보름달을 보고 그 해의 장마와 가뭄을 대강 예측할 수 있다고 생각하는군.
④ 엄파와 미나리를 곁들여 오신채와 함께 먹으면 모두 좋아할 것이라고 생각하는군.
⑤ 보름날 음식으로 삶은 나물을 먹는 맛이 고기 못지 않게 좋다고 생각하는군.

06

기출 2010학년도 6월 고3 평가원

㉠이 나타내는 효과로 적절한 것은?

① 세배의 당위성을 강조한다.
② 세배를 다니게 된 유래를 암시한다.
③ 세배를 무리지어 다녀야 함을 나타낸다.
④ 세배가 오래된 우리의 풍습임을 강조한다.
⑤ 세배를 다니는 모습에 생동감을 부여한다.

정답 044쪽

07

고난도 기출 변형 2019학년도 10월 고3 교육청

〈보기〉를 바탕으로 윗글을 감상한 내용으로 적절하지 않은 것은?

보기

작품의 형식이 일 년 열두 달을 차례대로 맞추어 가며 구성된 시가를 '월령체'라 한다. 윗글은 농촌에 거주하는 양반이 창작한 작품으로, 달의 변화에 따른 농사 일정을 고려하여 농민들에게 필요한 농사일을 장려하고 유교적 윤리를 강조한 월령체 시가이다. 조선 후기 실학의 영향을 받아 의식(衣食)의 충족을 목적으로 한 다양한 가르침이나 방법 등이 제시되어 있다.

① '정월은 맹춘이라'에서 월령체 형식을 확인할 수 있군.
② '우리 성상 애민 중농하오시니'에서 유교적 윤리를 드러내고 있군.
③ '성의를 어길쏘냐'에서 유교적 이념을 바탕으로 내용이 전개된다는 점을 확인할 수 있군.
④ '가지 사이 돌 끼우기'를 시험조로 해 보자는 데서 의식의 충족을 위한 방법을 제시하고 있군.
⑤ '새 의복 떨쳐 입고 친척 인리 서로 찾'는 데서 농민에게 필요한 농사일을 장려하는 모습이 나타나 있군.

08

〈보기〉를 참고하여 ⓐ~ⓔ를 이해한 내용으로 적절하지 않은 것은?

보기

이 작품에는 농촌에서 해야 할 여러 농사일과 절기마다 이어 온 세시 풍속이 제시되어 있다. 이러한 농사일과 세시 풍속에서 화자는 해야 할 것과 하지 말아야 할 것을 구분해 농민들에게 말해 주고 있다고 할 수 있다.

① ⓐ는 한 해 농사의 풍흉을 함부로 미리 짐작하지 말라는 뜻을 나타내고 있군.
② ⓑ는 농사일을 게을리 하지 말고 부지런히 농사일에 임해야 한다는 것이군.
③ ⓒ는 봄에 해야 할 농사일을 놓치지 않아야 한 해 농사가 실패로 돌아가지 않음을 나타내고 있군.
④ ⓓ는 힘든 일이 어려운 늙은이도 자신의 할 일을 찾아 보탬이 되는 일을 해야 한다는 것이군.
⑤ ⓔ는 음식을 마련하여 조상들께 제사를 지내는 일을 제시하고 있군.

09

〈보기〉의 빈칸에 각각 들어갈 말을 순서대로 쓰시오.

보기

이 작품에서는 농사일과 더불어 각 달의 세시 풍속을 제시하여 더욱 흥미를 자아낸다. 특히 정월을 맞이해 정조날 풍습으로는 세배, (　　　), (　　　), 윷놀이 등이, 보름날 풍습으로는 약밥·산채·약술·생밤 먹기, (　　　), (　　　), 횃불 놀이 등이 제시되고 있다.

● 조선 후기

연행가

출제 포인트 › #청나라 사행의 기록 #기행 가사 #대구, 비유적 표현

금셕산 지나가니 **온졍평**이 여긔로다❶	금석산 지나가니 온정평이 여기로다.
일셰가 황혼ᄒᆞ니 ᄒᆞᆫ돈ᄒᆞ며 슉소ᄒᆞᄌᆞ	날의 형세가 황혼이 되니 한데서 잘 잠자리를 정하자.
삼 사신 ᄌᆞᄂᆞᆫ ᄃᆡᄂᆞᆫ ㉠군막을 놉피 치고	세 사신 자는 데는 군사들 쓰는 장막을 높이 치고,
삿ᄌᆞ리를 둘어막아 가방*쳐럼 ᄒᆞ여스되	삿자리를 둘러막아 임시로 꾸민 방처럼 하였으되,
역관*이며 비장* 방장 불샹ᄒᆞ여 못 보겟다❷	역관이며 비장 방장 불쌍하여 못 보겠다.
ᄉᆞ면 외풍 드러부니 밤 지ᄂᆡ기 어렵도다	사면에서 외풍이 들이부니 밤 지내기 어렵도다.
군막이라 명식ᄒᆞ미 ㉡무명 ᄒᆞᆫ 겹 가려스니	군막이라고 말은 하되 무명 한 겹으로 가렸으니
오히려 이번 길은 오뉵월 염쳔이라❸	오히려 이번 길은 오뉴월 더운 때라
하로 밤 경과ᄒᆞ기 과이 아니 어려오나	하룻밤 지내기가 과히 어렵지 않으나
동지셧달 긴긴 밤의 풍셜이 드리칠 졔	동지섣달 긴긴 밤에 바람과 눈이 들이칠 때
그 고ᄉᆡᆼ 웃더ᄒᆞ랴 참혹들 ᄒᆞ다 ᄒᆞ데	그 고생이 어떠하랴? 참혹들 하다고 하데.
쳐쳐의 화토불은 ᄒᆞ인 등이 둘너안고	곳곳에 피운 화톳불은 하인들이 둘러앉고
밤ᄉᆡ도록 나발 소ᄅᆡ 즘ᄉᆡᆼ 올가 념예로다	밤새도록 나발 소리를 냄은 짐승 올까 염려해서로다.
발끼을 기다려서 칙문으로 향ᄒᆡ 가니❹	밝기를 기다려서 책문으로 향해 가니
목칙으로 울을 ᄒᆞ고 문 ᄒᆞ나을 여러 놋코	나무로 울타리를 하고 문 하나를 열어 놓고
봉황셩장 나와 안져❺ 이마*을 졈검ᄒᆞ며	봉황성의 장이 나와 앉아 사람과 말을 점검하며
ᄎᆞ례로 드러오니 범문 신칙* 엄졀ᄒᆞ다	차례로 들어오니 묻고 경계함이 엄숙하고 철저하다.
녹창 쥬호 여염들은 오ᄉᆡᆨ이 영농ᄒᆞ고	녹색 창과 붉은 문의 여염집은 오색이 영롱하고
화ᄉᆞ 치란 시졍들은 만물이 번화ᄒᆞ다❻	화려한 집과 곱게 채색한 난간, 거리는 만물이 번화하다.
집집이 호인들은 길의 나와 구경ᄒᆞ니	집집마다 호인들은 길에 나와 구경하니
의복기 괴려*ᄒᆞ여 쳐음 보기 놀납도다	옷차림이 괴이하여 처음 보기에 놀랐도다.
머리ᄂᆞᆫ **압흘 깍가 뒤만 ᄯᅡᄒᆞ 느리쳐셔**	머리는 앞을 깎아 뒤만 땋아 늘어뜨려
당ᄉᆞ실노 당긔ᄒᆞ고 말익이을 눌너쓰며	당사실로 댕기를 드리고 마래기라는 모자를 눌러쓰며
일 년 삼백육십 일에 양치 한 번 아니ᄒᆞ여	일 년 삼백육십 일에 양치질 한 번도 아니하여,
이ᄲᆞᆯ은 황금이오 손톱은 다섯 치라❼	이빨은 황금빛이요 손톱은 다섯 치라
거문빗 져구리ᄂᆞᆫ 깃 업시 지어쓰되	검은빛의 저고리는 깃이 없이 지었으되,
옷고름은 아니 달고 단초 다라 입어쓰며	옷고름은 달지 않고 단추 달아 입었으며,
아쳥 바지 반물 속것 허리ᄯᅴ로 눌너 ᄆᆡ고❽	검푸른 바지와 짙은 남빛 속옷 허리띠로 눌러 매고,
두 다리의 힝젼* 모양 **타오구**라 일홈ᄒᆞ여❾	두 다리에 행전 모양으로 맨 것을 타오구라 이름하여
회목의셔 오금ᄭᆞ지 회ᄆᆡᄒᆞ게 드리ᄭᅵ고	발목에서 오금까지 가뿐하게 들이끼우고,
깃 업슨 **청두루막기** 단초가 여러히요	깃 없는 푸른 두루마기 단추가 여럿이요,

Step 1 포인트 분석

「연행가」

제목의 의미
'연경(현재의 '북경') 여행에 관한 노래'라는 의미이다.

시적 상황
청나라를 여행하면서 보게 된 청나라의 문물과 제도, 풍속 등을 객관적이고 사실적인 태도로 묘사, 기록하고 있다.

표현
❶ 금셕산~온졍평이 여긔로다, ❹ 칙문으로 향ᄒᆡ 가니, ❺ 봉황셩장 나와 안져
→ **여정의 소개:** 청나라의 여러 지명을 통해 여정, 즉 기행 가사의 특징이 드러남.
❸ 오히려 이번 길은 오뉵월 염쳔이라
→ **계절적 배경:** 오뉴월 염천의 더운 때라는 여행의 계절적 배경을 제시하여 구체적이고 사실적인 기록의 특성을 잘 드러냄.
❻ 녹창 쥬호~만물이 번화ᄒᆞ다 → **색채 이미지:** 다양한 색채 이미지를 활용해 청나라의 화려한 문물을 생동감 있게 표현함.
❼ 이ᄲᆞᆯ은 황금이오 손톱은 다섯 치라
→ **대구적, 비유적 표현:** 청나라 사람들의 비위생적인 모습을 비유, 대구의 표현 방법으로 드러냄.
❽ 옷고름은 아니 달고~눌너 ᄆᆡ고
→ **구체적, 사실적 묘사:** 청나라 사람들의 생활 풍습을 실감 나게, 사실적으로 제시함.
❾ 두 다리의 힝젼 모양 타오구라 일홈ᄒᆞ여
→ **이국적 풍물 소개:** '타오구'와 같은 청나라 고유의 행전을 소개하는 등 이국적 풍물을 사실적으로 소개함.

정서와 태도
❷ 역관이며 비장 방장 불샹ᄒᆞ여 못 보겟다
→ 잠자리가 열악한 군사들에 대한 연민
❻ 녹창 쥬호~만물이 번화ᄒᆞ다
→ 청나라 문물에 대한 부러움과 호기심
❼ 일 년 삼백육십~다섯 치라
→ 청나라 사람들의 생활 모습을 낮추어 보는 시각

- **가방:** 임시로 만든 집.
- **역관(譯官):** 통역을 담당했던 관직.
- **비장(裨將):** 조선 시대에, 감사(監司) 등을 따라 다니며 일을 돕던 수행원.
- **이마:** 사람과 말.
- **범문 신칙:** 묻고 경계함.
- **괴려:** 이치에 어그러져 온당하지 않음.
- **힝젼:** 한복의 바지나 고의를 입을 때, 움직임을 가볍게 하려고 바짓가랑이를 정강이에 감아 무릎 아래에 매는 물건.

좁은 ᄉᆞᄆᆡ 손등 덥허 손이 겨오 드나들고	좁은 소매가 손등을 덮어 손이 겨우 드나들고,
두루막 위에 배자이며 무릅 우에 슬갑•이라	두루마기 위에 덧저고리 입고 무릎 위에는 슬갑이라.
공방ᄃᆡ 옥물ᄲᅮ리• 담ᄇᆡ 너는 쥬머니의	곰방대와 옥물부리 담배 넣는 주머니에
부시ᄭᅡ지 ᄶᅧ셔 들고 뒤짐지기 버릇치라	부시까지 껴서 들고 뒷짐을 지는 것이 버릇이라.
ᄉᆞ람마다 그 모양니 쳔만 인이 한빗치라	사람마다 그 모양이 천만 사람이 한 모습이라.
ᄲᅡᄃᆡ인• 온다 ᄒᆞ고 져의기리 지져귀며	소국 사람이 온다 하고 저희끼리 수군대며
무어시라 인사ᄒᆞ나 ᄒᆞᆫ마ᄃᆡ도 모르겟다 (중략)	무엇이라고 인사하나 한마디도 모르겠다.
쳥여ᄂᆞᆫ 발이 커셔 남ᄌᆞ의 발 ᄀᆞᆺ트나	청나라 여자는 발이 커서 남자의 발같이 생겼으나
당여ᄂᆞᆫ 발이 작아 두 치짐 되ᄂᆞᆫ 거슬	한족의 여자는 발이 작아 두 치쯤 되는 것을,
비단으로 쏙 동히고 신 뒤츅의 굽을 달아	비단으로 꼭 동이고 신 뒤축에 굽을 달아,
위둑비둑 가ᄂᆞᆫ 모양 너머질가 위티ᄒᆞ다⑩	뒤뚱뒤뚱 가는 모양이 넘어질까 위태롭다.
그러타고 웃지 마라 명나라 ᄭᅵ친 졔도	그렇다고 웃지 마라. 명나라에서 전한 풍속은,
져 계집의 발 ᄒᆞᆫ가지 지금ᄭᅡ지 볼 것 잇다⑪	저 여자들의 발 하나이니 지금까지 볼 만한 일이다.

– 홍순학, 「연행가(燕行歌)」

표현

⑩ 위둑비둑 가ᄂᆞᆫ 모양 너머질가 위티ᄒᆞ다

➜ **음성 상징어:** '위둑비둑'이라는 의태어를 사용하여 청나라 여자들의 위태스러운 걸음걸이를 실감 나게 표현함.

정서와 태도

⑪ 명나라 ᄭᅵ친 졔도~지금ᄭᅡ지 볼 것 잇다

➜ 명나라의 전족 풍습을 예찬함으로써 명나라 문물이 우월하다는 인식을 드러냄.

- **슬갑:** 추위를 막기 위하여 바지 위에다 무릎까지 내려오게 껴입는 옷.
- **옥물ᄲᅮ리:** 옥으로 만든 물부리(담배를 끼워서 빠는 물건).
- **ᄲᅡᄃᆡ인:** 사대인. 곧 조선 사람을 가리킴.

Step 2 포인트 체크

[01~06] 윗글에 대하여 맞으면 ○, 틀리면 ×표를 하시오.

01 화자는 청나라 사람들을 관찰하고 있다. [○, ×]

02 화자는 역관, 비장, 방장 등에 대해 안타까워하고 있다. [○, ×]

03 계절적 상황을 드러내며 내용이 전개되고 있다. [○, ×]

04 화자는 고국을 떠난 처지에서 임금을 그리워하고 있다. [○, ×]

05 화자는 청나라 사람들을 낮잡아 보고 있다. [○, ×]

06 화자는 청나라를 빨리 벗어나고 싶어 한다. [○, ×]

[07~10] 다음 빈칸에 알맞은 말을 쓰시오.

07 화자가 사신의 일원으로 청나라를 다녀와서 지은 [ㄱ][ㅎ] 가사이다.

08 윗글은 치밀한 [ㄱ][ㅊ]과 사실적 묘사를 통해 내용을 기록했다.

09 윗글에는 청나라에 다녀온 [ㄱ][ㅁ]과 [ㄱ][ㅅ]이 잘 드러나 있다.

10 화자는 [ㅁ][ㄴ][ㄹ] 문물에 대해 숭상의 태도를 나타내고 있다.

정답 | 01 ○ 02 ○ 03 ○ 04 × 05 ○ 06 × 07 기행 08 관찰 09 견문, 감상 10 명나라

작품 정리

연행가

- **갈래:** 기행 가사, 사행 가사, 장편 가사
- **성격:** 사실적, 묘사적
- **주제:** 청나라의 문물과 제도, 풍속 소개
- **구성:** 1~13행(금석산~녬예로다) | 온정평에서 하루를 묵음.
  14~38행(발씨을~모르겟다) | 봉황성에서 청나라 문물과 풍습을 관찰함.
  39행~끝(쳥여ᄂᆞᆫ~볼 것 잇다) | 명나라에서 끼친 문물에 대한 숭상

» **해제:** 「연행가」는 작가가 고종 3년에 고종이 왕비를 맞이한 사실을 알리기 위해 청에 보낸 사신의 일원으로, 청나라를 여행한 130여 일 동안의 여정을 총 3,800여 구의 기록으로 남긴 사행 가사이다. 청나라의 문물과 문화, 제도 등을 객관적이고 구체적으로 기록하여 전달하고 있다.

01

윗글에 나타난 표현상 특징으로 적절하지 않은 것은?

① 계절적 배경이 제시되고 있다.
② 주로 한자어를 사용하고 있다.
③ 유사한 통사 구조를 반복하고 있다.
④ 공간의 이동을 통한 전개가 나타난다.
⑤ 색채어를 활용하여 대상을 묘사하였다.

02

윗글에 대한 설명으로 가장 적절한 것은?

① 이상적 세계에 대한 바람과 지향을 드러내고 있다.
② 자연의 경이로운 풍광에 대한 감탄을 서술하고 있다.
③ 학문에 대한 관심과 입신양명의 의지를 드러내고 있다.
④ 과거의 사건에 대한 솔직한 고백과 회한을 드러내고 있다.
⑤ 객지에서의 낯선 풍물에 대한 감상과 정서를 드러내고 있다.

03

윗글의 화자에 대한 설명으로 적절하지 않은 것은?

① 온정평에서 숙소를 정하려 하고 있다.
② 청나라 사람들의 의복이 괴이하다며 놀라고 있다.
③ 외풍에 고생하는 수행 관리들을 불쌍히 여기고 있다.
④ 청나라 사람들이 하는 말을 한마디도 알아듣지 못하고 있다.
⑤ 청나라 남자들이 마래기를 눌러쓴 모양을 우스꽝스럽게 여기고 있다.

04

윗글에서 언급되지 않은 것은?

① 청나라 사람들이 사는 집
② 청나라 사람들의 옷 치장
③ 청나라 사람들의 머리 모양
④ 청나라 사람들의 담배 도구
⑤ 청나라 사람들의 결혼 풍습

05

㉠, ㉡에 대한 이해로 가장 적절한 것은?

① ㉠보다는 ㉡에 거리감이 없다고 느끼고 있다.
② ㉠보다 ㉡에서 훨씬 더한 열악함을 느끼고 있다.
③ ㉡보다는 ㉠에 대해 두려움을 느끼고 있다.
④ ㉠에 대해 괴로움을, ㉡에 대해 편안함을 느끼고 있다.
⑤ ㉠, ㉡을 모두 갖추어야 안심이 된다고 생각하고 있다.

06

윗글에서 〈보기〉의 밑줄 친 부분이 나타나는 장면은?

> **보기**
>
> 「연행가」에서 청나라를 바라보는 작가의 시선은 긍정과 비판이 섞여 있다. 하지만 문화적 관점에서는 <u>명나라의 관습을 존중</u>하고 청나라의 관습을 비판적으로 평가하고 있다.

① 호인들이 길거리에 나와 일행을 구경하는 모습
② 남자들이 옷고름 없이 단추를 달아 옷을 입는 모습
③ 다른 지역으로 이동할 때 범문 신칙이 엄격한 모습
④ 사대인들이 온다고 하며 저희끼리 말하고 있는 모습
⑤ 청나라 여자들이 비단으로 발을 동여매고 있는 모습

07

〈보기〉를 바탕으로 윗글을 감상한 내용으로 적절하지 않은 것은?

| 보기 |

「연행가」는 사행의 과정에서 체험한 것을 바탕으로 창작한 사행 가사로 고종이 왕비를 맞이한 사실을 청나라에 알리러 연경(지금의 북경)에 다녀온 과정을 그린 것이다. 사행 신하들의 여정 및 청의 문화와 문물을 기록하였으며 그러한 과정 속에서 떠오른 글쓴이의 생각이나 정서를 형상화하고 있다.

① '금셕산', '온경평', '봉황셩' 등의 지명을 통해서 일행의 여정을 확인할 수 있군.
② '삼 사신', '역관이며 비장 방장'이 등장한다는 점에서 사행의 과정임을 알 수 있군.
③ '머리ᄂᆞᆫ 압흘 깍가 뒤만 ᄯᅡᄒᆞ 느리쳐셔'는 여정 중 본 청나라 사람들의 생활 문화를 기록한 것이군.
④ '타오구'나 '청두루막기' 등은 청나라 사람들이 사용하는 물품 등 문물을 기록한 것이군.
⑤ '부시ᄶᅡ지 쳐셔 들고 뒤짐지기 버릇치라'에는 청나라 사람들의 잘못된 풍습에 대해 못마땅해하는 태도가 드러나 있군.

08

〈보기〉는 「연행가」의 다른 부분이다. 〈보기〉의 내용이 더해져 나타나는 효과로 가장 적절한 것은?

| 보기 |

옥화관(玉華館) 깊은 밤에 잠 없이 홀로 깨어
푸른 하늘 쳐다보니 유유한 창천이며
북두칠성 삼태성은 전에 보던 저 별이오
명랑한 밝은 달은 옛날 보던 저 달이라
우리 집 헌당 앞에 저 별 저 달 비추려니
집에서도 바라보고 내 생각 하시리라
별과 달은 명명하며 응당 소식 알리로다

① 여행지에서 들은 견문을 추가한다.
② 여행지에서 느끼는 객수를 드러낸다.
③ 여행지의 여정을 분명하게 드러낸다.
④ 여행지에서 경험한 풍물을 소개한다.
⑤ 여행지에서의 재미있는 경험을 추가한다.

09

〈보기〉의 ㉮, ㉯에 들어갈 5어절의 시행을 윗글에서 각각 찾아 쓰시오.

| 보기 |

화자는 실용적 관점에서 청나라의 경제적 풍요나 청인들의 근면성을 긍정적으로 평가한다. 특히 청나라 시정의 활기찬 모습에 대해 '(㉮)'라고 하며, 그 인상을 언급하고 있다. 하지만 화자는 청나라 사람들의 비위생적인 면모를 '(㉯)'라고 묘사하며 그들을 낮추어 보는 태도도 보이고 있다.

㉮: ______

㉯: ______

10

〈보기〉는 윗글에 나타난 표현상 특징에 대한 설명이다. (1) ⓐ를 위한 윗글의 구성상 특징을 쓰고 (2) ⓑ가 가장 잘 드러난 윗글의 내용을 쓰시오.

| 보기 |

이 작품에서 화자는 ⓐ청나라의 다양한 문물을 소개하는 데 목적을 두고 가급적 사실적이고 객관적인 묘사에 치중하고 있다. 하지만 청나라 사람이나 풍습에 대해서는 미개하고 열등한 것으로 보는 시각도 드러나는데 ⓑ청나라 사람들의 언어 사용이나 풍습 등의 묘사에서 이러한 면모를 엿볼 수 있다.

(1) ⓐ를 위한 구성상 특징: ______

(2) ⓑ가 가장 잘 드러난 내용: ______

● 조선 후기

춘면곡

출제 포인트 › #임과의 사랑과 이별 #고뇌의 해소 #비유, 영탄적 표현 #감정 이입

춘면(春眠)을 느즉 깨어 죽창(竹窓)을 반개(半開)하니❶	봄잠을 늦게 깨어 대나무 창을 반쯤 여니
뜰의 꽃은 아름다운데 가는 나비 머무는 듯	뜰의 꽃은 활짝 피어 있고 가던 나비가 꽃 위에 머무는데
강 ⓐ버들은 우거져서 성근 내를 띄웠세라	강기슭의 버들은 우거져서 성긴 안개를 띠었구나.
창전(窓前)의 덜 고인 **술**을 이삼 배 먹은 후에	창 앞에서 덜 익은 술을 두세 잔 먹은 후에
호탕한 미친 흥을 부질없이 자아내어	호탕한 미친 흥을 부질없이 자아내어
백마금편(白馬金鞭)*으로 **야유원을 찾아가**니	백마 타고 금 채찍 든 호사스런 행장으로 기생집을 찾아가니
꽃향기는 옷에 배고 달빛은 뜰에 가득한데❷	꽃향기는 옷에 배고 달빛은 뜰에 가득한데
광객인 듯 취객인 듯 흥에 겨워 머무는 듯	미친 사람인 듯 취한 사람인 듯 흥에 겨워 머무는 듯
배회(徘徊) 고면(顧眄)*하여 유정(有情)히 섰노라니	이리저리 거닐면서 기웃거리다가 풍치 있게 섰노라니
취와주란(翠瓦朱欄)* 높은 집의 녹의홍상 ㉠일미인(一美人)이	푸른 기와와 붉은 난간이 있는 높은 집에 연두저고리와 다홍치마를 입은 아름다운 여인이
사창(紗窓)을 반개하고 ㉡옥안(玉顔)을 잠간 들어	비단으로 가린 창을 반쯤 열고 고운 얼굴을 잠깐 들어
웃는 듯 반기는 듯 교태하며 머무는 듯 (중략)	웃는 듯 반기는 듯 요염한 자태로 머무는 듯
사랑도 그지없고 연분(緣分)도 깊을시고❸	사랑도 그지없고 연분도 깊을시고
이 사랑 이 연분을 비할 데도 전혀 없다❹	이 사랑 이 연분을 비길 데가 전혀 없다.
두 손목 마주 잡고 평생을 언약함이	두 손목을 마주 잡고 평생을 약속함이
너는 죽어 꽃이 되고 나는 죽어 나비 되어❺	너는 죽어 꽃이 되고 나는 죽어 나비가 되어
청춘(青春)이 다하도록 떠나 살지 말자더니	청춘이 다 지나가도록 떠나 살지 말자 하더니
인간(人間)에 일이 많고 **조물(造物)조차 샘하**여	인간 세상에 말이 많고 조물주도 시기하여
신정(新情)이 미흡하여 애달프게 이별이라❻	새로운 정을 다 펴지 못하고 애달프게 이별이라
청강에 떠 있는 원앙 울면서 떠나는 듯❼	맑은 강에 놀던 원앙 울면서 떠나는 듯
광풍(狂風)에 놀란 봉접(蜂蝶) 가다가 돌치는 듯❽	거센 바람에 놀란 벌과 나비 가다가 돌아오는 듯
석양은 재를 넘고 정마(征馬)*는 자주 울 제	석양은 다 져 가고 말은 자주 울 때,
나삼(羅衫)을 부여잡고 암연(黯然)히 여읜 후에	비단으로 만든 적삼을 부여잡고 침울한 마음으로 이별한 후에
슬픈 노래 긴 한숨을 벗을 삼아 돌아오니❾	슬픈 노래 긴 한숨을 벗을 삼아 돌아오니
이제 소임(所任) 이어 생각하니 원수로다	이제 임하여 생각하니 원수로다.
간장이 다 썩으니 목숨인들 보전하랴❿	간장이 모두 썩으니 목숨인들 보전하겠는가.
일신(一身)에 병이 되니 만사(萬事)에 무심하여	몸에 병이 드니 모든 일에 무심해져서
서창(書窓)을 굳이 닫고 섬거이 누웠으니	서재의 창을 굳게 닫고 허약하게 누워 있으니

Step 1 포인트 분석

「춘면곡」

제목의 의미
'봄잠에서 깨 부르는 노래'라는 의미이다. 여기서 '봄잠'은 임과의 사랑을 의미한다.

시적 상황
임과 이별한 채 임을 그리워하고 있다.

표현
❶춘면을 느즉 깨어 죽창을 반개하니
→ **계절적 배경:** 임과의 사랑이 시작되는 아름다운 봄이라는 배경을 제시함.
❷꽃향기는 옷에 배고 달빛은 뜰에 가득한데
→ **감각적 표현:** 꽃향기라는 후각적 심상과 달빛이라는 시각적 심상을 활용해 '야유원'의 분위기를 감각적으로 나타냄.
❸사랑도 그지없고 연분도 깊을시고, ❺너는 죽어 꽃이 되고 나는 죽어 나비 되어
→ **대구적 표현:** 유사한 통사 구조를 통해 끝없이 깊고 영원한 임과의 사랑을 나타냄.
❼청강에 떠 있는 원앙 울면서 떠나는 듯
→ **감정 이입:** 화자의 외롭고 쓸쓸한 처지에서 느끼는 슬픔을 자연물인 '원앙'에 감정 이입하여 표현함.
❼원앙~떠나는 듯, ❽봉접~돌치는 듯
→ **비유적 표현:** 화자와 여인의 이별 상황을 자연물인 '원앙'과 '봉접'에 빗대어 표현함.
❿간장이 다 썩으니 목숨인들 보전하랴
→ **설의적 표현:** 임의 부재에 따른 화자의 슬픔을 의문형을 통해 강조함.

정서와 태도
❹이 사랑 이 연분을 비할 데도 전혀 없다
→ 임과의 아름다운 사랑에서 느끼는 충만감
❻신정이 미흡하여 애달프게 이별이라, ❾슬픈 노래 긴 한숨을 벗을 삼아 돌아오니
→ 임과 이별한 슬픔과 안타까움

- **백마금편:** 흰 말과 금 채찍이란 말로 호사스러운 행장을 의미함.
- **배회 고면:** 아무 목적도 없이 거닐면서 여기저기 돌아봄.
- **취와주란:** 푸른 기와와 붉은 칠을 한 난간.
- **정마:** 멀리 갈 때 타는 말.

㉢ 화용월태(花容月態)는 안중(眼中)에 아른거리고	꽃 같은 얼굴에 달 같은 모습은 눈앞에 아른거리고
분벽사창(粉壁紗窓)*은 침변(枕邊)*에 어렴풋하다	아름다운 여인이 거처하는 방이 베갯머리에 떠오르는구나.
꽃떨기에 이슬이 떨어지니 별루(別淚)를 뿌리는 듯	꽃떨기에 이슬이 맺히니 이별의 눈물을 뿌리는 듯
버들막*에 연기 자욱하니 이별의 한을 머금은 듯⑪	버들막에 안개가 끼니 이별의 맺힌 한을 머금은 듯
공산야월(空山夜月)의 두견이 슬피 울 제⑫	사람 없는 빈산에 달이 비쳐 두견새는 피를 토하며 울 때
슬프다 저 새소리 내 말같이 불여귀(不如歸)라	슬프구나 저 새소리 내 마음 같은 두견새라.
삼경(三更)에 못 든 잠을 사경(四更) 말에 비로소 드니	삼경에 못 든 잠을 사경에 간신히 드니
상사(相思)하던 우리 님을 꿈 가운데 해후하니	마음속으로 품고 있던 우리 임을 꿈속에서 잠깐 보고
천수만한(千愁萬恨) 못다 일러 일장호접(一場胡蝶) 흩어지니	천 가지 시름 만 가지 한 못다 말하고 부질없는 꿈이 되니
아리따운 ㉣ 옥빈홍안(玉鬢紅顔) 곁에 얼핏 앉아 있는 듯	아리따운 미인이 곁에 얼핏 앉아 있는 듯
어화 황홀하다 꿈을 생시 삼고지고⑬	아아, 황홀하다 꿈을 생시로 삼고 싶구나.
잠 못 들어 한숨짓고 바삐 일어나 바라보니	잠 못 들어 탄식하며 바삐 일어나 바라보니
운산(雲山)은 첩첩하여 천리몽(千里夢)을 가려 있고	구름 낀 산 첩첩히 천 리의 꿈을 가렸고
호월(皓月)은 창창(蒼蒼)하여 두 마음을 비추었다⑭	아주 밝게 비치는 흰 달은 창창하여 임의 마음과 내 마음을 비춰 주는구나.
좋은 기약 막혀 있고 세월이 하도 할샤	임과 만날 기약은 막히고 세월이 많이 흘러서
엊그제 꽃이 버들 곁에 붉었더니	엊그제 꽃이 강 언덕 버드나무 가에 붉었더니
그 곁에 훌훌하여 ⓑ 낙엽 지는 소리 난다	그 곁에서 재빠르게 낙엽 떨어지는 소리가 나는구나.
새벽 서리 지는 달에 ㉤ 외기러기 슬피 울 때⑮	새벽 서리 지는 달에 외기러기가 슬피 울 때
반가운 님의 소식 행여 올까 바라보니	반가운 임의 소식 행여 올까 바라보니
아득한 구름 밖에 빈 소리뿐이로다	아득한 구름 밖에 빈 소리뿐이구나.
지리하다 **이 이별이 언제면 다시 볼까**	지루하다 이 이별이 (끝나) 언제면 다시 (임을) 만나 볼까?
어화 내 일이야 나도 모를 일이로다⑯	아아, 내 일이야 나도 모를 일이로다.
이리저리 그리면서 어찌 그리 못 보는고	이리저리 그리워하면서 어찌 그리 못 보는가?
약수(弱水)* 삼천 리 멀단 말을 이런 곳을 일렀구나⑰	약수 삼천 리 멀다는 말이 이런 데를 이르는 것이구나.

– 작자 미상, 「춘면곡(春眠曲)」

표현

⑪ 꽃떨기에 이슬이~한을 머금은 듯
➜ **비유적 표현:** 꽃떨기에 떨어진 이슬은 이별의 눈물, 버들막에 자욱한 안개는 이별의 한을 머금은 것 같다고 하며 이별의 슬픔을 자연물에 빗대어 표현함.

⑫ 공산야월의 두견이 슬피 울 제, ⑮ 외기러기 슬피 울 때
➜ **감정 이입:** 화자의 외롭고 쓸쓸한 처지에서 느끼는 슬픔을 '두견', '외기러기'와 같은 자연물에 감정 이입하여 표현함.

⑬ 어화 황홀하다 꿈을 생시 삼고지고
➜ **영탄적·독백적 어조:** 임을 향한 간절한 그리움을 절절하게 드러냄.

⑭ 호월은~비추었다
➜ **객관적 상관물:** 아주 밝게 비치는 흰 달을 들어 화자의 슬픈 정서를 드러냄.

⑯ 어화 내 일이야 나도 모를 일이로다
➜ **영탄적 표현:** 임과 헤어져 절망에 빠진 모습을 감탄사를 통해 나타냄.

정서와 태도

⑪ 버들막에 연기 자욱하니 이별의 한을 머금은 듯
➜ 임과의 이별에서 느끼는 한과 절망

⑯ 어화 내 일이야 나도 모를 일이로다
➜ 받아들이기 힘든 이별의 슬픔과 임에 대한 그리움

⑰ 약수 삼천 리 멀단 말을 이런 곳을 일렀구나
➜ 임을 만나기 어려운 데서 느끼는 절망감

- **분벽사창:** 하얗게 꾸민 벽과 비단으로 바른 창이라는 뜻으로, 여자가 거처하며 아름답게 꾸민 방을 이르는 말.
- **침변:** 베개를 베고 누웠을 때에 머리가 향한 위쪽의 가까운 곳. 베갯머리.
- **버들막:** 휘늘어진 수양버들 가지를 비유적으로 이르는 말.
- **약수:** 신선이 살았다는 중국 서쪽의 전설 속의 강. 길이가 3,000리나 되며 부력이 매우 약하여 기러기의 털도 가라앉는다고 함.

Step 2 포인트 체크

[01~06] 윗글에 대하여 맞으면 ○, 틀리면 ×표를 하시오.

01 화자는 야유원에 놀러가 한 여인을 만난다. (○, ×)

02 화자는 야유원에서 만난 여인을 잊지 못하고 애타는 심정으로 그리워하고 있다. (○, ×)

03 33행의 '두견이 슬피 울 제'에서 화자가 슬퍼하는 것은 임과의 이별로 인한 정한이 깊어서이다. (○, ×)

04 화자는 반가운 임의 소식이 전달되어 기뻐하고 있다. (○, ×)

05 화자는 임과 만나지 못하는 지리함을 잘 견디고 있다. (○, ×)

06 50행의 '어화 내 일이야 나도 모를 일이로다'에는 임과 만날 기약 없는 처지에 대한 슬픔이 나타난다. (○, ×)

[07~10] 다음 빈칸에 알맞은 말을 쓰시오.

07 화자는 봄날 [ㅇ][ㅇ][ㅇ]에 갔다가 그곳에서 만난 한 여인과 사랑에 빠졌다.

08 화자와 임은 서로 '[ㄲ]과 [ㄴ][ㅂ]'가 되어 죽어도 헤어지지 말자는 굳은 사랑의 약속을 하였다.

09 '외기러기'는 임과 헤어진 화자의 처지를 [ㄱ][ㅈ] [ㅇ][ㅇ]의 표현 방법으로 나타낸 것이다.

10 화자는 '[ㅇ][ㅅ]'와 같은 장애물에 막혀 사랑하는 임과 만나지 못한다고 생각하고 있다.

정답 | 01 ○ 02 ○ 03 ○ 04 × 05 × 06 ○ 07 야유원 08 꽃, 나비 09 감정 이입 10 약수

작품 정리

춘면곡

- **갈래:** 애정 가사, 가창 가사, 십이 가사
- **성격:** 애상적, 묘사적, 서정적
- **주제:** 이별의 슬픔과 임에 대한 그리움
- **구성:** 1~17행(춘면을~말자더니) | 임을 만나 사랑의 굳은 언약을 함.
  18행~끝(인간에~일렀구나) | 임과 헤어지고 만날 기약 없이 세월만 흘러감.

» **해제:** 「춘면곡」은 봄잠을 깨어 술을 마시러 야유원에 갔다가 그곳에서 만난 여인과 사랑을 하고 이별한 뒤의 그리움의 정서를 노래하고 있다. 꿈 같은 만남이 끝나고 사랑하는 여인을 그리워하며 다시 만날 날만을 간절히 기다리는 화자의 안타까운 마음이 잘 나타나고 있다.

Step 3 실전 문제

01

윗글에 드러난 화자의 정서 추이로 가장 적절한 것은?

① 슬픔 → 절망 → 희망
② 절망 → 희망 → 그리움
③ 그리움 → 슬픔 → 절망
④ 희망 → 절망 → 즐거움
⑤ 즐거움 → 슬픔 → 그리움

02

윗글에 대한 설명으로 적절하지 않은 것은?

① 감탄사를 활용해 화자의 정서를 표출하고 있다.
② 계절적 상황을 활용해 시적 배경을 나타내고 있다.
③ 청각적 심상을 활용해 대상의 모습을 나타내고 있다.
④ 색채 이미지를 활용해 대상의 특성을 나타내고 있다.
⑤ 반어적 진술을 활용해 화자의 심리를 강조하고 있다.

03

윗글의 화자에 대한 설명으로 적절하지 않은 것은?

① 야유원에 가기 전에 이미 술을 마셨다.
② 임의 손을 잡고 평생 함께하자고 약속했다.
③ 창을 닫고 누워서도 계속 임 생각만 하고 있다.
④ 임을 여읜 괴로움을 말을 타고 다니며 달래고 있다.
⑤ 임이 올까 하여 임에 관한 소식만 애타게 기다리고 있다.

04

㉠~㉤ 중, 가리키는 대상이 다른 하나는?

① ㉠　② ㉡　③ ㉢　④ ㉣　⑤ ㉤

05

ⓐ, ⓑ에 대한 설명으로 가장 적절한 것은?

① ⓐ는 낭만적 분위기를, ⓑ는 쓸쓸한 분위기를 조성한다.
② ⓐ는 상승의 이미지를, ⓑ는 하강의 이미지를 나타낸다.
③ ⓐ는 과거를 상기하는 기능을, ⓑ는 미래를 환기하는 기능을 한다.
④ ⓐ는 후각적 심상과, ⓑ는 시각적 심상과 관련되어 제시되고 있다.
⑤ ⓐ는 화자의 두려움을, ⓑ는 화자의 만족감을 나타내는 소재이다.

06 

〈보기〉를 바탕으로 윗글을 감상한 내용으로 적절하지 않은 것은?

보기
이 글은 만물이 생동하는 시기인 봄을 배경으로 하고 있다. 화자는 봄에 만남과 헤어짐을 모두 겪는데, 봄의 흥취에 빠져 배회하다 임과 만나 사랑하고 외부적 요인 때문에 헤어져 다시 만나지 못하는 화자의 정서를 표현하고 있다.

① '뜰의 꽃은 아름'답다는 데서 봄이라는 배경을 나타내는군.
② '술'은 화자의 호탕한 흥을 돋우는 요인이 되고 있군.
③ '야유원을 찾아가'서 미인을 본 일이 만남의 시작이군.
④ '조물조차 샘하'였다는 데서 경쟁자의 출현으로 인한 이별을 암시하는군.
⑤ '이 이별이 언제면 다시 볼까'에서 임과 헤어진 상황임을 알 수 있군.

07

〈보기〉의 설명에 해당하는 내용으로 가장 적절한 것은?

보기

남녀 간의 연정을 다룬 대부분의 작품에서는 대개 변함없는 애정을 다짐하는 내용이 담겨 있다. 다른 대상이 된다 해도 그것이 자신의 분신임을 나타내며 영원한 사랑의 다짐을 하는 것이다. 이는 굳고 단단한 영원한 사랑의 다짐을 나타내는 일반적 방식인 셈이다.

① '꽃향기는 옷에 배고 달빛은 뜰에 가득'하게 펼쳐져 아름다운 일
② '너는 죽어 꽃이 되고 나는 죽어 나비 되'자고 평생 언약한 일
③ '분벽사창은 침변에 어렴풋하'여 사랑하는 임의 모습이 아른거리는 일
④ '호월은 창창하여 두 마음을 비추'고 있는 일
⑤ 세월이 흘렀다고 해도 여전히 '엊그제 꽃이 버들 곁에 붉'은 일

08

윗글의 시어에 대한 이해로 적절하지 <u>않은</u> 것은?

① '백마금편'은 화자가 화려하고 호사스러운 차림을 했음을 나타내는군.
② '취와주란'은 형형색색으로 아름다운 야유원의 공간적 특성을 나타내는군.
③ '이슬'은 임과 이별한 처지의 화자가 슬픈 마음으로 흘리는 눈물을 나타내는군.
④ '천수만한'은 화자가 평소 임에게 드러내지 못했던 원망의 마음을 나타내는군.
⑤ '운산'은 임과 헤어져 만나지 못하는 화자의 답답한 심정을 나타내는군.

09

〈보기〉의 ㉮~㉰에 들어갈 알맞은 말을 윗글에서 찾아 쓰시오.

보기

이 글에서 화자는 이별한 임에 대한 간절한 그리움을 표출하고 있다. 화자는 반가운 임의 소식을 듣고자 하나 돌아오는 것은 (㉮)뿐이며 임과 만날 (㉯)도 없이 세월만 무정하게 가니, 화자는 임과 자신 사이에 (㉰)와/과 같은 장애물이 가로막혀 있다고 인식하기에 이른다.

㉮: ____________ ㉯: ____________

㉰: ____________

10

윗글의 꿈과 〈보기〉의 꿈을 비교하여 답하시오.

보기

송근을 베어 누워 풋잠을 얼핏 드니
꿈에 한 사람이 날더러 이른 말이
그대를 내 모르랴 상계의 진선이라.
황정경 한 글자를 어찌하여 잘못 읽어 두고
인간 세상에 내려와서 우리를 따르는가.
잠깐 동안 가지 마오. 이 술 한잔 먹어 보오.
북두성 기울여 바닷물을 부어 내어
저 먹고 나를 먹이거늘 서너 잔 기울이니
온화한 봄바람 산들산들 불어 양 겨드랑이를 추켜올리니
구만 리 높고 먼 하늘을 웬만하면 날겠구나.

– 정철, 「관동별곡」

(1) 두 작품에서 '꿈'의 공통적 기능

____

(2) 두 작품에서 '꿈'을 통해 화자가 각각 성취한 내용

____

____

조선 후기

덴동어미 화전가

출제 포인트 › #기구한 인생 # 부녀자들의 생활 #대구적 표현 #청유형 어조

㉠가세 가세 화전(花煎)을 가세 꽃 지기 전에 화전 가세❶	가세 가세 화전놀이 가세 꽃 지기 전에 화전놀이 가세.
이때가 어느 땐가 때마침 삼월이라	이때가 어느 땐가 때마침 3월이라.
동군(東君)이 포덕택(布德澤)하니 춘화일난(春和日暖) 때가 맞고	햇볕의 은혜 깊어 봄 날씨 따뜻하고
ⓐ화신풍(花信風)이 화공(畵工)되어 만화방창(萬化方暢)* 단청(丹靑) 되네	꽃 필 바람 화공되어 만화방창 단청 되네.
이런 때를 잃지 말고 ㉡**화전놀음 하**여 보세❷	이런 때를 놓치지 말고 화전놀이를 하여 보세.
ⓑ불출문외(不出門外)하다가 소풍도 하려니와	문밖 출입 않다가 소풍도 하려니와
우리 비록 여자라도 흉체 있게 놀아 보세 (중략)	우리 비록 여자라도 흥취 있게 놀아 보세.
상단이는 꽃 데치고 삼월이는 가루짐 풀고	상단이는 꽃 데치고, 삼월이는 가루짐 풀고
취단이는 **불을 넣**어라 향단이가 **떡 굽는**다	취단이는 불 넣어라, 향단이가 떡 굽는다.
청계반석(淸溪盤石) 너른 곳에 노소를 갈라 좌차리고	시내 넓은 바위 위에 노소 갈라 자리 펴고
꽃떡을 일변 드리나마 노인부터 먼저 드리어라	꽃떡을 한편으로 드리나마 노인 먼저 드리어라.
엿과 떡과 함께 먹으니 향기의 감미가 더욱 좋다	엿과 떡과 함께 먹으니 향기에 그 맛이 더욱 좋다.
함포고복(含哺鼓腹)* 실컷 먹고 서로 보고 하는 말이	배불리 실컷 먹고 서로 보고 하는 말이
일 년 일 차 화전놀음 여자 놀음 제일일세	일 년 한 번 화전놀이 여자 놀음 제일일세.
노고지리 신질(迅疾) 떠서 빌빌낄낄 피리 불고❸	종다리는 날쌔게 떠 빌빌낄낄 피리 불고
오고 가는 벅궁새는 벅궁벅궁 벅구 치고❹	오고 가는 뻐꾸기는 벅궁벅궁 박자 맞추고
봄빗자는 꾀꼬리는 좋은 노래로 벗 부르고	봄빛 속에 잠자던 꾀꼬리는 좋은 노래로 벗 부르고
호랑나비 범나비는 머리 위에 춤을 추고	호랑나비 범나비는 머리 위에서 춤을 추고
말 잘하는 앵무새는 잘도 논다고 치하하고❺	말 잘하는 앵무새는 잘도 논다고 칭찬하고
㉢천인화표(千仞華表) 학두루미 요지연❻인가 의심하네	천인화표 학두루미 요지연인가 의심하네.
어떤 부인은 글 용해서 **내칙(內則) 편을 외워 내고**	어떤 부인 글이 용해서 내칙 편을 외워 내고
어떤 부인은 흥이 나서 칠월 편을 노래하고❼	어떤 부인 흥이 나서 칠월 편을 노래하고
어떤 부인은 목성 좋아 화전가를 잘도 보네	어떤 부인 목청 좋아 화전가를 잘도 부르네.
그중에도 덴동어미 멋 나게도 잘도 놀아	그중에도 덴동어미 멋 나게도 잘도 놀아
춤도 추며 ⓒ노래도 하니 웃음소리 낭자한데	춤도 추며 노래 하니 웃음소리 낭자한데
그중에도 **청춘 과녀(寡女)* 눈물 콧물 귀취**하다*❽ (중략)	그중에도 청춘과부 눈물 콧물 꾀죄하다.

Step 1 포인트 분석

「덴동어미 화전가」

제목의 의미
'덴동어미가 화전놀이에서 부른 노래'를 의미한다. 화전놀이란 예전에 봄이 되면 부녀자들이 교외나 야산 등지로 나가 꽃놀이를 하던 것을 의미한다. 이때 진달래꽃을 넣어 전을 부쳐 먹던 것에서 화전놀이라는 명칭이 유래하였다.

시적 상황
덴동어미가 화전놀이에서 청춘 과녀에게 마음의 중요성을 말하고 있다.

표현
❶가세 가세~화전 가세 ➔ 청유형 어미, 반복과 변이: '-세'라는 청유형 어미를 통해 화전놀이를 독려하는 내용을 전달하는 한편 '가세'를 반복하고 어구를 삽입하는 변이를 통해 운율을 형성함.
❸노고지리 신질 떠서~ ❺잘도 논다고 치하하고 ➔ 의인법: 자연물을 사람이 행동하는 것처럼 표현해 화전놀이의 즐거운 분위기를 표현함.
❸빌빌낄낄, ❹벅궁벅궁 ➔ 음성 상징어: 음성 상징어를 통해 노고지리와 뻐꾸기의 울음 소리를 생동감 있게 드러냄.
❻천인화표 학두루미 요지연
➔ 고사의 인용: 신선이 산다는 중국의 화표 기둥과 연못을 제시해 화전놀이를 즐기는 곳의 아름다움을 나타냄.
❼어떤 부인은 글 용해서~칠월 편을 노래하고 ➔ 대구법: 부인들이 내칙 편과 칠월 편을 읽고 노래하는 모습을 대구법으로 표현해 운율감을 형성함.
❽덴동어미 멋 나게도~눈물 콧물 귀취하다 ➔ 대비적 인물 제시: 즐겁게 노는 덴동어미와 슬픔의 눈물을 흘리는 청춘 과녀를 대비해 청춘 과녀에게 관심을 집중시킴.

정서와 태도
❷이런 때를 잃지 말고 화전놀음 하여 보세
➔ 화전놀이에 적극 참여하려는 태도
❽그중에도 청춘 과녀 눈물 콧물 귀취하다
➔ 자신의 인생에 대한 청춘 과녀의 한탄

- **만화방창:** 따뜻한 봄날에 온갖 생물이 나서 자라 흐드러짐.
- **함포고복:** 실컷 먹고 배를 두드린다는 뜻. 먹을 것이 풍족하여 즐겁게 지냄을 이름.
- **과녀:** 남편을 잃고 혼자 사는 여자.
- **귀취하다:** 옷차림이나 모양새가 지저분하고 궁상스럽다.

춘삼월 호시절에 화전놀음 와서들랑	춘삼월 좋은 시절에 화전놀이 와서
꽃빛일랑 곱게 보고 새소리는 좋게 듣고	꽃빛일랑 곱게 보고 새소리는 좋게 듣고
밝은 달은 예사 보며 맑은 바람 시원하다	밝은 달은 예사로 보며 맑은 바람 시원하다.
ⓓ 좋은 동무 좋은 놀음에 서로 웃고 놀다 보소	좋은 동무 좋은 놀이에 서로 웃고 놀아 보소.
사람의 눈이 이상하여 제대로 보면 관계찮고	사람의 눈 이상하여 제대로 보면 상관없고
고운 꽃도 새겨 보면 눈이 캄캄 안 보이고	고운 꽃도 새겨 보면 눈이 캄캄 안 보이고
귀도 또한 별일이지 그대로 들으면 괜찮은걸	귀도 또한 별일이지 그대로 들으면 괜찮은걸.
새소리도 고쳐 듣고 슬픈 마음 절로 나네	새소리도 고쳐 듣고 슬픈 마음 절로 나네.
맘 심 자가 제일이라 단단하게 맘 잡으면	마음이 제일이라 단단하게 마음 잡으면
꽃은 절로 피는 거요 새는 예사 우는 거요[9]	꽃은 절로 피는 게요, 새는 예사로 우는 게요,
달은 매양 밝은 거요 바람은 일상 부는 거라	달은 항상 밝은 게요, 바람은 늘 부는 게라.
마음만 예사 태평하면 예사로 보고 예사로 듣지	마음만 예사로 태평하면 예사로 보고 예사로 듣지
보고 듣고 예사로 하면 고생될 일 별로 없소	보고 듣고 예사로 하면 고생될 일 별로 없소.
앉아 울던 ⓔ 청춘과부 황연대각(晃然大覺) 깨달아서	앉아 울던 청춘과부 환하게 모두 깨달아서
덴동어미 말 들으니 말씀마다 개개 옳애	덴동어미 말 들으니 말씀마다 모두 옳아
이내 수심 풀어내어 이리저리 부쳐 보세	이내 수심 풀어내어 이리저리 부쳐 보세.
이팔청춘 이내 마음 봄 춘 자로 부쳐 두고	이팔청춘 이내 마음 봄 춘 자로 부쳐 두고
화용월태 이내 얼굴 꽃 화 자로 부쳐 두고[10]	꽃 같은 이내 얼굴 꽃 화 자로 부쳐 두고
술술 나는 긴 한숨은 세우 춘풍 부쳐 두고	술술 나는 긴 한숨은 가랑비 봄바람에 부쳐 두고
밤이나 낮이나 숱한 수심 우는 새나 가져가게[11]	밤낮으로 숱한 근심 우는 새나 가져가게.

– 작자 미상, 「덴동어미 화전가」

표현
⑩ 이팔청춘 이내 마음~꽃 화 자로 부쳐 두고
→ **대구법:** 근심을 떨치고 화전놀이를 즐길 것임을 강조하고 운율을 형성함.

정서와 태도
⑨ 맘 심 자가 제일이라~새는 예사 우는 거요
→ 덴동어미의 교훈적 태도
⑪ 밤이나 낮이나 숱한 수심 우는 새나 가져가게
→ 근심과 걱정을 떨쳐 내고 일상을 회복하려는 마음

Step 2 포인트 체크

[01~03] 윗글에 대하여 맞으면 ○, 틀리면 ×표를 하시오.

01 화자는 부녀자들의 화전놀이를 즐거운 마음으로 바라보고 있다. (○, ×)

02 덴동어미는 즐거운 분위기를 망친 청춘 과녀를 원망하고 있다. (○, ×)

03 덴동어미는 수심을 새에게 가져가라고 말하고 있다. (○, ×)

[04~06] 다음 빈칸에 알맞은 말을 쓰시오.

04 ㄴㅇ부터 꽃떡을 드리는 데서 윗사람을 존중하는 태도가 나타나고 있다.

05 덴동어미는 ㅁㅇ이 중요하다며 청춘 과녀를 위로하고 있다.

06 청춘과부는 ㄷㄷㅇㅁ의 말을 듣고 큰 깨달음을 얻게 되었다.

정답 | 01 ○ 02 × 03 × 04 노인 05 마음 06 덴동어미

작품 정리

덴동어미 화전가
- **갈래:** 규방 가사
- **성격:** 유흥적, 설득적
- **주제:** 덴동어미의 기구한 인생 역정과 화전놀이의 즐거움
- **구성:** 1~26행(가세 가세~귀취하다) | 화전놀이를 즐기는 부녀자들과 청춘과부의 한탄
  27행~끝(춘삼월~가져가게) | 덴동어미의 충고와 청춘과부의 깨달음

» **해제:** 이 작품은 화전놀이를 갔다가 어린 나이에 남편을 잃은 청춘 과녀의 눈물 어린 한탄을 들은 덴동어미가 자신의 기구한 인생 이야기를 들려주며 운명에 따를 것을 충고하자 청춘 과녀가 깨달음을 얻는 내용으로 구성되어 있다.

Step 3 실전 문제

01

윗글에 대한 설명으로 적절하지 않은 것은?

① 인물의 설득적 태도가 나타나 있다.
② 자연물을 활용해 내용을 전개하고 있다
③ 반어법을 통해 주제 의식을 나타내고 있다.
④ 계절적 배경이 시상 전개에 기여하고 있다.
⑤ 화자가 대상을 관찰하여 내용을 전개하고 있다.

02

윗글에 대한 설명으로 적절하지 않은 것은?

① 대화를 직접 인용해 현장감을 주고 있다.
② 대구법을 사용하여 시적 상황을 나타내고 있다.
③ 의인법을 통해 대상을 생동감 있게 나타내고 있다.
④ 음성 상징어를 활용해 대상의 특성을 묘사하고 있다.
⑤ 설의적 표현을 통해 대상에 대해 예찬하고 있다.

03

㉠과 같은 운율 형성 방법을 보여 주는 것은?

① 들을 제난 우레러니 보니난 눈이로다
② 창 내고쟈 창을 내고쟈 이내 가슴에 창 내고쟈
③ 종루 져재 다래 파라 배 사고 감 사고 유자 사고
④ 등에, 각다귀, 사마귀, 흰 바퀴벌레, 누런 바퀴벌레
⑤ 성 안에 담 싸고 담 안에 집을 짓고 집 안에 두지 노코 두지 안에 궤를 싸고

04

ⓐ~ⓔ에 대한 이해로 적절하지 않은 것은?

① ⓐ로 보아 화전놀이를 하는데 봄바람이 시원하게 불고 있음을 알 수 있군.
② ⓑ는 부녀자들이 오랫동안 외출도 못하고 집에 머물러 있었음을 나타내는군.
③ ⓒ는 덴동어미가 청춘 과녀를 위로하기 위한 목적으로 부르는 것이군.
④ ⓓ는 화전놀이를 하고 있는 주위의 부녀자들을 가리키는군.
⑤ ⓔ는 덴동어미가 이야기를 들려주는 대상이 이른 나이에 남편을 잃은 처지임을 나타내는군.

05

㉡에 대한 이해로 적절하지 않은 것은?

① 특정한 시점에 행해졌다.
② 연령을 고려해 자리를 나누었다.
③ 일 년에 한 번씩 놀이가 이루어졌다.
④ 나이가 많은 사람을 먼저 대접하였다.
⑤ 각자 추렴하여 행사에 필요한 경비를 마련하였다.

06

〈보기〉를 바탕으로 ㉢을 이해할 때, 가장 적절한 것은?

보기

'천인화표'는 천 길이나 되는 돌기둥을 나타내는 말인데, 신선이 학이 되어 고향의 화표 기둥에 날아와 앉았다는 전설이 있다. '요지연'은 중국 곤륜산에 있는 연못으로 신선이 살았다는 전설이 전해 온다.

① 화전놀이를 하는 공간의 아름다움을 나타낸다.
② 화전놀이가 부녀자들에 중요한 행사임을 나타낸다.
③ 화전놀이에서 다양한 행사가 펼쳐졌음을 나타낸다.
④ 화전놀이를 통해 현실의 고통을 잊었음을 나타낸다.
⑤ 화전놀이로 인해 사람들끼리 친해졌음을 나타낸다.

07

〈보기〉를 참고하여 윗글을 감상한 내용으로 적절하지 않은 것은?

보기

이 작품은 영남 지방의 부녀자들에게 유행했던 규방가사에 해당한다. 규방 가사는 부녀자들의 생활에서 나타나는 고충과 한을 바탕으로 여성 생활의 고민과 정서를 드러내는 내용이 주류를 이룬다. 이를 통해 당시 부녀자들의 문물제도·인심·풍속, 자연에의 관조, 놀이의 행락 등을 엿볼 수 있다.

① '화전놀음 하'는 인물들의 모습에서 놀이의 행락을 살펴볼 수 있군.
② '불을 넣'고 '떡 굽는' 인물들의 행동에서 부녀자들의 생활 모습을 엿볼 수 있군.
③ '내칙 편을 외워 내고'에는 당시 부녀자들에게 전유되었던 문물제도가 나타나고 있다.
④ '청춘 과녀 눈물 콧물 귀줘'한 모습에서 부녀자들의 고충과 한을 드러내고 있군.
⑤ '사람의 눈이 이상하'다고 하는 데서 여성 생활의 고민과 정서를 드러내고 있음을 알 수 있군.

08

〈보기〉의 ㉮~㉱ 중 윗글에서 확인할 수 있는 것을 골라 바르게 묶은 것은?

보기

'화전가'는 봄철에 여인들이 경치가 아름다운 곳을 찾아 화전을 만들어 먹으며 봄을 즐길 때에 부른 노래로, 현장에서 창작되기도 하였고 집에 돌아간 뒤에 창작되기도 하였다. 일반적으로 '화전가'에는 ㉮화전놀이의 치밀한 준비 과정과 함께, ㉯즐거운 마음으로 화전놀이를 즐기는 모습과 ㉰교양물을 읊는 풍월 놀이, ㉱놀이를 끝내는 아쉬움의 감정 등이 잘 드러나 있다.

① ㉮, ㉯ ② ㉮, ㉱ ③ ㉯, ㉰
④ ㉯, ㉱ ⑤ ㉰, ㉱

09

〈보기〉의 빈칸에 들어갈 말을 윗글에서 찾아 차례대로 쓰시오.

보기

이 작품에서 덴동어미는 눈물 콧물 흘리며 자신의 신세를 한탄하는 청춘 과녀에게 (　　)만 태평하면 모든 일을 (　　)(으)로 볼 수 있다며 충고를 한다. 이에 청춘 과녀는 (　　)은/는 춘풍에, (　　)은/는 새에게 보내자며 덴동어미의 충고를 받아들인다.

한시는

한문으로 지어진 정형시를 말해요.

한 작품은 주로 **4행(절구)**이나 **8행(율시)**으로

이루어지고,

한 행은 주로

5자(오언)나 **7자(칠언)**로 구성됩니다.

삼국 시대에 국가 체제가 정비되면서 발전하기 시작하여

7세기경부터 본격적으로 창작되었어요.

고려 시대에는 **과거 제도, 불교와 함께**

더욱 발달하게 되죠.

한시 역시 다른 갈래와 마찬가지로

자연 예찬, 이별의 슬픔, 사회 비판 등

다양한 주제를 표현합니다.

Ⅲ

한시

30강

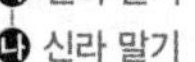

㉮ 신라 말기
㉯ 신라 말기

제가야산독서당 | 촉규화

출제 포인트 › ㉮ #화자의 태도와 의지 #감각적 심상 #주관적 해석 ㉯ #현실에 대한 한탄 #시어의 상징적 의미

가 狂奔疊石吼重巒 첩첩한 돌 사이로 미친 듯 내뿜어 겹겹 봉우리에 울리니❶
광분첩석후중만
人語難分咫尺間 사람 말소리❷야 지척•에서도 분간하기 어렵네
인어난분지척간
常恐是非聲到耳 항상 시비•하는 소리❸ 귀에 들릴까 두려워하기에❹
상공시비성도이
故敎流水盡籠山 일부러 ㉠ 흐르는 물로 하여금 온 산을 둘러싸게 했네❺
고교류수진롱산

– 최치원, 「제가야산독서당(題伽倻山讀書堂)」

• 지척: 아주 가까운 거리.
• 시비: 옳음과 그름. 옳고 그름을 따지는 말다툼.

나 寂寞荒田側 ㉡ 거친 밭 언덕 쓸쓸한 곳에
적막황전측
繁花壓柔枝 탐스러운 꽃송이 가지 눌렀네❶
번화압유지
香輕梅雨歇 매화 비• 그쳐 향기 날리고
향경매우헐
影帶麥風欹 보리 바람•에 그림자 흔들리네❷
영대맥풍의
車馬誰見賞 수레 탄 사람 누가 보아 주리
거마수견상
蜂蝶徒相窺 벌 나비만 부질없이 찾아드네❸
봉접도상규
自慚生地賤 천한 땅에 태어난 것 스스로 부끄러워
자참생지천
堪恨人棄遺 사람들에게 버림받아도 참고 견디네❹
감한인기유

– 최치원, 「촉규화(蜀葵花)」

• 매화 비: 매실이 익을 무렵에 내리는 비. 해마다 초여름인 6월 상순부터 7월 상순에 걸쳐 계속되는 장마를 이르는 말.
• 보리 바람: 보리가 익어 가는 시절에 부는 바람. 초여름의 훈훈한 바람.

Step 1 포인트 분석

가 「제가야산독서당」

제목의 의미
'가야산의 독서당에서 지은 시'라는 의미이다.

시적 상황
화자는 시끄러운 세상을 피해 산속에 은거하고 있다.

표현
❶ 첩첩한 돌~봉우리에 울리니
➜ **활유법, 청각적·시각적 심상:** 무생물을 생물인 것처럼 표현하는 활유법을 통해 세찬 물살의 소리를 표현하고, 청각적 표현을 통해 물소리의 웅장함을, 시각적 표현을 통해 대상의 생동감을 부각함.
❶ 첩첩한~울리니 ↔ ❷ 사람 말소리, ❸ 시비하는 소리
➜ **대조:** 물소리와 인간 세상의 소리를 대비하여 자연에 묻혀 살고 싶은 화자의 심리를 드러냄.
❺ 일부러~둘러싸게 했네
➜ **주관적 해석:** 화자가 자신과 속세를 분리시키는 '흐르는 물'이라는 자연 현상을 자신이 작용한 것처럼 표현함으로써 속세를 멀리하고자 하는 자신의 의지를 강조함.

정서와 태도
❹ 항상~두려워하기에
➜ 세상에 대한 부정적 인식
❺ 일부러~둘러싸게 했네
➜ 세상과 단절되고자 하는 의지

나 「촉규화」

제목의 의미
'촉규화'는 접시꽃으로, 작가 최치원이 자신의 처지를 꽃에 빗대어 표현한 것이다. 시의 전반에서는 촉규화와 주변 풍경을 묘사하고, 후반에는 그로 인한 정서를 표현한 작품이다.

시적 상황
화자의 처지가 보잘것없어 알아주는 이가 없다.

표현
❶ 거친 밭~눌렀네, ❸ 수레 탄 사람~찾아드네
➜ **비유적 표현:** '거친 밭'은 화자의 출신상의 한계와 처지, '탐스러운 꽃송이'는 뛰어난 능력을 가진 화자 자신, '가지 눌렀네'는 화자의 역량을 펼치고 있지 못한 상황, '수레 탄 사람'은 화자의 능력을 알아봐 줄 고귀한 신분의 인물, '벌 나비'는 화자가 벼슬에 진출하는 데 도움되지 않는 사람을 의미함.
❷ 매화 비~흔들리네
➜ **계절적 배경, 시각적·후각적 심상:** 초여름의 계절적 배경을 '향기 날리고'라는 후각적 심상, '그림자 흔들리네'라는 시각적 심상을 통해 효과적으로 표현함.
❸ 수레 탄 사람~찾아드네 ➜ **설의적, 대조적 표현:** 능력을 인정받지 못하는 화자의 처지를 부각함.

정서와 태도
❹ 천한 땅에~참고 견디네 ➜ 자신의 신분에 대한 한탄, 자신의 능력을 몰라주는 세상에 대한 안타까움과 체념

Step 2 포인트 체크

[01~06] 윗글에 대하여 맞으면 ○, 틀리면 ×표를 하시오.

01 (가)의 화자는 유배지에서 자신의 이상을 펼칠 수 없음을 한탄하고 있다. [○, ×]

02 (가)에는 시각적, 청각적 이미지가 활용되고 있다. [○, ×]

03 (가)는 현실에 대한 비판적 태도와 현실과 거리를 두려는 화자의 의지가 드러난다. [○, ×]

04 (나)에서 '벌 나비'는 화자의 쓸쓸한 마음을 위로해 주는 존재이다. [○, ×]

05 (나)는 선경 후정의 방식으로 시상을 전개하고 있다. [○, ×]

06 (나)의 화자는 자신의 처지에 대해 한탄하고 있다. [○, ×]

[07~10] 다음 빈칸에 알맞은 말을 쓰시오.

07 (가)에서 '시비하는 소리'는 세상에 대한 화자의 [ㅂ][ㅈ][ㅈ] 인식을 드러낸다.

08 (가)의 '[ㅁ]'은 세상과 단절하려는 화자의 의지를 드러내는 역할을 한다.

09 (나)의 작가는 육두품이라는 한계로 뛰어난 능력을 인정받지 못하는 자신의 처지를 '[ㅊ][ㄱ][ㅎ]'에 빗대어 표현하고 있다.

10 (나)는 주어진 운명과 대결하지 않고 [ㅊ][ㄴ]하는 화자의 태도가 나타난다.

정답 | 01 × 02 ○ 03 ○ 04 × 05 ○ 06 ○ 07 부정적 08 물 09 촉규화 10 체념

작품 정리

가 제가야산독서당
- **갈래:** 한시(칠언 절구)
- **성격:** 상징적, 현실 비판적
- **주제:** 세상과 거리를 두고 은둔하고 싶은 마음
- **구성:** 기 | 계곡을 흐르는 웅장한 물소리
  승 | 사람의 말소리를 차단하는 물소리
  전 | 세상의 소리를 멀리하고 싶은 마음
  결 | 세상과 단절하고자 하는 의지

» **해제:** 이 작품은 자연의 물소리에 의탁하여 세상의 시비하는 소리를 멀리하고자 하는 마음을 노래한 한시이다. 제목에서도 알 수 있듯이 속세를 떠나 산속에 은둔하던 작가 최치원은 이 작품을 통해 신라의 정치적 혼란상에서 벗어나 세상과 단절하고자 하는 의지를 드러냈다.

나 촉규화
- **갈래:** 한시(오언 율시)
- **성격:** 상징적, 애상적, 체념적
- **주제:** 자신의 능력을 알아주지 않는 현실에 대한 한탄
- **구성:** 수련(1~2구) | 거칠고 쓸쓸한 곳에 탐스럽게 핀 촉규화
  함련(3~4구) | 향기를 날리는 촉규화
  경련(5~6구) | 수레 탄 사람이 보지 않는 촉규화
  미련(7~8구) | 사람들에게 버림받아도 참고 견디는 촉규화

» **해제:** 이 작품은 육두품이라는 신분적 한계로 나라의 중직에 등용될 수 없었던 작가 최치원이 자신의 처지를 촉규화에 빗대어 쓴 한시이다. 탐스런 꽃송이를 피워 내도 아무도 보아 주지 않는 쓸쓸한 처지를 부끄러워하면서도 이를 참고 견디며 자신의 능력을 알아주지 않는 시대 현실에 대한 한탄과 체념적 정서를 드러내고 있다.

Step 3 실전 문제

정답 049쪽

01

(가)와 (나)의 공통점으로 가장 적절한 것은?

① 계절적 배경을 통해 화자의 처지를 드러내고 있다.
② 과거와 현재의 대비를 통해 주제 의식을 강조하고 있다.
③ 감각적 이미지를 활용하여 시적 상황을 구체화하고 있다.
④ 설의적 표현을 활용하여 화자가 처한 상황을 부각하고 있다.
⑤ 대상에 감정을 투영하여 화자의 정서를 구체적으로 표현하고 있다.

02

(가)에 대한 이해로 적절하지 않은 것은?

① '겹겹 봉우리에 울리니'는 웅장하게 흐르는 물소리를 표현한 것이라 할 수 있어.
② '지척에서' 들리는 '사람 말소리'는 세속의 상황으로, 화자가 피하고 싶어 하는 대상이라 할 수 있어.
③ '시비하는 소리'는 서로 배척하고 갈등을 일삼는 세상의 부정적인 모습이라 할 수 있어.
④ '흐르는 물로' '산을 둘러싸게' 한 것은 자연에서의 한가로움을 방해받고 싶지 않은 의지의 표현이라 할 수 있어.
⑤ '산'은 화자가 머무르고 있는 공간으로, 세상과 대립되는 공간이라 할 수 있어.

03

㉠과 ㉡에 대한 설명으로 적절한 것은?

① ㉠과 ㉡은 화자가 긍정적으로 인식하는 삶의 태도를 의미한다.
② ㉠과 ㉡은 현실적 상황으로 인해 화자에게 내적 갈등을 불러일으키는 소재이다.
③ ㉠은 현실에 대한 화자의 태도를, ㉡은 현실에서의 화자의 처지를 드러낸다.
④ ㉠은 화자의 정서가 반영된 대상이고, ㉡은 화자의 의지가 반영된 대상이다.
⑤ ㉠은 화자가 비판하는 현실의 모순을, ㉡은 화자가 추구하는 이상적 세계를 의미한다.

04

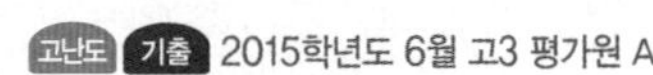

〈보기〉를 참고할 때 (나)에 대한 감상으로 적절하지 않은 것은?

보기

최치원의 「촉규화」는 삶의 현실이나 인식 태도를 사물에 투사하여 그 사물과 자아의 동일성을 이룬 한문 서정시의 하나이다. 최치원의 삶을 고려할 때, 그는 탁월한 능력을 갖추고 있었지만 출신상의 한계로 세상에 크게 쓰이지 못한 채 평범한 사람들 속에서 살아야 할 때가 많았다. 최치원은 이 작품에서 자신의 목소리를 대변하는 '화자'를 통해 이와 같은 자신의 처지를 '촉규화'에 투사하여 표현하고 있다.

① 1~2구에서 화자는 자신의 출신상의 한계와 탁월한 능력을 대비하여 말하고 있어.
② 3~4구에서 화자는 자신의 탁월한 능력을 조만간 펼칠 수 있을 것이라는 기대감을 표명하고 있어.
③ 5~6구에서 화자는 자신을 크게 써 줄 수 있는 사람들에게 관심을 받지 못하고 평범한 이들 속에서 살아야 하는 것에 대해 아쉬움을 나타내고 있어.
④ 7~8구에서 화자는 자신의 출신과 처지에 대한 부끄러움과 한스러움을 표현하고 있어.
⑤ 1~2구에서는 '촉규화'의 외양 묘사를 통해, 7~8구에서는 '촉규화'의 내면 서술을 통해 화자 자신의 처지를 드러내고 있어.

05

(나)와 〈보기〉를 비교하여 이해한 내용으로 적절하지 않은 것은?

보기

秋風唯苦吟 가을 바람에 괴로이 읊나니
추풍유고음
世路少知音 세상에 날 알아주는 이 없네
세로소지음
窓外三更雨 창밖은 한밤에 비 내리는데
창외삼경우
燈前萬里心 등불 앞에 내 마음 만 리를 달리네
등전만리심

– 최치원, 「추야우중(秋夜雨中)」

① (나)와 〈보기〉는 모두 자연물을 활용하여 화자의 정서를 드러내고 있다.
② (나)와 〈보기〉는 모두 화자 자신의 능력을 알아주지 않는 현실에 대한 한탄이 드러나 있다.
③ (나)의 '보리 바람'과 〈보기〉의 '가을 바람'은 모두 계절감을 주는 어휘로 시적 분위기를 조성하고 있다.
④ 〈보기〉와 달리 (나)의 '비'는 자신의 능력을 펼치지 못한 화자의 슬픔을 심화시키고 있다.
⑤ (나)와 달리 〈보기〉에는 화자가 현실에 대해 느끼는 심리적 거리감이 구체적으로 나타나 있다.

06

(나)의 시적 대상에 대한 내용을 화자에게 적용하여 다음과 같이 정리할 때, ⓐ, ⓑ, ⓒ에 들어갈 내용을 각각 서술하시오.

구분	시적 대상(촉규화)	시적 화자
1, 2구	거칠고 쓸쓸한 곳에 탐스럽게 핌.	ⓐ
3, 4구	향기를 날리며 피어 있음.	완숙한 학문적 경지에 이름.
5, 6구	수레 탄 사람이 알아봐 주지 않음.	ⓑ
7, 8구	천한 땅에서 태어나 버림받음.	ⓒ

ⓐ: ______________________

ⓑ: ______________________

ⓒ: ______________________

한시 31강

가 고려 후기
나 고려 후기

여뀌꽃과 백로 | 사리화

출제 포인트 › 가 #대상의 이중성 비판 #사람들의 잘못된 인식 비판 나 #시어의 상징성 #우의적, 풍자적

가

[A]
前灘富魚蝦 전탄부어하 — 앞 여울에 **물고기와 새우**가 많아
有意劈波入 유의벽파입 — 물결 뚫고 들어갈 생각 있는데❶

[B]
見人忽驚起 견인홀경기 — **사람**을 보고 문득 놀라 일어나서는
蓼岸還飛集 요안환비집 — **여뀌꽃 핀 언덕**에 도로 날아가 앉았네

[C]
翹頸待人歸 교경대인귀 — 목을 빼고 **사람**이 돌아가길 기다리다
細雨毛衣濕 세우모의습 — ㉠가랑비에 **깃털**이 다 젖는구나

[D]
心猶在灘魚 심유재탄어 — **마음**은 여울의 물고기에 가 있는데
人道忘機立 인도망기립 — **사람들**은 말하네 기심(機心)*을 잊고 서 있다고❷

– 이규보, 「여뀌꽃과 백로[蓼花白鷺]」

• **기심:** 기회를 엿보아 이득을 취하려는 마음.

Step 1 포인트 분석

가 「여뀌꽃과 백로」

제목의 의미
여뀌꽃 사이에 서 있는 백로에 대한 시이다. 백로에 대한 세상 사람들의 통념을 반박하며 백로에 새로운 상징성을 부여하고 있다.

시적 상황
화자는 물고기와 새우를 잡으려 날아든 백로를 관찰하고 있다.

표현
❶ 물결 뚫고 들어갈 생각 있는데
➔ **대상의 이중성:** 문장의 주체는 '백로'로, 이중성을 지닌 존재를 상징함.
❷ 사람들은~서 있다고
➔ **도치법:** 사람들의 잘못된 인식(백로가 고고하다고 여김.)을 강조하여 비판함.

정서와 태도
❶ 물결 뚫고~생각 있는데
➔ 사대부의 위선적인 탐욕에 대한 풍자
❷ 사람들은~서 있다고
➔ 대상의 본질을 파악하지 못하는 세태 비판

나

黃雀何方來去飛 황작하방래거비 — 참새야 어디서 오가며 나느냐
一年農事不曾知 일년농사부증지 — 일 년 농사는 아랑곳하지 않고❶
鰥翁獨自耕耘了 환옹독자경운료 — 늙은 홀아비 홀로 갈고 맸는데
耗盡田中禾黍爲 모진전중화서위 — 밭의 벼며 기장*을 다 없애다니❷

– 이제현, 「사리화(沙里花)」

• **기장:** 볏과의 한해살이풀.

나 「사리화」

제목의 의미
'沙(사)'에는 '목이 쉬다', '里(리)'에는 '근심하다'라는 의미가 있으므로 한자의 의미상 농부들이 목이 쉬고 근심하여 얻는 꽃, 즉 '곡식'이라고 그 의미를 추정하고 있다.

시적 상황
참새들이 날아와 늙은 농부가 애써 가꾼 농작물을 쪼아 먹고 있다.

표현
❶ 참새야~아랑곳하지 않고, ❷ 늙은 홀아비~없애다니
➔ **우의적, 풍자적 표현:** 탐관오리를 참새에 빗대어 백성들을 무정하게 수탈하는 상황을 풍자함.
➔ **대조:** 탐관오리를 비판하면서 백성들에 대해서는 연민을 드러냄.

정서와 태도
❶ 참새야~아랑곳하지 않고
➔ '참새'로 상징되는 탐관오리의 수탈 비판
❷ 늙은 홀아비~없애다니
➔ 농민들에 대한 연민

Step 2 포인트 체크

[01~06] 윗글에 대하여 맞으면 ○, 틀리면 ×표를 하시오.

01 (가)에는 물고기를 잡아먹으려 날아든 백로의 모습이 나타나 있다. [○, ×]

02 (가)는 설의적 표현을 통해 사람들의 잘못된 인식을 강조하고 있다. [○, ×]

03 (가)의 화자는 대상의 본질을 바로 보지 못하는 세태를 비판하고 있다. [○, ×]

04 (나)에는 수확한 농작물을 보며 보람을 느끼는 농민의 모습이 드러나 있다. [○, ×]

05 (나)에서 '참새'와 '늙은 홀아비'는 동병상련을 느끼는 존재로 그려진다. [○, ×]

06 (나)의 화자는 탐관오리의 횡포를 고발하고 있다. [○, ×]

[07~10] 다음 빈칸에 알맞은 말을 쓰시오.

07 (가)에서 '백로'는 겉은 고고해 보이지만 실상은 [ㅌ][ㅇ]을 지닌 이중적 존재로 그려지고 있다.

08 (가)에서 화자는 '[ㅅ][ㄹ][ㄷ]'이 대상의 본질을 파악하지 못한다고 보고 있다.

09 (나)의 화자는 '[ㅊ][ㅅ]'로 상징되는 탐관오리를 비판하고 있다.

10 (나)는 어떤 사물에 빗대어 은연중에 의미를 드러내는 [ㅇ][ㅇ][ㅈ] 표현을 활용하여 주제 의식을 형상화하고 있다.

정답 | 01 ○ 02 × 03 ○ 04 × 05 × 06 ○ 07 탐욕 08 사람들 09 참새 10 우의적

작품 정리

가 여뀌꽃과 백로

- **갈래:** 한시(오언 율시)
- **성격:** 비판적, 경세적, 상징적, 풍자적
- **주제:** 세상 사람들의 잘못된 인식에 대한 비판
- **구성:** 수련(1~2구) | 물고기를 잡아먹기 위해 날아든 백로
  함련(3~4구) | 사람을 피해 여뀌꽃 핀 언덕에 앉은 백로
  경련(5~6구) | 사람들 돌아가기를 기다리다 가랑비에 깃털이 젖은 백로
  미련(7~8구) | 백로의 모습을 본 세상 사람들의 잘못된 인식

» **해제:** 이 작품은 백로를 청렴을 가장한 탐욕스러운 사대부로 그리면서 세상의 모순을 드러내고 있는 한시이다. 물고기에 마음이 가 있는 백로를 고고(孤高)하다고 생각하는 세상 사람들의 잘못된 인식을 통해 대상의 본질을 제대로 파악하지 못하는 세태를 비판하고 있다.

나 사리화

- **갈래:** 한시(칠언 절구)
- **성격:** 비판적, 현실 고발적, 상징적, 풍자적
- **주제:** 탐관오리의 수탈에 대한 비판과 고발
- **구성:** 기(1구)·승(2구) | 백성들에 대한 지배 계층의 횡포
  전(3구)·결(4구) | 백성들의 삶과 그에 대한 연민

» **해제:** 이 작품은 당대 민요를 한시로 옮겨 놓은 것으로, 당시 권력층의 농민 수탈의 현실을 비판하고 있다. '참새'는 수탈을 일삼는 탐관오리들을 상징하고, '늙은 홀아비'는 가난한 백성들을 상징한다. 관리들의 가혹한 수탈을 참새의 횡포에 비유하여 노래할 수밖에 없었던 백성들의 서글픈 처지가 잘 투영되어 있다.

Step 3 실전 문제

정답 050쪽

01

(가)와 (나)의 공통점으로 가장 적절한 것은?

① 자연물을 활용하여 당대 현실을 비판하고 있다.
② 어순을 도치하여 시구의 의미를 강조하고 있다.
③ 감정 이입을 통하여 화자의 내면을 표현하고 있다.
④ 설의적인 표현을 통하여 화자의 가치관을 강조하고 있다.
⑤ 색채어를 활용하여 대상의 속성을 선명하게 드러내고 있다.

02

㉠에 대한 설명으로 적절한 것은?

① 화자가 그리워하는 대상이다.
② 계절감을 드러내는 소재이다.
③ 화자의 감정이 이입된 대상이다.
④ 연민의 정서를 불러일으키는 소재이다.
⑤ 대상이 처한 상황을 부각시키는 소재이다.

03

기출 2010학년도 10월 고3 교육청

시어나 시구를 중심으로 (가)를 이해할 때 적절하지 않은 것은?

① '물고기'와 '새우'는 백로 입장에서 욕망의 대상이다.
② 백로는 '사람' 때문에 일시적으로 욕망을 충족하지 못하고 있다.
③ 백로가 '여뀌꽃 핀 언덕'에 서 있는 모습은 '사람들'의 오해를 불러일으킨다.
④ '사람들'과 화자 모두 백로를 있는 그대로 바라보지 못하고 있다.
⑤ 백로가 '여울의 물고기'에 마음을 두고 있는 것은 '기심'을 잊지 못해서이다.

04

기출 2016학년도 6월 고2 교육청

(가)의 [A] ~ [D]에 대해 감상한 내용으로 적절하지 않은 것은?

① [A]의 '물고기와 새우'에 대한 백로의 욕망은 [B]에서 '사람' 때문에 일시적으로 충족되지 못하는군.
② [B]의 '여뀌꽃 핀 언덕'은 [C]의 '사람'을 경계한 백로가 피신해 있는 공간이군.
③ [C]의 '깃털'이 젖은 모습은 [D]의 '마음' 때문에 백로가 처하게 된 부정적 상황을 보여 주는군.
④ [D]의 '사람들'이 백로에 대해 보이는 인식은 [A]에 드러난 백로의 모습에 근거하고 있군.
⑤ [A]~[D]에서 화자는 백로의 탐욕만이 아니라 그것을 알아차리지 못한 '사람들'도 비판하고 있군.

05

(나)에 대한 이해로 적절하지 않은 것은?

① '참새'는 우의적 표현을 통해 화자가 비판하고 풍자하고자 하는 대상이다.
② '어디서 오가며 나느냐'는 물음의 형식으로 관리들에게 지시를 내리는 주체에 대한 의구심을 드러낸다.
③ '일 년 농사는 아랑곳하지 않'는 것은 백성들의 처지를 고려하지 않는 비정한 모습을 드러낸다.
④ '홀로 갈고 맸'다는 것은 농사를 짓는 데에 정성을 다했음을 보여 준다.
⑤ '벼며 기장'은 농민들이 애써 지어 놓은 곡식들을 의미한다.

06

(나)와 〈보기〉를 비교하여 이해한 내용으로 적절하지 않은 것은?

보기

燕子初來時(연자초래시) 제비 한 마리 처음 날아 왔을 때
喃喃語不休(남남어불휴) 지지배배 그 소리 그치지 않네
語意雖未明(어의수미명) 말하는 뜻 분명히 알 수 없지만
似訴無家愁(사소무가수) 집 없는 서러움을 호소하는 듯
楡槐老多穴(유괴로다혈) 느릅나무 홰나무 묵어 구멍 많은데
何不此淹留(하부차엄류) 어찌하여 그곳에 깃들지 않느냐
燕子復喃喃(연자부남남) 제비 다시 지저귀며
似與人語酬(사여인어수) 사람에게 말하는 듯
楡穴鸛來啄(유혈관래탁) 느릅나무 구멍은 황새가 쪼고
槐穴蛇來搜(괴혈사래수) 홰나무 구멍은 뱀이 와서 뒤진다오

– 정약용, 「고시(古詩) 8」

① (나)와 〈보기〉는 대립적 소재를 활용하여 당대 현실을 반영하고 있군.
② (나)와 〈보기〉는 자연물에 인격을 부여하여 말을 건네는 방식으로 표현하고 있군.
③ (나)의 '늙은 홀아비'와 〈보기〉의 '제비'는 화자가 연민을 느끼는 대상으로 볼 수 있군.
④ (나)의 '없애다니'와 〈보기〉의 '쪼고', '뒤진다오'는 관리들의 횡포를 직접적으로 언급하고 있군.
⑤ (나)에서는 '벼며 기장'을 수탈당하는 상황이, 〈보기〉에서는 '집'을 빼앗기는 상황이 담겨 있군.

07

(나)의 시어를 다음과 같이 정리할 때 ⓐ~ⓓ에 들어갈 알맞은 내용을 서술하시오.

	상징적 의미	화자의 정서와 태도
참새	ⓐ	ⓑ
늙은 홀아비	ⓒ	ⓓ

ⓐ: ______

ⓑ: ______

ⓒ: ______

ⓓ: ______

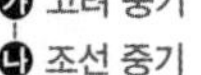

㉮ 고려 중기
㉯ 조선 중기

송인 | 자술

출제 포인트 ㉮ #이별의 슬픔 #자연과 인간사의 대조 #과장법 ㉯ #임에 대한 그리움 #가정법 #과장법

가 雨歇長堤草色多 우헐장제초색다 비 갠 긴 둑에 풀빛 고운데❶
送君南浦動悲歌 송군남포동비가 남포에서 임 보내며 슬픈 노래 부르네❷
大同江水何時盡 대동강수하시진 ㉠ 대동강 물이야 언제 마르리❸
別淚年年添綠波 별루년년첨록파 해마다 이별 눈물 푸른 물을 보태나니❹

– 정지상, 「송인(送人)」

나 近來安否問如何 근래안부문여하 ㉡ 근래의 안부는 어떠신지요❶
月到紗窓妾恨多 월도사창첩한다 사창*에 ㉢ 달 떠오면 하도 그리워❷
若使夢魂行有跡 약사몽혼행유적 꿈속 넋 만약에 자취 있다면❸
門前石路已成沙 문전석로이성사 문 앞 돌길 모래로 변하였으리❹

– 이옥봉, 「자술(自述)」

* **사창:** 얇은 비단으로 바른 창. 여자의 방을 이르기도 함.

Step 1 포인트 분석

가 「송인」

제목의 의미
'송인'은 사람을 떠나보낸다는 의미인데, 여기서의 사람은 '임'을 가리키므로 임을 떠나보낸다는 의미이다.

시적 상황
화자는 비 갠 어느 날 대동강 나루터인 남포에서 임을 떠나보내고 있다.

표현
❶풀빛 고운데, ❷슬픈 노래 부르네
→ **대조적 상황:** 싱그럽고 아름다운 자연과, 슬픈 이별을 하는 인간사를 대비함.
❶풀빛 고운데, ❷슬픈 노래 부르네, ❹푸른 물
→ **시각적 · 청각적 이미지:** 감각적 이미지를 통해 대상을 선명하게 표현하고 임과의 이별로 슬픈 화자의 정서를 효과적으로 드러냄.
❸대동강 물이야 언제 마르리
→ **설의법:** 대동강 물은 절대 마르지 않을 것임을 강조함.
❸대동강 물이야~마르리, ❹해마다~푸른 물을 보태나니
→ **과장법, 도치법:** 해마다 보태어지는 이별의 눈물 때문에 대동강 물이 마를 날이 없다고 과장하고, '전'구와 '결'구의 내용을 바꿔 도치로 제시하여 화자가 느끼는 이별의 슬픔이 끝이 없음을 강조함.

정서와 태도
❷슬픈 노래 부르네, ❹이별 눈물~보태나니
→ 임과 이별하는 상황에서 느끼는 슬픔

나 「자술」

제목의 의미
'자술'은 스스로 진술한다는 의미로, 화자의 상황과 감정을 솔직히 말하고 있음을 드러낸다.

시적 상황
화자는 달 밝은 밤에 사창이 있는 방에서 이별한 임의 안부를 묻고 있다.

표현
❶근래의 안부는 어떠신지요
→ **의문형 표현:** 임에 대한 화자의 걱정과 염려를 부각함.
❸꿈속 넋 만약에 자취 있다면
→ **가정법:** 현실에서 만날 수 없는 임에게 가기 위해 꿈속 상황을 가정함.
❹문 앞 돌길 모래로 변하였으리
→ **과장법:** 임을 만나고 싶은 화자의 마음과 임에 대한 간절한 그리움을 강조함.

정서와 태도
❶안부는 어떠신지요
→ 임의 소식을 알고 싶고 임을 걱정하는 마음
❷하도 그리워, ❹문 앞 돌길 모래로 변하였으리
→ 임을 향한 애타는 그리움

Step 2 포인트 체크

[01~06] 윗글에 대하여 맞으면 ○, 틀리면 ×표를 하시오.

01 (가)의 승구로 보아, 화자는 남포에서 임과 이별하고 있다. (○, ×)

02 (가)의 화자는 대동강을 건너면 임과 재회할 것이라고 확신하고 있다. (○, ×)

03 (가)는 설의법을 통해 대동강 물은 이별의 눈물이 보태어져 마르지 않을 것이라는 생각을 드러내고 있다. (○, ×)

04 (나)의 화자는 자신의 방에서 달을 바라보며 임에 대한 그리움을 깊이 느끼고 있다. (○, ×)

05 (나)에서 화자는 임의 안부를 물으며 임에 대한 송축의 뜻을 드러내고 있다. (○, ×)

06 (가)와 (나)에는 상황에 대한 과장적 설정이 공통적으로 나타난다. (○, ×)

[07~10] 다음 빈칸에 알맞은 말을 쓰시오.

07 (가)는 자연과 인간사를 [ㄷ][ㅈ]하여 화자의 심정을 부각하고 있다.

08 (가)는 [ㅅ][ㄱ][ㅈ] 이미지와 [ㅊ][ㄱ][ㅈ] 이미지를 통해 대상을 선명하게 형상화하고 있다.

09 (나)는 불가능한 상황에 대한 [ㄱ][ㅈ][ㅈ] 표현을 통해 화자의 소망이 이루어지는 상황을 표현하고 있다.

10 (나)에서 '[ㄷ]'은 임과 이별한 화자의 정서를 심화하는 기능을 하고 있다.

정답 | 01 ○ 02 × 03 ○ 04 ○ 05 × 06 ○ 07 대조 08 시각적, 청각적 09 가정적 10 달

작품 정리

가 송인

- **갈래:** 한시(칠언 절구)
- **성격:** 애상적, 서정적, 체념적
- **주제:** 이별의 슬픔
- **구성:** 기 | 비 갠 강변의 풍경
  승 | 임을 보내는 슬픔
  전 | 마를 리 없는 대동강 물
  결 | 이별의 정한과 눈물

» **해제:** 이 작품은 대동강 남포에서 임과 이별하는 이의 애틋한 마음을 노래한 칠언 절구의 한시이다. 비가 내린 후의 싱그러운 자연과, 슬픈 이별을 하는 인간사를 대비하고, 설의법, 과장법, 도치법 등을 통해 정서를 강조하여 우리나라 한시 중 이별가의 백미로 평가받는 작품이다.

나 자술

- **갈래:** 한시(칠언 절구)
- **성격:** 애상적, 고백적, 과장적
- **주제:** 임에 대한 간절한 그리움
- **구성:** 기 | 임의 안부를 물음.
  승 | 임에 대한 그리움
  전 | 꿈속의 상황을 가정함.
  결 | 임에 대한 간절한 그리움

» **해제:** 이 작품은 헤어진 임을 그리워하는 애절한 마음을 노래한 칠언 절구의 한시이다. 임을 만나고 싶은 소망이 꿈에서 이루어진다는 가정과 그렇다면 임의 문 앞 돌길이 자신의 발길 때문에 모래가 되었을 것이라는 과장을 통해 화자의 정서를 독창적으로 그려 내고 있다.

» **배경:** 이옥봉은 조선 선조 때 승지를 지낸 조원을 사모하여, 시를 짓지 말라는 조건을 받아들이고 그의 소실이 된다. 그러나 집안의 산지기의 억울함을 밝히는 시를 지어 주어 쫓겨나게 되고 그때 이옥봉이 지은 한시가 바로 「자술」이다. 이 시의 다른 이름은 '몽혼(夢魂: 꿈속의 넋)'이다.

Step 3 실전 문제

01

(가), (나)의 공통점으로 가장 적절한 것은?

① 대상과의 이별 상황이 창작의 계기로 작용하고 있다.
② 대상의 공간 이동 경로에 따라 시상을 전개하고 있다.
③ 대상과 조화를 이루는 삶의 자세에 대해 노래하고 있다.
④ 대상의 미래에 대한 화자의 낙관적 전망이 드러나고 있다.
⑤ 대상의 불공정에 대한 화자의 대결 의지가 나타나고 있다.

02

(가)의 표현상의 특징으로 적절하지 않은 것은?

① 과장된 표현으로 화자의 정서를 강조하고 있다.
② 물음의 형식을 활용하여 시적 의미를 부각하고 있다.
③ 감정 이입의 대상을 통해 주제 의식을 심화하고 있다.
④ 어순의 도치를 통해 화자의 생각을 효과적으로 드러내고 있다.
⑤ 감각적 이미지를 사용하여 시적 대상을 선명하게 나타내고 있다.

03

시적 흐름으로 보아, ㉠의 의미로 가장 적절한 것은?

① 대동강 물이 마를까 봐 걱정이다.
② 대동강 물이 마를 날은 없을 것이다.
③ 대동강 물이 마르지 않았으면 좋겠다.
④ 대동강 물이 마를 날이 오기를 기대한다.
⑤ 대동강 물이 마르는 날이 언제인지 알고 싶다.

04

〈보기〉를 참고하여 (가)를 감상한 내용으로 적절하지 않은 것은?

보기

(가)는 우리나라 한시 가운데 이별의 정한(情恨)을 애틋하게 노래한 대표적인 작품으로 알려져 있다. 이 작품은 대조나 대비, 동일시의 방법과 물의 이미지를 통해 슬픔을 고조하고 그 깊이를 심화하고 있다.

① '비 갠' 싱그러운 자연과 '임 보내'는 안타까운 인간사를 대조하여 화자의 정서를 고조하고 있어.
② '긴 둑'의 영원성과 '마르리'의 일회성을 대비하여 이별의 아픔을 극대화하고 있어.
③ '고운' '풀빛'과 '슬픈 노래'를 대비하여 헤어지는 상황의 슬픔을 강조하고 있어.
④ '대동강 물'과 '이별 눈물'을 동일시하여 이별로 인한 슬픔의 깊이를 심화하고 있어.
⑤ '비' – '대동강 물' – '푸른 물'로 연결되는 '물'의 이미지를 통해 이별의 정한을 드러내고 슬픔을 심화하고 있어.

05

(나)의 시어에 대한 이해로 가장 적절하지 않은 것은?

① '사창'은 화자가 여성임을 추측하게 하는 소재이다.
② '꿈속'은 화자의 현실적 소망이 성취되는 공간이다.
③ '넋'은 화자의 정서 변화를 일으키는 소재이다.
④ '문'은 임이 있는 공간으로 가는 통로이다.
⑤ '모래'는 반복적 행위의 결과물을 나타내는 소재이다.

06

ⓛ에 대한 설명으로 적절하지 않은 것은?

① 임을 염려하고 걱정하는 화자의 심정을 짐작하게 한다.
② 임의 무심함에 화자가 불만을 가지고 있음을 짐작하게 한다.
③ 임이 어떻게 지내는지에 대해 화자가 궁금해함을 짐작하게 한다.
④ 임의 외모와 심성에 대해 예찬하려는 화자의 의도를 짐작하게 한다.
⑤ 임이 최근에 화자에게 소식을 전한 적이 없음을 짐작하게 한다.

07

(나)와 〈보기〉를 비교하여 감상한 내용으로 적절하지 않은 것은?

보기

눈빛이 종이보다 더욱 희길래
채찍 들어 내 이름을 그 위에 썼지
바람아 불어서 땅 쓸지 마라
주인이 올 때까지 기다려 주렴

– 이규보, 「설중방우인불우*」

* 설중방우인불우(雪中訪友人不遇): 눈속에 친구를 찾아갔으나 만나지 못함.

① (나)는 달이 뜬 밤을, 〈보기〉는 눈이 내리는 겨울날을 배경으로 하고 있군.
② (나)의 화자는 임의 부재, 〈보기〉의 화자는 친구의 부재 상황에 처해 있군.
③ (나)는 '사창', 〈보기〉는 '땅'을 통해 화자가 어떤 공간에 있는지 알 수 있군.
④ (나)와 〈보기〉 모두 말을 건네는 방식을 활용해 대상과의 친밀감을 표현하고 있군.
⑤ (나)에서는 임에 대한 화자의 그리움을, 〈보기〉에서는 친구를 만나지 못한 화자의 아쉬움을 느낄 수 있군.

08

ⓒ의 시적 기능에 대한 설명으로 가장 적절한 것은?

① 화자의 성찰을 유도하는 기능을 한다.
② 화자의 추억을 환기하는 기능을 한다.
③ 화자의 정서를 심화하는 기능을 한다.
④ 화자의 가치관을 부각하는 기능을 한다.
⑤ 화자의 내적 갈등을 유발하는 기능을 한다.

09

(가), (나)를 읽고, 〈보기〉의 ⓐ, ⓑ에 들어갈 알맞은 말을 쓰시오.

보기

시인들은 시 작품을 창작할 때, 부사를 적절히 활용하여 시적 정황이나 화자의 정서를 효과적으로 나타내는 경우가 많다. 예를 들면, (가)의 결구에서는 (ⓐ)(이)라는 부사를 통해 이별의 슬픔이 오래 지속될 것이라는 시적 정황을 드러내고 있고, (나)의 승구에서는 (ⓑ)(이)라는 부사를 통해 화자의 그리움의 정서가 매우 크다는 것을 강조하고 있다.

ⓐ: ________________ ⓑ: ________________

10

〈보기〉를 참고하여, (나)의 전구와 결구에 사용된 표현법과 그 효과를 구체적으로 서술하시오.

보기

연가(戀歌)풍의 고전 시가에서는 헤어진 임에 대한 화자의 마음을 강조하기 위해 다양한 기법을 사용한다. 특히 (나)는 화자의 현실적 상황과 마음을 드러내는 전반부와 달리 후반부에서 시상의 전환이 일어나는데, 후반부인 전구와 결구에서는 고전 시가에 많이 사용되는 표현법을 통해 화자의 심정을 부각하고 있다.

____

____

보리타작[타맥행]

출제 포인트 › #선경 후정 #대조적 시어 #농민의 건강한 삶 #자아 성찰

新蒭濁酒如湩白 신추탁주여동백　새로 거른 막걸리 젖빛처럼 뿌옇고
大碗麥飯高一尺 대완맥반고일척　큰 사발에 보리밥 높기가 한 자*로세❶
飯罷取耞登場立 반파취가등장립　㉠밥 먹자 도리깨* 잡고 마당에 나서니
雙肩漆澤翻日赤 쌍견칠택번일적　검게 탄 두 어깨 햇볕 받아 번쩍이네❷
呼邪作聲擧趾齊 호야작성거지제　[가] 옹헤야 소리 내며 발맞추어 두드리니❸
須臾麥穗都狼藉 수유맥수도랑자　삽시간에 보리 낟알 온 마당에 가득하네
雜歌互答聲轉高 잡가호답성전고　주고받는 노랫가락 점점 높아지는데❹
但見屋角紛飛麥 단견옥각분비맥　보이느니* 지붕 위에 보리 티끌뿐이로다
觀其氣色樂莫樂 관기기색락막락　그 기색 살펴보니 즐겁기 짝이 없어❺
了不以心爲形役 료불이심위형역　㉡마음이 몸의 노예 되지 않았네❻
樂園樂郊不遠有 락원락교불원유　낙원이 먼 곳에 있는 게 아닌데
何苦去作風塵客 하고거작풍진객　무엇 하러 벼슬길에 헤매고 있겠는가❼

– 정약용, 「보리타작[타맥행(打麥行)]」

- **자:** 길이 단위의 하나. '치'의 열 배. 약 30.3cm.
- **도리깨:** 곡식의 낟알을 떠는 데 쓰는 농구.
- **보이느니:** 보이는 것이.

Step 1 포인트 분석

「보리타작」

제목의 의미

'보리타작'은 보리의 이삭을 떨어서 낟알을 거두는 일을 뜻하는 말로, 이 시의 중심 제재가 보리를 수확하는 것임을 드러내고 있다. 원제목인 '타맥행(打麥行)'에서 '행'은 사물이나 감정을 거침없이 표현하는 한시의 한 형식을 이른다.

시적 상황

화자는 즐겁게 보리타작하는 농민들의 모습을 바라보며 자신의 삶을 돌아보고 있다.

표현

❶새로 거른 막걸리~높기가 한 자로세
→ **직유법, 과장법, 시각적 이미지:** 농민들의 소박한 일상생활을 효과적으로 드러냄.

❷검게 탄 두 어깨 햇볕 받아 번쩍이네
→ **시각적 이미지:** 구릿빛 어깨에 햇빛이 내리쬐는 시각적 이미지를 통해 건강한 농민의 모습을 형상화함.

❸옹헤야~발맞추어 두드리니, ❹노랫가락 점점 높아지는데
→ **청각적 이미지, 역동적 이미지:** 보리타작하는 모습에 생동감과 현장감을 부여하고 흥을 고조시킴.

❼낙원이 먼 곳에~헤매고 있겠는가
→ **대조법, 설의법:** '낙원'(농민의 삶)과 '벼슬길'(화자의 과거의 삶)을 대조하여 반성과 깨달음을 강조하고 무엇 하러 벼슬길을 헤매겠는가라는 물음을 통해 자신이 깨달은 바를 효과적으로 드러냄.

❶새로 거른 막걸리, ❷검게 탄 두 어깨 햇볕 받아 번쩍이네, ❸옹헤야~발맞추어 두드리니, ❹노랫가락 점점 높아지는데, ❻마음이~되지 않았네, ❼벼슬길에 헤매고 있겠는가
→ **선경 후정의 시상 전개:** 먼저 기구와 승구에서 노동하는 농민들의 삶을 사실적으로 묘사(❶~❹)한 후, 전구와 결구에서 화자의 깨달음(❻, ❼)을 드러내는 방식을 통해 주제 의식을 부각함.

정서와 태도

❸옹헤야~발맞추어 두드리니, ❹노랫가락 점점 높아지는데, ❺그 기색~짝이 없어
→ 즐겁게 노동하는 농민들을 관찰함.

❻마음이~되지 않았네
→ 육체적으로 힘들어도, 즉 몸의 상태와 상관없이 편안한 마음을 갖는 농민들의 건강한 삶을 예찬함.

❼무엇 하러~헤매고 있겠는가
→ 세속적 욕망에 연연했던 자신의 삶 반성

Step 2 포인트 체크

[01~06] 윗글에 대하여 맞으면 ○, 틀리면 ×표를 하시오.

01 화자는 노동요를 부르며 흥겹게 보리타작하는 농민들의 모습을 관찰하고 있다. [○, ×]

02 농민들은 밥을 먹을 시간도 없이 보리타작을 하는 모습을 보이고 있다. [○, ×]

03 화자는 농민들의 모습에서 정신과 육체가 조화를 이루어야 함을 깨닫는다. [○, ×]

04 화자는 자신이 지난날 삶에서 중요하게 생각했던 것의 가치를 되돌아보고 지난 삶을 반성하고 있다. [○, ×]

05 '막걸리 젖빛처럼 뿌옇고'에서는 막걸리 빛깔을 '젖빛'에 비유하여 대상의 모습을 선명하게 제시하고 있다. [○, ×]

06 '벼슬길에 헤매고 있겠는가'에서는 설의적인 표현을 통해 화자의 깨달음을 강조하고 있다. [○, ×]

[07~10] 다음 빈칸에 알맞은 말을 쓰시오.

07 '발맞추어 두드리니'는 농민들이 [ㅎ][ㄷ]하며 보리타작하고 있음을 드러낸다.

08 '삽시간에 보리 낟알 온 마당에 가득하네'는 농민들이 노동을 한 [ㄱ][ㄱ][ㅁ]이 매우 많음을 드러낸다.

09 '[ㄴ][ㅇ]'과 '벼슬길'은 서로 대조적인 의미의 시어로, 주제 의식을 강조하고 있다.

10 이 작품은 [ㅅ][ㄱ] [ㅎ][ㅈ]의 시상 전개 방식에 따라 화자가 관찰한 내용을 제시한 뒤 자기 성찰의 내용을 제시하고 있다.

보리타작

- **갈래:** 한시, 행(行)
- **성격:** 사실적, 묘사적, 예찬적, 반성적
- **주제:** 농민들의 건강한 노동을 통해 얻은 삶의 깨달음
- **구성:** 기(1~4구) | 노동하는 농민들의 건강한 모습
  승(5~8구) | 보리타작하는 마당의 역동적인 정경
  전(9~10구) | 정신과 육체의 조화 속에서 이루어지는 노동의 기쁨
  결(11~12구) | 벼슬에 얽매였던 지난 삶에 대한 성찰

» **해제:** 이 작품은 수확한 보리를 타작하는 농민들의 모습을 사실적으로 묘사한 한시이다. 양반인 화자는 농민들의 건강한 노동의 현장을 바라보며 자신이 깨달은 바를 선경 후정의 방식으로 드러내고 있다. 화자는 먼저 관찰자의 입장에서 즐겁게 노동하는 농민들의 모습을 감각적으로 형상화한 후, 몸과 마음이 합일된 조화로운 삶에 대한 깨달음과 자신의 지난 삶에 대한 반성을 드러내고 있다.

» **배경:** 다산 정약용은 조선 후기 정조 때의 중농주의 실학자이다. 농촌의 현실과 개혁에 관심을 가졌던 정약용은 농민들의 삶을 그린 한시를 다수 창작하였다. 이 작품은 농민들의 피폐한 삶을 형상화한 다른 작품과 달리 농민들의 삶에서 새로운 가치를 발견하고자 했던 선각자의 모습을 엿볼 수 있다.

정답 | 01 ○ 02 × 03 ○ 04 ○ 05 ○ 06 ○ 07 협동 08 결과물 09 낟알 10 선경 후정

01

기출 변형 2016학년도 3월 고1 교육청

윗글에 대한 설명으로 적절하지 않은 것은?

① 과장법을 활용하여 시적 의미를 강조하고 있다.
② 직유법을 사용하여 대상의 속성을 표현하고 있다.
③ 의인화를 통해 대상에 대한 친밀감을 드러내고 있다.
④ 시각적·청각적 심상을 통해 생동감을 부여하고 있다.
⑤ 물음의 형식을 활용하여 화자의 심리를 표출하고 있다.

02

고난도

〈보기〉를 참고하여 윗글을 감상한 내용으로 적절하지 않은 것은?

보기

이 작품은 화자의 타자 이해와 자아 성찰의 과정을 노래하고 있다. 이는 타인에 대한 사실적 관찰, 타자의 마음 헤아리기, 자기 성찰의 흐름으로 이어지고 있는데, 전체 내용은 다음과 같이 나누어 살펴볼 수 있다.

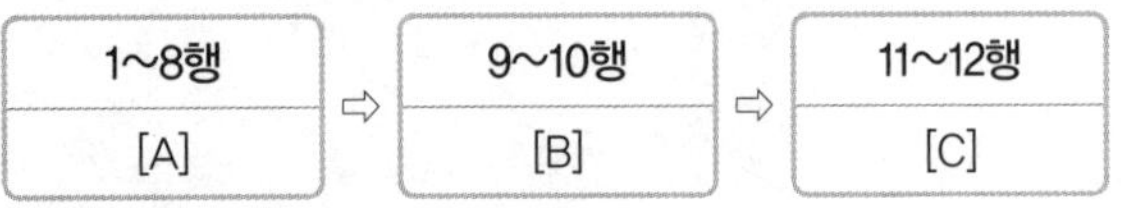

① [A]는 농민들이 보리타작하는 모습에 대해 화자가 관찰한 내용을 묘사하고 있다.
② [A]는 농민들이 노동한 결과물에 대해 화자가 주시한 내용을 묘사하고 있다.
③ [B]는 노동하는 농민들의 정서에 대해 화자가 추측한 내용을 담고 있다.
④ [B]는 농민들의 갈등 해결 양상에 대해 화자가 짐작한 내용을 담고 있다.
⑤ [C]는 과거에 자신이 몰두했던 일에 대해 화자가 반성한 내용을 담고 있다.

03

고난도 기출 변형 2016학년도 3월 고1 교육청

〈보기〉를 참고하여 [마당]에 대해 이해한 내용으로 가장 적절한 것은?

보기

작품 속의 공간에는 화자가 위치한 구체적인 장소의 의미를 넘어서 화자가 바람직하게 생각하는 삶의 모습을 담을 수도 있다. 「보리타작」에 설정된 시적 공간에는 화자가 지향하는 삶의 가치가 내재되어 있다.

① 마당은 건강한 노동의 즐거움을 깨닫는 공간이다.
② 마당은 삶에서 느끼는 애환을 타인과 공유하는 공간이다.
③ 마당은 빈곤한 삶을 극복하려는 의지가 담긴 공간이다.
④ 마당은 현실과의 타협을 통해 마음의 안정을 찾는 공간이다.
⑤ 마당은 과거와 달라진 현재 상황에 대한 안타까움이 표출된 공간이다.

04

윗글과 〈보기〉의 표현상 특징으로 적절한 것은?

보기

가을에 곡식 보니 좋기도 좋을시고
내 힘으로 이룬 것이 먹어도 맛이로다
이 밖에 천사만종(千駟萬鍾)*을 부러 무엇하리오

– 이휘일, 「저곡전가팔곡(楮谷田家八曲)」 중에서

* 천사만종: 많은 말이 끄는 수레와 많은 봉록.

① 〈보기〉는 대상에게 말을 건네는 방식으로 시상을 전개하고 있다.
② 윗글에서는 인간과 자연의 대비를 통해 주제 의식을 부각하고 있다.
③ 윗글과 〈보기〉 모두 물음의 방식을 활용해 주제를 강조하고 있다.
④ 윗글과 〈보기〉 모두 반어적 표현을 사용해 농사일의 힘겨움을 드러내고 있다.
⑤ 윗글은 시각적 이미지, 〈보기〉는 청각적 이미지를 통해 대상의 모습을 묘사하고 있다.

정답 053쪽

05

[가]에 대한 이해로 적절하지 않은 것은?

① '옹헤야 소리 내며'에서 보리타작하는 농민들이 노동요를 부르고 있음을 알 수 있다.
② '발맞추어 두드리니'에서 농민들이 협력하며 노동하고 있음을 알 수 있다.
③ '주고받는 노랫가락'에서 농민들이 선창과 후창으로 나누어 노래를 부르고 있음을 알 수 있다.
④ '점점 높아지는데'에서 신명 나게 일하는 농민들의 흥이 고조되고 있음을 알 수 있다.
⑤ '지붕 위에 보리 티끌뿐이로다'에서 농민들이 노동을 헛된 일이라고 인식하고 있음을 알 수 있다.

06

㉠에 내포된 의미로 가장 적절한 것은?

① 농민들이 식사를 부족하게 하고 있다.
② 농민들이 부지런한 생활을 하고 있다.
③ 농민들이 강요 때문에 노동하고 있다.
④ 농민들이 휴식 시간을 충분히 갖고 있다.
⑤ 농민들이 여유를 갖고 농사일을 하고 있다.

07

㉡에 대한 설명으로 가장 적절한 것은?

① 몸이 건강해야 마음도 건강하게 유지될 수 있다는 화자의 깨달음이 드러난다.
② 마음속에 있는 욕심과 집착을 버려야 몸도 쇠약해지지 않는다는 화자의 깨달음이 드러난다.
③ 억압된 상태를 벗어나기 위해서는 몸과 마음을 편안하게 해야 한다는 화자의 깨달음이 드러난다.
④ 마음보다는 몸을 편하게 하는 것이 삶의 허무를 극복하는 방법이라는 화자의 깨달음이 드러난다.
⑤ 즐겁게 일하고 욕심이 없어야 몸과 마음이 자유로워지고 건강한 삶을 살 수 있다는 깨달음이 드러난다.

08

〈보기〉의 ㉮, ㉯에 들어갈 알맞은 말을 쓰시오.

보기

「보리타작」은 농민들의 모습을 통해 깨달은 삶의 가치를 드러내고 있는데, 이것은 대조의 방식을 통해 더욱 효과적으로 나타나고 있다. 즉, 먼 곳에 있는 것이 아니라는 '낙원'은 (㉮)을/를, 과거에 헤매었던 '벼슬길'은 (㉯)을/를 의미하며, 이 둘의 대조를 통해 자아 성찰과 깨달음을 드러내고 있는 것이다.

㉮: ________ ㉯: ________

09

윗글을 읽고, 〈보기〉의 이것에 해당하는 내용을 서술하시오.

보기

「보리타작」은 농민들에 대한 정약용의 긍정적인 시선을 엿볼 수 있는 작품이다. 정약용은 이 작품에서 여러 시구를 통해 농민들의 다양한 모습을 강조하고 있는데, 특히 '검게 탄 두 어깨 햇볕 받아 번쩍이네'는 시각적 이미지를 활용해 이것을 부각하고 있다.

____

고려 가요는

고려 시대에 불리던 민요예요.

따라서 3음보율, 여음이나 후렴구와 같은 음악적 요소,

진솔한 주제와 표현 등이 특징적입니다.

지금 우리가 감상하는 고려 가요는

훈민정음 창제 이후에 기록으로 남은 것입니다.

국어사적으로 고려 가요는

향가와 시조를 이어 주는 다리 역할을 하기도 합니다.

경기체가는

고려 시대의 문학 갈래로

귀족, 사대부들에 의해 자기 과시용으로 불렸어요.

여러 연으로 이루어지며, 후렴구가 발달해 있어요.

서정성이 약해서 교술 갈래로 따로 분류되기도 해요.

악장은

체제 옹호라는 목적성을 띠고 창작되었던

조선 전기의 문학 갈래예요.

「용비어천가」가 대표적이죠.

악장은 경기체가처럼 서정성은 약하지만

목적성을 띠는 문학으로서의 특징을 잘 보여 줍니다.

Ⅳ

고려 가요 · 경기체가 · 악장

고려 가요

경기체가

악장

가시리

출제 포인트 #이별의 정한 #체념과 수용 #a-a-b-a 구조 #후렴구의 기능과 역할 #행위의 주체

[가] 가시리 ㉠가시리잇고 나는❶
㉡ᄇᆞ리고 가시리잇고 나는❷
위 증즐가 대평셩ᄃᆡ(大平盛代)❸

*가시렵니까? 가시렵니까?
(저를) 버리고 가시렵니까?
위 증즐가 대평성대

날러는 엇디 살라 ᄒᆞ고❹
㉢ᄇᆞ리고 가시리잇고 나는
위 증즐가 대평셩ᄃᆡ(大平盛代)

*나더러는 어찌 살아가라고
(저를) 버리고 가시렵니까?
위 증즐가 대평성대

잡ᄉᆞ와 두어리마ᄂᆞᄂᆞᆫ
선ᄒᆞ면 아니 올셰라*❺
위 증즐가 대평셩ᄃᆡ(大平盛代)

*붙잡아 두고 싶지만
(임이) 서운하면 아니 오실까 두렵습니다.
위 증즐가 대평성대

셜온 님* 보내ᄋᆞᆸ노니 나는
가시는 ᄃᆞᆺ 도셔 오쇼셔 나는❻
위 증즐가 대평셩ᄃᆡ(大平盛代)

*서러운 임을 보내 드리오니
가시자마자(가시는 듯) 곧 돌아오소서.
위 증즐가 대평성대

– 작자 미상, 「가시리」

- **아니 올셰라:** 아니 올까 두렵습니다.
- **셜온 님:** ① (화자를) 서럽게 하는 임(서러움의 주체: 화자) ② 이별을 서러워하는 임(서러움의 주체: 임)

Step 1 포인트 분석

「가시리」

제목의 의미
'가시리'는 '가시리잇고'의 준말로, 화자가 자신을 떠나는 임에게 '가시렵니까?'라고 물어보며 이별을 확인하고 있음을 드러낸다.

시적 상황
화자는 사랑하는 임을 떠나보내야 하는 상황이다.

표현
❶가시리잇고
→ **물음의 형식:** 이별의 상황과 이에 대한 화자의 애절한 심정을 강조함.
❶가시리 가시리잇고
→ **3·3·2의 음수율, 3음보율:** 율격을 통해 운율을 형성함.
❶가시리 가시리잇고, ❷ᄇᆞ리고 가시리잇고
→ **시구의 반복, a-a-b-a 구조:** '가시리(a)-가시리잇고(a)-ᄇᆞ리고(b)-가시리잇고(a)'로 리듬감을 형성하고 화자의 정서를 강조함.
❶나는, ❸위 증즐가 대평셩ᄃᆡ
→ **여음구(❶)와 후렴구(❸):** 음률을 맞추어 음악성을 드러내고 흥을 돋움.
❺올셰라, ❻오쇼셔
→ **특정 어미의 사용:** 혹시 그러할까 염려하는 뜻을 나타내는 종결 어미 '-ㄹ셰라'와 명령을 나타내는 종결 어미 '-쇼셔'를 사용해 화자의 걱정과 소망이라는 심리를 효과적으로 제시함.
❶가시리 가시리잇고~❻도셔 오쇼셔
→ **기승전결의 시상 전개:** 한시(漢詩)와 같은 4단 구성을 통해 화자의 정서를 표현함.

정서와 태도
❹날러는 엇디 살라 ᄒᆞ고
→ 떠나는 임에 대한 원망
❺잡ᄉᆞ와~아니 올셰라
→ 감정의 절제, 이별의 상황에 대한 수용과 체념
❻가시는 ᄃᆞᆺ 도셔 오쇼셔
→ 재회의 소망과 간절한 기다림

Step 2 포인트 체크

[01~06] 윗글에 대하여 맞으면 ○, 틀리면 ×표를 하시오.

01 화자는 뜻밖에 맞이한 이별 상황을 거듭 확인하고 있다. 〔○, ×〕

02 화자는 적극적 태도로 임과의 이별을 거부하고 있다. 〔○, ×〕

03 화자는 자신을 버리고 떠나려는 임에게 원망의 정서를 직접 토로하고 있다. 〔○, ×〕

04 4연에서 화자는 임에 대한 자신의 궁극적인 소망을 표출하며 기다림의 정서를 드러내고 있다. 〔○, ×〕

05 '가시리 가시리잇고 / ᄇᆞ리고 가시리잇고'는 a-a-b-a 구조로, 3·3·2의 음수율과 4음보의 율격을 통해 운율을 형성하고 있다. 〔○, ×〕

06 '아니 올셰라'는 특정한 어미를 사용하여 임에 대한 화자의 걱정과 염려를 강조하고 있다. 〔○, ×〕

[07~10] 다음 빈칸에 알맞은 말을 쓰시오.

07 '위 증즐가 대평셩ᄃᆡ'는 작품의 내용과 상관없는 [ㅎ][ㄹ][ㄱ]로, 음악성을 드러내고 흥을 돋운다.

08 'ᄇᆞ리고 가시리잇고'를 반복하여 임이 화자를 버리고 떠나는 상황을 확인하며 이별의 [ㅅ][ㅍ]과 [ㅈ][ㅎ]을 드러내고 있다.

09 '잡ᄉᆞ와 두어리마ᄂᆞᄂᆞᆫ'에서 떠나는 임을 붙잡고 이별을 만류하고 싶은 화자의 [ㅅ][ㅁ][ㅇ]을 짐작할 수 있다.

10 '도셔 오쇼셔'는 [ㅁ][ㄹ][ㅎ] 문장을 통해 화자가 바라는 임의 행위를 당부한 것이다.

정답 | 01 ○ 02 × 03 × 04 ○ 05 × 06 ○ 07 후렴구 08 슬픔, 정한 09 속마음 10 명령문

작품 정리

가시리

- **갈래:** 고려 가요
- **성격:** 서정적, 민요적, 애상적, 체념적, 희생적
- **주제:** 이별의 정한(情恨)
- **구성:** 기(1연) | 이별의 안타까움(애원과 탄식)
  승(2연) | 떠나는 임에 대한 원망(애원과 원망의 고조)
  전(3연) | 이별의 수용(감정의 절제와 체념)
  결(4연) | 재회에 대한 부탁과 소망

» **해제:** 이 작품은 이별의 아픔과 재회에 대한 소망을 여성적 어조로 진솔하게 표현한 고려 가요이다. 사랑하는 사람을 떠나보내는 슬프고도 애절한 마음을 간결한 형식과 소박하고 함축성 있는 시어로 형상화하고 있다. 이 작품은 민요의 전통적인 특질과 우리 민족의 보편적 정서인 이별의 정한이 잘 표현된 작품으로 평가받고 있다.

Step 3 실전 문제

01

윗글의 표현상 특징으로 적절하지 않은 것은?

① 순우리말 시어를 사용하여 화자의 정서를 표현하고 있다.
② 감각적 이미지를 활용하여 시적 상황을 형상화하고 있다.
③ 대상에게 말을 건네는 방식으로 시상을 전개하고 있다.
④ 특정한 시어를 반복하여 화자의 정서를 강조하고 있다.
⑤ 종결 어미의 변화를 통해 화자의 정서 변화를 드러내고 있다.

02

윗글의 화자에 대한 설명으로 가장 적절한 것은?

① 빈곤한 상황에 대한 좌절감을 표출하고 있다.
② 자신의 신념과 배치되는 현실에 저항하고 있다.
③ 자신과 유사한 처지에 있는 상대를 동정하고 있다.
④ 예기치 못한 이별의 상황으로 인해 서러워하고 있다.
⑤ 거역할 수 없는 자연의 섭리에 대한 경외감을 드러내고 있다.

03

기출 2010학년도 11월 고1 교육청

윗글의 시어에 대한 설명으로 적절하지 않은 것은?

① 'ᄇᆞ리고'의 주체는 임으로, 화자가 애원하는 이유가 된다.
② '엇디 살라 ᄒᆞ고'의 주체는 임을 떠나보내며 한탄하는 화자이다.
③ '잡ᄉᆞ와 두어리마ᄂᆞᄂᆞᆫ'의 주체는 임으로, 임이 떠나는 원인이 된다.
④ '보내ᄋᆞᆸ노니'의 주체는 화자로, 임이 돌아오기를 바라면서 하는 행위이다.
⑤ '도셔 오쇼셔'는 임이 행위의 주체로, 화자의 소망이 담겨 있다.

04

〈보기〉를 참고하여 윗글을 감상한 내용으로 적절하지 않은 것은?

보기

이 작품은 한시(漢詩)의 기승전결(起承轉結) 구조로 시상을 전개하고 있으므로 이에 따라 미묘하게 달라지는 시적 상황이나 화자의 정서를 파악하는 것은 주제 의식에 접근하는 가장 좋은 방법 중 하나이다.

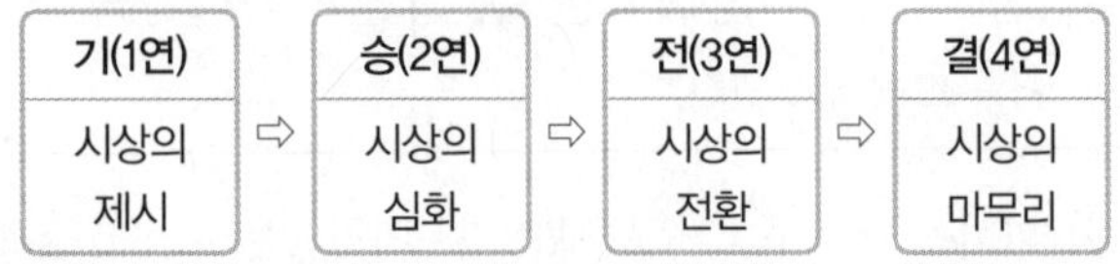

① '기'에서는 임이 화자를 떠나는 이별 상황이 제시되고 있어.
② '승'에서는 '기'에서 제시된 화자의 하소연이 고조되고 있어.
③ '전'에서는 '기', '승'에서와 달리 이별하려는 임에 대한 화자의 원망이 직접 제시되며 시상이 전환되고 있어.
④ '전'에서는 이별을 수용하지 못하는 '기', '승'과 달리 이별을 수용하는 화자의 태도가 드러나 있어.
⑤ '결'에서는 임과의 재회에 대한 소망이 제시되며 시상이 마무리되고 있어.

05

시적 구조가 [가]와 가장 이질적인 것은?

① 살어리 살어리랏다. 청산에 살어리랏다.
② 형님 온다. 형님 온다. 분고개로 형님 온다.
③ 산에는 꽃 피네. / 꽃이 피네. / 갈 봄 여름 없이 / 꽃이 피네.
④ 눈은 살아 있다. / 떨어진 눈은 살아 있다. / 마당 위에 떨어진 눈은 살아 있다.
⑤ 나는 왕이로소이다. 나는 왕이로소이다. 어머님의 가장 어여쁜 아들, 나는 왕이로소이다.

06

고난도 기출 변형 2014학년도 3월 고1 교육청

윗글을 심화 학습하는 과정에서 〈보기〉의 자료를 접하였다. 이를 바탕으로 윗글을 감상한 내용으로 적절하지 않은 것은?

보기

[「가시리」의 형식상 특징]

- 3음보를 기본 율격으로 하여 리듬감을 형성함.
- 음악적 효과를 높여 주는 역할을 하는 여음구를 반복함.

[「가시리」의 내용상 특징]

- 자신에게 닥친 부당한 상황을 어쩔 수 없이 받아들이는 데서 오는 한(恨)의 정서가 나타남.
- 이별의 상황에 적극적으로 대응하지 못하고 체념하는 소극적인 화자의 태도가 담겨 있음.

① '가시리 가시리잇고'에서 3·3·2조의 3음보 율격을 확인할 수 있군.
② '나ᄂᆞᆫ'은 음악적 효과를 높여 주는 여음구라고 할 수 있군.
③ '날러는 엇디 살라 ᄒᆞ고'는 임을 붙잡지 못하고 체념한 심정을 드러내고 있군.
④ '선ᄒᆞ면 아니 올셰라'에는 이별의 상황에 소극적으로 대응하는 이유가 드러나 있군.
⑤ '셜온 님 보내ᄋᆞᆸ노니'에는 어쩔 수 없이 이별을 받아들이는 한의 정서가 담겨 있군.

07

㉠~㉢에 대한 설명으로 적절하지 않은 것은?

① ㉠에서 화자는 의문의 형식을 통해 임과 헤어지게 된 상황을 확인하고 있다.
② ㉡에서는 헤어짐의 원인이 임에게 있다는 사실을 제시하고 있다.
③ ㉡에서 화자는 ㉠의 상황을 거듭 확인함으로써 헤어짐을 원치 않는 심리를 부각하고 있다.
④ ㉢에서는 ㉡을 반복하여 이별의 슬픔과 정한을 강조하고 있다.
⑤ ㉢에서 화자는 절제와 양보를 통해 임과의 갈등을 차단하려는 태도를 드러내고 있다.

08

기출 변형 2017학년도 6월 고3 평가원

〈보기〉에서 설명하는 시구를 윗글에서 찾아 쓰시오.

보기

고려 가요는 대부분 민간에서 구비 전승되다가 궁중의 악곡으로 수용되었다. 이때 궁중 연향(宴饗)*을 고려한 것으로 보이는 특정한 부분이 덧붙여지기도 하였다. 예컨대, 전체적으로 애틋한 그리움의 정서를 보이는 작품에 송축의 내용을 담거나 이별의 상황과 동떨어진 시어를 붙이기도 하였다. 「가시리」에도 이러한 변화를 보여 주는 시구가 있다.

* **연향:** 특별히 융숭하게 손님을 대접하는 잔치.

09

서술형

윗글에 대한 〈보기〉의 설명에서 Ⓐ, Ⓑ에 들어갈 알맞은 말을 각각 서술하시오.

보기

「가시리」에서 화자는 1, 2연과 3, 4연에서 조금 다른 태도를 드러내고 있다. 이별의 안타까움과 원망의 정서를 드러낸 1, 2연과 달리, 3연에서는 감정의 절제와 체념을, 4연에서는 소망과 기원의 자세를 드러내고 있다.

3연에서는 화자가 임을 붙잡고 싶지만 그렇게 하면 (Ⓐ) 두렵기 때문에 이별을 수용하면서 감정의 절제와 체념을 드러내고 있다.

4연에서는 화자가 자신을 떠난 임에게 (Ⓑ) 를 당부하는 것에서 소망과 기원의 자세가 드러난다.

Ⓐ: ______

Ⓑ: ______

동동

출제 포인트 › #월령체의 특징 #임과 화자를 비유한 대상 #대조적 시어 #후렴구의 역할

덕(德)으란 곰비예 받줍고 복(福)으란 림비예 받줍고❶
덕(德)이여 복(福)이라 호놀 나ᄉᆞ라 오소이다
㉠아으 동동(動動)다리❷ 〈서사〉

*덕일랑 신령님께 바치옵고 복일랑 임에게 바칩니다.
덕이며 복이라 하는 것을 바치러 오십시오.

정월(正月)*ㅅ 나릿므른 아으 어져 녹져 ᄒᆞ논ᄃᆡ❸
누릿 가온ᄃᆡ 나곤 몸하 ᄒᆞ올로 녈셔❹
아으 동동(動動)다리 〈1월령〉

*정월의 냇물은 아아 얼고 녹고 하는데.
세상 가운데 나서는 이 몸은 홀로 살아가네.

이월(二月)ㅅ 보로매 아으 노피 현 ㉮등(燈)ㅅ블 다호라❺
만인(萬人) 비취실 즈ᅀᅵ샷다*❻
아으 동동(動動)다리 〈2월령〉

*이월 보름에 아아 높이 켠 등불 같구나.
만 사람(만인) 비추실 모습이시네.

삼월(三月) 나며 개(開)ᄒᆞᆫ 아으 만춘(滿春) ㉯ᄃᆞᆯ욋고지여❼
ᄂᆞᄆᆡ 브롤 즈슬 디녀 나샷다
아으 동동(動動)다리 〈3월령〉

*삼월 지나며 핀 아아 봄 산 가득 진달래꽃.
남들이 부러워할 모습을 지녀 나셨네.

사월(四月) 아니 니저 아으 오실셔 곳고리 새여❽
므슴다 녹사(錄事)*니믄 녯나ᄅᆞᆯ 닛고신뎌❾
아으 동동(動動)다리 〈4월령〉

*사월 아니 잊어 아아 오시는구나 꾀꼬리 새여.
어찌하여 녹사님은 옛날을 잊고 계신지요.

오월(五月) 오 일(五日)애 아으 수릿날 아춤 약(藥)은
즈믄 힐 장존(長存)ᄒᆞ샬 약(藥)이라 받줍노이다❿
아으 동동(動動)다리 〈5월령〉

*오월 오 일에 아아 단옷날 아침 약은
천년을 길이 사실 약이라 바치옵니다.

Step 1 포인트 분석

「동동」

제목의 의미
'동동'은 북소리를 흉내 낸 의성어로, 각 연의 끝에 반복되고 있다.

시적 상황
화자는 임과 이별한 상황에서 일 년 열두 달의 세월을 보내고 있다. 단 서사는 임의 덕과 복을 기원하고 있어 다른 연들과 이질적인데 이는 이 노래가 민간에서 궁중 음악으로 수용되면서 첨가되었기 때문인 것으로 추측되며, 이에 따라 임은 임금으로 해석되기도 한다.

표현
❶덕으란 곰비예~림비예 받줍고
→ **대구법:** 운율을 형성하고, 임의 복덕을 비는 마음을 강조함.
❷아으 동동다리
→ **후렴구의 반복:** 운율을 형성하고 연을 구분하여 안정감을 부여함. 연마다 다양하게 전개된 시상을 통합하고 시상의 전환이 쉽게 이루어질 수 있도록 함.
❷아으, ❺다호라, ❻즈ᅀᅵ샷다, ❼ᄃᆞᆯ욋고지여, ❽곳고리 새여
→ **영탄적 어조:** 감탄사나 감탄형 어미, 감탄의 뜻을 포함한 호격 조사를 사용하여 화자의 정서나 태도를 부각함.
❸정월ㅅ 나릿므른~⓲소니 가재다 므ᄅᆞᅀᆞᆸ노이다
→ **분절체, 월령체(月令體)의 형식:** 1월부터 12월까지 순서에 따라 시상을 전개하고, 세시 풍속과 이에 따른 화자의 정서를 드러냄.
❸나릿믈, ❽곳고리 새
→ **객관적 상관물:** 화자의 외로움, 고독감을 고조시키는 자연물임.
❸나릿믈 ↔ ❹몸, ❽곳고리 새 ↔ ❾녹사님
→ **대조:** '나릿믈'은 화자(몸)와, '곳고리 새'는 임(녹사님)과 대조되어 외롭고 쓸쓸한 화자의 처지를 강조함.
❺등ㅅ블, ❼ᄃᆞᆯ욋곶
→ **비유법:** 임의 고매한 인품과 출중한 용모를 빗댄 보조 관념임.

정서와 태도
❶복으란 림비예 받줍고, ❿즈믄 힐 장존ᄒᆞ샬 약이라 받줍노이다
→ 임에 대한 송축과 기원
❹누릿 가온ᄃᆡ 나곤 몸하 ᄒᆞ올로 녈셔
→ 홀로 지내는 외로움과 쓸쓸함
❾므슴다 녹사니믄 녯나ᄅᆞᆯ 닛고신뎌
→ 돌아오지 않는 임에 대한 그리움과 원망

• **정월:** 음력으로 한 해의 첫째 달.
• **즈ᅀᅵ샷다:** 모습이시네.
• **녹사:** 고려 때의 벼슬 이름.

유월(六月)ㅅ 보로매 아으 별해 ᄇᆞ룐 빗 다호라⑪
도라보실 니믈 젹곰 좃니노이다
아으 동동(動動)다리 〈6월령〉

*유월 보름(유두일)에 아아 벼랑에 버려진 빗과 같구나.
돌아보실 임을 잠깐 좇아갑니다.

칠월(七月)ㅅ 보로매 아으 백종(百種)* 배(排)ᄒᆞ야 두고
니믈 ᄒᆞᆫᄃᆡ 녀가져 원(願)을 비ᅀᆸ노이다⑫
아으 동동(動動)다리 〈7월령〉

*칠월 보름(백중날)에 아아 백종 제물 차려 놓고
임과 함께 가고 싶네. 소원을 비옵나이다.

팔월(八月)ㅅ 보로ᄆᆞᆫ 아으 가배(嘉俳)나리마ᄅᆞᆫ
니믈 뫼셔 녀곤 오ᄂᆞᆯ낤 가배(嘉俳)샷다⑬
아으 동동(動動)다리 〈8월령〉

*팔월 보름은 아아 가윗날(한가위, 추석)이지만
임을 모시고 지내야만 오늘이 가위로구나.

구월(九月) 구 일(九日)에 아으 약(藥)이라 먹논
황화(黃花)고지 안해 드니 새셔 가만ᄒᆞ얘라⑭
아으 동동(動動)다리 〈9월령〉

*구월 구 일에 아아 약이라고 먹는
누런 국화꽃이 안에 드니 갈수록 아득하구나.

시월(十月)애 아으 져미연 ᄇᆞᄅᆞᆺ 다호라⑮
것거 ᄇᆞ리신 후(後)에 디니실 ᄒᆞᆫ 부니 업스샷다
아으 동동(動動)다리 〈10월령〉

*시월에 아아 저며 놓은 고로쇠 같구나.
꺾어 버리신 후에 지니실 한 분이 없네.

십일월(十一月)ㅅ 봉당 자리예 아으 한삼(汗衫) 두퍼 누워
슬ᄒᆞᆯ ᄉᆞ라온뎌 고우닐* 스싀옴 녈셔⑯
아으 동동(動動)다리 〈11월령〉

*십일월 봉당 자리에 아아 한삼 덮어 누워
슬픔을 사르고 있네. 고운 임 떨어져 살아가네.

십이월(十二月)ㅅ 분디남ᄀᆞ로 갓곤 아으 나ᄉᆞᆯ 반(盤)잇* 져 다호라⑰
㉡니믜 알픠 드러 얼이노니 소니 가재다 므ᄅᆞᅀᆸ노이다⑱
아으 동동(動動)다리 〈12월령〉

*십이월 분디나무로 깎은 아아 소반 위의 저(젓가락)와 같네.
임의 앞에 가지런히 놓으니 손이 가져다 무옵니다.

– 작자 미상, 「동동(動動)」

표현

⑪별해 ᄇᆞ룐 빗, ⑮져미연 ᄇᆞᄅᆞᆺ, ⑰반잇 져
→ **비유법:** 임에게 버림받은 처지, 임과의 사랑을 이루지 못한 처지를 드러냄.

⑭황화곶
→ **객관적 상관물:** 화자의 외로움, 고독감을 고조시키는 자연물임.

정서와 태도

⑫니믈 ᄒᆞᆫᄃᆡ 녀가져, ⑬니믈 뫼셔 녀곤
→ 임과 함께하고 싶은 소망

⑭새셔 가만ᄒᆞ얘라
→ 홀로 지내는 외로움과 쓸쓸함

⑯슬ᄒᆞᆯ ᄉᆞ라온뎌, ⑱소니 가재다 므ᄅᆞᅀᆸ노이다
→ 이별의 상황과 임과의 사랑이 이루어지지 않은 것에 대한 슬픔

「동동」에 나타난 중심 소재 및 세시 명절

연(월)	중심 소재	세시 명절
1월령(정월)	나릿믈	
2월령(2월)	등(燈)ㅅ블	연등제
3월령(3월)	돌욋곶	
4월령(4월)	곳고리 새	
5월령(5월)	아ᄎᆞᆷ 약(藥)	단오
6월령(6월)	별해 ᄇᆞ룐 빗	유두일
7월령(7월)	백종(百種)	백중날
8월령(8월)	가배(嘉俳)	한가위
9월령(9월)	황화(黃花)곶	중양절
10월령(10월)	ᄇᆞᄅᆞᆺ	
11월령(11월)	한삼(汗衫)	
12월령(12월)	반(盤)잇 져	

• **백종:** '백중(百中)'의 별칭. 백곡지종(百穀之種, 백 가지 곡식의 씨)의 줄임말로, 이 무렵에 과일과 채소가 많이 나와 옛날에는 백 가지 곡식의 씨앗을 갖추어 놓았다고 하여 유래됨.
• **고우닐:** 고운 이를, 사랑하는 임을.
• **반잇:** 소반의, 소반에 있는.

Step 2 포인트 체크

[01~06] 윗글에 대하여 맞으면 ○, 틀리면 ×표를 하시오.

01 화자는 임과 이별한 후 1년간의 생활을 노래하고 있다. (○, ×)

02 화자는 힘든 현실에서 벗어난 이상향에서의 삶을 지향하고 있다. (○, ×)

03 화자는 임과 이별한 슬픔의 정서와 임에 대한 연모의 정을 드러내고 있다. (○, ×)

04 〈12월령〉에서 화자는 자신의 기구한 운명을 한탄하고 있다. (○, ×)

05 대조적인 시어를 사용하여 고독한 화자의 처지를 강조하고 있다. (○, ×)

06 악기 소리를 흉내 낸 의성어로 이루어진 후렴구를 반복하여 음악성을 드러내고 있다. (○, ×)

[07~10] 다음 빈칸에 알맞은 말을 쓰시오.

07 〈2월령〉의 '등(燈)ㅅ블'은 임의 [ㅇ][ㅍ]을, 〈3월령〉의 '돌욋곶'은 임의 [ㅇ][ㅁ]를 비유적으로 드러낸 소재이다.

08 〈5월령〉은 임의 장수에 대한 화자의 [ㄱ][ㅇ]을, 〈7월령〉은 임과 함께하고픈 화자의 [ㅅ][ㅁ]을 드러내고 있다.

09 〈6월령〉의 '[ㅂ]'과 〈10월령〉의 '[ㅂ][ㄹ]'은 임에게 버림받은 화자의 가련한 처지를 비유한 소재이다.

10 〈11월령〉의 '봉당 자리'는 화자의 [ㅇ][ㄹ][ㅇ] 처지를 부각하는 공간이다.

정답 | 01 ○ 02 × 03 ○ 04 ○ 05 ○ 06 ○ 07 인품, 용모 08 기원, 소망 09 빗, ᄇᆞ롯 10 외로운

작품 정리

동동

- **갈래:** 고려 가요
- **성격:** 서정적, 민요적, 송축적, 연가적
- **주제:** 임에 대한 송축과 연모의 정
- **구성:** 서사 | 임(임금)의 덕과 복을 기원함.
  - 1월령 | 임 없이 홀로 살아가는 외로운 처지를 호소함.
  - 2월령 | 임의 빼어난 인품을 예찬함.
  - 3월령 | 임의 아름다운 모습을 예찬함.
  - 4월령 | 오지 않는 임을 그리워하며 원망함.
  - 5월령 | 임의 장수를 기원함.
  - 6월령 | 버림받은 처지에도 임을 따름.
  - 7월령 | 임과 함께 살기를 기원함.
  - 8월령 | 임이 없는 한가위의 쓸쓸함과 임에 대한 그리움
  - 9월령 | 임이 없는 고독과 쓸쓸함
  - 10월령 | 임에게 버림받아 슬퍼함.
  - 11월령 | 임과 떨어져 외로워함.
  - 12월령 | 임과의 사랑이 이루어지지 않아 한탄함.

» **해제:** 이 작품은 현전하는 가장 오래된 월령체 노래로, 각 달의 특성과 세시 풍속을 통해 임과 이별한 여인의 애절한 정서를 드러내고 있는 고려 가요이다. 화자는 일 년 열두 달의 흐름에 따라 임에 대한 송축과 기원, 정성과 소망, 원망과 그리움, 외로움과 쓸쓸함 등 다양한 태도와 심정을 진솔하게 표출하고 있다. 총 13연으로 이루어진 이 작품은 분연체 형식과 후렴구의 사용 등 고려 가요의 형식적 특성을 잘 드러내고 있다.

» **배경:** 고려 시대에 민간에서 불리다가 궁중 음악으로 수용된 노래이다. 1연, 즉 서사가 나머지 연과 정서적으로 이질적인 것은 궁중 음악으로 편입되는 과정에서 송축의 내용이 첨가되었기 때문이다. 한편 이 작품처럼 1년을 열두 달로 나누어 구성한 시가 형식을 '월령체가(月令體歌)' 또는 '달거리요'라고 하는데 일반적으로 각 연에서는 그 달의 자연과 행사, 세시 풍속 등을 반영하여 다양한 감정을 솔직하고 자유롭게 표현하였다.

Step 3 실전 문제

정답 057쪽

01

윗글에 대한 설명으로 적절하지 않은 것은?

① 대구법을 사용하여 리듬감을 형성하고 있다.
② 반어법을 활용하여 화자의 심정을 부각하고 있다.
③ 영탄법을 사용하여 화자의 감정을 표출하고 있다.
④ 비유법을 활용하여 대상의 모습을 형상화하고 있다.
⑤ 대조적인 상황을 제시하여 화자의 처지를 강조하고 있다.

02

㉠에 대한 설명으로 적절하지 않은 것은?

① 연을 구분하고 구조적인 안정감을 부여하고 있다.
② 운율을 형성하고 음악적 흥취를 고조시키고 있다.
③ 반복적으로 사용되어 주제 의식을 부각하고 있다.
④ 다양하게 전개된 시상을 통합하는 기능을 하고 있다.
⑤ 악기 소리를 흉내 낸 의성어로 이루어진 후렴구이다.

03

기출 변형 2013학년도 3월 고2 교육청 A·B형

윗글에 대한 이해로 적절하지 않은 것은?

① 〈1월령〉의 '나릿믈'과 〈11월령〉의 '봉당 자리'는 화자의 처지와 대비되는 대상이다.
② 〈5월령〉의 '받ᄌᆞᆸ노이다'와 〈7월령〉의 '비ᅀᆞᆸ노이다'에는 화자의 정성과 기원이 담겨 있다.
③ 〈6월령〉의 '좃니노이다'와 〈7월령〉의 'ᄒᆞᆫᄃᆡ 녀가져'에는 화자의 소망이 직접적으로 표출되고 있다.
④ 〈6월령〉의 '빗'과 〈10월령〉의 'ᄇᆞ룻'은 버림받은 화자의 신세를 비유한 사물이다.
⑤ 〈10월령〉의 '업스샷다'와 〈11월령〉의 '스싀옴 녈셔'에는 고독하게 지내는 화자의 삶이 드러나 있다.

04

고난도

윗글에서 〈보기〉의 [A], [B]에 해당하는 내용을 짝지은 것으로 적절하지 않은 것은?

보기

「동동」의 각 연은 대체로 일정한 내용 구조를 반복하고 있다. 먼저 '시간적 배경 혹은 대상'을 제시하고, '아으'에 이어 '대상의 모습이나 속성'을 제시하고 있다. 그리고 '화자의 상황이나 심경'을 제시한 후 '아으 동동다리'로 마무리하고 있다.

시간적 배경, 대상 ⇨ [A] 대상의 모습, 속성 ⇨ [B] 화자의 상황, 심경 ⇨ 아으 동동다리

	[A]	[B]
①	얼었다 녹았다 하는 냇물	외롭고 고독한 처지
②	다시 찾아온 꾀꼬리 새	무심한 임에 대한 원망
③	단오에 먹는 약	임의 장수에 대한 기원
④	약으로 먹는 국화꽃	임이 없는 적막함
⑤	잘게 썬 고로쇠나무	임에 대한 연민의 정

05

㉡에 대한 이해로 가장 적절한 것은?

① 자신의 마음을 받아 주지 않는 임에 대한 원망이 담겨 있다.
② 임이 자신이 아닌 다른 사람하고 혼인하게 된 상황에 대한 탄식이 담겨 있다.
③ 원치 않은 사람과 연을 맺게 된 화자의 기구한 운명에 대한 한탄이 담겨 있다.
④ 비록 임이 알아주지 않아도 임을 위해 사랑과 정성을 다하겠다는 각오가 담겨 있다.
⑤ 자신을 버린 임일지라도 항상 건강한 모습으로 살아가기를 바라는 소망이 담겨 있다.

06

기출 변형 2017학년도 6월 고3 평가원

윗글에서 〈보기〉에 해당하는 부분을 찾아 첫 어절을 쓰시오.

보기

고려 가요는 민간의 사랑 노래가 궁중악으로 정제되어 편입하는 과정에서 변화를 겪었다. 예를 들면, 궁중 의식의 절차를 갖추기 위해 공적인 존재인 임(임금)에 대한 송축의 내용을 담은 부분이 첨가된 것이다.

____

07

서술형

〈보기〉를 참고하여, ㉮와 ㉯가 드러내고 있는 임의 특징을 각각 서술하시오.

보기

「동동」의 화자는 다른 대상을 통해 자신이 사랑하는 임의 속성이나 모습을 은근히 드러내고 있다. 이는 시상의 흐름으로 보아, 임이 지닌 인품이나 용모를 예찬하기 위한 것이다.

㉮: ______________________

㉯: ______________________

고려 중기

정과정

출제 포인트 › #결백과 억울함 토로 #감정 이입 #잔월효성의 역할 #10구체 향가의 흔적

내 님을 ㉠그리워하여 우니다니
ⓐ산(山) 접동새 난 이슷하요이다*❶
아니시며 ㉡거츠르신달* 아으❷
㉮잔월효성(殘月曉星)*이 알으시리이다❸
[A] 넋이라도 님은 한데 녀져라* 아으
벼기더시니 뉘러시니잇가❹
과(過)도 허물도 천만(千萬) 업소이다❺
㉢말힛 마리신저❻
㉣살읏븐저 아으❼
ⓑ님이 나를 하마 잊으시니잇가❽
아소 님하 ㉤도람* 들으샤 괴오소서❾

– 정서, 「정과정(鄭瓜亭)」

*내가 임을 그리워하여 울고 지내더니
산 접동새와 나는 (처지가) 비슷합니다.
(나를 참소하는 말이) 옳지 않으며 거짓인 줄을
새벽녘의 달과 별이 알고 있을 것입니다.
넋이라도 임과 함께 지내고 싶어라. 아아!
(나에게 잘못이 있다고) 우기던 사람이 누구였습니까?
나는 잘못도 허물도 전혀 없습니다.
뭇사람의 참소하는 말입니다.
슬프구나. 아아!
임께서 벌써 나를 잊으셨습니까?
아아 (그렇게 하지 마소서) 임이시여, 다시 들으시어 사랑해 주소서.

- **이슷하요이다:** 비슷합니다.
- **거츠르신달:** 거짓인 줄을.
- **잔월효성:** 새벽녘의 달과 별.
- **녀져라:** 지내고 싶어라, 살고 싶어라.
- **도람:** 도로, 다시.

Step1 포인트 분석

「정과정」

제목의 의미
'정과정(鄭瓜亭)'에서 '정(鄭)'은 작자인 정서(鄭敍)의 성, '과정(瓜亭: 오이 정자)'은 정서의 호이다. '정과정곡'은 '정서가 지은 노래'라는 의미로 후세 사람들이 붙인 이름이다.

시적 상황
화자는 억울한 누명을 쓰고 귀양을 가 임과 이별한 상황이다.

표현
❶산 접동새 난 이슷하요이다
→ **감정 이입:** 자연물인 '산 접동새'에 감정을 이입하여 화자의 정서를 부각함.
❸잔월효성이 알으시리이다
→ **자연물을 활용한 호소:** 천지신명, 초월적 존재를 의미하는 자연물 '잔월효성'을 통해 자신의 결백과 억울함을 호소함.
❹벼기더시니 뉘러시니잇가, ❽님이 나를 하마 잊으시니잇가
→ **물음의 형식:** 자신을 모함한 사람과 임에 대한 원망을 강조함.
❾아소
→ **감탄사에 의한 시상 정리:** 10구체 향가의 낙구(9~10구) 첫머리에 쓰이던 감탄사와 유사한 기능을 하며, 향가와의 관련성을 보여 줌.

정서와 태도
❷아니시며 거츠르신달, ❺과도 허물도 천만 업소이다, ❻말힛 마리신저
→ 자신의 결백과 억울함의 직설적 호소
❹벼기더시니 뉘러시니잇가
→ 자신을 모함한 사람들에 대한 원망
❼살읏븐저
→ 억울하게 모함받는 상황에 대한 슬픔 토로
❽님이 나를 하마 잊으시니잇가
→ 임이 자신을 잊었을 것이라는 의구심과 임이 자신을 아직 잊지 않았을 것이라는 기대감의 공존
❾도람 들으샤 괴오소서
→ 임이 자신을 다시 사랑해 주기를 애원하는 마음

Step2 포인트 체크

[01~06] 윗글에 대하여 맞으면 ○, 틀리면 ×표를 하시오.

01 화자는 다른 사람의 모함으로 임과 이별한 상황이다. [○, ×]

02 화자는 자신의 잘못을 인정하고 다시는 그렇게 하지 않을 것이라고 다짐하고 있다. [○, ×]

03 화자는 자신의 결백과 억울함을 직접 토로하고 있다. [○, ×]

04 마지막 행에서 화자는 임이 다시 사랑해 주기를 바라는 소망을 드러내고 있다. [○, ×]

05 3음보율과 후렴구를 반복적으로 사용하여 리듬감을 형성하고 있다. [○, ×]

06 '잊으시니잇가'는 물음의 형식을 통해 임을 원망하는 화자의 정서를 강조하고 있다. [○, ×]

[07~09] 다음 빈칸에 알맞은 말을 쓰시오.

07 '산 접동새'는 [ㄱ][ㅈ] [ㅇ][ㅇ]의 대상으로, 화자의 한(恨)과 고독을 부각하고 있다.

08 '잔월효성'은 [ㅊ][ㅈ][ㅅ][ㅁ]의 뜻으로, 화자의 결백을 증명해 줄 초월적 존재를 의미한다.

09 화자는 '벼기더시니 뉘러시니잇가'에서 자신을 모함한 사람들에 대한 [ㅇ][ㅁ]을 드러내고 있다.

정답 | 01 ○ 02 × 03 ○ 04 ○ 05 × 06 ○ 07 감정 이입 08 천지신명 09 원망

작품 정리

정과정
- **갈래:** 고려 가요(향가계 고려 가요)
- **성격:** 애상적, 고백적, 기원적
- **주제:** 자신의 결백과 임을 그리워하는 마음(임금에 대한 충절)
- **구성:** 1~4행(기) | 자신의 처지와 결백 토로
  5~9행(서) | 자신의 결백 호소
  10~11행(결) | 임에 대한 애원과 소망

» **해제:** 이 작품은 고려 때의 문인인 정서가 '동래'로 유배되었을 때 지은 고려 가요이며, 임금에 대한 마음을 여성 화자를 내세워 노래한 충신연주지사(忠臣戀主之詞) 및 유배 문학의 효시로 평가받고 있다. 작가가 자신의 결백함을 밝히고 선처를 청하기 위해 지은 이 노래에는 억울하고 원통한 심정, 반대 세력과 임에 대한 원망, 충정과 그리움 등 다양한 심리가 혼재되어 있다. 형식 면에서 10구체 향가의 흔적이 남아 있는 과도기적 작품으로 향가계 고려 가요로 불리기도 하며, 한글로 전하는 고려 가요 중 유일하게 작가가 알려진 작품이기도 하다.

» **배경:** 고려 의종 때 정서는 역모에 가담했다는 죄명으로 '동래'로 유배를 갔는데, 다시 부르겠다고 약속한 의종에게서 아무런 소식이 없자, 자신의 억울함과 결백을 호소하고 임금의 약속을 환기하여 선처를 받기 위해 이 노래를 지었다고 한다. 후세 사람들이 정서의 호인 '과정(瓜亭)'을 제목으로 붙였는데, 이 노래의 곡조인 '삼진작(三眞勺)'으로 불리기도 하였다.

Step3 실전 문제

정답 058쪽

01

윗글의 화자에 대한 설명으로 가장 적절한 것은?

① 자신의 미래를 낙관적으로 전망하고 있다.
② 자신을 곤경에 빠뜨린 사람을 포용하고 있다.
③ 자신의 과거를 돌아보며 잘못을 반성하고 있다.
④ 자신의 삶에 대해 체념적인 태도를 보이고 있다.
⑤ 자신이 처한 현재 상황에 만족하지 못하고 있다.

02

㉮에 대한 설명으로 가장 적절한 것은?

① 화자와 임의 재회를 방해하는 장애물을 의미한다.
② 화자와 임 사이를 연결해 주는 매개체를 의미한다.
③ 화자의 미래를 알려 주는 예언적 존재를 의미한다.
④ 화자를 임과 헤어지게 만든 원인 제공자를 의미한다.
⑤ 화자의 결백을 증명해 주는 초월적 존재를 의미한다.

03

〈보기〉를 참고하여 윗글을 이해한 내용으로 적절하지 않은 것은?

보기

고려 가요는 일반적으로 3음보의 율격을 따르고, 분연체로 구성되며, 후렴구를 사용한다는 특징이 있다.

이에 반해 10구체 향가는 연은 나누어져 있지 않으나 내용상 3단 구성을 취하고, 낙구의 첫머리에 감탄사를 사용하며, 낙구에 시상을 집약한다는 특징이 있다.

「정과정」은 고려 가요이지만, 8행과 9행을 합치면 10구체 향가와 유사한 구조를 보인다. 따라서 「정과정」은 고려 가요의 특징과 10구체 향가의 흔적이 모두 나타나는 작품으로 볼 수 있다.

① '내 님을 그리워하여 우니다니'로 보아, 3음보의 율격을 따르는 고려 가요의 특징을 지녔다고 할 수 있다.
② '아으'는 음악적 효과를 위해 후렴구를 사용하는 고려 가요의 특징을 보여 준다고 할 수 있다.
③ '아소'로 보아, 낙구의 첫머리에 감탄사를 사용하는 10구체 향가의 특징을 지녔다고 할 수 있다.
④ '아소 님하 도람 들으샤 괴오소서'로 보아, 낙구에 시상을 집약하는 10구체 향가의 특징을 지녔다고 할 수 있다.
⑤ 이 작품은 연이 나뉘는 분연체로 구성되는 고려 가요의 특징을 지니지 않는다고 할 수 있다.

04

㉠~㉤에 대한 설명으로 적절하지 않은 것은?

① ㉠은 임과 이별하여 쓸쓸하게 지내는 화자의 처지를 드러내고 있다.
② ㉡은 자신과 관련해 임이 알고 있는 내용이 거짓이라는 해명을 담고 있다.
③ ㉢에서 화자는 자신을 위로해 주는 사람들에 대한 고마움을 드러내고 있다.
④ ㉣에서 화자는 자신이 처한 상황에 대한 슬픈 감정을 직접 드러내고 있다.
⑤ ㉤은 임이 자신에 대한 오해를 풀기 바라는 화자의 소망을 담고 있다.

05

[A]와 〈보기〉에 대한 설명으로 적절하지 않은 것은?

보기

넋이라도 임과 함께 지내고자 했는데
넋이라도 임과 함께 지내고자 했는데
우기던 사람 누구입니까 누구입니까

– 「만전춘별사(滿殿春別詞)」 중에서

① [A]와 〈보기〉는 모두 물음의 형식을 통해 화자의 심정을 부각하고 있다.
② [A]와 〈보기〉는 모두 임과 함께하고 싶은 화자의 소망을 드러내고 있다.
③ [A]와 〈보기〉는 모두 화자가 타인에 대한 원망의 정서를 표출하고 있다.
④ [A]와 달리 〈보기〉는 반복법을 통해 화자의 정서를 강조하고 있다.
⑤ 〈보기〉와 달리 [A]는 화자가 자신의 죽음 이후의 상황을 가정하여 시상을 전개하고 있다.

06

ⓐ에 사용된 표현법과 그 효과를 서술하시오.

07

 2003학년도 4월 고3 교육청

〈보기〉를 참고하여, ⓑ에 내포된 화자의 이중 심리를 서술하시오.

보기

계랑의 시조에는 '추풍 낙엽(秋風落葉)에 저도 날 생각난가'라는 구절이 있는데, 여기서 '날 생각난가'에는 화자의 이중 심리가 담겨 있다. 즉 '날 생각할지도 몰라.'라는 기대감과, '날 잊었을지도 몰라.'라는 의구심의 이중 심리가 내포되어 있는 것이다.

● 고려 시대

정석가

출제 포인트 › #불가능한 상황 설정 #역설·과장·반어 #이별의 거부 #변함없는 사랑과 믿음의 다짐

딩아 돌하 당금(當今)에 계샹이다
딩아 돌하 당금(當今)에 계샹이다❶
션왕셩듸(先王聖代)*예 노니ᄋᆞ와지이다❷

*징이여, 돌이여 지금에 계십니다.
징이여, 돌이여 지금에 계십니다.
이 좋은 태평성대에 놀고 싶습니다.

㉠삭삭기 셰몰애 별헤 나ᄂᆞᆫ
삭삭기 셰몰애 별헤 ㉡나ᄂᆞᆫ❸
구은 밤 닷 되를 심고이다
그 바미 우미 도다 삭나거시아
그 바미 우미 도다 삭나거시아❹
유덕(有德)ᄒᆞ신 님믈 여히ᄋᆞ와지이다❺

*바삭바삭한 가는 모래 벼랑에
바삭바삭한 가는 모래 벼랑에
구운 밤 닷 되를 심습니다.
그 밤이 움이 돋아 싹이 나야만
그 밤이 움이 돋아 싹이 나야만
덕이 있으신 임을 이별하고 싶습니다.

옥(玉)으로 련(蓮)ㅅ고즐 사교이다
옥(玉)으로 련(蓮)ㅅ고즐 사교이다❻
바회 우희 접듀(接柱)*ᄒᆞ요이다
그 고지 삼동(三同)이 퓌거시아
그 고지 삼동(三同)이 퓌거시아❼
유덕(有德)ᄒᆞ신 님 여히ᄋᆞ와지이다❽

*옥으로 연꽃을 새깁니다.
옥으로 연꽃을 새깁니다.
(그 꽃을) 바위 위에 접을 붙입니다.
그 꽃이 세 묶음이 피어야만
그 꽃이 세 묶음이 피어야만
덕이 있으신 임을 이별하고 싶습니다.

Step 1 포인트 분석

「정석가」

제목의 의미
'정석가'에서 '정석'은 1연에 보이는 '딩아 돌하'와 관련을 가지는데, '정(鄭)'은 '딩'과, '석(石)'은 '돌'과 대응시켜 징[鉦]과 돌[磬]이라는 금석 악기를 의인화한 것으로 보는 견해와 사랑하는 인물인 '정석(鄭石)'의 이름이라고 보는 견해가 있다.

시적 상황
화자는 임과 이별하지 않겠다는 의지를 토로하고 있다.

표현
❶딩아 돌하~당금에 계샹이다, ❸삭삭기 셰몰애~별헤 나ᄂᆞᆫ, ❹그 바미 우미~삭나거시아, ❻옥으로 련ㅅ고즐~사교이다, ❼그 고지~퓌거시아
→ **시행의 반복:** 동일한 시행을 반복하여 리듬감을 형성하고 상황과 정서를 강조함.

❸삭삭기~ ❹삭나거시아, ❻옥으로~ ❼퓌거시아
→ **역설법과 과장법:** 불가능한 상황을 과장되게 설정하고 그 상황이 되어야 임과 헤어지겠다는 역설을 통해 임과 헤어지지 않겠다는 화자의 의지를 강조함.

❺, ❽, ⓫, ⓮유덕ᄒᆞ신 님(믈) 여히ᄋᆞ와지이다
→ **반어법과 반복법:** 화자의 바람과 반대되는 반어적 표현으로 실제로는 이별하고 싶지 않은 화자의 마음을 강조하고, 2~5연에서 반복되며 후렴구와 같은 역할을 함.

정서와 태도
❷션왕셩듸예 노니ᄋᆞ와지이다
→ 태평성대에 대한 소망과 기원

❸삭삭기~ ❺여히ᄋᆞ와지이다, ❻옥으로~ ❽여히ᄋᆞ와지이다
→ 임과 이별하지 않겠다는 강한 의지와 소망

- **션왕셩듸:** 선왕(先王)이 다스리던 거룩한 태평성대.
- **접듀:** 접을 붙임. '접'은 과실나무·수목 따위의 품종 개량·번식을 위하여 한 나무에 다른 나무의 가지나 눈을 따다 붙이는 방법.

므쇠로 텰릭을 ᄆᆞᆯ아 나ᄂᆞᆫ
므쇠로 텰릭을 ᄆᆞᆯ아 나ᄂᆞᆫ⑨
텰ᄉᆞ(鐵絲)로 주롬 바고이다
그 오시 다 헐어시아
그 오시 다 헐어시아⑩
유덕(有德)ᄒᆞ신 님 여ᄒᆡᄋᆞ와지이다⑪

*무쇠로 철릭(무관의 관복)을 재단하여
무쇠로 철릭을 재단하여
철사로 주름을 박습니다.
그 옷이 다 헐어야만
그 옷이 다 헐어야만
덕이 있으신 임을 이별하고 싶습니다.

므쇠로 한 쇼를 디여다가
므쇠로 한 쇼를 디여다가⑫
텰슈산(鐵樹山)애 노호이다
그 쇠 텰초(鐵草)*를 머거아
그 쇠 텰초(鐵草)를 머거아⑬
유덕(有德)ᄒᆞ신 님 여ᄒᆡᄋᆞ와지이다⑭

*무쇠로 큰 소(황소)를 만들어서
무쇠로 큰 소를 만들어서
쇠로 된 나무가 있는 산에 놓습니다.
그 소가 쇠로 된 풀을 먹어야만
그 소가 쇠로 된 풀을 먹어야만
덕이 있으신 임을 이별하고 싶습니다.

㉢구스리 바회예 디신ᄃᆞᆯ
구스리 바회예 디신ᄃᆞᆯ⑮
긴힛ᄃᆞᆫ 그츠리잇가⑯
㉣즈믄 ᄒᆡᄅᆞᆯ 외오곰 녀신ᄃᆞᆯ
즈믄 ᄒᆡᄅᆞᆯ 외오곰 녀신ᄃᆞᆯ⑰
신(信)잇ᄃᆞᆫ ㉤그츠리잇가⑱

*구슬이 바위에 떨어진들
구슬이 바위에 떨어진들
끈이야 끊어지겠습니까?
천 년을 외로이 살아간들
천 년을 외로이 살아간들
(임에 대한) 믿음이야 끊어지겠습니까?

– 작자 미상, 「정석가(鄭石歌)」

표현

⑨므쇠로 텰릭을~ᄆᆞᆯ아 나ᄂᆞᆫ, ⑩그 오시~헐어시아, ⑫므쇠로 한~디여다가, ⑬그 쇠 텰초를~머거아, ⑮구스리 바회예~디신ᄃᆞᆯ, ⑰즈믄 ᄒᆡᄅᆞᆯ~녀신ᄃᆞᆯ
→ **시행의 반복:** 동일한 시행을 반복하여 리듬감을 형성하고 화자의 정서를 강조함.

⑨므쇠로~ ⑩헐어시아, ⑫므쇠로~ ⑬머거아
→ **역설법과 과장법:** 불가능한 상황을 과장되게 설정하고 그 상황이 되어야 임과 헤어지겠다는 역설을 통해 임과 헤어지지 않겠다는 화자의 의지를 강조함.

⑮구스리 바회예~ ⑯긴힛ᄃᆞᆫ 그츠리잇가
→ **비유법:** '구슬'은 '임과의 사랑', '바회'는 '시련과 장애물', '긴'은 '사랑과 믿음'으로 비유하여 시적 의미를 효과적으로 표현함.

⑯긴힛ᄃᆞᆫ 그츠리잇가, ⑱신(信)잇ᄃᆞᆫ 그츠리잇가
→ **설의법:** 임에 대한 사랑과 믿음은 변함이 없을 것이라는 점을 강조함.

정서와 태도

⑨므쇠로 텰릭을~ ⑪여ᄒᆡᄋᆞ와지이다, ⑫므쇠로 한 쇼를~ ⑭여ᄒᆡᄋᆞ와지이다
→ 임과 이별하지 않겠다는 강한 의지와 소망

⑮구스리 바회예~ ⑱신(信)잇ᄃᆞᆫ 그츠리잇가
→ 임과 이별하더라도 임을 향한 사랑과 믿음은 변하지 않을 것이라는 다짐

Step 2 포인트 체크

[01~06] 윗글에 대하여 맞으면 ○, 틀리면 ×표를 하시오.

01 화자는 임과 이별하고 싶지 않은 심정을 반복적으로 토로하고 있다. (○, ×)

02 화자는 임과의 이별을 어쩔 수 없이 받아들이는 체념적인 태도를 보인다. (○, ×)

03 1연에서 화자는 나라의 안녕과 태평성대를 기원하고 있다. (○, ×)

04 2~5연에서 화자는 불가능한 상황에 대한 과장된 설정과 역설적 표현을 통해 주제 의식을 강조하고 있다. (○, ×)

05 6연에서 화자는 '구슬'과 '끈'의 관계에 빗대어 임에 대한 변함없는 사랑과 믿음을 다짐하고 있다. (○, ×)

06 6연의 '그츠리잇가'는 설의적 표현으로 임과의 영원한 사랑에 대한 화자의 의지를 강조하고 있다. (○, ×)

[07~10] 다음 빈칸에 알맞은 말을 쓰시오.

07 2~5연의 마지막 행에 반복되는 어구는 [ㅎ][ㄹ]의 역할을 하면서, [ㅂ][ㅇ][ㅈ] 표현을 통해 화자의 의지를 부각하고 있다.

08 2연과 4연의 '나ᄂᆞᆫ'은 특별한 의미 없이 운율을 형성하는 음악적 기능을 하는 [ㅇ][ㅇ][ㄱ]이다.

09 3연의 '바회'는 척박한 환경을, 6연의 '바회'는 화자와 임의 사랑을 방해하는 [ㅈ][ㅇ][ㅁ]을 의미한다.

10 6연의 '즈믄 ᄒᆡ를 외오곰 녀신ᄃᆞᆯ'은 화자가 [ㅅ][ㄹ]의 상황을 과장되게 표현한 것으로, '즈믄 ᄒᆡ'는 오랜 세월을 강조하기 위해 사용한 시어이다.

정답 | 01 ○ 02 × 03 ○ 04 ○ 05 ○ 06 ○ 07 후렴, 반어적 08 여음구 09 장애물 10 시련

작품 정리

정석가

- **갈래:** 고려 가요
- **성격:** 서정적, 민요적, 의지적
- **주제:** ① 임에 대한 영원한 사랑 ② 태평성대의 기원
- **구성:** 1연 | 태평성대를 기원함.
  2~5연 | 임과의 영원한 사랑을 기원함.
  6연 | 임에 대한 영원한 사랑과 믿음을 다짐함.

» **해제:** 이 작품은 임과의 영원한 사랑에 대한 소망을 노래한 고려 가요이다. 화자는 불가능한 상황을 설정하고 이것이 이루어지면 임과 이별하겠다고 하여 임과 헤어지지 않겠다는 강한 의지를 드러내고 있다. 또한 '구슬'과 '끈'의 관계를 통해 임에 대한 믿음과 사랑을 영원히 지키겠다는 다짐을 표현하고 있는데, 이는 「서경별곡」의 2연과 유사하다. 역설적인 표현을 통해 화자의 염원을 노래한 이 작품은 '임'을 임금으로 볼 경우, 신하가 임금에게 바치는 송축가의 성격을 지녔다고 볼 수도 있다.

Step 3 실전 문제

01

기출 2013학년도 9월 고1 교육청

윗글에 대한 설명으로 가장 적절한 것은?

① 과장을 통해 화자의 의지를 강조하고 있다.
② 어순의 도치를 통해 긴장감을 드러내고 있다.
③ 과거와 미래를 대비하여 주제를 부각하고 있다.
④ 대화를 나누는 형식을 사용하여 친근감을 주고 있다.
⑤ 시선의 이동에 따라 시상이 점층적으로 고조되고 있다.

02

윗글의 형식상 특징에 대한 설명으로 적절하지 않은 것은?

① 1연은 나머지 연과 형식적인 이질감을 보이고 있다.
② 시행을 반복적으로 사용하여 음악적 효과를 주고 있다.
③ 2~6연은 각 행이 대체로 3음보로 구성되어 운율을 형성하고 있다.
④ 2~5연은 마지막 행이 동일한 어구로 반복되어 후렴구의 역할을 하고 있다.
⑤ 1, 6연과 달리 2~5연은 반복 어구를 제외하면 각각 4행으로 구성되어 있다.

03

윗글의 화자에 대한 설명으로 가장 적절한 것은?

① 자신을 떠난 임을 원망하며 그리워하고 있다.
② 불가능한 상황을 설정하여 현실을 도피하고 있다.
③ 임과 이별하게 된 것을 자신의 탓으로 여기고 있다.
④ 임과 이별하지 않겠다는 강한 의지를 드러내고 있다.
⑤ 임과의 재회를 기원하며 부정적인 현실을 극복하고 있다.

04

〈보기〉에서 윗글의 시구에 대한 설명으로 적절한 것만 고른 것은?

| 보기 |

ㄱ. 2연의 '그 바미'는 가는 모래 벼랑에 심은 구운 밤을 의미한다.
ㄴ. 3연의 '그 고지'는 바위 위에 피어난 옥같이 예쁜 꽃을 의미한다.
ㄷ. 4연의 '그 오시'는 무쇠로 만든 가위로 천을 재단하여 철사를 박은 옷을 의미한다.
ㄹ. 5연의 '그 쇠'는 무쇠로 만들어서 쇠로 된 나무가 있는 산에 놓은 큰 소를 의미한다.

① ㄱ, ㄴ　② ㄱ, ㄷ　③ ㄱ, ㄹ
④ ㄴ, ㄷ　⑤ ㄷ, ㄹ

05

고난도 기출 2013학년도 9월 고1 교육청

〈보기〉를 참고하여 윗글을 감상한 내용으로 적절하지 않은 것은?

| 보기 |

「정석가」는 서사-본사-결사의 구조로 이루어져 있다. 서사에서는 나라의 안녕을 기원하고 있고, 본사에서는 화자의 마음을 반어적으로 드러내고 있는데, 동일한 발상의 기법을 쓰면서도 생성과 소멸의 시어들을 대칭적으로 사용하고 있다. 결사에서는 상징적인 시어를 통해 대상과의 인연을 강조하고 있다.

① 1연의 '션왕셩딕예 노니ᄋᆞ와지이다'는 나라의 안녕과 태평성대를 기원하는 내용과 관련이 있다.
② 2~5연의 '유덕ᄒᆞ신 님믈 여히ᄋᆞ와지이다'는 임과의 이별을 받아들이는 화자의 마음을 반어적으로 표현하고 있다.
③ 2~5연은 모두 현실에서 일어날 수 없는 불가능한 상황을 가정하고 있다는 점에서 발상의 기법이 동일하다.
④ 2, 3연의 '삭나거시아', '퓌거시아'와 4, 5연의 '헐어시아', '머거아'는 생성과 소멸의 대칭 관계를 이룬다.
⑤ 6연의 '긴'이라는 시어를 통해 대상과의 인연이 영원할 것임을 강조하고 있다.

06

윗글의 화자(A)와 〈보기〉의 화자(B)를 비교한 내용으로 가장 적절한 것은?

보기

청산(青山)은 내 뜻이오 녹수(綠水)는 님의 정(情)이
녹수 흘러간들 청산이야 변할손가
녹수도 청산을 못 잊어 우러 예어 가는고

– 황진이

① A와 B는 모두 임에 대한 변함없는 사랑을 다짐하고 있다.
② A와 B는 모두 자기의 잘못으로 인해 이별하게 되었음을 반성하고 있다.
③ A와 B는 모두 사랑하는 임과 이별한 뒤의 아쉬움과 그리움을 표현하고 있다.
④ A와 달리 B는 이별의 상황이 닥치는 것을 적극적으로 거부하고 있다.
⑤ B와 달리 A는 이별을 통보한 임에 대한 원망의 정서를 표출하고 있다.

07

㉠~㉤에 대한 설명으로 적절하지 않은 것은?

① ㉠은 '바삭바삭'이라는 의미로, 소리나 모양을 흉내 낸 음성 상징어이다.
② ㉡은 '나는'이라는 의미로, 화자의 처지를 강조하기 위해 사용된 여음구이다.
③ ㉢은 '구슬이'라는 의미로, 화자와 임 사이의 사랑을 비유적으로 나타낸 시어이다.
④ ㉣은 '천 년'이라는 의미로, 오랜 세월을 강조하기 위해 사용된 시어이다.
⑤ ㉤은 '끊어지겠습니까'라는 의미로, 설의법을 통해 화자의 의지를 강조하는 시어이다.

08

윗글에 대한 〈보기〉의 설명에서 ⓐ에 대응되도록 ⓑ의 빈칸에 적절한 내용을 서술하시오.

보기

「정석가」는 본래 민간에서 향유되다가 궁중 음악으로 정착된 것으로 추정된다. 이렇게 볼 때, 「정석가」는 두 가지 측면에서 화자나 작품의 성격을 다르게 파악할 수 있다. 즉, ⓐ민간에서 향유될 때는 2~6연의 표면적 의미로 보아, 임은 연인이고 이 작품은 연인과의 이별을 강하게 거부하고 영원한 사랑을 꿈꾸는 연정가(戀情歌)라고 할 수 있다. 그런데 ⓑ궁중 음악으로 쓰일 때에는 ______________________

09

〈보기〉를 참고하여, 3연과 6연의 '바회'의 의미를 각각 서술하시오.

보기

시가 문학에서는 한 작품 안의 동일한 소재가 같은 특성을 바탕으로 서로 다른 의미로 사용된 경우가 있다. 「정석가」에서 '바회'는 '단단함', '딱딱함'이라는 특성을 바탕으로, 3연과 6연에서 서로 다른 의미로 사용되었다.

고려 시대

서경별곡

출제 포인트 › #적극적인 여성상 #시어의 의미 #반복과 설의법 #여음구 및 후렴구의 역할

서경(西京)이 ㉠아즐가 서경(西京)이 셔울히마르는❶
㉡위 두어렁셩 두어렁셩 다링디리❷
닷곤ᄃᆡ 아즐가 닷곤ᄃᆡ ⓐ쇼셩경 고ᄋᆡ마른*❸
위 두어렁셩 두어렁셩 다링디리
여ᄒᆡ므론 아즐가 여ᄒᆡ므론 **질삼뵈** ᄇᆞ리시고❹
위 두어렁셩 두어렁셩 다링디리
ⓑ괴시란ᄃᆡ* 아즐가 괴시란ᄃᆡ **우러곰 좃니노이다**❺
위 두어렁셩 두어렁셩 다링디리

*서경이 서경이 서울이지마는
(새로) 닦은 곳인 (새로) 닦은 곳인 작은 서울(평양)을 사랑합니다마는
(임과) 이별하기보다는 (임과) 이별하기보다는 길쌈하던 베를 버리고서라도
(임이 나를) 사랑해 주신다면 울면서 따라가겠습니다.

[A]
구스리 아즐가 구스리 바회예 디신ᄃᆞᆯ❻
위 두어렁셩 두어렁셩 다링디리
긴힛ᄯᆞᆫ 아즐가 긴힛ᄯᆞᆫ 그츠리잇가 ㉢나ᄂᆞᆫ❼
위 두어렁셩 두어렁셩 다링디리
즈믄 ᄒᆡ를 아즐가 ⓒ즈믄 ᄒᆡ를 외오곰 녀신ᄃᆞᆯ❽
위 두어렁셩 두어렁셩 다링디리
신(信)잇ᄃᆞᆫ 아즐가 신(信)잇ᄃᆞᆫ 그츠리잇가 나ᄂᆞᆫ❾
위 두어렁셩 두어렁셩 다링디리

*구슬이 구슬이 바위에 떨어진들
(구슬을 꿴) 끈이야 끈이야 끊어지겠습니까?
(임과 헤어져) 천 년을 천 년을 홀로 살아간들
(임에 대한) 믿음이야 끊어지겠습니까?

대동강(大同江) 아즐가 ⓓ대동강(大同江) 너븐디 몰라셔❿
위 두어렁셩 두어렁셩 다링디리
ᄇᆡ 내여 아즐가 ᄇᆡ 내여 노ᄒᆞᆫ다 샤공아⓫
위 두어렁셩 두어렁셩 다링디리
네 가시 아즐가 **네 가시 럼난디* 몰라셔**
위 두어렁셩 두어렁셩 다링디리
녈 ᄇᆡ예 아즐가 ⓔ녈 ᄇᆡ예 연즌다* **샤공아**⓬

Step 1 포인트 분석

「서경별곡」

제목의 의미
'서경(평양)에서 부르던 노래'라는 뜻으로, 이 작품의 공간적 배경이 평양임을 드러낸다.

시적 상황
화자는 임과 이별하는 상황인데, 임은 배를 타고 대동강을 건너고 있다.

표현
❶서경이 아즐가 서경이 셔울히마르는
→ **일정한 구조의 반복:** 시 전체(❶, ❸~⓮)에서 'a-아즐가-a-b' 구조를 반복하여 음악적 효과를 거두고 전체 구조에 통일성을 부여함.
❶서경이 아즐가 서경이, ❸닷곤ᄃᆡ 아즐가 닷곤ᄃᆡ
→ **시어의 반복:** 동일한 시어를 반복하여 리듬감을 형성하고 상황과 정서를 강조함.
❶, ❸~⓮아즐가, ❼, ❾, ⓮나ᄂᆞᆫ
→ **여음구의 반복:** 음률을 맞추고, 경쾌한 음악적 효과를 부여함.
❷위 두어렁셩 두어렁셩 다링디리
→ **후렴구의 반복:** 특별한 의미 없이 악기 소리를 흉내 낸 의성어로, 이별의 내용과 달리 경쾌한 리듬감을 형성하고 흥을 돋움.
❻구스리, 바회, ❼긴, ❿대동강
→ **비유와 상징:** '구슬'은 임과의 관계와 사랑, '긴'은 사랑과 믿음, '바회'는 사랑의 장애물, '대동강'은 이별의 공간을 의미함.
❻구스리 아즐가~ ❼긴힛ᄯᆞᆫ 그츠리잇가, ❽즈믄 ᄒᆡ를 아즐가~ ❾신(信)잇ᄃᆞᆫ 그츠리잇가
→ **반복, 대구법:** 리듬감을 형성하고 시적 의미를 부각함.
❼긴힛ᄯᆞᆫ 그츠리잇가, ❾신(信)잇ᄃᆞᆫ 그츠리잇가
→ **설의법:** 임에 대한 사랑과 믿음은 변함이 없을 것이라는 점을 강조함.
⓫ᄇᆡ 내여 노ᄒᆞᆫ다 샤공아, ⓬녈 ᄇᆡ예 연즌다 샤공아
→ **도치법:** 문장의 어순을 바꾸어 말하고자 하는 바를 강조함.

정서와 태도
❹여ᄒᆡ므론 질삼뵈 ᄇᆞ리시고, ❺괴시란ᄃᆡ 우러곰 좃니노이다
→ 생업을 버리고서라도 임을 따르겠다는 적극적인 태도
❺우러곰
→ 임과의 이별로 인한 슬픔
❻구스리 아즐가, ❾신(信)잇ᄃᆞᆫ 그츠리잇가
→ 임에 대한 변함없는 사랑과 믿음의 자세
⓫ᄇᆡ 내여 노ᄒᆞᆫ다 샤공아, ⓬녈 ᄇᆡ예 연즌다 샤공아
→ 사공에 대한 원망(임에 대한 우회적 원망)

- **고ᄋᆡ마른:** 사랑하지마는. '괴요마른'의 오기로 추정됨.
- **괴시란ᄃᆡ:** 사랑해 주신다면. 사랑하신다면. 사랑하므로.
- **럼난디:** 음란한 마음이 난지.
- **연즌다:** 얹었느냐. 태웠느냐.

위 두어렁셩 두어렁셩 다링디리
대동강(大同江) 아즐가 대동강(大同江) 건넌편 고즐여⑬
위 두어렁셩 두어렁셩 다링디리
빅 타들면 아즐가 빅 **타들면** ㉣ **것고리이다** 나는⑭
위 두어렁셩 두어렁셩 다링디리

*대동강이 대동강이 넓은 줄 몰라서 / 배를 내어 배를 내어 놓았느냐 사공아
네 아내가 네 아내가 음란한(바람난) 줄을 몰라서
떠나가는 배에 떠나가는 배에 (내 임을) 실었느냐(태웠느냐) 사공아
대동강 대동강 건너편 꽃을 / 배를 타고 건너면 배를 타고 건너면 꺾을 것입니다.

– 작자 미상, 「서경별곡(西京別曲)」

표현

⑬ 고즐여
→ 비유와 상징: '곶'은 임이 만날 새로운 여인, 즉 다른 여인을 의미함.

정서와 태도

⑬ 대동강 건넌편 고즐여, ⑭ 빅 타들면 것고리이다
→ 임에 대한 불안감과 다른 여인에 대한 질투심

Step 2 포인트 체크

[01~06] 윗글에 대하여 맞으면 ○, 틀리면 ×표를 하시오.

01 화자는 배를 타고 대동강을 건너는 임과 이별하고 있다. [○, ×]

02 1연에서 화자는 자신의 생계 수단을 버리고서라도 임을 따라가겠다는 적극적 태도를 보이고 있다. [○, ×]

03 2연에서 화자는 임에 대한 자신의 사랑과 믿음은 변하지 않을 것임을 다짐하고 있다. [○, ×]

04 3연에서 화자는 임에 대한 불안과 원망을 직접 표출하고 있다. [○, ×]

05 윗글은 여음구와 후렴구를 반복하여 음악적 효과를 얻고 있다. [○, ×]

06 화자는 물음을 통해 답을 찾고 있다. [○, ×]

[07~10] 다음 빈칸에 알맞은 말을 쓰시오.

07 1연의 '우러곰 좃니노이다'에는 이별을 거부하는 화자의 [ㅈ][ㄱ][ㅈ]인 태도가 드러난다.

08 2연의 '구슬'은 화자와 임의 관계를, '바회'는 두 사람 사이의 [ㅈ][ㅇ][ㅁ]을, '긴'은 사랑과 믿음을 의미한다.

09 3연의 '사공'은 임이 강을 건널 수 있도록 해 주는 사람으로, 화자에게 임과의 사랑을 [ㅂ][ㅎ]하는 존재로 인식되고 있다.

10 3연의 '곶'은 다른 여인으로, 화자의 [ㅈ][ㅌ]의 대상이며, 화자가 임을 염려하여 불안감을 느끼게 만드는 대상이다.

정답 | 01 ○ 02 ○ 03 ○ 04 × 05 ○ 06 × 07 적극적 08 장애물 09 방해 10 질투

작품 정리

서경별곡

- **갈래:** 고려 가요
- **성격:** 서정적, 비유적, 애상적
- **주제:** 이별의 정한(情恨)
- **구성:** 1연 | 이별을 거부하는 연모의 정(서경 노래)
  2연 | 임에 대한 변함없는 사랑과 믿음(구슬 노래)
  3연 | 사공에 대한 원망과 떠나는 임에 대한 불안감(대동강 노래)

» **해제:** 이 작품은 사랑하는 임과 이별하는 여인의 애절한 심정을 드러내고 있는 고려 가요이다. 화자는 삶의 터전을 버리고서라도 임을 따르겠다는 적극적 태도, 임에 대한 영원한 사랑의 다짐, 임에 대한 불안감과 질투, 애꿎은 사공을 원망하며 우회적으로 드러내는 임에 대한 원망 등 다양한 태도와 정서를 드러내고 있다. 3음보 및 후렴구와 여음구를 통해 운율을 형성하고, 분절체의 형식을 가지는 등 고려 가요의 일반적 특징을 지니면서 고려 시대 서민들의 삶과 감정을 진솔하게 표현한 작품으로 평가받고 있다.

» **배경:** 고려 가요는 서민들의 삶과 감정을 노래한 작품이 많은데, 그중 남녀 간의 사랑을 담은 작품은 조선 시대 유학자들에게 남녀상열지사(男女相悅之詞)로 불리며 비판을 받았다. 이 작품에서 임이 대동강을 건너면 다른 여인을 만날 것이라고 노래한 3연은 남녀상열지사라 비판받기도 하였다.

Step 3 실전 문제

01

윗글에 대한 설명으로 가장 적절한 것은?

① 시적 공간을 활용하여 긴장감을 유발하고 있다.
② 공간의 이동에 따라 내적 갈등이 고조되고 있다.
③ 특정 공간을 배경으로 하여 시적 상황을 드러내고 있다.
④ 긍정적 미래를 가정하여 부정적 현실을 극복하고 있다.
⑤ 계절적 배경을 소재로 하여 시적 분위기를 조성하고 있다.

02

윗글의 표현상의 특징으로 적절하지 않은 것은?

① 연쇄법을 활용하여 주제 의식을 강조하고 있다.
② 도치법을 사용하여 화자의 태도를 부각하고 있다.
③ 동일한 시어를 반복하여 시적 정황을 부각하고 있다.
④ 설의적 표현을 활용하여 화자의 정서를 강조하고 있다.
⑤ 비유적 표현을 사용하여 화자의 심정을 강조하고 있다.

03

윗글의 화자에 대한 설명으로 적절하지 않은 것은?

① 1연에서 화자는 자신의 생업을 포기하고서라도 임을 따라가겠다는 적극적인 태도를 보이고 있다.
② 2연에서 화자는 오랜 세월이 지나도 임에 대한 사랑과 믿음은 변함없을 것이라고 다짐하고 있다.
③ 2연에서 화자는 임의 뜻을 따르는 순종적인 여성이 되겠다는 각오를 보이고 있다.
④ 3연에서 화자는 대동강이 크고 넓어서 임이 돌아오기 어렵다고 인식하고 있다.
⑤ 3연에서 화자는 임이 다른 여자를 사귀게 될 것을 염려하고 불안해하고 있다.

04

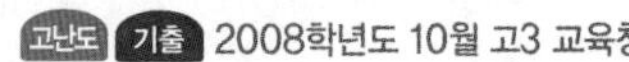

2008학년도 10월 고3 교육청

윗글의 시어나 시구에 대한 설명으로 적절하지 않은 것은?

① '질삼뵈'는 화자가 여성이란 사실을 단적으로 보여 준다.
② '우러곰 좃니노이다'는 화자가 이별을 거부하고 있음을 드러낸다.
③ '네 가시 럼난디 몰라셔'는 음란한 세태를 비판하는 데서 비롯되었다.
④ '샤공'은 화자가 자신과 임의 사랑을 방해하는 역할을 한다고 여기는 대상이다.
⑤ '비 타들면 것고리이다'에는 미래에 나타날 임의 행동을 경계하는 심리가 내재되어 있다.

05

2019학년도 6월 고3 평가원

〈보기〉를 참고할 때, 윗글의 [A]와 〈보기〉의 [B]를 비교하여 이해한 내용으로 적절하지 않은 것은?

> **보기**
>
> 「서경별곡」의 제2연에서 여음구를 제외한 부분은 당시 유행하던 민요의 모티프를 수용한 것으로, 「정석가」에도 동일한 모티프가 나타난다. 고려 시대의 문인 이제현도 당시에 유행하던 민요를 다음과 같이 한시로 옮긴 적이 있다.
>
> [B]
>
> | | |
> |---|---|
> | 비록 구슬이 바위에 떨어져도 | 縱然巖石落珠璣 |
> | 끈은 진실로 끊어질 때 없으리. | 纓縷固應無斷時 |
> | 낭군과 천 년을 이별한다고 해도 | 與郎千載相離別 |
> | 한 점 붉은 마음이야 어찌 바뀌리오? | 一點丹心何改移 |

① [A]와 [B]에서 '구슬'은 변할 수 있는 것을, '긴'이나 '끈'은 변하지 않는 것을 비유하는 소재로 활용하였군.
② [A]에서는 '신(信)'을, [B]에서는 '붉은 마음'을 굳건한 '바위'로 형상화하였군.
③ [A]와 [B] 모두에서 변하지 않는 마음을 소중한 가치로 여기는 화자의 태도가 나타나는군.
④ [A]와 [B]를 보니 동일한 모티프가 서로 다른 형식의 작품으로 수용되었군.
⑤ [A]와 [B]를 보니 여음구의 사용 여부에 차이가 있군.

06

윗글의 '3연'에 대한 설명으로 적절하지 않은 것은?

① 임과의 단절감을 드러내는 공간이 나타난다.
② 임의 변심을 우려하는 화자의 심경이 드러난다.
③ 공간적 속성을 통해 임과 화자의 거리감이 부각된다.
④ 화자와 화자가 질투하는 대상과의 갈등이 심화된다.
⑤ 임과의 사랑을 방해하는 대상에 대한 원망이 나타난다.

07

㉠~㉢에 대한 설명으로 적절하지 않은 것은?

① ㉠은 음률을 맞추기 위한 여음구로 행의 시작을 알려 주는 역할을 한다.
② ㉡은 경쾌한 리듬감을 형성하며 행을 구별해 주는 기능을 한다.
③ ㉡은 악기 소리를 흉내 낸 의성어로 음악적 효과를 부여한다.
④ ㉢은 행의 끝부분에 사용되어 흥을 돋우는 역할을 한다.
⑤ ㉢은 임과의 인연이 영원할 것이라는 시적 의미를 강조하는 기능을 한다.

08

ⓐ~ⓔ에 대한 설명으로 적절하지 않은 것은?

① ⓐ는 공간적 배경인 평양으로, 화자의 삶의 터전을 의미한다.
② ⓑ는 임의 행위에 대한 가정으로, 화자가 간절히 바라는 소망이다.
③ ⓒ는 불가능한 상황에 대한 설정으로, 화자의 강한 의지를 부각한다.
④ ⓓ는 사공의 생각에 대한 추측으로, 화자의 좌절감 극복의 원인이다.
⑤ ⓔ는 사공의 행위에 대한 질책으로, 화자가 사공을 비난하는 이유이다.

09

윗글의 '사공'과 〈보기〉의 '개'가 지닌 공통된 시적 기능을 서술하시오.

보기

개를 여나믄이나 기르되 요 개같이 얄미우랴.
미운 님 오며는 꼬리를 홰홰 치며 치뛰락 나리 뛰락 반겨서 내닫고 고운 님 오며는 뒷발을 버둥버둥 무르락 나오락 캉캉 짖어서 돌아가게 한다.
쉰 밥이 그릇그릇 난들 너 먹일 줄이 있으랴.

____

____

10

㉣의 목적어(1)를 찾아 쓰고, 그 상징적 의미(2)가 무엇인지 쓰시오.

(1) ______________________________

(2) ______________________________

청산별곡

출제 포인트 › #청산과 바다의 의미 #삶에 대한 체념적 태도 #후렴구의 기능 #감정 이입의 대상

살어리 살어리랏다 **청산(靑山)**애 살어리랏다❶
㉠ 멀위랑 ᄃᆞ래랑 먹고 청산(靑山)애 살어리랏다
㉡ 얄리얄리 얄랑셩 얄라리 얄라❷

*살겠노라 살겠노라 청산에서 살겠노라.
머루랑 다래랑 먹고 청산에서 살겠노라.

우러라 우러라 새여 자고 니러 우러라 새여❸
널라와 **시름 한** 나도 자고 니러 우니로라❹
얄리얄리 얄라셩 얄라리 얄라

*우는구나 우는구나 새여 자고 일어나 우는구나 새여.
너보다 근심이 많은 나도 자고 일어나 울며 지내노라.

가던 새 가던 새 본다 **믈 아래** 가던 새 본다❺
잉 무든 장글란❻ 가지고 믈 아래 가던 새 본다
얄리얄리 얄라셩 얄라리 얄라

*날아가던 새 날아가던 새 본다 물 아래 날아가던 새 본다.
이끼 묻은 쟁기를 가지고 물 아래 날아가던 새 본다.

이링공 뎌링공 ᄒᆞ야 나즈란 디내와손뎌
오리도 가리도 업슨 바므란 ㉢ 또 엇디호리라❼
얄리얄리 얄라셩 얄라리 얄라

*이럭저럭하여 낮은 지내 왔건만
올 사람도 갈 사람도 없는 밤은 또 어찌하리오.

어듸라 더디던 돌코 누리라 마치던 돌코❽
㉣ ᄆᆡ리도 괴리도 업시 **마자셔 우니노라**❾
얄리얄리 얄라셩 얄라리 얄라

*어디에 던지던 돌인가? 누구를 맞히려던 돌인가?
미워할 사람도 사랑할 사람도 없이 (돌에) 맞아서 울고 있노라.

살어리 살어리랏다 **바ᄅᆞ래** 살어리랏다❿
㉤ ᄂᆞᄆᆞ자기 구조개*랑 먹고 바ᄅᆞ래 살어리랏다
얄리얄리 얄라셩 얄라리 얄라

*살겠노라 살겠노라 바다에서 살겠노라.
해초랑 굴이랑 먹고 바다에서 살겠노라.

Step 1 포인트 분석

「청산별곡」

제목의 의미
'청산의 노래'라는 의미로, 여기서 청산은 고통스러운 현실에서 벗어난 도피처, 이상향을 상징한다.

시적 상황
화자는 현실적 삶의 고통에서 벗어나 청산과 바다에서 살기를 소망하고 있다.

표현

❶청산, ❿바룰 ↔ ❺믈 아래 → **상징적·대조적 시어:** 이상향을 상징하는 '청산, 바다'와 도피처, 속세를 상징하는 '믈 아래'의 대조를 통해 주제 의식을 강조함.

❶살어리~살어리랏다, ❸우러라~우러라 새여, ❺가던 새~가던 새 본다, ❿살어리~살어리랏다 → **a-a-b-a 구조의 반복:** 운율을 형성하고 시적 의미를 강조함.

❷얄리얄리 얄랑(라)셩 얄라리 얄라
→ **후렴구의 사용:** 'ㄹ', 'ㅇ' 음을 주로 사용하여 리듬감과 경쾌한 느낌을 주고 형태적 안정감과 구조적 통일성을 부여함.

❸우러라~우러라 새여 → **감정 이입:** 시름 많은 화자의 고독하고 슬픈 감정을 자연물인 '새'에 이입하여 강조함.

❹널라와 시름 한 나도 → **비교법:** '새'와 자신을 비교하여 근심이 많은 화자의 상황을 부각함.

❺가던 새 → **다양한 해석**
ⅰ) 날아가던 새
① 화자를 실연한 사람으로 보는 경우('새'는 '나'를 떠난 임)
② 화자를 고뇌에 빠진 지식인으로 보는 경우('새'는 '나'를 떠난 벗)
ⅱ) 갈던 사래(이랑, 밭): 화자를 유랑민으로 보는 경우

❻잉 무든 장글란 → **다양한 해석**
① 이끼 묻은 쟁기일랑(화자를 유랑민으로 보는 경우)
② 이끼 묻는 은장도랑(화자를 실연한 여인으로 보는 경우)
③ 이끼 묻은 병기일랑(화자를 병사로 보는 경우)

❽돌 → **상징적 시어:** 날아오는 '돌'은 피할 수 없으므로 화자의 비극적 운명을 상징함.

정서와 태도

❹널라와 시름 한 나도 자고 니러 우니로라
→ 시름이 많은 괴로운 상황에서의 슬픔

❼오리도 가리도 업슨 바므란 또 엇디호리라
→ 혼자 살아가는 외로움과 고독, 체념적 태도

❾ᄆᆡ리도 괴리도 업시 마자셔 우니노라
→ 비극적 운명에 대한 슬픔과 체념

「청산별곡」의 대칭적 구조

청산 노래		바다 노래	
1연	청산(도피처)	5연	돌(운명적 비애)
2연	새(삶의 비애)	6연	바룰(도피처)
3연	새(속세에 대한 미련)	7연	사슴(기적을 바람.)
4연	밤(절망적 고독)	8연	술(고통의 해소)

가다가 가다가 드로라 **에정지**• 가다가 드로라

사ᄉᆞ미 짒대예 올아셔 ᄒᆡ금(奚琴)을 혀거를 드로라⑪

얄리얄리 얄라셩 얄라리 얄라

*가다가 가다가 듣노라 외딴 부엌을 지나다 듣노라.
사슴이 장대에 올라가서 해금을 켜는 것을 듣노라.

가다니 ᄇᆡ브른 도긔 설진 강수를 비조라

조롱곳 누로기 ᄆᆡ와 잡ᄉᆞ와니 내 엇디ᄒᆞ리잇고⑫

얄리얄리 얄라셩 얄라리 얄라

*가더니 (배가) 불룩한 독에 독한 술을 빚는구나.
조롱박꽃 같은 누룩이 매워 (나를) 붙잡으니, 나인들 어찌하리오.

– 작자 미상, 「청산별곡(靑山別曲)」

- **ᄂᆞᄆᆞ자기 구조개:** 나문재와 굴 조개. '나문재'는 해초의 이름으로 추정됨.
- **에정지:** 아직 정확한 뜻이 밝혀지지 않았으나 '외따로 떨어져 있는 부엌'이라고 추정됨.

표현

⑪사ᄉᆞ미 짒대예~혀거를 드로라
→ **불가능한 상황 설정:** ① 사슴이 해금을 켜는 것과 같은 기적이 일어나기를 바라는 절박한 심정 ② 사슴 가면을 쓴 광대의 연주를 들으며 시름을 잊고 싶은 심정

⑫조롱곳~엇디ᄒᆞ리잇고 → **주객의 전도:** 주체와 객체의 역할을 전도하여 누룩(술)이 화자를 잡았다고 표현함으로써 술을 마실 수밖에 없는 우울한 상황을 강조함.

정서와 태도

⑫조롱곳 누로기 ᄆᆡ와 잡ᄉᆞ와니 내 엇디ᄒᆞ리잇고
→ 현실의 괴로움을 술을 마시며 잊으려고 하는 체념적 태도

화자를 누구로 보느냐에 따른 다양한 주제 의식

화자	주제 의식
유랑민	몽골의 침략, 무신의 난 등으로 삶의 터전을 잃고 고난을 겪었던 민중의 처지를 나타냄.
실연한 여인	실연의 아픔과 슬픔을 잊기 위해 청산, 바다, 즉 자연으로 도피하고자 하는 심정을 나타냄.
좌절한 지식인	속세의 번뇌를 해소하고자 자연으로 떠났어도 속세에 대한 미련을 버리지 못하는 심정을 나타냄.

Step 2 포인트 체크

[01~04] 윗글에 대하여 맞으면 ○, 틀리면 ×표를 하시오.

01 윗글에서 화자는 현실에 대한 체념과 강한 극복 의지라는 상반된 태도를 보이고 있다. [○, ×]

02 2연에서 화자는 근심, 걱정이 많은 자신의 처지에 대해 슬픔을 드러내고 있다. [○, ×]

03 1연의 '청산'과 6연의 '바룰'은 화자의 이상향, 도피처인 공간이고 3연의 '믈 아래'는 이와 대비되는 공간으로 속세를 의미한다. [○, ×]

04 8연에서는 주체와 객체의 역할을 전도하여 화자가 처한 상황을 강조하고 있다. [○, ×]

[05~07] 다음 빈칸에 알맞은 말을 쓰시오.

05 2연의 '새'는 화자의 감정이 이입된 대상으로 화자가 [ㄷ][ㅂ][ㅅ][ㄹ]의 정서를 느끼는 소재이다.

06 5연의 '돌'은 인간이 피할 수 없는 비극적 [ㅇ][ㅁ]을 상징하는 자연물이고, 8연의 '강수'는 화자가 잠시나마 고뇌를 [ㅎ][ㅅ]하는 수단이다.

07 윗글의 화자는 삶의 터전을 잃은 [ㅇ][ㄹ][ㅁ], [ㅅ][ㅇ]한 사람, 좌절한 [ㅈ][ㅅ][ㅇ] 등으로 볼 수 있다.

정답 | 01 × 02 ○ 03 ○ 04 ○ 05 동병상련 06 운명, 해소 07 유랑민, 실연, 지식인

작품 정리

청산별곡
- **갈래:** 고려 가요
- **성격:** 현실 도피적, 애상적
- **주제:** 삶의 고뇌와 비애로부터 벗어나고 싶은 욕구
- **구성:** 1연 | 청산에 대한 동경
  2연 | 삶의 고독과 비애
  3연 | 속세에 대한 미련과 번민
  4연 | 절망적인 고독과 비탄
  5연 | 삶의 운명에 대한 체념
  6연 | 바다에 대한 동경
  7연 | 기적을 바라는 절박한 심정
  8연 | 술을 통한 고뇌의 일시적 해소

» **해제:** 이 작품은 현실의 괴로움과 삶의 비애에서 벗어나고 싶은 소망을 노래한 분연체 형식의 고려 가요이다. 고도의 상징과 비유를 통해 삶의 고뇌와 비애를 잘 드러내고 있으며, 후렴구의 사용으로 뛰어난 음악적 효과를 얻고 있다. 또한 다양한 표현 방법과 감각적 시어를 사용하여 고려 시대 사람들의 삶의 애환을 진솔하게 표현한 작품으로 평가받고 있다.

» **배경:** 「청산별곡」이 불린 것으로 추정되는 고려 후기는 거듭된 몽골의 침략, 무신의 난 이후의 무단 정치, 권신들의 횡포 등으로 인해 당대 사람들의 삶이 피폐해질 대로 피폐해진 시기이다. 따라서 이러한 시기에 가장 고통받았던 유랑민이나 사회 개혁이 좌절된 지식인 또는 실연한 사람 등을 작가로 추측할 수 있으며, 이들이 현실적 삶의 고통과 비애를 노래한 것이라고 할 수 있다.

Step 3 실전 문제

01

윗글에 대한 설명으로 적절하지 않은 것은?

① a-a-b-a 구조를 통해 리듬감을 형성하고 있다.
② 반어적인 표현을 통해 주제 의식을 부각하고 있다.
③ 유사한 어구의 반복을 통해 시적 의미를 강조하고 있다.
④ 주객이 전도된 표현을 통해 화자의 심정을 강조하고 있다.
⑤ 다른 대상과의 비교를 통해 화자의 상황을 부각하고 있다.

02

윗글의 시공간에 대한 설명으로 적절하지 않은 것은?

① 1연의 '청산'은 현실에서 벗어나고픈 화자가 소망하는 이상향이라고 할 수 있다.
② 3연의 '믈 아래'는 화자가 아직 미련을 버리지 못한 속세를 의미한다고 할 수 있다.
③ 4연의 '밤'은 화자가 절대적인 고독을 느끼는 절망적 시간이라고 할 수 있다.
④ 6연의 '바ᄅᆞᆯ'은 화자가 새롭게 모색하고 있는 현실 도피처라고 할 수 있다.
⑤ 7연의 '에졍지'는 속세에서 벗어난 화자가 정착한 자연의 세계라고 할 수 있다.

03

㉠~㉤에 대한 설명으로 적절하지 않은 것은?

① ㉠은 '청산'에서의 양식으로, 화자의 소박한 삶의 태도를 드러낸다.
② ㉡은 특정 음운을 반복한 후렴구로, 경쾌한 음악적 효과를 드러낸다.
③ ㉢은 '또 어찌하리오'의 의미로, 자신의 처지에 대한 화자의 비탄과 절망을 드러낸다.
④ ㉣은 화자가 '돌'을 맞아야 할 이유가 무엇인지 인식하고 있음을 드러낸다.
⑤ ㉤은 화자가 지향하는 곳에서의 삶이 풍족하거나 안락하지는 않을 것임을 드러낸다.

04  고난도

〈보기〉를 참고하여 윗글을 감상한 내용으로 적절하지 않은 것은?

> **보기**
> 「청산별곡」은 화자를 누구로 보느냐에 따라 다양하게 해석할 수 있다. 즉, 화자를 삶의 터전을 잃은 유랑민, 실연당한 사람, 좌절한 지식인 등으로 볼 수 있는데, 이에 따라 작품 내용에 대한 이해가 달라질 수 있다.

① 화자를 좌절한 지식인으로 볼 때, '청산'과 '바ᄅᆞᆯ'은 이상을 펼칠 수 없는 사회를 떠나 은둔하는 곳을 의미한다고 할 수 있어.
② 화자를 유랑민으로 볼 때, '시름 한'이라고 한 것은 앞으로 살아갈 일에 대한 막막함을 의미한다고 할 수 있어.
③ 화자를 실연당한 사람으로 볼 때, '가던 새'는 자신을 버리고 떠난 임을 표현한 것이라고 할 수 있어.
④ 화자를 유랑민으로 볼 때, '오리도 가리도 업슨'은 오라는 곳도 갈 곳도 없이 여기저기 방랑하는 신세를 나타낸 것이라고 할 수 있어.
⑤ 화자를 실연당한 사람으로 볼 때, '마자셔 우니노라'는 임과의 이별을 비극적 운명으로 인식하고 체념하는 태도를 드러낸 것이라고 할 수 있어.

05

돌과 강수에 대한 설명으로 가장 적절한 것은?

① '돌'은 화자의 성찰을 유발하고, '강수'는 화자의 슬픔을 심화하는 기능을 한다.
② '돌'은 화자의 자긍심을 유발하고, '강수'는 화자의 괴로움을 해소해 주는 기능을 한다.
③ '돌'은 화자의 비애감을 유발하고, '강수'는 화자의 고뇌를 잠시 잊게 하는 기능을 한다.
④ '돌'은 화자의 그리움을 유발하고, '강수'는 화자의 만족감을 부각해 주는 기능을 한다.
⑤ '돌'은 화자의 원망을 유발하고, '강수'는 화자가 현실에 적응하도록 돕는 기능을 한다.

06

고난도 기출 2008학년도 6월 고2 교육청

〈보기〉에서 윗글에 대한 학생들의 감상으로 적절하지 않은 것은?

보기

'고전 문학의 이해' 게시판입니다.
수업 시간에 배운 「청산별곡」에 대한 짧은 감상문을 올려 주세요.

↳ **보미:** '살어리랏다'를 '살고 싶구나'로 해석한다면, 화자는 청산에 살고 있지 않은 상태에서 청산을 동경하는 것으로 볼 수 있습니다. ①

↳ **윤영:** 화자가 현재 청산에 살고 있고, '살어리랏다'를 '살아야만 하는구나'로 해석한다면, 화자가 괴롭지만 청산에서 살아갈 수밖에 없음을 한탄한 것으로 볼 수 있습니다. ②

↳ **상호:** 2연에 등장하는 '새'는 화자의 분신이 아닐까요? '우러라'를 '우는구나'로 본다면, 화자가 울고 있는 새를 보며 새처럼 울고 있다는 뜻으로 이해됩니다. ③

↳ **정민:** '우러라'를 '노래하다'의 의미로 보아 '너를 원망하는 나도 이렇게 노래를 부르고 있는데'로 해석할 때, 고통을 낙천적으로 해소하려는 화자의 태도가 드러납니다. ④

↳ **해수:** 3연의 '가던 새'는 '갈던 사래(밭)'의 뜻이 아닐까요? '녹슨 연장을 가지고 갈던 밭을 본다'로 풀이하여 옛 생활에 대한 미련을 표현한 것으로 파악할 수 있습니다. ⑤

07

서술형

〈보기〉는 윗글을 제재로 한 수업의 한 장면이다. 선생님의 물음에 대한 적절한 답을 빈칸에 서술하시오.

보기

선생님: 「청산별곡」은 전체 8연으로 구성되어 있는데 크게 두 부분으로 나눌 수 있어요. 즉, 전반부인 1~4연은 청산 노래로, 후반부인 5~8연은 바다 노래로 나눌 수 있지요. 그런데 이때, 어떤 두 연의 순서를 맞바꾸면 시상 전개가 좀 더 자연스럽고, 전반부와 후반부가 대칭을 이루는 구조를 취하게 됩니다. 어떤 연의 순서를 맞바꾸어야 대칭 구조를 이룰까요?

학생: ______________________

08

서술형

〈보기〉를 읽고, ⓐ와 ⓑ에 들어갈 화자의 심정을 서술하시오.

보기

「청산별곡」은 관점에 따라 다양한 해석이 가능한 작품이다. 예를 들어 7연의 '사슴'을 진짜 사슴으로 보느냐, 아니면 사슴 가면을 쓴 광대로 보느냐에 따라 해석이 달라진다. 진짜 사슴으로 보는 경우는 불가능한 상황을 설정한 것으로 ___ⓐ___을, 광대로 보는 경우는 산대놀음과 결부한 것으로 ___ⓑ___을 강조한 것으로 해석된다.

ⓐ: ______________________

ⓑ: ______________________

고려 중기

한림별곡

출제 포인트 〉 #열거·반복 #설의법 #사대부의 자긍심 #한자의 사용

원슌문(元淳文) 인노시(仁老詩) 공로ᄉᆞ륙(公老四六)

니졍언(李正言) 딘한림(陳翰林) 솽운주필(雙韻走筆)*

튱긔디ᄎᆡᆨ(沖基對策)* 광균경의(光鈞經義) 량경시부(良鏡詩賦)*❶

위 시댱(試場)ㅅ ㉠경(景) 긔 엇더ᄒᆞ니잇고❷

금ᄒᆞᆨᄉᆞ(琴學士)*의 옥슌문ᄉᆡᆼ(玉笋門生) 금ᄒᆞᆨᄉᆞ(琴學士)의 옥슌문ᄉᆡᆼ(玉笋門生)❸

위 날조차 몃부니잇고❹

〈제1장〉

*유원순의 문장, 이인로의 시, 이공로의 사륙변려문
이규보와 진화의 쌍운을 맞추어 써 내려간 글
유충기의 대책문, 민광균의 경서 해의(解義), 김양경의 시와 부
아, 과거(科擧) 시험장의 광경, 그것이 어떠합니까?
금의가 배출한 죽순같이 죽 늘어선 제자들, 금의가 배출한 죽순같이 죽 늘어선 제자들
아, 나까지 몇 분이나 됩니까?

- **솽운주필:** 쌍운으로 운자를 내어 빨리 시를 지어 쓰는 것.
- **튱긔디ᄎᆡᆨ:** 유충기의 대책문. 대책문은 높은 사람의 물음에 답하는 글을 뜻함.
- **량경시부:** 김양경의 시부. 시와 부는 모두 한시의 체(體).
- **금ᄒᆞᆨᄉᆞ:** 금의(琴儀). 당시 무인 정권하에서 문인들의 우두머리 역할을 한 사람.

당한셔(唐漢書) 장로ᄌᆞ(莊老子) 한류문집(韓柳文集)

니두집(李杜集) 난ᄃᆡ집(蘭臺集) ᄇᆡᆨ락텬집(白樂天集)

모시샹셔(毛詩尙書) 쥬역츈추(周易春秋) 주ᄃᆡ례긔(周戴禮記)❶

위 주(註)조쳐 내 외 경(景) 긔 엇더ᄒᆞ니잇고❷

엽(葉) 대평광긔(大平廣記)* ᄉᆞᄇᆡᆨ여 권(四百餘卷) 대평광긔(大平廣記) ᄉᆞᄇᆡᆨ여 권(四百餘卷)❸

위 력남(歷覽)*ㅅ 경(景) 긔 엇더ᄒᆞ니잇고❹

〈제2장〉

*당서와 한서, 장자와 노자, 한유와 유종원의 문집
이백과 두보의 시집, 난대영사들의 시문집, 백낙천의 문집
시경과 서경, 주역과 춘추, 대대례와 소대례
아, 이러한 책들을 주석까지 포함하여 내쳐 외는 광경, 그것이 어떠합니까?
태평광기 사백여 권을 태평광기 사백여 권을
아, 열람하는 광경이 어떠합니까?

- **대평광긔:** 중국 송나라 태종의 칙명으로 편집된 역대 설화집.
- **력남:** 여러 곳을 두루 다니면서 구경함. 여러 가지를 두루 살펴봄.

Step 1 포인트 분석

「한림별곡」

제목의 의미
'고려 시대 한림원의 여러 학자들이 부르는(지은) 노래'라는 의미이다.

〈제1장〉

시적 상황
한림원 소속의 신진 사대부인 화자가 과거 시험장의 광경을 만족스러운 표정으로 바라보고 있다.

표현
❶원슌문~량경시부
→ **열거:** 사대부들의 능력과 문재(文才)를 과시하기 위해 사대부들의 이름과 글을 열거함.
❷위 시댱ㅅ 경 긔 엇더ᄒᆞ니잇고
→ **설의법:** 사대부들의 자긍심을 의문의 형식으로 부각하여 표현함. '경 긔~'의 표현이 반복되며 '경기체가'라는 갈래 명칭의 유래가 됨.
❸금ᄒᆞᆨᄉᆞ의~옥슌문ᄉᆡᆼ
→ **반복법:** 문재를 갖춘 사대부들의 문벌을 과시함.
❹위 날조차 몃부니잇고
→ **설의법:** 문재가 뛰어난 문벌의 기세와 기개를 드러냄.

정서와 태도
❷위 시댱ㅅ 경 긔 엇더ᄒᆞ니잇고
→ 사대부와 문벌에 대한 자긍심을 드러냄.
❹위 날조차 몃부니잇고
→ 사대부 문벌 세력임을 과시함.

〈제2장〉

시적 상황
화자가 사대부들이 이름난 유학 서적을 읽으며 학문 수련에 매진하는 모습을 만족스럽게 바라보고 있다.

표현
❶당한셔~주ᄃᆡ례긔
→ **열거:** 사대부들이 읽는 유명한 유학 서적들을 열거함.
❷위 주조쳐~경 긔 엇더ᄒᆞ니잇고
→ **설의법:** 사대부들이 유학 서적을 통해 학문을 수련하고 공부하는 모습에 대한 자긍심을 의문의 형식으로 드러냄.
❸엽 대평광긔~ᄉᆞᄇᆡᆨ여 권
→ **반복법:** 사대부들의 학문적 능력과 학문 수련의 자세를 과시함.
❹위 력남ㅅ 경 긔 엇더ᄒᆞ니잇고
→ **설의, 반복법:** 사대부들의 학문 수련과 학문적 능력에 대한 자긍심을 의문의 형식과 반복을 통해 강조함.

정서와 태도
❷위 주조쳐~경 긔 엇더ᄒᆞ니잇고, ❹위 력남ㅅ 경 긔 엇더ᄒᆞ니잇고
→ 사대부들의 학문 수련에 대한 자긍심
❷위 주조쳐, ❸엽 대평광긔~ᄉᆞᄇᆡᆨ여 권
→ 사대부들의 학문적 능력 과시

㉡ 당당당(唐唐唐) 당추자(唐楸子) 조협(皂莢) 남긔

홍(紅)실로 홍(紅)글위 ᄆᆡ요이다

혀고시라 밀오시라❶ 뎡소년(鄭少年)하❷

위 내 가논 ᄃᆡ ᄂᆞᆷ 갈셰라❸

샥옥셤셤(削玉纖纖) 솽슈(雙手)ㅅ길헤 샥옥셤셤(削玉纖纖) 솽슈(雙手)ㅅ길헤❹

위 휴슈동유(携手同遊)ㅅ 경(景) 긔 엇더ᄒᆞ니잇고❺

〈제8장〉

*당당당 호두나무 쥐엄나무에
붉은 실로 붉은 그네를 맵니다.
당겨라 밀어라 정소년아.
아, 내가 가는 곳에 다른 사람이 갈까 두렵구나.
옥을 깎은 듯 고운 두 손길에 옥을 깎은 듯 고운 두 손길에
아, 손을 잡고 함께 노는 모습, 그것이 어떠합니까?

– 한림 제유, 「한림별곡(翰林別曲)」

〈제8장〉

시적 상황

화자가 사대부 유생들이 함께 풍류를 즐기는 모습을 만족스럽게 바라보고 있다.

표현

❶혀고시라 밀오시라, ❷뎡소년하
→ 대사의 인용, 대구법, 돈호법: 그네 타는 이의 모습을 보다 생생하게 표현함.

❸위 내 가논 ᄃᆡ ᄂᆞᆷ 갈셰라 → 대사의 인용, 영탄법: 그네 타는 이의 즐거움을 생생하게 표현함.

❹샥옥셤셤 솽슈ㅅ길헤 → 반복법, 미화법: 유생들이 함께 풍류를 즐기는 모습을 미화하여 표현함.

❺위 휴슈동유ㅅ경 긔 엇더ᄒᆞ니잇고 → 설의법: 유생들이 풍류를 즐기는 모습에 대한 만족감과 자긍심을 드러냄.

정서와 태도

❸위 내 가논 ᄃᆡ ᄂᆞᆷ 갈셰라, ❹샥옥셤셤~솽슈ㅅ길헤, ❺위 휴슈동유ㅅ 경 긔 엇더ᄒᆞ니잇고
→ 풍류를 즐기는 유생들의 모습에 대한 만족감과 자긍심

Step 2 포인트 체크

[01~05] 윗글에 대하여 맞으면 ○, 틀리면 ×표를 하시오.

01 〈제1장〉의 화자는 시적 대상의 모습을 바라보고 있다. [○, ×]

02 〈제2장〉의 화자는 시적 대상에 대한 만족감을 드러내고 있다. [○, ×]

03 각 장마다 묻고 답하는 형식의 표현이 사용되고 있다. [○, ×]

04 각 장마다 동일한 시구가 사용되고 있다. [○, ×]

05 각 장의 1행과 2행에는 동일한 음수율이 사용되고 있다. [○, ×]

[06~09] 다음 빈칸에 알맞은 말을 쓰시오.

06 '경 긔 엇더ᄒᆞ니잇고'는 의문의 형식을 활용한 [ㅅ][ㅇ][ㅈ] 표현이다.

07 각 장에서 화자는 사대부와 유생들에 대한 [ㅈ][ㄱ][ㅅ]을 드러내고 있다.

08 각 장에서는 3·3·4조의 [ㅇ][ㅅ][ㅇ]과 [ㅅ]음보의 율격이 사용되고 있다.

09 〈제8장〉은 〈제1장〉, 〈제2장〉에 비해 [ㅇ][ㄹ][ㅁ]의 사용이 많고 문학성이 높다고 평가된다.

정답 | 01 ○ 02 ○ 03 × 04 ○ 05 ○ 06 설의적 07 자긍심 08 음수율, 삼 09 우리말

작품 정리

한림별곡

- **갈래:** 경기체가
- **성격:** 과시적, 귀족적, 자족적, 향락적
- **주제:** 사대부들의 학문적 자긍심과 풍류
- **구성:** 제1장 | 사대부들의 문재에 대한 자긍심
  제2장 | 사대부들의 학문 수련의 태도와 학문적 능력에 대한 자긍심과 과시
  제8장 | 사대부 유생들의 풍류 생활에 대한 만족감

» **해제:** 이 작품은 귀족들의 향락적인 생활과 그들의 심상을 노래한 경기체가의 대표작이다. 모두 8장으로 이루어져 있는데 앞부분은 학문적 과시가 강한 반면 뒷부분으로 갈수록 향락적 흥취를 강하게 풍긴다. 개인의 정서보다는 객관적 사물을 운율에 맞게 나열하며 시상을 전개하고 있다는 특징을 보이며, 무신 집권하에서 문인들의 향락적·유흥적 생활 감정을 읊은 것으로 가사 문학에 영향을 주었다.

Step 3 실전 문제

01

윗글에서 확인할 수 있는 화자의 정서로 적절하지 않은 것은?

① 과시　② 만족감　③ 아쉬움
④ 자긍심　⑤ 즐거움

02

윗글의 화자에 대한 이해로 가장 적절한 것은?

① 자신과 시적 대상 간의 차이점을 부각하고 있다.
② 과거의 모습을 회상하며 무상감을 드러내고 있다.
③ 시적 대상의 모습에 대한 만족감을 드러내고 있다.
④ 시적 대상의 무리에 합류하고자 하는 의지를 드러내고 있다.
⑤ 자신이 동경하는 이상향의 세계가 도래하기를 기대하고 있다.

03

윗글의 표현상 특징에 대한 설명으로 적절하지 않은 것은?

① 동일한 시구를 반복하여 주제를 강조하고 있다.
② 유사한 성격의 대상을 열거하여 의미를 강조하고 있다.
③ 일정한 음수율과 음보를 반복하여 운율을 형성하고 있다.
④ 색채 대비를 통해 시적 대상이 지닌 속성을 부각하고 있다.
⑤ 의문의 형식을 통해 시적 대상에 대한 정서를 드러내고 있다.

04

윗글의 창작 의도로 가장 적절한 것은?

① 전원에 은거하며 사는 삶에 대한 자긍심과 자족감을 드러낸다.
② 과거 시험에서의 부정행위를 비판하고 부정한 관리들을 훈계한다.
③ 임금을 도와 부정적인 현실을 바로잡고 올바른 정치를 하고자 한다.
④ 자신들의 지식과 학풍에 자긍심을 갖고 있으며 함께 모여 풍류를 즐긴다.
⑤ 인생이란 허무한 것이니 살아 있을 때 즐기면서 누려야 한다는 인생관을 보여 준다.

05

윗글에 대한 설명으로 가장 적절한 것은?

① 〈제1장〉은 〈제2장〉과 달리 시적 대상의 능력이 부각되고 있다.
② 〈제1장〉은 〈제8장〉과 달리 동일한 시구를 반복하여 제시하고 있다.
③ 〈제2장〉은 〈제8장〉과 달리 구체적이고 사실적인 묘사가 두드러지고 있다.
④ 〈제8장〉은 〈제1장〉과 〈제2장〉에 비해 우리말로 된 표현이 많이 사용되고 있다.
⑤ 〈제1장〉, 〈제2장〉, 〈제8장〉은 모두 우리말 고유의 율격인 4음보가 지배적으로 사용되고 있다.

06

㉠에 대한 설명으로 적절하지 않은 것은?

① 뒤에 이어질 내용을 암시하고 있다.
② 각 장에서 반복적으로 사용되고 있다.
③ 갈래의 고유한 특성을 드러내고 있다.
④ 화자의 자긍심을 드러내기 위한 표현이다.
⑤ 대상에 대한 예찬적 태도가 드러나고 있다.

07

ⓛ에 대한 이해로 가장 적절한 것은?

① 시적 의미를 강조하기 위한 표현이다.
② 의미 전달을 위해 음운 변동을 활용한 것이다.
③ 주제의 관념성과 추상성을 드러내는 표현이다.
④ 시적 대상의 감각적 이미지를 환기하는 표현이다.
⑤ 음수율을 맞추기 위해 동일한 음운을 반복한 것이다.

08

〈보기〉는 퇴계 이황의 「도산십이곡 발」의 일부이다. 〈보기〉를 읽고, 윗글에 대해 보인 반응으로 적절하지 <u>않은</u> 것은?

보기

「도산십이곡」은 도산 노인이 지은 것이다. 노인이 이 곡을 지은 것은 무엇 때문인가? 우리 동방의 노래는 대부분 음란하여 족히 말할 것이 없다. 「한림별곡」과 같은 유(類)는 글하는 사람의 입에서 나왔으나, 교만하고 방탕하며 겸하여 점잖지 못하고 장난기가 있어 더욱 군자가 숭상해야 할 바가 아니다. 오직 근세에 이별(李鼈)•의 6가(歌)가 세상에 성대하게 전하니 오히려 그것이 이보다 좋다고는 하나, 그래도 세상을 희롱하고 공손하지 못한 뜻만 있고, 온유돈후(溫柔敦厚)•한 내용이 적은 것을 애석하게 여긴다.

– 이황, 「도산십이곡 발(陶山十二曲跋)」

• **이별:** 조선 중기의 문인. 현실에 대한 울분을 풍자적으로 드러낸 연시조 「장육당육가(藏六堂六歌)」를 지음.
• **온유돈후:** 온화하고 정이 두텁다는 뜻. 『시경(詩經)』을 집약하여 표현한 말.

① 화자가 '경 긔 엇더ᄒᆞ니잇고'와 같은 표현을 반복하며 시적 대상을 예찬한 것이 퇴계에게는 교만하게 느껴졌겠군.
② 퇴계는 〈제1장〉에서 화자가 문인들을 나열하며 자긍심을 드러낸 것을 군자의 행동으로 적절하지 않다고 보았겠군.
③ 퇴계는 〈제2장〉에서 언급한 유학 서적들을 읽지 않는 시적 대상의 모습에 대해 부정적인 평가를 하겠군.
④ 〈제8장〉에서 시적 대상들이 그네를 뛰며 풍류를 즐기고 있는 모습은 퇴계에게는 방탕한 행동이라고 느껴졌겠군.
⑤ 퇴계가 '「한림별곡」과 같은 유'라고 한 것을 보니, 「한림별곡」과 유사한 성격의 작품이 존재했겠군.

09

윗글과 〈보기〉를 비교한 내용으로 가장 적절한 것은?

보기

도자전(刀子廛)• 마로저재 금은보패 놓였구나
용잠(龍簪) 봉잠(鳳簪) 서복잠(瑞福簪)과 간화잠(間花簪) 창포잠(菖蒲簪)과
앞뒤 비녀 민죽절•과 개고리 앉힌 쪽비녀며
은가락지 옥가락지 보기 좋은 밀화지환(蜜花指環)•
금패 호박 가락지와 값 많은 순금지환
노리개 볼작시면 대삼작과 소삼작과
옥나비 금벌이며 산호가지 밀화불수
옥장도 대모장도 빛 좋은 삼색실로
꼰 술 푼 술 갖은 매듭 변화하기 측량없다

– 한산거사, 「한양가(漢陽歌)」

• **도자전:** 조선 시대에 소장도(小粧刀)나 금·은 패물 따위를 팔던 가게.
• **민죽절:** 아무 모양도 새기지 않은 대나무 비녀.
• **밀화지환:** 보석의 일종인 호박으로 만든 가락지.

① 윗글과 〈보기〉는 모두 특정 지역의 문물을 다루고 있다.
② 윗글과 〈보기〉는 모두 설의적 표현을 통해 대상에 대한 자부심을 드러내고 있다.
③ 윗글과 〈보기〉는 모두 객관적 사물을 운율에 맞게 열거하며 감탄의 근거로 삼고 있다.
④ 윗글에는 학문적 경지에 대한 자부심이, 〈보기〉에는 풍류를 즐기는 모습에 대한 만족감이 드러나고 있다.
⑤ 윗글은 대립적 소재의 활용을 통해, 〈보기〉는 동일한 어구의 반복을 통해 주제를 부각하고 있다.

10

윗글의 〈제1장〉과 〈제2장〉의 1~3행에서 열거법을 사용한 이유를 글의 주제와 관련하여 서술하시오.

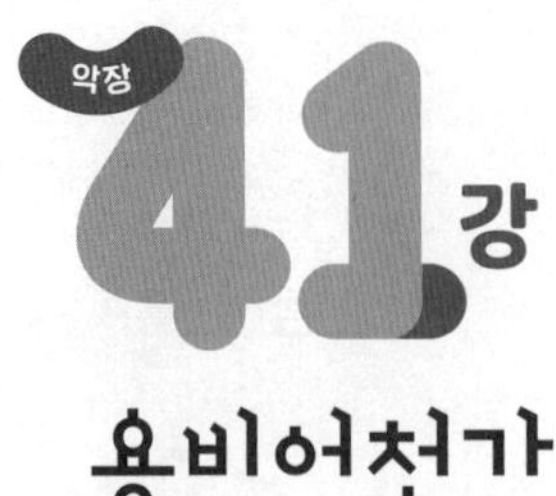

용비어천가

출제 포인트 › #비유 #대구 #조선 건국 #서사시 #송축 #찬양 #권계

가 해동(海東)* 육룡(六龍)*이 ᄂᆞᄅᆞ샤❶ 일마다 천복(天福)이시니❷

고성(古聖)이 동부(同符)*ᄒᆞ시니❸

〈제1장〉

*해동 여섯 용이 나시어, 하는 일마다 하늘의 복이시니라.
옛 성인과 부신을 합친 것과 같으시니라.

- **해동:** 발해의 동쪽이라는 뜻으로, 예전에 '우리나라'를 이르던 말.
- **육룡:** 조선 태조(太祖)의 고조인 목조(穆祖)로부터 익조(翼祖)·도조(度祖)·환조(桓祖)·태조(太祖)·태종(太宗)까지의 6대를 높이어 이르는 말.
- **동부:** 부신(符信)(두 조각으로 쪼개어 한 조각은 상대자에게 주고 다른 한 조각은 자기가 가지고 있다가 나중에 서로 맞추어서 증거로 삼던 물건)이 꼭 들어맞듯 사물이나 현상이 서로 꼭 들어맞음.

나 불휘 기픈 남ᄀᆞᆫ ᄇᆞᄅᆞ매 아니 뮐ᄊᆡ* 곶 됴코 여름 하ᄂᆞ니❶

ᄉᆡ미 기픈 므른 ᄀᆞᄆᆞ래 아니 그츨ᄊᆡ 내히 이러 바ᄅᆞ래 가ᄂᆞ니❷

〈제2장〉

*뿌리 깊은 나무는 바람에 움직이지 아니하므로, 꽃이 좋고 열매가 많으니라.
샘이 깊은 물은 가뭄에 아니 그치므로, 내가 이루어져 바다에 가느니라.

- **뮐ᄊᆡ:** '움직이므로'의 옛말.

다 적인(狄人)*ㅅ 서리*예 가샤 적인(狄人)이 ᄀᆞᆯ외어늘 기산(岐山) 올ᄆᆞ샴도 하ᄂᆞᇙ ᄠᅳ디시니❶

야인(野人)*ㅅ 서리예 가샤 야인(野人)이 ᄀᆞᆯ외어늘 덕원(德源) 올ᄆᆞ샴도 하ᄂᆞᇙ ᄠᅳ디시니❷

〈제4장〉

*(주나라의 고공단보가) 적인 사이에 가셔서 적인이 침범하거늘, 기산으로 옮기신 것도 하늘의 뜻이었어라.
(익조가) 야인 사이에 가셔서 야인이 침범하거늘, 덕원으로 옮기신 것도 하늘의 뜻이었어라.

- **적인:** 우리나라의 북쪽에 살던 여진족을 이르던 말.
- **서리:** 무엇이 많이 모여 있는 무더기의 가운데.
- **야인:** 조선 시대에, 압록강과 두만강 유역에 거주하던 여진족.

Step 1 포인트 분석

「용비어천가」

제목의 의미
'용이 날아올라 하늘을 다스리듯 훌륭한 임금이 천하를 다스리는 것을 노래함.'의 의미이다.

〈제1장〉

시적 상황
조선 창업의 정당성을 밝히고 있다.

표현
❶해동 육룡이 ᄂᆞᄅᆞ샤
→ **비유, 상징:** 조선을 건국한 태조의 고조인 목조, 익조, 도조, 환조, 태조, 태종의 활약과 존재를 나타냄.
❸고성이 동부ᄒᆞ시니
→ **정당화:** 옛 성인의 경우와 조선 건국과 관련한 6대조의 경우가 같음을 밝혀 조선 창업을 정당화함.

정서와 태도
❷일마다 천복이시니
→ 조선의 6대조에 대한 예찬
❸고성이 동부ᄒᆞ시니
→ 조선 창업의 정당화

〈제2장〉

시적 상황
조선이 굳건하게 유지되고 번성하기를 기원하고 있다.

표현
❶불휘 기픈~여름 하ᄂᆞ니, ❷ᄉᆡ미 기픈~바ᄅᆞ래 가ᄂᆞ니
→ **비유, 상징:** 기초가 굳건하게 다져진 조선을 나무와 물에 비유하고, 꽃, 열매, 내, 바다 등을 통해 조선의 번성을 표현함.
→ **대구:** 기초가 튼튼한 자연물이 시련에 굴하지 않고 번성할 것이라는 형태의 문장 구조가 반복되고 있음.

정서와 태도
❶불휘 기픈~여름 하ᄂᆞ니, ❷ᄉᆡ미 기픈~바ᄅᆞ래 가ᄂᆞ니
→ 조선의 번성과 발전에 대한 기원

〈제4장〉

시적 상황
주나라의 고공단보와 조선 태조의 선조인 익조의 사적을 비교하며 조선 건국의 정당성을 밝히고 있다.

표현
❶적인ㅅ 서리예~하ᄂᆞᇙ ᄠᅳ디시니, ❷야인ㅅ 서리예~하ᄂᆞᇙ ᄠᅳ디시니
→ **대구:** 주나라 고공단보가 기산으로 옮겨 간 것과 같이 익조가 덕원으로 옮겨 간 것도 하늘의 뜻이라는 점을 부각함.

정서와 태도
❶적인ㅅ 서리예~하ᄂᆞᇙ ᄠᅳ디시니, ❷야인ㅅ 서리예~하ᄂᆞᇙ ᄠᅳ디시니
→ 익조가 덕원으로 옮겨 간 것이 하늘의 뜻임을 밝혀 조선 건국을 정당화함.

라 성손(聖孫)이 일노(一怒)ᄒᆞ시니 육백년(六百年) 천하(天下) ㅣ 낙양(洛陽)애 올ᄆᆞ니이다❶

성자(聖子) ㅣ 삼양(三讓)이시나 오백년(五百年) 나라히 한양(漢陽)애 올ᄆᆞ니이다❷

〈제14장〉

*성손(주나라 무왕)이 한 번 노하시니 육백 년 천하를 낙양으로 옮기셨도다.
성자(태조)가 세 번 사양하시다가 오백 년 나라를 한양으로 옮기셨도다.

마 도상(道上)애 강시(僵尸)를 보샤 침식(寢食)을 그쳐시니 민천지심(旻天之心)*애 긔 아니 쁘디시리

민막(民瘼)*ᄋᆞᆯ 모ᄅᆞ시면 하ᄂᆞᆯ히 ᄇᆞ리시ᄂᆞ니 이 ᄠᅳ들 닛디 마ᄅᆞ쇼셔❶

〈제116장〉

*길 위에 쓰러져 있는 시체를 보시고 침식을 그치시니, 백성 감싸려는 마음에 어찌 돌보지 않으시리오.
백성의 고통을 모르면 하늘이 곧 버리시니, 이 뜻을 잊지 마소서.

- **민천지심:** 백성을 사랑으로 돌보아 준다는 어진 하늘의 마음.
- **민막:** 백성을 괴롭히고 나라를 망치는 정치 때문에 백성이 고생하는 일.

바 천세(千世) 우희 미리 정(定)ᄒᆞ샨 한수(漢水) 북(北)에 누인개국(累仁開國)ᄒᆞ샤 복년(卜年)*이 ᄀᆞᆺ업스시니

성신(聖神)*이 니ᅀᆞ샤도 경천근민(敬天勤民)*ᄒᆞ샤ᅀᅡ 더욱 구드시리이다❶

님금하 아ᄅᆞ쇼셔 낙수(洛水)예 산행(山行)* 가 이셔 하나빌 미드니잇가❷

〈제125장〉

*천 년 전에 미리 정하신 한강 북쪽에 어짊을 쌓아 나라를 여시어 왕조의 운이 끝없으시니
여러 성신이 이으셔도 하늘을 경외하고 백성을 위하여 부지런히 일하셔야만 나라가 더욱 굳건할 것입니다.
임금이시여, 아십시오. (하나라 태강처럼) 낙수에 사냥 가 있으면서 선조에 의지하겠습니까?

- **복년:** 점쳐 정한 햇수라는 뜻으로, 왕조의 운명을 이르는 말.
- **성신:** 성자신손이라는 뜻으로, 임금의 자손을 높여 이르는 말.
- **경천근민:** 하늘을 공경하고 백성을 위하여 부지런히 일함.
- **산행:** 사냥하러 가는 일.

– 정인지 등, 「용비어천가(龍飛御天歌)」

〈제14장〉

시적 상황
태조의 조선 건국을 주(周)나라 무왕(武王)의 사적에 견주어 정당성을 밝히고 있다.

표현
❶성손이 일노ᄒᆞ시니~낙양애 올ᄆᆞ니이다, ❷성자ㅣ 삼양이시나~한양애 올ᄆᆞ니이다
➜ **대구:** 주나라 무왕이 상(商)나라를 이기고 도읍을 옮기려고 한 것과 같이 태조도 500년 고려의 도읍을 한양으로 옮긴 것이라며 정당성을 부각함.

정서와 태도
❶성손이 일노ᄒᆞ시니~낙양애 올ᄆᆞ니이다, ❷성자ㅣ 삼양이시나~한양애 올ᄆᆞ니이다
➜ 도읍을 한양으로 옮기고 조선을 건국한 것의 정당성을 밝힘.

〈제116장〉

시적 상황
후대의 임금에게 백성의 삶을 돌볼 것을 권계하고 있다.

표현
❶민막ᄋᆞᆯ 모ᄅᆞ시면~닛디 마ᄅᆞ쇼셔
➜ **가정-권계:** 백성의 삶을 돌보지 않으면 나타나게 될 결과를 제시하며 임금이 마땅히 해야 할 책무를 권고함.

정서와 태도
❶민막ᄋᆞᆯ 모ᄅᆞ시면~닛디 마ᄅᆞ쇼셔
➜ 임금이 백성의 삶을 돌보아야 한다는 것을 강조함.

〈제125장〉

시적 상황
조선 왕조의 번영을 송축하고, 경천근민의 자세를 후대 임금에게 권계하고 있다.

표현
❷낙수예 산행~하나빌 미드니잇가
➜ **설의법:** 할아버지인 우왕의 덕을 믿고, 100일이 넘게 사냥을 나가 있다 폐위된 태강왕을 타산지석(他山之石)으로 삼으라는 의도에서 의문의 형식을 활용함.

정서와 태도
❶성신이 니ᅀᆞ샤도~더욱 구드시리이다, ❷낙수예 산행~하나빌 미드니잇가
➜ 후대 임금에게 경천근민의 자세를 강조함.

Step 2 포인트 체크

[01~05] 윗글에 대하여 맞으면 ○, 틀리면 ×표를 하시오.

01 윗글은 조선 왕조를 송축하고 왕조의 번영을 기원하기 위해 창작되었다. [○, ×]

02 〈제1장〉, 〈제2장〉에서는 중국의 사적을 인용한 부분을 찾아볼 수 없다. [○, ×]

03 〈제116장〉, 〈제125장〉에는 후대 임금에 대한 권계가 드러나 있다. [○, ×]

04 모든 장에서 대구법이 사용되고 있다. [○, ×]

05 모든 장은 동일한 운율을 형성하고 있다. [○, ×]

[06~09] 다음 빈칸에 알맞은 말을 쓰시오.

06 〈제1장〉의 '해동 [ㅇ][ㄹ]'은 조선 건국의 6대조인 목조, 익조, 도조, 환조, 태조, 태종을 의미한다.

07 〈제2장〉에서는 조선 왕조를 [ㅈ][ㅇ][ㅁ]에 비유하여 왕조가 번성하기를 송축하고 있다.

08 〈제116장〉에는 [ㅂ][ㅅ]의 삶을 돌보아야 한다는 권계가 제시되어 있다.

09 〈제125장〉에서는 후대 임금들이 [ㄱ][ㅊ][ㄱ][ㅁ]의 자세를 갖추어야 한다고 강조하고 있다.

정답 | 01 ○ 02 ○ 03 ○ 04 × 05 × 06 육룡 07 자연물 08 백성 09 경천근민

작품 정리

용비어천가

- **갈래:** 악장
- **성격:** 송축적, 권계적, 비유적, 상징적
- **주제:** 조선 건국의 정당성과 왕조의 무궁한 번영에 대한 송축
- **구성:** 서사(제1, 2장) | 조선 건국의 정당성, 조선의 번성과 발전에 대한 송축
  본사(제3~109장) | 태조의 선조인 4조와 태조, 태종의 사적과 위업에 대한 예찬
  결사(제110~125장) | 후대 임금에 대한 권계

» **해제:** 이 작품은 세종 대왕이 정인지, 권제 등에게 명하여 짓게 한 악장이다. 훈민정음으로 기록된 최초의 작품이며, 조선을 개국하기까지의 선조들의 공덕을 기리고 조선 건국의 정당성을 밝히며 영원성을 기원하고 있다. 〈제1장〉과 〈제125장〉을 제외한 나머지 절은 2절 4구 형식이며, 〈제3장〉~〈제109장〉에서 전절은 중국의 제왕을, 후절은 조선 건국의 6대조의 사적을 찬양하고 있다. 〈제110장〉~〈제125장〉은 6대조 예찬을 넘어 후대 왕들에 대한 권계를 주요 내용으로 하고 있다.

Step 3 실전 문제

정답 066쪽

01

윗글에 대한 설명으로 가장 적절한 것은?

① 한자로 기록된 문학 작품이다.
② 일정한 음보와 음수율이 사용되고 있다.
③ 사실적이고 논리적인 내용을 담고 있다.
④ 고려 왕조가 패망하게 된 원인을 밝히고 있다.
⑤ 조선 왕조의 번영을 기원하는 의도로 창작되었다.

02

(가)에 대한 이해로 적절하지 않은 것은?

① 동일한 어미로 시행을 마무리하고 있다.
② '해동 육룡'은 조선 건국과 관련한 6대조를 의미한다.
③ '고성'은 우리나라가 아닌 중국의 옛 성인들을 의미한다.
④ 의문의 형식을 통해 조선 건국의 정당성을 강조하고 있다.
⑤ '해동 육룡'과 '고성'의 공통점을 부각하려는 의도가 담겨 있다.

03

〈보기〉를 참고하여 (나)를 이해한 내용으로 적절하지 않은 것은?

> **보기**
>
> 「용비어천가」의 〈제2장〉은 비유와 상징을 통해 조선 왕조의 번영을 기원하고 있다. 특히 〈제2장〉에 제시된 자연물들은 조선 왕조를 드러내기 위한 보조 관념이자, 왕조의 번영을 나타내는 상징물로 사용되었다.

① '불휘 기픈 남ᄀᆞᆫ'과 'ᄉᆡ미 기픈 므른'을 통해 기초가 굳건한 조선 왕조를 각각 나무와 샘물에 비유했음을 알 수 있다.
② 'ᄇᆞᄅᆞᆷ'과 'ᄀᆞ믈'은 모두 조선 왕조에 닥칠 수 있는 시련과 역경을 상징적으로 드러내는 것이라고 볼 수 있다.
③ '아니 뮐ᄊᆡ', '아니 그츨ᄊᆡ'를 통해 조선 왕조가 위기에도 굳건하게 견디어 낼 것이라는 화자의 생각을 알 수 있다.
④ '곶'과 '내'는 조선 왕조가 창업하던 당시의 어려운 상황을 나타내는 자연물이라고 볼 수 있다.
⑤ '여름 하ᄂᆞ니'와 '바ᄅᆞ래 가ᄂᆞ니'는 조선 왕조의 무궁한 번영을 의미한다고 볼 수 있다.

04

(나)~(라)의 공통점으로 가장 적절한 것은?

① 의도적으로 어순을 도치시키고 있다.
② 중국과 우리나라의 상황을 비교하고 있다.
③ 과거의 일을 바탕으로 미래를 예측하고 있다.
④ 동일한 구조의 문장을 반복하여 제시하고 있다.
⑤ 명사형 종결을 통해 시적 여운을 형성하고 있다.

05

(다), (라)에 대한 설명으로 가장 적절한 것은?

① 전절에는 본받아야 할 대상을, 후절에는 지양해야 할 대상을 제시하고 있다.
② 전절에는 중국의 사적을, 후절에는 조선 6대조의 사적을 제시하고 있다.
③ 전절에 제시된 내용과 후절에 제시된 내용의 차별성을 부각하고 있다.
④ 모두 태조가 조선을 건국하는 과정을 제시하고 있다.
⑤ 전절과 후절 모두 조선 6대조의 위업을 찬양하고 있다.

06

윗글을 읽고 보인 반응으로 적절하지 않은 것은?

① (가), (다)에는 조선 건국에 하늘의 뜻이 반영되어 있다는 생각이 담겨 있군.
② (나), (바)에는 조선의 무궁한 번영을 희망하는 내용이 담겨 있군.
③ (다), (라)에서는 중국의 사적을 활용하여 조선 건국의 정당성을 드러내고 있군.
④ (마), (바)에서는 백성을 위하는 임금의 자세를 사자성어로 제시하고 있군.
⑤ (나), (다), (라)는 대구를 통해 조선 6대조의 위업이 중국보다 우월하다는 것을 강조하고 있군.

07

〈보기〉를 참고하여 (마), (바)를 이해한 내용으로 적절하지 않은 것은?

> **보기**
>
> 「용비어천가」의 〈제110장〉~〈제125장〉은 후대 임금들이 통치자로서 잊지 말아야[勿忘] 하는 내용을 담고 있어, '물망장(勿忘章)'이라고 한다. 그리고 이처럼 「용비어천가」의 마지막 부분에 물망장을 구성한 것에는 강력한 권계를 통해 선조들의 노력으로 세워진 조선 왕조를 무궁히 번영시키고자 하는 심리가 반영되어 있다.

① (마)에는 통치자인 후대 임금이 '민막'을 잘 알고 있어야 한다는 내용이 담겨 있다.
② (바)에는 후대 임금이 '하나빌' 믿고 '산행'에만 열중하는 것과 같은 행동을 해서는 안 된다고 언급하고 있다.
③ (마)의 '민천지심'과 (바)의 '경천근민'은 후대 임금이 지향해야 할 가치를 의미한다.
④ (마)의 '강시'와 (바)의 '복년'은 조선 왕조의 무궁한 번영을 상징적으로 드러낸 시어이다.
⑤ (마)의 '마ᄅᆞ쇼셔'와 (바)의 '아ᄅᆞ쇼셔'는 모두 명령형 문장으로 후대 임금에 대한 강력한 권계를 나타낸다.

08

윗글에서 중국의 사적을 제시함으로써 얻고 있는 효과를 구체적으로 서술하시오.

민요는

서민들이 일상의 노동, 의식, 놀이 등에서 불렀던 것이
입에서 입으로 전해진 **구전 가요**예요.
3음보, 4음보 형태의 노래가 주를 이루고,
대개 **후렴**이 붙어 있어요.
일의 고달픔이나 보람, 삶의 애환, 남녀의 사랑 등
민중들이 **일상생활에서 겪는 다양한 정서**를
담고 있지요.

잡가는

조선 후기 대중들이 즐겨 부르던
긴 노래를 이릅니다.
가사체의 유행가로,
가사, 민요, 시조, 판소리 등
여러 양식이 **혼합**되어 나타나지요.

민요·잡가

㉮ 조선 시대
㉯ 조선 시대

잠 노래 | 초부가

출제 포인트 › ㉮ #a–a–b–a 구조 #의인법 #대조·대비 #여인의 애환 ㉯ #노동요 #원망과 한탄 #의성어의 사용 #대구·반복법

가 잠아 잠아 짙은 잠아❶ 이내 눈에 쌓인 잠아
염치 불구 이내 잠아 검치 두덕• 이내 잠아
어제 간밤 오던 잠이 오늘 아침 다시 오네
잠아 잠아 무삼 잠고•❷ 가라 가라 멀리 가라❸
세상 사람 무수한데 구태 너는 간 데 없어❹
원치 않는 이내 눈에 이렇듯이 자심(滋甚)•하뇨❺
주야(晝夜)에• 한가하여 월명 동창(月明東窓)• 혼자 앉아
삼사경(三四更)• 깊은 밤을 허도(虛度)이• 보내면서
잠 못 들어 한하는데 ㉠ 그런 사람 있건마는❻
무상불청(無常不請)• 원망 소래• 온 때마다 듣난고니❼
석반(夕飯)•을 거두치고 황혼이 대듯마듯
낮에 못 한 남은 일을 밤에 할랴 마음먹고
언하당(言下當)• 황혼이라 섬섬옥수(纖纖玉手)• 바삐 들어
등잔 앞에 고개 숙여 실 한 바람 불어 내어
드문드문 질긋 바늘 두엇 뜸 뜨듯마듯
난데없는 이내 잠이 소리 없이 달려드네
눈썹 속에 숨었는가 눈알로 솟아 온가❽
이 눈 저 눈 왕래하며 무삼 요수 피우든고
맑고 맑은 이내 눈이 절로 절로 희미하다❾

– 작자 미상, 「잠 노래」

- **검치 두덕:** 욕심 언덕.
- **잠고:** 잠인고, 잠인가?
- **자심:** 더욱 심함.
- **주야에:** 낮밤으로.
- **월명 동창:** 달 밝은 동쪽 창.
- **삼사경:** 삼경에서 사경까지. 즉 밤 11시에서 새벽 3시까지의 시간.
- **허도이:** 헛되이.
- **무상불청:** 청하지 않은.
- **소래:** 소리.
- **석반:** 저녁밥.
- **언하당:** 말이 끝나자마자 바로. 여기서는 '그런 생각을 하자마자 바로'의 뜻임.
- **섬섬옥수:** 가냘프고 고운 여자의 손.

Step 1 포인트 분석

가 「잠 노래」

제목의 의미
'잠에 대한 노래' 또는 '잠에게 하는 노래'라는 의미이다.

시적 상황
화자는 밤늦은 시간까지 바느질을 하는 여인으로, 쏟아지는 잠을 참기 위해 애를 쓰며 잠을 원망하고 있다.

표현
❶잠아 잠아 짙은 잠아, ❷잠아 잠아 무삼 잠고, ❸가라 가라 멀리 가라
➜ **a–a–b–a 구조:** 민요에 자주 사용되는 구조로 리듬감을 형성하는 역할을 함.
❶잠아 잠아 짙은 잠아, ❹구태 너는 간 데 없어
➜ **의인법:** 잠을 인격을 가진 존재로 의인화하여 잠에 대한 원망스러운 마음을 해학적으로 표현함.
❻주야에 한가하여~그런 사람 있건마는
➜ **대조, 대비:** 밤늦게까지 일해야 하는 화자의 처지를 상반된 처지에 있는 사람과 대비시켜 잠에 대한 화자의 원망스러운 마음을 표현함.
❸멀리 가라, ❺자심하뇨, ❽눈썹 속에~솟아 온가
➜ **설의법:** 물음의 형식을 활용하여 잠에 대한 화자의 정서와 생각을 드러냄.
❽눈썹 속에~ ❾희미하다
➜ **해학적 표현:** 잠이 오는 상황을 해학적으로 묘사함.

정서와 태도
❺원치 않는~자심하뇨, ❼무상불청~온 때마다 듣난고니
➜ 자신에게 찾아온 잠에 대한 원망

나

[A]
나무하러 가자 이히후후*❶ 에헤
남 날 적에 나도 나고 나 날 적에 남도 나고❷
세상 인간 같지 않아 이놈 팔자 무슨 일고
지게 목발 못 면하고 ㉡ 어떤 사람 팔자 좋아❸
고대광실 높은 집에 사모*에 풍경 달고
만석록*을 누리건만 이런 팔자 어이하리

[B]
항상 지게는 못 면하고 남의 집도 못 면하고❹
죽자 하니 청춘이요 사자 하니 고생이라❺
세상사 사라진들 치마 짧은 계집 있나
다박머리 자식 있나 광 넓은 논이 있나
사래 긴 밭이 있나❻ 버선짝도 짝이 있고
토시짝도 짝이 있고 털먹신도 짝이 있는데❼
첸이* 같은 내 팔자야 자탄한들 무엇하리
한탄한들 무엇하나 청천에 저 ⓐ 기럭아
너도 또한 임을 잃고 임 찾아서 가는 길가❽

[C]
더런 놈의 팔자로다 이놈의 팔자로다❾
언제나 면하고 오늘도 이 짐을 안 지고 가면
어떤 놈이 밥 한 술 줄 놈이 있나
가자 이히후후❿

– 작자 미상, 「초부가(樵夫歌)」

*나무하러 가자. 이히후후 에헤.
남 태어날 적에 나도 태어나고, 나 태어날 적에 남도 태어나고,
세상의 인간들이 서로 같지 않으니 이놈(내)의 팔자는 무슨 일인가?
(나는) 지게 목발을 면하지 못하는데, 어떤 사람은 팔자가 좋아
크고 높고 넓은 집에 벼슬아치의 모자에 방울을 달고
많은 녹봉을 누리는데 (나의) 이런 팔자는 어찌하여
항상 지게 지기를 벗어나지 못하고 남의집살이도 벗어나지 못하고
죽으려 하니 청춘이요, 살자고 하니 고생이라.
세상을 살아간들 치마가 짧은 계집이 있나?
더벅머리를 한 자식이 있나? 넓은 논이 있나?
이랑이 긴 밭이 있나? 버선짝도 짝이 있고
토시짝도 짝이 있고 털먹신도 짝이 있는데
첸이(키) 같은 내 팔자야, 스스로 한탄한들 무엇할까?
한탄한들 무엇하나? 푸른 하늘에 저 기러기야.
너도 또한 임을 잃고 임을 찾아가는 길이냐?
더러운 놈의 팔자로다. 이놈(나)의 팔자로다.
언제나 면할 것인가? 오늘도 이 짐(나무)을 안 지고 가면
어떤 놈이 밥 한 술을 줄 놈이 있는가?
(나무하러) 가자. 이히후후.

나 「초부가」

제목의 의미
'초부'는 나무꾼을 뜻하는 말로, '초부가'는 '나무꾼의 노래', '나무꾼이 부르는 노래'라는 의미이다.

시적 상황
나무꾼이 자신의 고된 삶을 한탄하며 나무하러 가는 상황이다.

표현
❶, ❿ 이히후후
➜ **의성어의 사용:** 의성어를 사용하여 활기찬 나무꾼의 모습을 형상화하고 작품 전반에 생동감을 부여함.
❷ 남 날 적에~남도 나고, ❹ 지게는~못 면하고, ❺ 죽자 하니~고생이라, ❻ 다박머리~밭이 있나, ❼ 버선짝도~짝이 있는데, ❾ 더런 놈의~팔자로다
➜ **대구법:** 동일한 구조의 문장을 반복하여 제시함으로써 음악성을 높이고 의미 전달의 효과를 높임.
❸ 이놈 팔자 무슨 일고~어떤 사람 팔자 좋아
➜ **대조, 설의법:** 나무꾼의 가난한 처지를 그와 상반된 팔자 좋은 사람의 처지와 대비하고, 물음의 형식으로 한탄함으로써 나무꾼의 불쌍한 처지를 부각함.
❼ 버선짝도~털먹신도 짝이 있는데
➜ **열거:** 자신과 달리 짝이 있는 대상을 열거함으로써 불쌍한 화자의 처지를 드러냄.
❽ 청천에 저 기럭아~가는 길가
➜ **의인법:** 외기러기를 의인화하여 자신과 동일시함으로써 화자의 불쌍한 처지를 강조함.
❹ 못 면하고, ❼ 짝이 있고, ❾ 팔자로다
➜ **반복법:** 동일한 어구의 반복을 통해 음악성을 높이고 한탄의 정서를 강조함.

정서와 태도
❸ 지게 목발 못 면하고, ❺ 사자 하니 고생이라
➜ 불공평한 신세에 대한 원망과 한탄
❾ 더런 놈의 팔자로다 이놈의 팔자로다
➜ 자신의 처지에 대한 한탄

• **이히후후:** 나무를 할 때 내뱉는 한숨 소리.
• **사모:** 관복을 입을 때 쓰는 모자.
• **만석록:** 만 석의 녹봉.
• **첸이:** 곡식을 까불러 쭉정이 등을 골라내는 '키'의 방언.

Step 2 포인트 체크

[01~05] 윗글에 대하여 맞으면 ○, 틀리면 ×표를 하시오.

01 (가)의 화자는 밤이 늦었음에도 불구하고 바느질을 하고 있다. (○, ×)

02 (가)의 화자는 자신에게 찾아온 잠과 동질감을 느끼고 있다. (○, ×)

03 (가)는 a–a–b–a 구조의 표현을 사용하여 리듬감을 높이고 있다. (○, ×)

04 (나)의 화자는 자신의 처지가 점점 좋아질 것이라고 낙관하고 있다. (○, ×)

05 (나)에서는 자연물에 인격을 부여하는 방식을 활용하고 있다. (○, ×)

[06~10] 다음 빈칸에 알맞은 말을 쓰시오.

06 (가)에는 밤늦은 시간까지 고된 노동을 해야 했던 아녀자들의 고통과 [ㅇ][ㅎ]이 담겨 있다.

07 (가)의 화자는 원하지 않았는데도 찾아와 자신을 괴롭히는 잠에 대해 [ㅇ][ㅁ]의 정서를 드러내고 있다.

08 (나)의 처음과 마지막 부분에 사용된 [ㅇ][ㅅ][ㅇ]는 화자인 나무꾼의 활기찬 모습을 드러내고 작품에 생동감을 부여한다.

09 (나)의 화자는 나무꾼인 자신과 팔자가 좋은 '어떤 사람'을 [ㄷ][ㅂ]하여 자신의 처지를 부각하고 있다.

10 (나)의 화자는 자신의 고된 삶을 [ㅎ][ㅌ]하고 있다.

정답 | 01 ○ 02 × 03 ○ 04 × 05 ○ 06 애환 07 원망 08 의성어 09 대비 10 한탄

가 잠 노래

- **갈래:** 민요(노동요)
- **성격:** 애상적, 해학적
- **주제:** 잠에 대한 원망과 삶의 애환
- **구성:** 1~3행(잠아 잠아~다시 오네) | 염치없이 찾아온 잠
  4~10행(잠아 잠아~듣난고니) | 원치 않는 잠이 찾아온 것에 대한 원망
  11~16행(석반을~달려드네) | 저녁 바느질을 시작하자마자 찾아온 잠
  17행~끝(눈썹 속에~희미하다) | 요술처럼 눈에 찾아든 잠

» **해제:** 이 작품은 '잠'이라는 일상적인 소재를 의인화하여 고달픈 부녀자의 삶의 현실과 애환을 노래한 민요이다. 잠 못 들어 한탄하는 사람에게 가지 않고 굳이 밤에도 일해야 하는 자신에게 오는 잠을 원망하면서도 노래를 부르면서 잠을 쫓으며 해야 할 일을 하려는 의지를 엿볼 수 있다.

나 초부가

- **갈래:** 민요(노동요)
- **성격:** 자조적, 애상적, 해학적
- **주제:** 고된 삶을 살아가는 나무꾼의 신세 한탄
- **구성:** 1~6행(나무하러~어이하리) | 불공평하게 태어난 팔자에 대한 원망
  7~15행(항상 지게는~가는 길가) | 가난하고 외로운 처지에 대한 한탄
  16행~끝(더런 놈의~이히후후) | 고된 노동을 통해 먹고살아야 하는 팔자에 대한 한탄

» **해제:** 이 작품은 나무꾼들이 나무하러 산에 오를 때 부르던 민요이다. 나무꾼으로 열심히 일해 왔지만 좀처럼 나아지지 않고 고달프기만 한 자신의 운명과 신세를 한탄하는 내용이 주를 이루고 있다. 화자는 재산도 없고 처자식도 없는 자신의 서글픈 처지를 한탄하면서도 그러한 처지를 운명이라고 여기며 체념하고 있다.

Step 3 실전 문제

정답 067쪽

01

(가), (나)의 공통점으로 가장 적절한 것은?

① 시간의 역전적 흐름을 통해 시상을 전개하고 있다.
② 역설적인 표현을 통해 화자의 처지를 나타내고 있다.
③ 선명한 색채 대비를 통해 대상의 속성을 드러내고 있다.
④ 화자가 자신이 경험하고 있는 삶의 애환을 전달하고 있다.
⑤ 대상의 부재로 인한 화자의 고통과 슬픔을 형상화하고 있다.

02

(가)에 대한 설명으로 적절하지 않은 것은?

① a-a-b-a 구조를 반복적으로 사용하여 리듬감을 형성하고 있다.
② 의인화된 대상을 원망스러워하는 화자의 정서가 제시되어 있다.
③ 작품 전반에 일정한 음보와 음수율을 활용하여 음악성을 높이고 있다.
④ 청유형 어미를 통해 부정적 상황을 극복하려는 화자의 의지를 드러내고 있다.
⑤ 화자와 상반된 처지에 있는 대상을 대비하여 주제를 형상화하는 데 활용하고 있다.

03

(나)의 [A]~[C]에 대한 설명으로 적절하지 않은 것은?

① [A]에서는 빈부와 귀천의 불평등한 상황을 제시하여 현실에서 느끼는 괴로움을 토로하고 있다.
② [B]에서는 유사한 문장 구조를 사용하여 가난하고 외롭게 살아가는 화자의 모습을 강조하고 있다.
③ [C]에서는 체념적인 어조를 활용하여 고생을 면할 기약이 없는 삶을 한탄하고 있다.
④ [A]와 [C]에서는 의성어를 사용하여 화자의 정서를 보다 생동감 있게 표현하고 있다.
⑤ [A]~[C]에서는 모두 짝이 있는 물건을 열거하며 화자의 애상감을 점층적으로 표현하고 있다.

04

〈보기〉를 참고하여 (가)와 (나)를 감상한 내용으로 적절하지 않은 것은?

보기
(가)와 (나)는 모두 조선 시대를 살았던 민중의 고통이 잘 드러나 있는 작품이다. 특히 (가)와 (나)에는 각각의 화자가 삶을 지속하기 위해 해야만 했던 노동이 구체적으로 드러나 있으며, 이러한 고된 노동에 대한 화자의 인식과 대응 양상이 형상화되어 있다.

① (가)의 화자는 바느질을, (나)의 화자는 나무를 하는 노동을 통해 삶을 지속하고 있군.
② (가)의 화자는 잠으로 인해 자신의 고통스러운 삶의 무게가 더욱 가중되고 있군.
③ (가)의 화자가 밤늦도록 일하는 모습을 통해 화자가 경험했던 삶의 고통과 애환을 엿볼 수 있군.
④ (나)의 화자가 자신의 삶을 더러운 팔자라고 표현한 것을 통해 화자가 고통스러운 삶을 살고 있음을 알 수 있군.
⑤ (나)의 화자가 자신의 팔자에도 불구하고 나무를 하러 갈 것을 제안하는 모습에서 화자의 현실 극복 의지를 확인할 수 있군.

05

ⓐ의 '기러기'에 대한 설명으로 가장 적절한 것은?

① 화자와 상반된 속성을 지닌 자연물이다.
② 화자가 자신의 처지와 동일시하는 대상이다.
③ 화자가 동경하는 세계를 상징하는 존재이다.
④ 화자의 처지를 부각시키는 비현실적인 존재이다.
⑤ 화자의 고통과 애환에 공감하고 있는 자연물이다.

06

㉠과 ㉡의 공통점이 무엇인지 밝히고, 이러한 대상을 제시하여 얻을 수 있는 효과에 대해 간략하게 서술하시오.

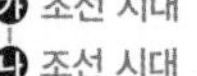

㉮ 조선 시대
㉯ 조선 시대

정선 아리랑 | 유산가

출제 포인트 ㉮ #지역적 특수성 #배경 설화 #다양한 상황과 정서 ㉯ #이중적 표기 #음성 상징어 #풍류적 태도

가 정선의 구명•은 무릉도원이 아니냐❶
㉠무릉도원은 어데 가고서 산만 충충하네•❷
아리랑 아리랑 아라리요
아리랑 고개 고개로 나를 넘겨 주게❸

명사십리가 아니라면은 해당화가 왜 피며
모춘• 삼월이 아니라면은 두견새는 왜 우나❹
아리랑 아리랑 아라리요
아리랑 고개 고개로 나를 넘겨 주게❸

아우라지• 뱃사공아 배 좀 건네주게
싸릿골• 올동백•이 다 떨어진다❺
아리랑 아리랑 아라리요
아리랑 고개 고개로 나를 넘겨 주게❸

떨어진 동박은 낙엽에나 쌓이지
잠시 잠깐 임 그리워서 나는 못 살겠네❻
아리랑 아리랑 아라리요
아리랑 고개 고개로 나를 넘겨 주게❸

– 작자 미상, 「정선 아리랑」

- **구명:** 예전에 부르던 이름. 고려 충렬왕 때 정선을 도원(桃源)으로 불렀던 것을 말함.
- **충충하네:** 산뜻하지 못하고 침침함.
- **모춘:** 늦봄. 음력 3월.
- **아우라지:** 두 냇물이 하나로 어우러지는 곳. 여기서는 정선 북면 여량리에 있는 나루를 가리킴.
- **싸릿골:** 아우라지 건너편의 유천리에 있는 나루.
- **올동백:** 제철보다 일찍 꽃이 피는 동백.

Step1 포인트 분석

가 「정선 아리랑」

제목의 의미
'정선 지역에서 부르던 아리랑'이라는 의미이다.

시적 상황
각 연이 모두 독립적인 상황으로 이루어져 있다.
– 1절: 산에 둘러싸인 정선에서 고달픈 삶을 살고 있다.
– 2절: 늦봄의 풍경을 보고 있다.
– 3절: 강을 건너지 못하고 안타까워하고 있다.
– 4절: 임을 그리워하고 있다.

표현
❶정선의 구명은 무릉도원이 아니냐
➜ **설의법:** 정선의 옛 이름이 무릉도원이었음을 강조함.
❸아리랑 아리랑~나를 넘겨 주게
➜ **반복:** 의미와 관계없이 같은 후렴구를 각 절마다 반복하여 리듬감을 형성함.
❹명사십리가 아니라면은~두견새는 왜 우나
➜ **대구법:** 늦봄의 애상감을 자아내는 '해당화'와 '두견새'를 나란히 제시함으로써 애상감을 강조함.
❻떨어진 동박은~나는 못 살겠네
➜ **대비:** 동백은 떨어지고 나면 쌓여 있는 낙엽과 함께할 시간이 있는데, 화자는 잠시 잠깐도 임과 함께할 수 없어 임이 그립다는 의미를 강조함.

정서와 태도
❷무릉도원은 어데 가고서 산만 충충하네
➜ 깊은 산중에서 느끼는 고립감
❹명사십리가 아니라면은~두견새는 왜 우나
➜ 늦은 봄의 경치를 보며 느끼는 애상감
❺아우라지 뱃사공아~다 떨어진다
➜ 강을 건너지 못하는 안타까움
❻떨어진 동박은~나는 못 살겠네
➜ 임에 대한 그리움

나 화란 춘성(花爛春城)하고 만화방창(萬化方暢)이라 때 좋다 벗님네야 산천경개를 구경을 가세❶

[A]

죽장망혜(竹杖芒鞋) 단표자(單瓢子)❷로 천리 강산을 들어를 가니 만산 홍록(滿山紅綠)들은 일년 일도 다시 피어 춘색(春色)을 자랑노라 색색이 붉었는데 창송취죽(蒼松翠竹)은 창창울울(蒼蒼鬱鬱)한데❸ 기화요초(琪花瑤草) 난만 중*에 꽃 속에 잠든 나비 자취 없이 날아난다

유상 앵비(柳上鶯飛)는 편편금(片片金)❹이요 화간접무(花間蝶舞)는 분분설(紛紛雪)❺이라 삼춘가절(三春佳節)*이 좋을씨고 도화 만발(桃花滿發) 점점홍(點點紅)이로구나❻ 어주 축수 애삼춘(魚舟逐水愛三春)❼이어든 ㉡무릉도원이 예 아니냐❽

(중략)

[B]

층암절벽상의 폭포수는 콸콸 수정렴 드리운 듯 이 골 물이 주루루룩 저 골 물이 쌀쌀 열에 열 골 물이 한데 합수(合水)하여 천방져 지방져 소쿠라지고 펑퍼져 넌출지고 방울져 저 건너 병풍석으로 으르렁 콸콸 흐르는 물결이❾ 은옥(銀玉)같이 흩어지니 소부 허유(巢父許由)* 문답하던 기산 영수(箕山潁水)가 예 아니냐❿

주곡제금(主穀啼禽)*은 천고절(千古節)⓫이요 적다정조(積多鼎鳥)*는 일년풍(一年豊)⓬이라 일출 낙조(日出落照)가 눈앞에 벌여나 경개 무궁(景槪無窮) 좋을씨고⓭

– 작자 미상, 「유산가(遊山歌)」

*꽃이 활짝 피어 봄 성에 가득하고 만물이 피어나는구나. 시절이 좋구나, 벗님들이여. 산천 경치를 구경 가자꾸나.

대나무 지팡이와 한 소쿠리의 밥, 물을 들고 천 리 강산 들어가니 온 산의 꽃들은 일 년에 한 번 다시 피어나서 봄 색깔을 자랑하느라고 색깔마다 붉었는데, 푸른 소나무와 대나무는 울창하고, 아름다운 꽃과 풀은 활짝 피어 있는 가운데 꽃 속에 나비는 자취도 없이 날아다닌다.

버드나무 위의 꾀꼬리들은 모두 금빛 조각과 같고, 꽃 사이에 춤추는 나비는 분분히 날리는 눈과 같구나. 봄, 아름다운 계절이 좋기도 하구나. 복숭아꽃은 점점마다 붉었구나. 고깃배를 띄워 놓고 봄을 즐기니 무릉도원이 바로 여기가 아니냐?

(중략)

층암절벽 위의 폭포수는 콸콸, 마치 수정 발을 드리운 듯, 이 골짜기 물이 주루루룩 저 골짜기 물이 쌀쌀, 열 골짜기 물이 합쳐져 천방지축으로 굽이쳐 솟아오르고 펀펀하게 퍼지고, 넝쿨치고 방울져서 저 건너편 병풍석으로 으르릉 콸콸 흐르는 물결이 은과 옥처럼 흩어지니, 소부와 허유가 묻고 답하던 기산과 영수가 바로 여기가 아니냐?

주걱주걱 우는 새(주걱새)는 예나 지금이나 다름이 없고, 솥이 적다고 우는 새(소쩍새)는 일년의 풍년을 알리는구나. 해가 뜨고 지는 광경이 눈앞에 펼쳐지니 끝없는 경치가 참으로 좋구나.

나 「유산가」

제목의 의미

'산에서 노는 노래', '산을 즐기는 노래'라는 의미이다.

시적 상황

봄 산에 놀러가 아름다운 자연을 즐기고 있다.

표현

❷죽장망혜 단표자, ❹유상 앵비는 편편금, ❺화간접무는 분분설, ❻도화 만발 점점홍, ❼어주 축수 애삼춘, ⓫주곡제금은 천고절, ⓬적다정조는 일년풍

➜ **한시(7언) 형식의 차용:** 잡가의 특성상 향유 계층인 상류층들이 사용하는 한시를 활용하여 봄의 아름다움과 이를 즐기는 풍류를 효과적으로 드러냄.

❸만산 홍록들은~창송취죽은 창창울울한데, ❻도화 만발 점점홍이로구나

➜ **시각적 이미지:** 색채어를 사용함으로써 봄의 아름다운 모습을 효과적으로 제시함.

❾층암절벽상의 폭포수는~콸콸 흐르는 물결이

➜ **음성 상징어, 청각적 이미지, 열거법:** 창작 계층인 서민층의 특성이 반영된 순우리말인 의성어, 의태어 등의 음성 상징어와 청각적 이미지로 봄 산에 있는 폭포에서 물이 흐르는 모습을 표현하고, 폭포수가 시시각각으로 변화하는 모습을 열거하여 생동감을 줌.

❿소부 허유~예 아니냐

➜ **중국 고사의 활용, 설의법:** 중국 고사의 이야기 활용과 의문의 형식을 통해 봄 산에서 느끼는 풍류, 감흥을 드러내며 자연을 예찬함.

정서와 태도

❶때 좋다 벗님네야 산천경개를 구경을 가세

➜ 봄 산 경치의 구경 권유

❽무릉도원이 예 아니냐, ⓭경개 무궁 좋을씨고

➜ 봄의 아름다움을 통해 느끼는 즐거움과 만족감

- **난만 중:** 어지럽게 피어 있는 중에, 활짝 피어 있는 속에.
- **삼춘가절:** 봄 석 달 동안의 아름다운 계절.
- **소부 허유:** 중국 요순시대에 속세를 벗어난 삶을 살았던 인물들.
- **주곡제금:** 주걱새. 주걱주걱 우는 소리를 의성어로 표현하면서 한자로 음차하여 '주각제금(宙刻啼禽)'이라고 하였다가 표기가 와전됨.
- **적다정조:** '積多(적다)'는 적다[小], '鼎(정)'은 솥단지. 풍년이 들어 곡식이 많으니 솥단지가 작다고 우는 새, 즉 소쩍새를 말함.

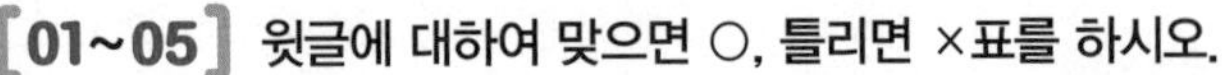

[01~05] 윗글에 대하여 맞으면 ○, 틀리면 ×표를 하시오.

01 (가)의 각 연은 다른 연과 관계없이 독립적인 상황이 나타나고 있다. [○, ×]

02 (가)의 2연에는 봄을 즐기는 화자의 풍류가 드러나고 있다. [○, ×]

03 (가)는 각 연에서 동일한 후렴구를 사용하여 음악성을 높이고 있다. [○, ×]

04 (나)의 화자는 봄의 아름다운 모습을 보며 만족감을 느끼고 있다. [○, ×]

05 (나)에서는 직유법과 의성어, 의태어 등을 통해 봄의 아름다운 풍경을 묘사하고 있다. [○, ×]

[06~10] 다음 빈칸에 알맞은 말을 쓰시오.

06 (가)에는 강원도 [ㅈ][ㅅ] 지역에 살던 사람들의 삶의 모습과 애환이 담겨 있다.

07 (가)의 3연에는 배를 타고 강을 건너지 못하는 것에 대한 화자의 [ㅇ][ㅌ][ㄲ][ㅇ]이 드러나 있다.

08 (나)의 공간적 배경은 산이며, 시간적 배경은 [ㅂ]이다.

09 (나)에서는 봄 산의 아름다운 풍경을 표현하기 위해 시각적, [ㅊ][ㄱ][ㅈ] 이미지를 사용하고 있다.

10 (나)는 양반 사대부들에게 익숙했던 [ㅎ][ㅅ] 형식과 민중이 사용하던 우리말 표현들이 어우러지는 양상을 보이고 있다.

정답 | 01 ○ 02 × 03 ○ 04 ○ 05 ○ 06 정선 07 안타까움 08 봄 09 청각적 10 한시

가 정선 아리랑

- **갈래:** 민요
- **성격:** 해학적, 서정적
- **주제:** 강원도 정선 사람들의 삶의 애환
- **구성:** 1연 | 산으로 둘러싸인 공간에서 느끼는 고독감
  2연 | 늦은 봄의 풍경을 보며 느끼는 애상감
  3연 | 강을 건너지 못하는 안타까움
  4연 | 임에 대한 간절한 그리움

» **해제:** 이 작품은 강원도 정선 지방에 전승되는 대표적인 지역 민요이다. 각 연의 내용이 하나의 주제로 연결되지 않고 다양한 상황과 정서가 나열되고 있어서 내용상의 변화와 함께 연을 추가하여 부르는 것이 가능하다. 또한 강원도 정선 지방의 지명이 빈번히 등장하며 지역 사람들의 정서와 특수성이 드러나고 있다.

나 유산가

- **갈래:** 잡가
- **성격:** 감각적, 유흥적, 심미적, 묘사적
- **주제:** 봄 산을 유람하며 느끼는 자연의 아름다움과 풍류
- **구성:** 서사(화란 춘성하고~구경을 가세) | 봄이 되었으니 자연의 아름다운 경치를 구경하자고 권유함.
  본사(죽장망혜~기산 영수가 예 아니냐) | 봄의 경치를 묘사하고 완상함.
  결사(주곡제금은~경개 무궁 좋을씨고) | 자연의 아름다운 광경을 보며 감흥을 받음.

» **해제:** 이 작품은 조선 후기 12잡가의 대표작으로 봄의 아름다운 경치를 노래한 작품이다. 봄 경치의 구경 권유로 시작하여 봄날의 아름다운 경치를 완상하며 풍류를 즐기는 모습을 활기차게 묘사하고 있다. 의성어와 의태어를 활용하여 생동감을 부여하고 있으며, 향유 계층인 양반을 고려한 한자어 중심의 표현과 창작 계층인 서민층의 특성이 반영된 우리말 중심의 표현이 혼용되어 쓰였다.

Step 3 실전 문제

정답 068쪽

01

(가), (나)에 대한 설명으로 가장 적절한 것은?

① (가)는 (나)와 달리 미래에 대한 화자의 낙관적 기대가 드러나 있다.
② (가)는 (나)에 비해 학식이 뛰어난 지배 계층 사이에서 더 유행했던 작품이다.
③ (나)는 (가)와 달리 계절에 따라 대상이 발전하는 과정을 제시하고 있다.
④ (나)는 (가)와 달리 공간의 이동에 따른 화자의 심리 변화가 나타나고 있다.
⑤ (가)와 (나)는 모두 노래의 형식을 통해 민중의 정서를 전달하고 있다.

02

(가)에 대한 이해로 적절하지 않은 것은?

① 민중들의 정서와 생각이 담겨 있다.
② 특정 지역을 중심으로 형성된 민요이다.
③ 각 연마다 독립적인 시적 상황이 제시되어 있다.
④ 자연물을 활용하여 화자의 정서를 드러내고 있다.
⑤ 동일한 시구를 반복하여 주제 의식을 강조하고 있다.

03

〈보기〉를 참고하여 (가)의 3, 4연에 대해 보인 반응으로 적절하지 않은 것은?

보기

아우라지를 사이에 두고 한 처녀와 한 총각이 만나서 사랑을 속삭였다. 어느 날, 둘은 함께 올동백을 따러 가기로 약속을 하였으나, 간밤에 내린 비에 강물이 불어 배가 뜨지 못했다. 이에 서글픈 마음을 노래로 부른 것이 바로 「정선 아리랑」이 되었다고 한다.

① 3연의 화자는 올동백을 따러 가기로 약속했던 총각과 처녀 중 하나이겠군.
② 3연에서 동백이 떨어지는 것은 이야기 속의 총각과 처녀가 바라지 않는 현상이겠군.
③ 3연에서 화자가 사공에게 배를 건네 달라고 한 것은 두 사람의 약속이 실현되기를 바랐기 때문이겠군.
③ 4연에서 화자가 임을 그리워하게 된 것은 간밤에 내린 비로 인해 배가 뜨지 못했기 때문이겠군.
⑤ 4연의 '떨어진 동박'은 총각과 처녀의 절망적인 심리가 이입된 시구이겠군.

04

[A]와 [B]를 비교한 내용으로 가장 적절한 것은?

① [A]는 대상이 지닌 과거의 모습을, [B]는 대상이 지닌 현재의 모습을 묘사하고 있다.
② [A]는 일정한 글자 수의 반복을 통해, [B]는 특정 음운의 반복을 통해 리듬감을 형성하고 있다.
③ [A]는 자연물의 외형적 묘사에 치중한 반면, [B]는 자연물에 대한 화자의 주관적 정서를 드러내는 데 치중하고 있다.
④ [A]는 주로 한자어를 사용해 시각적 이미지를, [B]는 주로 우리말 표현을 활용하여 청각적 이미지를 제시하고 있다.
⑤ [A]와 [B]는 모두 의성어, 의태어 등을 반복적으로 사용함으로써 대상이 변화하는 과정을 생동감 있게 형상화하고 있다.

05

㉠과 ㉡을 비교한 내용으로 가장 적절한 것은?

① ㉠은 화자가 상실감을 느끼는 공간이지만, ㉡은 화자가 삶을 살아가는 깨달음을 얻는 공간이다.
② ㉠은 자연과의 조화를 통해 접근할 수 있는 세계이지만, ㉡은 인간의 능력을 통해 만들어 낸 세계이다.
③ ㉠은 화자가 도달할 수 없는 이상적 세계이지만, ㉡은 화자가 자신의 노력을 통해 이룩한 현실적 세계이다.
④ ㉠은 고달픈 삶을 살아가는 화자에게 위안을 주는 공간이지만, ㉡은 화자에게 자긍심을 느끼게 하는 공간이다.
⑤ ㉠은 현재의 화자가 경험할 수 없는 세계이지만, ㉡은 현재의 화자가 직접 경험하며 만족감을 느끼고 있는 세계이다.

06

(가)는 조선 시대에 유행하던 민요이다. (가)에서 음악성을 높이는 데 기여한 두 가지 요소를 찾아 구체적으로 서술하시오.

향가는

신라에서 고려 초기까지 창작되었던 서정시예요.

한자의 음과 훈을 이용하는 **향찰로 표기된**

우리 고유의 시가이지요.

4구체, 8구체, 10구체의 형태가 있습니다.

향찰은 한자를 우리 언어에 맞게 창작에 이용했다는 점에서

우리 민족의 **주체적인 문화 수용** 사례가 되기도 합니다.

고대 가요는

고대 부족 국가 시대에서 **삼국 시대 초기**까지

불린 노래예요.

당시에는 기록 수단이 없었으니 대부분 **구전되다가**

후대에 **한자**로 기록되는데,

「정읍사」는 한글로 기록되어 남아 있어요.

초기에는 **집단적 기원**을 담은 노래만 불리다가

점차 **개인적 정서를 담은 노래**로

발전했을 것으로 추정돼요.

VI

향가 · 고대 가요

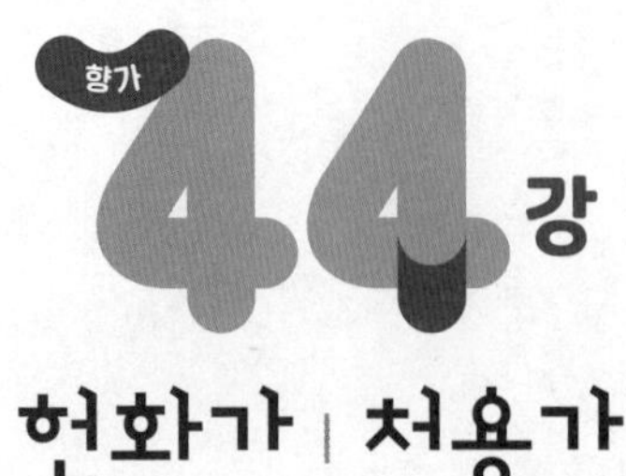

가 신라 시대
나 신라 시대

헌화가 | 처용가

출제 포인트 › 가 #시적 상황 #꽃의 상징적 의미 나 #문학의 주술성 #관용적 태도

가

紫布岩乎邊希 자포암호변희	자줏빛 바위 가에
執音乎手母牛放敎遣 집음호수모우방교견	잡고 있는 암소 놓게 하시고
吾肹不喩慚肹伊賜等 오힐불유참힐이사등	나를 아니 부끄러워하시면❶
花肹折叱可獻乎理音如 화힐절질가헌호리음여	㉠꽃을 꺾어 바치오리다❷

– 견우 노옹* 지음, 김완진 해독, 「헌화가(獻花歌)」

- **견우 노옹(牽牛老翁):** 소를 끌고 가는 노인.

〈배경 설화〉

수로 부인의 남편 순정공이 강릉 태수가 되어 부임해 가던 중 바닷가에서 점심을 먹게 되었다. 그 곁에는 깎아지른 듯한 벼랑이 있었는데 그 위에 철쭉꽃이 활짝 피어 있었다. 그것을 본 수로 부인이 주변 사람들에게 꽃을 꺾어다 주기를 청했지만 누구 하나 나서는 사람이 없었다. 이때 소를 끌고 가던 한 노인이 이 노래를 지어 부르며 꽃을 꺾어 바쳤다.

나

東京明期月良 동경명기월량	동경* 밝은 달에
夜入伊遊行如可 야입이유행여가	밤들이* 노니다가
入良沙寢矣見昆 입량사침의견곤	들어* 자리를 보니
脚烏伊四是良羅 각오이사시량라	다리가 넷이러라
二肹隱吾下於叱古 이힐은오하어질고	둘은 내해였고*
二肹隱誰支下焉古 이힐은수지하언고	둘은 누구핸고*❶
本矣吾下是如馬於隱 본의오하시여마어은	본디 내해다마는
奪叱良乙何如爲理古 탈질량을하여위리고	㉡빼앗은 것을 어찌하리오❷

– 처용 지음, 김완진 해독, 「처용가(處容歌)」

- **동경:** 신라의 수도 서라벌. 현재의 경주.
- **밤들이:** 밤늦도록.
- **들어:** 들어와.
- **내해였고:** 내 것(→ 아내의 다리)이었고.
- **누구핸고:** 누구의 것인가.

〈배경 설화〉

신라 제49대 왕인 헌강왕이 바닷가에 나가 놀다가 갑자기 구름과 안개가 자욱해져 길을 잃었다. 일관(日官)은 "이것은 동해 용왕의 조화입니다."라고 했다. 이에 왕은 용왕을 위해 절을 세우도록 명했는데, 명이 내리자 구름과 안개가 걷혔다. 동해 용왕이 기뻐하여 일곱 아들을 거느리고 왕 앞에 나타나 덕을 찬양했다. 용왕의 한 아들이 왕을 따라 서울로 가 왕의 정사를 도왔는데 그가 바로 처용이다. 왕은 처용을 아름다운 여인과 짝을 지어 주고, 급간(級干) 벼슬을 내렸다.

어느 날 역신(疫神)이 처용의 아내를 흠모하여 사람으로 변신해 그의 집에 가서 몰래 같이 잤다. 처용이 밖에서 돌아와 잠자리에 두 사람이 있는 것을 보고 노래를 부르고 춤을 추며 물러났다.(이때 부른 노래에서 「처용가」가 비롯된다.) 그러자 역신이 "내가 공의 아내를 사모하여 범하였는데도 공은 노여움을 나타내지 않으니 감동하였습니다. 지금 이후부터는 공의 형상을 그려 붙인 문으로 들어가지 않겠습니다."라고 했다. 이로 인해 사람들은 처용의 모습을 그려 문에 붙여 사기(邪氣)를 물리쳤다.

Step 1 포인트 분석

가 「헌화가」

제목의 의미
'꽃을 바치며 부른 노래', '꽃을 바치는 노래'라는 의미이다.

시적 상황
화자가 수로 부인에게 꽃을 바치기 전 허락을 구하고 있다.

표현
❶나를 아니 부끄러워하시면
→ **가정법:** 상대방의 마음을 가정하여 그에 따른 자신의 행동을 예고함으로써 강한 흠모의 마음을 조심스럽게 표현함.
❷꽃
→ **상징:** ① 흠모와 동경의 마음을 상징함. ② 벼랑에 핀 꽃은 쉽게 다가갈 수 없는 아름다움을 상징함.

정서와 태도
❷꽃을 꺾어 바치오리다
→ ① 수로 부인에 대한 흠모 ② 수로 부인의 아름다움 예찬

나 「처용가」

제목의 의미
'처용이 부른 노래'라는 의미이다.

시적 상황
화자인 처용이 아내와 자신의 처소를 침범한 자가 동침한 사실을 발견한 상황이다.

표현
❶둘은 내해였고 / 둘은 누구핸고
→ **대구:** 아내가 다른 상대와 동침한 사실을 간결한 문장의 대구를 통해 표현함.
❷빼앗은 것을 어찌하리오
→ **영탄적 표현:** 아내를 빼앗긴 것에 대한 체념과 달관의 태도를 영탄적 표현을 통해 드러냄.

정서와 태도
❷빼앗은 것을 어찌하리오
→ 체념, 달관, 관용의 태도

Step 2 포인트 체크

[01~05] 윗글에 대하여 맞으면 ○, 틀리면 ×표를 하시오.

01 (가)의 화자는 상대에게 자신의 행동에 대한 허락을 구하고 있다. [○, ×]

02 (가)의 화자는 상대의 반응을 예상하며 불안함을 드러내고 있다. [○, ×]

03 (나)의 화자는 밤늦은 시간에 자신의 처소가 침범당한 것을 확인하였다. [○, ×]

04 (나)의 화자는 자신의 아내를 범한 역신에 대해 분노의 감정을 드러내었다. [○, ×]

05 (나)는 영탄적 표현을 통해 화자의 정서를 드러내고 있다. [○, ×]

[06~10] 다음 빈칸에 알맞은 말을 쓰시오.

06 (가)와 (나)는 향찰로 기록된 [ㅎ][ㄱ]이다.

07 (가)의 화자는 수로 부인에 대한 [ㅎ][ㅁ]의 감정을 가지고 있었다.

08 (가)의 화자가 바친 [ㄲ]은 대상에 대한 화자의 사랑을 의미한다.

09 (나)의 배경 설화에 처용의 처소와 아내를 범한 대상은 [ㅇ][ㅅ]으로 나타나 있다.

10 (나)의 화자는 자신의 처소와 아내를 범한 이에게 [ㄱ][ㅇ]을 베풀었다.

정답 | 01 ○ 02 × 03 ○ 04 × 05 ○ 06 향가 07 흠모 08 꽃 09 역신 10 관용

작품 정리

가 헌화가

- **갈래:** 향가(4구체)
- **성격:** 서정적, 개인적
- **주제:** 수로 부인에 대한 순정과 흠모
- **구성:** 1, 2구 | 바위 절벽에서 암소를 끌고 가던 화자
  3, 4구 | 꽃을 바치는 것에 대한 허락을 구하는 화자

» **해제:** 이 작품은 수로 부인의 아름다움과 그에 대한 흠모의 정을 '꽃'이라는 상징적 소재를 사용해 표현하고 있다. 대부분의 향가가 종교적 색채를 띠고 있는 것을 볼 때 여성의 아름다움과 흠모의 마음을 표현한 것은 매우 이례적이다.

나 처용가

- **갈래:** 향가(8구체)
- **성격:** 주술적, 무속적
- **주제:** 아내를 범한 역신에 대한 관용과 달관의 자세
- **구성:** 1~4구 | 역신의 침범을 확인함.
  5~8구 | 상황을 달관하고 관용을 베풂.

» **해제:** 역신 등 나쁜 귀신을 몰아내는 것을 벽사(辟邪)라고 한다. 처용은 벽사 의식에서 중요한 인물이다. 배경 설화를 보면 처용은 자신의 아내를 범한 역신을 용서하며 노래를 부르고 춤을 췄다고 하는데, 이 '노래'가 민간에서 불리다가 향찰로 표기된 것이 향가 「처용가」이다. 한국의 민속에서 처용의 설화는 전염병을 막기 위해 문에 처용의 얼굴을 그린 풍속의 유래이다. 이 작품에서 처용은 관용을 통해 갈등을 해결하며 도덕적으로 우월한 존재로 인정받는다. 「처용가」는 고려 시대에 고려 가요 「처용가」로 변용되었다.

Step 3 실전 문제

01

(가), (나)에 대한 설명으로 가장 적절한 것은?

① 다른 문학 갈래, 예술 갈래로 다양하게 계승되었다.
② 민중의 소박하고 보편적인 미의식을 형상화하였다.
③ 한자로 우리말을 표기하는 향찰로 기록된 작품이다.
④ 화자의 심리를 비유와 상징의 방식으로 표현한 작품이다.
⑤ 배경 설화를 통해 작품이 창작되고 난 뒤의 일들을 알 수 있다.

02

(가), (나)의 화자에 대한 이해로 가장 적절한 것은?

① (가)의 화자는 대상과 함께할 미래를, (나)의 화자는 대상과 함께했던 과거를 떠올리고 있다.
② (가)의 화자는 대상에 대한 적극적 태도를, (나)의 화자는 대상에 대한 체념적 태도를 드러내고 있다.
③ (가)에는 대상에 대한 화자의 욕망이, (나)에는 대상에 대한 화자의 회한이 나타나고 있다.
④ (가), (나)의 화자는 모두 대상에 대한 심리 변화를 보이고 있다.
⑤ (가), (나)의 화자는 모두 대상과의 재회에 대한 의지를 드러내고 있다.

03

(가)의 표현상 특징으로 가장 적절한 것은?

① 설의적 표현으로 화자의 정서를 부각하고 있다.
② 사물에 화자의 감정을 의탁하여 표현하고 있다.
③ 가정법을 사용하여 화자의 심정을 드러내고 있다.
④ 과장된 표현으로 대상의 아름다움을 예찬하고 있다.
⑤ 처음과 끝이 상응하는 방식으로 안정감을 부여하고 있다.

04

〈보기〉를 바탕으로 (가)를 이해한 내용으로 적절하지 <u>않은</u> 것은?

보기

수로 부인의 남편 순정공이 강릉 태수가 되어 부임해 가던 중 바닷가에서 점심을 먹게 되었다. 그 곁에는 깎아지른 듯한 벼랑이 있었는데 그 위에 철쭉꽃이 활짝 피어 있었다. 그것을 본 수로 부인이 주변 사람들에게 꽃을 꺾어다 주기를 청했지만 누구 하나 나서는 사람이 없었다. 이때 소를 끌고 가던 한 노인이 이 노래를 지어 부르며 꽃을 꺾어 바쳤다.

① 화자와 수로 부인은 서로 신분의 차이가 있는 인물로 볼 수 있다.
② 벼랑에 핀 꽃을 꺾어 바친 화자는 담대함과 희생 정신을 가진 인물로 볼 수 있다.
③ 화자가 끌고 가던 소는 화자의 분신이자 수로 부인에 대한 사랑을 의미하는 자연물이다.
④ 화자가 수로 부인에게 꽃을 꺾어 바치는 행위는 수로 부인에 대한 순정과 흠모를 의미한다.
⑤ 아무도 나서지 않는 상황에서 화자가 꽃을 꺾는 행동을 한 것을 통해 수로 부인에 대한 화자의 사랑을 짐작할 수 있다.

05

㉠의 의미로 가장 적절한 것은?

① 대상에 대한 화자의 순정과 흠모를 의미한다.
② 화자가 대상에 대한 흠모의 정을 갖게 된 계기이다.
③ 대상이 화자의 사랑을 확인하기 위해 제시한 시험이다.
④ 화자와 대상이 함께했던 과거를 환기하는 매개체이다.
⑤ 화자가 대상의 환심을 사기 위해 준비해 두었던 징표이다.

06

(나)를 읽고 보인 반응으로 적절하지 않은 것은?

① '동경'과 '밝은 달'은 역신이 처용의 아내를 범한 공간적, 시간적 배경을 나타내는군.
② '다리가 넷'이라는 표현을 통해 처용의 아내를 누군가가 범했다는 사실을 알 수 있군.
③ '둘은 내해'라는 표현은 다리 두 개가 처용의 아내 것이라는 의미이군.
④ '둘은 누구핸고'라는 표현은 처용이 자신의 아내를 범한 이의 정체를 알고 있었다는 의미이군.
⑤ '본디 내해'라는 표현은 처용의 아내가 본래 자신의 아내라는 것을 의미하는군.

07

〈보기〉를 참고하여 (나)에 대해 보인 반응으로 가장 적절한 것은?

보기

배경 설화에 따르면, 「처용가」에서 처용의 아내를 범한 대상은 전염병을 옮기는 역신으로 알려져 있다. 이 작품에서 처용이 역신에게 관용을 베풀자, 역신은 그 은혜를 생각하여 처용이 있는 곳 주변에는 얼씬도 하지 않았다고 한다. 그래서 역병이 번지지 않도록 처용의 초상을 그려 마을 입구에 붙여 두는 풍습이 생겼다. 또 고려 시대에는 악귀를 쫓는 의미로 고려 가요 「처용가」를 지어 부르기도 하였다.

① 처용의 아내를 범한 역신은 인간에게 유해한 악귀를 쫓는 역할을 하게 되었군.
② 처용의 초상을 붙여 두는 풍습은 처용이 당한 것과 같은 상황을 방지하는 주술적 기능을 하게 되었군.
③ 처용이 자신의 아내를 범한 역신에게 관용을 베풀었기 때문에 이 작품이 주술적 의미를 갖게 된 것이군.
④ 처용의 화상을 붙여 두면 역병이 번지지 않는다는 풍습이 생긴 것은 처용이 '다리 넷'을 발견했기 때문이군.
⑤ 이 작품이 고려 가요 「처용가」로 계승된 것은 처용이 보였던 관용의 태도가 사회적으로 중시되었기 때문이군.

08

〈보기〉는 고려 가요 「처용가」의 일부이다. 윗글과 〈보기〉를 비교하여 감상한 글의 빈칸에 알맞은 말을 쓰시오.

보기

동경 밝은 달과 밤늦도록 노니다가
들어와 자리를 보니 다리가 넷이로구나
아 둘은 내 것이거니와 둘은 누구의 것인가
이런 때 처용아비가 보시면
열병신이야 횟거리로다
천금을 주겠습니까 처용아비여
칠보를 주겠습니까 처용아비여
천금 칠보도 그만두오
열병신을 날 잡아 주소서
산이나 들이나 천 리 외에
처용 아비를 피하여 가고져
아 열병대신의 발원이시로다

– 작자 미상, 「처용가」

윗글과 〈보기〉 모두 (   )이 동일하게 드러난다. 하지만 역신에 대한 처용의 태도는 다른 양상을 보인다. 윗글에서 처용은 역신에게 관용을 베풀고 있는 데 반해 〈보기〉에서는 역신에 대한 분노를 직접적으로 드러내고 있다.

09

㉡에서 확인할 수 있는 화자의 정서와 태도를 간략하게 서술하시오.

㉮ 통일 신라
㉯ 통일 신라

제망매가 | 찬기파랑가

출제 포인트 › ㉮ #혈육의 죽음 #비유·상징 #10구체 향가 ㉯ #추모 #비유·상징 #10구체 향가

가

生死路隱 생사로은	생사(生死) 길은
此矣有阿米次肸伊遣 차의유아미차힐이견	예* 있으매 머뭇거리고
吾隱去內如辭叱都 오은거내여사질도	㉠ 나는 간다는 말도
毛如云遣去內尼叱古 모여운견거내니질고	못다 이르고 어찌 갑니까❶
於內秋察早隱風未 어내추찰조은풍미	어느 가을 ㉡ 이른 바람에
此矣彼矣浮良落尸葉如 차의피의부량락시엽여	이에 저에 ㉢ 떨어질 잎처럼
一等隱枝良出古 일등은지량출고	㉣ 한 가지에 나고
去奴隱處毛冬乎丁 거노은처모동호정	가는 곳 모르온저*❷
阿也彌陀刹良逢乎吾 아야미타찰량봉호오	아아 ㉤ 미타찰(彌陀刹)*에서 만날 나
道修良待是古如 도수량대시고여	도(道) 닦아 기다리겠노라❸

– 월명사 지음, 김완진 해독, 「제망매가(祭亡妹歌)」

- **예:** 여기에.
- **모르온저:** 모르겠구나.
- **미타찰:** 아미타불이 있는 극락세계.

〈배경 설화〉

월명사는 사천왕사(四天王寺)라는 절에서 기거했는데 피리를 잘 불었다. 일찍이 달밤에 절 문 앞의 큰길을 거닐며 피리를 불었더니, 달이 그를 위해 가는 것을 멈추었다고 한다. 이로 인하여 그곳을 월명리(月明里)라 하였고, 월명사는 이 일로 유명해졌다. 신라 사람들은 오래도록 향가를 숭상했는데, 이따금 천지 귀신을 감동시키도 하였다. 월명사의 누이가 운명을 달리하자 월명사는 죽은 누이를 위해 향가를 지어 제사를 지냈는데, 문득 회오리바람이 일어나더니 종이돈[紙錢]을 날려 서쪽으로 사라지게 했다.

나

咽鳴爾處米 열오이처미	흐느끼며 바라보매
露曉邪隱月羅理 로효사은월라리	이슬 밝힌 달이
白雲音逐于浮去隱安支下 백운음축우부거은안지하	흰 구름 따라 떠간 언저리에
沙是八陵隱汀理也中 사시팔릉은정리야중	모래 가른 물가에
耆郎矣貌史是史藪邪 기랑의모사시사수사	기랑(耆郎)의 모습이올시* 수풀이여❶
逸烏川理叱磧惡希 일오천리질적오희	일오(逸烏)*내 자갈 벌*에서
郎也持以支如賜烏隱 낭야지이지여사오은	낭(郎)이 지니시던
心未際叱肹逐內良齊 심미제질힐축내량제	마음의 갓*을 좇고 있노라❷
阿耶栢史叱枝次高支好 아야백사질지차고지호	아아 잣나무 가지가 높아
雪是毛冬乃乎尸花判也 설시모동내호시화판야	눈이라도 덮지 못할 고깔*이여❸

– 충담사 지음, 김완진 해독, 「찬기파랑가(讚耆婆郎歌)」

Step 1 포인트 분석

가 「제망매가」

제목의 의미
'죽은 누이를 제사 지내며 부르는 노래', '죽은 누이를 추모하는 노래'라는 의미이다.

시적 상황
화자가 죽은 누이를 위해 제사를 지내며, 누이의 삶과 안타까운 죽음을 추모하고 있다.

표현
❶ 나는 간다는~어찌 갑니까
→ **설의법:** 누이의 안타까운 죽음을 떠올리며 물음의 형식을 통해 화자의 정서를 드러냄.
❷ 어느 가을~가는 곳 모르온저
→ **비유, 상징:** 누이의 요절을 가을 이른 바람에 떨어지는 '잎'에 비유하고, 한 부모를 뜻하는 '한 가지' 등의 상징·비유적 표현을 활용하여 누이의 죽음에 대한 안타까운 심정을 드러냄.
❸ 아아~도 닦아 기다리겠노라
→ 영탄적 표현: 10구체 향가에서는 낙구에 감탄사가 사용되는 것이 형식적 특성이며, 감탄사를 사용하여 시상을 집약하고 화자의 정서를 표출함. 또 '기다리겠노라'와 같은 영탄적 표현을 통해 고조된 화자의 정서를 드러내고 있음.

정서와 태도
❶ 나는 간다는~어찌 갑니까
→ 누이의 죽음에 대한 슬픔과 안타까움
❷ 어느 가을~가는 곳 모르온저
→ 누이의 죽음으로 인한 슬픔과 허망함
❸ 아아 미타찰에서~기다리겠노라
→ 죽은 누이와 재회하고자 하는 소망과 의지

나 「찬기파랑가」

제목의 의미
'기파랑을 찬양하는 노래', '기파랑을 예찬하는 노래'라는 의미이다.

시적 상황
화자가 죽은 기파랑(기랑)을 떠올리며 추모하고 있다.

표현
❶ 이슬 밝힌~수풀이여
→ **비유:** 기파랑의 성품을 높고 밝은 속성을 가진 '달', 맑고 깨끗한 속성을 가진 '물가', 그 물과 어울려 깨끗한 속성을 가진 '수풀'에 비유함으로써 기파랑을 추모하고 예찬하는 효과를 얻음.

정서와 태도
❶ 이슬 밝힌~수풀이여, ❷ 일오내~좇고 있노라
→ 기파랑에 대한 예찬
❷ 낭이 지니시던~좇고 있노라
→ 기파랑에 대한 추모

- **모습이올시:** 모습일시, 모습과 같을시.
- **일오:** 냇가의 이름, 지명.
- **벌:** 넓고 평평하게 생긴 땅.
- **마음의 갓:** 마음의 끝.
- **고깔:** 승려나 무당 또는 농악대들이 머리에 쓰는, 위 끝이 뾰족하게 생긴 모자. 여기서는 '우두머리'의 의미로 쓰임.

표현

❸아아~고깔이여
→ **영탄적 표현:** 낙구의 감탄사 '아아', 감탄의 뜻이 포함된 호격 조사 '-여'를 통해 기파랑에 대한 추모의 감정을 표출함.

❸잣나무 가지가~고깔이여
→ **상징:** 높은 지조와 절개를 상징하는 '잣나무', 시련과 역경을 의미하는 '눈'과 같은 소재를 활용하여 기파랑을 예찬하고 추모함.

정서와 태도

❸잣나무 가지가~고깔이여
→ 기파랑의 높은 절개에 대한 예찬

Step 2 포인트 체크

[01~05] 윗글에 대하여 맞으면 ○, 틀리면 ×표를 하시오.

01 (가)에서는 화자와 누이를 자연물에 빗대어 표현하고 있다. [○, ×]

02 (가)의 화자는 죽은 누이와 다시 만날 수 없다는 절망 속에서 괴로워하고 있다. [○, ×]

03 (나)에서는 기파랑의 훌륭한 인품을 예찬하고 있다. [○, ×]

04 (나)의 화자는 죽은 기파랑이 부활할 것이라는 확신을 가지고 있다. [○, ×]

05 (가), (나)는 모두 대상의 죽음으로 인한 슬픔의 정서를 나타내기 위해 영탄적 표현을 사용하고 있다. [○, ×]

[06~10] 다음 빈칸에 알맞은 말을 쓰시오.

06 (가)와 (나)는 모두 10구체 향가로 낙구에 [ㄱ][ㅌ][ㅅ]가 사용되고 있다.

07 (가)의 '이른 바람'이라는 시구는 누이의 [ㅇ][ㅈ]을 의미한다.

08 (나)는 화랑의 우두머리였던 기파랑을 [ㅊ][ㅁ]하는 작품이다.

09 (나)에서는 기파랑의 고매한 인품을 높고 밝은 속성을 가진 [ㄷ]에 비유하고 있다.

10 (나)의 '잣나무 가지'는 기파랑의 지조와 절개를 나타내는 [ㅅ][ㅈ][ㅈ] 표현이다.

정답 | 01 ○ 02 × 03 ○ 04 × 05 ○ 06 감탄사 07 요절 08 추모 09 달 10 상징적

작품 정리

가 제망매가

- **갈래:** 향가(10구체)
- **성격:** 추모적, 애상적, 비유적, 종교적
- **주제:** 누이의 죽음으로 인한 슬픔과 재회에 대한 소망
- **구성:** 기(1~4행) | 누이의 죽음으로 인한 안타까운 심정을 제시함.
  서(5~8행) | 요절한 누이를 그리워하며 삶의 무상함을 느낌.
  결(9~10행) | 누이의 죽음으로 인해 느낀 삶의 무상함을 종교적 믿음으로 승화함.

» **해제:** 이 노래는 10구체 향가 중에서도 표현 기교와 서정성이 가장 뛰어난 것으로 평가받는다. 승려인 월명사가 죽은 누이를 위해 제를 올리며 불렀으므로 의식요로 볼 수 있으며, 슬픔을 극락세계에서 다시 만나리라는 불교적 믿음으로 승화시킨 데서 종교적 성격을 띤다고 볼 수 있다. 월명사는 주술적 성격을 갖는 4구체 향가 「도솔가」의 작가이기도 하다.

> 오늘 이에 산화가를 불러
> 뿌린 꽃아 너는
> 곧은 마음이 명한 대로
> 미륵 좌주를 모시어라 - 월명사, 「도솔가」

나 찬기파랑가

- **갈래:** 향가(10구체)
- **성격:** 추모적, 예찬적, 상징적
- **주제:** 기파랑에 대한 예찬과 추모
- **구성:** 1~5구 | 기파랑의 고결한 모습을 떠올림.
  6~8구 | 기파랑의 인품을 따르고자 함.
  9~10구 | 기파랑의 높은 절개를 예찬함.

» **해제:** 이 작품은 죽은 기파랑을 예찬하는 추모적 성격의 10구체 향가이다. 기파랑의 훌륭한 인품을 달, 냇물, 잣나무 가지 등의 자연물에 빗대어 표현하고 있다.

01

(가)와 (나)의 공통점으로 가장 적절한 것은?

① 화자와 시적 대상이 함께했던 과거를 회상하고 있다.
② 화자와 시적 대상 간의 관계를 구체적으로 밝히고 있다.
③ 시적 대상에 대한 예찬과 추모의 정서를 드러내고 있다.
④ 시적 대상과 재회하겠다는 화자의 의지를 드러내고 있다.
⑤ 시적 대상의 죽음으로 인한 슬픔의 정서를 나타내고 있다.

02

(가)와 (나)를 비교한 내용으로 적절하지 않은 것은?

① (가)는 (나)와 달리 물음의 형식을 통해 시적 대상의 죽음에 대한 안타까움을 드러내고 있다.
② (가)는 (나)와 달리 시적 대상의 죽음을 나타내기 위해 상징적인 표현을 사용하고 있다.
③ (나)는 (가)와 달리 부재한 시적 대상에 대한 화자의 예찬적 태도를 드러내고 있다.
④ (나)는 (가)와 달리 화자와 죽은 시적 대상 간의 관계를 짐작할 수 있는 단서를 제시하고 있다.
⑤ (가)와 (나)의 화자는 모두 부재한 시적 대상에 대해 자연물을 활용하여 정서를 드러내고 있다.

03

(가)에 대한 설명으로 적절하지 않은 것은?

① 화자가 누이의 죽음을 애도하며 지은 작품이다.
② 이 작품의 창작과 관련한 배경 설화가 존재한다.
③ 반어와 역설을 통해 화자의 슬픔을 전달하고 있다.
④ 10구체 향가로 한자를 이용한 향찰로 표기되어 있다.
⑤ 화자의 심리를 비유와 상징의 방식으로 표현한 작품이다.

04

(가)를 읽고 보인 반응으로 가장 적절한 것은?

① 누이의 말을 인용하여 화자가 위안을 얻고 있군.
② 누이의 죽음을 통해 인생무상의 깨달음을 얻고 있군.
③ 화자와 누이의 관계를 자연물에 빗대어 표현하고 있군.
④ 화자가 누이의 죽음으로 인한 슬픔을 이겨 내지 못하고 있군.
⑤ 화자가 어린 시절에 대한 추억을 회상하며 누이를 그리워하고 있군.

05

(가)의 ㉠~㉤에 대한 이해로 적절하지 않은 것은?

① ㉠: 화자가 추모하고 있는 누이를 의미한다.
② ㉡: 누이가 어린 나이에 죽었음을 나타낸다.
③ ㉢: 누이의 죽음을 비유적으로 표현한 것이다.
④ ㉣: 화자와 죽은 누이가 한 부모에게서 태어났음을 의미한다.
⑤ ㉤: 화자와 누이가 함께 동경했던 이상향의 세계를 나타낸다.

06

〈보기 1〉을 참고하여 (가)와 〈보기 2〉를 비교·감상한 내용으로 적절하지 않은 것은?

보기 1

정지용의 초기 모더니즘 시 「유리창 1」은 아이를 잃은 슬픔을 절제된 감각적 이미지들로 형상화하고 있다. 작가는 한밤중 유리창에서 죽은 아들의 환각을 보고 아들의 모습을 보다 뚜렷이 보려고 유리를 닦는다.

보기 2

유리에 차고 슬픈 것이 어른거린다.
열없이 붙어서서 입김을 흐리우니
길들은 양 언 날개를 파닥거린다.
지우고 보고 지우고 보아도
새까만 밤이 밀려 나가고 밀려와 부딪치고,
물 먹은 별이, 반짝, 보석처럼 박힌다.
밤에 홀로 유리를 닦는 것은 / 외로운 황홀한 심사이어니,
고운 폐혈관(肺血管)이 찢어진 채로
아아, 너는 산(山)새처럼 날아갔구나!

– 정지용, 「유리창 1」

① (가)와 〈보기 2〉는 모두 시적 대상의 죽음을 자연물에 비유하여 표현하였다.
② (가)는 〈보기 2〉와 달리 화자가 느끼는 슬픔의 감정을 종교적으로 승화하고 있다.
③ (가)는 〈보기 2〉와 달리 물음의 형식을 활용하여 화자의 슬픔을 나타내고 있다.
④ (가)와 〈보기 2〉는 모두 영탄적 표현을 사용하여 화자의 안타까움을 드러내고 있다.
⑤ 〈보기 2〉는 (가)와 달리 명사형으로 시행을 종결하여 시적 여운을 형성하고 있다.

07

다음 중, (나)의 화자가 보인 정서만을 바르게 골라 묶은 것은?

㉠ 슬픔 ㉡ 추모 ㉢ 만족감 ㉣ 그리움 ㉤ 당혹감

① ㉠, ㉡ ② ㉠, ㉣ ③ ㉠, ㉡, ㉢
④ ㉠, ㉡, ㉣ ⑤ ㉠, ㉣, ㉤

08

(나)의 표현상 특징으로 적절하지 않은 것은?

① 감탄사를 활용하여 화자의 정서를 표출하고 있다.
② 청유형 어미를 통해 화자의 의지를 드러내고 있다.
③ 자연물을 통해 시적 대상의 속성을 나타내고 있다.
④ 상징적 시구를 활용하여 시적 대상을 예찬하고 있다.
⑤ 호격 조사를 통해 고조된 화자의 감정을 드러내고 있다.

09

(나)와 〈보기〉를 비교한 내용으로 적절하지 않은 것은?

보기

열어젖히매
나타난 달이
흰 구름 좇아 떠가는 것 아니냐
새파란 냇물에
기파랑의 모습이 있어라
이로부터 냇가 조약돌에
낭이 지녀 오시던
마음의 끝을 좇고 싶구나
아아 잣나무 가지 높아
서리 모를 화랑의 우두머리여

– 양주동 해독, 「찬기파랑가(讚耆婆郎歌)」

① (나)와 〈보기〉에서는 모두 '잣나무 가지'를 통해 시적 대상의 인품을 드러내고 있다.
② (나)와 〈보기〉의 화자는 모두 자연물 속에서 기파랑의 모습을 환기하고 있다.
③ (나)는 〈보기〉와 달리 대상을 부르는 표현을 통해 시적 대상에 대한 예찬적 태도를 나타내고 있다.
④ 〈보기〉의 화자는 (나)와 달리 냇가에 있는 '조약돌'로부터 시적 대상을 따르려는 의지를 보이고 있다.
⑤ 〈보기〉는 (나)와 달리 설의법을 통해 시적 분위기를 형성하고 있다.

10

〈보기〉를 참고하여 (가)와 (나)를 이해한 내용으로 적절하지 않은 것은?

보기

자연물은 생활 속에서 쉽게 마주하는 대상으로, 고전 시가의 작품에서는 화자의 정서나 시적 대상의 속성을 드러내는 데 적극적으로 활용되어 왔다. 이 밖에도 자연물은 화자나 시적 대상이 처한 상황을 상징적으로 나타내는 기능을 하면서, 고전 시가 작품의 문학적 완성도를 높이는 데 기여하였다.

① (가)의 '한 가지', '잎'은 화자와 시적 대상 간의 관계를 나타내는 자연물이군.
② (가)의 '바람'은 나뭇잎을 떨구는 역할을 하는 것으로 시적 대상의 죽음을 표현하기 위해 사용된 자연물이군.
③ (나)의 '수풀'의 깨끗하고 푸른 속성은 화자가 따르고자 하는 시적 대상의 속성과 관련이 있군.
④ (나)의 '눈'은 그것이 지닌 차가운 속성으로 인해 역경과 시련의 의미로 사용되고 있군.
⑤ (나)의 '달'은 시간적 배경을 나타내어 시적 대상의 부재로 인한 화자의 암울한 정서를 나타내는 역할을 하는군.

11

서술형

(가), (나)에 공통적으로 나타난 10구체 향가의 표현상 특징을 찾고, 그 효과에 대해 서술하시오.

㉮ 상고 시대
㉯ 상고 시대

공무도하가 | 구지가

출제 포인트 › ㉮ #서정적 고대 가요 #'물'의 상징성 ㉯ #주술요 #명령과 위협 #'거북'과 '머리'의 상징성

가 公無渡河 임이여 물을 건너지 마오❶
공무도하
公竟渡河 임은 마침내 물을 건너는구료
공경도하
墮河而死 물에 빠져 죽으니
타하이사
當奈公何 이내 임을 어이할꼬❷
당내공하

– 백수 광부*의 아내, 「공무도하가(公無渡河歌)」

〈배경 설화〉

공후인은 조선(朝鮮)의 진졸(津卒) 곽리자고(霍里子高)의 아내 여옥(麗玉)이 지은 것이다. 자고가 새벽에 일어나 배를 저어 가는데, 머리가 흰 미친 사람이 머리를 풀어 헤치고 호리병을 들고 어지러이 물을 건너고 있었다. 그의 아내가 뒤쫓아 외치며 막았으나, 아내가 다다르기도 전에 그 사람은 결국 물에 빠져 죽었다. 이에 그의 아내는 공후(箜篌)를 타며 '공무도하(公無渡河)'의 노래를 지으니, 그 소리는 심히 구슬펐다. 그의 아내는 노래가 끝나자 스스로 몸을 물에 던져 죽었다. 자고가 돌아와 아내 여옥에게 그 광경을 이야기하고 노래를 들려주니, 여옥이 슬퍼하며, 곧 공후로 그 소리를 본받아 타니, 듣고 눈물을 흘리지 않는 이가 없었다. 여옥은 그 소리를 이웃 여자 여용(麗容)에게 전하니 일컬어 공후인이라 한다.

– 최표, 『고금주』*

- **백수 광부:** 백발의 미친 남자라는 뜻.
- **고금주:** 중국 진(晉)나라의 최표(崔豹)가 명물(名物)을 고증하여 엮은 책. 고조선 때의 노래인 「공무도하가」의 배경 설화가 실려 있음.

나 龜何龜何 거북아 거북아❶
구하구하
首其現也 머리를 내밀어라❷
수기현야
若不現也 만일 내밀지 않으면❸
약불현야
燔灼而喫也 구워 먹으리❹
번작이끽야

– 작자 미상, 「구지가(龜旨歌)」

〈배경 설화〉

옛날 구지봉이라는 산에서 이상한 소리가 났다. "하늘이 나에게 명하시기를 이곳에 와서 나라를 새롭게 하여 임금이 되라 하였으니 너희들은 산봉우리 흙을 파면서, '거북아 거북아 목을 내어라. 만약 내놓지 않으면 구워서 먹으리' 하고 노래를 하고 춤을 추어라. 그러면 곧 대왕을 맞이하여 기뻐 뛰놀게 될 것이다."라고 하였다. 이에 구간(九干: 일종의 추장)들이 그 말을 따라 다 같이 빌면서 가무(歌舞)를 하였다. 10여 일 후에 하늘에서 내려온 황금 알 여섯 개가 사람으로 변하였는데, 그중 한 사람에게 '머리가 나타났다'는 의미의 '수로(首露)'라는 이름을 붙였고, 그는 대가락(大駕洛) 또는 가야국(伽倻國)의 시조가 되었다.

Step 1 포인트 분석

가 「공무도하가」

제목의 의미
'임이여 물을 건너지 마오.'라는 의미로 임에 대한 화자의 사랑과 염려가 반영되어 있다.

시적 상황
화자는 자신의 만류에도 불구하고 임이 강을 건너다가 죽는 과정을 안타깝게 바라보며 탄식하고 있다.

표현
❶물
➜ **상징성:** 시 전체의 중요 소재인 '물'은 임의 죽음과, 화자와 임의 이별이라는 비극적 사건의 원인이 됨.
❷어이할꼬
➜ **설의법:** 물음의 형식을 통해 임의 죽음에 대한 안타까움을 강조함.

정서와 태도
❶임이여 물을 건너지 마오
➜ 임에 대한 염려와 걱정
❷물에 빠져~임을 어이할꼬
➜ 임의 죽음에 대한 슬픔과 안타까움

나 「구지가」

제목의 의미
배경 설화에 따르면, '구지'라는 장소에서 불린 노래이다.

시적 상황
구간이 임금을 맞이하기 위해 땅을 파고 두드리며 노래를 부르고 있다.

표현
❶거북아 거북아
➜ **상징성:** '거북'은 신령스러운 존재를 상징함.
➜ **돈호법, 반복법:** '거북아'라고 부르는 돈호법과 '거북아'의 반복을 통해 임금이 나타나기를 기다리는 창자의 간절함이 드러남.
❷머리를 내밀어라
➜ **상징성:** '머리'는 지도자, 즉 임금을 상징함.
➜ **명령형 어미:** 직설적으로 요구를 드러냄.
❸만일 내밀지 않으면, ❹구워 먹으리
➜ **가정(❸)과 위협(❹):** 임금이 나타나기를 고대하며, 반드시 임금을 얻겠다는 의지가 나타남.

정서와 태도
❶거북아 거북아, ❷머리를 내밀어라
➜ 임금의 출현에 대한 기대와 요구
❸만일 내밀지 않으면, ❹구워 먹으리
➜ 임금의 출현에 대한 간절한 소망과 의지

Step 2 포인트 체크

[01~07] 윗글에 대하여 맞으면 ○, 틀리면 ×표를 하시오.

01 (가)의 화자는 임의 죽음을 목격하고 있다. [○, ×]

02 (가)는 화자와 임의 대화에 의해 시상이 전개되고 있다. [○, ×]

03 (가)는 집단 가요에서 개인적 서정시로 넘어가는 과도기적 작품이다. [○, ×]

04 (나)는 시간 순서에 따라 시상이 전개되고 있다. [○, ×]

05 (나)에서 화자는 거북의 머리가 나오기를 기다리고 있다. [○, ×]

06 (나)의 화자는 반복을 통해 자신이 원하는 바를 노래하고 있다. [○, ×]

07 (가)와 (나)는 공통적으로 대상을 불러 자신의 바람을 전달하는 내용이 나타난다. [○, ×]

[08~13] 다음 빈칸에 알맞은 말을 쓰시오.

08 (가)의 3구에서의 '[ㅁ]'은 임의 죽음을 의미하는 자연물이다.

09 (가)에는 임이 물을 건너 죽음에 이르게 된 [ㄱ][ㅈ]이 제시되어 있다.

10 (가)의 4구에서는 임의 죽음으로 인한 화자의 [ㅅ][ㅍ]의 정서가 드러나 있다.

11 (나)의 2구에는 대상에 대한 화자의 요구가, 4구에는 대상에 대한 화자의 [ㅇ][ㅎ]이 드러나 있다.

12 (나)의 화자는 '[ㄱ][ㅂ]'이 나타나기를 고대하고 있다.

13 (나)의 배경 설화를 통해 파악할 때 '머리'는 지도자, 즉 [ㅇ]을 상징한다고 볼 수 있다.

정답 | 01 ○ 02 × 03 ○ 04 × 05 ○ 06 ○ 07 ○ 08 물 09 과정 10 슬픔 11 위협 12 거북 13 왕

작품 정리

가 공무도하가
- **갈래:** 고대 가요(고조선 시대)
- **성격:** 애상적, 체념적, 서정적
- **주제:** 임의 죽음으로 인한 슬픔과 안타까움
- **구성:** 기(1구) | 임을 만류함.
  승(2구) | 임이 강을 건넘.
  전(3구) | 임이 죽음.
  결(4구) | 임의 죽음으로 인한 슬픔과 안타까움

» **해제:** 이 작품은 고조선 시대를 배경으로 하나, 정확한 창작 시기는 알 수 없다. 집단적으로 창작, 향유되는 특징을 지닌 대부분의 고대 가요와는 달리 이 작품은 임과의 이별로 인한 슬픔을 담은 개인적 서정 가요라는 점이 특징적이다.

나 구지가
- **갈래:** 고대 가요(가야 시대)
- **성격:** 집단적, 주술적
- **주제:** 임금의 출현에 대한 소망과 기다림
- **구성:** 1, 2구 | 임금을 요구함.(부름 – 요구)
  3, 4구 | 임금의 출현에 대한 간절한 소망과 의지를 표현함.(가정 – 위협)

» **해제:** 이 노래는 임금의 출현을 고대하는 군중에 의해 집단적인 의식으로 불린 주술요로서, 가야국 시조의 유래를 보여 주고 있다. 이 작품은 명령과 위협의 표현 방식을 통해 주술성이 잘 드러나며, 농사를 짓는 과정에서 불리었다는 기록이 있어 노동요로 보기도 한다.

01

(가), (나)에 대한 설명으로 적절하지 않은 것은?

① (가)는 (나)와 달리 특정한 대상을 청자로 설정하고 있다.
② (가)는 (나)에 비해 개인적 서정시의 경향이 두드러진다.
③ (나)는 (가)에 비해 주술적 성격이 강한 작품이다.
④ (가)와 (나) 모두 한자로 기록되어 전하고 있다.
⑤ (가)와 (나) 모두 관련된 배경 설화가 있다.

02

(가)를 이해한 내용으로 가장 적절한 것은?

① 임에 대한 화자의 내적 갈등이 표현되어 있다.
② 임에 대한 화자의 연민과 동정이 제시되어 있다.
③ 임의 죽음과 관련한 전후의 상황이 나타나 있다.
④ 죽은 임과의 재회에 대한 화자의 의지가 제시되어 있다.
⑤ 가상의 상황을 통해 임과 화자의 사랑을 형상화하고 있다.

03

(가)의 '물'에 대한 설명으로 적절하지 않은 것은?

① 1구의 '물'은 임에 대한 화자의 충만한 사랑을 드러내는 수단이 된다고 볼 수 있다.
② 2구의 '물'을 건너는 임의 행위는 임과 화자의 이별을 의미하는 것으로 볼 수 있다.
③ 3구의 '물'은 사랑하는 임의 죽음을 뜻하는 것으로 이해할 수 있다.
④ 1, 2, 3구의 '물'은 삶과 죽음의 세계를 연결하는 상징적인 자연물로 이해할 수 있다.
⑤ 배경 설화에 따르면 화자가 임을 따라 죽었으므로 '물'은 임과 화자가 다시 만나게 하는 역할을 한다고 볼 수 있다.

04

배경 설화를 참고하여, (나)에 대해 이해한 내용으로 적절하지 않은 것은?

① 반복적인 부름을 통해 시적 대상을 부각하고 있다.
② 자연물의 영원함과 인간의 유한함을 대비하고 있다.
③ 명령과 위협의 표현을 통해 주술적 의미를 드러내고 있다.
④ 신성한 존재의 출현에 대한 기다림과 소망을 표현하고 있다.
⑤ 개인에 의해 불리기보다는 집단적 가창이 이루어진 작품이다.

05

〈보기〉를 참고할 때 (나)에 대해 설명한 내용으로 적절하지 않은 것은?

보기

「구지가」는 수로왕을 맞이하기 위해 부른 영신군가이므로 주술요라고 할 수 있으며, 여러 사람이 흙을 파내고 춤을 추면서 부른 노래로 농사일을 할 때 불렀던 노동요로 이해하기도 한다.

① 이 노래를 통해 수로왕의 출현을 설명하려 하였다는 점에서 이 작품의 주술적 성격을 확인할 수 있다.
② 이 노래는 집단의 우두머리를 맞이하는 노래였다는 점에서 집단 가창이 이루어졌을 것이라고 볼 수 있다.
③ '거북'에게 '머리'를 내밀라고 한 표현에는 우두머리인 임금의 출현을 소망하는 창자의 심리가 드러나 있다.
④ 사람들이 흙을 파내는 행위를 하며 이 노래를 부른 것은 노동의 괴로움을 달래기 위한 의도였다고 이해할 수 있다.
⑤ '구워 먹으리'라는 표현을 통해 농사와 같은 노동이 이루어지는 곳에서 반복되었던 농민들의 동작을 확인할 수 있다.

❼ 상고 시대
❹ 상고 시대

47강 황조가 | 정읍사

출제 포인트 › ㉮ #'꾀꼬리'의 상징성 #대조적 상황 #개인 서정 ㉯ #망부석 #'달'의 상징성 #개인 서정

가

翩翩黃鳥 (편편황조) 펄펄 나는 저 꾀꼬리
雌雄相依 (자웅상의) 암수 서로 정답구나❶
念我之獨 (염아지독) 외로워라 이내 몸은❷
誰其與歸 (수기여귀) 뉘와 함께 돌아갈꼬❸

– 유리왕, 「황조가(黃鳥歌)」

〈배경 설화〉

고구려 제2대 왕인 유리왕은 왕비 송 씨가 세상을 떠난 뒤에 두 사람의 왕비를 새로 맞이하였다. 한 사람은 골천 사람의 딸인 화희(禾姬)이고, 다른 한 사람은 중국 한(漢)나라 사람의 딸인 치희(雉姬)였는데, 두 왕비가 자주 다투었다. 어느 날 왕이 사냥을 나갔다가 7일 동안 돌아오지 않았는데, 그동안 두 왕비 사이에 싸움이 일어났고 화가 난 치희가 자기 나라로 돌아가 버렸다. 뒤늦게 돌아온 유리왕은 급히 말을 달려 따라갔지만, 치희는 끝내 돌아오지 않았다. 어느 날 유리왕이 나무 밑에서 쉬다가 꾀꼬리가 날아서 모여드는 것을 보았다. 이에 느낀 바가 있어 노래하였는데, 이것이 「황조가」이다.

– 김부식, 『삼국사기』

나

㉠ ᄃᆞᆯ하 노피곰 도ᄃᆞ샤 — 달님이시여, 높이높이 돋으시어
어긔야 ㉡ 머리곰 비취오시라❶ — 아! 멀리멀리 비추시라.
어긔야 어강됴리
아으 다롱디리❷
㉢ 져재• 녀러신고요• — 시장에 가 계신가요?
어긔야 ㉣ 즌 ᄃᆡ•ᄅᆞᆯ 드ᄃᆡ욜셰라•❸ — 아! 진 곳을 디딜까 두려워라.
어긔야 어강됴리
어느이다 노코시라 — 어느 것이나 다 놓아 버리십시오.
어긔야 내 가논 ᄃᆡ ㉤ 졈그ᄅᆞᆯ셰라•❹ — 아! 내 임 가는 그 길 저물까 두려워라.
어긔야 어강됴리
아으 다롱디리

– 어느 행상인의 아내, 「정읍사(井邑詞)」

〈배경 설화〉

정읍은 전주(全州)의 속현이다. 정읍 사람이 행상을 나가서 오래되어도 돌아오지 않자 그 처가 산 위의 돌에 올라가 남편을 기다리면서, 남편이 밤길을 가다 해를 입을까 하는 두려움을 진흙물의 더러움에 부쳐서 노래로 불렀다. 세상에 전하기를 고개에 올라가면 망부석이 있다고 한다.

– 정인지 외, 『고려사』 권 71, 「악지 2」

- **져재:** 저자(시장)에.
- **녀러신고요:** 가 계신가요. 다니고 있으신가요.
- **즌 ᄃᆡ:** 진 곳. 위험한 곳.
- **드ᄃᆡ욜셰라:** 디딜까 두려워라. '–ㄹ셰라'는 '–일까 두렵다'라는 의미임.
- **졈그ᄅᆞᆯ셰라:** 저물까 두려워라.

Step 1 포인트 분석

㉮ 「황조가」

제목의 의미
'황조'는 노란색의 새로 '꾀꼬리'를 의미한다. 따라서 '황조가'는 '꾀꼬리의 노래'라는 의미이다.

시적 상황
이별한 화자가 꾀꼬리 암수가 노니는 모습을 부러워하며 바라보고 있다.

표현
❶ 펄펄 나는~정답구나, ❷ 외로워라 이내 몸은
➜ **대비:** 꾀꼬리 암수의 정다운 모습과 화자의 처지를 대비하여 화자의 외로움을 부각함.
❸ 뉘와 함께 돌아갈꼬
➜ **설의법:** 물음의 형식을 통해 사랑하는 임이 떠나 버린 화자의 외로운 처지를 나타냄.

정서와 태도
❷ 외로워라 이내 몸은
➜ 임을 잃은 화자의 외로움

㉯ 「정읍사」

제목의 의미
'정읍사'는 '정읍의 노래', '정읍에서 부르던 노래'라는 의미이다.

시적 상황
행상인의 아내가 행상을 나가 오랫동안 돌아오지 않는 남편의 무사 귀환을 애타게 기원하고 있다.

표현
❶ ᄃᆞᆯ하 노피곰~머리곰 비취오시라
➜ **의인법:** 기원의 대상인 '달'을 의인화하여 남편의 무사 귀환을 도와주기를 희망함.
❶ 어긔야(여음구), ❷ 어긔야 어강됴리 / 아으 다롱디리(여음구)
➜ **여음구, 후렴구:** 흥을 돋우는 여음구와 후렴구가 사용되었는데 이를 제외하면 이 시의 형태는 시조의 3장 6구 형식과 매우 유사함. 후렴구는 각 절의 끝에서 시상을 마무리하며 반복되는데 이 글에서처럼 흥을 더하는 역할을 하기도 함.
❸ 즌 ᄃᆡᄅᆞᆯ 드ᄃᆡ욜셰라
➜ **상징적 표현:** '즌 ᄃᆡ'라는 상징적 시어를 통해 남편이 위험한 곳에 머물지 않기를 바라는 마음을 조심스럽게 표현함.
❸ 드ᄃᆡ욜셰라, ❹ 졈그ᄅᆞᆯ셰라
➜ **동일한 종결 어미의 반복:** 시행을 '–ㄹ셰라'라는 동일한 종결 어미로 마무리하여 운율을 형성함.

정서와 태도
❶ ᄃᆞᆯ하 노피곰~머리곰 비취오시라
➜ 남편의 무사 귀환에 대한 기원과 소망
❸ 즌 ᄃᆡᄅᆞᆯ 드ᄃᆡ욜셰라, ❹ 졈그ᄅᆞᆯ셰라
➜ 남편에 대한 걱정과 염려

Step 2 포인트 체크

[01~07] 윗글에 대하여 맞으면 ○, 틀리면 ×표를 하시오.

01 (가)의 화자는 꾀꼬리 암수가 정겹게 노니는 모습을 바라보고 있다. [○, ×]

02 (가)의 화자는 꾀꼬리와 동질감을 느끼며 즐거워하고 있다. [○, ×]

03 (가)에서는 꾀꼬리와 화자의 처지가 대비되며 주제 의식이 부각되고 있다. [○, ×]

04 (나)는 배경 설화가 존재하는 현전하는 유일한 백제 가요이다. [○, ×]

05 (나)의 화자는 남편을 기다리고 있다. [○, ×]

06 (나)의 화자는 남편이 안전하게 돌아올 것이라는 확신을 가지고 있다. [○, ×]

07 (나)는 주술적 기원을 담은 개인 서정시이다. [○, ×]

[08~13] 다음 빈칸에 알맞은 말을 쓰시오.

08 (가)의 화자는 사랑하는 임이 떠나 버린 후 [ㅇ][ㄹ][ㅇ]을 느끼고 있다.

09 (가)의 '뉘와 함께 돌아갈꼬'에서는 [ㅅ][ㅇ][ㅂ]을 사용하여 화자의 처지를 부각하고 있다.

10 (나)의 '[ㄷ]'은 화자가 남편의 안전을 기원하는 대상이다.

11 (나)에서 반복적으로 사용되고 있는 '-ㄹ셰라'라는 종결 어미에는 남편에 대한 화자의 [ㅇ][ㄹ]가 담겨 있다.

12 (나)의 '어긔야 어강됴리 / 아으 다롱디리'는 음악성을 높이기 위해 사용된 [ㅎ][ㄹ][ㄱ]이다.

13 (나)에서 후렴구를 제외하면 3장 6구의 [ㅅ][ㅈ]와 유사한 형식이 된다.

정답 | 01 ○ 02 × 03 ○ 04 ○ 05 ○ 06 × 07 ○ 08 외로움 09 설의법 10 달(님) 11 염려 12 후렴구 13 시조

작품 정리

가 황조가

- **갈래:** 고대 가요(고구려 가요)
- **성격:** 서정적, 애상적
- **주제:** 떠나 버린 임으로 인한 슬픔과 외로움
- **구성:** 1, 2구 | 정답게 노는 암수 꾀꼬리의 모습(선경)
  3, 4구 | 화자의 외로움과 슬픔(후정)

» **해제:** 고구려 유리왕의 일화를 배경 설화로 한 이 작품은 작가와 창작 연대가 비교적 분명하게 밝혀져 있다. 이 작품은 자연물과의 대비를 통해 화자의 정서를 효과적으로 표현하였는데, 자연물인 꾀꼬리는 화자의 외로운 정서를 이입한 대상이 아니라 화자의 처지와 반대되는 상황을 드러냄으로써 화자의 정서를 부각하는 대상으로 제시되고 있다.

나 정읍사

- **갈래:** 고대 가요(백제 가요)
- **성격:** 서정적, 기원적
- **주제:** 남편의 무사 귀환에 대한 간절한 염원
- **구성:** 기(1~4구) | 달에게 남편의 무사 귀환을 기원함.
  서(5~7구) | 남편에 대한 걱정과 염려
  결(8~11구) | 남편의 무사 귀환에 대한 소망과 걱정

» **해제:** 이 작품은 현전하는 유일한 백제 가요로, '망부석'의 유래를 밝힌 배경 설화를 통해 행상 나간 남편이 무사하기를 바라는 아내의 노래임을 알 수 있다. 달에게 남편이 무사하도록 빌고 있다는 점에서 주술적인 개인 서정시로 볼 수 있으며, 후렴구를 제외하면 시조의 형식과 유사하다는 특징이 나타나기도 한다.

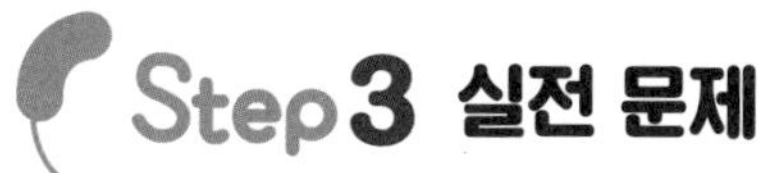

정답 073쪽

01

(가), (나)의 공통점으로 가장 적절한 것은?

① 한자로 기록되어 현재까지 전하고 있다.
② 시간의 역전을 통해 시상을 전개하고 있다.
③ 많은 사람들에 의해 집단적인 가창이 이루어졌다.
④ 직설적인 표현을 통해 화자의 정서를 전달하고 있다.
⑤ 음악성을 높이기 위해 의미 없는 시구를 반복하고 있다.

02

(가)에 대한 이해로 적절하지 않은 것은?

① 의태어를 활용하여 대상의 역동성을 나타내고 있다.
② 선경 후정의 방식을 활용하여 시상을 전개하고 있다.
③ 색채 대비를 통해 대상이 지닌 속성을 드러내고 있다.
④ 자연물과 인간을 대비하여 주제 의식을 드러내고 있다.
⑤ 물음의 형식을 활용하여 화자의 정서를 나타내고 있다.

03

(가)의 꾀꼬리에 대한 설명으로 가장 적절한 것은?

① 화자가 회피해야 할 대상으로 화자의 내적 갈등을 심화시키는 역할을 한다.
② 화자의 심리 상태가 투영되어 있는 대상으로 화자의 의지를 드러내는 역할을 한다.
③ 화자와 상반된 처지에 놓인 대상으로 화자가 느끼는 외로움을 심화시키는 역할을 한다.
④ 화자가 숭상하고 있는 대상으로 화자가 취해야 할 행동을 구체적으로 지시하는 역할을 한다.
⑤ 화자가 갑자기 마주하게 된 대상으로 화자가 과거의 일을 성찰하도록 하는 매개체의 역할을 한다.

04

(나)에 대한 설명으로 적절하지 않은 것은?

① 자연물을 인격화하여 화자의 정서를 드러내고 있다.
② 음악성을 높이기 위해 후렴구가 반복적으로 사용되고 있다.
③ 화자와 대상이 대화를 주고받는 형식으로 시상을 전개하고 있다.
④ 대립적인 의미를 지닌 대상을 활용하여 주제 의식을 드러내고 있다.
⑤ 동일한 종결 어미를 반복적으로 사용하여 화자의 심리를 드러내고 있다.

05

㉠~㉤에 대한 이해로 적절하지 않은 것은?

① ㉠: 화자가 원하는 바를 기원하는 대상이다.
② ㉡: 강조의 의미를 지닌 말을 통해 화자의 간절한 마음을 엿볼 수 있다.
③ ㉢: 화자가 기다리는 대상의 직업을 짐작하게 하는 시어라고 할 수 있다.
④ ㉣: 화자가 기다리는 대상의 안전을 위협할 수 있는 요소라고 볼 수 있다.
⑤ ㉤: 화자가 소망하는 바를 드러내기 위한 역설적 표현이라고 할 수 있다.

06

〈보기〉를 참고하여, (나)가 다른 고전 시가 형식 중 어떤 갈래와 유사한지 밝히고, 그 이유를 서술하시오.

보기

「정읍사」는 여음구와 후렴구를 제외하면 다음과 같이 정리할 수 있는데, 이처럼 정리된 구절은 다른 고전 시가 갈래와 형태상의 유사성을 보인다.

ᄃᆞᆯ하 노피곰 도ᄃᆞ샤 / 머리곰 비취오시라
져재 녀러신고요 / 즌 ᄃᆡ를 드ᄃᆡ욜셰라
어느이다 노코시라 / 내 가논 ᄃᆡ 졈그룰셰라

복합은

고전 시가에서는

갈래가 다른 시가 작품끼리 묶는 것,

시가 작품과 산문 작품을 묶는 것,

시가 갈래에 대한 **문학 이론, 즉 비문학 글**과

그 갈래에 해당하는 **예시 작품**을 묶는 것으로

나타납니다.

복합은 교육과정에서 점점 더 중시되고 있는

융합형 사고를 문학 영역에서 구현할 수 있는

대표적인 방법으로

시험에서 그 **중요도는 매우 높습니다.**

복합

㉮ 조선 후기
㉯ 조선 전기
㉰ 조선 후기

남은 다 쟈는 밤에 / 장상사 / 상사곡

출제 포인트 › ㉮ #대조적 상황 #의문형 표현 ㉯ #비유법 #감정 이입 #자연물의 활용 ㉰ #임의 상징성 #고통의 비유

가 ㉠남은 다 쟈는 밤에 닋 어이 홀로 씨야❶
옥장(玉帳)* 깁픈 곳에 쟈는 님 싱각는고❷
㉡천 리(千里)예 외로운 꿈만 오락가락 ᄒᆞ노라❸

– 송이

*남은 다 자는 밤에 나는 어찌 홀로 깨어
옥으로 꾸민 장막 깊은 곳에서 자는 임을 생각하는가?
천 리나 되는 머나먼 길에 외로운 꿈만 오락가락하는구나.
• **옥장:** 옥으로 장식한 장막.

나 그립고 그리워도❶ 볼 수가 없어
마음은 바람에 나부끼는 종이 연 같아라❷
㉢돗자리라면 말아 두고 돌이라면 굴러 낼 수 있으련만❸
이 마음의 응어리 어느 때나 고칠까❹
그리운 사람은 **멀리 하늘 모퉁이에 있는데**
구름 뜬 하늘 아래 늘어진 푸른 버들
아득한 시름은 끝이 없어라❺
㉣홀로 앉아 공후를 타니
공후는 하소연하는 듯 흐느끼는 듯❻
다 타도록 **비단 적삼 젖는 줄도 몰랐**네
원컨대 쌍쌍이 나는 새가 되어서❼
임 향한 창 앞에 서 있고자
원컨대 **밝은 달이 되어**❽
임의 창문 휘장 뚫어 비춰 들고자
㉤슬픈 노래 잠 못 드는 밤 어찌 이리 긴고
꿈속에서도 요산 남쪽 건너지 못하였네
기나긴 그리움에 공연히 애만 끊노라❾

– 성현, 「장상사(長相思)」

Step 1 포인트 분석

가 「남은 다 쟈는 밤에」

시적 상황
화자가 남들은 다 자는 밤에 홀로 깨어 멀리 떨어진 '님'을 그리워하며 외로워하고 있다.

표현
❶남은 다 쟈는 밤, ❷옥장 깁픈 곳
➜ **시간적, 공간적 배경:** 화자는 밤에, 옥장 깊은 곳에서 외로움을 느끼고 있음.
❶남은 다 쟈는~홀로 씨야
➜ **대조적 상황:** 남들과 달리 홀로 깨어 임을 그리워하고 있는 외로운 처지를 부각함.
❷옥장~싱각는고
➜ **의문형 표현:** 화자의 독수공방하는 처지를 부각함.
❸오락가락 ᄒᆞ노라
➜ **영탄적 표현:** 임을 그리워하는 마음과 외로움을 강조함.

정서와 태도
❷쟈는 님 싱각는고 ➜ 부재하는 임에 대한 그리움
❸천 리예~오락가락 ᄒᆞ노라
➜ 임의 부재로 인한 외로움과 안타까움

나 「장상사」

제목의 의미
'상사'는 임을 몹시 그리워하고 생각하는 마음을 의미한다. '장상사'는 '임에 대한 오랜 그리움'이라는 뜻이다.

시적 상황
임을 그리워하며 공후를 연주하고, 임과의 재회를 간절히 소망하고 있다.

표현
❷마음은~종이 연 같아라
➜ **비유적, 영탄적 표현:** 임에 대한 화자의 그리움을 비유하고 임을 만날 수 없는 안타까움을 부각함.
❸돗자리라면~있으련만
➜ **가정적 표현:** 화자의 마음을 다른 사물로 가정하여 화자의 해소할 수 없는 임에 대한 그리움을 강조함.
❹이 마음의 응어리 어느 때나 고칠까
➜ **설의적 표현:** 이별의 슬픔을 해소할 수 없는 화자의 상황을 강조함.
❻공후는~흐느끼는 듯
➜ **감정 이입:** 이별의 상황에서 느끼는 슬픔의 정서를 '공후' 소리에 이입하여 드러냄.
❼쌍쌍이 나는 새, ❽밝은 달 ➜ **자연물을 활용한 정서 표현:** 임과의 재회에 대한 화자의 소망을 드러냄.

정서와 태도
❶그립고 그리워도, ❾기나긴 그리움에
➜ 임에 대한 그리움
❹이 마음의 응어리 어느 때나 고칠까, ❺아득한 시름은 끝이 없어라, ❻공후는~흐느끼는 듯, ❾공연히 애만 끊노라
➜ 임을 만날 수 없는 처지에서 느끼는 시름과 슬픔

다	
명황(明皇)•은 귀비(貴妃)•를 주겨나 여히여니❶	당나라 현종은 양귀비를 죽어서나 이별했지만
셟다 셟다 ᄒᆞᆫᄃᆞᆯ 우리ᄀᆞ티 셜울런가❷	서럽다 서럽다 한들 우리같이 서러울까?
사라셔 못 보니 더욱 ᄒᆞ나 망극(罔極)ᄒᆞ다	살아서 못 보니 더욱 슬프구나.
수심(愁心)은 블이 되여 **가**슴애 픠여나니❸	근심은 불이 되어 가슴에 피어나니
절로 난 그 블이 ᄂᆞᆷ**의 탓도 아니로**ᄃᆡ	저절로 난 그 불이 남의 탓도 아니지만
내히 하 셜워 **수인씨(燧人氏)**•를 원(怨)ᄒᆞ노라	내가 매우 서러워 수인씨를 원망하노라.
함양궁전(咸陽宮殿)•이 다ᄆᆞᆫ 삼월(三月) 블거셔도❹	함양에 있는 궁전이 단지 3개월만 불탔는데도
지금(至今)에 그 블ᄅᆞᆯ 오래 ᄐᆞ다 ᄒᆞᆫ것마ᄂᆞᆫ	지금에 그 불을 오래 탔다 하는데
이 원수(怨讎) 이 블은 몃 삼월(三月)을 디내연고	이 원수 같은 이 불은 몇 3개월을 타는 것인가?
눈믈은 임우(霖雨)이 되고 한숨은 ᄇᆞᄅᆞᆷ이 되여❺	눈물은 장마가 되고 한숨은 바람이 되어
불거니 ᄲᅳ리거니 그츨 적도 업서시니	(한숨 된 바람이) 불거니 (눈물 된 장마가) 뿌리거니 그칠 때도 없으니,
이 비로 **뎌 블**을 썸즉도 ᄒᆞ다마ᄂᆞᆫ	이 비로 저 불을 끔 직도 하지만,
엇찌ᄒᆞᆫ 블인디 풍우중(風雨中)에 ᄐᆞ노왜라❻	어떤 불인지 비바람 속에 타는구나.
수화상극(水火相克)•도 거즛말이 되엿고야❼	물과 불이 상극이라는 말도 거짓말이 되었구나.
픠거니 ᄲᅳ리거니 승부(勝負) 업시 싸호거든	(불이) 피거니 (비가) 뿌리거니 승부 없이 싸우니
죠고만ᄒᆞᆫ 몸은 전장(戰場)이 되엿ᄂᆞ다❽	조그마한 몸은 싸움터가 되었구나.
아이고 하ᄂᆞ님아❾	아이고 하느님아.
칠석(七夕)비 ᄂᆞ리워 이 싸홈 말이쇼셔	칠석에 오는 비를 내려 이 싸움을 말리소서.
어엿쁜 **이 몸**은 살가 너겨 ᄇᆞ라ᄂᆡ다	불쌍한 이 몸은 살기를 바랍니다.
알고져 전생(前生)의 므슴 죄(罪)를 지어 두고	알고 싶구나, 전생에 무슨 죄를 지어서
여흴 제 검던 머리 희도록 못 보ᄂᆞᆫ고	헤어질 때 검던 머리가 희어지도록 못 보는가?
ᄉᆞ랑은 혜염업서 노소(老少)도 모ᄅᆞᄂᆞᆫ가❿	사랑은 생각 없어서 늙고 젊음도 모르는가?
십 년 전(十年前) 맹서(盟誓)를 오늘 믄득 ᄉᆡᆼ각ᄒᆞ니	십 년 전의 맹세를 오늘 문득 생각하니,
금석(金石) ᄀᆞᄐᆞᆫ 말솜이 어제론덧 그제론덧 귀예 ᄌᆡᆼᄌᆡᆼᄒᆞ야시니⓫	금석 같은 굳은 말씀이 어제인 듯 그제인 듯 귀에 쟁쟁하니,
이 ᄆᆞ음 이 맹서(盟誓) 진토(塵土)이 되다 니ᄌᆞᆯ소냐⓬	이 마음과 이 맹세가 진토가 된다고 잊을쏘냐?
아소온 **내 뜻은 다시 볼가 ᄇᆞ라거든**⓭	아쉬운 내 뜻은 다시 보기를 바라는 것이니,
일 년(一年) 삼백 일(三百日)에 니친 ᄒᆞᆯ니 이실소냐⓮	일 년 삼백 일에 하루라도 잊은 날이 있을쏘냐?

– 박인로, 「상사곡(相思曲)」

다 「상사곡」

제목의 의미

'누군가를 몹시 사랑하여 그리워하는 노래'라는 뜻이다.

시적 상황

임과 이별한 화자는 마음속의 시름을 고통스러워하며 눈물을 흘리고 있다. 화자는 눈물을 아무리 흘려도 마음속 시름이 사라지지 않는다고 토로하며 임과의 재회를 간절히 소망하고 있다.

표현

❶명황은~여히여니, ❹내히 하 셜워~블거셔도 ➜ **중국의 고사 활용:** 화자의 슬픔을 강조하여 표현함.

❷셟다 셟다~셜울런가 ➜ **설의적 표현:** 임과의 이별로 인한 슬픔을 강조함.

❸수심은 블이 되여, ❺눈믈은~ᄇᆞᄅᆞᆷ이 되여 ➜ **비유적 표현:** 임과의 이별로 인한 화자의 심리 상태를 자연물에 비유함.

❺눈믈은 임우이 되고 한숨은 ᄇᆞᄅᆞᆷ이 되여 ➜ **대구적 표현:** 유사한 통사 구조의 반복을 통해 의미를 강조함.

❻풍우중에 ᄐᆞ노왜라, ❼거즛말이 되엿고야 ➜ **영탄적 표현:** 눈물을 아무리 많이 흘려도 사라지지 않는 화자의 수심을 강조함.

❽죠고만ᄒᆞᆫ~되엿ᄂᆞ다 ➜ **비유적 표현:** 화자의 고통스러운 심리를 전장에 비유함.

❾아이고 하ᄂᆞ님아 ➜ **영탄적 표현, 호격 조사의 활용:** 이별의 고통을 강조하며 화자의 감정을 극대화하여 표현함.

❿여흴 제 검던~노소도 모ᄅᆞᄂᆞᆫ가 ➜ **색채어 활용, 의인법:** 색채어를 활용하고, 무생물인 'ᄉᆞ랑'을 사람처럼 표현하여 화자가 임을 못 본 지 오래되었음을 드러냄.

⓫금석 ᄀᆞᄐᆞᆫ 말솜 ➜ **비유적 표현:** 임과의 사랑의 맹세를 가리킴.

⓬이 ᄆᆞ음 이 맹서 진토이 되다 니ᄌᆞᆯ소냐, ⓮일 년 삼백 일에 니친 ᄒᆞᆯ니 이실소냐 ➜ **설의적 표현:** 임에 대한 변치 않는 사랑과 그리움을 드러냄.

정서와 태도

❷셟다 셟다~셜울런가, ❸수심은~가슴애 픠여나니, ❺눈믈은~ᄇᆞᄅᆞᆷ이 되여 ➜ 이별의 슬픔과 이별로 인한 고통

⓬이 ᄆᆞ음~니ᄌᆞᆯ소냐 ➜ 임에 대한 변치 않는 사랑

⓭아소온 내 뜻은 다시 볼가 ᄇᆞ라거든 ➜ 임과의 재회에 대한 소망

- **명황, 귀비:** 당나라 현종과 양귀비. 안사의 난으로 양귀비가 죽음.
- **수인씨:** 중국 고대 전설상의 제왕. 불을 쓰는 법을 전하였다고 함.
- **함양궁전:** 진나라 때 중국 함양에 지어진 궁전으로 항우가 불태웠는데 삼 개월 동안 불이 꺼지지 않았다고 함.
- **수화상극:** 물과 불은 서로 용납하지 않는다는 뜻.

Step 2 포인트 체크

[01~09] 윗글에 대하여 맞으면 ○, 틀리면 ×표를 하시오.

01 (가)의 1행에서 '님'과 화자의 상황은 대조적이다. [○, ×]

02 (가)의 화자는 꿈속에서 임과 재회하여 자신의 심정을 토로하고 있다. [○, ×]

03 (가)에는 공간적 배경은 제시되어 있으나 시간적 배경은 제시되어 있지 않다. [○, ×]

04 (나)의 화자는 공후를 연주하면서 임에 대한 그리움을 해소하고 있다. [○, ×]

05 (나)의 화자는 임과의 거리감을 느끼고 있다. [○, ×]

06 (나)에서 '임'을 임금으로 본다면 화자는 임금으로부터 멀리 떨어져 있는 신하라고 할 수 있다. [○, ×]

07 (나)에는 사물에 화자의 감정을 이입한 표현이 나타나 있다. [○, ×]

08 (다)의 화자는 중국의 고사를 인용하여 화자의 처지와 심정을 강조하고 있다. [○, ×]

09 (다)의 화자는 자신과 임의 관계가 '수화상극'인 상황이라고 여기고 있다. [○, ×]

[10~15] 다음 빈칸에 알맞은 말을 쓰시오.

10 (가)의 '천 리'는 화자가 느끼는 임과의 심리적 [ㄱ][ㄹ][ㄱ]을 나타낸다.

11 (나)의 화자는 자신의 마음이 '[ㅈ][ㅇ] [ㅇ]' 같다고 말하고 있다.

12 (나)의 '밝은 달'에는 임과 가까이 있고 싶은 화자의 [ㅅ][ㅁ]이 투영되어 있다.

13 (나)의 '[ㅇ][ㅅ] [ㄴ][ㅉ]'은 화자와 임 사이에 존재하는 장애물이라고 할 수 있다.

14 (다)의 화자는 임과 이별한 이후의 자신의 근심이 '[ㅂ]'과 같다고 하면서 걷잡을 수 없는 상태임을 나타내고 있다.

15 (다)에서 화자는 '[ㅊ][ㅅ][ㅂ]'가 화자의 심리적 고통을 해소할 수 있다고 여기고 있다.

정답 | 01 ○ 02 × 03 × 04 × 05 ○ 06 ○ 07 ○ 08 ○ 09 × 10 거리감 11 종이 연 12 소망 13 요산 남쪽 14 불(블) 15 칠석비

작품 정리

가 남은 다 자는 밤에

- **갈래:** 평시조, 연정가
- **성격:** 애상적, 서정적
- **주제:** 임에 대한 그리움과 홀로 지내는 외로움
- **구성:** 초장 | 밤에 홀로 깨어 있음.
  중장 | 독수공방하며 임을 생각함.
  종장 | 임을 그리워함.

» **해제:** 이 작품은 임과 이별한 상황에서 홀로 지내는 화자가 임을 그리워하는 마음을 노래하고 있다. 임을 그리워하며 잠을 못 이루는 화자가 임과 심리적 거리감을 느끼면서 임과의 재회가 어려운 상황에 대한 안타까움을 표현하고 있다.

나 장상사

- **갈래:** 한시, 연정가
- **성격:** 서정적
- **주제:** 이별의 슬픔과 임에 대한 그리움, 재회에의 소망
- **구성:** 1~4행(그립고~고칠까) | 이별의 상황
  5~10행(그리운~몰랐네) | 이별의 슬픔을 달래려 공후를 연주함.
  11행~끝(원컨대~끊노라) | 임을 다시 만나고 싶은 마음

» **해제:** 이 작품은 임을 그리워하지만 임에게 가까이 갈 수 없는 화자의 슬픔과 고통을 드러내고 있다. 특히 임에 대한 자신의 그리움을 다른 사물에 빗대어 강조하면서 공후를 타 보아도 슬픔과 그리움이 해소되지 않는 상태임을 표현하고 있으며, 화자는 새와 달이 되어서라도 임에게 가고 싶다고 토로하고 있다. 이 작품의 화자와 임의 관계를 임금과 충신의 관계로 치환하면, 이 작품은 충신연주지사(忠臣戀主之詞)로 볼 수 있다.

다 상사곡

- **갈래:** 가사
- **성격:** 애상적, 의지적
- **주제:** 이별로 인한 심적 고통과 임에 대한 변치 않는 사랑
- **구성:** 1~19행(명황은~ᄇᆞ라ᄂᆞ다) | 임과의 이별로 인한 근심이 가슴속 불이 되어 꺼지지 않음.
  20행~끝(알고져~이실소냐) | 임에 대한 영원한 사랑과 임과의 재회를 소망하는 마음

» **해제:** 이 작품은 임과의 이별로 인해 느끼는 화자의 슬픔과 고통스러운 마음, 임에 대한 사랑과 그리움을 표현하고 있다. 중국 고사를 활용하고, 자신의 슬픔을 '불'로 표현하여 이 '불'이 꺼지지 않는 상황의 괴로움을 다양한 수사를 통해 강조하고 있다. 또한 화자는 과거에 임과 했던 약속을 언급하며 임과 재회하고 싶은 마음을 드러내고 있다. 이 작품을 전형적인 사대부 가사로 보았을 때, '임'은 임금으로 해석할 수 있으므로 이 작품은 임금에 대한 변치 않는 사랑과 충정을 표현한 것이라 할 수도 있다.

Step 3 실전 문제

정답 074쪽

01

(가)에 대한 설명으로 적절하지 않은 것은?

① 화자가 표면에 드러나 있다.
② 화자는 임과 재회할 것을 확신하고 있다.
③ 화자는 임과 멀리 떨어져 있다고 느끼고 있다.
④ 화자가 처한 시간적, 공간적 배경이 드러나 있다.
⑤ 화자는 자신의 처지가 남들과 다르다고 여기고 있다.

02

(나)에 대해 이해한 내용으로 적절하지 않은 것은?

① 화자가 '이 마음의 응어리 어느 때나 고칠까'라고 한 것에서 화자는 자신의 심적 고통이 해소되기 어렵다고 여기고 있음을 알 수 있다.
② 화자가 그리워하는 임이 '하늘 모퉁이'에 있다고 한 것에서 화자가 느끼는 임과의 거리감을 알 수 있다.
③ 화자가 '비단 적삼 젖는 줄도 몰랐'다고 한 것에서 화자의 슬픔은 '공후'를 연주하고 나서도 해소되지 않았음을 알 수 있다.
④ 화자가 '밝은 달'이 되고 싶다고 한 것에서 화자는 임에게 가까이 가고자 하는 소망을 가지고 있음을 알 수 있다.
⑤ 화자가 '꿈속에서도 요산 남쪽 건너지 못하였'다고 한 것에서 화자는 현재 상황을 극복할 수 있는 의지를 상실하였음을 알 수 있다.

03

(나)의 화자의 상황을 설명하는 데 쓰일 수 없는 것은?

① 구곡간장(九曲肝腸)
② 견강부회(牽强附會)
③ 오매불망(寤寐不忘)
④ 전전반측(輾轉反側)
⑤ 학수고대(鶴首苦待)

04

(다)의 전장에 대한 설명으로 가장 적절한 것은?

① '수화상극'인 상황을 가리킨다.
② 임을 '사라져 못 보'는 이유에 해당한다.
③ '이 비'가 '더 블'을 끈 이후의 모습을 가리킨다.
④ '수심'과 '눈물'로 인해 고통스러운 상황을 의미한다.
⑤ '수인씨'에 대한 원망을 해소할 수 없는 심정을 가리킨다.

05

(다)의 표현상 특징으로 가장 적절한 것은?

① 의문형 어미를 활용하여 화자의 정서를 강조하고 있다.
② 특정 대상과 대화하는 방식으로 주제를 부각하고 있다.
③ 음성 상징어를 구사하여 시대적 상황을 제시하고 있다.
④ 가상의 상황을 통해 자기를 반성하는 태도를 보여 주고 있다.
⑤ 계절적 배경을 소재로 하여 시적 분위기를 고조하고 있다.

06

기출 2018학년도 11월 고1 교육청

㉠~㉤에 대한 설명으로 적절하지 않은 것은?

① ㉠: '남'과 화자의 서로 다른 상황을 통해 화자가 놓인 외로운 처지를 표현하고 있다.
② ㉡: 화자의 '꿈'을 통해 화자가 먼 곳에서 여유롭게 살고자 하는 염원을 표현하고 있다.
③ ㉢: '돗자리', '돌'과 대비되는 화자의 마음을 통해 화자의 맺혀 있는 감정을 강조하고 있다.
④ ㉣: 화자가 연주하는 '공후'의 소리를 통해 화자의 답답함과 슬픔을 표현하고 있다.
⑤ ㉤: 화자가 '밤'에 잠을 자지 못하는 상황을 통해 화자의 애절한 감정을 강조하고 있다.

07

고난도 기출 2018학년도 11월 고1 교육청

〈보기〉를 바탕으로 (나)와 (다)를 감상한 내용으로 적절하지 않은 것은?

보기

'충신연주지사'는 충성스러운 신하가 왕을 그리워하며 부른 노래를 의미하는데, (나)와 (다)가 여기에 속한다. 이러한 주제 의식을 담은 노래들은 신하가 왕으로부터 멀리 떨어져 이별이 오래 지속된 상황에서 생긴 감정을 표현하고 있다. 왕에 대한 신하의 사랑과 그리움을 주로 표현하며, 자신의 마음을 몰라주는 왕에 대한 원망을 드러내기도 한다.

① (나)의 '그리운 사람'이 '멀리 하늘 모퉁이에 있는데'라고 한 것은 신하가 왕으로부터 멀어져 있는 상황을 나타낸 것이겠군.
② (나)의 '기나긴 그리움에 공연히 애만 끊노라'라고 한 것은 신하가 왕을 그리워하고 있음을 나타낸 것이겠군.
③ (다)의 '수심'이 '가슴'에 피어난 것이 'ᄂᆞᆷ의 탓도 아니로ᄃᆡ'라고 한 것은 신하가 자신의 마음을 몰라주는 왕을 원망하고 있음을 나타낸 것이겠군.
④ (다)의 '여흴 제 검던 머리 희도록 못 보ᄂᆞᆫ고'라고 한 것은 신하와 왕이 오랫동안 이별하고 있음을 나타낸 것이겠군.
⑤ (나)의 '밝은 달이 되어' '임의 창문 휘장'에 비추겠다는 것과 (다)의 '내 ᄠᅳᆮ은 다시 볼가 ᄇᆞ라거든'이라고 한 것은 왕에 대한 신하의 사랑을 나타낸 것이겠군.

08

기출 2018학년도 11월 고1 교육청

새와 블에 대한 설명으로 가장 적절한 것은?

① 새는 화자의 심리 전환을 표출하고, 블은 화자의 성격 변화를 유도하고 있다.
② 새는 화자의 현재 상황을 표현하고, 블은 화자의 미래 모습을 암시하고 있다.
③ 새는 화자의 내적인 갈등을 강조하고, 블은 화자의 외적인 화해를 보여 주고 있다.
④ 새는 화자의 간절한 바람을 드러내고, 블은 화자의 애타는 정서를 부각하고 있다.
⑤ 새는 화자의 반성적인 태도를 나타내고, 블은 화자의 실천적인 행위를 제시하고 있다.

09

서술형

(나)의 꿈속과 〈보기〉의 ᄭᅮᆷ이 어떻게 다른지 화자와 임의 관계와 관련지어 서술하시오.

보기

져근덧 녁진(力盡)ᄒᆞ야 픗ᄌᆞᆷ을 잠간 드니
졍셩(精誠)이 지극ᄒᆞ야 ᄭᅮᆷ의 님을 보니
옥(玉) ᄀᆞᄐᆞᆫ 얼굴이 반(半)이나마 늘거셰라
ᄆᆞᄋᆞᆷ의 머근 말ᄉᆞᆷ 슬ᄏᆞ장 ᄉᆞᆲ쟈 ᄒᆞ니
눈믈이 바라 나니 말인들 어이ᄒᆞ며
졍(情)을 못다 ᄒᆞ야 목이조차 몌여ᄒᆞ니
오뎐된 계셩(鷄聲)의 ᄌᆞᆷ은 엇디 ᄭᅵ돗던고

– 정철, 「속미인곡」

10

서술형

(다)와 관련하여 〈보기〉를 읽고 다음의 두 질문에 답하시오.

보기

박인로의 「상사곡」은 105행으로 이루어진 가사이다. (다)는 「상사곡」의 일부로, 「상사곡」은 다음과 같이 시작한다.

천지간(天地間) 어ᄂᆡ 일이 ᄂᆞᆷ대되 셜운 게오
아마도 셜울손 님그려 셜운뎨고
양대(陽臺)예 구룸비ᄂᆞᆫ 흘러뎐디 몃힌게오
반쪽 거울 녹슬어 소긔 무쳣ᄂᆞ다
청조(青鳥)도 아니 오고 흰 기러기도 그처시니
소식도 못 듯거든 님의 모습 보로손가

(1) 〈보기〉에 제시된 부분에서 (다)의 '어엿쁜 이 몸'과 유사한 의미의 시구를 찾아 쓰시오.

(2) (1)에서 찾아 쓴 시구가 의미하는 바를 쓰시오.

㉮ 조선 후기
㉯ 고려 후기

황계사 / 봄의 단상

출제 포인트 › ㉮ #십이 가사 #가정적 표현 #고전 소설의 차용 ㉯ #고전 수필 #예찬적 #교훈적

가 일조(一朝) 낭군(郎君) **이별 후**에 **소식조차 돈절(頓絕)**하야	하루아침에 낭군과 이별한 후에 소식조차 끊어져서
자네 일정 못 오던가 **무삼 일로 아니 오더냐**❶	자네 과연 못 오던가 무슨 일로 아니 오던가?
이 **아해**야 말 듣소❷	이 아해야 말 듣소.
황혼 저문 날에 개가 짖어 **못 오는가**❸	황혼 저문 날에 개가 짖어 못 오는가?
이 아해야 말 듣소❷	이 아해야 말 듣소.
춘수(春水)가 만사택(滿四澤)하니 **물**이 깊어 **못 오던가**❹	봄물이 못마다 가득하니 물이 깊어 못 오던가?
이 아해야 말 듣소❷	이 아해야 말 듣소.
하운(夏雲)이 다기봉(多奇峰)•하니 **산**이 높아 못 오던가❺ / 이 아해야 말 듣소❷	여름 구름이 많은 기이한 봉우리 같으니 산이 높아 못 오던가? / 이 아해야 말 듣소.
한 곳을 들어가니 **육관대사 성진(性眞)이**는 석교상(石橋上)에서 **팔선녀** 다리고 희롱한다❻	한 곳을 들어가니 육관대사 성진이는 석교 위에서 팔선녀 데리고 희롱한다.
지어자 좋을시고❼	지화자 좋을시고.
[A] **병풍에 그린 황계(黃鷄)** 수탉이 두 나래 **둥덩** 치고	병풍에 그려진 누런 수탉이 두 날개 둥둥 치고,
짜른 목을 길게 빼어 긴 목을 에후리어	짧은 목을 길게 빼어 긴 목을 굽어 휘어
사경일점(四更一點)•에 날 새라고 **꼬꾀요 울거든 오랴는가**❽	깊은 밤에 날 새라고 꼬끼오 울거든 오려는가?
자네 어이 그리하야 아니 오던고	자네 어이 그리 아니 오던가?
너란 죽어 **황하수(黃河水)** 되고 날란 죽어 **도대선(都大船)** 되야❾	너는 죽어 황하수 되고 나는 죽어 큰 나룻배가 되어,
밤이나 낮이나 낮이나 밤이나	밤이나 낮이나 낮이나 밤이나,
바람 불고 물결치는 대로 어하 **둥덩실 떠서 노자**❿	바람 불고 물결치는 대로 어하 둥덩실 떠서 놀자.
저 **달**아 보느냐	저 달아 보느냐?
임 계신 데 **명휘(明暉)**를 빌리려문 나도 보게⓫	임 계신 곳 밝은 빛을 비춰 주렴. 나도 보게.
이 아해야 말 듣소❷	이 아해야 말 듣소.
추월(秋月)이 양명휘(揚明暉)하니 달이 밝아 못 오던가⓬	가을 달이 밝게 비추니 달이 밝아 못 오던가?
어데를 가고서 네 아니 오더냐	어디를 가서 네 아니 오던가?
지어자 좋을시고❼	지화자 좋을시고.

– 작자 미상, 「황계사(黃鷄詞)」

Step 1 포인트 분석

㉮ 「황계사」

제목의 의미
'황계'란 누런 닭을 의미하며 '황계사'는 누런 닭이 등장하는 가사 작품을 가리킨다.

시적 상황
갑작스럽게 임과 이별한 뒤 임이 돌아오기를 기다리고 있다.

표현
❶자네 일정~아니 오더냐, ❸못 오는가, ❹, ❺, ⓬못 오던가 ➜ **의문형 문장:** 임이 돌아오지 않는 이유를 추측하며 임을 기다리는 화자의 답답한 마음을 강조함.
❷이 아해야 말 듣소
➜ **후렴구:** 가창 가사로서의 특징으로, 반복되어 운율감을 형성하고 자신의 하소연에 대한 관심과 집중을 유도함.
❹춘수, ❺하운, ⓬추월
➜ 계절을 드러내는 자연물
❻한 곳을~희롱한다 ➜ **고전 소설의 차용:** 「구운몽」의 주인공 성진이 팔선녀와 희롱하는 내용을 활용함. 성진과 팔선녀의 상황이 임과 화자의 상황과 대조적인 것을 통해 임과 이별한 화자의 처지를 부각함. 「구운몽」 이후의 작품임을 알 수 있음.
❼지어자 좋을시고 ➜ **조흥구:** 반복되어 운율을 형성하고, 이별의 상황에 걸맞지 않게 흥을 표현하여 그 슬픔을 부각하는 기능을 함.
❽병풍에 그린~울거든 오랴는가
➜ **불가능한 상황 가정:** 임에 대한 기다림을 강조함. '황계사'라는 작품의 제목과 관련 있는 구절임.
❾너란 죽어~도대선 되야 ➜ **대구적 표현:** 임과 재회하고 싶은 마음을 강조함.
❿바람 불고~떠서 노자
➜ **청유형 어미:** 화자의 소망을 드러냄.

정서와 태도
❶자네 일정~아니 오더냐, ❸황혼 저문~못 오는가, ❹춘수가~못 오던가, ❺하운이~못 오던가, ❽병풍에 그린~오랴는가, ⓬추월이~못 오던가
➜ 임에 대한 그리움, 돌아오지 않는 임으로 인한 답답함
❾너란 죽어~도대선 되야, ❿둥덩실 떠서 노자, ⓫임 계신~나도 보게
➜ 임과 다시 만나고자 하는 마음, 그리움

• **하운이 다기봉:** 여름 구름이 많은 기이한 봉우리를 이름.
• **사경일점:** 새벽 1시에서 3시 사이인 사경(四更)의 한 시점(時點). 이 시에서는 닭이 울지 않는 시간, 즉 아주 깊은 밤을 의미함.

나 ㉠온갖 꽃들 피어나 고운 비단을 펼쳐 놓은 듯[1]한데, 푸른 숲[2] 사이로 다문다문* 보이니 참으로 알록달록하다. 들판에는 푸른 풀이 무성이 돋아 소들이 흩어져 풀을 뜯는다. 여인들은 광주리 끼고 야들야들한 뽕잎을 따는데 부드러운 가지를 끌어당기는 손이 옥처럼 곱다. ㉡그들이 서로 주고받는 민요[3]는 무슨 가락의 무슨 노래일까.

가는 사람과 앉은 사람, 떠나는 사람과 돌아오는 **사람들** 모두가 **봄을 즐기느라 온화한 표정**이니 그 따뜻한 기운이 나에게도 전해지는 것 같다. 그런데 먼 사방을 바라보는 나의 마음은 왜 이토록 민망하고 답답하기만 할까.[4]

[B]

봄이 되어 붉게 장식한 궁궐[5]에도 해가 길어지니, 온갖 일들로 바쁜 **천자(天子)***에게도 여유가 생긴다. 화창한 봄빛에 설레어 가끔 높은 대궐에 올라 먼 곳을 바라보노라면 장구 소리는 높이 울려 퍼지고,[6] 발그레한 살구꽃[7]이 일제히 꽃망울 터뜨린다. 너른 중국 땅의 아름다운 **경치**를 바라보니 기쁘고 흡족하여 옥잔에 술을 가득 부어 마신다. 부귀한 사람이 봄을 볼 때는 이러하리라.[8]

왕족과 귀족의 자제들은 호탕한 벗들과 더불어 꽃을 찾아다니는데, 수레 뒤에는 붉은 옷 입은 기생들을 태웠다. ㉢가는 곳마다 자리를 펼쳐 옥피리와 생황*을 연주하게 하며,[9] 곱게 짠 비단 같은 울긋불긋한 꽃[10]을 바라보고, 취한 눈을 치켜뜨고 이리저리 거닌다. 화려하고 사치스러운 사람이 봄을 볼 때는 이러하리라.[8]

㉣한 어여쁜 부인이 빈방을 지키고 있다. 천 리 멀리 떠도는 남편과 이별한 뒤 소식조차 아득해져 한스럽다. 마음은 물처럼 일렁거려, 쌍쌍이 나는 제비를 보다가 난간에 기대어 눈물 흘린다. 슬프고 비탄에 찬 사람이 봄을 볼 때는 이러하리라. (중략)

군인이 출정*하여 멀리 고향을 떠나와 지내다가 변방*에서 또 봄을 맞아 풀이 무성히 돋는 걸 볼 때나, 남쪽 지방으로 귀양 간 나그네가 어두워질 무렵 푸른 단풍나무를 보게 될 때면, 언제나 발길을 멈추고 고개를 들어 이윽히 보고 있지만 마음은 조급하고 한스러워진다. 집 떠난 **나그네**가 봄을 볼 때는 이러하리라.[8]

여름날에는 찌는 듯한 더위가 고생스럽고, 가을은 쓸쓸하기만 하며, 겨울에는 꽁꽁 얼어붙어 괴롭다는 걸 나는 잘 알고 있다. 이 세 계절은 너무 한 가지에만 치우쳐서 변화의 여지도 없이 꽉 막힌 것 같다. 그러나 봄날만은 **보이는 경치와 처한 상황**에 따라, ㉤때로는 따스하고 즐거운 마음이 들게도 하고, 때로는 슬프고 서러워지게 하기도 하고, 때로는 절로 노래가 나오게 하기도 하고, 때로는 흐느껴 울고 싶게 만들기도 한다.[11] 사람들의 마음을 하나하나 건드려 움직이니 그 마음의 가닥은 천 갈래 만 갈래로 모두 다르다.[12]

그런데 나 같은 이는 어떠한가. 취해서 바라보면 즐겁고, 술이 깨어 바라보면 서럽다. 곤궁한 처지에서 바라보면 구름과 안개가 가려진 것 같고, 출세하고 나서 바라보면 햇빛이 환히 비치는 것 같다. 즐거워할 일이면 즐거워하고 슬퍼할 일이면 슬퍼할 일이다. 닥쳐오는 상황을 마주하고 변화하는 조짐을 순순히 따르며 나를 **둘러싼 세상**과 더불어 움직여 가리니, 한 가지 법칙만으로 헤아릴 수는 없는 것이다.[13]

– 이규보, 「봄의 단상(斷想)」

나 「봄의 단상」

제목의 의미
'단상'은 생각나는 대로 쓴 단편적인 생각이라는 뜻이며, '봄의 단상'은 '봄에 대한 생각을 짤막하게 쓴 글'을 뜻한다.

상황
글쓴이는 봄이 되어 봄을 즐기는 사람들의 모습을 보면서 봄이 보는 사람에 따라 달라질 수 있음을 생각하고 있다. 그러면서 봄의 변화무쌍한 성격을 예찬하고 자신도 변화하는 세상에 순응하며 유연하게 살아갈 것임을 밝히고 있다.

표현
[1]고운 비단을 펼쳐 놓은 듯, [10]곱게 짠 비단 같은 울긋불긋한 꽃
➜ **비유적 표현:** 봄의 아름다움을 인상적으로 표현함.
[2]푸른 숲, [5]붉게 장식한 궁궐, [7]발그레한 살구꽃, [10]울긋불긋한 꽃
➜ **색채 이미지:** 봄의 풍경을 감각적으로 표현함.
[3]그들이 서로 주고받는 민요, [6]장구 소리는 높이 울려 퍼지고, [9]옥피리와 생황을 연주하게 하며
➜ **청각적 이미지:** 봄의 풍경을 생동감 있게 표현함.
[4]그런데 먼 사방을~답답하기만 할까.
➜ **설의적 표현:** 봄을 즐기는 사람들과 대조적인 글쓴이의 심정을 강조함.
[8]봄을 볼 때는 이러하리라.
➜ **반복적 표현:** 글쓴이가 여러 사람들이 봄을 바라보는 심정을 추측함.
[11]때로는 따스하고~만들기도 한다.
➜ **대구적 표현:** 봄이 사람에 따라 다르게 느껴짐을 강조함.

정서와 태도
[11]그러나 봄날만은~만들기도 한다, [12]사람들의 마음을~모두 다르다.
➜ 각자의 처한 상황에 따라 다르게 받아들여지는 봄의 의미에 대한 수용적 태도
[13]닥쳐오는 상황을~헤아릴 수는 없는 것이다.
➜ 순응하며 사는 삶에 대한 다짐

- **다문다문:** 이따금. 띄엄띄엄.
- **천자:** 황제. 부귀한 사람.
- **생황:** 아악에 쓰는 관악기의 하나. 큰 대로 판 통에 많은 죽관을 돌려 세우고, 주전자 귀때 비슷한 부리로 불게 되어 있음.
- **출정:** 싸움터에 나감.
- **변방:** 나라의 경계가 되는 변두리의 땅.

Step 2 포인트 체크

[01~09] 윗글에 대하여 맞으면 ○, 틀리면 ×표를 하시오.

01 (가)에는 화자가 임과 이별하는 장면이 나타나고 있다. [○, ×]

02 (가)의 화자는 돌아오지 않는 임을 찾아나설 것을 고민하고 있다. [○, ×]

03 (가)의 화자는 죽어서라도 임과 재회할 것을 소망하고 있다. [○, ×]

04 (가)에는 특정한 구절이 반복적으로 제시되고 있다. [○, ×]

05 (가)에는 고전 소설 작품을 활용한 구절이 제시되어 있다. [○, ×]

06 (나)의 글쓴이는 희망을 상징하는 봄이 빨리 오기를 기다리고 있다. [○, ×]

07 (나)의 글쓴이는 자신이 생각하는 바람직한 삶의 자세에 대해 밝히고 있다. [○, ×]

08 (나)에는 봄과 다른 계절을 비교한 구절이 제시되어 있다. [○, ×]

09 (나)에는 비유적 표현과 대구적 표현이 활용되었다. [○, ×]

[10~15] 다음 빈칸에 알맞은 말을 쓰시오.

10 (가)에서는 불가능한 상황을 [ㄱ][ㅈ]하여 화자의 심정을 강조하고 있다.

11 (가)의 19행의 '[ㄷ]'은 임과 만나기를 소망하는 화자의 마음을 부각하는 소재라고 할 수 있다.

12 (가)에는 '둥덩', '꼬꾀요', '둥덩실'과 같은 [ㅇ][ㅅ] [ㅅ][ㅈ][ㅇ]가 활용되었다.

13 (나)의 글쓴이는 봄의 [ㅂ][ㅎ][ㅁ][ㅆ]한 모습에 주목하고 있다.

14 (나)의 글쓴이는 변화하는 세상에 [ㅅ][ㅇ]하면서 살아가고자 하는 생각을 밝히고 있다.

15 (나)의 '푸른 숲', '울긋불긋한 꽃' 등에서 [ㅅ][ㅊ] [ㅇ][ㅁ][ㅈ]가 활용되고 있음을 알 수 있다.

정답 | 01 × 02 × 03 ○ 04 ○ 05 ○ 06 × 07 ○ 08 ○ 09 ○ 10 가정 11 달 12 음성 상징어 13 변화무쌍 14 순응 15 색채 이미지

작품 정리

가 황계사

- **갈래:** 십이 가사
- **성격:** 서정적, 애상적, 해학적
- **주제:** 임에 대한 간절한 기다림
- **구성:** 1~15행(일조 낭군~아니 오던고) | 갑작스럽게 이별한 뒤 돌아오지 않는 임에 대한 기다림과 답답한 심정
  16~21행(너란 죽어~말 듣소) | 죽어서라도 임을 만나고 싶어 하는 마음
  22행~끝(추월이~좋을시고) | 임에 대한 간절한 기다림

» **해제:** 이 작품은 십이 가사(十二歌詞) 작품 중의 하나이다. 십이 가사란 조선 후기에 널리 불리던 대표적인 가사 열두 편을 이르는데, 「황계사」, 「춘면곡」 등이 이에 속한다. 이 작품의 화자는 임과 이별한 채 임을 기다리는 마음을 표현하고 있는데, 돌아오지 않는 임을 원망하면서도 죽어서라도 임과 만나고 싶다는 사랑의 마음을 드러내고 있다. 또한 고전 소설의 내용을 차용하고, 음성 상징어를 적극적으로 활용하는 등 재치가 돋보이는 표현을 통해 화자의 심정을 강조하고 있다. 특히 병풍에 그려진 황계가 깊은 밤에 운다는 불가능한 상황 설정을 통해 화자의 간절한 기다림의 심정을 표현하였는데, 이는 작품의 제목과도 연관된다.

나 봄의 단상

- **갈래:** 고전 수필
- **성격:** 교훈적, 예찬적
- **주제:** 봄의 변화무쌍함과 변화하는 세상에 순응하며 살아가고자 하는 마음
- **구성:** 기(온갖 꽃들~답답하기만 할까.) | 봄을 즐기는 사람들의 모습과 대조적인 글쓴이의 심정
  서(봄이 되어~모두 다르다.) | 보는 사람에 따라 다르게 느껴지는 봄
  결(그런데~없는 것이다.) | 변화하는 세상에 순응하며 살아가고자 하는 자세

» **해제:** 이 작품은 봄을 맞이한 글쓴이가 봄에 대한 생각을 자유롭게 쓴 수필이다. 이 작품에서 글쓴이는 아름다운 봄의 풍경을 즐기고 있는 사람들의 모습에 주목하다가 그들과 자신의 심정이 다르다고 말하고 있다. 그러면서 아름다운 봄의 풍경이 '부귀한 사람, 사치스러운 사람, 슬픔에 빠져 있는 사람, 집을 떠나온 사람' 등 보는 사람에 따라 다르게 느껴질 수 있음을 말한다. 봄은 여름, 가을, 겨울과 달리 변화무쌍하다는 것이다. 이와 관련하여 글쓴이는 변화하는 세상에 순응하면서 유연하게 살아가고자 하는 자신의 생각을 밝히고 있다.

Step 3 실전 문제

01

(가)의 표현상 특징으로 적절한 것은?

① 색채어를 활용하여 대상의 특징을 드러내고 있다.
② 역설적 표현을 활용하여 주제 의식을 강조하고 있다.
③ 말을 건네는 어투를 활용하여 시적 상황을 부각하고 있다.
④ 묻고 답하는 방식을 활용하여 화자의 생각을 부각하고 있다.
⑤ 반복적 표현을 활용하여 화자의 굳은 다짐을 드러내고 있다.

02

(가)의 시어와 시구에 대한 설명으로 가장 적절한 것은?

① '아해'는 화자에게 임의 소식을 전달해 주는 역할을 하는 인물이다.
② '황혼 저문 날'은 임에 대한 화자의 그리움이 극대화되는 시간이다.
③ '산'은 화자가 사랑의 방해물일 수 있다고 여기는 대상이다.
④ '팔선녀'는 화자가 질투심을 느끼고 있는 인물들이다.
⑤ '바람'은 화자에게 사랑의 부질없음을 깨닫게 하는 대상이다.

03

(가)에 대한 학생의 반응으로 적절하지 않은 것은?

① '육관대사 성진이'에 대해 언급하는 것으로 보아 이 작품은 「구운몽」이 창작된 이후의 작품이라고 볼 수 있어.
② '아니 오더냐', '못 오는가', '못 오던가' 등이 활용된 것으로 보아 이 작품의 화자는 임이 돌아오지 않는 이유를 추측하고 있는 상황이라고 볼 수 있어.
③ '둥덩', '꼬꾀요', '둥덩실'과 같은 음성 상징어가 활용된 것으로 보아 이 작품의 작가는 사대부보다는 서민일 가능성이 높다고 볼 수 있어.
④ '달'에게 임 계신 곳에 '명휘'를 비춰 달라고 하는 것으로 보아 이 작품의 화자는 임을 그리워하면서 축원하고 있다고 볼 수 있어.
⑤ '지어자 좋을시고'를 반복하는 것으로 보아 이 작품의 화자는 임과 반드시 재회할 것이라고 믿으며 임을 기다리는 상황이라고 볼 수 있어.

04

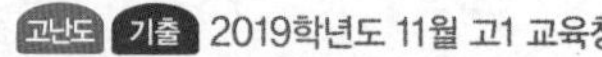
고난도 기출 2019학년도 11월 고1 교육청

〈보기〉를 바탕으로 (가)를 감상한 내용으로 적절하지 않은 것은?

보기

「황계사」는 임과 이별한 상황에서 화자가 느끼는 답답함과 그리움을 형상화한 작품이다. 화자는 임과의 재회가 늦어지는 이유를 외부적 요인에서 찾으려 하거나, 불가능한 상황을 가정함으로써 임이 돌아오지 않는 것에 대한 원망을 드러내고 있다. 그런데 이런 원망에는 이별의 상황에서 벗어나 임과 재회하기를 간절하게 바라는 화자의 마음이 담겨 있다.

① '이별 후'에 '소식조차 돈절'한 것에서, 화자가 임과 이별한 상황임을 알 수 있군.
② '무삼 일로 아니 오더냐'라고 하는 것에서, 임과 이별한 상황에서 느끼는 화자의 답답한 심정을 알 수 있군.
③ '물'이 깊고 '산'이 높다는 것에서, 화자가 임과 이별하게 된 이유를 외부적 요인에서 찾고 있음을 알 수 있군.
④ '병풍에 그린 황계'가 '꼬꾀요 울거든 오랴는가'라고 하는 것에서, 불가능한 상황을 가정하여 임이 돌아오지 않는 것에 대한 원망을 드러내고 있음을 알 수 있군.
⑤ '황하수'와 '도대선'이 되어 '떠서 노자'라고 한 것에서, 화자가 재회를 간절히 바라고 있음을 알 수 있군.

05

㉠~㉤에 대한 설명으로 적절하지 않은 것은?

① ㉠: 비유적 표현을 활용하여 봄의 아름다운 풍경을 나타내고 있다.
② ㉡: 설의적 표현을 활용하여 봄의 흥취를 느끼고자 하는 마음을 드러내고 있다.
③ ㉢: 감각적 표현을 활용하여 사치스러운 사람이 느끼는 봄의 모습을 생동감 있게 표현하고 있다.
④ ㉣: 현재형 시제를 활용하여 슬픔에 차 있는 인물의 상황을 부각하고 있다.
⑤ ㉤: 대구적 표현을 활용하여 보는 사람에 따라 봄이 달리 느껴질 수 있음을 강조하고 있다.

06

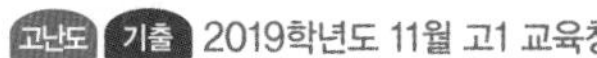

〈보기〉는 (나)의 내용을 구조화한 것이다. 이에 대한 이해로 적절하지 않은 것은?

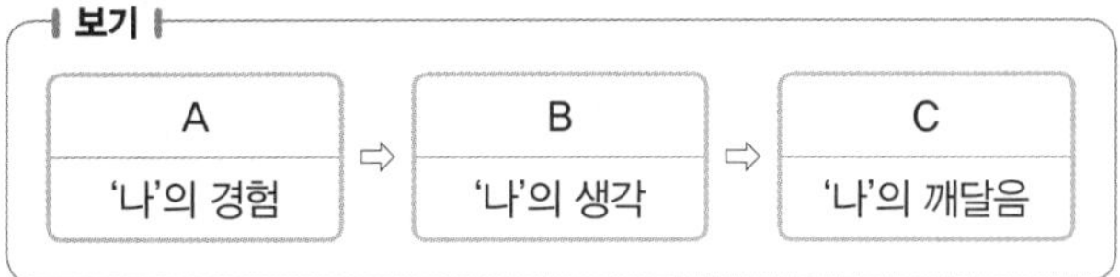

① A에서 자신과 달리 '봄을 즐기느라 온화한 표정'인 '사람들'을 바라본 경험은 B가 시작되는 계기가 된다고 볼 수 있군.
② B에서 '천자'가 봄의 '경치'를 바라보는 모습을 통해 봄을 대하는 부귀한 사람의 태도를 생각하고 있군.
③ B에서 '왕족과 귀족의 자제들'과 '나그네'가 봄을 대하는 입장은 서로 대비되는군.
④ B의 생각들은, 봄을 '보이는 경치와 처한 상황'에 따라 다르게 받아들일 수 있다는 C의 깨달음으로 이어지는군.
⑤ A의 경험으로부터 이어진 C의 깨달음은 자신을 '둘러싼 세상'을 변화시키고자 하는 의지로 확장되는군.

07

[A]와 [B]에 대한 설명으로 가장 적절한 것은?

① [A]에서는 격정적 어조를 통해 화자의 한스러움을, [B]에서는 관조적 어조를 통해 글쓴이의 현학적 태도를 드러내고 있다.
② [A]에서는 일상적 소재를 나열하여 화자의 서글픈 처지를, [B]에서는 어려운 한자어를 나열하여 글쓴이의 우월 의식을 보여 주고 있다.
③ [A]에서는 불가능한 상황을 가정하여 임에 대한 화자의 그리움을, [B]에서는 다양한 상황을 가정하여 봄과 관련된 글쓴이의 추측을 표현하고 있다.
④ [A]에서는 과장된 표현을 활용하여 임에 대한 변치 않는 사랑을, [B]에서는 단정적 표현을 활용하여 봄에 대한 글쓴이의 예찬적 태도를 드러내고 있다.
⑤ [A]에서는 비현실적 상황을 바탕으로 현재의 고통을 초월하고 싶은 화자의 소망을, [B]에서는 구체적 사례를 바탕으로 봄과 관련된 글쓴이의 통찰을 보여 주고 있다.

08

(가)에 대한 〈보기〉의 설명 중 밑줄 친 부분의 예가 될 수 있는 구절을 본문에서 찾아 쓰시오.

보기

십이 가사(十二歌詞)란 가사에 궁중 음악 속악(俗樂)의 곡조가 붙었던 12편의 가사 작품을 말한다. 「황계사」는 십이 가사의 하나로, 가사 작품으로서의 서정성이 드러나기도 하지만 노래로서의 음악성이 두드러지기도 한다. 「황계사」에서 음악성은 구절의 반복을 통해 주로 형성되고 있는데, 특히 이 작품에서는 <u>이별의 상황에 걸맞지 않는 신명 나는 조흥구를 덧붙여 음악성을 높이고 이별의 슬픔을 부각하여 표현하고 있다</u>.

09

〈보기〉를 읽고 (나)에서 전달하려는 삶의 교훈이 무엇인지 서술하시오.

보기

수필은 인생이나 자연 등과 관련하여 글쓴이가 느낀 바를 자유롭게 써 나간 글이다. 수필은 형식이 비교적 자유롭고, 삶의 지혜와 인생의 진리를 담아 교훈적이다. (나)는 봄에 대한 글쓴이의 생각을 언어적 아름다움을 극대화하여 표현하였을 뿐만 아니라, 바람직한 삶에 대한 글쓴이의 신념을 보여 주고 있다. 하지만 어떻게 삶을 살아갈 것인가에 대한 글쓴이의 다짐을 표명하려는 것이라기보다 독자에게 삶에 대한 교훈을 전달하려는 의도를 지닌 작품이라고 볼 수 있다.

㉯ 조선 전기
㉰ 조선 후기

가사의 갈래적 특징 및 변화 양상 | 상춘곡 | 갑민가

출제 포인트 › ㉮ #가사의 갈래적 특징 #전기 가사와 후기 가사의 특징 ㉯ #안빈낙도 #색채 이미지 ㉰ #현실 비판 가사

가 가사(歌辭)는 두 마디씩 짝을 이루는 율문의 구조만 갖추면 내용은 무엇이든지 노래할 수 있었던 양식이다. 시조의 형식이 간결한 것에 비해 가사는 복잡한 체험을 두루 표현할 수 있을 만큼 길어질 수 있었다. 그래서 시조를 길이가 짧다는 의미에서 '단가(短歌)'라고 부르던 것과 구별하여 가사는 '장가(長歌)'라고도 불렀다.❶ 조선 시대의 가사는 보통 15세기부터 16세기까지의 전기 가사와 17세기부터 19세기 전반까지의 후기 가사로 구분된다.

전기 가사는 대체로 사대부들에 의해 지어졌다. 관직에 있지 않은 사대부들은 자연에 묻혀 지내면서 자연에 대한 흥취나 자신들이 중요시 여기던 가치관을 가사를 통해 드러냈다. 그 구체적인 모습으로 안빈낙도(安貧樂道)*를 표방하기도 했으며, 이러한 경향이 '강호시가(江湖詩歌)*'라는 한 유형을 형성하기도 하였다.❷ 강호시가는 강호의 삶을 표방하기 위해 자연의 아름다움을 강조하고, ⓐ자연에서 느끼는 일체감을 드러냈다. 여기서 자연이라는 공간은 속세와의 대비에서 그 의미가 구체화된다.

그런데 임진왜란을 경계로 하는 17세기 무렵부터의 후기 가사에 오면 몇 가지 변화가 생긴다. 작자층의 확대, 제재의 변화, 대상을 보는 시각의 다변화*, 표현 방식의 다양화 등이 그것인데 이런 변화는 서로 밀접한 관계 속에서 형성된 것들이었다.❸ 사대부로 제한되었던 가사의 작자층이 확대되자 다양한 관심사가 가사 작품으로 형상화되었고, 각각의 삶이 다른 만큼 대상을 바라보는 시각도 변화하게 되었다. 이러한 현상은 경건한 태도로 사물을 바라보고 형상화하던 데에서 나아가 풍자적이고 희화적*인 방식으로 사물을 바라보고 표현하는 작품을 등장하게 하였고, 서민의 삶의 어려움이나 그들의 바람을 드러내는 작품을 등장하게 하기도 하였다. 또한 후기 가사는 체험한 일을 구체적으로 형상화하는 것을 중시하고, 이념적인 삶보다 현실의 문제를 가사의 제재로 전면에 내세우게 되었는데, 이러한 변화는 조선 전기와 후기의 사회를 구분해 주는 특징이기도 하다.❹

Step 1 포인트 분석

가 「가사의 갈래적 특징 및 변화 양상」

❶ 가사는 두 마디씩~'장가'라고도 불렀다.
→ **가사와 시조의 차이점:** 시조는 초·중·종장으로 정형화되어 있는 형식의 제약으로 내용의 확장이 어렵지만, 가사는 시조에 비해 형식상의 제약이 적어 복잡한 체험을 두루 표현할 수 있음.

❷ 전기 가사는 대체로~형성하기도 하였다.
→ **전기 가사의 특징:** 주요 작자층은 사대부였으며, 안빈낙도와 자연에 대한 흥취에 대해 주로 노래함.

❸ 작자층의 확대~형성된 것들이었다.
→ **후기 가사에 나타난 변화:** 17세기 무렵부터 가사에 여러 변화가 나타남. 그 변화를 크게 작자층의 확대, 제재의 다양화, 대상을 보는 시각의 다변화, 표현 방식의 다양화 등의 네 측면에서 살펴볼 수 있음. 이러한 변화는 서로 긴밀한 관계를 맺으며 이루어짐.

❹ 또한 후기 가사는~특징이기도 하다.
→ **후기 가사의 특징:** 일상에서 체험한 일을 구체적으로 형상화함. 이에 따라 이념적인 내용보다 현실의 문제를 제재로 다루는 경우가 많아짐. 이는 전기 가사와 구별되는 특징임.

- **안빈낙도:** 가난한 생활을 하면서도 편안한 마음으로 도를 즐겨 지킴.
- **강호시가:** 속세를 등지고 자연에 묻혀 살면서 쓴 시가.
- **다변화(多邊化):** 다양하고 복잡해짐.
- **희화적:** 익살맞고 우스꽝스러운 것.

나 엇그제 겨울 지나 새봄이 도라오니	엇그제 겨울이 지나고 새봄이 돌아오니,
도화행화(桃花杏花)ᄂᆞᆫ 석양리(夕陽裏)에 퓌여 잇고	복숭아꽃과 살구꽃은 석양 속에 피어 있고,
녹양방초(綠楊芳草)ᄂᆞᆫ **세우** 중(細雨中)에 프르도다❶	푸른 버드나무와 향기로운 풀은 가랑비 속에 푸르구나.
칼로 ᄆᆞᆯ아 낸가 붓으로 그려 낸가	칼로 재단하여 내었는가? 붓으로 그려 내었는가?
㉠조화신공(造化神功)이 물물(物物)마다 헌ᄉᆞ롭다❷	조물주의 신비로운 재주가 사물마다 야단스럽다.
수풀에 우ᄂᆞᆫ 새ᄂᆞᆫ 춘기(春氣)ᄅᆞᆯ 못내 계워	수풀에 우는 새는 봄기운을 끝내 이기지 못하여
소릐마다 교태(嬌態)로다❸	소리마다 아양을 떠는 모습이로구나.
물아일체(物我一體)어니 흥(興)이ᄋᆡ 다ᄅᆞᆯ소냐❹	자연과 내가 한 몸이 되니, 흥겨움이 다를 것이냐?
㉡시비(柴扉)예 거러 보고 정자(亭子)애 안자 보니	사립문 주변을 걸어 보고, 정자에 앉아 보니,
소요음영(逍遙吟詠)* ᄒᆞ야 산일(山日)이 적적(寂寂)ᄒᆞᆫᄃᆡ	이리저리 거닐며 나직이 시를 읊조려, 산속의 하루가 적적한데,
한중진미(閑中眞味)ᄅᆞᆯ 알 니 업시 호재로다	한가로움 속에서 느끼는 참다운 맛을 알 사람이 없이 혼자로구나.
(중략)	
송간(松間) 세로(細路)에 두견화(杜鵑花)ᄅᆞᆯ 부치 들고	소나무 사이로 난 좁은 길에 진달래꽃을 붙잡아 들고,
봉두(峰頭)에 급피 올나 구름 소긔 안자 보니	산봉우리에 급히 올라 구름 속에 앉아 보니,
천촌만락(千村萬落)이 곳곳이 버러 잇ᄂᆡ	수많은 마을이 곳곳에 벌여져 있네.
연하일휘(煙霞日輝)*ᄂᆞᆫ 금수(錦繡)ᄅᆞᆯ 재폇ᄂᆞᆫ ᄃᆞᆺ❺	안개와 노을, 빛나는 햇살은 수놓은 비단을 펼쳐 놓은 듯하구나.
㉢엇그제 검은 들이 봄빗도 유여(有餘)ᄒᆞᆯ샤	엊그제(까지만 해도) 검었던 들판이 (이제) 봄빛이 넘치는구나.
공명(功名)도 날 ᄭᅴ우고 부귀(富貴)도 날 ᄭᅴ우니❻	공명도 날 꺼리고, 부귀도 날 꺼리니,
청풍명월(淸風明月) 외(外)예 엇던 벗이 잇ᄉᆞ올고	맑은 바람과 달 외에 어떤 벗이 있겠는가?
단표누항(簞瓢陋巷)*에 흣튼 혜음 아니 ᄒᆞᄂᆡ❼	누추한 곳에서 청빈한 생활을 하며 헛된 생각 아니하네.
아모타 백년행락(百年行樂)이 이만ᄒᆞᆫᄃᆞᆯ 엇지ᄒᆞ리❽	아무튼 한평생 누리는 즐거움이 이만하면 어떠하리?

– 정극인, 「상춘곡(賞春曲)」

나 「상춘곡」

제목의 의미
'봄을 감상하며 부르는 노래'라는 의미이다.

시적 상황
봄이 와서 꽃들이 아름다운 빛깔을 드러내며 자태를 뽐내고 있고, 새들이 교태를 부리는 아름다운 정경이 펼쳐져 있는 가운데 화자는 한가롭게 자연을 완상하며 생활하고 있다.

표현

❶도화행화ᄂᆞᆫ~프르도다
→ **다양한 색채 이미지, 대구법:** 꽃과 석양의 붉은색, 버드나무와 풀의 푸른색을 활용하여 봄의 아름다운 정경을 형상화함. 또한 대구를 사용하여 운율감을 줌.

❸수풀에 우ᄂᆞᆫ~교태로다
→ **감정 이입, 의인법:** '새'에 감정을 이입하여 봄기운을 이기지 못하는 자신의 정서를 부각하고, '교태로다'라고 하여 '새'를 의인화하여 표현함.

❹물아일체어니~다ᄅᆞᆯ소냐
→ **설의적 표현:** 화자가 봄기운을 이기지 못해 교태로운 소리를 내는 새와 자신의 흥이 다르지 않음을 강조함.

❺연하일휘ᄂᆞᆫ~재폇ᄂᆞᆫ ᄃᆞᆺ
→ **직유법:** 봄의 아름다운 경치를 수를 놓은 비단을 펴 놓은 것에 비유하여 표현함.

❻공명도~ᄭᅴ우니
→ **주객전도의 표현:** '나'가 공명과 부귀를 꺼리는 것을 공명과 부귀가 '나'를 꺼리는 것으로 주체와 객체를 전도해 표현함.

❽아모타~엇지ᄒᆞ리
→ **설의적 표현:** 평생 동안 누리는 즐거움이 지금 느끼고 있는 정도면 족하다는 것을 설의적 표현을 통해 나타냄.

정서와 태도

❷칼로 ᄆᆞᆯ아~헌ᄉᆞ롭다
→ 봄의 아름다운 경치에 대한 감탄을 영탄적 표현을 통해 나타냄.

❹물아일체어니~다ᄅᆞᆯ소냐
→ 자연과 일체감을 느낌.

❼단표누항에~아니 ᄒᆞᄂᆡ
→ 청빈한 생활을 하면서 도를 즐겨 지키고자 하는 안빈낙도의 태도를 지향함.

- **소요음영:** 자유롭게 이리저리 슬슬 거닐며 나지막이 시를 읊조림.
- **연하일휘:** 안개와 노을과 빛나는 햇살이라는 뜻으로, 아름다운 자연 경치를 비유적으로 이르는 말.
- **단표누항:** 누추한 거리에서 먹는 한 그릇의 밥과 한 표주박의 물이라는 뜻으로, 청빈한 생활을 의미함.

다 조상 덕에 ᄒᆞ는 일이 읍중(邑中) 구실 첫째로다	조상 덕에 하는 일이 관청 직원의 구실 중 첫째로다.
드러ᄀᆞ면 **좌수별감(座首別監)*** 나ᄀᆞ셔는 풍헌감관(風憲感官)*	들어가면 좌수별감, 나가서는 풍헌감관
[A] 유ᄉᆞ장의(有司掌儀)*에 그치면 체면 보와 사양터니	유사장의에 지나지 않으면 체면을 보아 사양하니
애슬프다 내 시절의 원수인(怨讐人)의 모해(謀害)로서	슬프다, 내 시절에 원수의 모해로 인해
군ᄉᆞ 강정(降定)* 되단 말ᄀᆞ 내 ᄒᆞᆫ 몸이 허러 나니❶	군사로 강등되었단 말인가, 내 한 몸이 하찮게 되니
좌우전후 일ᄀᆞ친척 ᄎᆞᄎᆞ 츙군(充軍)* 되거고야	좌우 전후 일가친척 차츰차츰 군역을 채웠구나.
[B] 제사 받들 이ᄂᆡ 몸은 ᄒᆞᆯ일업시 ᄆᆡ와 잇고	제사를 받들 내 몸은 할 수 없이 군역을 피해 도망가지 못한 채로 있고
시름 업ᄉᆞᆫ 친족들은 자취업시 도망하고❷	시름없는 친족들은 자취 없이 도망가고
여러 ᄉᆞ룸 모든 신역(身役)* 내 ᄒᆞᆫ 몸의 모두 무니	여러 사람의 모든 노역을 내 한 몸에 모두 무니
ᄒᆞᆫ 몸 신역 삼냥오전(三兩五錢) 돈피(獤皮)* 두 장 의법이라	한 몸 노역이 석 냥 오 전 담비 가죽 두 장이 법에 정해져 있음이라.
㉣<u>열두 ᄉᆞ룸 업ᄂᆞᆫ 구실 합쳐 보면 사십육냥(四十六兩)</u>	열두 명이 없는 구실 합쳐 보면 사십육 냥
해마다 맞춰 무니 석숭(石崇)*인들 당ᄒᆞᆯ소냐❸	해마다 맞춰 노역을 무니 어떤 부자라고 당하겠는가.
약간 농ᄉᆞ 전폐ᄒᆞ고 ᄎᆡ삼(採蔘)ᄒᆞ려 입ᄉᆞᆫ(入山)ᄒᆞ여	농사를 아주 그만두고 삼을 캐러 산에 들어가
[C] 허항영(虛項嶺)* 보ᄐᆡᄉᆞᆫ(寶泰山)을 돌고 돌아 ᄎᆞᄌᆞ보니	허항령 보태산을 돌고 돌아 찾아보니
인ᄉᆞᆷ싹은 전혀 업고 오갈피잎 날 속인다❹	인삼 싹은 전혀 없고 오갈피 잎이 날 속인다.
ᄒᆞᆯ일업시 공반(空返)ᄒᆞ여 팔구월 고추바람	어쩔 수 없이 빈손으로 돌아와 팔구월의 차가운 바람
안고 도라 **입ᄉᆞᆫ(入山)**ᄒᆞ여 돈피 사냥 하려 ᄒᆞ고	(바람) 안고 도로 산에 들어가 담비 사냥을 하려 하고
ᄇᆡᆨ두ᄉᆞᆫ(白頭山) 등의 지고 강 아래로 나려 가셔	백두산 등에 지고 강 아래로 내려가서
[D] 싸리 껏거 누ᄃᆡ 치고 잎갈나무 모닥불 놓고	싸리를 꺾어 누대를 치고 잎갈나무 모닥불 피우고
ᄒᆞᄂᆞ님게 축수ᄒᆞ며 ᄉᆞᆫ신(山神)님게 발원ᄒᆞ여	하나님께 축수하며 산신님께 발원하여
물ᄎᆡ츌을 갖춰 꽂고 ᄉᆞ망*일기 원ᄒᆞ되❺	물, 채, 줄을 갖춰 놓고 소망이 이뤄지기를 원하되
ᄂᆡ 경성이 부족ᄒᆞᆫ지 ᄉᆞ망실이 아니 붓ᄂᆡ	내 정성이 부족한지 소망이 이뤄질 기미가 없네.
뷘손으로 도라서니 삼지연(三池淵)*이 잘 ᄎᆞᆷ이라	빈손으로 돌아서니 삼지연(백두산 근처의 호수)에서 잘 참이라.
입동(立冬) 지난 삼일(三日) 후에 밤새 **눈**이 사뭇 오니	입동 지난 삼 일 후에 밤새 눈이 사뭇 오니
다섯 자 깊이 벌써 너머 사오보(四五步)를 못 옴길ᄂᆡ	다섯 자 깊이 벌써 넘어 네다섯 보를 못 옮기네.
식량 다하고 옷 엷으니 압희 근심 다 떨치고❻	식량이 다하고 옷이 얇으니 앞에 근심을 다 떨치고
[E] 목숨 ᄉᆞᆯ려 욕심ᄒᆞ여 죽기 살기 길을 허여	목숨을 살리려 욕심 내어 죽기 살기로 길을 헤쳐
인가처를 ᄎᆞᄌᆞ오니 검천(劒川)* 거리 첫목이라	인가가 있는 곳을 찾아오니 검천 거리가 첫눈에 보인다.

다 「갑민가」

제목의 의미

'갑산 지역 백성의 노래'라는 의미이다.

시적 상황

화자는 북쪽 변방인 함경도 갑산 지역에 살고 있다. 먹고살기 힘들어 친족들이 고향을 떠나자, 화자는 친족들의 신역(身役)까지 도맡아 부담하게 된다. 신역 때문에 인삼, 돈피 등을 구하러 산에 갔다가 온갖 고생 끝에 겨우 집으로 돌아온다.

표현

❷ **제사 받들~도망하고**

➜ **대비:** 조상들의 제사를 모셔야 하기에 고향을 떠나지 못하고 있는 화자와 고향을 떠난 친족들을 대비함.

❸ **열두 ᄉᆞ룸~당ᄒᆞᆯ소냐**

➜ **설의적 표현:** 고향을 떠난 친족들의 신역까지 힘들게 책임져야 하는 화자의 비참한 처지를 부각함.

➜ **고사 속 인물의 차용:** 중국 진나라 때의 부자인 석숭의 이름을 인용하여 화자가 신역을 책임지는 일이 매우 힘듦을 표현함.

정서와 태도

❶ **애슬프다~허러 나니**

➜ 조상의 은덕에 힘입어 읍 안에서는 높은 벼슬을 했으나, 원수의 모해를 입어 군역을 무는 하찮은 처지로 신분이 떨어진 것을 한탄함.

❹ **약간 농ᄉᆞ~날 속인다**

➜ 농사짓는 것으로는 신역을 감당하기 어려워 농사짓는 것을 그만두고 산에 가 삼을 채취하려 했으나 오갈피 잎만이 보여 허망함을 느낌.

❺ **싸리 껏거~원ᄒᆞ되**

➜ 돈피 사냥을 하러 산에 가서 물, 채, 줄을 갖추는 등 풍속에 의존하여 소원을 빎.

❻ **식량 다하고~근심 다 떨치고**

➜ 추위에 의한 위기의식 때문에 돈피를 구해야만 한다는 근심을 다 떨쳐 버림.

- **좌수별감:** 향청의 우두머리와 그에 버금가는 자리에 있는 사람.
- **풍헌감관:** 면이나 리의 일을 맡는 사람과 돈이나 곡식의 출납을 맡는 사람.
- **유ᄉᆞ장의:** 사무를 맡아보는 사람과 예식에 관한 일을 하는 사람.
- **군ᄉᆞ 강정:** 군사의 계급으로 강등됨.
- **츙군:** 모자란 군역을 채움.
- **신역:** 몸으로 치르는 노역.
- **돈피:** 담비 종류 동물의 모피를 통틀어 이르는 말.
- **석숭:** 중국 진나라 때의 부자 이름.
- **허항영:** 허항령. 함남 혜산군과 함북 무산군 사이에 있는 고개.
- **ᄉᆞ망:** 장사에서 이익을 많이 얻는 운수.
- **삼지연:** 함경북도 무산군에 있는 호수.
- **검천:** 두만강 밖에 사는 야인들의 지역.

첫닭 소리 이슥ᄒᆞ고 인가 적적 ᄒᆞᆫ잠일네
집을 ᄎᆞᄌᆞ 드러가니 흔비빅ᄉᆞᆫ 반주검이
말 못하고 너머지니 더운 구들 아랫목의
송장갓치 누엇다가 정신을 차리고❼
㉤두 발 끗흘 구버보니 열 ᄀᆞ락이 간 ᄃᆡ 업ᄂᆡ

첫닭 울음소리가 이슥하고 인가가 적적하니 깊이 잠들어 있네.
집을 찾아서 들어가니 혼비백산 반죽음이 되어
말 못하고 넘어지니 더운 구들 아랫목에서
송장같이 누웠다가 정신을 차리고
두 발 끝을 굽어보니 열 발가락이 간데없네.

– 작자 미상, 「갑민가(甲民歌)」

표현
❼집을 ᄎᆞᄌᆞ~정신을 차리고
➜ **비유적 표현:** 갖은 고생 끝에 인가에 도착한 자신의 모습을 '혼비빅ᄉᆞᆫ 반주검', '송장'에 비유하여 나타냄.

Step 2 포인트 체크

[01~07] 윗글에 대하여 맞으면 ○, 틀리면 ×표를 하시오.

01 (가)에 따르면, 가사는 두 마디씩 짝을 이루는 율문의 구조를 갖추고 있다. (○, ×)

02 (가)에 따르면, 가사의 제재적 측면에서 볼 때 조선 후기 가사는 조선 전기 가사에 비해 추상적이고 관념적인 내용을 많이 다룬다는 특징이 있다. (○, ×)

03 (나)의 화자는 부귀공명을 지향하는 삶에 대해 미련을 보이고 있다. (○, ×)

04 (나)는 공간 이동에 따라 변화하는 화자의 시선을 따라 시상이 전개되고 있다. (○, ×)

05 (다)의 화자는 도망친 친족들의 신역까지 부담해야 하는 처지에 놓여 있다. (○, ×)

06 (다)의 화자는 산에 아무리 눈이 많이 내려도 자신이 산에 온 목적을 이루어야만 한다고 생각했다. (○, ×)

07 (다)에서는 화자와 유사한 처지의 자연물을 제시하여 화자의 부정적 처지를 부각하고 있다. (○, ×)

가 가사의 갈래적 특징 및 변화 양상
- **갈래:** 비평문
- **주제:** 가사의 갈래적 특징 및 전기 가사와 후기 가사의 차이점
- **구성:** 1문단 | 시조와 구별되는 가사의 갈래적 특징
  2문단 | 전기 가사의 특징
  3문단 | 후기 가사의 특징

» **해제:** 윗글에서는 가사의 일반적 특징을 제시한 후, 전기 가사의 특징과 후기 가사에 나타난 변화를 설명하고 있다. 가사는 두 마디씩 짝을 이루는 율문의 구조만 갖추면 어떤 내용이든 노래할 수 있기 때문에 복잡한 체험을 두루 표현할 수 있다. 이러한 양식적 특징을 바탕으로 15세기와 16세기에는 주로 자연에 대한 흥취나 안빈낙도를 노래했으나, 17세기 무렵부터는 작자층이 확대되면서 현실의 문제를 작품 전면에 내세웠다.

나 상춘곡
- **갈래:** 은일 가사
- **성격:** 예찬적, 서정적, 전원적, 자연 친화적
- **주제:** 봄의 완상과 안빈낙도
- **구성:** 서사 | 자연에 묻혀 사는 즐거움
  본사(엇그제~유여ᄒᆞ샤) | 봄의 정경 완상과 풍류
  결사(공명도~엇지ᄒᆞ리) | 안빈낙도에 대한 만족감

» **해제:** 이 작품은 작가인 정극인이 벼슬에서 물러나 고향에 기거하며 자연에 묻혀 사는 즐거움을 노래한 작품이다. 좁은 공간인 수간모옥에서 출발하여 넓은 공간인 산봉우리로 이동하며 공간을 확대하는 방식으로, 즉 공간 이동에 따른 시선의 이동을 중심으로 시상을 전개하고 있다. 다양한 표현 기교, 자연에 대한 감상과 안빈낙도를 노래한 주제의 선명성, 우아미를 드러내는 미의식 등이 후세의 가사 문학에 많은 영향을 미쳤다. 여기에는 본사와 결사 부분만 수록되었다.

[08~11] 다음 빈칸에 알맞은 말을 쓰시오.

08 (가)에 따르면, 조선 후기 가사는 작자층의 확대로 인해 [ㅍ][ㅈ][ㅈ]이고 [ㅎ][ㅎ][ㅈ]인 방식으로 대상을 표현하는 작품이 등장하게 되었다.

09 (나)는 조선 시대 사대부에게 자연이 풍류를 즐기며 [ㅇ][ㅂ][ㄴ][ㄷ]의 가치를 실현하는 공간으로 인식되었음을 보여 주고 있다.

10 (다)는 화자가 겪은 구체적인 [ㅊ][ㅎ]을 제시하여 조선 후기에 신역에 시달린 민중의 비참한 처지와 생활상을 [ㅅ][ㅅ][ㅈ]으로 보여 주고 있다.

11 (다)는 조선 후기 힘겨웠던 백성들의 삶의 모습을 작품 속 [ㄱ][ㅁ]의 삶의 모습을 통해 구체적으로 제시하고 있다.

정답 | 01 ○ 02 × 03 × 04 ○ 05 ○ 06 × 07 × 08 풍자적, 희화적 09 안빈낙도 10 체험, 사실적 11 갑민

다 갑민가

- **갈래:** 현실 비판 가사
- **성격:** 비판적, 사실적, 구체적
- **주제:** 가혹한 군포 징세로 백성들의 삶이 파괴되는 부조리한 현실 비판
- **구성:** 1~6행(조상 덕에~되거고야) | 모해를 받아 계급이 강등된 집안 내력
  7~14행(제사 받들~ᄎᆞᄌᆞ보니) | 집안이 몰락한 이유와 무리한 군역에 대한 비판
  15~22행(인솜싹은~아니 붓ᄂᆡ) | 삼 캐기와 담비 사냥에 실패함.
  23~29행(뷘손으로~ᄒᆞᆫ잠일네) | 죽을 고비를 넘김.
  30행~끝(집을 ᄎᆞᄌᆞ~간 ᄃᆡ 업ᄂᆡ) | 간신히 정신을 차림.

» **해제:** 이 작품은 조선 후기의 대표적인 현실 비판 가사 가운데 하나로, 군정(軍丁)의 폐단이 심했던 18세기 말엽 함경도 갑산(甲山) 지역에 살았던 사람들의 열악한 현실을 배경으로 창작된 작품이다. 이 작품은 고향을 떠나지 말기를 권하는 '화자 1(생원)'의 질문에 그럴 수밖에 없는 사정을 구구하게 설명하며 비참한 현실에서 벗어나 평범한 삶을 누리고 싶은 바람을 드러내는 '화자 2(갑민)'의 답변으로 구성되어 있다. 제시된 부분은 갑민의 답변 부분으로, 북쪽의 변방에 살고 있던 이들의 생활상이 잘 묘사되어 있으며, 지방 수령들의 가렴주구(苛斂誅求)로 수탈당하는 당대 기층민들의 비참한 현실이 구체적으로 형상화되어 있다.

Step 3 실전 문제

정답 078쪽

01

기출 변형 2017학년도 11월 고2 교육청

(가)를 이해한 내용으로 적절하지 않은 것은?

① 가사는 복잡한 내용을 두루 표현할 수 있는 양식이다.
② 전기 가사와 후기 가사는 임진왜란을 기준으로 구분된다.
③ 가사는 작품의 길이가 자유롭게 늘어나는 시가 갈래이다.
④ 가사는 두 마디씩 짝을 이룬다는 의미에서 장가라고도 불린다.
⑤ 가사의 작자층이 확대된 것과 표현 방식이 다양해진 것은 서로 관련이 있다.

02

기출 2017학년도 11월 고2 교육청

(나), (다)의 표현상의 공통점으로 가장 적절한 것은?

① 설의적 표현을 통해 화자의 정서를 강조하고 있다.
② 계절적 배경을 통해 애상적 분위기를 환기하고 있다.
③ 대화의 형식을 통해 대상과의 친밀감을 드러내고 있다.
④ 대상을 의인화하여 대상의 긍정적 속성을 부각하고 있다.
⑤ 의성어를 사용하여 시적 상황을 생생하게 묘사하고 있다.

03

고난도 기출 2017학년도 11월 고2 교육청

(가)를 바탕으로 (나)와 (다)를 이해한 것으로 적절하지 않은 것은?

① (나)의 화자는 자연 속에서 지내면서 '도화행화'를 감상의 대상으로 여기지만, (다)의 화자는 경제적 어려움에 처한 가운데 '인삼싹'을 생존을 위한 대상으로 여기고 있군.
② (나)의 '세우'는 봄을 맞이한 화자의 흥취를 돋우어 주는 역할을 하지만, (다)의 '눈'은 서민으로서 화자가 겪는 삶의 고통을 심화하는 역할을 하는군.
③ (나)는 화자가 '봉두'에 올라서 바라본 자연의 아름다움을 형상화하고 있지만, (다)는 화자가 '입순'하여 체험한 일을 구체적으로 형상화하고 있군.
④ (나)의 '공명'은 자연과 대비되는 속세에 대한 화자의 부정적 태도를 드러내지만, (다)의 '좌수별감'은 사대부들의 경건한 삶의 자세에 대한 화자의 풍자적 태도를 드러내는군.
⑤ (나)는 '단표누항'에 만족하는 화자의 모습을 통해 그의 가치관을 보여 주지만, (다)는 화자가 '뷘손'의 상황에서 겪는 고난을 통해 화자에게 닥친 현실의 문제를 보여 주는군.

04

㉠~㉤에 대한 설명으로 적절하지 않은 것은?

① ㉠: 봄의 다채로운 풍경에서 아름다움을 느끼고 그에 대한 감탄을 나타내고 있다.
② ㉡: 봄의 정취에 취해 봄의 정경을 함께 즐길 사람을 기다리는 심정을 행동으로 나타내고 있다.
③ ㉢: 들판의 모습이 변화한 것을 제시하여 계절이 바뀐 것에 대한 인식을 나타내고 있다.
④ ㉣: 구체적인 수량을 제시하여 화자가 짊어지게 된 신역의 부담이 크다는 것을 나타내고 있다.
⑤ ㉤: 탄식 어린 어조를 통해 산에 갔다가 돌아오며 화자가 매우 심하게 고생했음을 나타내고 있다.

05

(다)의 화자에 대해 추론한 내용으로 적절하지 않은 것은?

① 체면을 고려하여 지위가 낮은 벼슬은 하지 않으리라고 결심했었겠군.
② 해마다 친족들의 신역을 대신 부담하는 것이 매우 어려운 일이라고 생각했겠군.
③ 눈 내린 산길을 헤쳐 겨우 찾은 인가에 드는 자신의 상태에 대해 비참하다고 여겼겠군.
④ 조상의 제사를 모셔야 하는 자신을 두고 도망친 친족들에 대한 원망의 심정을 품고 있겠군.
⑤ 산에서 담비 가죽을 구하지 못한 것에 대해 자신의 정성이 부족한 것은 아니었는지 자신을 돌아보았겠군.

06

기출 2017학년도 11월 고2 교육청

〈보기〉를 바탕으로 (다)의 [A]~[E]에 대해 이해한 내용으로 적절하지 않은 것은?

보기

「갑민가」의 '갑민'은 함경도 갑산의 백성이라는 뜻인데, 갑산은 변방이자 오지라는 특성 때문에 유배지로 유명한 지역이다. 이 작품처럼 특정 지역을 배경으로 하는 작품은 독자에게 사실감을 부여하는데, 그 지역에서 행하는 민속을 드러내어 사실감을 높이기도 한다. 한편 이 작품이 창작된 시기에는 신분의 이동이 많이 발생하였고, 세금을 내지 못하는 사람이 있으면 그 친족에게 세금을 대신 물리는 족징(族徵)의 폐해가 심각했는데, 이 작품에는 이러한 시대상이 잘 반영되어 있다.

① [A]: 갑민의 처지가 바뀌게 된 원인이 제시되어 있군.
② [B]: 갑민이 족징을 당하게 되는 과정이 드러나 있군.
③ [C]: 실제 지명을 언급하여 작품의 사실성을 높이고 있군.
④ [D]: 갑산 지역에서 돈피 사냥에 앞서 행하던 민속을 짐작할 수 있군.
⑤ [E]: 갑민이 유배를 가는 길에서 겪은 시련을 엿볼 수 있군.

07

ⓐ가 나타나는 3어절의 시구를 (나)에서 찾아 쓰시오.

‘출’과 ‘처’에 대한 사대부의 의식 | 우국가

출제 포인트 › ㈎ #출–달–부귀 / 처–궁–빈천 ㈏ #정치 현실 비판 #우국상시

가 조선 시대 사대부들이 향유했던 대표적인 문학 갈래인 시조에는 사대부들이 지향하는 삶이 잘 나타나 있다. 그런데 다수의 시조 작품에서 사대부가 자연 속에서 심성을 도야하며 안빈낙도(安貧樂道)하는 삶을 추구하는 모습이 드러나 있어 사대부는 현실 정치의 참여보다는 자연 속에 은둔하는 삶을 지향한다고 여겨지는 경향이 있다. 하지만 이는 유학적 가르침을 내면화했던 사대부에 대한 정확한 인식이라고 보기 어렵다.❶

조선 시대 사대부들의 삶은 관직의 유무에 따라 ‘출(出)’과 ‘처(處)’로 구분하여 이해될 수 있다. 유교 사회에서 ‘출’은, 유교적 가르침을 부단히 수양한 사대부가 관직에 나아가 사대부로서 품었던 정치적 포부를 펼치는 이상적인 삶의 형태로 이해될 수 있다. 사대부들은 유교적 가치관이 바로 서서 순리대로 정치가 실현되는 세상에서는 관직에 나아가 유교적 가르침을 실천하며 백성들을 ‘인(仁)’과 ‘의(義)’로써 다스리는 것을 자신들의 이상으로 여긴 것이다.❷

그런데 사대부들은 자신들이 직면한 시대의 상황에 따라 ‘출’의 가치를 달리 인식하기도 하였다.❸ 유교적 가치관이 바로 서지 못해 나라가 혼란스러운 상황일 때, 사대부들은 ‘출’을 의롭지 못하다고 여겨 ‘처’를 선택하기도 한 것이다. 즉 그들은 의로움을 지키기 위해 스스로 ‘출’을 거부하고 ‘처’를 선택하는 것을 이상적이라고 여겼다. 그러나 사대부들은 ‘처’의 삶을 살면서도 혼란스러운 세상에 대한 근심을 표현하며 우국충정을 드러내는 것으로 자신의 본분을 지키려 하였다.❹

조선 시대 사대부들은 시조에서 ‘궁달(窮達)’이라는 표현도 자주 사용했는데, 이 또한 ‘처’와 ‘출’의 맥락과 관련지어 이해될 수 있다. ‘궁(窮)’은 ‘빈궁(貧窮)’과 ‘빈천(貧賤)’을, ‘달(達)’은 ‘영달(榮達)’과 ‘부귀(富貴)’를 의미한다. 여기서 빈궁과 빈천은 혼탁한 세상으로 인해 자신의 정치적 포부를 펼치지 않는 삶을, 영달과 부귀는 고위 관직에 올라 자신의 뜻을 펼칠 수 있는 삶을 의미한다고 볼 수 있다. 이런 점에서 ‘궁’은 ‘처’와, ‘달’은 ‘출’과 비슷한 맥락을 지닌다고 볼 수 있다. 따라서 빈천과 부귀는 앞에서 언급한 사대부의 삶의 처지와 관련지어 볼 때 단순히 경제적 상황만을 의미하는 것이 아니라 보다 확장된 의미를 가진다.❺

결국 관직의 유무에 따른 사대부의 처지와 그와 관련된 그들의 삶의

Step 1 포인트 분석

가 「‘출’과 ‘처’에 대한 사대부의 의식」

❶이는 유학적~보기 어렵다.
→ **사대부의 가치관에 대한 정확한 이해:** 사대부의 가치관에 대해 정확하게 이해하기 위해서는 유학적 가르침을 고려해야 함. 즉 사대부들이 은둔의 삶만을 살지 않고 현실 정치에도 참여했음을 알 수 있음.

❷사대부들은 유교적~여긴 것이다.
→ **사대부들이 지향했던 이상적 가치:** 사대부들은 현실에서 유교적 가르침을 실천하는 것을 중시했음. 이에 따라 백성들을 ‘인(仁)’과 ‘의(義)’로써 가르치는 것을 이상으로 여겼음.

❸그런데 사대부들은~인식하기도 하였다.
→ **‘출’의 가치에 대한 사대부들의 인식:** 유교적 가치관이 바로 서서 순리에 따라 정치가 실현되는 세상에서는 ‘출’을 자신의 이상을 실현하기 위한 것으로 보았으나, 유교적 가치관이 바로 서지 못한 시대에는 ‘출’을 의롭지 못한 것으로 보았음. 즉 사회적 상황에 따라 ‘출’의 여부를 판단하였음.

❹그러나 사대부들은~지키려 하였다.
→ **‘처’의 삶 속에서 실현하는 유교적 가치관:** 사대부들은 ‘처’의 삶을 살 때에도 혼란스러운 세상에 대한 근심을 표현하였음. 그 근심의 내용은 주로 임금과 나라에 대한 걱정이었음을 볼 때 ‘처’의 삶 속에서 우국충정을 드러내는 것은 현실을 바람직한 이상 사회로 만들기를 원하는 유교적 가치관을 실현하기 위한 한 방편으로 볼 수 있음.

❺따라서 빈천과 부귀는~의미를 가진다.
→ **빈천과 부귀의 의미:** 빈천과 부귀는 각각 경제적으로 궁핍하고 풍요롭다는 의미만을 나타내지 않고, ‘처’와 ‘출’의 측면에서 그 의미를 생각해 볼 수 있음. 빈천은 ‘처’와 관련하여 현실 정치에 직접 참여하지 않은 상황을, 부귀는 ‘출’과 관련하여 현실 정치에 직접 참여한 상황을 의미한다고 볼 수 있음.

태도는 '출-달-부귀'와 '처-궁-빈천'이라는 대조적 맥락을 통해서 설명할 수 있다. 이와 같은 맥락을 잘 보여 주는 시조 작품으로 권호문의 시조와 임제의 시조를 들 수 있다.

[A]
출(出)하면 **치군택민(致君澤民)*** 처(處)하면 조월경운(釣月耕耘)* ❻
㉠총명하고 밝은 군자(君子)는 이것을 즐기나니❼
하물며 **부귀(富貴)**는 **위기(危機)**라 **빈천거(貧賤居)를 하오리라**❽

– 권호문, 「한거십팔곡」 중 〈제8수〉

*벼슬하면 임금을 받들고 백성에게 선정하고 물러나면 낚시하고 밭을 가네.
총명하고 밝은 군자는 이것을 즐기나니
하물며 부귀는 위기라 가난하게 지내리라.

• **치군택민:** 목숨을 바쳐 임금을 섬기고 백성에게 은덕이 미치게 함.
• **조월경운:** 달빛 아래서 고기 낚고 구름 속에서 밭을 갊. 곧 은둔 생활을 뜻함.

[B]
부귀(富貴)를 탐(貪)치 말고 **빈천(貧賤)을 사양(辭讓) 마라**❾
부귀빈천(富貴貧賤)이 절로 절로 도ᄂᆞ이❿
부귀(富貴)는 **위기(危機)**라 탐(貪)하다가 **신명(身命)을 못ᄂᆞ이라**⓫

– 임제

*부귀를 탐하지 말고 빈천을 사양하지 말라.
부귀빈천이 절로 절로 도느니
부귀는 위기라 탐하다가 목숨을 부지하기 어려우니라.

권호문과 임제는 당파 싸움이 극심했던 시기인 16세기 중후반을 살았던 인물이다. 권호문은 진사시에 합격하고 임제는 문과에 급제했지만, 자연에 은거하며 산림처사로 사는 삶을 선택했다. 그들의 시조에는 혼탁한 정치 현실에서 벼슬길에 나아가는 것이 위기라는 인식이 잘 드러나 있다.

「한거십팔곡(閑居十八曲)」 중 <제8수>

제목의 의미
'한가하게 거처하며 부른 열여덟 곡'이라는 의미이다.

시적 상황
화자는 '출'을 선택해 입신양명(立身揚名)을 하는 것이 위태로울 수 있는 상황에 처해 있다. 이는 유교적 가치관이 바로 서지 못해 순리대로 정치가 실현되지 않았던 16세기 중후반의 현실을 나타낸다.

표현
❻출하면~조월경운
→ **대구와 대비:** 유사한 형식의 시구를 대응시켜 '출'과 '처'의 삶을 대비함.

정서와 태도
❼총명하고~즐기나니
→ **군자의 특성:** 군자는 시대 상황을 고려하여 '출'과 '처'를 선택할 줄 알며, '출'의 삶에서는 '치군택민', '처'의 삶에서는 '조월경운'의 생활을 하며 유교적 가치의 실현을 즐김.
❽하물며~하오리라
→ **화자의 '처'의 삶 선택:** 화자는 현실 정치에 참여하는 '출'의 삶을 선택하면 위태로운 상황에 처할 수 있을 것이라 생각하여 '처'의 삶을 선택함.

「부귀를 탐치 말고」

시적 상황
화자는 부귀, 즉 '출'이 목숨을 위태롭게 만들 수 있는 상황에 처해 있다. 이는 당파 싸움이 극심하여 유교적 가치관이 바로 서지 못해 순리대로 정치가 실현되지 않았던 16세기 중후반의 현실을 나타낸다.

표현
❾부귀를 탐치~사양 마라
→ **시어의 대비, 대구:** '부귀'와 '빈천', '탐'과 '사양'을 대비하여 부귀를 추구하지 말고 빈천을 기꺼이 받아들여야 한다는 화자의 태도를 대구를 통해 나타냄.

정서와 태도
❿부귀빈천이 절로 절로 도ᄂᆞ이
→ 부귀하다가도 언젠가는 가난하게 될 수 있음.
⓫부귀는~못ᄂᆞ이라
→ **'출'의 삶에 대한 거부:** 화자는 부귀를 지향하는 삶, 즉 '출'의 삶을 살면 목숨을 잃을 수 있다고 인식하고 '출'의 삶을 거부하고 '처'의 삶을 선택하는 태도를 드러내고 있음. 즉 부귀를 탐하는 것을 경계하는 태도를 지님.

나 이편은 저 외다 하고 저편은 이 외다 하니❶
매일(每日)의 하는 일이 이 **싸움뿐**이로다❷
이 중의 **고립(孤立) 무조(無助)**˚는 님이신가 하노라❸ 〈제14수〉

*이쪽은 저쪽이 그르다 하고 저쪽은 이쪽이 그르다 하니
매일 하는 일이 이 싸움뿐이로다.
이 중에 고립되어 도움받지 못할 처지에 있는 것은 임이신가 하노라.

싸움에 시비만 하고 **공도(公道) 시비(是非)**˚ 아니 하네
어찌하여 세상 형편 이같이 되었는고
물불보다 심한 **환난** 날로 길어 가는구나❹ 〈제25수〉

*싸움에 시비만 하고 공평하고 바른 도리를 따지지 아니하네.
어찌하여 세상 형편 이같이 되었는가.
물불보다 심한 환란이 날이 갈수록 길어 가는구나.

나라가 굳으면 집조차 굳으리라
[C] **집만 돌아보고 나라 일 아니 하네**❺
하다가 명당(明堂)˚이 기울면 어느 집이 굳으리오❻ 〈제26수〉

*나라가 굳건하면 집 또한 굳건하리라.
집만 돌아보고 나랏일 아니 하네.
나라의 기강이 허약해지면 어느 집이 굳건하리오?

공명(功名)을 원찬커든 **부귀(富貴)**인들 바랄소냐❼
초가 한 간에 괴로이 혼자 앉아
밤낮에 **우국상시(憂國傷時)**˚를 못내 설워 하노라❽ 〈제28수〉

*공명을 원치 않는데 부귀인들 바라겠느냐?
초가집 한 칸에 괴롭게 혼자 앉아
밤낮으로 나라와 시대에 대한 걱정으로 못내 서러워하노라.

– 이덕일, 「우국가(憂國歌)」

- **고립 무조:** 홀로 있어 도움이 없음.
- **공도 시비:** 공평하고 바른 도리를 따짐.
- **명당:** 임금이 조회를 받던 장소.
- **우국상시:** 나라를 걱정하고 시절의 혼란함에 마음이 상함.

나 「우국가」

제목의 의미
'나라를 걱정하며 부르는 노래'라는 의미이다.

시적 상황
화자는 임진왜란이 끝나고 붕당 간의 당파 싸움이 심했던 때에 고향에 머물고 있다.

표현
❶이편은~외다 하니
➜ **대구:** 이편과 저편을 대응시켜 당파 싸움으로 혼탁한 정치 현실에 대한 비판의 의미를 강조함.
❷매일의~싸움뿐이로다, ❹어찌하여~길어 가는구나
➜ **탄식 어린 어조:** '-로다, -구나'의 어미를 사용하여 탄식 어린 어조로 매일 당파 싸움만 일삼는 정치 현실에 대한 비판적인 인식을 드러냄.
❹물불보다~길어 가는구나
➜ **비교:** 당파 싸움의 폐해가 심함을 수해·화재와 비교하여 표현함.
❻하다가~굳으리오
➜ **설의적 표현:** 나라가 기울면 백성들의 삶도 굳건할 수 없다는 것을 강조함.
❼공명을~바랄소냐
➜ **설의적 표현:** 공명과 부귀를 바라지 않는 태도를 강조함.

정서와 태도
❸이 중의~님이신가 하노라
➜ 붕당들은 서로 다투기를 일삼고 그 와중에 돕는 신하가 없는 외로운 처지의 임금을 걱정함.
❹싸움에 시비만~길어 가는구나
➜ 당파 싸움만 일삼는 정치 현실에 대한 개탄
❺집만~아니 하네
➜ 신하들이 나랏일을 우선시하지 않고 나랏일을 등한시하며 사적인 이익만을 취하고 있는 것에 대한 비판적 인식
❼공명을~바랄소냐
➜ 혼탁한 정치 현실 상황에서 입신양명(立身揚名)을 추구하는 것은 옳지 않다는 판단을 하고 처사(處士)로서의 삶을 살고자 하는 태도
❽밤낮에~설워 하노라
➜ '처사'의 삶을 살면서 나라에 대한 걱정을 하는 것은 유교적 가르침을 실현하는 하나의 방편이므로 이와 관련하여 우국 충정을 드러냄.

Step 2 포인트 체크

[01~06] 윗글에 대하여 맞으면 ○, 틀리면 ×표를 하시오.

01 (가)에 따르면 사대부들은 백성들을 '인(仁)'과 '의(義)'로 다스리는 것이 유교적 가르침을 실천하는 것이라고 보았다. [○, ×]

02 (가)의 [A]에 나타난 화자는 벼슬길에 나아가는 것을 위기로 여겼다. [○, ×]

03 (가)의 [B]에서 '신명을 못ᄂᆞ이라'는 당파 싸움이 극심했던 현실을 위기로 인식하는 태도를 나타내고 있다. [○, ×]

04 (나)의 〈제14수〉는 대구를 통해 당파 싸움으로 혼탁한 정치 현실을 나타내고 있다. [○, ×]

05 (나)의 〈제25수〉에서 화자는 탄식 어린 어조로 부정적 현실에 대한 안타까움을 표출하고 있다. [○, ×]

06 (나)의 〈제28수〉에서 화자는 자신의 뜻을 미처 펼치지 못한 속세에 대한 미련을 드러내고 있다. [○, ×]

[07~09] 다음 빈칸에 알맞은 말을 쓰시오.

07 (가)의 [A]와 [B]는 모두 시어의 [ㄷ][ㅂ]를 통해 의미를 강조하고 있다.

08 (나)의 〈제14수〉는 붕당으로 서로 다투기를 일삼는 신하들 가운데 임금이 [ㄱ][ㄹ]되어 있는 현실을 비판하고 있다.

09 (나)의 〈제28수〉에는 '처'의 삶을 살면서 혼란스러운 세상에 대한 근심을 표현해 [ㅇ][ㄱ][ㅅ][ㅅ]를 드러내는 처사의 모습이 나타나 있다.

정답 | 01 ○ 02 ○ 03 ○ 04 ○ 05 ○ 06 × 07 대비
08 고립 09 우국지사

작품 정리

가 '출'과 '처'에 대한 사대부의 의식

- **갈래:** 비평문
- **주제:** '출'과 '처'에 대한 사대부의 의식에 대한 올바른 이해
- **구성:** 1문단 | 사대부들이 지향하는 삶에 대한 부정확한 이해
  2문단 | '출'의 의미와 사대부들이 추구했던 이상적 가치
  3문단 | 사대부들의 '출'의 가치에 대한 판단의 변화 및 '처'에 대한 선택
  4문단 | '처', '출'과 비슷한 맥락을 지닌 '궁', '달'의 의미
  5문단 | '출–달–부귀'와 '처–궁–빈천'의 대조적 맥락으로 설명되는 사대부들의 삶의 태도
  6문단 | 권호문과 임제의 시조에서 보이는 정치 현실 인식과 '처'의 선택

» **해제:** 이 글에서는 조선 시대 사대부들이 향유했던 대표적인 문학 갈래가 시조임을 언급하고, 시조를 통해 알 수 있는 사대부들의 삶의 가치관에 대해 설명하고 있다. '출'은 '달', '부귀'와, '처'는 '궁', '빈천'과 그 의미가 통한다. 이러한 대조적 맥락을 권호문의 「한거십팔곡」과 임제의 시조가 잘 보여 주고 있다.

● 한거십팔곡

- **갈래:** 연시조
- **성격:** 전원적, 자연 친화적
- **주제:** 벼슬길에 오르지 못했을 때 자연 속에서 은거하는 삶의 즐거움
- **구성:** 초장 | '출'과 '처'의 삶
  중장 | 총명하고 밝은 군자의 즐거움
  종장 | 위기가 되는 부귀를 등지고 빈천을 선택하는 삶의 태도

» **해제:** 이 작품의 제목은 '한가로운 삶을 노래한 18개의 노래'라는 의미를 나타내고 있지만 실제로는 19수의 연시조이다. 화자는 자연에 은거하게 된 과정을 제시하고, 자연을 벗하며 사는 즐거움을 노래하고 있는데, 〈제4수〉까지는 벼슬길에 대한 미련을 드러내나 이후 그러한 갈등이 해소되는 양상을 보인다.

● 부귀를 탐치 말고

- **갈래:** 평시조, 단시조
- **성격:** 전원적, 자연 친화적
- **주제:** 부귀를 멀리하고 빈천을 거스르지 않는 삶
- **구성:** 초장 | 부귀를 탐하지 않고 빈천을 사양하지 않는 태도
  중장 | 부귀빈천의 순환
  종장 | 부귀를 탐하다가 위태로워질 수 있는 것에 대한 현실 인식

» **해제:** 이 작품은 부귀와 빈천은 돌고 도는 것이므로 억지로 부귀를 탐하면 목숨을 잃게 될 수도 있다는 인식을 바탕으로 빈천을 사양하지 않겠다는 삶의 태도를 드러내고 있다.

나 우국가

- **갈래:** 연시조
- **성격:** 비판적, 우국적
- **주제:** 당쟁을 일삼는 대신들에 대한 비판과 나라에 대한 걱정
- **구성:** 〈제14수〉 붕당들은 서로 다투기를 일삼고, 그 와중에 돕는 신하 없이 임금이 고립됨.
  〈제25수〉 공평한 도리를 따지지 않아 심해지는 환난을 비판함.
  〈제26수〉 당쟁으로 일어날 수 있는 상황에 대한 경고
  〈제28수〉 부귀공명에는 뜻이 없이 홀로 나라를 걱정함.

» **해제:** 이 작품은 대표적인 우국 시조로 평가받고 있는 전체 28수의 연시조이다. 작가인 이덕일은 광해군 때 고향 함평에 머물며 나라의 앞날에 대한 걱정을 담아 작품을 창작했는데, 임진왜란과 붕당을 시적 대상으로 삼아 그 폐해를 지적하고 나라를 근심하고 있으며 이 과정에서 임금을 향한 근심과 애정, 구국의 방안 등을 비분강개한 어조로 제시하고 있다.

01

기출 2017학년도 11월 고1 교육청

(가)에 대한 설명으로 가장 적절한 것은?

① 사대부들은 경제적인 상황에 따라 '출' 혹은 '처'의 삶을 선택한다.
② '영달'은 사대부가 지향하는 자연 속에서의 은둔의 삶을 의미한다.
③ 사대부들은 관직에 나아간 삶인 '빈궁'을 통해서 안빈낙도를 추구한다.
④ '궁'은 고위 관직에 올라 자신의 뜻을 펼칠 수 있는 삶을 의미한다고 볼 수 있다.
⑤ 사대부는 '처'의 상황에서 우국충정을 드러냄으로써 자신의 본분을 지키고자 하였다.

02

기출 2017학년도 11월 고1 교육청

(가)를 바탕으로 [A]와 [B]를 이해한 것으로 적절하지 않은 것은?

① [A]의 '치군택민'은 관직에 나아가 유교적 가르침을 실천하는 것을 의미한다.
② [A]의 '빈천거를 하오리라'에는 '처'의 삶을 살겠다는 화자의 의지가 드러나 있다.
③ [B]의 '빈천을 사양 마라'에는 관직에 나아가지 않는 '처'의 삶을 거부해야 한다는 화자의 태도가 드러나 있다.
④ [B]의 '신명을 못ᄂᆞ이라'는 나라의 유교적 가치관이 흔들리는 상황에서 '출'을 선택했을 때 초래할 결과를 의미한다.
⑤ [A]와 [B]에서 화자가 '부귀'의 삶을 지향하지 않는 것에서는 당파 싸움이 심한 시대에 '출'의 삶을 '위기'라고 여기는 화자의 인식이 드러나 있다.

03

(가)를 참고하여 ㉠에 대해 이해한 내용으로 가장 적절한 것은?

① 어떤 현실 상황에도 구애받지 않고 관직에 나아가 자신의 정치적 역량을 마음껏 펼치는 사람
② 시대 상황을 고려하여 '출'의 가치를 유학적 가르침에 맞게 판단함으로써 의로움을 지킬 줄 아는 사람
③ 자연에서 은둔하는 삶의 가치를 어느 것보다 큰 것으로 여겨 현실에 대한 모든 근심을 떨쳐 버린 사람
④ 유교적 가치관에 따라 정치가 이루어지는 세상을 등지고 자연에서 심성을 닦으며 안빈낙도를 실천하는 사람
⑤ 정치적으로 혼란스러운 현실 속에서도 관직에 나아가 자신의 이상을 펼칠 수 있는 '영달'의 때를 기다리는 사람

04

고난도 기출 2017학년도 11월 고1 교육청

(가)를 바탕으로 (나)를 감상한 내용으로 적절하지 않은 것은?

① 〈제14수〉: '싸움뿐'인 당대의 시대에 화자가 '고립 무조'를 선택한 것은 유교적 가르침을 바탕으로 자신을 수양하기 위해 '궁'의 삶을 지향한 것으로 볼 수 있겠군.
② 〈제25수〉: '공도 시비'를 하지 않아 '환난'이 길어진다는 화자의 인식에서 정치가 순리대로 실현되지 않는 당대의 현실을 짐작할 수 있겠군.
③ 〈제26수〉: '집만 돌아보고 나라 일 아니 하'는 사람들의 모습은, 유교적 가치를 바르게 실천하지 않은 당대의 사대부들의 모습을 드러낸 것이라 볼 수 있겠군.
④ 〈제28수〉: '공명'과 '부귀'를 바라지 않는 화자의 모습에서 화자가 '달'의 삶을 지향하지 않음을 알 수 있겠군.
⑤ 〈제28수〉: '초가 한 간'에서 '우국상시'를 느끼는 것은, '궁'의 상황에서도 화자가 혼란스러운 세상에 대해 근심을 드러낸 것이라 볼 수 있겠군.

05

기출 2017학년도 11월 고1 교육청

[B]와 (나)의 표현상의 공통점으로 가장 적절한 것은?

① 동일한 시어를 반복하여 의미를 강조하고 있다.
② 대화체를 사용하여 대상과의 친밀감을 드러내고 있다.
③ 점층적 표현을 사용하여 화자의 태도를 부각하고 있다.
④ 설의적 표현을 활용하여 화자의 정서를 강조하고 있다.
⑤ 상승 이미지를 반복하여 화자의 의지를 나타내고 있다.

06

고난도 서술형

[C]에서 가정적 표현을 찾아 〈보기〉의 설명에 따라 구분하고 그 의미를 서술하시오.

보기

[C]에서 가정법은 두 번 사용되었으며 각각 다른 기능을 수행하고 있다. 하나는 마땅히 그렇게 해야 한다는 당위의 제시이고, 다른 하나는 부정적 결과의 제시이다.

최우선순

고전 시가

문제편

정답과 해설

+

고전 시가 실전 어휘

하이라이트 지학사

차례

정답과 해설

최우선순
고전 시가
운제편

I 시조

01강

흥망이 유수ᄒᆞ니 | 백설이 ᄌᆞ자진 골에 | 오백 년 도읍지를

본문 012쪽

01. ① **02.** ⑤ **03.** ② **04.** ② **05.** ⑤ **06.** ② **07.** ④ **08.** ⑤ **09.** ② **10.** (1) Ⓐ 불변함 또는 무한성 Ⓑ 변함 또는 유한성 (2) 왕조의 멸망으로 인한 무상감을 드러내고 있다. / 인간사의 유한성에 대한 허무함을 표현하고 있다.

01 [작품 간의 공통적 정서 파악] 정답 ①

(가)의 화자는 옛 궁궐터를 바라보면서 지난날 고려 왕조의 업적을 떠올리며 안타까움과 슬픔을 느끼고 있다. (나)의 화자는 기울어 가는 왕조의 상황을 인식하고 안타까움을 느끼고 있다. (다)의 화자는 고려의 옛 도읍지를 찾아가 돌아보고 무상감을 느끼며 한탄하고 있다. 따라서 (가)~(다)의 화자는 모두 왕조의 멸망에 대한 안타까움과 슬픔을 드러낸다고 볼 수 있다.

[오답 풀이]

② (나)에서는 고려 왕조의 멸망에 대한 안타까움을 드러내며 고려의 충신을 상징하는 '매화'를 떠올리고 있다. 그러나 (가), (다)에는 왕조를 다시 일으킬 인재들이 나타나기를 기대하는 부분이 드러나 있지 않다.

③ (가)~(다) 모두 왕조가 기울어 가는 상황에 대한 안타까움과 슬픔을 드러내고 있을 뿐 이에 대한 불만을 드러내고 있지는 않다.

④ (가)~(다) 모두 왕조를 지켜 내지 못한 이들에 대한 원망은 드러나 있지 않다.

⑤ (가)~(다) 모두 왕조의 융성했던 시절이 저문 데 대한 안타까움은 드러나 있지만 그 시절을 되찾고자 하는 의지는 드러나 있지 않다.

02 [문학 갈래의 특징 파악] 정답 ⑤

(가)~(다)가 속한 문학 갈래는 시조로, 시조는 조선 후기 사대부뿐만 아니라 기녀, 서민층까지 향유 및 창작층으로 참여하였고 현재까지도 창작되고 있다.

[오답 풀이]

① 시조는 3 · 4조, 4음보 율격으로 겉으로 드러나는 일정한 운율, 즉 외형률을 지니고 있다.

② 사대부가 주요 창작층으로 참여했기 때문에 관념적인 유교 이념을 담고 있는 작품이 많다.

③ 한글 창제 이전의 시조 작품들은 노래의 형태로 입에서 입으로 전해지다가 후에 한글로 기록되었다.

④ 10구체 향가의 3단 형식에서 영향을 받아 시조의 3장 형식이 성립되었으며, 고려 말 시조라는 문학 갈래를 완성한 주요 작자층은 신흥 사대부들이다.

03 [표현상의 특징 파악] 정답 ②

(가)에서 '석양'을 통해 색채 이미지가 나타난다고 볼 수는 있지만 색채 대비는 드러나지 않는다.

[오답 풀이]

① '목적에 부쳐시니'에서 청각적 이미지를 활용하여 고려의 멸망으로 인한 허무감을 드러내고 있음을 확인할 수 있다.

③ 해가 지는 시간적 배경과 고려 왕조의 몰락을 상징하는 '석양'을 통해 화자가 처한 시적 상황을 형상화하였다.

④ 계절감을 나타내는 시어인 '추초'를 활용하여 소멸과 몰락의 분위기를 조성하고 있다.

⑤ 화자가 자신을 객관화한 대상인 '객'이라는 표현을 통해 고려 멸망의 슬픔과 안타까움을 부각하였다.

04 [시어의 의미 파악] 정답 ②

(가)의 화자는 오백 년 동안의 고려 왕조의 업적이 한낱 목동의 피리 소리로만 남은 상황을 통해 인생의 허무감을 느끼고 있다. (다)의 화자는 자연은 무한한 데 비해 인간의 역사는 유한함을 깨닫고 융성했던 고려가 패망한 데서 무상감을 느끼고 있다. 따라서 ⓐ와 ⓑ는 모두 화자가 인생의 무상감을 느끼게 하는 소재라고 할 수 있다.

[오답 풀이]

① ⓐ와 ⓑ는 각각 (가)와 (다)의 화자가 경외감을 가지고 바라보는 소재로 볼 수 없다.

③ (가)의 화자는 ⓐ로 인해 인생의 무상감과 허무함을 느끼고 있으므로 ⓐ가 화자의 울분을 완화하는 소재로 활용되고 있다는 진술은 적절하지 않다. ⓑ 또한 (다)의 화자가 무상감을 느끼게 하는 소재이지 울분을 심화하는 소재가 아니다.

④ (다)의 화자는 고려의 옛 도읍지를 돌아보며 그곳의 ⓑ가 의구한 데 반해 유한한 고려의 역사를 떠올리며 무상감을 느끼고 있다. 따라서 ⓑ는 고려의 멸망이라는 과거 사건을 회고하는 계기가 된다고 할 수 있다. 그러나 (가)의 화자에게 ⓐ는 미래의 상황에 기대를 갖는 계기가 된다고 할 수 없다.

⑤ (가)의 화자는 ⓐ로부터 유발된 쓸쓸한 감정을 느끼고는 있지만 ⓐ와 자신을 동일시하고 있지는 않다. 또한 (다)에서 ⓑ는 인간과 대비되는 특징을 갖는 소재로 사용되었을 뿐 화자의 처지와 대비되는 상황을 표현하고 있지는 않다.

05 [표현상의 특징 파악] 정답 ⑤

(나)에 색채 대비, 대조적 · 영탄적 표현, 우의적 표현 등은 사용되었지만 의인법은 사용되지 않았다.

[오답 풀이]

① '백설', '구름'에는 흰색이 나타나고 '매화', '석양'에는 붉은색이 나타난다. 이 두 색은 대비를 이루며 기울어 가는 고려에 대한 안타까움이라는 주제 의식을 부각하고 있다.

② 조선을 건국하려는 신흥 세력을 의미하는 '구름'과 고려의 충신을 의미하는 '매화'의 대비를 통해 주제를 형상화하고 있다.

③ 종장의 '갈 곳 몰라 ᄒᆞ노라'에서 영탄적 표현을 통해 고려 왕조의 멸망에 대한 화자의 안타까움을 드러내고 있다.

④ '백설', '구름', '매화', '석양'과 같은 자연물을 통해 기울어 가는 고려 왕조의 상황을 우의적으로 드러내고 있다.

Q '우의적'이라는 게 뭔가요?

A 사전적 의미는 '다른 사물에 빗대어서 비유적인 뜻을 나타내거나 풍자하는 것'을 말합니다. 이를테면 동물이나 식물, 사물에 인간의 행동이나 감정을 부여하거나 다른 사물에 빗대는 식으로 넌지시 표현하고자 하는 바를 전달하는 것을 말합니다.

㉠ 참새야 어디서 오가며 나느냐
일 년 농사는 아랑곳하지 않고 — 이제현, 「사리화」

여기서 '참새'는 탐관오리를 의미합니다. 참새가 일 년 농사는 아랑곳하지 않고 오가는 것은 탐관오리가 백성들의 사정은 전혀 생각하지 않는다는 것을 우의적으로 표현한 것입니다.

06 [시어의 의미 파악] 정답 ②

㉠은 고려의 유신(遺臣, 선왕을 모시던 신하), 즉 현재(고려)의 왕조를 지지하는 신하를 의미하고, ㉮는 왕위를 찬탈하려는 수양 대군 일파를 의미한다.

[오답 풀이]

① ㉮는 왕위를 찬탈하려는 수양 대군 일파를 의미하므로 새로운 왕권을 세우려는 무리라고 할 수 있다. 그러나 (나)에서 새로운 왕조를 세우려는 신흥 세력을 의미하는 것은 ㉠이 아니라 '구름'이다.

③ ㉮는 단종의 왕위를 찬탈한 부정적 세력인 수양 대군 일파를 상징하므로 군자의 깨끗한 도리를 의미한다고 할 수 없다.

④ ㉠과 ㉮ 모두 임금의 총애를 받는 권력의 핵심적인 존재를 의미한다고 할 수 없다.

⑤ ㉠은 고려에 충성하는 신하들을 의미하는 것이지 세속에 물들지 않는 순수함을 의미하는 것은 아니다. ㉮ 역시 수양대군 일파를 상징하는 것이지 세속에서의 시련, 고난을 의미하는 것은 아니다.

07 [시어의 함축적 의미 파악] 정답 ④

㉡은 고려 왕조가 융성했던 시절이 마치 꿈이었다는 듯이 아득하게 느껴진다는 의미로 인생의 무상감을 드러내는 시어이다. ④는 조선 중기 조찬한의 시조로 천지나 영웅의 출현과 소멸이 반복되듯 흥하고 망하는 것이 잠깐 잠이 들어 꾼 꿈과 같다는 내용을 담고 있다. 여기서 '꿈'은 인간 역사의 무상감을 드러내는 소재라 할 수 있다.

[오답 풀이]

① 조선 후기 이정신의 시조로, 여기서 '꿈'은 화자의 그리움을 해소하는 공간을 의미한다.

② 조선 후기 호석균의 시조로, 여기서 '꿈'은 현실과 달리 임을 만날 수 있으리라 기대하는 공간을 의미한다.

③ 조선 후기 이명한의 시조로, 여기서 '꿈'은 임과 만나고 싶은 화자의 마음이 투영된 공간을 의미한다.

⑤ 조선 후기 계랑의 시조로, 여기서 '꿈'은 임을 그리워하는 마음을 의미한다.

08 [외적 준거에 의한 작품 감상] 정답 ⑤

〈보기〉에서 회고가는 과거를 돌이켜 보고 현재의 감회를 드러내며, 고려 왕조의 흥망성쇠를 보여 주는 도읍지의 어떤 장소나 사물을 보고 느끼는 여러 정서를 드러낸다고 설명하고 있다. (나)의 '매화'는 고려에 대한 지조와 절개를 지키는 충신을 의미하는 것으로 화자는 '어늬 곳의 픠엿는고'라고 하며 이들이 사라진 데 대한 안타까움과 이들을 기다리는 마음을 드러내고 있다. (다)의 '인걸'은 '간듸업다'는 고려의 유신으로 '산천'과 대비하여 인간의 역사가 유한한 데 대한 무상감을 드러내고 있다. 따라서 '매화'나 '인걸' 모두 고려의 영화로웠던 시절을 그리워하는 마음과는 거리가 멀다.

[오답 풀이]

① 〈보기〉에서 회고가는 고려 왕조의 흥망성쇠를 보여 주는 도읍지의 어떤 장소나 사물을 보고 느낀 정서를 드러낸다고 설명하고 있다. (가)의 '추초'는 고려 왕조의 궁궐터에서 본 가을 풀로 소멸, 몰락의 이미지를 드러낸다. (나)에서 기울어 가는 고려 왕조의 상황을 인식하고서 있는 때인 '석양'은 해가 지는 하강의 이미지로 고려 왕조의 몰락을 상징한다. 따라서 '추초'와 '석양' 모두 고려 왕조의 몰락을 보여 주는 소재라 할 수 있다.

② (가)의 '눈물계워 ᄒᆞ노라'와 (나)의 '갈 곳 몰라 ᄒᆞ노라'는 고려 왕조의 멸망에 대한 안타까움, 즉 애상적 정서를 드러내고 있다.

③ (가)의 '만월대'는 고려 왕조의 궁궐터로 (다)의 '오백 년 도읍지'를 대표하는 구체적인 장소라 할 수 있다.

④ (가)의 '목적'은 목동의 피리 소리로, 청각적 이미지를 통해 고려 왕조의 멸망으로 인한 허무함을 드러내는 소재이고, (다)의 '쑴'은 고려의 영화로웠던 시절이 마치 꿈과 같다고 표현함으로써 고려 왕조의 패망에서 느끼는 무상감을 드러내는 소재라고 할 수 있다.

09 [작품의 공통점, 차이점 파악] 정답 ②

(가)에는 '만월대'만 나타날 뿐 이와 다른 공간이 나타나지 않으므로 이질적 공간을 대비한다고 할 수 없다. 이와 달리, 〈보기〉는 속세를 의미하는 '홍진'과 자연을 의미하는 '산림'을 대비하여 자연에서 사는 삶의 즐거움을 드러내고 있다.

[오답 풀이]

① (가)의 시조와 〈보기〉의 가사 모두 4음보를 사용하여 리듬감을 살리고 있다.

③ (가)는 고려 왕조의 멸망에 대한 안타까움과 슬픔을 드러내고 있으므로 침울한 분위기를, 〈보기〉는 자연 속에서 봄을 완상하는 즐거움을 노래하고 있으므로 들뜬 분위기를 느낄 수 있다.

④ (가)의 '석양'은 해가 지는 하강적 이미지를 통해 화자의 슬픔과 안타까움을 심화하는 배경으로, 〈보기〉의 '석양'은 '도화행화(복숭아꽃과 살구꽃)'가 핀 경치를 돋보이게 하는 배경으로 기능하고 있다.

⑤ (가)는 화자가 고려의 멸망에서 느끼는 슬픔과 안타까움을 혼잣말을 하는 방식으로, 〈보기〉는 화자가 '홍진에 묻힌 분네', 즉 속세에 묻혀 사는 사람들에게 말을 건네는 방식으로 자신의 내면을 드러내고 있다.

10 [표현의 의미 및 화자의 정서 파악]

'산천'은 불변함 또는 영원성, 무한함을 드러내고, '인걸'은 변함 또는 유한함을 드러낸다. 이 둘의 대비를 통해 왕조의 멸망으로 인한 무상감과 인간사의 유한성에 대한 허무함을 효과적으로 드러내고 있다.

02강

방 안에 켜 있는 촉불 | 수양산 ᄇᆞ라보며 | 천만리 머나먼 길희

본문 016쪽

01. ② 02. ① 03. ⑤ 04. ④ 05. ③ 06. ② 07. ⑤ 08. ⑤ 09. ① '백이'와 '숙제'가 몸을 숨기고 고사리를 캐어 먹던 장소 ② 수양 대군('세조'가 즉위하기 전의 호칭)

01 [작품 간의 공통점 파악] 정답 ②

(가)에서는 영탄적 표현 '모르도다'를 통해 임과의 이별 상황에 대한 슬픔을 부각하고 있다. (나)에서는 영탄적 표현 '한ᄒᆞ노라'를 통해 단종이 폐위된 상황에서 자신의 절의를 지키겠다는 각오를 부각하고 있다. (다)에서는 영탄적 표현 '우러 밤길 녜놋다'를 통해 임과 이별한 상황에 대한 슬픔을 부각하고 있다.

[오답 풀이]

① (가)와 (나)에 청각적 심상은 드러나 있지 않다.

③, ④, ⑤ (가), (나), (다) 모두 자조적 어조를 통한 화자의 자책감 표현(③), 역설적 표현을 통한 화자의 부정적 상황 극복 의지 표현(④), 가정적 상황 제시와 상황 개선에 대한 기대감 표현(⑤)이 나타나지 않는다.

Q 자조적 어조가 뭔가요?

A '자조적'은 '자신을 비웃는 듯한'이라는 의미를 가집니다. 즉 자기를 비웃고 비하하는 듯한 어투로 표현하는 것을 말합니다.

예 강가에 나온 아이와 같이 / 짬도 모르고 끝도 없이 닫는 내 혼아

– 이상화, 「빼앗긴 들에도 봄은 오는가」

이 시의 구절은 자신을 강가에 나온 아이에 비유하여 아무것도 하지 못하는 모습을 자조적인 어조로 표현하고 있습니다.

02 [화자의 정서 파악] 정답 ①

(가)는 임(단종)과 이별한 슬픔과 안타까움을 '촉불'을 통해 드러내고 있다.

[오답 풀이]

② 자신의 궁핍한 처지로 인한 좌절감은 드러나 있지 않다.

③ 이별로 인한 서러운 심정은 나타나 있다고 할 수 있지만, 그 이별이 예기치 않은 것이라고 볼 수 있는 근거는 드러나 있지 않다.

④ 임과 함께하고 싶지만 함께하지 못하는 슬픔은 확인할 수 있지만, 이상과 현실의 괴리에서 느끼는 실망감은 표출되어 있지 않다.

⑤ 거스를 수 없는 자연의 섭리에 대한 경외감은 드러나 있지 않다.

03 [시어 및 시구의 의미 파악] 정답 ⑤

㉤의 '날과 갈아서'는 '나와 같아서'라는 의미로 촛불과 화자 자신을 동일시하는 표현이라 할 수 있다.

04 [화자의 태도 파악] 정답 ④

(나)의 화자는 임(단종)에 대한 변함없는 지조와 절개를 지키려는 의지를 드러내고 있다. 그러나 ④는 송순의 시조로, 자연 속에서 안빈낙도와 물아일체의 삶을 살고 싶어 하는 화자의 마음이 드러나 있다.

[오답 풀이]

① 원천석의 시조로, 임(단종)을 향한 굳은 절개와 충성심을 드러내고 있다.

② 정몽주의 시조로, 고려 왕조에 대한 충성심을 드러내고 있다.

③ 박팽년의 시조로, 충신과 간신의 구분이 어지러운 현실을 풍자하면서 임(단종)을 향한 일편단심의 의지를 드러내고 있다.

⑤ 박팽년의 시조로, 종장에서 님님마다 다 좇을 수는 없다며 여러 임금을 섬길 수 없다는 다짐을 드러내고 있다.

05 [시어 및 시구의 의미 파악] 정답 ③

(나)의 화자는 ⓐ가 수양산의 고사리를 캐어 먹으며 목숨을 연명한 행위를 지조와 절개를 지키지 않은 것이라 비판하고, 이를 통해 자신의 절의가 그들보다 굳음을 부각하고 있다. ⓑ는 (다)의 화자가 이별한 대상으로, 화자에게 이별로 인한 슬픔을 안겨 주는 대상이라 할 수 있다.

[오답 풀이]

① (나)와 (다)의 화자는 모두 내적 갈등을 겪고 있지 않다.

② (나)의 화자는 ⓐ와 자신을 구별하며 수양 대군이 왕위를 찬탈한 상황에서 자신의 굳은 절의를 드러내고 있으므로 ⓐ가 화자로 하여금 자신이 처한 상황을 받아들이게 하는 대상이라는 진술은 적절하지 않다. (다)의 화자는 ⓑ와의 이별을 슬퍼하고 있으므로 ⓑ가 화자로 하여금 자신의 상황을 받아들이게 하는 대상이라는 진술은 적절하지 않다.

④ (나)의 화자는 ⓐ를 비판함으로써 자신의 굳은 절의, 즉 의지적 태도를 드러내고 있다. 그러나 (다)의 화자는 ⓑ를 통해 체념적 태도를 드러낸다고 할 수 없다.

⑤ (나)의 화자는 과거에 대한 추억을 환기하고 있지 않으며, (다)의 화자도 미래에 대한 기대감을 보이고 있지 않다.

06 [표현상의 특징 파악] 정답 ②

(다)는 자연물인 시냇물을 활용하여 이별로 인한 화자의 슬픔을 구체화하여 드러내고 있다.

[오답 풀이]

① (다)에는 색채 이미지가 나타나지 않는다.

③ (다)에 수미 상관의 구조는 드러나 있지 않다.

④ (다)에 계절적 속성을 드러내는 시어는 사용되지 않았다.

⑤ (다)에는 의미가 대조되는 시어가 나타나지 않으며, 대상에 대한 풍자도 나타나지 않는다.

Q 수미 상관 구조가 뭔가요?

A '수미 상관'의 사전적 의미는 '머리와 꼬리, 처음과 끝이 서로 이어 통함.'입니다. 문학에서 '수미 상관'이란 '처음과 끝부분이 비슷한 내용이나 구절, 또는 문장으로 배치되는 방식'을 의미합니다. 이때 처음과 끝부분이 반드시 똑같지 않아도 돼요. 다음과 같이 비슷한 구절이 배치된 것도 수미 상관으로 볼 수 있어요.

예 모란이 피기까지는
나는 아직 나의 봄을 기다리고 있을 테요. (중략)
모란이 피기까지는
나는 아직 기다리고 있을 테요 찬란한 슬픔의 봄을

– 김영랑, 「모란이 피기까지는」

07 [외적 준거에 의한 작품 감상] 정답 ⑤

(다)의 화자는 임과 이별한 슬픔을 드러내고 있을 뿐, 극한적 상황을 설정하여 임, 즉 단종을 지키지 못한 암담한 심경을 표출하고 있지는 않다. 반면 〈보기 2〉의 화자는 자신이 죽는 극한적 상황을 설정하여 단종에 대한 절의를 굽히지 않겠다는 강인한 의지를 드러내고 있다. 따라서 (다)와 〈보기 2〉 모두 극한적 상황을 설정하여 단종을 지키지 못한 화자의 암담한 심경을 표출하였다는 진술은 적절하지 않다.

[오답 풀이]

① 〈보기 1〉에서 금부도사였던 왕방연이 단종을 강원도 영월까지 호송하는 책임을 맡았다고 설명하고 있다. 따라서 그의 작품인 (다)에서의 '고은 님'은 강원도 영월에 두고 온 단종을 의미한다고 할 수 있다.

② (다)에서는 임과 화자 사이의 거리감을 '천만리'라는 표현으로 과장하여 나타냄으로써 단종과 다시 만나기 어렵다는 화자의 인식을 드러냈다고 할 수 있다.

③ 〈보기 1〉에서 수양 대군이 어린 조카인 단종을 위협하여 왕위를 빼앗았으며 성삼문은 수양 대군이 권력을 획득한 이후 단종 복위 운동을 계획하다 모의 사실이 밝혀져 죽음을 맞았다고 설명하고 있다. 따라서 성삼문의 작품인 〈보기 2〉에서 '낙락장송 되어' '독야청청하'겠다는 화자에 대립하여 세상에 가득한 '백설'은 왕위를 찬탈한 수양 대군 일파를 의미한다고 할 수 있다.

④ 〈보기 2〉는 초장에서 질문을 하고, 중장과 종장에서 그에 대해 자신이 답변을 하는 형식으로 단종에 대한 대한 절개를 지키겠다는 의지를 드러냈다.

08 [시어 및 시구의 의미 파악] 정답 ⑤

(다)의 '져 물도 닉 은 곳ᄒᆞ여'에서 '닉 은'은 울면서 밤길을 흘러가는 '져 물'처럼 임과 원치 않는 이별을 한 화자의 슬픈 마음을 드러낼 뿐 임에 대한 원망의 마음을 담고 있지는 않다.

[오답 풀이]

① (가)의 화자는 촛불의 촛농이 떨어지는 모습을 보며 마치 촛불이 울고 있는 것처럼 표현하였는데, 이것은 촛불에 임과 이별한 자신의 슬픈 감정을 이입한 것이다. 따라서 촛불의 '눈물'은 화자의 눈물과 슬픔을 표현한 것이라고 할 수 있다.

② (가)에서 촛불은 화자가 자신의 감정을 이입한 대상으로 화자와 동일시되는데, 이는 '저 촉불 날과 같아서'에서 확인할 수 있다.

③ (다)의 '천만리 머나먼 길히'에서 '천만리'는 화자와 임 사이의 심리적 거리가 매우 멀다는 것을 과장하여 표현한 것이다.

④ (다)의 '고은 님 여희옵고'에서 '여희옵고'는 '이별하고'의 의미로, 화자가 임과 이별한 상황에 처해 있음을 확인할 수 있다.

09 [시어의 중의성 파악]

〈보기〉에서 '백이', '숙제'가 수양산에 들어가 고사리를 캐어 먹고 지내다가 죽었다고 설명하고 있으므로 '수양산'은 '백이'와 '숙제'가 몸을 숨기고 고사리를 캐어 먹던 장소를 지시한다고 할 수 있다. 또한 (나)의 창작 배경과 의미를 고려할 때, '수양산'은 '세조'가 즉위하기 전의 군호(君號)인 '수양 대군'을 암시한다고 할 수도 있다.

03강

십 년을 경영ᄒᆞ여 | 논밧 가라 기음 미고 | 곡구롱 우는 소릐에

본문 020쪽

01. ③ 02. ③ 03. ④ 04. ③ 05. ④ 06. ③ 07. ③ 08. ② 09. ④ 10. (가) 인간과 자연의 조화 속에서 물아일체의 삶을 추구하는 자세를 드러내고 있다. / (나) 고된 노동 속에서도 흥취를 느끼는 삶의 태도를 드러내고 있다. / (다) 전원에서 가족들과 평온하게 어울려 살아가는 태도를 드러내고 있다.

01 [표현상의 특징 파악] 정답 ③

(가)는 근경에서 원경으로 이동하는 모습을 보여 주고 있지만, 공간의 이동은 드러나 있지 않으며, 역동적인 분위기가 나타나지도 않는다.

[오답 풀이]

① 'ᄒᆞᆫ 간'을 반복적으로 나열하여 리듬감을 형성하고 있다.

② '돌 ᄒᆞᆫ 간에 청풍 ᄒᆞᆫ 간 맛져 두고'에서 '돌'과 '청풍'에 인격을 부여하여 친근감 있는 대상으로 표현하고 있다.

④ '강산'은 '들일 듸'가 없으니 마치 병풍처럼 둘러 두고 보겠다는 기발한 발상을 통해 자연과 하나된 모습을 효과적으로 드러내고 있다.

⑤ 근경은 가까운 곳에 있는 경치를, 원경은 먼 곳에 있는 경치를 말한다. 중장에서는 달이 보이고 바람이 드는 초려삼간을 근경으로, 종장에서는 멀리 둘러져 있는 강산을 원경으로 드러내어 자연의 경치를 다양하게 묘사하고 있다.

02 [표현상의 특징 파악] 정답 ③

오전에 '논밧 가라 기음 미고' 일하러 갈 준비를 한 뒤 '산중'에 들어가서 나무를 한 다음 '점심' 도시락을 먹고 깨끗이 씻은 후 여유로운 시간을 보내다 '석양이 지 너머 갈 제' 노래를 부르며 돌아오는 모습을 그리고 있다. 따라서 시간적 배경을 제시하며 시적 상황을 드러내고 있다는 진술은 적절하다.

[오답 풀이]

① 어조의 변화나 시적 긴장감은 드러나지 않는다.

② '긴 소릐 져른 소릐'는 청각적 심상이 맞지만 이를 통해 화자의 처지를 부각하고 있지는 않다. 또한 '긴 소릐 져른 소릐'의 주체는 화자에게 관찰, 묘사되고 있는 시적 대상이지 이 시의 화자가 아니다.

④ 동일한 구절의 반복이나 이를 통한 주제의 강조는 드러나지 않는다.

⑤ 시선의 이동이 아닌, 공간의 이동과 시간의 흐름에 따른 농부의 하루 일과를 보여 주고 있다.

03 [반응의 적절성 파악] 정답 ④

농부의 하루 일과를 시간의 흐름, 공간의 이동에 따라 보여 주고 있을 뿐, 농가에서 1년 동안 해야 할 농사에 관한 실천 사항이 구체적으로 나타나 있지는 않다.

[오답 풀이]

① '오전 → 저녁'으로의 시간의 흐름과 '논밧 → 산중 → 식옴'으로의 공간의 이동에 따라 시상을 전개하고 있다.

② '삭짜리', '셥', '도슭', '부시이고' 등의 순우리말과 일상적인 어휘를 사용하여 서민적 정서를 사실적으로 그리고 있다.
③ 고된 일을 끝내고 집으로 돌아오는 길에 노래를 부르는 모습에서 풍류적인 태도를 확인할 수 있다.
⑤ '산중'에서 '마른 셥'을 모아 놓고 '식옴'을 찾아가서 점심을 먹은 후 입담배를 피우고 콧노래를 부르며 조는 모습에서 힘든 농사일을 하면서도 여유를 즐길 줄 아는 농부의 낙천적인 모습을 확인할 수 있다.

04 [작품 간 공통점 파악] 정답 ③

(나)의 중장에서는 '식옴'에서의 농부의 일상적 행위를 나열하여 고된 노동 속에서 느끼는 여유로움을 표현하고 있다. (다)의 중장에서는 가족들의 일상적인 모습을 나열하여 한가롭고 여유로운 일상의 풍경을 보여 주고 있다.

[오답 풀이]

① (나)의 초장, (다)의 초장 모두 화자가 겪고 있는 문제 상황은 드러나 있지 않다. (나)의 초장에서는 대상이 오전에 행한 일상적인 행위가, (다)의 초장에서는 화자의 한가로운 일상의 모습이 드러나 있다.
② (나)의 종장, (다)의 초장 모두 다른 대상에 빗대어 화자의 생각을 드러내고 있지 않다. (나)의 종장에서는 여유와 흥겨움을 느끼는 대상의 모습이, (다)의 초장에서는 화자의 한가로운 일상의 모습이 드러나 있다.
④ (나)의 중장에서는 '톡톡'이라는 음성 상징어를 활용하고 있지만, (다)의 종장에서는 음성 상징어를 사용하고 있지 않다.
⑤ (나)의 종장에서는 농부가 노래를 부르며 집으로 돌아가는 모습을 보여 주고 있고, (다)의 초장에서는 꾀꼬리 소리에 낮잠에서 깬 화자의 일상적인 모습을 보여 주고 있다. 그러나 외적인 특징을 묘사하여 대상이 지닌 속성을 표현하고 있지는 않다.

Q 음성 상징어가 뭔가요?

A '음성 상징어'는 소리나 움직임을 표현한 말로, 의성어와 의태어가 이에 속합니다. 문장에 사용되어 생동감이나 현장감을 살리고 운율을 형성하기도 합니다.

㉥ 동지(冬至)ㅅ 돌 기나긴 밤을 한 허리를 버혀 내여
춘풍(春風) 니불 아레 서리서리 너헛다가
어론 님 오신 날 밤이여든 구뷔구뷔 펴리라 - 황진이

'서리서리'는 '뱀 따위가 몸을 똬리처럼 둥그렇게 감고 있는 모양'을, '구뷔구뷔'는 '여러 굽이로 구부러지는 모양'을 표현한 의태어입니다.

05 [공간의 의미 파악] 정답 ④

㉠은 욕심 없는 청빈한 생활을 하면서 자연과 한데 어우러진 삶을 추구하는 풍류의 공간이다. ㉡은 고달픈 일과 후 휴식을 취하며 여유를 즐기는 공간이다.

[오답 풀이]

① ㉠은 화자가 추구하는 이상적인 삶이 실현되는 공간이라 할 수 있지만, ㉡은 이상과 현실의 괴리를 자각하는 공간이라 할 수 없다.
② ㉠은 고독감이 아니라 자연에 대한 친근감을 심화시키는 공간이라 할 수 있고, ㉡은 전원에서 느낀 흥취가 아니라 노동 후의 여유를 느끼는 공간이라 할 수 있다.
③ ㉠은 자연과 동화된 삶을 추구하는 공간이라 할 수 있지만, ㉡은 농사일의 보람이 아니라 농사일 후의 여유를 추구하는 공간이라 할 수 있다.
⑤ ㉠은 부정적인 현실의 모습을 부각하는 공간이 아니라 자연과 동화된 삶을 부각하는 공간이라 할 수 있다. ㉡은 고단한 일상을 회피하기 위해 찾아가는 공간이라기보다는 고단한 일상 속 여유를 즐기기 위해 찾아가는 공간이라 할 수 있다.

06 [시어의 의미 파악] 정답 ③

ⓒ '버히거니'는 '자르거나'의 의미이다.

07 [사설시조의 특징 파악] 정답 ③

(가)는 평시조, (나)와 (다)는 사설시조이다. 안정적인 형식으로 관념적 세계와 미의식을 표현한 것은 주로 사대부들이 창작했던 평시조의 특징이다.

[오답 풀이]

① 사설시조는 형식 면에서 중장이 제한 없이 길어져 장형화되었다.
② 사설시조는 중인뿐만 아니라 서민들도 창작·향유하였다.
④ 사설시조는 다양한 표현 기법을 활용하여 대상을 생동감 있게 그려냈다.
⑤ 사설시조는 서민들이 창작·향유한 만큼 실생활의 소재들을 활용하여 일상에서 일어나는 일들을 진솔하게 다루었다.

08 [외적 준거에 의한 작품 감상] 정답 ②

〈보기〉에서는 시조에서 자연에 대한 인식이 서로 다르게 나타난다고 설명하며 (가)는 자연을 '안빈낙도'의 공간으로, (나)는 자연을 삶의 현장이자 흥취를 느끼는 공간으로 그리고 있다고 설명하였다. 이를 참고하여 (가)의 화자는 '강산'에서 벗어나려 하는 것이 아니라 '강산'을 둘러 두고 보면서 '돌', '청풍'과 한데 어우러져 살아가고자 하는 삶의 태도를 보인다고 이해할 수 있다.

[오답 풀이]

① (가)의 '초려삼간'은 화자가 욕심 없이 청빈한 생활을 하는 안빈낙도의 공간으로 볼 수 있다.
③ (나)의 '산중'은 농부가 '셥흘 뷔거니 버히거니' 하며 땀 흘리며 일해야 하는 노동의 공간으로 볼 수 있다.
④ (나)의 '점심 도슭'은 '산중'에서 '셥'을 마련한 후 휴식을 취하며 맛보는 소박한 음식이라 볼 수 있다.
⑤ (나)에서 '엇씌롤 추이즈며' 부르는 '긴 소릐 져른 소릐'에서는 농사일을 끝낸 농부들의 여유와 흥겨움을 느낄 수 있다.

09 [외적 준거에 의한 작품 감상] 정답 ④

〈보기〉에서는 조선 후기 시조에서 볼 수 있는 특징을 설명하고 있다. (나)의 '석양'은 노동을 마치고 농부가 집으로 돌아가는 시간적 배경을 드러낸 것으로, 흥취를 느끼는 농부들의 모습과 함께 그려지고 있다. (다)의 '곡구롱 우는 소릐'는 평화로운 분위기를 자아내는 청각적 이미지가 드러나는 시구로, 여유 있게 일상을 보내는 일가족의 모습과 함께 제시되고 있다. 따라서 이러한 시어와 시구가 서민들의 삶의 애환을 담아내고 있다는 진술은 적절하지 않다.

[오답 풀이]

① (나)의 '뷔거니 버히거니'는 자연 속에서의 노동을 생동감 있게 표현한 것이다.

② (다)의 '글 니르고', '뵈 ᄶᅡᆫ는'은 전원에서의 여유로운 일상적 모습을 나열한 것이다.

③ (나)의 '산중'에서는 섶을 베거나 자르는 노동이 이루어지고 있으며, (다)에서 '술 걸으'는 행위는 일상생활을 영위하는 것이므로, '산중'은 노동의 현장, '술 걸으'는 공간은 일상적 공간으로 볼 수 있다는 진술은 적절하다.

⑤ (나)의 '코노릐 조오다가'는 고단한 노동 중에, (다)의 '낫좀'은 일상생활 속에서 여유를 즐기는 서민들의 모습이라고 볼 수 있다.

10 [한국 서정 문학의 특징]

(가)에서는 자연과 조화롭게 살아가고자 하는 삶의 태도를 엿볼 수 있다. (나)에서는 고된 노동 속에서도 흥취를 느끼는 낙천적인 삶의 태도를 확인할 수 있다. (다)에서는 전원에서 가족들과 평온하고 한가롭게 살아가는 모습을 엿볼 수 있다.

04강

동지ㅅ돌 기나긴 밤을 | 묏버들 갈힌 것거 | 꿈에 다니는 길이

본문 024쪽

01. ① **02.** ⑤ **03.** ④ **04.** ⑤ **05.** ③ **06.** ④ **07.** ⑤ **08.** ④ **09.** Ⓐ 사랑하는 임이 부재한(결핍된) 시간이면서 느리게 흘러간다. Ⓑ 임과 함께하는 긍정적(충족된) 시간이면서 빨리 지나간다. Ⓒ 임이 부재한 '동지ㅅ돌 기나긴 밤' 시간을 잘라 두었다가 임과 함께하는 날 밤 시간을 연장하고자 한다.

01 [작품 간의 공통점 파악] 정답 ①

(가), (나), (다)는 모두 임과 이별한 상황에서 느끼는 안타까움과 임에 대한 그리움을 드러내고 있다.

[오답 풀이]

② (가), (나), (다) 모두 화자 자신의 불우한 처지로 인한 좌절감을 표출하고 있지 않다.

③ (가), (나), (다)에서 임과 이별한 상황을 부정적 현실이라고 보았을 때, (나)의 화자가 임에게 묏버들을 보내는 것을 이별의 상황을 극복하고자 하는 것으로 볼 수는 있으나 (가), (다)는 부정적 현실에 대한 극복 의지를 드러냈다고 보기 어렵다.

④ (가), (나), (다) 모두 절망스러운 심정보다는 임에 대한 간절한 그리움과 사랑을 드러내고 있다.

⑤ (가), (나), (다) 모두 임에 대한 간절한 그리움을 드러낼 뿐 현재에 비해 미래가 나아질 것이라는 기대감이 표출되어 있다고 보기는 어렵다.

02 [표현상의 특징 파악] 정답 ⑤

(나)의 '심거 두고 보쇼서'와 '날인가도 너기쇼셔'는 화자가 자신을 잊지 말라는 염원을 담아 임에게 당부하는 것일 뿐 임에게 다시 돌아올 것을 요구하고 있다고 볼 수는 없다.

[오답 풀이]

① (가)의 '동지ㅅ돌 기나긴 밤'은 임이 부재하는 시간을, '어론 님 오신 날 밤'은 임과 함께하는 시간을 의미하는 것으로, 대비되는 표현을 통해 화자의 상황과 정서를 강조하고 있다고 할 수 있다.

② (가)의 '버혀 내여', '너헛다가', '펴리라'는 추상적인 개념인 '시간'을 구체적인 사물처럼 필요 없을 때 잘라 넣었다가 임이 오시면 펴고 싶다고 변용한 것으로, 임에 대한 화자의 절실한 그리움을 표현하고 있다고 할 수 있다.

③ (가)의 '서리서리', '구뷔구뷔'는 음성 상징어를 활용하여 임이 부재한 시간을 잘라 보관해 두었다가 임이 오신 날 밤 시간을 연장하고 싶다는 화자의 심정을 표현하고 있다고 할 수 있다.

④ (나)의 '보내노라 님의손듸'는 도치법을 통해 임에게 마음을 전하고 싶은 화자의 심정을 강조하고 있다고 할 수 있다.

> **Q '추상적 개념의 구체화'가 뭔가요?**
>
> **A** 실체가 없는 개념을 오감(五感)으로 느낄 수 있는 것처럼 표현하여 독자가 마음속에서 감각적으로 대상을 형상화할 수 있도록 도와주는 것을 말합니다.
>
> 예 전원(田園)에 나믄 흥(興)을 전나귀에 모도 싯고
> 계산(溪山) 니근 길로 흥치며 도라와셔
> 아히야 금서(琴書)를 다스려라 나믄 히를 보내리라.
>
> – 김천택
>
> 추상적 관념인 '흥(興)'을 나귀에 짐 싣듯이 싣는다고 표현한 것에서 추상적 개념의 구체화를 확인할 수 있습니다.

03 [표현상의 특징 파악] 정답 ④

(가)는 추상적 대상인 '밤'이라는 '시간'을 상상력을 통해 마치 물질인 것처럼 구체화하여 베어 내고 갈무리해 뒀다가 다시 펼쳐 낼 수 있는 대상으로 표현하고 있다.

[오답 풀이]

① '서리서리', '구뷔구뷔'와 같은 음성 상징어를 통해 우리말의 묘미를 잘 살리면서 생동감을 주고 있다.

② 일정한 음보와 음절 수를 반복하여 운율을 형성함으로써 리듬감을 자아내고 있다.

③ '넣다'와 '펴다'처럼 의미상 대립되는 시어를 사용하여 화자의 정서를 효과적으로 드러내고 있다.

⑤ 동짓달의 긴 '밤'이라는 시간을 마치 사물인 것처럼 그 중간을 잘라 내어 보관했다가 임이 오신 날 밤 펴고 싶다고 표현하여 임과 긴 시간을 함께하고 싶은 마음을 강조하고 있다.

04 [소재의 의미 파악] 정답 ⑤

'묏버들'은 화자의 심정을 대변하는 소재이며, 그리운 임에게 보내는 화자의 분신이다. 또한 임에 대한 화자의 그리움을 임에게 전하는 매개물이며 임이 자신을 잊지 않기를 바라는 마음의 표현이라 할 수 있다. 그러나 화자와 임 사이의 정서적 거리를 보여 주는 대상은 아니다. '묏버들'은 비록 몸은 떨어져 있지만 마음만은 임 곁에 항상 있겠다는 화자의 의지를 드러내는 징표이므로 화자와 임 사이의 정서적 거리를 보여 준다고 할 수 없다.

05 [시어의 의미 파악] 정답 ③

ⓐ는 밤비에 새로 돋아나는 버들잎으로, 임이 화자 자신인

것처럼 여겨 바라보아 주기를 바라는 대상이다. 즉 ⓐ는 자신을 잊지 말고 생각해 달라는 화자의 간절한 호소를 임에게 전하는 매개물이다. ③은 귀뚜라미의 넋이라도 되어 임에게 사랑을 전달하고 싶은 심정을 노래한 작품으로, 여기서 '실솔'은 화자의 감정이 이입된 대상이자 임의 곁에 있고 싶어 하는 애틋하면서도 간절한 연모의 정을 전하는 매개물이다.

[오답 풀이]

① 기생이었던 한우가 자신에게 구애하는 임제의 시조에 대해 사랑을 허락한 화답가로, 여기에서 '원앙침'은 화자 자신을 의미하는 소재이다.

② 임과 헤어진 뒤 임에 대한 그리움을 표현한 작품으로, 여기에서 '추풍낙엽'은 화자의 정서를 심화하는 소재이다.

④ 서경덕이 정인이었던 황진이를 생각하며 지은 작품으로, 임이 오기 어려운 상황에서 임을 기다리는 안타까운 심정이 나타나 있다. 여기에서 '바람'은 화자의 착각을 유발하는 소재이다.

⑤ 봄날 해 질 무렵 연못 주변의 풍경을 통해 화자의 쓸쓸하고 외로운 심정을 표현한 작품으로, 여기에서 '갈매기'는 화자의 외로움을 자극하는 객관적 상관물이다.

> **Q 객관적 상관물은 뭔가요?**
>
> **A** 화자가 자신의 정서를 표현하기 위하여 활용하는 사물이나 자연물 등을 뜻합니다. 객관적 상관물은 화자의 정서와 일치하여 화자의 정서를 대신 표출하기도 하고, 화자의 정서와 반대되어 화자의 정서를 강조하기도 하며, 화자가 어떠한 정서를 떠올리게 하는 매개체가 되기도 합니다. 객관적 상관물이 화자의 정서와 일치하는 경우는 감정 이입이라고 합니다.
>
> ㉮ 펄펄 나는 저 꾀꼬리 / 암수 서로 정답구나
> 외로워라, 이내 몸은 / 뉘와 함께 돌아갈꼬 — 황조가
>
> 여기서는 화자의 정서와 반대되는 자연물인 '꾀꼬리'를 객관적 상관물로 활용하여 화자의 정서를 강조하고 있어요.

06 [시어의 의미 파악] 정답 ④

㉡은 화자가 꿈속에서라도 임을 만나기 위해 찾아갔음을 나타내는 흔적으로, 화자는 꿈에 다니는 길에 자취가 있다면 자신이 자주 찾아가 임의 집 창밖의 돌길이 닳았을 것이라 말하고 있다. 따라서 ㉡은 임을 만나고 싶어 하는 화자의 간절한 그리움과 임에 대한 사랑을 나타내는 표현이라고 할 수 있다.

[오답 풀이]

① 임과 이별한 화자의 처지와 동일시되는 대상이라 할 수 없다.

② 임에 대한 사랑을 나타내는 시어로, 화자의 고독감을 심화시키는 배경이라 할 수 없다.

③ 임에게 전하는 화자의 사랑을 보여 주는 표현으로, 화자와 임 사이를 가로막는 장애물이라 할 수 없다.

⑤ 화자가 임에게 자신의 사랑을 표현하는 소재라 할 수는 있지만, 화자가 임과 함께한 시간을 떠올리게 하는 매개체라고 할 수는 없다.

07 [외적 준거에 의한 작품 감상] 정답 ⑤

(나)에서 '새닙'을 자신으로 여겨 달라고 당부한 것은 화자가 임에게 자신을 잊지 말아 달라고 하는 호소인 동시에 자신 역시 임에 대한 사랑을 지켜 나가겠다는 의지의 표현이라 할 수 있다. 따라서 이를 화자의 체념적 자세로 파악하는 것은 적절하지 않다.

[오답 풀이]

① (가)에서는 임과 함께하는 것이 현재로서는 불가능한 일이기에 임이 부재하는 시간인 '동지ㅅ돌 기나긴 밤'을 잘라 내어 넣어 둠으로써 결핍된 시간, 즉 임이 부재하는 시간을 극복하려 한 것이라 할 수 있다.

② (가)에서는 '어론 님 오신 날 밤' 시간을 연장하겠다는 발상을 통해 임과 함께하는 시간이 오래도록 지속되었으면 하는 바람을 드러낸 것이라 할 수 있다.

③ (나)에서는 '묏버들'을 '님의손듸' 보낸다는 표현을 통해 화자가 임과 이별한 상황에서도 임에게 전하고 싶은 연모의 정이 남아 있음을 드러낸 것이라 할 수 있다.

④ (나)에서 '자시는 창밧긔 심거 두고 보'라고 당부한 것은 비록 몸은 떨어져 있더라도 마음만은 임의 곁에 있고 싶다는 화자의 바람과 임에 대한 사랑을 지키겠다는 마음을 표현한 것이라 할 수 있다.

08 [작품의 공통점, 차이점 파악] 정답 ④

(다)의 '님의 집 창'은 화자가 꿈에서라도 닿고 싶은 공간이고, 〈보기〉의 '사창'은 임이 부재하는 공간이다. 따라서 창이 임과의 만남을 돕는 기능을 한다는 것은 적절하지 않다.

[오답 풀이]

① (다)에서는 '그를 슬퍼하노라', 〈보기〉에서는 '하도 그리워'를 통해 화자의 정서를 직접적으로 표현하고 있다.

② (다)에서는 초장에서 상황의 가정을, 〈보기〉에서는 3구에서 상황의 가정을 통해 예상되는 결과를 말하고 있다.

③ (다)와 〈보기〉의 화자는 자취가 남지 않는 것을 슬퍼하고 있으므로, 화자의 마음이 임에게 전달되지 못하는 안타까움을 드러내고 있다고 할 수 있다.

⑤ (다)의 '석로라도 닳으리라', 〈보기〉의 '돌길 모래로 변하였으리'에서는 '길'이 닳거나 '모래'가 되는 상태 변화를 통해 화자의 그리움의 정도를 나타내고 있다고 할 수 있다.

09 [시적 상황 및 화자의 대응 파악]

'동지ㅅ돌 기나긴 밤'은 사랑하는 임이 부재하는 결핍된 시간이면서 느리고 지루하게 흘러간다. '어론 님 오신 날 밤'은 임과 함께하는 충족된 시간이면서 빨리 지나간다. 따라서 화자는 임이 부재한 시간을 잘라 두었다가 임과 함께하는 시간을 연장하고자 하는 바람을 표현하고 있다.

05강

어져 내 일이야 | 이화우 흣뿌릴 제 | 나모도 바히돌도 업슨

본문 028쪽

01. ② **02.** ⑤ **03.** ⑤ **04.** ① **05.** ② **06.** ③ **07.** ④ **08.** 계절의 변화를 나타내어 이별 후의 시간의 흐름(시간적 거리감)을 나타낸다. / 하강의 이미지를 통해 이별의 상황을 드러낸다. **09.** (1) '가랴마는'과 '제 구틔야'를 도치법으로 볼 수 있다. 이때 '제'는 임을 의미하므로, '(내가) 있으라고 붙잡았다면 임이 구태여 갔으랴마는, (임을) 보내고'로 해석할 수 있다. (2) '제 구틔야'를 중장과 종장의 행간 걸침으로 볼 수 있다. 이때 '제'는 화자 자신이 되므로, '있으라고 붙잡았다면 (임이) 갔으랴마는, 내가 구태여 (임을) 보내고'로 해석할 수 있다. **10.** [형식적 특징] 중장의 길이가 길어졌다. / [효과] 수다스럽게 상황을 나열하여 해학성을 드러낸다.

01 [표현상의 특징 파악] 정답 ②

(가)에서 대비되는 시어의 활용은 드러나 있지 않다.

[오답 풀이]

① '어져', 'ᄒᆞ노라'의 영탄적 표현을 통해 이별에 대한 화자의 안타까움을 드러내고 있다.

③ 이 글은 한자어를 거의 사용하지 않고 전체적으로 순우리말을 구사하여 이별의 정한을 섬세하게 드러내고 있다.

④ 부사 '구틔야'를 사용하여 화자의 심리적 갈등을 진솔하게 드러냈다.

⑤ 임과 이별한 여성 화자의 어조를 통해 그리움의 정서를 효과적으로 표현하고 있다.

02 [화자의 정서 및 태도 파악] 정답 ⑤

(가)의 화자는 '제 구틔야'의 '제'에 적용되는 중의적 표현을 통해 자신이 있으라 하면 '임이' 굳이 갔겠느냐, 또는 '자신이' 굳이 임을 보내고 그리워하는 정은 자신도 모르겠다는 두 가지 의미를 함축하여 임을 보낸 자신의 행동을 후회하고 있다. 이에 비해 (나)의 화자는 임이 부재한 상황에서 느끼는 안타까움과 외로움을 드러내고 있다.

[오답 풀이]

① (가), (나)의 화자 모두 자신의 정서를 다른 대상에 이입하여 드러내는 감정 이입이 드러나지 않는다.

② (가)의 화자는 대상을 보낸 것을 후회하고 있지만 대상에게 사랑을 갈구하고 있지는 않다. (나)의 화자 역시 대상이 자신을 생각해 주기를 바라고 있을 뿐 대상을 거부하고 있지는 않다.

③ (가), (나)의 화자 모두 임과의 이별로 인한 그리움과 안타까움을 느끼고는 있지만, 그러한 처지에서 벗어나기 위해 적극적으로 행동하고 있지는 않다.

④ (가)의 화자는 이별에 대한 회한을 드러내고 있을 뿐 체념적 태도를 드러내고 있지 않다. (나)의 화자도 임에 대한 간절한 그리움을 드러내고 있을 뿐 굳은 다짐을 드러내고 있지 않다.

03 [표현상의 특징 파악] 정답 ⑤

(나)는 '이화우'가 흩뿌리는 봄부터 '추풍낙엽'이 지는 가을까지 시간의 흐름을 바탕으로 헤어진 임에 대한 화자의 생각과 정서를 드러내고 있다.

[오답 풀이]

① (나)에 공감각적 표현은 드러나 있지 않다.

② 과거 화자가 임과 이별할 때 이화우가 흩뿌리던 날과 현재의 추풍낙엽이 지는 상황이 대조적으로 드러나기는 하지만, 대비를 통해 미래에 대한 전망을 제시하고 있지는 않다.

③ (나)에 자연물에 인격을 부여한 의인화된 표현은 드러나 있지 않다.

④ (나)에서 설의적 표현은 찾아볼 수 없으며 현실에 대한 비판적 태도 또한 드러나 있지 않다.

04 [외적 준거에 의한 작품 감상] 정답 ①

(나)의 '이화우'는 화자와 임이 이별하던 과거의 계절적 상황을 보여 주는 시어로, 가슴 시린 이별 당시의 상황을 묘사하는 소재이다. 따라서 임에 대한 변함없는 화자의 사랑을 반영한 자연물로 볼 수 없다.

[오답 풀이]

② 〈보기〉에서는 고전 시가 중 헤어진 임에 대한 그리움과 사랑을 표현한 작품들의 경우, 여성 작가가 자신이 실제 겪었던 이별의 상황과 아픔을 진솔하게 표현한 작품이 있다고 설명하고 있다. 작가가 여성인 '계랑'인 것으로 볼 때 (나)에서의 '님'은 작가 자신이 실제 겪었던 이별 상황에서의 연인으로 해석할 수 있다.

③ 시적 대상인 '저'도 '날 ᄉᆡᆼ각ᄂᆞᆫ가'라는 표현을 통해 화자가 여전히 시적 대상인 임을 그리워하고 있음을 확인할 수 있다.

④ '천 리'라는 시어는 임과의 공간적 · 물리적 거리를 드러낸다고 할 수 있다. 따라서 '천 리'라는 시어를 통해 임과 멀리 떨어져 있는 화자의 현재 상황을 표현했다고 볼 수 있다.

⑤ 임과 헤어진 상황에서의 '외로온 쑴'은 임을 향한 그리움을 구체화하면서 표현된 것이라 볼 수 있다.

05 [표현과 정서의 파악] 정답 ②

(다)의 중장에서는 도사공이 처한 상황을 나열하여 극한적인 상황을 과장되게 표현한 뒤 종장에서 이와 비교하여 임과 이별한 화자의 정서가 더욱 절박하고 절망적임을 부각하고 있다.

[오답 풀이]

① 초장에서는 절박한 상황에 빠진 '가토리'의 상황을 가정하여 제시하고 있는데 이 상황이 비현실적인 것은 아니며 화자가 궁극적으로 염원하는 바를 제시한다고 볼 수도 없다.

③ 종장의 서두에는 감탄사가 제시되어 있지 않다.

④ 초장과 중장은 각각 '가토리'와 '도사공'의 절박한 상황을 드러내고 있을 뿐 자연물의 변화를 바탕으로 화자의 현실 극복 의지를 암시하고 있지는 않다.

⑤ 초장과 중장은 대상만 다를 뿐 공통적으로 각각의 대상이 처한 절박한 상황을 보여 주고 있다. 따라서 초장과 중장의 대립된 상황을 통해 화자의 처지가 변화함을 나타낸다는 진술은 적절하지 않다.

06 [시어 및 시구의 의미 파악] 정답 ③

'매게 쪼친 가토리'는 절박하다는 측면에서 화자와 비슷한 처지에 놓여 있어 화자와 비교되는 대상이다.

[오답 풀이]

① '어져'는 감탄사로 이를 서두에 제시하여 이별로 인한 화자의 정한의

깊이를 드러내고 있다.

② '보내고 그리는 정'은 자존심 때문에 떠나는 임을 말리지 않았지만 보내고 그리워하는 화자의 심리적 갈등을 드러내고 있다.

④ '노도 일코~치도 빠지고'에서는 배를 움직이는 장비가 점점 악화되는 상황을 열거하여 '도사공'의 암담함과 절망감이 고조되고 있음을 드러내고 있다.

⑤ '내 안히야 엇다가 ㄱ을ᄒᆞ리오'는 '가토리', '도사공'과의 비교를 통해 결국은 화자의 상황이 가장 암담함을 부각하고 있다.

07 [표현상의 특징 파악] 정답 ④

(다)에서는 임과 이별한 암담한 심정을 드러내기 위해 도사공이 처한 극한의 상황을 과장하여 수다스럽게 나열하였는데, 이 부분에서 슬픔을 해학적으로 승화시킨 웃음의 미학이 나타나고 있다.

[오답 풀이]

① 대상의 우스꽝스러운 행위는 드러나 있지 않다.

② 대상이 지닌 어리석은 측면은 드러나 있지 않다.

③ 유사한 음을 반복하거나 말의 배치를 바꿔서 표현한 언어유희는 드러나 있지 않다.

⑤ '도사공'이 처한 절박한 상황이 구체적으로 서술되어 있기는 하지만, 음성 상징어는 사용되지 않았다.

Q 사설시조에서의 '웃음의 미학'이 뭔가요?

A 사설시조에서의 '웃음의 미학'이란 주로 해학과 풍자를 의미합니다. 해학과 풍자는 웃음을 유발한다는 점에서는 공통적입니다. 그러나 해학은 인물에 대해 연민과 동정을 불러일으키는 웃음이고, 풍자는 말뚝이가 양반을 공격하는 것처럼 대상에 대한 날카로운 비판이라는 점에서 구분됩니다.

㉠ 「흥부전」에서 흥부가 형 놀부에게 먹을 것을 얻으러 갔다가 형수에게 밥주걱으로 뺨을 얻어맞습니다. 이때 흥부가 밥주걱에 붙은 밥풀을 떼어 먹으면서 반대쪽 뺨을 내밀고 '여기도 때려 주십시오, 형수님.'이라고 말하는 부분에서 '해학'을 느낄 수 있습니다.

㉠ 「봉산 탈춤」에서 '말뚝이'가 양반들을 '개잘량 양 자에 개다리 소반 반 자'로 표현하며 조롱하는 부분에서 '풍자'를 느낄 수 있습니다.

08 [표현 및 효과의 파악]

㉮는 과거 임과 이별할 때의 계절적 상황을 나타내고 ㉯는 임과의 이별이 지속되고 있는 현재의 계절적 상황을 나타낸다. 따라서 ㉮, ㉯는 계절의 변화를 나타내어 이별 후의 시간의 흐름을 나타낸다. 또한 이화우는 비처럼 내리는 배꽃, 추풍낙엽은 가을바람에 떨어지는 나뭇잎으로 둘다 하강의 이미지를 통해 이별의 상황을 드러내고 있다.

09 [표현 및 효과의 파악]

'제 구틔야'는 중의적 의미를 가지는데, 임을 주어('제')로 하여 임의 행위를 강조하는 도치로 볼 수도 있고, 화자를 주어로 하여 행간 걸침으로 볼 수도 있다. 임을 주어로 하면 '임에게 있으라고 했더라면 임이 굳이 떠났겠느냐마는'으로 해석할 수 있고, 화자를 주어로 하면 '임에게 있으라고 했더라면 임이 떠났겠느냐마는 / 내 굳이'로 해석할 수 있다.

10 [사설시조의 특징 파악]

(가), (나)는 평시조, (다)는 사설시조이다. 사설시조의 '사설'은 '말씀 사(辭)'와 '말씀 설(說)'이 결합된 말로 '사설이 장황하다'와 같이 쓰이는 데서 알 수 있듯이 입말이 늘어지는 것을 표현한다. 사설시조는 평시조에 비해 중장의 길이가 길고, 중장에서 수다스럽게 상황을 나열하여 해학적인 분위기를 형성한다.

06강

님이 오마 ᄒᆞ거놀 | 어이 못 오던가 | 개를 여라믄이나 기르되

본문 032쪽

01. ④ 02. ③ 03. ④ 04. ② 05. ③ 06. ④ 07. ⑤
08. [표현상의 특징] '너(임)'가 오지 못하게 하는 장애물을 반복적·연쇄적으로 나열하였으며 과장되게 표현하였다. / [효과] '너(임)'가 오지 못하는 상황에 대한 화자의 답답하고 안타까운 마음을 강조하고 있다. / [화자의 심정] '너(임)'가 자신을 찾아오지 않는 것을 원망하고 있다. **09.** 쾌쾌, 버동버동, 캉캉 / 운율을 형성하고 생동감, 해학성을 살린다.

01 [작품 간의 공통점 파악] 정답 ④

(가)에서는 화자의 경솔한 행동을 통해 임과의 만남에 대한 화자의 들뜬 마음을 드러내고 있다. (나)에서는 오지 않는 임을 기다리는 답답하고 안타까운 마음을 표현하고 있다. (다)에서는 사랑하는 임을 기다리는 화자의 애절한 마음과 임에 대한 원망을 '개'에 대한 원망을 통해 드러내고 있다. 따라서 (가)~(다) 모두 대상의 부재에서 느끼는 정서가 드러나 있다고 할 수 있다.

[오답 풀이]

① (가)~(다) 모두 화자가 처한 참담한 생활상은 드러나 있지 않다.
② (가)~(다) 모두 자신의 처지에 대한 원망이 표출되어 있지는 않다. (나)의 종장에서는 오지 않는 '너', 즉 임에 대한 원망을 드러내고 있으며, (다)에서는 임에 대한 원망을 개에 대한 원망으로 전가하여 표현하고 있다.
③ (가)~(다) 모두 상대에 대한 연민의 정서는 드러나 있지 않다. 오히려 (나)와 (다)에는 상대에 대한 원망의 정서가 드러나고 있다.
⑤ (가)~(다) 모두 자연에 대한 친화적인 태도는 드러나 있지 않다.

02 [표현상의 특징 파악] 정답 ③

(가)에서는 설의적 표현이 나타나지 않는다. 설의적 표현은 (나)의 종장에서 나타나며 이를 통해 오지 않는 임에 대한 화자의 원망을 효과적으로 드러내고 있다.

[오답 풀이]

① (가)에서는 화자가 '주추리 삼대'를 '임'으로 착각한 상황을 '주추리 삼대'가 '솔드리도' 자신을 속였다고 표현하고 있다. '솔드리도'는 '살뜰하게도'라는 의미로 무언가를 긍정적으로 묘사할 때 사용하므로 반어적 표현을 통해 화자의 낭패감을 드러내고 있다고 할 수 있다.
② (나)의 중장에서는 임이 나에게 오지 못하게 막는 방해물로서 일상적인 소재들을 연쇄적으로 연결하여 임을 기다리는 심정을 표현하고 있다.
④ (나)의 초장에서는 '무슴 일노 못 오던가'라고 하여 임이 오지 않는 이유에 대해 질문함으로써 임이 오지 않는 것에 대한 화자의 안타까움을 드러내고 있다.
⑤ (가)에서는 '주추리 삼대'를 임으로 착각하여 임에게 달려가는 모습으로 과장된 행동을 나열하여 임을 만나고 싶은 마음을 표현하고 있다. (나)에서는 임이 오지 않는 이유를 과장되게 추측하여 나열함으로써 임을 기다리는 안타까운 심정을 드러내고 있다.

03 [시구의 의미 파악] 정답 ④

'정엣말~소겨다'는 화자가 '주추리 삼대'를 임으로 착각한 것을 '주추리 삼대'가 자신을 속인 것으로 표현한 것이지, 사랑하는 임에게 화자가 속았음을 자각하는 부분이 아니다.

[오답 풀이]

① 'ㄱ'은 임을 기다리고 있는 시적 상황을 제시하고 있는 부분이다.
② 'ㄴ'은 임에 대한 그리움, 임을 빨리 만나고 싶은 마음으로 인해 화자가 착각을 하고 있는 부분이다.
③ 'ㄷ'은 타인의 시선을 의식하지 않고 허둥대며 임을 만나러 가는 화자의 모습이 드러나는 부분이다.
⑤ 'ㅁ'은 화자가 '주추리 삼대'를 임으로 착각하였다는 사실을 확인하고, 밤이었으니 다행이지 만약 낮이었다면 남들이 자신의 행동을 보고 웃었을 것이라며 타인의 시선을 의식하고 스스로를 애써 합리화하고 있는 부분이다.

04 [외적 준거에 의한 작품 감상] 정답 ②

'보션', '신'이라는 소재는 주변에서 흔히 볼 수 있는 소재는 맞지만 임의 소중함을 상징하고 있지는 않다.

[오답 풀이]

① '곰븨님븨'는 엎치락뒤치락 급히 구는 모양을, '천방지방'은 허둥대는 모양을 나타내는 음성 상징어로 (가)에서는 이를 활용하여 화자의 허둥대는 행동을 생동감 있게 표현하고 있다.
③ '주추리 삼대'를 임으로 착각하여 허둥지둥 달려가는 화자의 우스꽝스러운 모습에서 해학성이 드러나고 있다.
④ 임을 그리워하는 화자의 절실한 마음을 드러내기 위해 화자가 임을 만나러 가는 행위를 과장되게 구체적으로 제시하다 보니 중장이 장형화되었다고 볼 수 있다.
⑤ '즌 듸 ᄆᆞ른 듸 골희지' 않고 임에게 가서 정이 있는 말, 즉 마음에 품은 말을 하려는 모습에서 임에 대한 자신의 애정을 서슴없이 표현하려는 화자의 대담성을 엿볼 수 있다.

05 [작품의 종합적 이해] 정답 ③

이 글은 임이 왜 오지 않는지 이유를 상상하여 따지는 것으로 시상이 전개되는데, 그 이유들이 연쇄적으로 이어지면서 시상이 전개되기는 하지만 배경 설화를 바탕으로 하고 있지는 않다.

[오답 풀이]

① '너(임)'를 오지 못하게 하는 장애물을 열거하며 임에 대한 간절한 그리움을 드러내고 있다.
② '못 오던가(오던다)'의 구절, '~고(코)'의 통사 구조를 반복하여 운율을 형성하고 있다.
④ 중장에서 사물을 연쇄적으로 나열함으로써 오지 않는 임에 대한 간절한 기다림의 마음을 드러내고 있다.
⑤ 종장에서는 설의적 표현을 통해 올 수 있음에도 오지 않는 '너(그리운 임)'에 대한 원망을 드러내고 있다.

06 [외적 준거에 의한 작품 감상] 정답 ④

임에 대한 원망을 개에게 전가하는 장치를 통해 오지 않는 임에 대한 원망과 그리움을 해학적으로 표현했다고 할 수는 있으나 여기에 화자의 내면적 갈등이 드러나 있지는 않다.

[오답 풀이]

① (다)의 초장, 종장에서는 설의적 표현을 통해 개에 대한 원망의 정서를 드러내고 있다.

② (다)의 중장에서는 '홰홰', '버동버동', '캉캉' 등의 음성 상징어로 개의 행동을 묘사하여 화자의 바람과 다르게 행동하는 개와 그런 개를 얄밉게 생각하는 주인의 관계를 드러내고 있다.

③ (다)의 초장에서는 '얄믜오랴'라고 하며 개에 대한 미움을 직접적으로 드러내고, 종장에서는 그 미움을 쉰밥이 남아도 주지 않을 정도라고 구체적으로 표현했는데, 이는 모두 임에 대한 화자의 원망을 간접적으로 드러낸 것이다.

⑤ '뮈온 님' 오면 반갑다고 꼬리 치고, '고온 님'이 오면 짖어서 쫓아 버리는 모습에서 대조되는 대상에 대한 개의 상반된 행동을 확인할 수 있다. 이를 통해 결국 개에 대한 원망과 미움의 정서가 임과 관련된 것임을 보여 준다고 할 수 있다.

07 [소재의 의미 파악] 정답 ⑤

(가)에서 ㉠은 화자가 '임'으로 착각한 대상으로, 이는 화자가 임과의 만남을 기대하게 만든 소재라 할 수 있다. (다)에서 ㉡은 미운 임은 반기고 고운 임은 쫓아내어 화자와 임의 만남을 방해하는 소재라 할 수 있다.

[오답 풀이]

① ㉠과 ㉡ 모두 화자가 경외감을 가지고 바라보는 소재라 할 수 없다. ㉡의 경우 화자가 임에 대한 원망을 전가한 대상이라 할 수 있다.

② ㉠과 ㉡ 모두 세월의 흐름을 나타내어 인생의 허무감을 느끼게 하는 소재라 할 수 없다.

③ ㉠은 화자의 처지와 대비되는 소재가 아닌, 화자가 '임'으로 착각하는 소재이고, ㉡은 화자와 처지가 동일한 소재가 아닌, 원망의 대상이라 할 수 있다.

④ ㉠은 현재 상황에 대한 인식의 계기라 할 수 없으며 ㉡ 역시 과거의 사건에 대한 반성의 계기라 할 수 없다. (나)에는 반성의 정서가 나타나지 않는다.

08 [표현상 특징과 정서의 파악]

(나)의 중장에서는 '너(임)'가 오지 못하게 하는 장애물을 반복적·연쇄적으로 나열하여 과장되게 표현하였다. 이를 통해 결국은 '너(임)'가 오지 못하는 상황에 대한 화자의 답답한 마음과 안타까운 마음을 강조하고 있는 것이다. (나)의 종장에는 오지 않는 '너(임)'에 대한 원망이 드러나 있다.

09 [음성 상징어의 효과 파악]

(다)에서는 우리말의 의태어 '홰홰', '버동버동'과 의성어 '캉캉'을 활용해 얄미운 개의 행동을 표현함으로써 운율을 형성하고 생동감을 부여하며 해학적인 느낌을 주고 있다.

07강

창 내고쟈 창을 내고쟈 | 한숨아 셰 한숨아

본문 036쪽

01. ④ **02.** ② **03.** ③ **04.** ⑤ **05.** ② **06.** ④ **07.** ⑤ **08.** ⑤ **09.** (1) 삶의 답답함을 해소시켜 주는 통로 (2) 화자는 답답한 현실을 벗어나기 위해 가슴에 창을 내어 여닫고 싶다고 할 정도로 주어진 현실을 극복하려는 의지를 지니고 있다. **10.** (1) 문의 종류와 부속물 같은 일상적 사물들을 나열하였다. / 음성 상징어를 사용하여 상황을 생동감 있게 표현하였다. / 과장과 수다스러운 진술을 통해 해학성을 부여하고 있다.(이 중 2개) (2) (가)의 화자는 마음의 답답함을 창을 내어 밖으로 내보내려 하고, (나)의 화자는 문단속을 철저하게 하고 틈을 없애서 근심이나 시름이 들어오지 못하게 하려고 한다.

01 [작품 간의 공통점 파악] 정답 ④

(가)의 화자는 근심으로 답답한 마음을 '방'에 비유하고 '창'을 내어 답답함을 풀어 보고자 한다. (나)의 화자는 한숨에 인격을 부여하여 '너'로 구체화하고, 자물쇠를 채우고 문단속을 철저히 하여 한숨이 들어오는 것을 막으려고 하였다고 한다. 따라서 (가)와 (나)는 모두 추상적인 관념을 구체화하여 시적 상황을 드러내고 있다고 할 수 있다.

[오답 풀이]

① (가), (나) 모두 자연물에 인격을 부여하여 생동감을 느끼게 하고 있지는 않다. (나)에서 인격을 부여하고 있는 '한숨'은 자연물이 아니라 추상적인 관념에 해당한다.

② (나)는 '드러온다(들어오느냐)'라는 의문형 어미를 활용하여 '한숨'으로 인한 괴로운 마음을 강조하고 있다고 할 수 있다. 그러나 (가)에는 의문형 어미가 드러나 있지 않다.

③ (나)는 '한숨'에게 말을 건네고 있지만 대화를 나누고 있지는 않으며 (가)는 답답한 마음에서 벗어나고자 하는 심정을 혼잣말의 형식으로 표현하고 있다.

⑤ (가), (나) 모두 계절적 배경을 소재로 하고 있지 않다.

02 [화자의 태도 파악] 정답 ②

(가)의 화자는 가슴에 창을 내서라도 답답한 마음에서 벗어나고자 하는 적극적인 태도를 드러내고 있다. (나)의 화자는 문단속을 철저히 하듯 마음에 한숨이 비집고 들어오지 못하도록 하고자 하는 적극적인 태도를 드러내고 있다. 따라서 (가), (나)의 화자 모두 현재의 문제를 해결하고자 하는 적극적인 의지를 드러낸다고 할 수 있다.

[오답 풀이]

① (가), (나)의 화자 모두 자신의 처지를 운명으로 받아들이지 않고 벗어나고자 하는 적극적인 태도를 보이고 있다.

③ (가), (나)의 화자 모두 현실의 문제에서 벗어나고자 하는 태도를 보이고 있기는 하지만, 이상적인 공간으로 가고 싶은 소망을 드러내고 있지는 않다.

④ (가), (나)의 화자 모두 서민들의 고통을 외면하는 양반들의 욕심에 대한 비판적 태도는 드러나지 않는다.

⑤ (가), (나)의 화자 모두 각각 현실의 근심과 한숨이 나오는 상황을 해

결하지는 못하지만, 이것을 해결하지 못하는 데 대한 자책을 드러내고 있지는 않다.

03 [갈래상의 특징 파악] 정답 ③

관념적이고 추상적인 표현을 통해 절제되고 정제된 아름다움을 표현하는 것은 평시조에서 주로 나타나는 특징이다. (가)와 (나)는 사설시조로, 추상적인 대상을 구체화하여 서민들의 처지를 생생하고 진솔하게 표현하고 있다.

[오답 풀이]

① (가)와 (나)는 일상적인 소재의 나열과 과장된 표현으로 인해 중장이 현저하게 길어졌다.

② (가)와 (나)에서는 괴롭고 답답한 심정과 시름으로 인한 괴로움을 각각 가슴에 창을 만드는 것과 문을 철저히 단속하는 것으로 벗어나 보려는 해학적 발상을 보이고 있다. 이를 통해 현실에서 오는 고통이나 슬픔을 웃음으로 승화시키는 낙천적인 자세를 확인할 수 있다.

④ (가)에는 답답한 마음을 '방'에 비유하고 창을 내어 그것을 여닫는 것으로 답답함을 해소하려는 기발한 발상이, (나)에는 문의 단속을 철저히 해서 한숨이 들어오지 못하게 하려는 기발한 발상이 드러나 있다. 이를 통해 서민들의 삶의 고단함과 근심을 그려 내고 있다고 할 수 있다.

⑤ (가)와 (나)는 모두 창문이나 문과 관련된 일상적인 언어와 소재를 활용하여 현실에서의 근심을 견뎌 내려는 삶의 태도를 드러내고 있다고 할 수 있다.

04 [표현의 의도 파악] 정답 ⑤

(가)에서는 마음이 답답한 상황을 고통과 비애로 표현하지 않고 기발하고 참신한 발상으로 표현하여 웃음을 유발함으로써 괴로운 상황에서 벗어나 보려는 화자의 태도를 드러내고 있다.

[오답 풀이]

① (가)의 화자가 '창을 내'는 것은 마음의 답답함을 벗어나기 위해 행하려는 것이라 할 수 있다.

② '가슴에 창'을 내는 것은 불가능한 상황으로, 이러한 불가능한 상황을 설정함으로써 답답한 상황에서 벗어나고 싶은 화자의 간절한 마음을 드러내고 있다고 할 수 있다.

③ 중장에서는 창을 내는 과정을 재현하듯 문의 종류와 부속물들을 나열하여 수다스럽게 표현함으로써 화자가 처한 괴롭고 답답한 상황을 해학적으로 제시하고 있다고 할 수 있다.

④ '창 내고쟈'를 반복적으로 사용하여 절박하고 괴로운 상황에서 벗어나고자 하는 화자의 간절한 정서를 부각하고 있다고 볼 수 있다.

05 [화자의 태도 파악] 정답 ②

(가)의 화자는 삶의 답답함에서 벗어나고 싶은 마음을 해학을 통해 극복하려는 태도를 보이고 있다. 〈보기〉의 화자는 남편이 병든 힘든 상황 속에서도 남편에 대한 애틋한 마음을 보이며 해학적 태도로 현실의 어려움을 견뎌 내고 있다. 따라서 (가)와 〈보기〉는 자신이 처한 상황과 현실의 답답함을 해학적으로 극복하려는 태도를 보인다고 할 수 있다.

06 [표현상의 특징 파악] 정답 ④

(나)에서는 화자의 치밀한 문단속에도 불구하고 틈을 비집고 들어오는 한숨의 모습을 형상화하여 해학적인 분위기를 자아내고 있다.

[오답 풀이]

① '쑥닥', '딕딕글'과 같은 의성어, 의태어를 사용하여 한숨을 막기 위해 문단속을 하는 상황을 생동감 있게 표현하고 있다.

② '한숨'에 인격을 부여하여 '너'라고 지칭함으로써 대상에게 말을 건네는 듯한 형식을 취하고 있다.

③ 화자는 눈에 보이지 않는 추상적 대상인 '한숨'을 '틈으로' 들어오는 것으로 인식하고 표현함으로써 구체적으로 형상화하고 있다.

⑤ '장ᄌ', '돌저귀', 'ᄌ물쇠' 등 일상생활 속에서 쉽게 접할 수 있는 소재들을 나열하여 화자의 정서를 솔직하게 표현하고 있다.

07 [시구의 의미 파악] 정답 ⑤

㉠에서 화자는 한숨이 자신에게 들어오기 때문에 자신이 한숨을 쉬는 것으로 파악(초장)하고, 그것이 들어오지 못하도록 하기 위해 철저하게 문단속을 하여 틈을 막고자(중장) 하고 있다.

[오답 풀이]

① ㉠에서 화자는 일어나지 않은 일에 대해 해결 방법을 고민하고 있지 않다.

② ㉠에서 화자는 근심을 밖에서 들어오는 것으로 인식하고 있을 뿐 다른 이에게 영향을 주는 한숨에 대해 못마땅한 마음을 표현하고 있지는 않다.

③ ㉠에서 화자는 의도하지 않았는데 근심거리가 생긴 것에 대해 의구심을 표현하고 있지 않다. ㉠에서 화자는 한숨이 자신의 안에서 생긴다고 보는 것이 아니라 밖에서 들어오는 것으로 여기고 있다.

④ ㉠에서 화자는 한숨이 생기는 상황에 대해 언급하고 있을 뿐 한숨을 자꾸 쉬어서 자신이 가진 긍정적 기운이 빠져나갈까 봐 근심하고 있지 않다.

08 [소재의 의미 파악] 정답 ⑤

'병풍'은 추상적 대상인 '한숨'을 비유한 구체적 대상이다. 즉 ⓔ는 추상적 대상을 구체적 사물로 비유하여 형상화한 것이다.

[오답 풀이]

① '창'은 화자의 답답함을 해소시켜 주는 매개체이다.

② '쟝도리'는 답답함을 해소하기 위한 창을 만드는 데 사용되는 도구이므로 화자의 답답함을 해소해 주는 소재로 볼 수 있다.

③ '한숨'은 화자의 근심과 걱정을 구체적으로 집약시킨 대상이다.

④ 'ᄌ물쇠'는 화자가 한숨으로 잠을 이루지 못하는 답답한 상황에 처하지 않기를 바라는 마음이 담겨 있는 사물이다.

09 [소재의 상징성 및 화자의 태도 파악]

'창'은 화자가 답답한 마음을 해소하기 위해 마음에 내고자 하는 것이다. 따라서 '창'의 상징적 의미는 삶의 답답함을 해소시켜 주는 통로라고 할 수 있다. 이와 관련하여, 화자는 종장에서 가끔 너무 답답할 때면 가슴의 그 창을 여닫아 보겠노라 말하고 있다. 이를 통해 (가)의 화자는 답답한 현실을 벗어나기 위해 가슴에 창을 내어 그 창을 여닫고 싶다고 할 정도로 주어진 현실을 극복하려는 의지를 지니고 있음을 알 수 있다.

10 [작품의 공통점, 차이점 파악]

(가)와 (나)의 중장은 문의 종류와 부속물 같은 일상생활 속 사물들을 나열하였으며, (가)에서는 '쭝닥', (나)에서는 '쑥닥' 등과 같은 음성 상징어를 사용하여 상황을 생동감 있게 표현하였다. 또한 (가)와 (나)의 중장은 과장과 수다스러운 진술을 통해 해학성을 드러내고 있다는 점에서 공통된다. 그러나 내용상 (가)의 화자는 마음의 답답함을 창을 내어 밖으로 내보내려 하는 발상을 보이고, (나)의 화자는 문을 달고 문단속을 철저히 하여 근심이나 시름이 들어오지 못하게 하려 한다는 점에서 차이가 있다.

08강

시어머님 며늘아기 나빠 | 두터비 파리를 물고 | 일신이 사쟈 흔이

본문 040쪽

01. ⑤ 02. ② 03. ② 04. ① 05. ③ 06. ⑤ 07. ④
08. ⑤ 09. ③ 10. ㉮ 백성을 착취하고 괴롭히는 무리들 ㉯ 쉬프리

01 [표현상의 특징 파악] 정답 ⑤

(가)에는 반어적 표현이 사용되지 않았다.

[오답 풀이]

① '밤나무 썩은 등걸에 휘초리나 같이 알살피신 시아버님', '볕 뵌 쇠똥같이 되종고신 시어머님' 등을 통해 비유적 표현을 확인할 수 있다.

② '부엌 바닥을 구르지 마오'에서 명령형 어미가 활용된 것을 확인할 수 있다.

③ '볕 뵌 쇠똥같이 되종고신 시어머님', '삼 년 결은 망태에 새 송곳 부리같이 뾰족하신 시누이님' 등은 인물의 특징을 해학적으로 표현한 것이라고 할 수 있다.

④ '어디를 나빠 하시는고'에서 의문형 문장이 활용된 것을 확인할 수 있다.

02 [세부 내용의 파악] 정답 ②

'시아버님'을 '밤나무 썩은 등걸에 휘초리' 같다고 하였다. '휘초리'는 '시아버님'이 '며늘아기'를 매섭게 대한다는 것을 드러낸다.

[오답 풀이]

① '시어머님'이 '며늘아기'를 미워하여 '부엌 바닥을 구르'고 있으므로 '부엌 바닥'은 '시어머님'이 '며늘아기'를 미워하고 꾸중하는 공간이라고 볼 수 있다. '시어머님'과 '며늘아기'가 살림의 어려움을 공유하고 나누는 공간은 아니다.

③ '삼 년 결은 망태'는 삼 년을 써서 낡은 망태기라는 뜻인데 특정 기간을 강조하여 드러내는 것은 아니다. '삼 년 결은 망태'는 시누이의 뾰족한 성격을 강조하기 위해 사용한 소재이다.

④ '당피 간 밭에 돌피'는 '며늘아기'의 모습을 가리키는 것이 아니라 '아들'의 모습을 가리키는 것이다.

⑤ '샛노란 외꽃 같은 피똥 누는 아들'은 '며늘아기'의 어려움을 가중시키는 존재이다. 그러나 이 아들이 '시어머님'이 '며늘아기'를 미워하게 된 이유를 설명해 주는 것은 아니다.

03 [시구의 의미 파악] 정답 ②

'빚에 받은 며느리', '값에 쳐 온 며느리'라는 표현은 빚을 대신해 받은 며느리인 것처럼, 돈을 주고 사 온 며느리인 것처럼 며느리를 미워하고 있는 상황을 가리키는 것이다. 그러나 이를 통해 며느리에 대한 하대가 만연한 세태가 드러나는지는 확인할 수 없다.

[오답 풀이]

① '구르지 마오'는 며느리를 미워하는 시어머님의 행동에 변화를 바라며 당부를 전하는 표현이라고 할 수 있다.

③ '알살피신'은 시아버지를, '되종고신'은 시어머니를, '뾰족하신'은 시누

이를 수식하는 말이다. 시집 식구들을 말라빠진 모습, 매섭고 뾰족한 성격으로 표현한 것은 시집 식구들에 대한 부정적 인식을 나타낸 것이라고 할 수 있다.

④ 시어머니는 '볕 쬔 쇠똥'처럼 말라빠졌다고 하였으므로 '볕 쬔 쇠똥'은 시어머니의 외양을 희화화한 것이라고 할 수 있다.

⑤ '건밭에 메꽃 같은 며느리'는 며느리가 기름진 밭에 메꽃같이 고운 모습을 지니고 있다는 것을 나타낸다. 이는 시집 식구들에 대한 부정적 표현들과 대비되면서 며느리가 미워할 곳이 없는 사람임을 드러내는 표현이라고 할 수 있다.

04 [공간의 의미 파악] 정답 ①

'두터비'는 ⓐ 위에서 '파리'를 물고 앉아 위엄을 부리고 있다.

[오답 풀이]

② '두터비'는 '파리'를 물고 ⓐ에 앉아 있다. '두터비'가 ⓐ를 빼앗고자 하는 것은 아니다.

③ ⓑ는 '백송골'이 떠 있는 곳이다. '파리'를 괴롭히는 것은 '백송골'이 아니라 '두터비'라고 볼 수 있다.

④ '백송골'은 '두터비'가 두려워하는 존재이다. '백송골'이 '두터비'를 두려워하여 ⓑ로 도망한 것은 아니다.

⑤ '두터비'가 '파리'를 통해 ⓑ에 도달하지는 않는다. ⓑ는 '백송골'의 공간이다.

05 [시적 상황의 파악] 정답 ③

(가)의 중장부터 화자가 '두터비'로 바뀐다고 가정하면 중장은 '두터비'가 '백송골'을 보고 드러낸 행동(자신의 체험)과 자신의 심리를 직접 표현한 것으로 이해할 수 있다.

[오답 풀이]

① 중장부터 화자가 '두터비'로 바뀐다고 해도 '백송골'이 우위에 놓인 관계는 바뀌지 않는다.

② 중장에 '백송골'과 '두터비' 사이의 갈등의 원인이 다각적으로 제시되지는 않았다.

④ 종장은 '두터비'가 자신의 행동을 변명하는 것이다. 중장부터 화자가 '두터비'로 바뀐다고 종장에서 '두터비'가 부정적인 상황에 맞서려는 의지를 보이게 되는 것은 아니다.

⑤ 종장에서 '두터비'가 과거의 행적을 반성적으로 성찰하고 있지는 않다.

06 [시적 대상의 태도 파악] 정답 ⑤

'두터비'는 '백송골'로 인해 두엄 아래 자빠지고 나서 자신이 날랬기 때문에 위기를 모면할 수 있었다며 허세를 부리고 있다. '허장성세'는 '실속은 없으면서 큰소리치거나 허세를 부림.'을 뜻한다.

[오답 풀이]

① '오매불망'은 '자나 깨나 잊지 못함.'을 뜻한다.

② '자가당착'은 '같은 사람의 말이나 행동이 앞뒤가 서로 맞지 아니하고 모순됨.'을 뜻한다.

③ '침소봉대'는 '작은 일을 크게 불리어 떠벌림.'을 뜻한다.

④ '호가호위'는 '남의 권세를 빌려 위세를 부림.'을 뜻한다.

07 [표현상의 특징 파악] 정답 ④

'갈앙니', '슈통니', '별록', '빈대 삿기', '등에아비' 등 비슷한 대상을 열거하여 이 대상들에 대한 부정적 태도를 강조하고 있다.

[오답 풀이]

① 청유형 어미는 사용하지 않았다.

② 자연물에 감정을 이입하고 있지 않다.

③ 대상을 열거하고는 있지만 이들 대상은 서로 대조적인 성격이 아니라 유사한 성격을 지니고 있다.

⑤ '피ㅅ겨 ㄱ튼 갈앙니 볼리알 ㄱ튼 슈통니' 등에서 비유적 표현이 활용되었다. 그러나 이 표현을 통해 문제 해결의 시급성을 드러내고 있는 것은 아니다.

Q 감정을 이입한다는 것은 뭔가요?

A 고전 시가 작품을 설명할 때 자주 등장하는 표현이 자연물에 감정을 이입한다는 것입니다. 감정을 이입한다는 것은 화자의 감정을 자연물에 투영한다는 것으로, 화자의 감정이 기쁠 때 자연물 역시 기쁨을 지니고 있는 것처럼, 화자의 감정이 슬플 때 자연물 역시 슬픔을 지니고 있는 것처럼 표현하는 것입니다.

㉠ 수풀에 우는 새 춘기 못내 계워 소리마다 교태로다.

– 정극인, 「상춘곡」

이 작품에서는 아름다운 봄의 풍경을 완상하는 화자의 즐거움과 만족감이 '새'라는 자연물에 투영되어 '새'가 아양을 떨고 있다고 표현하고 있습니다. 즉 새에 화자의 감정을 이입한 것입니다.

08 [작품의 종합적 이해] 정답 ⑤

종장에 화자의 목소리가 나타나 있다고 볼 수 있으나 이를 통해 변화된 화자의 생활상을 드러내고 있는 것은 아니다. 화자는 가장 견딜 수 없는 것이 '오뉴월 복더위에 쉬ㅍ리'라고 말하면서 상황의 고통스러움을 표출하고 있다.

[오답 풀이]

① 초장에서는 화자가 겪고 있는 어려움이 '물썻' 때문이라고 밝히고 있다.

② 중장에서는 '갈앙니'는 피의 껍질같이 작고, '슈통니'는 보리알같이 크며, '빈대 삿기'는 비파 같다고 하는 등 여러 곤충의 외적 특성을 드러내고 있다.

③ 중장에 등장하는 '갈앙니', '슈통니', '별록', '빈대 삿기', ' 등에아비' 등은 화자가 부정적으로 인식하고 있는 대상이며, 화자는 이 대상들로 인한 상황에 대해 '얼여왜라'라고 말하며 비판적 태도를 드러내고 있다.

④ 종장에서 화자의 어려움이 극대화되는 시기는 '오뉴월'이며, 어려움을 극대화하는 대상은 '쉬ㅍ리'라고 밝히고 있다.

09 [외적 준거에 의한 작품 감상] 정답 ③

(다)가 서민들의 고통을 표출하고 있는 것은 것은 맞지만 그 고통은 지식의 부족에서 비롯된 것이 아니라 '물썻'으로 표현한 탐관오리 때문에 생긴 것이다.

[오답 풀이]

① (가)는 고된 시집살이를 하고 있는 며느리의 모습에 주목하여 시집살이라는 일상의 문제 상황을 다루고 있다.

② (나)의 초장에서는 '두터비'의 행동을, 중장과 종장에서는 '두터비'의

말을 희화화여 제시하며, 서민들의 삶의 문제를 해학적으로 보여 주고 있다.

④ 풍자의 대상이 되고 있는 (나)의 '두터비'와 (다)의 '쉬ᄑᆞ리'는 모두 일상의 소재로서 당시 서민들을 착취하던 탐욕스러운 관리들을 상징한 것이다. 그러므로 (나), (다)는 조선 후기의 사회상을 비판적으로 보여 주는 작품이라고 할 수 있다.

⑤ (가)의 '쇠똥', (나)의 '두엄', (다)의 '별록' 등은 일상적 소재에 해당하는 것으로, (가), (나), (다)와 같은 사설시조가 서민들의 삶과 밀착해 있음을 드러낸다.

10 [소재의 의미 파악]

'물쎳'은 백성을 착취하는 부류들을 상징한다. 종장의 '춤아 못 견듸쓴'이라는 표현에서 '쉬ᄑᆞ리'가 가장 견딜 수 없는 존재, 즉 착취와 횡포가 가장 극심했던 탐관오리임을 짐작할 수 있다.

09강 도산십이곡

본문 044쪽

01. ⑤ 02. ① 03. ② 04. ⑤ 05. ④ 06. ④ 07. ① 08. ⑤ 09. ③ 10. (1) 어듸 가 ᄃᆞ니다가 이제사 도라온고 (2) 벼슬에 마음을 두지 않고 학문에 다시 힘쓸 것이다.

01 [세부 내용의 파악] 정답 ⑤

화자가 목표 의식 없이 학문을 하는 제자들을 꾸짖고 있는 부분은 없다.

[오답 풀이]

① 〈제7곡〉의 '천운대 도라드러 완락재 소쇄ᄒᆞᆫ듸', '이 듕에 왕래 풍류'를 즐기고 있음을 보아 화자가 자연 속에서 생활하고 있음을 알 수 있다.

② 〈제10곡〉의 '어듸 가 ᄃᆞ니다가 이제사 도라온고'를 통해 화자가 학문의 길을 버려두고 벼슬길에 나아간 적이 있었음을 알 수 있다.

③ 〈제12곡〉의 '성인도 몯다 ᄒᆞ시니 긔 아니 어려온가'를 통해 화자가 학문의 길이 쉽지만은 않다고 생각하고 있음을 알 수 있다.

④ 〈제10곡〉의 '이제나 도라오나니 년 듸 ᄆᆞᄉᆞᆷ 마로리'를 통해 화자는 학문에 소홀했던 때가 있었음을 후회하고 있음을 알 수 있다.

02 [표현상의 특징 파악] 정답 ①

〈제8곡〉의 '뇌정이 파산ᄒᆞ야도 농자는 몯 듣ᄂᆞ니 / 백일이 중천ᄒᆞ야도 고자는 몯 보ᄂᆞ니', 〈제9곡〉의 '고인도 날 몯 보고 나도 고인 몯 뵈' 등에서 대구적 표현을 확인할 수 있다. 대구적 표현은 내용을 강조하고 운율감을 강화하는 기능을 한다.

[오답 풀이]

② 명사형으로 종결하고 있는 부분은 없다.

③ 계절적 배경을 활용하고 있는 부분은 없다.

④ '뇌정이 파산ᄒᆞ야도'에 청각적 심상이 드러난다고 볼 수 있으나 이를 통해 시적 분위기를 형성하고 있는 것은 아니다.

⑤ 대화체를 활용한 부분은 없다.

03 [시구의 의미 파악] 정답 ②

ⓐ는 학문에 정진하는 삶을 의미하는 것으로, 화자의 현재 삶의 모습이자 화자가 지향하는 삶의 모습에 대해 말해 준다.

[오답 풀이]

① 화자는 현재에도 학문에 정진하는 삶을 살고 있으므로 ⓐ가 미래에 이루고자 하는 바를 말해 주는 것이라고 볼 수 없다.

③ 화자가 학문에 정진하게 되면서 한가롭게 살 수 있게 된 것은 아니다.

④ 화자는 학문에 정진하면서 자신의 삶에 만족하고 있다. 화자가 학문을 하면서 쓸쓸함과 적막함을 느끼고 있는 것은 아니다.

⑤ 화자는 학문 정진에 대한 신념을 가지고 있으며, ⓐ는 화자가 내적으로 갈등하고 있는 원인이 아니다.

04 [화자의 태도 파악] 정답 ⑤

화자는 학문 정진에 대한 뜻을 밝히고 있으나, 학문 정진을 인재 양성이나 국가 발전을 위한 것으로 여기고 있지는 않다.

[오답 풀이]

① 〈제11곡〉의 '우리도 그티디 마라 만고상청 호리라'를 통해 화자가 학문 정진을 그치지 않고 지속적으로 해야 한다고 여기고 있음을 알 수 있다.

② 〈제9곡〉의 '고인을 몯 뵈도 녀던 길 알피 잇니'를 통해 옛 성현들의 가르침을 따르고자 하는 화자의 생각을 읽을 수 있다.

③ 〈제10곡〉의 '이제나 도라오나니 년 듸 ᄆᆞᄋᆞᆷ 마로리'를 통해 벼슬에 뜻을 두지 않고 진리 탐구에만 매진하겠다는 화자의 다짐을 읽어 낼 수 있다.

④ 〈제12곡〉의 '우부도 알며 ᄒᆞ거니 긔 아니 쉬운가'를 통해 학문은 누구나 할 수 있다는 화자의 생각을, '성인도 몯다 ᄒᆞ시니 긔 아니 어려온가'를 통해 학문을 제대로 하기는 어렵다는 화자의 생각을 파악할 수 있다.

05 [시어 및 시구의 의미 파악] 정답 ④

'당시예 녀든 길'은 학문 정진의 길로, '년 듸 ᄆᆞᄋᆞᆷ'을 두고 가던 길, 즉 벼슬길과는 대조적인 삶을 의미한다.

[오답 풀이]

① 천운대를 돌아들어 있는 '완락재'를 들며 '왕래 풍류'는 말해 무엇하느냐고 하였으므로 '왕래 풍류'는 '완락재'에서 즐길 수 있는 것이라고 할 수 있다.

② '농자'와 '고자'는 귀먹은 사람과 눈먼 사람으로, 이 글에서는 진리를 깨닫지 못하는 사람을 의미한다. 그러므로 '농자'와 '고자'는 눈과 귀가 밝은 사람이라는 뜻, 즉 학문을 닦아 도를 깨달은 상태를 의미하는 '이목총명 남자'와 대조적인 존재라고 할 수 있다.

③ '고인'을 못 뵈어도 고인이 가던 학문의 길이 앞에 있으니 가지 않을 수 없다고 하면서 '나'가 '고인'의 삶을 따르고자 하고 있음을 표현하고 있다.

⑤ '청산'은 '만고애 프르르'고 '유수'는 '주야애 긋디 아니'하다고 하였으므로 '청산'은 불변성에 대한, '유수'는 영원성에 대한 가르침을 주는 대상이라고 할 수 있다.

06 [표현상의 특징 비교] 정답 ④

[B]의 부정 표현 '년 듸 ᄆᆞᄋᆞᆷ 마로리'에서는 성인이 '녀든 길'을 버려두었던 자신의 지난 모습을 반성하는 자세를 보여 준다고 할 수 있다. 반면 [A]의 부정 표현 '몯 보고'와 '몯 뵈'는 종장의 '아니 녀고 엇뎔고'와 이어져 마땅히 '몯 뵈'었던 '고인'을 '고인'이 가던 길(학문의 길)에서 만나겠다는 화자의 의지를 드러내고 있을 뿐 반성하는 자세를 보여 준다고 할 수 없다.

[오답 풀이]

① [A]의 초장에는 '고인도 날 몯 보고'와 '나도 고인 몯 뵈'가 대구를 이루며 운율감을 형성하고 있다.

② [B]에서는 '당시'에 가던 길(학문)을 버렸다가 '이제나' 그 길로 돌아온 상황에서 화자가 앞으로의 삶의 방향을 다짐하는 기점(시작점, 기준점)을 확인할 수 있다.

③ [A]에서는 '아니 녀고 엇뎔고'에서 설의법으로 화자의 다짐을, [B]에서는 '이제사 도라온고'라는 의문형 어구로 과거에 대한 부정적 태도, 반성적 태도를 드러내고 있다.

⑤ [A]는 '초장(고인 몯 뵈) – 중장(고인을 몯 뵈도)'과 '중장(녀던 길 알피 잇ᄂᆡ) – 종장(녀던 길 알피 잇거든)'에서, [B]는 '중장(이제사 도라온고) – 종장(이제나 도라오나니)'에서 연쇄법을 사용하여 내용을 유기적으로 연결하고 있다.

07 [외적 준거에 의한 작품 이해] 정답 ①

〈제8곡〉에서는 '뇌정'과 '백일'에도 깨닫지 못하는 '농자'와 '고자'를 통해 진리를 깨우치지 못하는 사람들의 문제를 지적하고 있다. '농자'와 '고자'는 학문에 열중하는 모습을 표현한 것이 아니다.

[오답 풀이]

② 〈제9곡〉에서는 '나'와 '고인(옛 성인)'은 서로 만난 적이 없으나, '나'가 '고인'이 '녀던 길(학문의 길)'을 걸음으로써 그 길을 걸었던 '고인'의 삶을 따르겠다고 다짐하는 것을 확인할 수 있다.

③ 〈제10곡〉에서 '당시예 녀든 길'은 학문의 길을, '년 듸'는 학문의 길을 벗어난 것(벼슬길)을 의미하므로 둘은 대비가 된다. 또한 '이제사' 다시 그 길만을 걷고 '년 듸' 마음을 두지 않겠다는 다짐에서 학문에 대한 화자의 의지를 확인할 수 있다.

④ 〈제11곡〉에서는 '청산'과 '유수'의 영속성을 보며 자신도 그와 같이 '만고상청' 하며 끊임없이 학문의 길을 걷겠다는 화자의 다짐을 확인할 수 있다.

⑤ 〈제12곡〉에서는 '성인도 몯다' 할 정도로 학문 완성이 어렵다는 생각을 바탕으로 학문 수양을 위한 노력을 계속할 것임을 드러내고 있다.

Q 사대부 시가의 특징은 뭔가요?

A 이황의 「도산십이곡」은 대표적인 사대부 시가라고 할 수 있어요. 사대부들은 자연을 소재로 한 시조 작품을 통해 사대부의 관념적 인식을 드러냈는데, 사대부 시가에서 자연은 우주 만물의 보편타당한 이치가 내재되어 있는 공간으로서, 학문을 정진하고 내면을 수양할 수 있는 조화롭고 이상적인 곳으로 그려집니다. 이는 세속을 떠나 자연에서 머무는 사대부들뿐만 아니라 정계에 진출하여 벼슬을 했던 사대부들에게도 나타나는 공통적인 자연 인식이에요. 사대부 시가를 읽을 때 자연에 대한 사대부들의 이러한 인식을 염두에 두면 작품을 좀 더 쉽게 이해할 수 있을 거예요.

08 [표현상의 특징 파악] 정답 ⑤

〈제11곡〉에서는 '청산'과 '유수'라는 자연물을 소재로 하여 불변성과 영속성이라는 자연물의 속성을 본받고자 하는 마음을 표현하고 있다.

[오답 풀이]

① '청산'에서 색채 이미지를 떠올릴 수 있으나 색채어를 다양하게 활용하고 있지는 않다.

② '청산'과 '유수'를 통해 자연이라는 시적 공간을 파악할 수 있지만 자연을 묘사하고 있는 것은 아니며 자연의 탈속적 특성을 부각하고 있는 것도 아니다.

③ '청산'과 '유수'는 다른 속성을 지닌 대상이 아니라 유사한 속성을 지닌 대상이라고 할 수 있다.

④ '엇뎨ᄒᆞ야 만고애 프르르며', '주야애 긋디 아니ᄂᆞᆫ고'에 의문형 문장이 활용되었으나 이를 통해 부정적 현실에 대한 비판적 시각을 드러내고 있는 것은 아니다.

09 [외적 준거에 의한 작품 이해] 정답 ③

〈보기 1〉에서 이황은 이속의 말로 작품을 지어 노래를 하기에 좋도록 하겠다는 뜻을 밝히고 있다. '이속'의 말이란 사전적으로는 '상스럽고 속된' 말을 의미하는데, 유학자였던 이황에게는 고상하고 학문적인 한자어가 아닌, 일반 백성들이 일상적으로 사용하던 '우리말'을 의미하는 것이었다. '녀던 길 알퓌 잇거든 아니 녀고 엇델고'에는 한자어가 포함되어 있지 않아 이러한 뜻이 잘 드러난다고 할 수 있다.

[오답 풀이]

① '소쇄'는 기운이 맑고 깨끗하다는 뜻의 한자어로, 이속의 말이라고 하기 어렵다.

② '뇌정', '파산', '농자'는 이속의 말이라고 하기 어렵다.

④ '유수', '주야'라는 한자어가 쓰였다.

⑤ '만고상청'은 오랜 세월 동안 변함 없이 푸르다는 의미의 한자성어로, 이속의 말과 거리가 멀다.

10 [주제 의식의 파악]

작가는 이 작품을 통해 벼슬을 지낸 과거의 삶에 대해 회고하면서 학문에 정진하고자 하는 뜻을 밝히고 있다. 특히 〈제10곡〉의 '어듸 가 돈니다가 이제사 도라온고'에는 과거에 대한 화자의 후회가 잘 드러나 있다. 이러한 후회의 밑바탕에는 벼슬에 마음을 두지 않고 학문에 다시 힘쓰겠다는 화자의 다짐이 깔려 있다고 할 수 있다.

10강

고산구곡가

본문 048쪽

01. ⑤ **02.** ⑤ **03.** ③ **04.** ④ **05.** ④ **06.** ④ **07.** 벽파에 곳을 띄워 **08.** 일곡부터 구곡까지 '~은 어듸미오'라는 구절을 반복하여 작품에 통일성을 부여하고 있습니다.

01 [표현상의 특징 파악] 정답 ⑤

'관암에 히 비취다', '황혼에 낙대를 메고', '문산에 세모커다'에서 자연물을 통하여 시간적 배경을 시각적으로 드러내고 있음을 알 수 있다.

[오답 풀이]

① 화자가 과거를 회상하고 있는 부분은 제시되어 있지 않다.

② 생동감을 부각하는 음성 상징어는 사용되지 않았다.

③ 고산의 아홉 굽이의 경치가 아름다움을 표현하고 있을 뿐 점층적 표현을 통해 대상과의 거리감을 강조하고 있지 않다.

④ 주자에 대한 언급이 있지만 역사적 인물을 호명하여 회고적 분위기를 조성하고 있다고 볼 수는 없다.

02 [시어의 의미 파악] 정답 ⑤

〈제10수〉의 '유인'은 속세의 사람들로 자연의 아름다움과 자연에서 누리는 삶의 가치를 모르는 사람에 해당한다.

[오답 풀이]

① 〈제1수〉의 '사룸'은 고산의 구곡담을 모르는 사람들 또는 학문 수양의 방법이나 태도를 모르고 있는 이들을 가리킨다. 화자는 이런 '사룸'에게 고산의 뛰어난 경치 또는 학문에 정진하는 즐거움을 알려 주고자 하고 있다. 따라서 화자가 '사룸'과 마찬가지로 '학주자'에 대해 모른다고 한 설명은 적절하지 않다.

② 〈제2수〉의 '녹준'은 술통을 가리키는데, 이는 자연 속에서의 한가로운 삶과 풍류를 의미한다. 세속에서의 부귀영화를 떠올리게 하는 대상이 아니다.

③ 〈제3수〉의 '승지'는 경치가 좋은 곳이고, 화자가 현재 거처하고 있는 공간으로, 화자가 동경하는 공간이 아니다.

④ 〈제6수〉의 '은병'은 병풍처럼 되어 있는 절벽을 가리키는 것으로, 오곡의 풍경을 아름답게 표현한 것이다. '은병'을 통해 화자가 속세와 철저하게 단절되어 있는 상태라고 말할 수는 없다.

03 [세부 내용의 파악] 정답 ③

[A]에서 화자는 잡초가 우거진 들판에 안개가 걷히고 난 뒤의 먼 산을 그림 같다고 말하면서 자신을 찾아올 벗을 즐거운 마음으로 기다리고 있다. [A]에서 화자가 먼 산을 보면서 그리운 친구를 떠올리고 있는 것은 아니다.

[오답 풀이]

① [A]의 '관암에 히 비취다'를 통해 해가 뜬 아침을 시간적 배경으로 하고 있음을 알 수 있다.

② [A]의 중장에서 잡초가 우거진 들판에 안개가 걷히고 난 뒤의 먼 산을 그림 같다고 말하고 있다.

④ [A]의 '평무에 닉 거드니'에서 안개가 걷히며 달라진 산의 풍경을 표현하고 있음을 알 수 있다.

⑤ [A]에는 해가 뜰 무렵의 아름다운 산의 풍경을 바라보고 있는 화자의 기쁨과 만족감이 나타나 있다.

04 [구절의 의미 이해] 정답 ④

㉠에서 화자는 학문을 닦고 연구하는 일을 하고 맑은 바람과 밝은 달을 보면서 시를 지어 읊으며 즐기겠다고 말하고 있다. 이를 통해 화자가 자연 속에서 자연을 완상하고 풍류를 즐기면서도 학문에 정진하고자 하고 있음을 알 수 있다.

[오답 풀이]

① ㉠에서 화자는 자신의 학문 정진의 뜻을 드러내고 있을 뿐 후학을 양성하는 것에 대한 자부심을 표현하고 있지 않다.

② ㉠에는 화자가 자연에서 만족감을 느끼며 생활하고 있음이 나타나 있을 뿐 화자가 자연이 지닌 가치를 내면화하려고 노력하는 모습은 드러나지 않는다.

③ ㉠에서 화자가 속세에서 못다 이룬 꿈을 이루고자 한다는 것은 파악할 수 없다. 화자는 자연 속에서의 삶에 만족하고 있으며, 속세에 대한 미련을 갖고 있지 않다.

⑤ ㉠에서 화자가 풍류도 즐기고 학문에도 정진하고자 함을 알 수 있으나 화자가 풍류와 학문 사이에서 심리적 갈등을 하고 있지는 않다.

05 [화자의 공통된 정서 파악] 정답 ④

㉡은 '나와 물고기 중 누가 더욱 즐길 수 있으랴'라는 말로 화

자와 물고기 모두 자연을 즐기고 만끽하고 있다는 의미이며, 화자와 자연이 하나 되어 즐거움을 누리는 경지를 표현한 것이다. 송순의 시조 「십 년을 경영하여」에서 '나 한 칸 달 한 칸에 청풍 한 칸 맡겨 두고'는 자연과 삶을 공유하고자 하는 마음을 드러낸 것으로, 자연과 하나된 화자의 상태를 보여 준다.

[오답 풀이]

① 이 작품은 우탁의 시조이다. '귀밑에 해묵은 서리를 녹여 볼까 하노라'에서 귀밑에 해묵은 서리, 즉 흰 머리를 녹여 없애고 싶다는 화자의 마음을 읽을 수 있다. 이를 통해 이 작품은 늙음에 대한 한탄을 표현한 것임을 알 수 있다.

② 이 작품은 작자 미상의 시조이다. '가마귀 싸우는 골에 백로야 가지 마라'라고 하며 씻은 몸이 더럽혀질까 염려하는 마음을 표현하고 있다. 이를 통해 이 작품은 싸움, 부정한 것들과 거리를 두라는 경계를 표현한 것임을 알 수 있다.

③ 이 작품은 원천석의 시조이다. '아마도 세한 고절은 너뿐인가 하노라'라고 한 것을 통해 대나무의 곧은 절개를 예찬하는 작품이라는 것을 알 수 있다.

⑤ 이 작품은 홍랑의 시조이다. '묏버들 가려 꺾어' 임에게 보내고 '나인가도 여기소서'라고 하는 것을 통해 임에 대한 화자의 그리움과 사랑을 표현한 작품이라는 것을 알 수 있다.

06 [외적 준거에 의한 작품 감상] 정답 ④

'수변 정사'는 이이가 해주 석담에 지은 은병 정사를 가리키는 것으로, 자연 속에서 한가롭게 생활하면서 학문에 정진하며 후학을 양성하는 공간이다. '수변 정사'는 세속과 연결되는 공간이나 자연에서의 삶의 가치를 모르는 사람들을 일깨우는 곳이 아니라, 학문 정진과 후학 양성의 뜻을 펼치는 공간이라고 할 수 있다.

[오답 풀이]

① 〈보기〉에서 이이가 주자의 정신을 이어받아 은병 정사를 세우고 후학을 양성하였다고 하였으므로 '무이'를 상상한다는 것은 화자가 주자와 같은 삶을 지향한다는 것을 드러낸 것이라고 할 수 있다.

② '승지'는 경치가 좋은 곳, 즉 속세와 떨어져 있는 곳이다. 이는 주자가 후학을 양성하며 지낸 곳인 '무이산'과 같은 곳이므로 아름다운 자연을 가리키는 것이라고 할 수 있다.

③ '은병'은 '은병 정사'라는 이름과 연관되는 것으로, 화자가 거처하고 있는 자연, 삶의 공간이 주자의 '대은병', 즉 '무이산'과 유사하다는 것을 드러낸다.

⑤ '강학'과 '영월음풍'의 공간인 자연은 주자의 정신을 이어받아 실천하고자 하는 화자의 지향성을 드러내는 곳으로, 화자가 만족감을 느끼는 공간이라 할 수 있다.

Q 고전 시가에 자주 등장하는 주제는 뭔가요?

A 「고산구곡가」는 자연의 아름다운 경치를 묘사하고 그곳에서의 만족감을 드러낸 작품으로, 고전 시가에 자주 등장하는 주제를 담고 있어요. 고전 시가에 자주 등장하는 주제로는 자연에 대한 예찬, 지조와 절개, 효와 충, 늙는 것에 대한 슬픔 등을 꼽을 수 있어요.

특히 자연에 대해 예찬하고 있는 작품은 안빈낙도, 안분지족, 유유자적, 물아일체 등을 표현하고 있답니다.

- 안빈낙도(安貧樂道): 가난한 생활을 하면서도 편안한 마음으로 도를 즐겨 지킴.
- 안분지족(安分知足): 편안한 마음으로 제 분수를 지키며 만족할 줄을 앎.
- 유유자적(悠悠自適): 속세를 떠나 아무 속박 없이 조용하고 편안하게 삶.
- 물아일체(物我一體): 외부의 자연물과 자아가 어울려 하나가 됨.

지조와 절개를 다루는 작품에서는 소나무, 대나무, 매화 등이 상징물로 등장하는 경우가 많아요. 효와 충의 관념을 강조하는 작품은 가르침의 내용을 직접적으로 제시하는 경우가 많고, 늙는 것에 대한 슬픔을 표현한 작품에는 흰머리, 지팡이와 같은 소재가 자주 나온답니다.

07 [표현상의 특징 파악]

색채 이미지는 색깔을 표현하는 색채어를 통해 드러나기도 하지만 색채를 지닌 대상을 통해 드러나기도 한다. 이 작품에서 색채 이미지를 제시하여 자연의 아름다움을 표현하고 있는 구절은 '벽파에 곳을 씌워'이다. '벽파'는 '푸른 물결'이라는 뜻이다.

08 [외적 준거에 의한 작품 이해]

「고산구곡가」는 총 10수로 되어 있는데, 서사에 해당하는 〈제1수〉를 제외하고 일곡부터 구곡까지 형식적인 면에서 통일성을 갖추고 있다. 곧 '~은 어듸미오'라는 구절을 반복함으로써 구조적 안정감과 통일성을 얻고 있음을 알 수 있다.

11강

훈민가

본문 052쪽

01. ② 02. ④ 03. ③ 04. ③ 05. ③ 06. ④ 07. ①
08. (1) ᄆᆞ올 사ᄅᆞᆷ들하 올ᄒᆞᆫ 일 ᄒᆞ쟈ᄉᆞ라. 오ᄂᆞᆯ도 다 새거다 호믜 메고 가쟈ᄉᆞ라. 올 길에 뽕 따다가 누에 먹겨 보쟈ᄉᆞ라 (2) 청유형 어미(문장)를 활용하여 행동을 함께해 나갈 것을 권유하고 있다.(공감을 유도하고 있다.) 09. ② 10. 상부상조(相扶相助), 서로서로 도와 가며 힘을 합쳐 일을 한다.

01 [작품의 성격 파악] 정답 ②

백성들에게 유교적 덕목에 대한 가르침을 전하고 있는 작품으로 교훈적 성격이 두드러진다.

[오답 풀이]

① 화자의 감정이나 정서를 표현하고자 하는 작품이 아니므로 서정적이라고 말하기 어렵다.
③ 어떤 대상이나 인물, 자연 등을 예찬하고 있지 않다.
④ 백성들에게 바람직한 삶의 자세에 대해 가르쳐 주고 있을 뿐 어떤 특정한 인물이나 상황을 비판하는 데 주력하고 있지 않다.
⑤ 이 작품은 관조, 즉 '고요한 마음으로 사물이나 현상을 관찰하거나 비추어 보는 것'과는 거리가 멀다. 따라서 관조적이라고 볼 수 없다.

Q 시가의 성격을 나타내는 말에는 어떤 것들이 있나요?

A 「훈민가」는 교훈적인 성격이 두드러진 작품인데, 교훈적이라는 말은 그 의미가 어렵지 않아 쉽게 파악할 수 있어요. 그러나 시가의 성격을 나타내는 말 가운데 그 뜻이 어려운 말들도 많이 있어요. 그래서 이러한 말들을 알아 두면 시가를 이해하는 데 도움이 돼요.

- 관조적: 고요한 마음으로 대상을 관찰하고 음미하는.
- 관념적: 대상에 대한 인식이나 내용이 추상적이고 철학적인.
- 우의적: 다른 사물에 빗대어 어떤 뜻을 나타내거나 풍자하는.
- 역설적: 겉보기에는 모순되는 것 같으나 그 속에 진리가 함축되어 있는.
- 경세적: 세상 사람을 가르쳐 깨우치는.
- 서정적: 감정이나 정서를 표현하는.
- 서사적: 이야기의 형식으로 어떤 사건이나 현상을 기술하는.

02 [주제 의식의 파악] 정답 ④

<제9수>의 '풀목 쥐시거든 두 손으로 바티리라'는 어른을 공경하여 하는 행동을 나타내는 것이다. 화자가 가르침을 직접적으로 전달하는 내용이라고 보기 어렵다.

[오답 풀이]

① <제3수>의 'ᄒᆞᆫ 졋 먹고 길러나이셔 닷ᄆᆞ옴을 먹디 마라'는 한 부모에게서 자라난 형제는 우애를 해치는 마음을 먹어서는 안 된다는 가르침을 전달하고 있다.
② <제4수>의 '어버이 사라신 제 셤길 일란 다ᄒᆞ여라'는 부모님이 살아 계실 때에 극진히 섬기라는 가르침을 전달하고 있다.
③ <제8수>의 'ᄆᆞ올 사ᄅᆞᆷ들하 올ᄒᆞᆫ 일 ᄒᆞ쟈ᄉᆞ라'는 마을 사람들에게 옳은 일을 행해야 한다는 가르침을 전달하고 있다.
⑤ <제14수>의 '비록 못 니버도 ᄂᆞᄆᆡ 오ᄉᆞᆯ 앗디 마라'는 아무리 어려운 상황에서도 남의 것을 빼앗지 말라는 가르침을 전달하고 있다.

03 [표현상의 특징 파악] 정답 ③

<제14수>의 '비록 못 니버도 ᄂᆞᄆᆡ 오ᄉᆞᆯ 앗디 마라 / 비록 못 머거도 ᄂᆞᄆᆡ 밥을 비디 마라'에서 유사한 통사 구조를 활용하여 운율을 형성하고 있음을 확인할 수 있다.

[오답 풀이]

① 고사성어를 활용하고 있지 않다.
② 선경 후정의 방식을 활용하고 있지 않다.
④ 계절과 관련 있는 시어나 시구가 제시되지 않았다.
⑤ 'ᄒᆞ쟈ᄉᆞ라'와 '가쟈ᄉᆞ라'에 청유형 어미가 활용되었지만 이를 통해 문제 해결을 강조하고 있는 것은 아니다.

04 [시구의 의미 파악] 정답 ③

<제9수>의 '막대 들고 조ᄎᆞ리라'는 어른께서 나갈 데가 있을 때에 지팡이를 들고 쫓아가 보살펴 드리라는 의미이다. 사람으로서 올바른 도리를 다하지 않으면 대가를 치르게 된다는 뜻이 아니다.

[오답 풀이]

① <제3수>에서 '네 ᄉᆞᆯ홀 ᄆᆞᆫ져 보아'라고 한 것은 형과 아우가 한 핏줄에서 태어나 모습이 같다는 것을 잊지 말고 우애를 지키라는 뜻을 담고 있다.
② <제4수>에서는 부모님이 살아 계실 때에 효를 다하라고 말하면서 돌아가시고 난 뒤에는 효도를 다시 하지 못하게 된다고 말하고 있다.
④ <제13수>에서는 부지런히 호미를 메고 가서 일을 하고 돌아오는 길에 뽕을 따자고 말하고 있다. '올 길에 뽕 따다가'는 막간에도 부지런할 것을 강조하고 있다.
⑤ <제14수>에서는 도둑질이나 동냥을 하면 때가 묻어 다시 씻기 어렵다고 말하고 있다. 도둑질이나 동냥을 했던 경험이 그 순간뿐만 아니라 이후의 삶에도 부정적 영향을 미칠 수 있음을 지적한 것이다.

05 [시어의 의미 파악] 정답 ③

<제9수>에서는 향음주가 다 끝날 때까지 어른을 기다렸다 모셔 가고자 한다고 하였다. '향음쥬'는 어른께 드리는 좋은 음식을 가리키는 것이 아니라 어른께서 밖에 나가 즐기는 모임을 가리킨다.

[오답 풀이]

① 형제는 'ᄒᆞᆫ 졋 먹고 길러나이셔'라고 하였으므로 'ᄒᆞᆫ 졋'은 한 부모를 가리키는 것이라고 할 수 있다.
② 팔목을 쥐시면 '두 손'으로 받친다고 하였으므로 이는 어른에 대한 공경의 자세를 보여 주는 것이라고 할 수 있다.
④ 오늘도 날이 밝았으니 '호믜'를 메고 가자고 말하고 있다. 이는 부지런히 일을 하자는 의미이므로 '호믜'는 노동을 가리키는 것이라고 할 수 있다.
⑤ 'ᄂᆞᄆᆡ 밥'을 구걸하지 말라고 하였으므로 'ᄂᆞᄆᆡ 밥'은 탐내거나 빌져서는 안 될 것을 가리키는 것이라고 할 수 있다.

06 [주제 의식의 이해와 적용] 정답 ④

<제4수>에는 부모님께서 살아 계실 때에 효도를 다할 것을

권하고 있다. 이러한 생각을 가장 잘 표현하는 말은 '풍수지탄'이다. '풍수지탄'은 효도를 다하지 못한 채 어버이를 여읜 자식의 슬픔을 이르는 말이다.

[오답 풀이]

① '간난신고'는 몹시 힘들고 어려우며 고생스러움을 뜻한다.
② '경이원지'는 공경하되 가까이하지는 않음을 뜻한다.
③ '맥수지탄'은 고국의 멸망을 한탄함을 이르는 말이다.
⑤ '함구무언'은 입을 다물고 아무 말도 하지 아니함을 뜻한다.

07 [외적 준거에 의한 작품 이해] 정답 ①

'디나간 후ㅣ면' 어찌할 수 없다고 한 것은 부모님께 효도를 다하라는 가르침을 전달하는 것으로, 특정한 사람에게 반성을 촉구하는 것은 아니다.

[오답 풀이]

② 'ᄆᆞ올 사름들하 올흔 일 ᄒᆞ쟈ᄉᆞ라'를 보면, 구체적인 청자로 'ᄆᆞ올 사름들'을 설정하였음을 알 수 있다.
③ 'ᄆᆞ쇼를 갓 곳갈 싀워 밥 머기나 다ᄅᆞ랴'를 보면, '갓 곳갈'을 쓰고 '밥'을 먹는 'ᄆᆞ쇼'는 옳지 못한 사람을 비유한 대상으로 이를 통해 옳은 일의 실천을 강조하고 있음을 알 수 있다.
④ '폴목'을 '쥐시'면 '두 손으로 바티리라'는 어른을 공경하는 태도를 보여 주는 내용이다.
⑤ '내'가 자신의 '논'을 다 매거든 '네 논'도 매어 준다는 것에서 화자가 스스로 상부상조의 행위를 실천하고자 하고 있음을 알 수 있다.

08 [구절의 의미와 표현 파악]

〈보기〉에서는 「훈민가」가 유교적인 가르침을 전달하는 교훈적 작품이지만 그 교훈을 일방적으로 명령하거나 강요하는 대신 같은 인간으로서 바람직한 행실을 함께해 나갈 것을 강조하고 있다고 말하고 있다. 즉 독자를 가르침의 대상이 아니라 함께 행동할 대상으로 보고 있다는 것이다. 이러한 작품의 특징은 독자에게 어떠한 행동 따위를 같이 할 것을 요청하는 청유형 어미, 문장을 통해 드러나고 있다. 이 작품에서 청유형 문장은 'ᄆᆞ올 사름들하 올흔 일 ᄒᆞ쟈ᄉᆞ라', '오늘도 다 새거다 호믜 메고 가쟈ᄉᆞ라', '올 길에 뽕 따다가 누에 먹겨 보쟈ᄉᆞ라' 등이다.

09 [다른 작품과의 비교] 정답 ②

〈보기〉에서는 '아바님 랄 나ᄒᆞ시고 어마님 랄 기ᄅᆞ시니'라고 표현하고 있지만 이 글에서는 가정 내에서 아버지의 역할과 어머니의 역할을 구분해 다루고 있지 않다.

〈보기〉에 제시된 오륜가를 해석하면 다음과 같다.

> 아버님이 나를 낳으시고 어머님이 나를 기르시니
> 부모님 아니시면 내 몸이 없을 것입니다.
> 이 덕을 갚으려 하니 하늘처럼 끝이 없습니다.
> 〈제2수〉
>
> 형님이 잡수신 젖을 내가 따라 먹습니다.
> 아아, 우리 아우야, 너는 어머님의 사랑이야.
> 형제가 불화하면 개나 돼지라 할 것입니다. 〈제5수〉

[오답 풀이]

① 이 글에서는 대화를 주고받는 형식이 사용되지 않았으나 〈보기〉의 〈제5수〉는 아우와 형의 대화를 통해 형제간의 우애를 강조하고 있다.
③ 이 글의 〈제4수〉에서는 부모님이 살아 계실 때에 효도할 것을, 〈보기〉의 〈제2수〉에서는 부모의 은혜를 갚고자 효행을 다할 것을 강조하고 있다.
④ 이 글의 〈제3수〉와 〈보기〉의 〈제5수〉는 형제의 우애를 강조하면서 공통적으로 형제가 함께 양육되었음을 언급하고 있다.
⑤ 이 글의 〈제8수〉에서는 사람이 옳지 않으면 마소와 다름이 없음을, 〈보기〉의 〈제5수〉에서는 형제가 불화하면 즉, 우애를 지키지 않으면 개돼지와 다름이 없음을 말하고 있다.

10 [시구의 의미 파악]

㉠에서는 자신의 일만 하는 것이 아니라 이웃의 일도 함께 돕는, 상부상조의 덕목을 강조하고 있다. 상부상조는 서로서로 도와 가며 힘을 합쳐 일을 하는 것을 말한다.

12강

전원사시가

본문 057쪽

01. ④ 02. ② 03. ⑤ 04. ② 05. ⑤ 06. 계절

01 [표현상의 특징 파악] 정답 ④

이 작품에서는 춘하추동 각 수의 종장에서 '아해야'를 반복적으로 사용하여 형식적인 통일감을 주고 있다. 그리고 제석의 초장에서도 '이바 아해들아 ~ 마라'를 반복적으로 사용하여 형식적인 통일감을 주고 있다.

[오답 풀이]

① 의인화를 통해 사물의 속성을 선명하게 부각하고 있는 부분은 찾아볼 수 없다.
② 전원에서의 생활을 즐기는 태도가 드러나 있을 뿐 애상적 분위기는 나타나 있지 않다.
③ 계절의 변화에 따라 시상을 전개하고 있을 뿐 공간의 이동 경로에 따라 사물의 다양한 속성을 드러내고 있지는 않다.
⑤ 이 글에는 설의적 표현이 사용되지 않았으며 전원에서의 생활을 즐기는 화자의 태도가 드러나 있을 뿐 현실을 극복하고자 하는 화자의 의지는 드러나 있지 않다.

02 [공간의 성격 이해] 정답 ②

㉠에서 화자는 '도화'가 활짝 핀 모습을 보고 있다. 따라서 ㉠은 화자가 봄의 아름다운 정경을 접한 곳이라고 할 수 있다. ㉡에서는 화자가 녹음이 깊어 가는 여름날에 닭 울음소리를 듣고 계면조 노래를 부르자고 말하고 있다. 따라서 화자는 ㉡에서 여름의 한가로움과 여유를 느꼈다고 할 수 있다.

[오답 풀이]

① ㉡은 화자가 거주하고 있는 곳이다. 그러나 ㉠은 화자가 본 장소일 뿐

거주를 소망하는지 나타난 바가 없다.

③ ㉠에서 화자는 봄날의 아름다운 정경을 접했으므로 현재 삶에 대한 충족감을 느꼈다고 할 수도 있다. 그러나 ㉡은 외로움으로 인한 결핍을 느끼는 공간이 아니다. ㉡은 화자가 거주하고 있는 곳으로 ㉡에서 화자는 한가로움과 여유를 느끼고 있다.

④ 화자는 현재 속세에서 벗어나 자연에서 생활하고 있다. ㉠뿐만 아니라 ㉡도 속세와 구분되는 공간이다.

⑤ ㉠에서 화자는 봄날의 아름다운 정경을 접하고 있을 뿐, 봄에 해야 할 일을 준비하고 있지는 않다. ㉡에서도 여름에 해야 할 일을 시행하는 것이 아니라 한가롭게 생활하는 모습을 보여 주고 있다.

03 [시상 전개 방식의 이해] 정답 ⑤

[A]에서 화자는 자신의 젊은 시절이 빠르게 지나가 버린 것에 대한 무상감을 드러내고 있다. 과거를 대하는 태도를 드러내는 과정에서 자연물에 감정을 이입하고 있지는 않다.

[오답 풀이]

① '질겨 마라', '깃거 마라' 등에서 명령형 문장을 사용하여 경계해야 할 내용을 제시하고 있다.

② '이바 아해들아'와 같이 대상을 부르는 형식을 취해 청자를 명시적으로 드러내고 있다.

③ 화자는 새해를 즐거워하다가 어느덧 백발이 되었다고 말하고 있다. 이는 화자가 자신의 경험을 바탕으로 청자가 깨우쳐야 할 내용을 제시한 것이라고 볼 수 있다.

④ '백발이 되엿노라', '나는 굿버 하노라'에 늙어 감에 대해 안타까워하는 화자의 심정이 드러나 있다.

04 [시적 기능의 이해] 정답 ②

ⓐ는 이른 봄에 핀 매화가 졌음을 언급하고 있다. 이는 매화가 진 만큼 봄이 시작된 지 시간이 꽤 흘렀음을 나타낸다. ⓑ는 봄에 폈던 꽃들이 대부분 졌지만 여름이 오기 전엔 지지 않고 남은 것들이 있었는데 여름이 와서 그마저 다 졌다는 것을 나타낸다. 이 역시 시간의 흐름을 나타낸다. 따라서 ⓐ, ⓑ는 모두 정경의 변화를 통해 시간의 경과를 나타내고 있다.

[오답 풀이]

① 이 시에서 화자는 전원 생활을 즐기고 있다. ⓐ는 봄의, ⓑ는 여름의 정경을 나타내고 있는데, 이는 계절의 정취를 즐기는 화자의 태도와 연결된다. ⓐ, ⓑ 모두 시적 분위기를 반전시키고 있지 않다.

③ ⓐ의 '매화', ⓑ의 '잔화'가 지는 것을 보고 화자는 상실감을 느끼고 있지 않다. 시간의 흐름에 따라 ⓐ는 봄의 정취가, ⓑ는 여름의 정취가 깊어지는 것을 나타내고 있다.

④ ⓐ, ⓑ는 모두 꽃이 지는 것을 나타낸 것이다. 꽃이 지는 것을 통해 화자와 자연물의 친밀함을 나타내고 있지는 않다.

⑤ 화자가 ⓐ, ⓑ를 계기로 자신의 처지를 깨닫는 모습은 작품에서 찾아볼 수 없다.

05 [외적 준거에 의한 작품 감상] 정답 ⑤

〈동 1〉에서 '앞 뫼'에서 '눈'이 떨어지는 것은 겨울임을 나타내는 역할을 하고 있다. 그리고 〈동 2〉의 '구들'이 따뜻함을 제시한 것은 추운 겨울을 보내기 위한 채비를 잘했음을 나타내고 있다. '앞 뫼'의 차가움과 '구들'의 따뜻함을 자연 현상의 순차성을 나타내고 있는 것으로 이해하는 것은 적절하지 않다.

[오답 풀이]

① 〈춘 1〉의 '버들가지 누르렷다'는 누런 색채를 표현하므로 시각적 이미지를 나타내는데 이 작품에서는 이와 같은 감각적 이미지를 이용하여 계절감을 나타내고 있다. 〈보기〉의 '여러 방법으로 계절감을 부각하고 있다.'를 근거로 하여 볼 때 적절한 감상이다.

② 〈춘 1〉의 '잔설이 다 녹겄다'는 봄이 되어 날이 따뜻해져 남아 있던 눈이 다 녹는다는 것이다. 이는 봄의 특징적인 전개 양상을 보여 준다. 〈하 1〉의 '녹음이 깊피 간다'는 것은 여름이 와서 녹음의 푸름이 더욱 짙어진다는 것이다. 이는 여름의 특징적인 전개 양상을 보여 준다. 〈보기〉의 '계절의 특징적인 전개 양상을 제시'를 근거로 하여 볼 때 적절한 감상이다.

③ 〈춘 2〉의 '도화', 〈추 1〉의 '서리', 〈동 1〉의 '눈' 등은 각각 봄, 가을, 겨울을 대표하는 자연물들이다. 〈보기〉의 '계절을 대표하는 자연물을 소재로 활용'을 근거로 하여 볼 때 적절한 감상이다.

④ 〈추 1〉에서 '비진 술 걸러라'는 가을의 정취에 취한 화자가 풍류를 즐기기 위해 아이에게 하는 말로, ④는 〈보기〉의 '계절의 정취에 취해 풍류를 즐기고자 하는 모습'을 바탕으로 한 감상으로 적절하다.

06 [시상 전개 과정의 이해]

이 시는 춘하추동의 계절 변화에 따라 시상을 전개하고 있다. 각 수의 종장에서는 각각의 계절과 관련하여 화자의 일상적인 삶의 모습을 보여 주고 있다. 가령 〈춘 1〉에서는 봄이 와 울타리를 고치고 채소밭을 갈라고 명령하는 것을 보여 주고 있으며, 〈하 1〉에서는 여름날에 한가롭게 하루를 보내고 있는 화자의 모습을 보여 준다. 그리고 〈동 1〉의 종장에서는 동짓날에 팥죽을 먹는 풍습과 관련하여 팥죽을 먹고 자겠다고 말하고 있다.

13강 만흥

본문 060쪽

01. ③ 02. ⑤ 03. ④ 04. ③ 05. ① 06. ④ 07. ④
08. 세속적 가치를 멀리하며 자연 속에 은거하는 소부와 허유의 삶을 바람직하게 여기고 있다.

01 [표현상의 특징 파악] 정답 ③

이 작품에는 자연에서 생활하며 화자가 누리는 즐거움이 드러나 있으나 감정 이입을 통해 그러한 즐거움을 부각하고 있지는 않다.

[오답 풀이]

① 〈제3수〉에서 화자는 '먼 뫼'에 대해 '말숨도 우움도 아녀도', 즉 말하거나 웃지 않아도 자신과 마음이 통할 수 있는 존재로 인식하고 있음을 드러내고 있다. 이는 자연물에 인격을 부여하여 친밀감을 나타낸 것이라고 볼 수 있다.

② 〈제2수〉의 '부롤 줄이 이시랴', 〈제4수〉의 '만승이 이만ᄒᆞ랴' 등에서 설의적 표현을 사용하고 있다. 이와 같이 설의적 표현을 사용해 자연에서의 생활에 만족하는 화자의 태도를 강조하고 있다.

④ 〈제4수〉에서 화자는 '삼공', '만승'과 자신을 비교하여 자신의 삶에 대한 긍정적인 태도를 드러내고 있다.

⑤ 〈제4수〉에서 '만승이 이만ᄒᆞ랴'라고 말한 것은 자연에서 생활하고 있는 자신이 만 개의 수레를 부리는 천자보다 낫다는 것이다. 이는 과장된 표현으로 자연에서의 삶을 선택한 것에 대한 만족감을 표출하고 있는 것으로 볼 수 있다.

02 [소재의 의미 파악] 정답 ⑤

㉠은 소박한 음식을 의미한다. 화자는 이렇듯 소박한 음식을 먹으며 안빈낙도의 가치를 생활 속에서 실현하고 있다. 즉 소박한 생활을 하면서도 편안한 마음으로 도를 즐겨 지키고자 하는 태도를 나타내고 있는 것이다.

[오답 풀이]

① ㉠은 속세에서의 괴로움을 해소하는 것과 관계없다.

② ㉠은 소박한 음식으로, 세속의 명리를 추구하는 삶에서의 문제점과 거리가 멀다.

③ ㉠은 속세와 거리를 두며 자연에서 소박하게 생활하는 것을 표상한다. 속세에 대한 미련을 완전히 버리지 못한 상태를 의미하지 않는다.

④ ㉠은 경제적인 어려움을 해결하려는 태도를 나타내는 것이 아니다. 화자는 자신이 지향하는 삶의 가치를 실현하기 위해 소박하게 생활하고 있다.

03 [시구의 의미 파악] 정답 ④

ⓓ는 화자가 오로지 자연을 즐기며 사는 삶을 살고 있음을 나타내고 있다. 즉 '인간 만ᄉᆞ'를 하나도 하지 않고 자연에서 생활함을 말하고 있는 것이다. 따라서 이를 화자가 속세에서와 마찬가지로 자연에서도 많은 일들을 이룰 수 있다는 자신감을 지니고 있음을 보여 준다고 이해하는 것은 적절하지 않다.

[오답 풀이]

① 화자가 자신을 '어리고 하암'이라고 칭하고 있는데, 이는 자신을 겸손하게 지칭한 것이다. '뛰집'에서 생활하는 것을 '내 분'으로 여기는 것은 안분지족의 태도를 보여 준다.

② 화자는 바위 끝이나 물가에서 풍류를 즐기는 모습을 보여 주고 있다. 이는 자연에서 은거하며 자연을 즐기는 풍류를 누리고 있음을 보여 준다.

③ 화자는 먼 산과 이심전심(以心傳心)으로 마음이 통한다고 여기고 있다. 이는 화자가 자연과 마음과 마음으로 서로 뜻이 통하는 관계를 맺고 있다고 여기고 있음을 나타낸다.

⑤ 화자는 임금의 은혜를 갚고자 해도 할 수 있는 일이 없다고 말하고 있다. 이는 임금의 은혜가 매우 크기 때문에 어떤 일로도 갚을 수 없다는 의미이다.

04 [감상의 적절성 평가] 정답 ③

〈제3수〉에서 화자는 '뫼'를 바라보는 감흥이 그리운 임이 오는 반가움보다 크다고 말하고 있다. 이는 '뫼'의 의미를 부각하여 자연에 대한 화자의 긍정적 인식과 만족감을 드러낸 것이지 이를 통해 임과의 거리감을 표현하려 한 것이 아니다.

[오답 풀이]

① 〈제1수〉에서는 자연 속에서 지내고자 하는 화자의 마음과 이에 공감하지 못하는 '놈들'의 생각이 대비되고 있다. 이러한 대비를 통해 화자와 '놈들' 사이의 거리가 드러나고 있다.

② 〈제2수〉에서 '바횟 긋 믉ᄀᆞ'에서 즐거움을 누리는 삶을 사는 화자는 속세의 일을 '녀나믄 일'이라고 말하며 '녀나믄 일'과 거리를 두고자 하는 마음을 드러내고 있다.

④ 〈제4수〉에서는 '님천'에서의 '한흥'이 '삼공'이나 '만승'보다 낫다고 말하고 있다. 이는 화자가 자연 속에서의 삶에 가치를 부여하고 있음을 드러낸 것으로 화자와 '님천' 사이의 거리가 가깝다는 것을 보여 준다.

⑤ 〈제6수〉에서 화자는 '강산' 속에서의 삶이 '님군'의 은혜 덕택이라고 말하며 임금의 은혜에 감사하는 마음을 드러내고 있다. 즉 자연과의 친화는 임금 때문에 가능하다는 것이다. 따라서 화자와 '님군' 사이의 거리가 가깝게 나타나고 있다고 볼 수 있다.

05 [시상 전개 방식의 파악] 정답 ①

〈제1수〉의 '산수 간 바회 아래 뛰집'은 화자가 현재 거처하고 있는 곳으로 경험적 성격과 연결된 공간이다. 〈제6수〉의 '강산'은 특정 공간을 의미하지 않고 자연을 의미하고 있는 시어로 화자로 하여금 '님군 은혜'를 더욱 잘 알 수 있게 해 준 공간으로서의 의미를 나타내고 있다. 이는 '강산'이 관념적 성격과 연결된 공간임을 나타낸다. 따라서 〈제6수〉에서는 관념적 성격과 연결된 공간으로부터 시상이 전개되고 있다고 할 수 있다.

[오답 풀이]

② 〈제2수〉의 '보리밥 픗ᄂᆞ물'은 일상 속의 구체적 소재에 해당하며, 〈제3수〉의 '잔' 역시 일상 속의 구체적 소재에 해당한다. 따라서 〈제3수〉에서 추상성이 강화된 소재로 시상이 시작된다는 설명은 적절하지 않다.

③ 〈제2수〉에서 화자가 자신의 삶에 대한 의문을 제기하는 모습은 보이지 않는다. 또한 〈제5수〉에서 화자의 의문이 해소되었음이 드러나 있지도 않다.

④ 〈제3수〉에서의 '뫼'에 대한 긍정적 인식은 자연 속에 거처하는 현재에 대한 긍정으로 이해할 수 있다. 〈제4수〉에서는 고대 중국의 은자들에 대해 언급하고 있는데, 이를 통해 역사에 대한 부정을 드러내고 있는 것이 아니라 자연 속에서 지내는 삶에 대한 자부심을 드러내고 있다.

⑤ 〈제3수〉에는 '뫼'에 대한 정서적 반응이 드러나 있다. 그러나 〈제6수〉에서 감각적 표현을 통해 이를 구체화하지는 않았다.

06 [작품 간의 비교 감상] 정답 ④

이 글에서는 자연물에 화자의 감정을 이입한 표현을 찾아볼 수 없다. 〈보기〉에서도 자연물에 화자의 감정을 이입한 표현을 찾아볼 수 없다.

[오답 풀이]

① 〈제3수〉에서는 화자가 자연과 이심전심하는 모습을 보여 줌으로써 자연에 대한 친근감을 지니고 있음을 나타내고 있다. 〈보기〉에서도 '청풍명월'만이 벗이라고 말함으로써 자연에 대한 친근감을 드러내고 있다.

② 〈제2수〉에서 '그 나믄 녀나믄 일', 즉 부귀영화를 추구하는 삶을 부러워하지 않겠다고 말하고 있다. 〈보기〉에서도 '공명'과 '부귀'를 다 꺼린다고 말하고 있다.

③ 〈제2수〉, 〈제4수〉의 종장에 자연에서의 생활에 대한 화자의 만족감이

드러나 있다. 〈보기〉에서도 '백년행락이 이만한들 어찌하리'를 통해 자연에서의 생활에 대한 만족감을 드러내고 있다.

⑤ 〈보기〉의 '공명도 날 꺼리고 부귀도 날 꺼리니'에서는 주객이 전도된 표현을 사용하고 있다. 꺼리는 주체는 공명이나 부귀가 아니라 화자인데 주체와 객체를 전도하여 공명과 부귀가 화자를 꺼리는 것으로 표현한 것이다.

07 [외적 준거에 의한 작품 감상] **정답 ④**

〈제5수〉에서 '하ᄂᆞᆯ히 아ᄅᆞ실샤'라고 말한 것은 자신의 천성이 게으른 것을 하늘이 안다는 것으로 자연에서 한가롭게 생활하는 것이 천명에 따른 것임을 말한 것이다. '하ᄂᆞᆯ히 아ᄅᆞ실샤'를 화자 자신에게 능력이 있기 때문에 그 능력으로 자연에서 생활하고 있다는 자부심을 드러내는 표현으로 이해하는 것은 적절하지 않다.

[오답 풀이]

① 〈제1수〉에서 화자는 '그 모론 ᄂᆞᆷ들'의 '웃'음에도 불구하고 '뛰집'을 짓고자 하는 태도를 보이고 있다. 이는 현실과 거리를 두는 삶을 살겠다는 화자의 의지를 보여 준다.

② 〈제2수〉에서 화자는 '그 나믄 녀나믄 일'을 부러워하지 않겠다고 말하고 있다. 현실에서의 삶보다 자연에서의 삶을 더 가치 있게 여기고 있는 것이다.

③ 〈제3수〉에서 화자는 '그리던 님'보다 '먼 뫼'를 더 반가워한다고 말하고 있다. 이는 자연과 하나가 되고자 하는 자연 친화적인 태도를 보여 준다.

⑤ 〈제6수〉에서 '더옥 아노이다'라고 말한 것은 임금의 은혜를 잘 알겠다는 것인데, 이와 같이 임금의 은혜를 떠올리며 감사한 마음을 표출한 것은 성리학에서 중시하는 충의 가치를 실천하고 있음을 나타낸다.

08 [화자의 가치관 이해]

허유와 소부는 속세에서 높은 지위에 올라 부귀를 누리는 삶을 거부한 인물들이다. 화자는 이러한 소부와 허유가 영리하다고 말하였는데, 이는 세속적 가치를 멀리하며 자연 속에 은거하는 소부와 허유의 삶을 바람직하게 여기고 있음을 보여 준다.

14강

어부사시사

본문 064쪽

01. ④ **02.** ⑤ **03.** ② **04.** ② **05.** ④ **06.** 단원

01 [시상 전개 방식의 이해] **정답 ④**

이 글에는 전원에서의 생활을 지향하는 화자의 태도가 나타나 있다. 그런데 이러한 지향을 불가능한 상황을 설정하여 표현하고 있지는 않다.

[오답 풀이]

① 4음보를 규칙적으로 사용하여 운율감을 형성하고 있다.

② 〈춘 1〉의 초장과 중장에서는 대구를 사용하여 자연이 변화하는 모습을 나타내고 있다.

③ 〈동 8〉의 '외로온 솔'에서는 '솔'에 인격을 부여하여 솔의 속성으로 여겨지는 고고함을 표현하고 있다.

⑤ '지국총 지국총 어ᄉᆞ와'를 각 수에서 반복적으로 사용하여 작품의 유기성과 통일성을 높이고 있다.

02 [화자에 대한 이해] **정답 ⑤**

〈추 1〉에서 화자는 흥취를 가장 크게 느낄 수 있는 것으로 '츄강(가을 강)'을 꼽고 있으며, 〈추 2〉에서는 가을이 되어 고기들이 살져 있다고 말하며 가을의 풍요로운 이미지를 나타내고 있다. 여기서 화자의 무상감은 드러나지 않는다.

[오답 풀이]

① 〈춘 1〉의 종장에는 화자가 온갖 꽃이 어울려 있는 모습을 보고 감탄하는 모습이 나타나 있다.

② 〈춘 6〉의 중장을 통해 화자가 언덕 위의 버들과 물가의 꽃의 다양한 모습을 보았음을 알 수 있다.

③ 〈하 1〉에서 '구즌비'가 멈춘 후에 화자가 맑아진 물에서 낚시를 하려 했음을 알 수 있다.

④ 〈하 6〉에서 뱃전을 두드리며 노래를 부르는 화자의 모습을 확인할 수 있다.

03 [표현상의 공통점 파악] **정답 ②**

[A]의 종장에서는 자연에서 생활하며 '삼정승을 부러워하지 않는다', '만사를 생각하지 않는다'는 것을 물음의 형식을 빌려 표현하고 있다. 그리고 [B]의 종장에서도 '애내셩듕에 만고심'을 사람들이 잘 모른다는 것을 물음의 형식을 빌려 표현하고 있다. [A], [B] 모두 설의적 표현을 사용하여 자연을 대하는 태도를 강조하고 있는 것이다.

[오답 풀이]

① [A]에는 '고븨고븨 새롭고야'와 같이 감탄형 표현을 사용하여 자연의 아름다운 모습을 강조하고 있다. 그러나 이와 같은 표현을 [B]에서는 찾아볼 수 없다.

③ [A], [B]에서는 명령형 표현으로 '돋 디여라'라는 여음구를 확인할 수 있다. '돋 디여라'는 '돛 내려라'라는 의미를 나타내고 있을 뿐 자연을 즐기기 위해 필요한 태도를 강조하고 있지는 않다.

④ [A]의 초장에서는 '도라가쟈'와 같이 청유형 표현을 사용하고 있고, [B]의 중장에서는 '블러 보쟈'와 같이 청유형 표현을 사용하고 있다. 그러나 [A]의 청유형 표현은 날이 어두워지기 시작하니 자연을 그만 즐기고 집으로 돌아가자는 의미를 나타내고 있고, [B]의 청유형 표현도 자연에서의 흥취를 즐기는 노래를 부르자는 의미일 뿐 [A], [B] 모두 청유형 표현을 사용하여 자연과 하나가 되고자 하는 바람을 강조하고 있지는 않다.

⑤ [A]의 종장에는 의문형의 설의적 표현이 사용되어 있으나 이를 통해 자연과 거리를 두는 사람들에 대한 안타까움을 강조하고 있지는 않다. [B]에서도 의문형의 설의적 표현은 확인할 수 있으나 이를 통해 자연과 거리를 두는 사람들에 대한 안타까움을 강조하는 것은 아니다.

04 [감상의 적절성 평가] 정답 ②

〈하 6〉의 초장에서 화자는 여름날이 긴데, 긴 날이 저무는 줄도 모를 정도로 흥에 취해 있었음을 말하고 있다. 이는 흥에 취해 '수됴가'를 부르고자 하는 태도와 연결되는 것이다. '긴 날이 져므는'을 현실의 혼탁한 이미지를 드러내는 것으로 이해하는 것은 적절하지 않다.

[오답 풀이]

① 〈춘 1〉의 초장과 중장의 풍경은 각각 시간의 흐름에 따른 것으로, 자연의 질서와 조화를 드러내고 있다.

③ 〈하 6〉의 '만고심'은 화자가 '수됴가'를 부르면서 어부 생활의 풍류를 즐기는 가운데 느끼게 되는 근심으로, 이는 자신이 즐기는 자연의 질서와 조화가 결여된 현실을 떠올리고 느끼는 화자의 심리로 볼 수 있다.

④ 〈추 2〉에서 화자는 '고기마다 숤져 읻'는 가을의 어촌 풍경에 감탄하며 '만경딩파'에서 실컷 즐기고자 하는 태도를 드러내고 있다.

⑤ 〈추 2〉의 종장에서 '인간'은 '슈국'과 대조적인 공간으로, 멀수록 더욱 좋은 것으로 인식되는 부조리한 현실을 의미한다. 화자는 이러한 부조리한 현실을 멀리하려는 태도를 드러내고 있다.

05 [외적 준거에 의한 작품 감상] 정답 ④

㉣은 고고한 속성을 지닌 것으로 화자가 긍정적으로 평가하고 있는 대상이다. ㉣을 자연에 귀의하지 못한 사람으로 이해하는 것은 적절하지 않다.

[오답 풀이]

① ㉠은 속세의 사람들이 추구하는 부귀영화를 부러워하지 않는다는 의미이다. 따라서 속세의 사람들이 추구하는 가치에서 벗어난 화자의 모습을 드러낸다고 볼 수 있다.

② ㉡은 화자를 둘러싼 자연 경관이 누군가가 그려 낸 것처럼 아름답다는 의미이다.

③ ㉢은 인간 세상과 대립되는 자연을 의미한다. 이 작품에서 자연은 화자가 지향하는 공간이다.

⑤ ㉤은 파도의 물결 소리가 속세의 시끄러움을 차단하므로 그것을 꺼리지 말라는 의미이다. 따라서 화자가 부정적으로 인식하고 있는 인간 세상을 멀리하고자 하는 태도를 드러낸다고 볼 수 있다.

06 [시어의 의미 파악]

'딘훤'은 속세의 더러움과 소음을 의미한다. 이는 자연과 대조되는 인간 세상의 부정적 속성을 비유적으로 나타내고 있는 것이다.

15강

율리유곡

본문 069쪽

01. ④ 02. ③ 03. ③ 04. ⑤ 05. ②

01 [표현상의 특징 파악] 정답 ④

〈제1곡〉, 〈제2곡〉의 종장, 〈제8곡〉의 초장, 종장, 〈제10곡〉의 종장, 〈제17곡〉의 종장 등에서 설의적 표현을 사용하여 화자의 태도를 부각하고 있다.

[오답 풀이]

① 이 글에는 관직을 빼앗긴 화자가 속세를 잊고 자연에 묻혀 생활하는 모습이 나타나고 있을 뿐 가정적 진술을 통해 소망을 드러내고 있지는 않다.

② 이 글에서는 연쇄적 표현을 찾아볼 수 없다.

③ 〈제11곡〉에서 어린 시절에 '대막대'를 놀이 기구로 삼았던 것과 나이가 들어 지팡이로 삼는 것을 대비하고 있으나 이는 세월이 많이 흘러 화자가 나이가 많이 들었음을 나타낸 것일 뿐 화자의 지향을 밝히고 있는 것이 아니다.

⑤ 〈제6곡〉에서 '백구'에게 질문을 하는 장면이 나타나기는 하지만 대화를 나누고 있지는 않다.

02 [감상의 적절성 평가] 정답 ③

〈제10곡〉에서는 '율리'로 돌아온 상황에 대해 '이대도록 싀훤ᄒᆞ랴'라고 말해 현재 상황에 대한 만족감을 드러내고 있다고 볼 수 있다. 그러나 자연물에 대한 연민을 드러내고 있지는 않다.

[오답 풀이]

① 〈제1곡〉에서는 '밤ᄆᆞ을'이라는 지명에 주목하여 '도연명'처럼 전원에서 분수를 지키며 소박하게 살아가고자 하는 태도를 나타내고 있다.

② 〈제8곡〉에서는 '삼공'과 '강산'을 바꾸지 않겠다는 것을 통해 부귀공명보다 자연을 소중하게 여기는 태도를 드러내고 있다. 그리고 자연에서 낚시를 하며 흥취를 즐기므로 재력과 권력을 겸비한 세도가가 부럽지 않다고 말하고 있다. 이는 자연의 가치를 부각하여 화자가 즐기는 흥취를 강조한 것이다.

④ 〈제15곡〉에서는 세버들 가지를 꺾고, 낚은 고기를 꿰어 드는 등의 행위를 연속적으로 나열하여 화자가 누리는 생활 모습을 보여 주고 있다.

⑤ 〈제17곡〉에서는 '최 행수', '조 동갑' 등의 청자를 호명하며 쑥달임과 꽃달임을 같이 하자며 즐거움을 함께하려는 화자의 마음을 나타내고 있다.

03 [시구의 의미 및 기능 파악] 정답 ③

㉢은 화자가 잡은 고기를 꿰는 데 사용한 것이다. 이를 화자가 자신과 동일시하고 있는 대상으로 이해하는 것은 적절하지 않다.

[오답 풀이]

① ㉠은 전원에서 분수를 지키며 소박하게 살았던 인물이다. 화자는 도연명처럼 '밤ᄆᆞ을'에서 살고자 하고 있다.

② ㉡은 영의정, 좌의정, 우의정 등의 삼정승을 의미한다. 세속에서 높은 지위를 차지하고 있는 이들을 가리킨다고 볼 수 있다.

④ ㉣은 화자가 한가롭게 생활하며 흥취를 즐기고 있음을 나타내는 소재이다.

⑤ ㉤은 번잡한 속세의 일과 관련된 것으로, 화자가 자신을 억압하는 존재를 염두에 둔 표현이라 볼 수 있다.

04 [외적 준거에 의한 작품 감상] **정답 ⑤**

〈제15곡〉에서 화자는 '주가'를 찾기 위해 '단교'를 건넜다. '단교'를 건너 만난 공간은 '왼 골'이다. 즉 '주가'는 '왼 골'에 있는 곳이라고 할 수 있다. 따라서 '주가'와 '왼 골'을 대비되는 공간으로 보고, 두 공간 모두에 화자가 미련을 버리지 못했다고 감상하는 것은 적절하지 않다.

[오답 풀이]

① '수졸전원'은 '밤ᄆᆞ을'에서의 삶의 태도로 화자가 지향하고 있는 것이다. 따라서 이를 화자가 생활하는 공간에 대한 긍정적 인식을 보여 주는 것이라고 감상하는 것은 적절하다.

② 화자는 '율리'에서 '공명'과 '부귀'를 잊었다고 말하고 있다. 이는 '율리'와 대립되는 '공명', '부귀', '번우한 일'이 있는 공간이 이면에 존재함을 전제하고 있다.

③ '헛글고 싯근 문서'로 표상되는 공간은 속세이다. 이 공간과 화자가 돌아온 '율리'는 성격이 대비된다. 그렇기 때문에 화자는 '율리'에서 '이대도록 싀훤ᄒᆞ랴'라고 말한 것이다.

④ 화자는 '대막대'에 대해 '유신'하다고 말하고 있다. 이는 '대막대'에 대한 긍정적 인식을 드러낸 것으로 '대막대'가 포함되어 있는 공간에 대한 화자의 친밀감을 내포하고 있다고 볼 수 있다.

05 [소재의 의미 파악] **정답 ②**

'백구'는 갈대숲을 배회하며 물고기를 엿보고 있다. 이는 자신의 욕심을 채우기 위해 물고기를 해치려고 하는 것이다. 이러한 '백구'의 태도에 대해 화자는 비판적으로 인식하고 자신은 '군ᄆᆞ음'을 품고 있지 않아 '백구'와 다르다고 말하고 있다.

[오답 풀이]

① '백구'는 화자가 비판적으로 인식하고 있는 대상이므로, 이를 즐거움을 주어 함께 어울리고 싶어 하는 대상으로 이해하는 것은 적절하지 않다.

③ '백구'는 화자와 대비되는 대상이지만 화자가 부러워하고 있는 대상은 아니다.

④ '백구'는 먼 곳의 소식을 전해 주는 대상이 아니다.

⑤ '백구'는 비판적 대상이기 때문에 이를 자연에서의 삶에 대한 화자의 기대감을 높여 주는 대상이라고 이해하는 것은 적절하지 않다.

Ⅱ 가사

16강

면앙정가

본문 074쪽

01. ⑤ **02.** ④ **03.** ② **04.** ④ **05.** ④ **06.** ① **07.** ⑤ **08.** 청려장, 희황, 이태백 **09.** (1) '이 몸이 이렁 굼도 역군은이샷다'라고 하며 자연 속의 풍류를 임금의 은혜로 보고 있다(자연 속의 풍류를 유교적 충의 사상과 연관 짓고 있다.). (2) 블ᄂᆡ며 ᄐᆞ이며 혀이며 이아며

01 [소재의 기능 파악] **정답 ⑤**

'취흥'은 술을 먹고 즐기는 흥을 가리키는 말로, 화자가 자연을 마음 놓고 즐기는 모습을 나타내는 시어이다. '취흥'은 특별한 계절적 배경을 나타내는 시어가 아니다.

[오답 풀이]

① '수음'은 녹음을 의미하며 계절적 배경이 여름임을 나타낸다.

② '즌 서리'는 '된서리(늦가을에 아주 되게 내리는 서리)'로, 계절적 배경이 가을임을 나타낸다.

③ '황운'은 잘 익은 곡식의 누런 물결을 구름에 비유한 것으로, 계절적 배경이 가을임을 나타낸다.

④ '빙설'은 '얼음과 눈'을 가리키는 말로 계절적 배경이 겨울임을 나타낸다.

02 [표현상의 특징 파악] **정답 ④**

반어적 진술은 겉으로 드러난 진술과 속뜻이 반대로 나타나는 표현인데 이 글에서는 반어적 진술이 나타나지 않는다.

[오답 풀이]

① 1행의 '흰구름 브흰 연하 프로니ᄂᆞᆫ 산람이라'에서 흰색과 푸른색의 색채 이미지가 나타나 있다. 또 5행의 '프르락 블그락'에는 푸른색과 붉은색의 색채 이미지가 나타나며, 9행의 '녹양'은 녹색, 9, 14행의 '황앵, 황운'은 노란색, 17행의 '빙설', 18행의 '옥해 은산'은 흰색의 이미지가 나타난다.

② 21~22행의 'ᄂᆡ것도 보려 ᄒᆞ고 져것도 드르려코 / ᄇᆞ람도 혀려 ᄒᆞ고 ᄃᆞᆯ도 마즈려코'에서 유사한 통사 구조를 통한 운율의 조성이 나타난다.

③ 25행의 '나조ᄒᆡ라 슬흘소냐', 34행의 '시름이라 브터시랴', 42행의 '호탕 정회야 이예셔 더홀소냐' 등에서 설의적 표현을 통해 화자의 정서를 강조하고 있다.

⑤ 9행의 '녹양의 우ᄂᆞᆫ 황앵'에서 청각적 심상을 통해 대상의 특성을 나타내고 있다.

03 [시어와 시구의 의미 이해] **정답 ②**

'남여'는 산의 여기저기를 보고 듣고 싶은 화자가 타고 다니는 뚜껑 없는 가마로, 자연을 얼른 보고 싶은 화자의 마음을 나타낸 소재라고 할 수 있다. '세우'는 아름다운 자연의 풍경을 나타낸 것이므로 화자가 세우를 피하기 위해 남여를 재촉

해서 탔다고 보기는 어렵다.

[오답 풀이]

① '일휘'는 '연하'와 '산람'이 '천암만학'을 들락거리는 변화무쌍한 모습을 드러내는 시어이다.

③ '수음'은 '나모'와 '새'가 어우러져 드리우는 녹음, 즉 그늘을 가리키는 말로, 여름날 시원한 기운으로 '조으름'을 느낄 수 있는 배경이 된다.

④ '겨를 업다'는 한가할 틈이 없다는 것으로, 자연의 '니것', '져것'을 보고 듣고 싶은 화자의 마음과 관련된다.

⑤ '신선'은 자연에서 '읖프락 ᄑᆞ람ᄒᆞ락'하며 즐겁고 만족스럽게 노닌 화자가 자부심을 느끼며 자신을 표현한 말이다.

04 [화자의 태도 파악] 정답 ④

마지막 행의 '이 몸이 이렁 굼도 역군은이샷다'에서 임금의 은혜를 떠올리며 감사하는 태도를 확인할 수 있다(ㄱ). 또한 20행의 '인간을 써나와도 내 몸이 겨를 업다'에서 속세와 거리를 두고 지내는 삶의 모습을 확인할 수 있다(ㄴ). 31행의 '술리 닉어거니 벗지라 업슬소냐'에서 자연 속의 흥취를 타인과 나누려는 마음가짐을 확인할 수 있다(ㄷ).

[오답 풀이]

ㄹ. 궁핍한 생활상을 보여 주는 내용은 이 글에서 드러나지 않는다.

05 [표현상의 공통점 파악] 정답 ④

㉠은 꾀꼬리가 흥에 겨워 아양을 떤다는 것으로, 여름을 맞은 화자의 즐거운 감정이 이입된 표현이다. ④에서 '귀또리'가 '슬픈 소리'를 낸다고 하는 것도 화자의 슬픈 마음이 투영되어 있는 감정 이입의 표현이다.

[오답 풀이]

① '네(너의)'라는 표현을 통해 한숨을 사람처럼 여기고 말을 거는 의인법이 사용되었음을 알 수 있다.

② 바람, 구름이 고개를 쉬어 넘는다는 데서 의인법이 사용되었음을 알 수 있다.

③ '휘초리 난 것같이'에서 직유법이 사용되었음을 알 수 있다.

⑤ '쾌쾌', '버동버동', '캉캉' 등에서 음성 상징어가 사용되었으며 '미운 님'과 '고운 님'의 대비, 대구가 나타남을 알 수 있다.

06 [소재의 심층적 이해] 정답 ①

㉡은 아름다운 자연을 즐기며 그 흥취를 더하는 데 활용되고 있으므로 풍류를 즐기는 수단이 된다. ㉢은 화자가 현재의 갈등과 고뇌를 잊기 위해 마시려는 것으로 갈등 해소의 수단이라 할 수 있다.

07 [외적 준거에 의한 작품 감상] 정답 ⑤

'번로ᄒᆞᆫ ᄆᆞᄋᆞᆷ'은 자연을 즐기는 바쁜 마음을 나타낸 것이지 면앙정 주변의 경치가 변화하는 데 대한 아쉬움을 나타낸 것은 아니다.

[오답 풀이]

① ⓐ의 '경궁요대'와 '옥해 은산'은 눈 덮인 아름다운 자연을 비유한 표현으로, 면앙정에서 바라본 겨울의 아름다운 경치를 나타낸다. ①은 〈보기〉의 "면앙정'에서 본 경치'를 바탕으로 감상이므로 적절하다.

② ⓑ '간 대마다 경이로다'는 자연의 모습이 아름다워 감탄스럽다는 표현으로, 면앙정에서 바라본 아름다운 경치에 대한 감탄의 정서를 나타낸다. ②는 〈보기〉의 "면앙정'에서 본 경치'를 중심으로 화자가 느끼는 정서를 표현'을 바탕으로 한 감상이므로 적절하다.

③ ⓒ '인간'은 인간 세상을 가리키는 표현으로, 화자가 벗어나고자 하는 세속적 욕망으로 가득한 인간 세상을 나타낸다. ③은 〈보기〉의 '세속적 욕망에서 벗어나'를 바탕으로 한 감상이므로 적절하다.

④ ⓓ '이 뫼히 안ᄌᆞ 보고 져 뫼히 거러 보니'는 자연에 묻혀 여기저기 앉아 보고 걸어 다닌다는 것으로, 자연의 여러 곳을 다니며 즐기려는 화자의 모습을 나타낸다. ④는 〈보기〉의 '자연을 즐기려는 화자의 모습'을 바탕으로 한 감상이므로 적절하다.

08 [감상의 적절성 파악]

화자는 자연을 즐기느라 바쁘게 돌아다니고 있는 상황을 30행에서 '청려장', 즉 지팡이가 다 무디어져 가는 것으로 표현하였다. 또한 자신이 자연에서 풍류를 즐기고 있는 당대를 태평성대로 인식하며 이를 38행에서 '희황', 즉 복희 황제의 시대로 표현하였고, 자연을 즐기는 호탕함을 부각하기 위해 41행에서 '이태백'이 살아온다고 해도 자신이 느끼는 호탕함이 더 클 것이라며 자부심을 나타내고 있다.

09 [외적 준거에 의한 작품 감상]

(1) 마지막의 '이 몸이 이렁 굼도 역군은이샷다'를 통해 알 수 있듯이 자연을 즐기는 풍류의 생활이 모두 임금의 은혜라는 태도를 보이고 있다는 점에서 자연 속에 묻혀 사는 즐거움과 유교적 충의 사상을 연관 지어 노래한 강호가도의 작품으로 볼 수 있다.

(2) 이 작품의 화자는 자연에 묻혀 풍류를 즐기는데 특히 32행의 '블니며 ᄐᆞ이며 혀이며 이아며'를 통해 알 수 있듯이 온갖 악기를 '부르게 하며 타게 하며 켜게 하며 흔들게 하여' 취흥을 더욱 돋우고 있다.

17강

관동별곡

본문 078쪽

01. ① 02. ① 03. ② 04. ④ 05. ④ 06. ② 07. ②
08. ① 09. ③ 10. (1) 화자가 스스로를 신선에 비유하고 자신의 신선적 풍모를 드러내고 있기 때문이다. (2) 취션(취선), 우개지륜

01 [시어의 의미 파악] 정답 ①

'산영누'는 화자가 금강산에서 동해로 여정을 옮기면서 거치는 공간일 뿐 특별히 화자에게 상실감을 느끼게 하는 공간은 아니다.

[오답 풀이]

② '청간뎡'은 사선이 지나간 여정의 공간으로 제시되어 있다.

③ '우개지륜'은 신선이 타는 수레로, 자신이 신선의 풍모를 지녔음을 과시하려는 화자의 마음이 담긴 소재이다.

④ '대양'은 경포 너머의 넓은 바다로, 화자의 감탄을 자아내는 공간이라 할 수 있다.

⑤ '비옥가봉'은 자신이 선정을 펼쳐 풍속이 좋아졌다는 의미로 화자의 자부심을 나타낸다고 할 수 있다.

02 [시상 전개 방식 파악] 정답 ①

이 글은 산중에서 동해로 들어가 거치는 여정을 중심으로 시상이 전개되어 있다. 통천(총석정), 고성(삼일포), 낙산(의상대), 경포, 강릉 등 동해 지역의 명승지를 유람한 후 그곳의 아름다운 경치와 그에 대한 감흥을 여정에 따라 읊고 있다.

03 [표현상 특징 파악] 정답 ②

이 글에서는 다양한 표현 방법을 활용해 시상을 전개하거나 화자의 정서 등을 나타내고 있으나, 동일한 시어를 반복해서 화자의 정서를 표출하는 부분은 찾아볼 수 없다.

[오답 풀이]

① 21행 '샹운이 집픠ᄂᆞᆫ 동 뉵뇽이 바퇴ᄂᆞᆫ 동' 등에서 유사한 통사 구조의 반복을 찾아볼 수 있다.

③ 11~12행 '다ᄃᆞ문가', '샹톳던고' 등에서 의문형 어미를 활용해 총석정에 남아 있는 기둥의 아름다움에 대한 화자의 생각을 표현하였다.

④ 25행 '시션은 어ᄃᆡ 가고 히타만 나맛ᄂᆞ니'에서 '시션'은 이백을 가리키는데, 그가 남긴 글에 천지간에 벌어지는 일들이 자세하게 나와 있다며 감탄하는 심리를 나타내고 있다.

⑤ 26행 '텬디간 장ᄒᆞᆫ 긔별 ᄌᆞ셔히도 ᄒᆞ셔이고'는 이백의 시구에 담겨 있는 세간의 이치, 36행 '홍장 고ᄉᆞ롤 헌ᄉᆞ타 ᄒᆞ리로다'는 경포호의 고요한 아름다움에 대한 감흥을 강조한다. 이처럼 이 글에서는 'ᄒᆞ셔이고', 'ᄒᆞ리로다' 등 감탄형의 말투를 활용해 대상에 대한 감흥을 강조하고 있다.

04 [화자의 정서 파악] 정답 ④

㉠은 산을 떠나 산영루로 이동하는 여정에서 시냇물과 새들이 이별을 원망하는 듯이 운다는 것으로, 산중을 떠나는 화자의 아쉬움을 시냇물과 새들에게 투영하여 나타낸 것이다.

[오답 풀이]

① 화자가 산영루에 오른다는 내용은 제시되어 있으나 산영루에 오르는 일이 힘들다는 내용은 제시되지 않았다.

② 화자가 동해로 간다는 내용은 제시되어 있으나 날이 흐린 것에 대해 걱정하는 내용은 제시되지 않았다.

③ 화자가 남여를 타고 산영루에 오른다는 내용은 제시되어 있으나 느리게 가서 답답하다는 내용은 제시되지 않았다.

⑤ 정기를 떨치는 것은 산중을 떠나는 화자의 일행을 배웅하기 위해서이며, 이와 관련하여 불만스러워하는 내용은 제시되지 않았다.

05 [소재의 의미 파악] 정답 ④

이 글에서 ㉡은 해를 가리는 존재로, 〈보기〉의 '구름'은 해를 덮는 존재로 제시되어 있다. 이 글과 〈보기〉의 해는 임금을 상징하므로 ㉡과 〈보기〉의 '구름'은 모두 임금의 총명한 지혜를 가리는 존재를 의미한다고 할 수 있다.

06 [세부 내용의 이해] 정답 ②

이 글에서 화자는 총석정으로 가서 백옥루를 받치고 있던 네 개의 기둥을 바라보기만 했을 뿐 기둥에 올라가서 바다를 굽어보지는 않았다.

[오답 풀이]

① 3행 '녕농 벽계와 수성 뎨됴ᄂᆞᆫ 니별을 원ᄒᆞᄂᆞᆫ 듯'에서 적절한 내용임을 알 수 있다.

③ 13~14행 '삼일포롤 ᄎᆞ자가니 / 단셔ᄂᆞᆫ 완연ᄒᆞ되 ᄉᆞ션은 어ᄃᆡ 가니'에서 적절한 내용임을 알 수 있다.

④ 19~20행 '의샹ᄃᆡ예 올라 안자 / 일츌을 보리라 밤듕만 니러ᄒᆞ니'에서 적절한 내용임을 알 수 있다.

⑤ 37~38행 '강능 대도호 풍쇽이 됴흘시고 / 절효졍문이 골골이 버러시니'에서 적절한 내용임을 알 수 있다.

07 [외적 준거에 의한 작품 감상] 정답 ②

이 글의 화자는 공간의 이동에 따른 여정이나 경치에 대한 묘사뿐 아니라 자연의 경치에서 느끼는 감흥을 통해 자신이 지향하는 정신이나 태도를 드러내고 있다. ㉯는 바다를 나는 갈매기를 보며 자신이 갈매기의 벗이라며 자연 친화의 태도를 드러냈다는 점에서 〈보기〉의 밑줄 친 부분에 해당한다.

[오답 풀이]

① ㉮는 화자가 산중을 떠날 때의 배웅 장면과 자연의 모습을 묘사한 것이다.

③ ㉰는 고성을 두고 삼일포로 여정을 옮긴다는 사실을 전달하는 서술이다.

④ ㉱는 기울어 가는 저녁 현산의 철쭉을 연달아 밟으며 가는 여정을 묘사하고 있다.

⑤ ㉲는 배를 띄워 경포호의 정자로 올라간 여정을 전달하고 있다.

08 [화자의 의도 파악] 정답 ①

〈보기〉는 박신과 기생 홍장의 사랑 이야기인 홍장 고사의 내용이다. 화자가 홍장 고사를 언급한 이유는 경포호의 조용하고 고요한 분위기에 비해 인간들의 사랑 이야기가 얼마나 야단스러운가를 나타내기 위해서이다. 즉 ㉢과 같이 말함으로

써 야단스러운 인간들의 사랑 이야기와 달리 경포호가 고요하고 아름다운 분위기를 지니고 있다는 점을 강조하고 있다.

09 [감상의 적절성 파악] 정답 ③

이 글에서 ⓐ는 해가 하늘로 떠올라 주위가 매우 밝아서 가느다란 털까지도 셀 수 있다는 의미로 사용되었다. 또 ⓑ는 물결이 맑고 잔잔해서 물속 모래의 수까지도 셀 수 있다는 의미로 사용되었다.

10 [외적 준거에 의한 작품 감상]

이 글의 화자는 목민관으로서 책임과 의무를 다하려는 유교적 정신을 잘 보여 주고 있다. 그러면서도 자신을 '쉬션(취선)'으로 비유하거나(6행) 자신이 타는 수레를 '우개지륜', 즉 신선이 타는 수레로 비유하여(28행) 자신을 은근히 신선적 풍모를 가진 존재로 제시하고 있다. 이러한 점에서 이 글은 도교 사상의 면모를 드러내고 있다고 할 수 있다.

Q '도교 사상'은 뭔가요?

A 중국의 무위자연설을 근간으로 하는 종교 사상을 가리키는데요, 대개 세속적 가치를 초월하여 불로장생술과 신선 사상을 신봉하는 태도를 보입니다. 이 시가에서는 화자가 신선과 관련된 풍모를 보이는 부분에서 도교 사상적 면모가 나타난다고 해석할 수 있어요.

18강 사미인곡

본문 082쪽

01. ③ **02.** ① **03.** ④ **04.** ② **05.** ④ **06.** ⑤ **07.** ⑤
08. ㉮ 산, 구름 ㉯ 청광 ㉰ 팔황 **09.** (1) 매화는 눈 속에서 꽃을 피워 절개와 지조를 상징하기 때문에 화자가 이를 통해 자신의 충성심을 임에게 전하고자 한 것이다. (2) 님이 너롤 보고 엇더타 너기실고

01 [화자의 정서 파악] 정답 ③

6행의 '늙거야 므스 일로 외오 두고 글이는고'는 늙어서 무슨 일로 헤어지게 되었는지 영문을 모르겠다는 뜻이지, 늙어서야 헤어진 일을 다행이라 생각하는 것은 아니다.

[오답 풀이]

① 2행 '흔싱 연분이며 하늘 모롤 일이런가'에서 확인할 수 있다.
② 4행 '이 므음 이 스랑 견졸 딕 노여 업다'에서 확인할 수 있다.
④ 5행 '평싱애 원흐요딕 흔딕 녜쟈 흐얏더니'에서 확인할 수 있다.
⑤ 34행 '천리만리 길흘 뉘라셔 추자갈고'에서 확인할 수 있다.

02 [소재의 특성 파악] 정답 ①

'비슨 머리'는 여인의 곱게 빗은 머리를, '연지분'은 여인의 화장품을 각각 가리키는 소재라는 점에서 이 글의 화자가 여성으로 설정되어 있음을 알 수 있다.

[오답 풀이]

② '염냥', '젹셜'은 모두 계절적 이미지를 나타내는 시어이다.
③ '창', '부용'은 화자가 있는 공간의 특성을 나타낸다.
④ '황혼'은 시간적 배경을, '새닙'은 계절의 변화에도 화자의 근심과 사랑이 지속되고 있음을 나타낸다.
⑤ '금자'와 '빅옥함'은 값진 사물로, 임에 대해 쏟는 화자의 정성을 나타낸다.

03 [공간의 의미 파악] 정답 ④

㉡은 화자가 현재 임과 떨어져 지내며 임을 그리워하는 공간이다. 화자가 ㉡에서 임과 다시 재회하기를 바란다는 내용은 제시되지 않았다.

[오답 풀이]

① ㉠은 현재 임이 있는 곳이며 과거에 화자가 임을 모셨던 공간이다.
② ㉠은 화자가 임을 그리워하며 떠올리는 공간이다.
③ ㉡은 화자가 임과 헤어져 외롭게 지내는 공간이다.
⑤ ㉠은 임과 지내던 공간, ㉡은 임과 떨어져 지내는 공간이라는 의미를 가지므로 대조적인 공간이다.

04 [세부 내용의 이해] 정답 ②

[A]에서 '돌'은 화자의 베갯머리에 비추어 마치 임인 것처럼 느껴지는 소재로 제시되어 있다. 화자가 '돌'이 비치자 임인 것처럼 반가움을 나타내고 있는 것으로 보아 [A]에도 임을 상징하는 소재가 제시되어 있다고 할 수 있다. 또한 [C]에도 '돌', '별'처럼 임을 상징하는 소재가 제시되어 있다. 그러나 [B]에는 임을 상징하는 소재가 제시되어 있지 않다.

[오답 풀이]

① [A]는 '동풍'에서 '봄'을, [B]는 '녹음'에서 '여름'을, [C]는 '서리'에서 '가을'을 계절적 배경으로 하여 전개되고 있음을 확인할 수 있다.
③ [B]의 '오식션 플텨 내여'는 옷을 만들기 위한 화자의 행동을, [C]의 '수정렴 거든 말이'는 하늘의 달과 별을 보기 위한 화자의 행동을 묘사한 것이다.
④ [A], [B], [C] 모두에서 임과 헤어져 홀로 지내는 외롭고 적막한 화자의 상황을 확인할 수 있다.
⑤ [A]의 '미화', [B]의 '님의 옷', [C]의 '청광'은 화자가 임에 대한 변함없는 마음을 나타내기 위해 임에게 보내려는 소재들이다.

05 [외적 준거에 의한 작품 감상] 정답 ④

'슈품은쿠니와 졔도도 구즐시고'는 임에게 보내기 위해 자신이 만든 옷이 솜씨와 격식을 잘 갖추었음을 과시하는 내용이다. 이를 통해 임금에게 신하의 직분을 다하겠다는 태도를 나타낸 것은 아니며 〈보기〉에도 이러한 태도는 제시되지 않았다.

[오답 풀이]

① '이 몸 삼기실 제 님을 조차 삼기시니'는 자신과 임이 함께 태어났다는 것으로, 임과 한 몸이라는 화자의 인식을 나타낸다. 이는 〈보기〉의 '임금과 한 몸이라는 생각을 바탕으로'를 근거로 할 때 적절한 감상이다.
② '짓누니 한숨이오 디누니 눈믈이라'는 임과의 이별에 따른 슬픔과 시름으로 인해 한숨 짓고 눈물을 떨어뜨린다는 것을 나타낸다. 이는

〈보기〉의 '이 글의 작가는 이별의 슬픔과 시름을 겪는 상황'을 근거로 할 때 적절한 감상이다.

③ 'ᄀᆞᆺ득 ᄂᆡᆼ담ᄒᆞᆫᄃᆡ 암향은 므ᄉᆞ 일고'는 추운 겨울에도 향기를 내뿜는 매화처럼 쓸쓸한 현실 속에서도 임을 향한 화자의 마음이 변함없음을 나타낸다. 이는 〈보기〉의 '임금을 향한 변함없는 마음'을 근거로 할 때 적절한 감상이다.

⑤ '쳔리만리 길흘 뉘라셔 ᄎᆞ자갈고'는 임을 향한 충성의 마음이 있으나 멀리 떨어진 임에게 이를 전달하기 어려운 상황을 나타낸다. 이는 〈보기〉의 '임금에 대한 자신의 마음을 전달하기 어렵다고 생각하면서도'를 근거로 할 때 적절한 감상이다.

06 [시구의 의미 이해] 정답 ⑤

ⓔ는 화자가 임금에게 '청광'을 보내고자 하니 온 세상을 밝게 만들어 달라고 부탁하는 내용이다. 즉 밝은 지혜로 시끄러운 조정을 환하게 만들고 자신이 있는 곳을 포함해 온 백성들에게 선정을 베풀어 달라는 부탁을 ⓔ를 통해 전달하고 있는 것이다.

[오답 풀이]

① ⓐ는 시름이 계속되고 있는 상황을 나타낸다.

② ⓑ는 임과 헤어진 슬픔이 크고 시름이 많은 것을 나타낸다.

③ ⓒ는 임을 만난 것 같은 반가운 마음을 나타낸다.

④ ⓓ는 임을 만난 것 같은 감격스러움을 나타낸다.

07 [외적 준거에 의한 작품 감상] 정답 ⑤

'염냥'이 '가ᄂᆞᆫ ᄃᆞᆺ 고텨' 온다는 것은 더위와 추위가 가는 듯 다시 오는 계절의 순환을 통해 세월이 빠르게 흐르고 있음을 나타낸다. 이러한 인식은 유한한 인생에서 임과 떨어져 지내는 시간이 지속되고 있으며 그 시간의 흐름이 속절없음을 드러내는 것이다. 언제 임을 만날 수 있을지 모르는 상황에서, 임과 단절된 채 흐르는 지상의 물리적 시간이 유한한 화자의 인생에 비해 빨리 흐르고 있다는 것이다. 따라서 지상의 물리적 시간이 심리적으로 지연되어 나타난다는 내용은 적절하지 않다.

[오답 풀이]

① 임과의 '연분'을 '하ᄂᆞᆯ'과 연결 짓는 것은, 절대적 가치를 지닌 하늘과 임을 연관시켜 임과 화자의 관계가 끝없이 이어지기를 바라는 마음을 반영한 것이다. 이는 〈보기〉의 '천상에서는~끝없는 사랑이 지속된다.'를 바탕으로 할 때, 적절한 감상이다.

② '졈어 잇고'는 '천상의 시간', '늙거야'는 '지상의 시간'에 해당한다. '졈어 잇고'와 '늙거야'의 대비는 화자가 임과 있던 천상에서 벗어나 임과 헤어져 지상으로 편입되었음을 반영한 것이다.

③ '삼 년' 전을 '엇그제'로 인식하는 것은 임과 함께한 기억의 생생함에서 비롯된 것으로, 지상의 물리적 시간과 화자가 느끼는 심리적 시간이 다름을 나타낸 것이다. 이는 〈보기〉의 '화자는 지상의 물리적 시간을 심리적으로 변형하여 자신의 심경을 드러낸다.'를 바탕으로 할 때 적절한 감상이다.

④ '인싱은 유ᄒᆞᆫ'과 '무심ᄒᆞᆫ 셰월'은 화자에게 유한한 시간이 무정하게 흘러가고 있다는 것으로, 임과 함께하고자 하는 소망이 실현될 시간이 줄어들고 있어 불안한 화자의 마음을 표현한 것이다. 이는 〈보기〉의 '이러한 시간적 질서는 지상에 내려온 화자를 힘들게 하는데'를 근거로 할 때 적절한 감상이다.

08 [감상의 적절성 파악]

화자는 임에게 보낼 옷, 즉 임금을 향한 충성의 마음을 전달하고자 하는데 '산인가 구름인가 머흐도 머흘시고'라며 '산'과 '구름'에 가려 임에게로 가는 길이 멀고 험하다고 한탄하고 있다. 여기서 '산'과 '구름'은 임금에게 가는 길을 가로막는 간신배를 상징한다. 아울러 화자는 달을 보며 맑은 달빛, 즉 '청광'을 임금이 계신 곳에 보내어 임금이 그것을 '팔황', 즉 온누리에 다 비추게 하여 이 세상을 밝게 만들기를 바라는 마음을 나타내고 있다.

09 [시어 및 구절의 이해]

조선 시대 사대부들에게 'ᄆᆡ화'는 자신의 변함없는 절개와 지조를 나타내는 상징적인 소재였다. 이 글에서 드러나는 것처럼 매화는 'ᄀᆞᆺ득 ᄂᆡᆼ담ᄒᆞᆫᄃᆡ 암향'까지 피우는 꽃으로 온갖 시련에도 꿋꿋하게 절개를 지키는 존재로 인식되어 왔다. 화자는 매화를 꺾어 임금께 보내고 '님이 너ᄅᆞᆯ 보고 엇더타 너기실고'라며 우려하는데 이는 유배당한 처지에서 임금이 자신의 마음을 어떻게 생각할지 걱정한 것이다.

19강

속미인곡

본문 086쪽

01. ① **02.** ④ **03.** ② **04.** ⑤ **05.** ① **06.** ② **07.** ④ **08.** ⑤ **09.** Ⓐ 구름, 안개 Ⓑ ᄇᆞ람, 믈결 **10.** 임금에 대한 변함없는 충성심을 더욱 애절하게 표현하고, 표면적으로 남녀 간의 사랑을 다루어 보다 많은 사람들이 공감하도록 하는 효과를 거두고 있다.

01 [시상 전개 방식의 이해] 정답 ①

이 글은 두 명의 여성 화자, 즉 '각시'로 불리는 여성과, '각시'에게 '너'로 불리는 또 다른 여성이 등장해 서로 대화를 주고받는 형식으로 시상이 전개되고 있다.

02 [화자의 역할 이해] 정답 ④

이 글에서 '을'은 임과 헤어지게 된 이유가 자신에게 있다며 자책하고 있는데, 그런 '을'에게 '갑'은 그렇게 생각하지 말라고 하며 '을'의 하소연을 이끌어 내고 있다. 따라서 '을'이 자책하는 '갑'의 처지에 공감하고 있다는 설명은 적절하지 않다.

03 [시어 및 시구의 의미 파악] 정답 ②

'강텬'은 '각시'가 임을 만나지 못한 채 해가 지는 것을 바라보는 공간으로 '각시'의 시름과 고통을 나타내는 장소이다. 이곳이 '각시'가 헤어진 임과 만나기로 약속한 장소인지는 알 수 없다.

[오답 풀이]

① '믈 ᄀᆞᄐᆞᆫ 얼굴'은 임의 연약한 체질을 나타내는 말로 '각시'가 임을 걱정하는 이유가 되고 있다.

③ '정성이 지극ᄒᆞ야' 꿈에서라도 임을 보게 되었다고 하는 것으로 볼 때 '정성'은 임을 다시 만나고 싶다는 '각시'의 간절한 소망이라고 할 수 있다.
④ '눈믈'은 비록 꿈속이지만 '각시'가 임을 만난 상황에서 너무나 반가워서 흘리는 눈물이다.
⑤ '구즌비'는 '낙월'이나 되겠다는 '각시'에게 궂은비라도 되어 임에게 비통한 마음을 전하라는 다른 여인의 생각을 담고 있다.

04 [화자의 상황 파악] 정답 ⑤

'하ᄂᆞᆯ히라 원망ᄒᆞ며 사ᄅᆞᆷ이라 허믈ᄒᆞ랴'는 하늘이나 다른 사람을 원망하거나 허물하지 못하겠다는 것으로, 이 모든 사연이 모두 운명에 의한 것이거나 자신의 책임 때문이라는 화자의 생각을 나타낸 것이다. ㉠과 임에 대한 원망과 허물은 직접적 관련이 없다.

[오답 풀이]
① ㉠에는 '뎌 각시'가 임을 모시다가 헤어지게 된 사연이 나타난다.
② ㉠을 통해 '뎌 각시'는 과거에 '텬샹 ᄇᆡᆨ옥경'에서 임을 모시고 지냈음을 알 수 있다.
③ ㉠에서 '뎌 각시'는 '내 몸의 지은 죄'로 인해 임과 헤어지게 되었다고 하였다.
④ ㉠을 보면 '뎌 각시'는 임이 '반기시ᄂᆞᆫ ᄂᆞᆺ비치' 달라지면서 임과 헤어지게 되었다.

05 [소재의 기능 파악] 정답 ①

㉡은 화자가 그리워하는 임을 보게 되는 계기가 된다. 즉 화자는 자신이 너무나 보고 싶은 임을 꿈속에서나마 보게 되므로 ㉡은 화자의 간절한 소망이 이루어지게 하는 매개체라 할 수 있다.

[오답 풀이]
② 이 글에서 화자와 다른 인물과의 갈등은 거의 나타나지 않는다.
③ 이 글에 나타나는 화자의 과거 이력은 임과 관련된 것에 국한되며 화자가 살아온 과거 이력 전부가 나타나지는 않는다.
④ 화자의 소망은 임과의 재회이며, 화자가 지향하는 이상적인 세계에 대해서는 언급하지 않았다.
⑤ ㉡은 화자의 소망을 일시적으로 이루어 줄 뿐이다. ㉡의 이후에 ㉡과 관련된 사건이 나타나지 않으므로, ㉡은 화자에게 벌어질 앞으로의 사건을 예고한다고 볼 수 없다.

06 [소재의 의미 파악] 정답 ②

㉮는 멀리 떨어져 있으면서 화자가 보고 싶어 하는 대상, 즉 그리움의 대상이다. ㉯는 화자가 임과 만나지 못하는 현실의 상황에서 죽어서도 임에 대해 변함없는 마음을 지닐 것을 다짐하며 되고자 하는 것으로, 화자의 분신이라 할 수 있다.

07 [외적 준거에 의한 작품 감상] 정답 ④

임과의 재회가 불가능함을 깨닫고 비극적 초월을 통해 이를 극복하려는 모습은 죽어서 낙월이 되겠다는 것에서 확인된다. '모쳠 ᄎᆞᆫ 자리'는 임과 함께하지 못하는 화자의 쓸쓸한 처지를 표현한 것으로 볼 수 있다.

[오답 풀이]
① 임의 소식을 애타게 기다리는 모습은 임과 멀리 떨어져 있는 거리감에서 비롯되므로 ⓐ와 관련된다.
② 높은 산에 오르고 뱃길을 찾아 나서는 것은 임에게로 가고 싶은 화자의 소망을 나타내므로 ⓑ에 해당한다.
③ '지척을 모ᄅᆞ거든 쳔리ᄅᆞᆯ ᄇᆞ라보랴'는 임에게로 가고자 하는 시도가 좌절된 상황을 나타내므로 ⓒ에 해당한다.
⑤ '출하리 싀여디여'라는 구절은 갖은 노력에도 결국 임과 만나지 못하는 좌절감에서 비롯된 것이므로 ⓔ를 잘 보여 준다고 할 수 있다.

08 [작품의 내용 이해] 정답 ⑤

〈보기〉의 '개'는 얄밉게도 미운 사람이 오면 꼬리를 쳐서 반갑게 맞이하고 고운 사람(임)이 오면 짖어서 오지 못하게 한다. 이 글에서 '계셩'은 꿈에서 겨우 본 임에게 할 말을 미처 못했는데 화자의 꿈을 깨워 임을 보지 못하게 만드는 기능을 한다. 따라서 〈보기〉의 '개'와 같이 임을 보지 못하게 하는 기능을 한다고 볼 수 있다.

[오답 풀이]
① '쥭조반'은 임에 대한 화자의 걱정을 나타내는 소재이다.
② '좀'은 화자가 임을 걱정하면서 언급하는 소재이다.
③ '뫼'는 임에 관한 소식을 알기 위해 찾아가는 공간이다.
④ '반벽청등'은 임이 없는 화자의 외로운 신세를 나타내는 객관적 상관물이다.

09 [감상의 적절성 파악]

이 글에서는 화자가 임과 떨어져 지내면서 임에게로 가까이 가거나 소식을 알고 싶은 마음에 '놉픈 뫼(높은 산)'로 '믈ᄀᆞ(물가)'로 찾아다닌다. 그러나 '놉픈 산'에 가서는 '구롬'과 '안개'에 가려 뜻을 이루지 못하고 '믈ᄀᆞ'로 가서도 'ᄇᆞ람'과 '믈결'이 굽이쳐 배를 띄우지 못하면서 결국 뜻을 이루지 못한다.

10 [외적 준거에 의한 작품 이해]

이 글은 여성 화자의 목소리를 빌려 주제를 효과적으로 전달하는 한국 문학의 전통을 따르고 있는 작품이다. 표면상 임과 헤어진 여인이 임을 사모하고 그리워하는 마음을 노래한 것처럼 표현하여 임금에 대한 충정과 임금 곁으로 복귀하고 싶은 마음이라는 주제를 효과적으로 전달하고 있다.

누항사

본문 090쪽

01. ①　02. ③　03. ③　04. ②　05. ③　06. ⑤　07. ㉮ 백구 ㉯ 단사표음 ㉰ 충효, 화형제, 신붕우　08. ③　09. ④

01 [작품의 특징 이해] 정답 ①

이 시가는 임진왜란 직후 고향으로 돌아가 농사를 짓는 화자의 구체적이고 현실적인 삶의 모습을 다루고 있다. 관념적인 성격의 조선 전기 가사와는 달리 양반 사대부이지만 화자가 직접 농사를 짓기 위해 준비하는 모습이나 소를 빌리러 갔다가 거절당해 실망하는 모습 등 구체적이고 현실적인 삶의 모습을 다루고 있다는 점에서 조선 후기 가사의 대표적인 특징을 알 수 있다.

[오답 풀이]

② 이 시가는 선경 후정의 방식이 활용되지 않았으며, 선경 후정의 방식은 조선 후기 가사만의 특징은 아니다.

③ 압축과 생략의 방식으로 내용을 구성하는 것은 시가의 일반적인 성격으로 조선 후기 가사만의 특징으로 볼 수 없다.

④ 가사는 정형화된 4음보 율격에 의해 운율감이 형성되므로 이것은 조선 후기 가사만의 특징으로 볼 수 없다.

⑤ 사대부가 한자어를 많이 사용함으로써 지식과 교양을 나타내는 것은 조선 전기 가사의 두드러진 특징이다. 이 시가에 한자어가 많이 사용되기는 했지만 이는 작가의 경험과 가치관을 드러내기 위한 것이며, 지식과 교양을 나타내기 위한 것으로 보기는 어렵다.

02 [화자의 정서 파악] 정답 ③

[A]에는 농사지을 준비를 다 해 놓고 소를 빌려 농사를 열심히 짓겠다는 화자의 기대감이 드러나 있다. [B]에는 소 주인에게 소를 빌리지 못하고 돌아오는 화자의 실망감이 드러나 있다.

03 [표현상의 특징 파악] 정답 ③

이 글에서는 다양한 표현 방법을 통해 대상과 화자의 정서 등을 제시하고 있으나 의인법이 활용된 부분은 찾아볼 수 없다.

[오답 풀이]

① 화자와 소 주인 간에 소를 빌리는 일을 둘러싼 대화를 직접 인용하여 현장감을 주고 있다.

② '누어시랴', '나아오랴', '삼겨시리', '뉘 이시리' 등에서 설의적 표현을 통해 화자의 생각을 강조하고 있다.

④ '허위허위', '아함', '설피설피' 등의 음성 상징어를 활용해 화자의 행동을 묘사하고 있다.

⑤ '녹죽도 하도 할샤'에서 영탄적 표현을 통해 대나무로 가득한 모습에 대한 감탄을 나타내고 있다.

04 [공간의 의미 이해] 정답 ②

'풍월강산'은 농사짓는 일조차 포기한 화자가 소박하게 살면서 앞으로 계속 머물고자 하는 공간이다. 즉 가난해도 편안히 여기고 근심하지 않는 마음으로 살고자 하는 화자가 현재의 소망을 다짐하고 실현하는 공간이라 할 수 있다.

[오답 풀이]

① '풍월강산'은 전통적인 정한, 애상과는 관련 없다.

③ '풍월강산'은 과거의 삶이나 추억과는 관련 없다.

④ '풍월강산'은 이상적인 삶을 추구하는 것과 관련되므로 현실과 이상의 괴리를 느끼며 고뇌하는 일과는 관련 없다.

⑤ '풍월강산'은 낭만과 신비, 환상의 유발과는 관련 없다.

05 [감상의 적절성 파악] 정답 ③

'두세 이렁 밧논를 다 무겨 더뎌두고'는 소가 없어서 갈지 못하는 땅을 그대로 던져둔다는 의미로 농사짓는 일에 너무 애쓰지 않겠다는 태도를 나타낸다. 이를 통해 게을렀던 자신의 행동에 대한 반성의 태도를 나타내는 것은 아니다.

[오답 풀이]

① '아함'은 '에헴'의 옛말로, '자신의 인기척을 내려고 일부러 내는 큰기침 소리'를 의미한다. 화자가 소 주인에게 자신이 문간에 와 있다고 알리기 위해 기침 소리를 낸 것이다.

② '와실'은 화자가 자신이 거처하는 공간을 지칭한 것인데, '매우 좁은 집'을 뜻한다. 이는 화자의 현재 처지가 매우 곤궁한 상태임을 나타낸다.

④ '인간 어ᄂᆡ 일이 명 밧긔 삼겨시리'는 인간의 모든 일이 운명에 속한다며 자신의 가난한 삶이 다 운명에 의해 결정된 일이라고 여기는 화자의 생각을 드러낸 것이다.

⑤ '삼긴 ᄃᆡ로 살렷노라'는 '생긴 것', 즉 운명적으로 결정된 것 이상의 다른 욕심을 부리지 않고 있는 그대로 살겠다는 화자의 태도를 나타낸다.

06 [인물의 심리 파악] 정답 ⑤

ⓔ는 소 주인의 말로, 건넛집 사람이 자신에게 음식과 술을 대접하였는데 그 은혜를 갚기 위해 그 사람에게 소를 빌려주겠다는 뜻을 나타낸 것이다. 즉 ⓔ에서 갚겠다는 것은 소를 빌려준 일에 대한 은혜가 아니라 음식과 술을 얻어먹은 일에 대한 은혜이다.

[오답 풀이]

① 소 주인의 ⓐ와 같은 약속은 엉성하게 한 말이었다는 점에서 진심에서 나온 말이 아님을 알 수 있다.

② 소를 빌리러 와서 스스로를 '염치가 없다'고 한 것은 소를 빌리는 것에 대한 겸연쩍음과 미안함을 표현한 것이다.

③ ⓒ에서 소 주인은 화자가 왜 자신을 찾아왔는지 그 이유를 잘 모르겠다는 듯한 태도를 보이고 있다. 이는 소 주인이 결국 화자에게 소를 빌려주지 않는 이후의 내용을 고려할 때 소를 빌려주기 싫어 짐짓 소를 빌려주겠다고 했던 자신의 말조차 기억하지 못하는 듯이 행동한 것으로 볼 수 있다.

④ 화자가 연년 그래 왔다는 말은 소를 빌리는 일이 매년 계속되었다는 것으로, 이번이 처음이 아님을 나타낸다.

07 [감상의 적절성 파악]

㉮: 이 글에서 화자는 '백구'에게 오라고 하며 말라고 하겠느냐며, 백구와 자신을 같은 마음을 가진 일체된 존재로 표현하고 있다. 즉 '백구'를 통해 자연과 일체를 이루는 자연 친화

의식을 드러내고 있다.

㉯: 이 글에서 강호는 소박한 삶의 터전으로서의 자연을 의미하기도 하는데 '단사표음'은 이 글에서 소박한 삶을 상징하는 말로 사용되고 있다.

㉰: 자연에 묻혀서도 유교적 도리를 다하겠다는 화자의 태도가 '충효', '화형제', '신붕우' 등을 통해 잘 드러나고 있다.

08 [외적 준거에 따른 작품 감상] 정답 ③

'님ᄌᆞ'는 어떤 물건의 소유자로 풍월강산에는 소유자가 없다는 것을 말하기 위해 제시된 존재이다. '유비군자'는 교양 있는 선비로서 자연의 풍류를 함께 나눌 만한 품성을 지닌 존재로 세속의 물욕을 취하려는 존재와 관련이 없다.

[오답 풀이]

① '목 불근 수기치'와 '간 이근 삼해주'는 소 주인이 건넛집 사람에게 받았다는 음식과 술로, 소를 빌리려는 화자의 부탁을 거절하는 명분이 된다.

② '녹죽'과 '노화'는 각각 대나무와 갈대꽃으로, 자연 속의 사물들이며, 자연에 은둔하고자 하는 화자가 추구하며 지향하는 공간에 있는 것들이다.

④ '죽'은 가난한 삶 속에서 먹는 음식이며, '빈천'은 가난을 의미하므로 모두 가난한 화자의 현재 상황과 관련 있는 시어이다.

⑤ '부귀'는 많은 재산과 권력을, '온포'는 따뜻한 옷과 배불리 먹는 음식을 나타내므로 모두 세속적 가치를 나타내며 화자가 관심을 두지 않으려 하는 대상에 해당한다.

09 [시상 전개 양상 파악] 정답 ④

㉣에는 농사를 짓기 위해 빌리고자 했던 소를 빌리지 못한 실망감으로 잠을 이루지 못하는 화자의 모습이 제시되어 있다. ⓒ의 상황을 추구하고자 하는 화자의 결심이 나타나는 부분은 25행 '춘경도 거의거다 후리쳐 더뎌두쟈'부터이다.

[오답 풀이]

① ㉠에는 사대부인 화자가 직접 농사를 짓는 데 필요한 소를 빌리려는 다급한 마음이 나타나 있다.

② 빈이무원, 즉 가난하더라도 원망하지 않고 부끄러움이 없는 마음을 지향하는 화자는 ㉡에서 자신의 궁핍한 상황을 거리낌없이 드러내며 소 주인에게 도움을 요청하고 있다.

③ 소 주인은 ㉢을 통해 화자에게 소를 빌려줄 수 없다고 못 박고 있다. 이것은 곧 화자가 소를 빌릴 수 없는 상황이 확정된 것이다.

⑤ ㉤에서 화자가 낚싯대를 빌리는 것은 ⓒ의 심리를 충족하고 ⓒ의 상황을 실천하기 위한 것이다.

21강

고공가

본문 095쪽

01. ① **02.** ⑤ **03.** ⑤ **04.** ③ **05.** ③ **06.** ④ **07.** 너희ᄂᆡ ᄃᆞ리고 새 ᄉᆞ리 사쟈 ᄒᆞ니 **08.** ③ **09.** Ⓐ ᄒᆞᆫ 솥(한 솥) Ⓑ 집 Ⓒ 지조(재주)

01 [표현상의 특징 이해] 정답 ①

ㄱ: 25행의 'ᄒᆞᆫ 집이 가ᄋᆞᆷ 열면 옷 밥을 분별ᄒᆞ랴'와 같은 설의적 표현을 사용하여 부유하게 되면 모두에게 혜택이 갈 것임을 강조하고 있다. 이는 화자가 예상하는 모습에 해당한다고 볼 수 있다.

ㄴ: 31~32행의 '칠석의 호ᄆᆡ 씻고 기음을 다 ᄆᆡᆫ 후의 / ᄉᆞᆺ 꼬기 뉘 잘ᄒᆞ며 셤으란 뉘 엿그랴'와 같이 김매기, 새끼 꼬기, 섬 엮기 등의 일을 열거하고 있다. 이를 통해 고공들이 해야 할 일에 대해 구체적으로 제시하고 있음을 알 수 있다.

[오답 풀이]

ㄷ. 화자가 고공들의 행태에 대해 비판함으로써 거리감을 드러내는 부분은 나타나지만, 이를 역설적 상황으로 제시하고 있는 부분은 나타나지 않는다.

ㄹ. 15행에서 '흘긧할긧'이라는 음성 상징어를 사용하여 고공들의 모습을 생동감 있게 전달하고 있지만, 이는 서로 반목하는 모습을 묘사한 것으로 긍정적 모습이 아닌 부정적 모습에 해당한다.

Q 설의적 표현이 뭔가요?

A 설의적 표현은 분명한 대답을 할 수 있는 내용을 의도적으로 의문형으로 표현하는 것입니다. 의문문이지만 궁금하거나 몰라서 묻는 것이 아니라 강조하기 위해 사용하는 표현을 말합니다.

예 보리밥 풋나물을 알맞게 먹은 후에
바위 끝 물가에서 실컷 노니노라.
그 나머지 다른 일들이야 부러워할 줄이 있으랴

– 윤선도, 「만흥」 〈제2수〉

이러한 표현을 사용하는 이유는 전달하고자 하는 내용을 보다 강조하여 드러내기 위함이라는 점에서 표현법 중에서도 강조법의 하나에 해당한다고 할 수 있죠.

02 [시구의 의미 파악] 정답 ⑤

7행에서 '셔리 보십 장기 쇼로 전답을 긔경ᄒᆞ니'와 같이 다양한 농기구를 사용하여 논밭을 갈아 일구었다는 내용을 제시하고 있지만 '우리 집'의 농기구가 다른 집보다 더 많다고 비교하여 제시하고 있지는 않다.

[오답 풀이]

① 5행의 '인심을 만히 쓰니'를 통해 '우리 집'이 과거에 어진 마음을 바탕으로 다스려진 곳이었음을 알 수 있다.

② 9~10행의 '자손에 전계ᄒᆞ야 대대로 나려오니 / 논밧도 죠커니와'를 통해 좋은 논과 텃밭이 대대로 내려오는 집안이었음을 알 수 있다.

③ 5행의 '사룸이 졀로 모다'를 통해 '우리 집'에 사람들이 스스로 모여드는 상황이었음을 알 수 있다.
④ 10행의 '고공도 근검터라'를 통해 '우리 집'은 부지런하고 검소한 모습을 지닌 고공들이 있던 내력을 지니고 있음을 알 수 있다.

03 [시적 상황의 파악] 정답 ⑤

㉮는 고공들이 제대로 일을 하지 않고 시절이 사나운 상황에서 강도까지 들어서 가산이 탕진된 상황이므로, '눈 위에 서리가 덮인다는 뜻으로, 난처한 일이나 불행한 일이 잇따라 일어남을 이르는 말'인 '설상가상'에 해당한다. ㉯는 앞으로 고공들이 추구해야 할 모습으로 서로 도와 가며 일을 해 나가는 모습이므로, '서로서로 도움.'을 의미하는 '상부상조'에 해당한다.

[오답 풀이]

①, ②, ④ '호사다마'는 '좋은 일에는 흔히 방해되는 일이 많음.'을 의미한다. ㉮는 좋지 않은 상황이 연달아 일어나는 상황에 해당하므로 적절하지 않다. '부화뇌동'은 '줏대 없이 남의 의견에 따라 움직임.'을 의미하는데, ㉯는 서로 협력하여 일을 하는 상황으로 이러한 상황이 줏대 없이 행동하는 것이라고 보기 어렵다.
③ '고군분투'는 '남의 도움을 받지 않고 힘에 벅찬 일을 잘해 나가는 것을 비유적으로 이르는 말'이다. ㉯는 서로 도우며 일을 하는 상황에 해당하므로 적절하지 않다.

04 [구절의 형식적, 내용적 특징 파악] 정답 ③

㉢은 새로운 마음으로 농사를 짓는 과정의 한 모습을 나타낸 것으로, 화자가 청자에게 김을 매자고 권하는 것이다. 이 과정에서 '늘 됴흔 호믜'는 김을 잘 매기 위한 좋은 도구로서의 의미를 지닐 뿐, 이를 시적 청자인 고공이 갖추어야 할 모습으로 구체화하였다는 진술은 적절하지 않다.

[오답 풀이]

① ㉠은 '여드레'라는 시간 표현을 사용하여 과거의 우리 집이 여덟 날 동안 일구어야 할 정도로 논과 텃밭이 컸음을 드러내고 있다.
② ㉡은 젊다는 것을 이유로 생각하려고 하지 않느냐는 의미이다. 이는 고공들이 젊음이라는 특징으로 인해 생각없이 지낼 것이라고 여기는 화자가 그러한 고공들의 태도를 문제 삼고 책망하려는 의도를 담고 있는 것이라고 볼 수 있다.
④ ㉣은 스스로 집을 짓는 노동을 하며 고공들의 재주를 헤아리는 자신과 같이 고공들 스스로도 제 할 일을 깊이 생각하며 지낼 것을 권유하는 것이라고 볼 수 있다.
⑤ ㉤에는 고공들의 모습에 애달파하는 화자의 모습이 나타나 있다. 시적 청자가 보이는 부정적 모습에 대한 화자의 안타까움의 심정이 '익두라ᄒᆞ며셔'라고 직접적으로 제시되고 있다.

05 [시구의 의미상 관계 파악] 정답 ③

화자는 '한어버이 사롬ᄉᆞ리'를 부유하고 풍족했던 시절로 나타내면서 이후 가산을 탕진해 어려운 상황에 놓여 있는 자신의 살림살이를 대비하여 현재의 어려움을 부각하고 있다. 또한 이를 바탕으로 21행에서 '김가 이가 고공들아 식 ᄆᆞ옴 먹어슬라'와 같이 새로운 마음가짐을 가질 것을 당부하고 있다.

[오답 풀이]

① 화자가 'ᄂᆡ 셰간'의 현재 상황을 미처 예상치 못한 것에 대해 스스로 탄식하는 모습은 나타나지 않으므로 적절하지 않다.
② 화자는 'ᄂᆡ 셰간'에 대한 언급을 통해 고공들에게 각성할 것을 촉구하려는 의도를 보이고 있는 것이지 고공들에게 미안함을 표명하고 있는 것은 아니므로 적절하지 않다.
④ '한어버이 사롬ᄉᆞ리'는 현재의 모습과 달리 부유하고 풍족한 시절로 제시되고 있다. 이는 'ᄂᆡ 셰간'의 현재 상황을 변화시켜 추구해야 할 모습으로 이해할 수는 있지만 그 자체가 현재의 상황을 변화시킬 계기가 된다고 보는 태도는 나타나지 않으므로 적절하지 않다.
⑤ 'ᄂᆡ 셰간'은 '한어버이 사롬ᄉᆞ리'와 달리 가산이 줄어든 부정적 현실에 해당한다. 따라서 '한어버이 사롬ᄉᆞ리'와 'ᄂᆡ 셰간'을 유사한 상황으로 본다는 것은 적절하지 않다.

06 [외적 준거에 의한 작품 감상] 정답 ④

'산전도 것츠럿고 무논도 기워 간다'라는 화자의 말은 산밭 잡초와 논의 김이 무성하니 김을 매야 한다는 의미를 담고 있는 것으로 볼 수 있다. 이는 하나된 마음으로 농사를 짓는 과정에서 해야 할 일이 많음을 의미한다는 점에서 〈보기〉에서 말한, 황폐해진 조선의 현실을 극복하고 재건하기 위해 해야 할 일이 많음을 나타내는 것으로 이해할 수 있다. 따라서 이를 재건을 통해 풍요로워진 조선의 구체적 모습을 나타낸 것으로 파악하는 것은 적절하지 않다.

[오답 풀이]

① '밥사발 큰나 쟈그나 동옷시 죠코 즈나'는 자신의 이익을 위해 서로 시기, 질투하며 다투는 고공들의 모습을 구체화한 것에 해당한다. 이는 〈보기〉에 따르면, 관리들이 서로 이익을 두고 다투는 이기적 행태를 보여 주는 것으로 이해할 수 있으므로 적절한 설명이다.
② '집 ᄒᆞ나 불타 붓고 먹을 썻시 젼혀 업다'는 '화강도'가 집안의 모든 재산을 가져간 상황을 나타낸 것이다. 이때의 '화강도'는 외부의 침입자라는 점에서 〈보기〉에 따르면 당대 조선에 위기를 가져온 외적 요인, 즉 전란 상황과 관련된다는 점을 파악할 수 있고, 해당 구절은 그러한 외적 요인으로 인해 궁핍하고 황폐해진 조선을 의미하는 것으로 이해할 수 있으므로 적절한 설명이다.
③ '식 ᄆᆞ옴 먹어슬라'는 '큰나큰 셰ᄉᆞ', 즉 집안의 세간을 다시금 일으키고자 하는 화자가 '김가 이가'로 호명된 고공들에게 촉구하는 내용에 해당한다. 즉 집안을 일으키기 위해서는 지금과 다른 마음가짐이 필요하다는 것이다. 이는 〈보기〉에 따르면, 국가의 재건을 위해서는 지금과 다른 노력이 필요함을 관리들에게 역설하는 것으로 이해할 수 있으므로 적절한 설명이다.
⑤ '너희 직조 셰아려 자라자라 맛스라'는 고공들에게 각자의 재주를 헤아려서 그에 맞게 일을 맡으라고 명령하는 부분이다. 이는 〈보기〉에 따르면, 국가의 재건을 위해서는 고공이 가리키는 존재, 즉 당대 관리들이 각자가 가진 능력에 따라 소임을 다해야 한다는 작가의 생각과 통찰이 반영된 것이므로 적절한 설명이다.

07 [구절의 내용 이해]

[A]에서 화자는 '너희ᄂᆡ ᄃᆞ리고 새 ᄉᆞ리 사쟈 ᄒᆞ니'와 같이 현재의 좋지 않은 상황에 절망하거나 굴복하지 않고 극복하고자 하는 의지를 표명하고 있다. 그런데 '엇그지 왓던 도적

아니 멀리 갓다'와 같이 도적이 여전히 근처에 있는데, '화살을 젼혀 언고 옷 밥만 닷토ᄂᆞᆫ다', '은혜란 싱각 아녀 졔 일만 ᄒᆞ려 ᄒᆞ니'에서 고공들은 도적에 제대로 대비할 줄 모르며, 먹여 준 은혜도 모른 채 자기 일만 하며 잇속을 챙기는 모습을 보이며 부정적 현실의 요건으로 작용하고 있다.

08 [작품의 비교 감상] **정답 ③**

〈보기〉의 화자는 집안을 일으키기 위해서는 종들을 휘어잡고 잘못한 일에 대해서는 벌을 내려야 함을 강조하고 있다. 이에 비해 이 글의 화자는 고공들을 비판하면서도, 함께 농사지을 것을 당부하거나 타이르는 정도의 모습을 보이고 있다. 따라서 〈보기〉의 화자는 이 글의 화자에 비해 고공들을 엄하게 대할 필요가 있음을 말하고 있다고 이해할 수 있다.

[오답 풀이]

① 이 글의 화자는 고공들이 '혬'이 없으므로 서로 시기하고 질투하는 모습을 보이고 있다고 생각하고 있다. 그러나 〈보기〉에서는 이러한 화자의 생각을 확인할 수 없다.

② 〈보기〉의 화자는 '새끼 꼬기 멈추시고'라고 말하고 있고, 이 글의 첫 행부터 3행까지와 마지막 행을 통해 이 글의 화자는 새끼를 꼬며 자신의 심정을 토로하는 상황임을 알 수 있다. 〈보기〉의 화자가 새끼 꼬기를 멈추라고 하는 것은 자신의 말을 집중해서 듣도록 한 것일 뿐, 새끼 꼬는 행동 자체를 문제의 원인이라고 지적하는 것은 아니다.

④ 〈보기〉의 화자는 고공들의 문제를 해결하기 위해서는 '어른 종을 믿으소서'와 같이 고공들 중에서도 어른 고공에 대한 신뢰가 있어야 함을 강조하고 있다. 이는 고공 사이의 위계를 새롭게 정하자는 것이 아니라 이미 위계가 잡혀 있는 상태를 전제하는 것이므로 적절하지 않다.

⑤ 〈보기〉의 화자는 '집안 절로 일어나리라'라고 말하고 있는데, 이는 종들을 휘어잡고 상벌을 밝히고 어른 종을 믿어야 비로소 상황이 나아질 것임을 말하고자 한 것으로, 집안의 상황이 저절로 나아질 것이라는 낙관적 전망을 드러낸 것은 아니다.

Q 낙관적 전망과 비관적 전망이 뭔가요?

A '낙관적(樂觀的)'은 '인생이나 사물을 밝고 희망적인 것으로 보는 것'을 의미합니다. 문학 작품에서 '낙관적 전망'은 미래의 모습을 긍정적인 상태일 것으로 기대하거나 작품 속의 현재보다 미래가 더 나아질 것이라고 기대하는 것이라고 볼 수 있죠.

㉮ 앞은 한강수요 뒤는 삼각산이여
많은 덕을 쌓으신 강산에서 만세를 누리소서
– 정도전, 「신도가」

이와 반대되는 의미로 쓰이는 용어는 '비관적 전망'입니다. '비관적 전망'은 작품 속의 현재보다 미래가 더 안 좋아질 것이라고 예측하는 것, 현재의 좋지 못한 상황이 여전히 해소되지 않을 것으로 예측하는 것을 의미합니다.

09 [세부 내용 파악]

화자는 23행에서 고공들이 다투는 모습과 관련하여 서로 반목해야 할 존재가 아니라 'ᄒᆞᆫ 소ᄐᆡ 밥'을 먹는 공동체적 존재라는 점을 강조하고 있다. 또한 화자는 고공들을 비판하는 데 그치지 않고 34~36행에서 살림을 다시 일으키기 위한 일로 '성조'를 들고, '집으란 내 지으게 움으란 녜 무더라 / 너희 직조을 내 짐작ᄒᆞ엿노라'와 같이 먼저 나서서 집을 짓겠다고 하는 솔선수범의 태도와, 고공들이 재주를 지닌 존재임을 인정하며 고공들을 타이르는 모습을 보이고 있다.

22강

용추유영가

본문 100쪽

01. ⑤ 02. ① 03. ④ 04. ④ 05. ⑤ 06. ③ 07. ③
08. 산새의 모습을 청각적 이미지를 통해 감각적으로 표현하였다. / 화자가 자연에서 느끼는 즐거움을 '임화'에 투영하는 감정 이입의 표현 방법을 사용하였다. 09. [B]와 〈보기〉 모두 '백 년'이라는 시구를 통해 일평생 자연 속에서 사는 삶을 추구할 것이라는 태도를 드러내고 있다.

01 [화자의 태도 이해] **정답 ⑤**

화자는 47~48행에서 '깨긋한 풍채'를 지향하면서 '옛ᄉᆞ람', 즉 옛 성현들을 만나 보고 싶어 하지만 만날 수 없는 상황임을 밝히고 있다. 그러나 이에 대해 화자는 49행에서 '애통함도 쓸ᄃᆡ업다'와 같은 반응을 보이고 있을 뿐, 슬픔을 느끼고 이를 극복하려는 모습은 보이지 않는다.

[오답 풀이]

① 이 글에서는 용추동의 빼어나고 다양한 경치를 7행에서 '온가지 짙은 풍경'과 같이 압축적으로 제시하면서 '거두어 어듸 두리'와 같이 자연 풍경을 담아 두고 싶어 하는 화자의 태도를 나타내고 있다.

② 이 글의 44행에는 '오륙 아이들과 노래하며 도라오'며 자연 속에서 다른 이들과 즐겁게 노니는 삶을 마음껏 즐기는 화자의 면모가 나타난다.

③ 이 글에서는 39행의 '오늘이 낫부거니 ᄂᆡ일이라 슬믤런가'와 같이 자연 속에서의 삶이 지속되는 것에 대해 싫증이 날 일이 없다는 반응을 보이고 있다. 이는 그만큼 자연에서의 삶에 화자가 심취해 있는 것으로 볼 수 있다.

④ 이 글의 화자는 33행의 '낚싯대 드리우'거나 43~44행의 '소쇄ᄒᆞᆫ 맑은 바람 슬커지 쐬온 후에 / 오륙 아이들과 노래하며 도라오'는 활동들을 통해 자연 속의 흥취를 더하고 있음을 알 수 있으며, 37행의 '이 별천지는 나밖에 뉘 아ᄂᆞᆫ고', 45행의 '녯사룸 기상을 미출가 못 미출가'에서 자신의 삶에 대한 자부심을 드러내고 있다.

02 [작품의 종합적 감상] **정답 ①**

이 글에서 화자는 자신의 삶에 대해 만족하며 자연을 즐기고 있을 뿐, '인생의 덧없음'을 의미하는 '인생무상(人生無常)'의 태도는 보이지 않고 있다.

[오답 풀이]

② '낙목한천(落木寒天)'은 '나뭇잎이 다 떨어진 겨울의 춥고 쓸쓸한 풍경'을 의미하며, 24행의 '나뭇잎이 다 진 후의 계산이 삭막거놀'의 모습을 통해 알 수 있다.

③ '유유자적(悠悠自適)'은 '속세를 떠나 아무 속박 없이 조용하고 편안

하게 삶.'을 의미하며, 18행의 '송정 긴 즘의 고열도 모로리다'의 모습을 통해 알 수 있다.

④ '안분지족(安分知足)'은 '편안한 마음으로 제 분수를 지키며 만족할 줄을 앎.'을 의미하며, 23행의 '일반 청미ᄂᆞᆫ 세상 모롤 이리로다'의 모습을 통해 알 수 있다.

⑤ '물아일체(物我一體)'는 '자연과 자아가 하나가 됨.'을 의미하며, 14행의 '골 안의 청향이 지팡이에 묻었구나'와 50행의 '산조산화롤 내 버즐 삼아 두고'의 모습을 통해 알 수 있다.

03 [공간적 배경의 시적 기능 파악] 정답 ④

'이원의 반곡'은 화자가 용추동의 자연에 머물면서 '(용추동처럼) 이러턴가 엇더ᄒᆞ며'와 같이 환기하는 공간이다. 이는 '무이산의 청계'가 '이예셔 (용추동보다) 더 됴흔가'라고 한 것처럼, 자신이 현재 지내는 공간과 비교하는 대상에 해당한다. 이를 통해 화자는 옛 명승지에 비견될 만큼 자신이 거처하는 용추동이 빼어난 곳임을 강조하는 것이다.

[오답 풀이]

① 화자는 '수간모옥'의 '서창을 비겨 안자' 병풍처럼 둘러싸인 자연 풍경을 바라보고 있다. 이때의 '수간모옥'은 속세의 공간이 아니라 '구름 사이에 지어' 둔 것과 같은 자연 속 공간이다.

② 맑디맑은 '장공'을 울며 지나가는 '기러기'는 '장공'과 대비되는 서글픈 분위기를 자아내는 것이 아니라, 맑은 하늘에 어울리는 모습으로 제시된 것이다.

③ '계산'은 '바람이 소슬ᄒᆞ야', '삭막거놀'에서 보듯 바람이 불어 고요한 분위기가 조성되는 공간으로, 겨울에 '백설'이 내리면서 아름다운 모습이 된다. 화자가 삭막하다고 한 것은 눈이 내리기 전 나뭇잎이 다 진 후의 '계산'이므로, '계산'을 '백설'이 떨어지면서 더욱 삭막하게 느끼는 공간이라고 한 진술은 적절하지 않다.

⑤ '봉', 즉 봉우리는 '푸른 안개'에 의지하여 화자가 올라가게 되는 곳이자 마음껏 즐기며 노니는 대상으로 제시되고 있다. 이 과정에서 화자는 여유로움을 느끼고 있을 뿐, 봉의 드높은 모습으로 인해 경외감을 느끼는 태도를 보이고 있지는 않다.

04 [구절의 형식적, 내용적 특징 파악] 정답 ④

㉣에서는 '눈썹을 찡그리며 어깨를 으쓱하고 눈을 노피 드니'와 같이 행동이 묘사되고 있는데, 이는 '경요굴', 즉 눈 내린 산봉우리의 아름다운 풍경을 즐기는 화자의 모습에 해당한다. 따라서 속세의 삶을 돌아보는 화자의 모습을 보여 준다는 진술은 적절하지 않다.

[오답 풀이]

① ㉠에서는 '아춤비', '사양' 등과 같이 시간을 나타내는 표현을 통해 그 경과를 알 수 있게 해 주고 있다. 이를 바탕으로 화자는 아침에는 아지랑이가 피어오르고, 저녁에는 노을로 밝은 빛이 비치는 자연의 변화 양상을 묘사하고 있다.

② ㉡에서는 '청향'이라는 후각적 이미지를 '지팡이에 묻었구나'와 같이 촉각적 이미지로 전이하는 공감각적 표현을 통해 맑은 자연과 지팡이를 쥐고 있는 화자의 모습이 조화되는 풍경을 제시하고 있다.

③ ㉢에서는 '일대 강 그림자'가 '푸른 유리'가 되어 있다는 비유적 표현을 사용하고 있다. 이를 통해 고요하고 정적인 분위기를 자아내는 자연의 풍경을 묘사하고 있다.

⑤ ㉤에서는 '추위롤 어이 알쏘'와 같은 설의적 표현을 사용하여 '우활ᄒᆞᆫ 정신', 즉 자연에 취해 추위도 못 느끼고 지냄을 강조하고 있다.

Q 공감각적 이미지와 복합적 이미지가 뭔가요?

A 감각적 이미지에는 시각적, 청각적, 촉각적, 미각적, 후각적 이미지 등이 있는데 이러한 감각적 이미지 중에서 하나의 감각을 다른 감각으로 옮겨서 표현하는 것을 공감각적 이미지라고 합니다. 감각을 옮긴다는 점에서 공감각적 이미지를 사용한 경우 감각의 전이가 일어났다고 합니다.

㉮ 향기로운 님의 말소리(청각의 후각화) – 한용운, 「님의 침묵」

한편, 복합적 이미지는 이러한 감각의 전이 없이 두 가지 이상의 감각이 나열되는 경우를 말합니다.

㉮ 누룩을 디디는 소리, 누룩을 뜨는 내음새

– 오장환, 「고향 앞에서」

결국 공감각적 이미지와 복합적 이미지는 감각의 전이가 일어나는지의 여부에 따라 구분된다고 볼 수 있습니다.

05 [외적 준거에 의한 작품 감상] 정답 ⑤

화자가 '단사표음'을 '내 분수'로 생각하니 '일월도 한가'하다고 느끼는 것은 자연 속에서 안빈낙도하며 유유자적한 삶을 살아가고 있다는 것이다. 〈보기〉에 따르면, 이는 화자가 자연을 정신적 풍요로움을 주는 공간으로 인식하고 있음을 보여 주는 것이라고 이해할 수 있다. 이를 화자가 삶의 단조로움을 느껴 자연 속에서 안빈낙도하려는 것으로 보는 것은 적절하지 않다.

[오답 풀이]

① 23행의 '일반 청미ᄂᆞᆫ 세상 모롤 이리로다'는 속세 사람들이 추구하는 즐거움이 아닌 자연 속에서 느끼는 소박한 즐거움에 대한 화자의 만족감을 드러낸다. 〈보기〉에 따르면, 이러한 만족감은 현실 소외에 대한 보상 공간으로서 자연을 받아들이는 화자의 모습으로 이해할 수 있다.

② 28행의 '가없는 설경'은 자연이 만들어 내는 풍요로운 아름다움을 의미하며 화자는 주체할 수 없는 흥취를 '시'를 통해 표출한다. 〈보기〉에 따르면, 이는 자연 속에서 정신적으로 풍요로움을 느끼고 풍류를 즐기는 것에 만족감을 느끼는 화자의 모습을 보여 주는 것이다.

③ 50~51행의 자연을 '버즐 삼아 두고' '삼긴 대로 노ᄂᆞᆫ 몸'은 정치·경제적으로 몰락하여 자연 속에서 산새와 산꽃을 벗으로 삼아 즐기며 살고 있는 화자이다. 〈보기〉에 따르면, 이는 자연이 화자에게 안식처로 인식되고 있음을 보여 준다.

④ 52행의 '공명을 생각ᄒᆞ'지 않고 '빈천을 셜워'하지 않겠다는 것은 속세의 삶이 아닌 자연에서의 삶을 추구하는 화자의 신념을 보여 준다. 〈보기〉에 따르면, 이는 현실에서 소외된 자신의 처지를 인식하고 자연 속에서 안빈낙도하며 살아가려는 화자의 태도에 해당한다.

06 [작품의 종합적 감상] 정답 ③

화자는 가을 경치에서 '양안 단풍 숲'이 붉은 비단처럼 강에 비치는 풍경을 접하게 된다. 이 속에서 화자는 '황화롤 잔의 씌워 무지개를 마자 오니'와 같이 국화를 자신의 술잔에 띄우며 자연 속에서 풍류를 즐기는 모습을 보여 주고 있다. 이러한 모습은 자신의 삶에 만족함을 드러내는 것이라 할 수 있다.

[오답 풀이]

① 화자는 봄 경치에서 13행의 '이 고지 안자 보고 져 고지 둘러보니'와 같이 분주한 듯한 모습을 보이고 있는데, 이는 자연을 충분히 즐기지 못하는 것이나 그에 따른 아쉬움을 나타낸 것이 아니라 봄날의 자연을 여기저기 다니며 즐기는 모습을 나타낸 것이다.

② 화자가 여름 경치에서 맞이하게 되는, 17행의 '반공 빛난 구름 골짜기예 좀겨시니'는 구름의 그림자가 골짜기에 드리우는 모습을 비유적으로 묘사한 것으로 이는 비현실적 경험이 아니라 화자가 맞이하는 실제적 경험으로서의 풍경이다.

④ 화자는 겨울 경치에서 소슬하게 불어오는 바람을 맞기도 하고, 백설이 내린 풍경을 맞이하기도 한다. 특히 화자는 백설이 내린 것을 25행에서 '겨울이 조화'를 부린 것으로 표현하고 있는데, 이는 아름다운 자연을 만들어낸 자연의 섭리에 대한 감탄을 담고 있는 것이지 자신의 처지를 운명으로 여기고 이를 수용하는 것과는 관련이 없다.

⑤ 화자는 31행에서 사계절의 '아름다운 경치에 흥취도 ᄀᆞ즐세고'와 같이 흥취를 느끼고 있음을 드러내고 있는데, 30행에서 '사계절의 모습이 가ᄂᆞᆫ ᄃᆞᆺ 도라오니'라고 하며 순환하는 자연의 모습이 흥취를 더할 수 있게 해 준다고 여기고 있다. 따라서 사계절의 풍경을 다시 맞이할 수 없는 모습이라 여기고 있다는 설명은 적절하지 않다.

Q 비현실적 경험, 현실적 경험이 뭔가요?

A 비현실적 경험은 실제로 일어날 수 없는 상황이나 사건을 경험하는 것을 말합니다. 이는 문학에서 대부분 꿈을 통해 현실에서 일어날 수 없는 일을 경험하는 경우, 초월적 존재(옥황상제, 신선 등)와 만나거나 초월적 존재가 머무는 공간을 배경으로 시상이나 사건이 전개되는 것 등이 대표적입니다. 반면, 현실적 경험은 일상적인 삶에서 실제로 존재하거나 일어날 수 있는 일들을 통칭하는 말입니다.

일반적으로 비현실적 경험은 현실 경험과의 관계 속에서 주로 화자의 소망이 반영되거나 고난 해결을 위한 계기를 마련해 주는 등의 역할을 하는 경우가 많습니다.

예 잠깐 사이에 힘이 다해 풋잠을 잠깐 드니
정성이 지극하여 꿈에 임을 보니
옥 같은 곱던 모습이 반 넘어 늙었구나
마음속에 품은 생각을 실컷 사뢰려고 하였더니
눈물이 계속 나니 말인들 어찌하며
정회를 못다 풀어 목마저 메니,
방정맞은 닭소리에 잠은 어찌 깨었는가? - 정철, 「속미인곡」

위에 제시된 사례를 통해 보면 꿈을 꾸는 상황 자체는 현실적 경험에 해당하지만, 꿈속에서 떨어져 있던 임을 만나는 것은 비현실적 경험에 해당한다고 볼 수 있습니다.

참고로 고전 시가에서 현실적 경험이라는 개념은 임진왜란 이후 사실성에 입각한 가사가 나타난 것과 관련이 깊습니다. 그 이전의 가사들이 관념적인 세계를 추구하는 경향을 중심으로 전개되었다면, 임진왜란 이후에는 현실적 경험이 반영된 「누항사」 등과 같은 작품이 등장했기 때문입니다.

07 [외적 준거에 의한 구절의 의미 이해] 정답 ③

〈보기〉를 통해 허유가 천하를 통치해 달라는 요임금의 제안을 거부했던 인물이라는 점을 알 수 있으며, ㉮는 화자 역시 그러한 삶을 추구하겠다는 태도를 드러낸 것이라고 할 수 있다. 그런데 〈보기〉를 보면 소부는 허유가 요임금의 눈에 띄어 제안을 받은 것 자체만으로도 잘못된 것이라고 비판하고 있으므로 허유보다 더욱 속세를 멀리하는 태도를 지닌 인물임을 알 수 있다. 따라서 용추동에서의 삶을 소부의 삶과 비교하는 것으로 바꾼다면 속세를 멀리하겠다는 표현의 의도가 약화되는 것이 아니라 더욱 강화될 것이다.

[오답 풀이]

① 〈보기〉에 제시된 허유의 삶의 모습을 통해 ㉮에는 화자 역시 허유와 같이 용추동에서의 삶을 지속하겠다는 의지가 내포되어 있음을 알 수 있다.

② 〈보기〉에서 허유는 기산이라는 자연에 은거하고 있음을 알 수 있다. 화자는 현재 용추동에 머물고 있으므로 기산에 머물렀던 허유는 용추동에 머무르고 있는 화자와 대응된다고 볼 수 있다. 이러한 대응은 ㉮의 설의적 표현을 통해 강조되고 있다.

④ 〈보기〉에서 허유는 강물에 귀를 씻는 행동을 하는데, 이는 ㉮에서의 화자의 행동과 같음을 알 수 있다.

⑤ 〈보기〉에서 요임금의 제안을 받아들인다는 것은 세상으로 나아가 통치함을 의미하는데 허유는 이러한 제안을 듣지 않은 것으로 하기 위해 귀를 씻는 행동을 한다. 화자 역시 허유와 동일한 행동을 보이고 있고 자연에 은거하는 삶을 지향한다는 점에서 ㉮에는 정계 진출을 부정적으로 여기는 화자의 생각이 내포되어 있음을 알 수 있다.

08 [표현상의 특징 파악]

[A]는 '지저귀는', '노래ᄒᆞᆯ 소릐' 등과 같이 청각적 이미지를 통해 산새의 모습을 감각적으로 제시하고 있다. 또한 자연 경치를 즐기는 화자의 즐거움을 '임화'가 웃음을 머금고 있는 것으로 표현하는 감정 이입의 표현이 활용되고 있다.

09 [작품의 비교 감상]

[B]와 〈보기〉는 '백 년'이라는 시구를 공통적으로 사용하고 있는데 이는 '평생'이라는 의미를 지닌다. 즉 [B]와 〈보기〉에서 화자는 각각 '계산 경물'과 '강산풍월'로 제시된 자연에서 자신의 일평생을 보내겠다는 태도를 공통적으로 드러내고 있다.

규원가

본문 105쪽

01. ⑤ 02. ① 03. ③ 04. ⑤ 05. ④ 06. ⑤ 07. Ⓐ 자취눈 Ⓑ 궂은비 Ⓒ 실솔 Ⓓ 감정 이입 08. (1) 화자는 ㉮에서는 시간이 빠르게 흐른다고 느끼고 있고, ㉯에서는 시간이 느리게 흐른다고 느끼고 있다. (2) ㉮에서는 화자가 곱고 아름다운 자신의 모습이 오래가지 못하고 빨리 보기 싫게 변해 버렸다고 생각하기 때문이다. ㉯에서는 화자가 임을 기다리며 보내는 세월이 고통스럽기 때문에 그만큼 그 시간이 느리게 흐른다고 느끼기 때문이다.

01 [시적 상황의 파악] 정답 ⑤

여인은 8행에서 '당시의 용심하기 살어름 디디는 듯'이라고 하며 남편과 결혼 후의 생활도 살얼음을 디디는 것처럼 불안하고 조심스러운 것이었다고 밝히고 있다. 따라서 결혼 후 여인의 생활이 평안하고 즐거웠다가 남편이 떠난 후 반대의 상황으로 뒤바뀌었다는 설명은 적절하지 않다.

[오답 풀이]

① 3행에서 '늘거야 설운 말씀 하자 하니 목이 멘다'를 통해 여인이 자신의 처지가 서럽다고 여기고 있음을 알 수 있고, 이후의 내용에서 그 사연을 구체적으로 밝히고 있음을 확인할 수 있다.

② 19행에서 '원근을 모르거니 소식이야 더욱 알랴'를 통해 여인이 집을 나간 남편이 어디에 있는지 소식을 모르는 채로 지내고 있음을 확인할 수 있다.

③ 화자는 9행에서 '삼오 이팔 겨오 지나 천연여질'의 모습으로 혼인을 하였으나 13~14행에서 알 수 있듯이 시간이 흐르면서 '설빈화안'이 '면목가증'이 되어 '어느 임이 날 괼소냐'라고 말하고 있다.

④ 5행의 '군자호구 원하더니'를 통해 여인이 어진 인물의 아내가 되어 살기를 바랐음을, 7행의 '장안유협 경박자를 꿈같이 만나이셔'를 통해 실제로는 놀기 좋아하는 경박한 사람을 만나 그 바람을 이룰 수 없었음을 확인할 수 있다.

02 [시구의 의미 파악] 정답 ①

20행의 '인연을 그쳤은들'에서 임과 인연이 끊어진 상황임을 알 수 있으며 '생각이야 없을소냐'나 21행의 '얼굴을 못 보거든 그립기나 말으려믄'과 같이 임에 대한 그리움을 여전히 품고 있음이 드러난다. 그러나 임에 대한 그리움을 느끼는 것에 대해 자책하는 태도는 보이지 않고 있다.

[오답 풀이]

② 화자는 1행에서 '엊그제 젊었더니 하마 어이 다 늙거니'라며 옛날과 달리 변해 버린 자신의 현재 모습을 언급하고 있다. 이러한 화자의 말에는 흐르는 세월에 대한 한탄이 담겨 있다.

③ 화자는 13행의 '설빈화안 어디 가고 면목가증 되거고나'에서 꽃 같은 아름다운 얼굴을 지니고 있었지만 현재는 보기 싫은 얼굴을 지니게 되었다고 밝히고 있는데, 이에 대하여 11행의 '조물이 다시하여'와 같이 조물주의 시기를 그 이유로 들고 있다.

④ 화자는 임의 부재로 서글픔과 외로움을 느끼다가 이를 달래기 위해 31~32행에서 '녹기금 빗겨 안아 / 벽련화 한 곡조를 시름조차 섞어 타'는 모습을 보인다.

⑤ 화자는 41행에서 설화 속의 비운의 연인인 '견우직녀'도 칠월 칠석에 때를 놓치지 않고 만나는 존재임을 밝히면서 이와 반대되게 자신은 44행에서 '오거니 가거니 소식조차 그쳤'음을 밝히고 있다. 이는 천상에 있는 견우직녀와 자신의 현재 모습을 비교하여 자신의 불행한 처지를 강조한 것이다.

03 [시적 상황의 파악] 정답 ③

ⓒ에 이어지는 구절에서 '정처 없이 나가' 있다고 밝히고 있는 것을 통해 알 수 있듯이 ⓒ는 남편이 부재하는 시간이자 '백마 금편'과 같이 화려한 행장을 한 남편이 어디에 머무는지도 알 수 없는 상황과 관련된다. 따라서 호사스럽게 꾸민 남편이 집에 돌아오지 않고 부재한 시간이라는 설명은 적절하다.

[오답 풀이]

① ⓐ는 즐거웠던 과거의 시절을 가리키는 것으로, 화자는 이 시절을 회상하면서 '일러도 속절없다'라고 밝히는 것으로 보아 다시 돌아갈 수 없어 말해 봤자 소용없는 시간으로 여기고 있으므로, 이 시절로 돌아갈 수 있을 것이라 기대한다는 설명은 적절하지 않다.

② ⓑ는 남편이 찾아가는 '야유원'에 있는 기생을 가리키는 것으로, 화자는 ⓑ가 자신과 남편 사이의 장애물이라고 여기고 있다. 따라서 ⓑ가 남편의 귀가를 도와줄 것이라고 여겨진다는 설명은 적절하지 않다.

④ ⓓ는 화자가 '시름없다'라고 밝히는 것으로 보아 남편과 이별한 처지로 인해 눈에 들어오지 않는 대상으로, '삼춘화류 호시절'과 어울리게 펼쳐진 아름다운 봄 경치를 가리키는 것이지 서로 대비되는 풍경이 아니다.

⑤ ⓔ는 남편의 부재로 인해 '적막'한 느낌을 자아내는 공간이라는 점에서 독수공방하는 화자의 처지와 조응된다고 할 수 있다. 그러나 '옛 소리'가 여전히 남아 있는 것과 달리, ⓔ는 남편이 부재하는 상황이라는 속성을 지닌다는 점에서 '옛 소리'와 동일한 속성을 지니고 있다는 설명은 적절하지 않다.

Q 조응되는 공간적 배경이 뭔가요?

A '조응'은 '둘 이상의 사물이나 현상이 서로 일치하게 대응함.'이라는 의미를 가지고 있습니다. 이러한 의미는 시에서 주로 시적 화자가 처한 상황이나 정서와 주변 환경이 서로 잘 어울리는 것을 가리킨다고 볼 수 있습니다. 따라서 '조응되는 공간적 배경'이라 함은 시적 화자의 상황 혹은 정서와 제시된 공간적 배경이 자아내는 분위기가 어울려 호응될 때를 말합니다.

예 보슬보슬 봄비는 못에 내리고
찬 바람이 장막 속 스며들 제
뜬시름 못내 이겨 병풍 기대니
송이송이 살구꽃 담 위에 지네. – 허난설헌, 「봄비」

이러한 관계를 정확히 파악하기 위해서는 우선 화자가 처한 상황이나 정서를 파악한 뒤 묘사된 주변의 풍경이 어떤 분위기를 조성하는지를 확인하는 과정을 거쳐야 합니다. '조응한다'는 판단을 내릴 때는 화자의 상황이나 정서가 기준이 되기 때문입니다.

04 [구절의 형식적, 내용적 특징 파악] 정답 ⑤

'박명한 홍안이야 날 같은 이 또 있을까'는 자신이 가장 '박명', 즉 복이 없으면서 팔자가 사나운 사람일 것이라고 여기는 화자의 인식을 보여 준다. 〈보기〉에 따르면 이러한 인식은 자신의 운이 가장 나쁘다는 생각을 바탕으로 한다는 점에서 외적 요인에 따른 귀인의 태도를 보여 준다고 이해할 수 있다.

[오답 풀이]

① '월하의 연분으로'는 '삼생의 원업'과 더불어 임과의 인연과 그 이후의 이별 상황을 운명으로 여기는 화자의 인식을 보여 준다. 이는 〈보기〉에 따르면, 현재 상황의 배경을 '운'이라는 외적 요인에 따라 귀인하는 태도로 이해할 수 있다.

② '스스로 참괴하니 누구를 원망하랴'에는 자신의 모습을 스스로 부끄럽게 여기면서 외부의 다른 대상이나 존재를 원망할 수 없다는 화자의 인식을 보여 준다. 이는 〈보기〉에 따르면, 임과의 관계가 악화된 원인을 자신의 외모라는 자질에서 찾고 있는 것이기 때문에 내적 요인으로 파악하려는 태도를 보이는 것으로 이해할 수 있다.

③ '무스 일 원수로서 잠조차 깨우는다'는 잠을 이루지 못하는 것이 바람에 지는 잎과 풀 속에 우는 짐승 때문이라는 화자의 인식을 보여 주는데, 시적 상황상 화자가 잠을 이루지 못하는 것은 임이 오는 소식을 알고자 하기 때문임, 즉 내부적 요인에 의한 것임을 알 수 있다. 따라서 이는 〈보기〉에 따르면, 잠이 깬 것의 원인을 외부의 대상에서 찾는 것은 원인에 대해 잘못된 판단을 내리는 귀인 오류에 해당한다고 이해할 수 있다.

④ '무슨 약수 가렸관대'는 임이 오지 않는 것이 '약수'라는 장애물 때문이라고 판단하는 화자의 인식을 보여 준다. 이는 〈보기〉에 따르면, 임이 자신에게 오지 않는 사태를 외부 요인에 따른 것으로 납득하고자 하는 것과 관련된다.

05 [외적 준거에 의한 작품 감상] 정답 ④

'차라리 잠을 들어 꿈에나 보려 하니'는 남편을 잊을 수 없어 차라리 꿈속에서라도 만나고자 함을 드러낸 것이라는 점에서 남편에 대한 그리움과 만남에 대한 소망이 담겨 있는 것으로 이해할 수 있다. 이는 〈보기〉에 따르면, 기다림을 강요당했던 현실 세계에서의 회한이 해소된 것이 아니라 아직 해소되지 않은 상황에서 해소하고자 하는 바람을 진솔하게 드러낸 것이라고 보아야 한다.

[오답 풀이]

① '장안유협 경박자를 꿈같이 만나이셔'에서 '장안유협 경박자'는 자신의 남편인 '임'을 가리킨다. 이는 현재의 이별 상황으로 인해 회한을 품게 한 원인에 해당하는 임을 풍류객이자 경박한 사람으로 표현하고 있는 것이다. 이는 〈보기〉에 따르면, 회한의 원인이 되는 인물을 진솔하게 표현한 것으로 이해할 수 있다.

② '긴 한숨 지는 눈물 속절없이 혬만 만타'는 집을 나간 남편을 찾지도 못한 채 기다리며 회한을 느끼는 화자의 모습을 보여 주고 있다. 이는 〈보기〉에 따르면, 가부장적 사회에서 기다림을 강요당했던 전형적 삶의 모습으로 볼 수 있다는 점에서 당대 여인들의 공감을 얻을 수 있었다고 이해할 수 있다.

③ '간장이 구곡 되야 굽이굽이 끊쳤세라'는 독수공방의 외로움을 굽이굽이 속이 뒤틀린 모습으로 표현하고 있는 부분에 해당한다. 이는 〈보기〉에 따르면, 깊은 회한의 상태를 '간장'이 '구곡' 되었다는 대상의 구체적인 모습으로 표현하고 있는 것으로 이해할 수 있다.

⑤ '죽림 푸른 곳에 새소리 더욱 설다'는 임과의 이별로 인한 회한의 심경으로 인해 주변에서 들려오는 새소리도 서럽게 느끼는 화자의 모습을 보여 준다. 이는 〈보기〉에 따르면, 회한 섞인 삶을 주변 세계에 투영하여 동일시하는 화자의 모습에 해당한다고 이해할 수 있다.

06 [시구의 의미 파악] 정답 ⑤

ⓜ에서 화자는 '아마도'라는 추측의 표현과 '이 임의 지위'로 인해 '살동말동'하다는 인과의 표현을 사용하여 임과 떨어져 있는 현재 자신의 비참한 처지가 임의 탓이라는 점을 직접적으로 제시하며 원망의 심경을 드러낸 것으로 볼 수 있다.

[오답 풀이]

① ㉠에서 '삼오 이팔'은 '천연여질', 즉 타고난 고운 모습을 보였던 화자의 15~16세를 가리키며 변해 버린 지금의 모습과 다른 예전을 의미할 뿐 그 모습이 오랫동안 지속되었다는 의미는 나타나 있지 않다.

② ㉡에서 '어느 임이 날 괼소냐'는 어느 누구도 자신을 사랑해 주지 않을 만큼 스스로의 모습이 보잘것없게 되었다는 화자의 인식을 강조하는 설의적 표현에 해당한다. 그러나 '내 얼굴 내 보거니'와 같이 자신의 외양을 판단의 근거로 삼는 모습이 나타나 있을 뿐 내면의 아름다움을 몰라주어서 아쉽다는 정서는 나타나 있지 않다.

③ ㉢에서 '화표 천년의 별학'은 화자가 연주하는 '녹기금' 소리를 묘사하기 위해 비유한 소재일 뿐 화자가 직접 만나는 존재가 아니다. 또한 그 연주는 현실을 극복하고자 하는 의지가 아니라 슬픈 현실을 부각하고 있다는 점에서도 적절하지 않은 설명이다.

④ ㉣에서 화자는 '난간에 빗겨 서' 있는 모습으로 '임 가신 데'를 바라보고 있다고 했으므로 이는 화자의 행동 묘사라고 볼 수 있다. 그러나 이는 임이 돌아오기를 바라는 화자의 소망이 담긴 행동으로 볼 수 있을 뿐, 임과 떨어져 있는 상황이 변화하고 있는 것이 아니므로 적절하지 않다.

07 [시어 및 화자의 태도 파악]

화자는 겨울밤과 여름날의 풍경을 각각 '겨울밤 차고 찬 제 자취눈 섞어 치니'와 '여름날 길고 길 제 궂은비는 무스 일고'와 같이 '자취눈'과 '궂은비'가 내리는 모습으로 묘사하고 있는데, 이는 임과 이별한 화자의 쓸쓸한 마음과 어울려 그러한 마음을 더욱 심화시키는 기능을 한다고 이해할 수 있다. 이 두 가지 소재는 화자의 정서와 관련된 객관적 상관물에 해당한다. 한편, 화자는 '가을 달 방에 듣고 실솔이 상에 울 제'와 같이 가을밤 귀뚜라미가 우는 모습을 제시하고 있는데, 이러한 귀뚜라미의 모습은 화자의 서러운 감정을 이입하여 귀뚜라미 역시 그렇게 울고 있는 것으로 묘사한 것이다. 따라서 '실솔'은 화자가 느끼는 외로움과 서글픔이 투영된 감정 이입의 대상으로 제시되었다고 볼 수 있다.

Q 감정 이입과 객관적 상관물이 뭔가요?

A 감정 이입은 어떤 대상에 화자의 감정을 반영해서 마치 그 대상이 화자의 감정을 가진 것과 같이 표현하는 것을 말합니다. 따라서 감정 이입의 표현이 쓰이게 되면 화자와 대상이 동일시된다고 볼 수 있는데, 이는 화자가 지니고 있는 정서와 감

정을 효과적으로 표현해 줍니다. 또한 감정이 이입된 대상은 실제로 그러한 정서를 가질 수 없는 대상이 정서를 지닌 것으로 표현된다는 점에서 의인화가 함께 나타나는 특징을 지니게 됩니다.

예 내 님을 그리워하여 우니다니 / 산(山) 접동새와 난 비슷합니다

– 정서, 「정과정」

한편 객관적 상관물은 시에서 화자가 자신의 정서를 직접적으로 드러내지 않고 어떤 사물의 특징이나 모습에 의미를 부여하는 표현법을 말합니다. 작품에 등장하는 대상은 화자의 정서와 아예 무관한 경우는 거의 없기 때문에 넓은 의미에서 대부분의 대상은 객관적 상관물이 될 수 있습니다. 객관적 상관물 역시 화자의 정서를 효과적으로 환기시키고 드러내기 위한 표현에 해당합니다. 또한 객관적 상관물은 화자와 동일시되어 대상의 모습이 드러나는 감정 이입을 포함하여 화자의 정서를 환기하는 모든 대상을 포함하는 개념이라는 점에서 감정 이입의 개념보다 더 넓은 범주를 지닌다고 할 수 있습니다. 화자의 정서와 상반되는 풍경이나 소재가 등장하여 화자의 정서를 심화시키는 경우에 감정 이입은 될 수 없지만 객관적 상관물에 해당할 수 있음을 의미합니다.

예 훨훨 나는 꾀꼬리 / 암수 서로 정답구나

외롭구나 이내 몸은 / 누구와 함께 돌아갈꼬

– 유리왕, 「황조가」

따라서 감정 이입에 해당하는지, 객관적 상관물로만 볼 수 있을지는 대상이 화자의 정서와 일치하면서 의인화된 방식으로 이를 드러내고 있는지 여부를 파악하는 것이 핵심이 됩니다. 만약 그렇다면 감정 이입으로, 그렇지 않다면 감정 이입이 아닌 객관적 상관물로 파악하면 되는 것입니다.

08 [시적 상황 및 화자의 정서 파악]

화자는 ㉮에서 '봄바람 가을 물'이 지나는 것, 즉 세월이 베올 사이에서 북이 지나가듯이 빠르게 흘러간다고 느끼고 있다. 한편 ㉯에서는 하루의 열두 때와 한 달의 서른 날이 '지리하다'라고 할 만큼 세월이 느리게 흘러간다고 느끼고 있다. 따라서 ㉮와 ㉯는 시간의 흐름에 대한 상반된 느낌을 보여 준다고 볼 수 있다. 이러한 상반된 느낌은 ㉮의 경우 자신의 모습과 관련되는데, 예전의 아름다웠던 모습이 현재와 같이 보기 싫은 모습으로 변해 버린 것에 대한 한탄과 아쉬움을 드러내면서 시간이 매우 빨리 흘렀음을 나타낸 것이다. 한편 ㉯의 경우는 임의 부재라는 현재의 처지와 관련되는데, 하염없이 임을 기다려야 하는 고통스러운 시간을 길다고 여기는 심리를 나타내는 것이다.

24강

일동장유가

본문 110쪽

01. ① 02. ④ 03. ② 04. ② 05. ④ 06. ① 07. ④ 08. ④
09. ㉮ 여정 ㉯ 견문 ㉰ 일출 ㉱ 대구

01 [시상 전개 방식 파악] 정답 ①

이 글은 부산에서 배가 출발해 일본까지 이르는 여정과 일본에서의 경험을 주로 다루고 있는 기행 가사이다. 제시된 부분에서도 배가 출발하는 부산, 대마도에 이르기까지의 뱃길, 일본 등으로 공간의 이동에 따라 시상이 전개되고 있다.

[오답 풀이]

② 시간의 흐름대로 전개되나, 계절의 변화는 나타나 있지 않다.

③ 26행의 '푸른빛'에서 색채 이미지가 나타나나, 이와 대비되는 색채가 나타나지는 않는다.

④ 시간 순서대로 시상이 전개되나 과거를 회상하는 방식이 나타나지는 않는다.

⑤ 대조적 소재가 나타나지 않으며 교훈적 태도와도 관련이 없다.

Q 시상 전개 방식은 뭔가요?

A 시상은 시에 나타난 화자의 생각이나 정서를 말합니다. 시상 전개 방식은 바로 이 시상을 구현해 나가는 방식을 말하지요. 시상 전개 방식에는 시간이나 공간의 흐름에 따르는 방식, 시선의 이동에 따르는 방식, 수미 상관 등이 있습니다. 시상이 급격히 바뀌는 것을 시상의 전환이라고 하고, 시상이 압축되어 있는 것은 시상의 집약 또는 응축이라고 합니다.

02 [표현상의 특징 파악] 정답 ④

이 글에서 '고래'나 '용' 같은 동물 소재는 파도가 심하게 치는 모습을 비유하는 데 활용되어 역동성을 잘 보여 준다. 그러나 이것들이 바다나 배와 같은 작품 속 공간의 분위기를 긍정적으로 바꾸어 주는 것은 아니다.

[오답 풀이]

① 10행의 '태산 같은 성난 물결'에서 보듯이 거대한 자연물을 비유적 표현에 활용해 악화된 기상 상황을 표현하고 있다.

② 11행의 '크나큰 만곡주가 나뭇잎 불리이듯'에서 화자가 타고 있는 배를 연약한 속성을 지닌 나뭇잎에 비유하여 화자의 위태로운 상황을 드러내고 있다.

③ 배가 풍랑으로 물결에 따라 오르내리는 상황을 12행에서 '하늘에 올랐다가 지함에 내려지니'라고 하여 상승과 하강의 이미지를 대비하여 표현함으로써 위기감을 강조하고 있다.

⑤ 38행의 '필담으로 써서 뵈되', 44행의 '승산이 다시 하되' 등을 통해 전승산의 행동을, 42행의 '내 웃고 써서 뵈되' 등을 통해 화자의 행동을 시간의 흐름에 따라 열거하여 상황을 구체적으로 보여 주고 있다.

03 [감상의 적절성 파악] 정답 ②

배가 출발한 뒤 배 방에 누워 자신의 신세를 생각하고 심란

해 있는 상황에서 대풍이 일어난 것이므로, '대풍이 일어나서' 마음이 심란해진 것은 아니다.

[오답 풀이]

① 2행의 '산해를 진동하니'는 환송을 위해 연주하는 악기 소리가 산과 바다를 진동할 정도로 매우 컸음을 과장하여 나타낸 것이다.

③ 21행의 '어와 장할시고'는 날이 밝아 끝없이 넓게 펼쳐진 바다의 장관을 바라보며 하는 말이다.

④ 31행의 '저마다 수질하야'는 배가 파도에 흔들리는 상황에서 배에 탄 사람들이 뱃멀미로 인해 더욱 고통스러운 상황이 되었음을 나타낸다.

⑤ 55행의 '의에 크가 가하지 않아'는 전승산이 글에 대한 값으로 비단과 은자를 주려 한 것에 대해 거절하며 돌려보낸 이유에 해당한다. 즉 화자는 전승산이 글 값으로 돈이나 물품을 주려 한 것이 의에 어긋나는 것이라고 여긴 것이다.

04 [작품의 내용 이해] 정답 ②

함께 떠난 여섯 척의 배들은 풍랑을 만나 큰 고초를 겪은 뒤 뿔뿔이 흩어져 화자가 있는 배에서 다른 배가 보이지 않는 상황이 되었다. 큰 풍랑에 배나 배에 탄 사람들이 큰 혼란을 겪었다는 점에서 배들끼리 서로 소통하며 풍랑을 견뎌 냈다는 진술은 적절하지 않다.

[오답 풀이]

① 10~11행의 '태산 같은 성난 물결~나뭇잎 불리이듯'에서 알 수 있듯이 화자는 성난 물결을 만나 큰 배가 흔들려 위태로움을 느꼈다.

③ 33행의 '다행할사 종사상은 태연히 앉았구나'에서 알 수 있듯이 사람들이 뱃멀미로 혼란스러운 가운데 종사상은 풍랑이 심한 배에서 태연히 앉아 있다고 하였다.

④ 38행의 '필담으로 써서 뵈되'에서 알 수 있듯이 일본 문인 전승산은 화자와 종이에 글을 써서 대화를 나누는 필담을 하였다.

⑤ 47~51행의 '어디로 나가더니~은자로다'에서 알 수 있듯이 전승산은 밖으로 나갔다가 글 값으로 돈 등을 담은 궤를 가져왔다.

05 [외적 준거에 의한 작품 감상] 정답 ④

[B]의 '귀한 별호 퇴석'은 일본의 문인 전승산이 화자인 '나'를 지칭하는 말이고, [D]의 '소국의 천한 선비'는 전승산이 자신을 낮추어 부르는 말이다. 선비의 예법을 동원한 것은 맞지만 서로 다른 사람을 지칭한다는 점에서 동일한 사람을 다르게 지칭하는 표현이라는 감상 내용은 적절하지 않다.

[오답 풀이]

① [A]는 전승산이 화자가 글 쓰는 것을 보는 것을 시작으로 [B]~[D]의 필담이 시작됨을 나타낸다.

② [B]의 '빠른 재주'는 '나'의 글에 대한 전승산의 평가를 보여 주는 것이고 [C]의 '늙고 병든 둔한 글'은 화자가 자신의 글을 겸손하게 평가하여 지칭한 것이다.

③ [B]의 '필담으로 써서 뵈되'와 [C]의 '내 웃고 써서 뵈되'를 통해, 필담으로 문답을 나누고 있음을 알 수 있다.

⑤ [D]에는 '나'의 글에 대한 전승산의 찬사가, [E]에는 상대의 글 값이 의에 어긋난다며 거절하는 '나'의 모습이 나타난다.

06 [시구의 내용 이해] 정답 ①

㉠은 배가 해안가를 출발해 오륙도를 뒤로하고 앞을 향해 나아가고 있음을 나타내고 있다. 즉 ㉠은 배가 출발한 이후 오륙도를 지나서 일본 쪽 바다를 향해 나아가고 있음을 나타낸다.

[오답 풀이]

② 삼현과 군악 소리를 통해 성대한 환대를 받았으나 ㉠과는 직접적 관련이 없다.

③ 배가 오륙도에 당도했다는 내용은 제시되지 않았다.

④ 배가 출발하기까지 오랜 기간 준비를 했다는 내용은 제시되지 않았다.

⑤ 배가 출발하고 나서 본 오륙도가 매우 아름답다는 내용은 제시되지 않았다.

07 [외적 준거에 의한 작품 감상] 정답 ④

'우리 길이 어디로 가는 건가'라고 한 것은 풍랑을 만난 후에 배가 흩어지고 사람들이 힘겨워하여 고통스러운 상황에 놓인 일에 대한 한탄으로, 일본에 대한 부정적 평가를 나타낸 것은 아니다.

[오답 풀이]

① '육선이 함께 떠났'다는 것은 여섯 척의 배로 여정이 시작되었다는 객관적 사실을 전달한 것이다.

② '삼현과 군악' 등 공식적 행사에 사용하는 악기의 등장은 사행을 배웅하는 상황임을 나타낸다.

③ 바다가 가없이 '위아래로 푸른빛이 하늘 밖에 닿아 있다'는 것은 여정을 진행하며 바다를 관찰한 풍경을 나타낸다.

⑤ '대마도 가깝다'는 사공의 말은 사신의 구성원으로 대마도, 즉 외국을 향해 이동하고 있음을 나타낸다.

08 [화자의 정서 파악] 정답 ④

ⓐ는 날이 밝아 바다를 둘러보고 느낀 장관에 대해 감탄하는 것이므로 자연 경관에 대한 감탄을 나타낸다. ⓑ는 전승산이 화자의 글을 보고 느낀 감탄을 표현한 것이므로 인물의 능력에 대한 감탄을 나타낸다.

[오답 풀이]

③ ⓐ는 외부 풍경에 대한 만족감을, ⓑ는 화자가 쓴 글에 대한 만족감을 나타낸다.

09 [감상의 적절성 파악]

이 글에서는 부산, 오륙도, 대마도 등 지명의 언급과 함께 일본으로 향하는 여정이 드러나며, 일본으로 가는 배에서 풍랑을 만난 경험이나 풍랑 뒤의 해돋이, 즉 일출의 광경 등이 생생하게 묘사되어 있다. 특히 13~14행의 '열두 발 쌍돛대는~배불렀네'에서는 대구법과 직유법을 사용해 풍랑이 치는 상황을 실감 나게 표현하고 있다.

만언사

본문 115쪽

01. ⑤ 02. ① 03. ⑤ 04. ⑤ 05. ② 06. ③ 07. ⑤
08. 어디서 슬픈 소리 내 근심 더하는고 / 별포에 배 떠나니 노 젓는 소리로다 09. Ⓐ 절망감 Ⓑ 구렁이(구렁배암) Ⓒ 푸른 지네(청진의) Ⓓ 불만

01 [화자의 정서 및 태도 파악] 정답 ⑤

화자는 유배지에서의 궁핍한 생활에 한숨을 쉬면서 자신의 불우한 처지에 대해 돌이켜 생각하는 모습을 보인다. 그러나 이러한 생각은 44행의 '어이없어 웃음 난다'와 같이 자신의 현재 모습에 대한 자조의 태도로 이어질 뿐 현실 변화나 그에 따른 희망을 가지는 것과는 관계가 없다.

[오답 풀이]

① 화자는 유배지인 추자도에 도착한 후 막막함과 깊은 슬픔을 느끼고 있음을 8행의 '눈물이 가리우니 걸음마다 엎더진다'와 같이 구체화하여 드러내고 있다.

② 화자는 3행의 '추자섬 생길 제는 천작 지옥이로다'에서 보듯이 추자도를 하늘이 만든 곳으로 여기고 있다. 또한 이러한 추자도의 모습에 대해 2행에서 '벽해상전 갈린 후에 모래 모여 섬이 되'었다든지, 4행에서 '해수로 성을 싸고 운산으로 문을 지'었다든지와 같이 섬이 만들어진 과정을 상상하여 서술하고 있다.

③ 화자는 20행의 '냉지에 누습하고 즘생도 하도 할사'에서 보듯 눅눅하고 차가운 땅에서 짐승들이 득실거리는 환경에서 지내고 있다. 또한 이러한 척박한 환경에서 31행의 '여름날 긴긴 날에 배고파 어려웨라'에서 보듯 제대로 먹지도 못한 채 하루하루를 길게 느끼며 지내는 모습을 보이고 있다.

④ 화자는 자신이 지낼 집을 찾아나서지만 섬 주민들이 이런저런 핑계를 대며 꺼리며 홀대하는 모습을 9~10행에서 '이 집에 가 의지하자 가난하다 핑계하고 / 저 집에 가 주인하자 연고 있다 칭탈하네'와 같이 나타내고 있다.

02 [시구의 형식적, 내용적 특징 파악] 정답 ①

㉠은 유배를 온 화자에게 적객 주인이 건넨 말을 인용한 것이다. 여기에는 유배객을 맡은 자신(적객 주인)의 처지에 대한 한탄, 자기 연민만이 드러나 있을 뿐 유배객에 대한 연민의 정서는 나타나지 않는다.

[오답 풀이]

② ㉡에서는 '서산에 일락', 즉 서산에 해가 지고 있는 하강적 이미지를 사용하여 초라하게 지내는 화자의 우울한 처지와 조응되는 분위기를 조성하고 있다.

③ ㉢에서는 '옥식 진찬', 즉 훌륭한 밥과 반찬과 같이 화려하고 풍요로운 음식과 '맥반 염장', 즉 보리밥에 소금과 간장이라는 초라한 음식을 대조하여 '맥반 염장'을 먹으며 지내는 현재의 궁핍한 삶을 부각하고 있다.

④ ㉣에서는 '~ 끝에 ~고 ~ 끝에 ~이라'와 같은 대구적 표현을 사용하여 보잘것없는 자신의 처지로 인해 한스러움을 느끼며 눈물을 흘리는 화자의 모습을 부각하고 있다.

⑤ ㉤에서는 감탄사 '어와'를 활용한 영탄적 표현을 사용하고 있다. 이는 '보리가을 되었는가 전산 후산에 황금빛이로다'와 같이 보리를 수확하는 가을을 맞이하여 황금빛을 띠는 주변 풍경에 대한 감탄을 드러낸다고 볼 수 있다.

Q 하강적 이미지와 상승적 이미지가 뭔가요?

A 하강적 이미지는 아래로 내려오는 느낌을 주는 상징적 이미지의 하나로, 부정적인 시적 상황이나 정서를 조성하는 경우가 많습니다. 이와 반대로 상승적 이미지는 위로 올라가는 느낌을 자아내는 상징적 이미지입니다.

03 [표현상의 특징 이해] 정답 ⑤

ⓔ에는 과거 자신의 삶과 대조되는 농부들의 삶에 대한 긍정적 인식이 나타나는데, 이를 드러내는 과정에서 대구적 표현이 사용되고 있을 뿐 반어적 표현은 사용하지 않았다.

[오답 풀이]

① ⓐ에서는 '가잔 말고'라는 동일한 어구를 반복하여 화자가 막막한 처지에 놓여 있음을 강조하고 있다.

② ⓑ에서는 '뉘 좋달고'라는 설의적 표현을 사용하여 추자도의 섬 주민들이 유배객을 맡기 싫어하는 현실에 대한 화자의 인식을 드러내고 있다.

③ ⓒ는 섬 주민이 유배객인 화자를 맡게 된 것에 대한 불만을 세간 그릇을 던지는 행동으로 간접적으로 드러낸 것이다.

④ ⓓ에서 '덥고'는 촉각적, '검기'는 시각적, '내암새'는 후각적 이미지를 나타내므로, 복합적 이미지를 활용해 유배지에서의 궁핍한 생활상을 감각적으로 나타내고 있다는 설명은 적절하다.

04 [작품의 종합적 감상] 정답 ⑤

〈보기〉 시에서 '춘하추동 사시절'은 '한서 온랭'과 결합하여 춥고 더움, 따뜻함과 차가움은 계절의 순환에 따라 바뀌어 찾아오는 것임을 드러내기 위한 소재에 해당한다. 이는 〈보기〉 시의 화자가 이 글의 화자에게 현재의 춥고 차가운 처지로부터 따뜻한 처지가 될 수 있으니 참고 견디라는 위로와 조언을 해 주려 한 것이지 순환하는 자연에 적응하며 살아갈 것을 말하고자 한 것이 아니다.

[오답 풀이]

① 이 글에서 화자는 추자섬을 '풍도섬'이라고 여기며 지옥 같은 곳이라는 절망적 인식을 드러내고 있다. 이에 대해 〈보기〉 시의 화자는 '하늘'에도 '변화'가 있음을 말하는데, 이는 이 글의 화자가 처한 불우한 처지도 변화할 수 있을 것이라며 위로의 차원에서 한 말이라고 볼 수 있다.

② 이 글에서 화자는 '내 일', 즉 유배의 처지에 있는 스스로를 딱하게 여기고 있다. 이에 대해 〈보기〉 시의 화자는 '바다'에 '밀물'과 '썰물'이라는 '진퇴'가 있음을 밝히고 있는데, 이는 현재의 '내 일'의 불우한 상황도 밀물과 썰물처럼 바뀌게 될 것이라고 위로하는 것으로 이해할 수 있다.

③ 이 글에서 화자는 '현순백결'의 고난을 겪고 있다. 이는 〈보기〉 시에서 화자가 화려하게 치장하다가 섬 고생을 지낸 것으로 밝힌 '경대부'나 '귀공자'의 상황과 유사하다고 볼 수 있다.

④ 〈보기〉 시의 화자는 고생을 하던 경대부와 귀공자가 '천은'을 입고 고생의 처지에서 벗어났음을 밝히고 있다. 이는 위로의 차원에서 이 글의 화자 역시 '미친 사람', 즉 유배지에서의 비참한 처지에서 벗어날 가능성이 있다고 희망을 제시하는 것으로 이해할 수 있다.

05 [시구의 비교 파악] 정답 ②

[A]에는 '관채다려 못한 말을 만만할손 내가 듣네'와 같이 적객 주인이 관청의 아전에게는 함부로 말하지 못하고 유배 온 화자를 만만하게 여겨 불만의 소리를 한다고 여기는 모습이 제시되어 있다. [B]에서는 '일분은 밥쌀 하고~격양가를 부르나니'를 통해 유배 온 화자가 청자인 '저 농부'를 부러워하는 모습을 구체적으로 묘사하여 밝히고 있다.

[오답 풀이]

① [A]의 적객 주인은 잘사는 집이 많은데도 불구하고 가난한 자신이 유배객까지 맡게 된 것이 관인들이 뇌물을 받았기 때문이라고 여기며 불만을 품고 있다. 이를 볼 때 [A]는 유배 온 화자가 적객 주인에게 부당한 대우를 받은 것이 아니라 적객 주인이 부당한 대우를 받은 것이라고 보아야 한다. 또한 [B]에 제시된 농부들은 화자가 부당한 대우를 했던 인물이 아니라 화자가 닮고자 하는 인물이다.

③ [B]에 묘사된 농부들은 '함포고복하여 격양가를 부르'며 흥겨워하고 있는데, 이들은 유배 온 화자의 사연을 모른 채 즐거움을 누린다고 볼 여지가 있다. 한편 [A]의 적객 주인은 '내 살이 담박한 줄 보시다야 아니 알가'라고 밝히고 있는데 이는 유배객을 맡기 전부터 자신이 가난한 상태였음을 밝히고 있는 것으로, 자신이 화자를 맡음으로써 가난해졌음을 밝히고 있는 것이 아니다.

④ [A]의 '관력으로 핍박하고 세부득이 맡았으니'라는 구절에서 유배 온 화자를 맡은 적객 주인이 관가의 압력을 받았음을 짐작할 수 있다. 한편 [B]에서는 농부들이 여유롭고 즐거운 삶을 누리는 모습이 제시되고 있으나 이들이 화자를 외면했는지에 대해서는 알 수 없다.

⑤ [B]에서는 '연년이 풍년 드니 해마다 보리 베어'를 바탕으로 농부들의 여유로운 삶의 풍경이 제시되고 있다. 따라서 [B]는 매년 반복되는 풍년 속에서 벌어지는 모습을 나타낸 것이라 볼 수 있다. 한편 [A]에서 적객 주인의 말에 따르면 섬에는 '이 집 저 집 잘사는 집'이 있기도 하고 자신처럼 가난한 집이 있기도 함을 알 수 있다. 이는 잘사는 집과 적객 주인의 형편 차이를 짐작케 해 주지만, 그렇게 된 사연은 [A]에 제시되어 있지 않다.

06 [외적 준거에 의한 작품 감상] 정답 ③

'말하니 살았으나 모양은 귀신일다'는 스스로를 죽어 있는 귀신의 모습으로 여길 정도로 자신의 현실이 비참한 상태임을 드러내는 부분에 해당한다. 〈보기〉에 따르면, 이는 그만큼 유배 생활의 고통스러움을 보여 주는 것으로 이해할 수 있다. 이때, '귀신'은 화자의 현재 처지를 나타내는 것이지 삶과 죽음을 분간하지 못함을 나타내는 것이 아니다.

[오답 풀이]

① '보이나니 바다히요 들리나니 물소리라'는 유배지의 풍경을 나타낸 것인데, 유배지를 이와 같이 서술한 것은 주변이 온통 바다로 둘러싸여 있음을 드러낸다는 점에서 〈보기〉의 '유배지에서의 막막함'을 간접적으로 드러낸 것으로 이해할 수 있다.

② '남방 염천 찌는 날에 빨지 못한 누비바지'는 여름이 되었어도 겨울 의복을 입고 있을 정도로 제대로 된 의생활을 하지 못하는 화자의 모습을 보여 준다. 이는 〈보기〉의 '고통스러운 삶에 대한 사실적 체험'을 서술한 것으로 이해할 수 있다.

④ '공명을 탐치 말고 농사를 힘쓸 것을'은 농부들과 같은 삶을 추구했어야 하는데 그러지 못하고 부귀 공명과 같은 세속적 가치를 추구했던 자신의 과거를 돌아보는 화자의 모습을 보여 준다. 이는 〈보기〉의 '자신의 과거 잘못에 대한 반성과 후회'를 표현한 것으로 이해할 수 있다.

⑤ '탐화봉접이 그물에 걸렸으랴'에서는 화자가 자신을 '탐화봉접', 즉 꽃을 탐하는 벌과 나비에 비유하고 법을 어겨 죄를 지은 일을 '그물에 걸리'게 된 것으로 비유하고 있다. 이는 〈보기〉의 '자신의 과거 잘못에 대한 반성과 후회'를 나타낸 것이라고 이해할 수 있다.

07 [소재의 기능 파악] 정답 ⑤

'지게'는 한가로운 삶을 누리는 농부가 벗어 놓은 도구이다. 그런데 화자는 이러한 농부와 같은 생활을 할 수 없는 처지에 놓여 있다. 따라서 '지게'는 화자가 되고 싶어 하지만 될 수 없는 농부의 삶의 모습을 드러내는 도구에 해당한다.

[오답 풀이]

① '남북촌 두세 집'은 '솔불이 희미하'게 남아 있는 모습을 보이고 있는데, 이는 역동적 분위기가 아니라 정적인 분위기를 조성한다.

② '덜 쓰른 보리밥'은 화자의 노고를 통해 얻은 수확물이 아니라 화자에게 주어지는 초라한 먹거리이다.

③ '굴뚝 막은 덕석'은 화자의 갑갑한 심경을 대변하는 것이 아니라 빨지 못해 때가 끼어 검게 변한 누비바지를 비유한 것이다.

④ '손잡고 반기는 집'은 화자의 기대가 실현되는 모습을 보여 주는 대상이 아니라 화자가 유배 오기 전 과거의 여유롭고 기세 좋은 시절을 나타내는 소재이다.

08 [화자의 정서 및 표현상 특징 파악]

25~26행의 '어디서 슬픈 소리 내 근심 더하는고 / 별포에 배 떠나니 노 젓는 소리로다'에는 유배 생활을 하는 자신의 처지에 대한 근심이 심화되어 가는 화자의 심경이 직접 표현되어 있으며, 이러한 화자의 심경을 표현하기 위해 별포에서 떠나가는 배의 '노 젓는 소리'를 제시하였다.

09 [시상의 전개 양상 파악]

화자가 추자도를 지옥으로 칭하는 것은 그만큼 자신의 유배 생활이 험난하고 고달플 것임을 드러내고자 하기 때문이다. 이는 앞으로의 유배 생활에 대한 화자의 절망적 인식을 보여 준다고 할 수 있다. 화자의 실제 유배 생활은 21~22행의 '발 남은 구렁배암 뼘 넘운 청진의라 / 좌우로 둘렀으니 무섭고도 증그럽다'에 잘 드러나는데, 특히 구렁이나 푸른 지네에 대한 화자의 반응은 쾌적하지 못한 거처에 대해 불만을 가지는 심경을 보여 준다고 할 수 있다.

26강

농가월령가

본문 119쪽

01. ③	02. ①	03. ③	04. ①	05. ④	06. ⑤	07. ⑤
08. ①	09. 연날리기, 널뛰기 / 더위팔기, 달맞이					

01 [창작의 동기 파악] 정답 ③

이 글은 정월을 맞이해 농사 준비를 해야 한다는 점을 강조하고 있다. 농우를 살피는 일, 이엉을 엮는 일, 실과나무에 돌 끼우는 일 등 정월에 해야 할 농사일들을 열거하여 농부들이 무슨 일을 해야 하는지를 일깨워 줌으로써 실생활에 도움을 주는 데 목적이 있다고 할 수 있다.

02 [시상 전개 방식 파악] 정답 ①

이 글은 정월이라는 계절적 상황을 바탕으로 농부들이 해야 할 농사일과 세시 풍속 등을 제시하고 있다.

03 [표현상의 특징 파악] 정답 ③

이 글에서는 다양한 표현 방법을 활용해 시상을 전개하거나 화자의 생각을 나타내고 있지만, 감정 이입의 방법은 사용되지 않았다.

[오답 풀이]

① 18행의 '낮이면 이엉 엮고 밤이면 새끼 꼬아'에서 확인할 수 있다.

② 29행의 '와삭버석 울긋불긋'에서 확인할 수 있다.

④ 21행의 '시험조로 하여 보자', 23행의 '화전 일취 하여 보자'에서 확인할 수 있다.

⑤ 7행의 '성의를 어길쏘냐', 34행의 '오신채를 부러하랴', 36행의 '육미와 바꿀쏘냐'에서 확인할 수 있다.

04 [작품의 내용 이해] 정답 ①

22행에서 정월에는 며느리에게 소국주를 거르게 하여 꽃이 피는 봄날에 소국주를 먹으며 취해 보자고 하였다. 정월에 소국주를 만들어 취하도록 먹겠다는 것은 아니다.

[오답 풀이]

② 24행의 '상원날 달을 보아 수한을 안다 하니'에서 확인할 수 있는 내용이다.

③ 14~15행의 '농기를 다스리고 농우를 살펴 먹여 / 재거름 재워 놓고 한편으로 실어 내니'에서 확인할 수 있는 내용이다.

④ 30행의 '사내아이 연 띄우고 계집아이 널뛰기요'에서 확인할 수 있는 내용이다.

⑤ 38행의 '먼저 불러 더위팔기 달맞이 횃불 켜기'에서 확인할 수 있는 내용이다.

05 [화자의 생각 파악] 정답 ④

33~34행의 '엄파와 미나리를 무엄에 곁들이면 / 보기에 신신하여 오신채를 부러하랴'는 엄파와 미나리를 무엄에 곁들여 먹으면 오신채도 부럽지 않다는 것이지 이를 모두 함께 먹으면 좋겠다는 의미가 아니다.

[오답 풀이]

① 10행의 '인력이 극진하면 천재는 면하리니'에서 확인할 수 있는 내용이다.

② 12행의 '일년지계 재춘하니 범사를 미리 하라'에서 확인할 수 있는 내용이다.

③ 24~25행의 '상원날 달을 보아 수한을 안다 하니 / 노농의 징험이라 대강은 짐작느니'에서 확인할 수 있는 내용이다.

⑤ 36행의 '묵은 산채 삶아 내니 육미와 바꿀쏘냐'에서 확인할 수 있는 내용이다.

06 [음성 상징어의 효과] 정답 ⑤

㉠은 세배를 다니는 사람들의 옷에서 나는 소리와 옷의 색을 음성 상징어로 표현한 것이다. 이를 통해 생동감을 부여하여 세배를 다니는 사람들의 활기차고 즐거운 모습을 표현하고 있다.

07 [외적 준거에 의한 작품 감상] 정답 ⑤

'새 의복 떨쳐 입고 친척 인리 서로 찾'는 것은 새해 아침 친척 집을 찾아 새배를 다니는 세시 풍속을 나타낸 것으로, 농민에게 필요한 농사일을 장려하는 모습과는 직접적인 관련이 없다.

[오답 풀이]

① '정월은 맹춘이라'는 1월부터 시작해서 각 달의 절기와 농사일을 소개하는 월령체 형식을 나타낸다.

② '우리 성상 애민 중농하오시니'는 임금이 백성을 사랑하고 농사를 중히 여긴다는 것으로, 유교적 윤리를 강조하고 있음을 나타낸다.

③ '성의를 어길쏘냐'는 임금의 뜻을 어겨서는 안 된다는 설의적 표현으로, 유교적 이념을 바탕으로 내용이 전개된다는 점을 확인할 수 있다.

④ '가지 사이 돌 끼우기'를 시험조로 해 보자고 하며 생활을 도모하기 위해 필요한 농사일을 제안하는 데서 의식의 충족을 위한 방법을 제시하고 있다고 할 수 있다.

08 [외적 준거에 의한 작품 감상] 정답 ①

ⓐ는 한 해 농사의 풍흉을 미리 짐작하지 말라는 뜻이 아니라 농사를 짓기 전인 봄에는 한 해 농사가 풍년이 될지 흉년이 될지 짐작하기 어렵다는 의미이다.

[오답 풀이]

② ⓑ는 농사일을 게을리 하지 말아야 한다는 것으로, 부지런히 농사일에 임해야 한다는 뜻을 나타낸다.

③ ⓒ는 봄에 해야 할 농사일을 놓치지 말아야 한다는 것으로, 봄에 할 일을 제대로 해야 한 해 농사가 실패하지 않음을 나타낸다.

④ ⓓ는 힘든 일이 어려운 늙은이도 새끼 꼬기 등 자신의 할 일을 찾아 보탬이 되는 일을 해야 한다는 뜻을 나타낸다.

⑤ ⓔ는 조상을 모신 사당에 음식을 마련하여 제사를 지내는 일을 가리킨다.

09 [작품의 내용 이해]

이 글에서는 농사일과 함께 세시 풍속이 제시되는데, 정월 세시 풍속은 정조날과 보름날로 구분되어 있다. 정조날의 대표적 세시 풍속은 세배, 연날리기, 널뛰기, 윷놀이 등이고 보름날의 대표적 세시 풍속은 약밥·산채·약술·생밤 먹기, 더위팔기, 달맞이, 횃불 놀이 등이다.

Q '세시 풍속'은 뭔가요?

A 해마다 일정한 시기에 되풀이하여 행해 온 고유의 풍속을 가리키는 것입니다. 예로부터 전해지는 농경 사회의 풍속이었으며 해마다 농사력에 맞추어 관습적으로 행하는 행사였습니다. 음력의 월별 24절기와 명절로 구분되어 있으며, 집집마다 촌락에서 또는 민족적으로 관행(慣行)에 따라 전승되는 의식, 의례 행사와 놀이였습니다. 대표적 세시 풍속으로는 설날 세배, 정월 대보름 달맞이, 단오, 유두, 백중 행사 등이 있습니다.

27강

연행가

본문 123쪽

01. ② 02. ⑤ 03. ⑤ 04. ⑤ 05. ② 06. ⑤ 07. ⑤ 08. ② 09. ㉮ 화ᄉ 치란 시정들은 만물이 번화ᄒ다 ㉯ 이셜은 황금이오 손톱은 다섯 치라 10. (1) 청나라의 시정, 주택, 사람들의 의복과 언어, 머리 모양, 습관 등을 나열하는 방식으로 내용을 구성한 것 (2) 청나라 사람들이 언어를 구사하는 것을 보고 지저귄다고 표현한 부분

01 [표현상의 특징 파악] 정답 ②

이 글은 청나라 여행에 관한 여정과 견문, 감상 등을 다양한 표현 방법으로 제시하고 있으나 한자어보다는 주로 우리말을 사용하여 소박한 표현이 주를 이룬다.

[오답 풀이]

① 8행 '이번 길은 오뉴월 염천이라'에서 여름이라는 계절적 배경을 확인할 수 있다.

③ 25행 '이셜은 황금이오 손톱은 다섯 치라'에서 대구가 나타나는데 이는 유사한 통사 구조를 반복한 것이다.

④ 1행 '금석산 지나가니 온정평이 여긔로다'에서 여정에 의한 전개를 확인할 수 있다.

⑤ 18행 '녹창 쥬호 여염들은 오식이 영농ᄒ고'와 28행 '아쳥 바지 반물 속것'에서 청나라 사람들의 집과 복식을 묘사하면서 푸른색의 색채 이미지를 활용한 것을 확인할 수 있다.

02 [감상의 적절성 파악] 정답 ⑤

이 글은 청나라 사신의 일행으로 사행을 수행하고 있는 화자의 여정과 견문, 감상을 담고 있다. 화자는 청나라를 여행하면서 본 여러 풍물에 대한 다양한 정서를 드러내고 있다.

03 [화자의 상황과 정서 파악] 정답 ⑤

23행에서 당사실로 댕기를 해서 모자인 마래기를 눌러쓴 모습을 소개만 하고 있을 뿐 마래기를 쓴 모양에 대해 우스꽝스럽게 여기는 태도는 나타나지 않는다.

[오답 풀이]

① 1~2행에서 '온졍평'에서 '일셰가 황혼ᄒ니 ᄒ돈ᄒ며 슉소ᄒᄌ'라고 하였다.

② 21행에서 '의복기 괴려ᄒ여 쳐음 보기 놀납도다'라고 하였다.

③ 5~6행에서 '역관이며 비장 방장 불상ᄒ여 못 보겟다 / ᄉ면 외퓽 드러부니'라고 하였다. 역관, 비장 등은 사신단의 일원으로 사행을 수행하던 관리들이다.

④ 38행에서 '무어시라 인사ᄒ나 ᄒ마듸도 모르겟다'라고 하였다.

04 [작품의 내용 이해] 정답 ⑤

이 글에는 청나라 사람들의 다양한 문화나 문물이 소개되어 있다. 그러나 청나라 사람들의 결혼 풍습에 대한 언급은 찾아볼 수 없다.

[오답 풀이]

① 18행 '녹창 쥬호 여염들은 오식이 영농ᄒ고'에서 청나라 사람들의 주거를 짐작할 수 있다.

② 26~33행 '거문빗 져구리ᄂ~무릅 우에 슬갑이라'에서 청나라 사람들의 옷 치장을 짐작할 수 있다.

③ 22행 '머리ᄂ 압흘 싹가 뒤만 ᄯᄒ 느리쳐셔'에서 청나라 사람들의 머리 모양을 짐작할 수 있다.

④ 34행 '공방듸 옥물뿌리 담비 너ᄂ 쥬머니의'에서 청나라 사람들의 담배 도구를 짐작할 수 있다.

05 [공간의 의미 파악] 정답 ②

㉠은 사신이 자는 곳에 친 군막을 가리키고 ㉡은 역관, 비장, 방장 등이 묵는 곳에 친, 명색이 군막이라고 하는 것의 실체를 가리킨다. 화자는 ㉡에 대해 '불상ᄒ여 못 보겟다'라고 하고 있으므로 ㉠보다는 ㉡에서 열악함을 더 심하게 느끼고 있다고 할 수 있다.

06 [작품의 내용 이해] 정답 ⑤

화자는 청나라 여자들이 발이 커서 남자 발 같은데 비단으로 발을 동여매는 모습을 보고 명나라에서 남긴 제도가 그대로 남아 있다고 말하고 있다. 명나라의 관습과 제도가 그대로 남아 있는, 청나라 여자들의 발을 매는 모습을 볼 만한 일이라고 한 것에서 화자가 명나라의 관습을 존중하고 있음을 확인할 수 있다.

[오답 풀이]

① 20행 '집집이 호인들은 길의 나와 구경ᄒ니'에서 확인할 수 있는 내용인데, 화자가 이것을 명나라의 관습으로 여겨 존중하는지에 대한 근거는 나타나지 않는다.

② 27행 '옷고름은 아니 달고 단초 다라 입어쓰며'에서 확인할 수 있는 내용인데 화자가 이것을 명나라의 관습으로 여겨 존중하는지에 대한 근거는 나타나지 않는다.

③ 17행 'ᄎ례로 드러오니 범문 신칙 엄절ᄒ다'에서 확인할 수 있는 내용인데 화자가 이것을 명나라의 관습으로 여겨 존중하는지에 대한 근거는 나타나지 않는다.

④ 37행 'ᄲ듸인 온다 ᄒ고 져의기리 지져귀며'에서 확인할 수 있는 내용인데 화자가 이것을 명나라의 관습으로 여겨 존중하는지에 대한 근거는 나타나지 않는다.

07 [외적 준거에 의한 작품 감상] **정답 ⑤**

'부시까지 쪄셔 들고 뒤짐지기 버릇치라'는 담배 넣는 주머니에 부시, 즉 부싯돌까지 들고 뒷짐 지는 청나라 사람들의 행동을 나타낸 것이다. 이에 대해 못마땅해하는 화자의 태도나 생각은 드러나 있지 않다.

[오답 풀이]

① '금셕산', '온졍평', '봉황셩' 등은 화자가 사행을 수행하는 지역의 이름들이다.

② '삼 사신', '역관이며 비장 방장'은 공식 사행을 수행하는 관리들에 해당한다.

③ '머리는 압흘 싹가 뒤만 ㅅㅏㅎ 느리쳐셔'는 청나라 사람들의 머리 모양을 묘사한 것으로 청나라 사람들의 생활 문화를 기록한 것이다.

④ '타오구'나 '청두루막기' 등은 청나라 사람들이 사용하는 물품으로 그들의 문물을 나타낸다.

08 [추가 내용의 효과 파악] **정답 ②**

〈보기〉는 옥화관이라는 곳에서 홀로 깨어 달, 별을 보며 고향 생각을 하는 화자의 모습을 나타내고 있다. 주로 여정과 견문이 중심인 이 글에 〈보기〉와 같은 내용을 추가함으로써 개인적 감회 특히 객수(客愁: 객지에서 느끼는 쓸쓸함이나 시름)를 효과적으로 표현할 수 있다.

09 [화자의 인식 파악]

'화ᄉᆞ 치란 시졍들은 만물이 번화ᄒᆞ다'는 화려하고 찬란하며 만물이 번성하고 활기찬 청나라 시정의 모습을 나타낸다. '이 쌜은 황금이오 손톱은 다섯 치라'는 이도 잘 닦지 않고 손톱도 잘 깎지 않아 이가 누렇게 되고, 손톱도 매우 길게 자란 청나라 사람들의 비위생적인 면모를 가지고 청나라 사람들을 낮추어 표현한 내용이다.

10 [표현상의 특징 파악]

이 글은 〈보기〉의 설명대로 청나라의 다양한 문물을 소개하는 데 목적을 두고 청나라에 도착하자마자 보고 느낀 내용들을 열거하고 있는데, 청나라의 시정, 주택, 사람들의 의복과 언어, 머리 모양, 습관 등을 거의 사실적이고 객관적인 묘사를 통해 제시하는 구성을 나타내고 있다. 또한 청나라 사람이나 문물에 대해 미개하고 열등하다는 인식도 보여 주고 있는데 이는 청나라 사람들의 언어 사용에 대해 '지저권다'고 표현한 데서 잘 드러난다.

28강 춘면곡

본문 128쪽

01. ⑤ **02.** ⑤ **03.** ④ **04.** ⑤ **05.** ① **06.** ④ **07.** ② **08.** ④ **09.** ㉮ 빈 소리 ㉯ 기약 ㉰ 약수 **10.** (1) 화자가 지닌 고뇌를 해소한다. (2) 윗글에서 화자는 꿈을 통해 임을 만나게 되고, 〈보기〉에서 화자는 꿈을 통해 자신의 신선다운 풍모를 드러낸다.

01 [화자의 정서 파악] **정답 ⑤**

화자는 임을 만나 한평생 연분을 약속하며 즐거움을 누리다가 이별을 한 뒤 슬픔을 느끼고 있다. 이후 이별의 상황이 계속되고 오랜 세월이 흘렀지만 화자는 헤어진 임을 잊지 못해 그리워하고 있다.

02 [표현상의 특징 파악] **정답 ⑤**

이 글은 부재한 임에 대한 애정과 그리움 등을 다양한 방법을 활용해 표현하고 있다. 그러나 이 글에 화자의 심리를 강조하는 데 활용한 반어적 진술은 드러나지 않는다.

[오답 풀이]

① 39행 '어화 황홀하다', 50행 '어화 내 일이야'에서 감탄사를 활용해 화자의 정서를 드러내고 있다.

② 1행 '춘면', 7행 '꽃향기'에서 봄이라는 계절적 상황을, 45~46행 '낙엽 지는 소리', '외기러기'에서 가을이라는 계절적 상황을 확인할 수 있다.

③ 33~34행 '슬피 울 제', '새소리' 등에서 청각적 심상을 확인할 수 있다.

④ 6행 '백마금편'에서는 흰색과 금색의 색채 이미지를 활용해 화자의 화려한 행장을 드러내었고, 10행 '녹의홍상'에서는 녹색과 붉은색의 색채 이미지를 통해 옷을 곱게 차려입은 여인의 모습을 표현하였다.

03 [화자의 정서 파악] **정답 ④**

22행 '석양은 재를 넘고 정마는 자주 울 제'는 석양이 다 져 가고 멀리 갈 때 타는 말이 자주 운다는 것으로, 화자와 임이 이별하는 상황을 감각적으로 형상화한 표현이다. 따라서 임을 여읜 화자가 말을 타고 다니며 괴로움을 달래고 있다는 진술은 적절하지 않다.

[오답 풀이]

① 4행에서 알 수 있듯이 화자는 '창전의 덜 고인 술을 이삼 배 먹은 후'에 야유원에 갔다.

② 15~16행에서 화자와 여인은 '두 손목 마주 잡고 평생을' '너는 죽어 꽃이 되고 나는 죽어 나비 되'자고 언약을 했는데, 이때 죽어서 꽃과 나비가 되자는 것은 죽어서도 헤어지지 말자는 뜻이다.

③ 28~29행에서 '서창'을 닫았으나 '화용월태'가 아른거린다고 하였는데, 이때 '화용월태'는 아름다운 임의 모습을 의미한다.

⑤ 47행 '반가운 님의 소식 행여 올까 바라'본다는 것에서 임의 소식을 알고 싶어 하는 화자의 정서가 드러난다.

04 [시어의 지시 대상 파악] **정답 ⑤**

㉤은 홀로 떨어져 있는 외기러기처럼 임과 헤어져 슬피 우는 화자를 가리킨다는 점에서 임을 나타내는 ㉠~㉣과 다르다.

05 [소재의 기능 파악] 정답 ①

ⓐ는 봄의 꽃, 긴 안개와 더불어 우거진 광경을 통해 낭만적 분위기를 조성하고, ⓑ는 임과 이별한 상태에서 덧없이 세월만 흐르고 있음을 드러내며 쓸쓸한 분위기를 조성한다.

[오답 풀이]

② ⓑ는 하강의 이미지와 관련이 있지만, ⓐ는 상승의 이미지와 관련이 없다.

③ ⓐ는 과거를 상기하는 기능과 관계없으며, ⓑ도 미래를 환기하는 일과는 관계없다.

④ ⓑ는 청각적 심상과 관련되며, ⓐ는 후각적 심상과 관련이 없다.

⑤ ⓐ는 화자의 두려움과 관련이 없고, ⓑ도 화자의 만족감과 관련이 없다.

06 [외적 준거에 의한 작품 감상] 정답 ④

'조물조차 샘하'였다는 것은 화자와 임의 사이를 조물주가 시샘했다는 것으로 임과의 이별을 암시할 뿐 경쟁자의 출현으로 인해 화자가 임과 이별하게 될 것임을 나타내는 것은 아니다.

[오답 풀이]

① '뜰의 꽃은 아름다운데'는 꽃이 핀 계절인, 봄이라는 시간적 배경을 나타낸다.

② '술'은 호탕한 흥을 돋우는 요인으로, 화자가 야유원을 찾아가게 되는 이유이다.

③ 화자는 '야유원을 찾아'간 일로 인해 미인을 보게 된다.

⑤ '이별'은 화자가 임과 헤어진 상황임을 나타낸다.

07 [외적 준거에 의한 작품 감상] 정답 ②

〈보기〉에서는 남녀 간의 사랑을 노래한 작품에서 임과의 사랑을 다짐하는 방법으로 죽어서 다른 대상이 된다 해도 그것을 임과 화자의 분신으로 생각하고 영원히 사랑을 이어 나가겠다고 표현하는 것에 대해 설명하고 있다. 이 글에서는 임은 죽어 꽃이 되고 자신은 죽어 나비가 되어 변치 말고 사랑을 이어 나가자는 말로 영원한 사랑을 다짐하고 있다.

[오답 풀이]

① '꽃향기', '달빛'은 〈보기〉와 직접적 관련이 없다.

③ '분벽사창은 침변에 어렴풋하'여 사랑하는 임의 모습이 아른거리는 것과 〈보기〉는 직접적 관련이 없다.

④ '호월은 창창하여 두 마음을 비추'고 있다는 것은 임에 대한 화자의 사랑을 나타낸 것이지만, 〈보기〉와 직접적 관련이 없다.

⑤ 여전히 '엊그제 꽃이 버들 곁에 붉'은 일과 〈보기〉는 직접적 관련이 없다.

08 [시어의 의미 파악] 정답 ④

'천수만한'은 임을 만나지 못한 아쉬움과 한을 나타내는 것이다. 이 글에서 화자가 평소 임에 대해 원망의 마음을 가지고 있었다는 내용은 찾아볼 수 없다.

[오답 풀이]

① '백마금편'은 '흰 말'과 '금 채찍'이라는 말로 화자의 화려하고 호사스러운 차림을 나타낸다.

② '취와주란'은 형형색색으로 아름다운 야유원의 모습을 나타낸다.

③ '이슬'은 임과 이별한 슬픔으로 흘리는 화자의 눈물을 나타낸다.

⑤ '운산'은 구름에 싸인 산이라는 말로, 임과의 헤어져 만날 길 없는 화자의 답답한 심정을 나타낸다.

09 [감상의 적절성 파악]

화자는 임과 떨어져 있으면서 임에 관한 소식을 듣고자 하나 구름 밖에서 들려오는 것은 '빈 소리'뿐이다. 임에 관한 소식을 알지도 못한 채, 임과 만날 '기약'도 없이 세월만 무정하게 흘러가게 됨으로써 화자는 더욱 절망하게 된다. 이에 화자는 임과 자신 사이에 두 사람의 만남을 방해하는 장애물인 '약수'가 놓여 있다고 인식하기에 이른다.

10 [작품 간 비교 감상]

이 글에서 '꿈'은 보고 싶은 임을 보게 한다는 점에서, 〈보기〉에서의 '꿈'은 신선이 되고 싶은 화자의 소망을 드러내는 수단이라는 점에서 화자의 고뇌 해소라는 공통적인 기능을 갖는다. 즉 이 글에서는 화자가 꿈을 통해 임과 해후해 잠시나마 기쁨을 누리게 되고, 〈보기〉에서는 화자가 꿈에 신선을 만나 자신이 원래 신선이었음을 깨닫고 넓고 활달한 신선적 풍모를 마음껏 드러내는 것이다.

29강

덴동어미 화전가

본문 132쪽

01. ③ 02. ⑤ 03. ② 04. ③ 05. ⑤ 06. ① 07. ⑤
08. ③ 09. 마음, 예사, 한숨, 수심

01 [표현상의 특징 파악] 정답 ③

이 글은 부녀자들의 화전놀이를 바탕으로 덴동어미가 청춘 과녀에게 충고를 전달하는 내용으로 전개되고 있다. 반어법을 통해 주제 의식을 드러내는 부분은 찾아볼 수 없다.

[오답 풀이]

① 청춘 과녀를 설득하려는 덴동어미의 태도가 나타난다.
② 아름다운 꽃이나 새 등 자연물을 활용해 내용을 전개하고 있다.
④ 봄을 배경으로 시상을 전개하고 있다.
⑤ 화자가 화전놀이를 즐기는 사람들을 관찰하여 내용을 전개하고 있다.

02 [표현상의 특징 파악] 정답 ⑤

이 글에는 설의적 표현을 통해 대상을 예찬하는 구절이 나타나지 않는다.

[오답 풀이]

① 덴동어미와 청춘 과녀의 대화를 직접 인용해 현장감을 주고 있다.
② 21~23행 '어떤 부인은~잘도 보네'에서 대구법을 통해 시적 상황을 나타내고 있다.
③ 18~19행 '호랑나비 범나비는 머리 위에 춤을 추고 / 말 잘하는 앵무새는 잘도 논다고 치하하고'에서 의인법을 통해 대상을 생동감 있게 나타내고 있다.
④ 15~16행 '빌빌낄낄', '벅궁벅궁'에서 음성 상징어를 활용해 새의 특성을 묘사하고 있다.

03 [운율 형성 방법 파악] 정답 ②

㉠은 동일한 시어가 반복되지만 중간에 어구가 삽입되어 변이된 형태로 운율감을 형성한다. 즉 반복과 변이에 의한 운율 형성인데, ②도 '창 내고쟈'가 반복되지만 어구가 삽입, 반복되며 운율을 형성하고 있다.

[오답 풀이]

① 대구법에 해당한다.
③ 동일한 시어를 반복하는 방식에 해당한다.
④ 글감을 열거하는 방식에 해당한다.
⑤ 앞의 어구를 연쇄적으로 표현하는 방식에 해당한다.

Q 수미상관 구조가 뭔가요?

A 앞말의 끝과 뒷말의 처음이 서로 반복적으로 이어지면서 전개되는 표현 방법을 말합니다. 즉 앞 구절의 끝 말을 다시 뒤 구절의 머리에 놓아 그 뜻과 리듬을 인상 깊게 하는 기법을 말하는 거예요.

예 고인도 날 못 보고 나도 고인 못 뵈.
고인을 못 뵈도 예던 길 앞에 있네. – 이황, 「도산십이곡」

'고인 못 뵈'가 앞 문장의 끝과 뒤 문장의 시작 부분에 반복되어 있는 것을 볼 수가 있죠. 동일한 시행이나 시어를 반복하는 반복법과는 차이가 있어요.

04 [감상의 적절성 파악] 정답 ③

ⓒ는 화전놀이를 하는데 덴동어미가 흥에 겨워서 춤을 추며 부르는 것으로, 청춘 과녀를 위로하기 위한 것이 아니다.

[오답 풀이]

① ⓐ는 화전놀이를 할 때 시원하게 부는 봄바람을 가리킨다.
② ⓑ는 부녀자들이 문밖 출입을 자유롭게 하지 못했음을 나타낸다.
④ ⓓ는 화전놀이를 하고 있는 주위의 부녀자들을 동무라고 친근하게 표현한 말이다.
⑤ ⓔ는 이른 나이에 남편을 잃은 여자를 가리키는 말이다.

05 [소재의 의미 파악] 정답 ⑤

㉡은 부녀자들이 삼월에 모여 산에 올라가 음식을 해 먹으며 즐기는 화전놀이를 가리키는데 이러한 화전놀이의 비용 마련을 어떻게 했는지에 대해서는 별다른 언급을 하고 있지 않다.

[오답 풀이]

① 2행에서 삼월에 날을 정해 행하였음을 알 수 있다.
② 10행 '노소를 갈라 좌차리고'에서 알 수 있다.
③ 14행 '일 년 일 차'에서 알 수 있다.
④ 11행에서 노인에게 먼저 꽃떡을 드리라고 하는 데서 알 수 있다.

06 [작품의 내용 이해] 정답 ①

㉢은 <보기>의 설명처럼 신선이 있던 곳을 나타내는 말이다. 신선이 와서 살거나 노니는 곳이라는 의미를 고려할 때 ㉢은 화전놀이를 하는 산중의 공간이 봄을 맞이해 매우 아름다움을 나타낸다고 할 수 있다.

[오답 풀이]

② 화전놀이가 부녀자들에 중요한 행사였던 것은 맞지만 ㉢은 이와 직접적 관련이 없다.
③ 화전놀이에서는 음식을 해 먹고, 춤을 추거나 노래를 하는 등 다양한 행사가 펼쳐졌지만 ㉢이 이러한 내용을 드러내고 있지 않다.
④ 화전놀이를 통해 부녀자들이 삶의 애환과 현실의 고통을 잠시 잊었다고 볼 수는 있지만 이는 ㉢과는 직접적인 관련이 없다.
⑤ ㉢은 고사를 인용해 자연의 아름다움을 드러내고 있는 것으로 화전놀이로 인해 사람들끼리 친해졌다는 것과는 직접적 관련이 없다.

07 [외적 준거에 의한 작품 감상] 정답 ⑤

'사람의 눈이 이상하'다고 한 것은 덴동어미가 청춘 과녀에게 충고하는 말의 일부로, 사람은 자신의 감정에 따라 외부 상황을 자의적으로 해석한다는 것을 의미한다. 덴동어미가 청춘 과녀에게 여성으로서 자신의 고민과 정서를 드러내는 말은 아니다.

[오답 풀이]

① 화전놀이를 하는 인물들의 모습은 당시 놀이의 행락이 이루어지는 모

습을 알 수 있게 해 준다.

② 불을 넣고 떡을 굽는 인물들의 모습은 부녀자들의 생활 모습을 나타낸다고 할 수 있다.

③ '내칙'은 여자가 지켜야 할 교훈을 담은 글이다. 내칙 편을 외우며 놀았다는 데서 당시 부녀자들의 문물제도를 엿볼 수 있다.

④ 청춘 과녀가 눈물 콧물 흘리는 모습은 남편을 잃은 부녀자의 모습이라는 데서 그 고충과 한이 드러난다.

08 [시상 전개 양상 파악] **정답 ③**

이 글에는 부녀자들이 산에 올라가 떡을 구워 먹고, 춤도 추며 화전놀이를 즐기는 모습(㉯)과 내칙 편 등을 읽는 모습(㉰)이 나타나 있다.

09 [작품의 내용 파악]

덴동어미는 자신의 신세를 한탄하는 청춘 과녀에게 자신의 인생살이를 들려주며 마음을 태평하게 만들면 어떤 어려운 일도 다 예삿일이라고 생각할 수 있다는 충고를 건넨다. 이에 청춘 과녀는 덴동어미의 충고를 받아들여 자신의 현재의 한숨과 수심을 춘풍과 새에게 보내 버리고자 한다.

Ⅲ 한시

30강

제가야산독서당 | 촉규화

본문 137쪽

01. ③ 02. ④ 03. ③ 04. ② 05. ④ 06. ⓐ 어려운 환경 속에서 뛰어난 능력을 지님. / 출신상의 한계 속에서 출중한 능력을 지님. ⓑ 고귀한 신분의 인물이 자신의 능력을 알아봐 주지 않음. ⓒ 출신상의 한계를 지닌 것에 대해 탄식함. / 육두품으로 태어난 것을 탄식하고 체념함.

01 [작품의 공통점 파악] **정답 ③**

(가)는 시각적, 청각적 이미지를 활용하여 산속 물줄기의 생동감, 물소리의 웅장함을 구체적으로 드러내고 있다. (나)는 후각적, 시각적 이미지를 활용하여 촉규화가 피어 있는 상황을 구체적으로 드러내고 있다.

[오답 풀이]

① (나)에서는 계절적 배경을 드러내는 '매화 비'와 '보리 바람'을 통해 시적 상황을 효과적으로 드러내고 있다. 그러나 (가)에는 계절적 배경을 나타내는 표현이 드러나 있지 않다.

② (가)와 (나)에는 과거와 현재의 대비가 드러나 있지 않다. (가)는 물소리와 인간 세상 소리의 대비가, (나)는 출신상의 한계와 탁월한 능력의 대비가 드러나고 있다.

④ (나)의 '수레 탄 사람 누가 보아 주리'에서는 설의적 표현을 통해 능력을 인정받지 못하는 화자의 처지를 부각하고 있다. 그러나 (가)에는 설의적 표현이 드러나 있지 않다.

⑤ (나)는 자연물인 '촉규화'에 의탁하여 화자가 자신의 능력을 알아주지 않는 현실에 대한 한탄을 드러내고 있다. 그러나 (가)에는 대상에 감정을 투영하여 화자의 정서를 드러낸 부분이 드러나 있지 않다. (가)의 화자가 물소리를 주관적으로 해석하면서 드러낸 것은 화자의 정서가 아니라 의지이다.

02 [구절의 의미 파악] **정답 ④**

(가)에서 '흐르는 물로' '산을 둘러싸게' 한 것은 분쟁과 갈등을 일삼는 세속의 부정적인 모습과 단절하고자 하는 화자의 의지를 표현한 것이라 할 수 있다.

[오답 풀이]

① '겹겹 봉우리에 울리니'는 흐르는 물소리의 웅장함을 표현한 것이라 할 수 있다.

② '지척에서' 들리는 '사람 말소리'는 세속의 소리로, 화자가 흐르는 물로 온 산을 둘러싸게 할 정도로 피하고 싶어 하는 대상이라 할 수 있다.

③ '시비하는 소리'는 서로 배척하고 갈등을 일삼는 세상의 부정적인 모습을 드러내는 '세속의 소리'라 할 수 있다.

⑤ '산'은 화자가 머무르고 있는 자연의 공간으로, '사람 말소리'와 '시비하는 소리'가 있는 세상과 대립되는 공간이라 할 수 있다.

03 [시구의 의미 파악] 정답 ③

(가)의 ㉠은 갈등과 분쟁을 일삼는 세속과 단절하고자 화자가 산을 둘러싸게 하는 대상으로써, 현실을 부정적으로 인식하는 화자의 태도를 보여 준다. (나)의 ㉡은 촉규화가 피어 있는 곳으로 세상에서 알아주는 이 없는, 출신상의 한계를 지닌 화자의 처지를 비유적으로 드러낸다.

04 [외적 준거에 의한 작품 감상] 정답 ②

3~4구에서 촉규화는 '향기'를 날리며 피어 있는 상태이다. 이는 최치원이 뛰어난 능력을 지니고 있고 높은 학문적 경지에 이르렀음을 비유한 것이라 할 수 있다. 그러나 여기에 이러한 능력을 조만간 펼칠 수 있을 것이라는 기대감은 드러나 있지 않다.

[오답 풀이]

① 1구의 '거친 밭'은 화자의 출신상의 한계를, 2구의 '탐스러운 꽃송이'는 화자의 탁월한 능력을 비유한 것으로, 서로 대비된다.

③ 5구에서는 화자의 능력을 알아보고 써 줄, 고귀한 신분의 인물을 '수레 탄 사람'에 비유하며 그러한 인물에게 관심받지 못함을 드러내고 있다. 6구에서는 평범한 이들을 '벌 나비'에 비유하며 그들 속에서 살아가야 하는 것에 대한 아쉬움을 표현하고 있다.

④ 7구에서는 '천한 땅'에 태어난 화자 자신의 처지에 대한 부끄러움이, 8구에서는 그럼에도 '참고 견디'는 화자의 한스러움이 드러나 있다.

⑤ 1~2구에서는 탐스럽게 핀 '촉규화'의 외양 묘사를 통해, 7~8구에서는 부끄러움을 느끼며 참고 견디는 '촉규화'의 내면 서술을 통해 화자 자신의 처지와 내면을 비유적으로 드러내고 있다.

05 [작품 간 공통점과 차이점 파악] 정답 ④

(나)의 '매화 비'는 계절적 배경으로 시적 분위기를 형성할 뿐, 화자의 슬픔을 심화시킨다고 할 수 없다. 반대로 〈보기〉의 '비'는 화자의 슬픔을 심화시킨다고 볼 수 있다.

[오답 풀이]

① (나)는 '촉규화'를 활용하여 자신의 능력을 몰라주는 세상에 대한 화자의 안타까움과 한탄을 드러내고 있다. 〈보기〉는 '가을 바람', '비'를 활용하여 화자의 외로움과 고독감을 드러내고 있다.

② (나)의 7~8구와 〈보기〉의 2구에는 자신의 능력을 알아주지 않는 현실에 대한 한탄이 드러나 있다.

③ (나)의 '보리 바람'은 초여름이라는 계절감을 주는 어휘로, 〈보기〉의 '가을 바람'처럼 시적 분위기를 조성하고 있다.

⑤ (나)에는 화자가 현실에 대해 느끼는 심리적 거리감이 구체적으로 드러나 있지 않지만, 〈보기〉에서는 '만 리'라는 표현을 통해 화자가 현실에 대해 느끼는 심리적 거리감을 구체적으로 드러내고 있다.

06 [시어 및 시구의 의미 파악]

1, 2구는 화자가 출신상의 한계를 지니고 있지만 출중한 능력을 갖고 있음을 드러낸다. 또 5, 6구는 화자의 능력을 알아봐 줄 이가 현실에 존재하지 않음을 드러내고 있으며, 7, 8구는 출신상의 한계를 지닌 것에 대한 한탄을 드러내고 이에 자조와 체념적 태도를 보인다고 할 수 있다.

31강

여뀌꽃과 백로 | 사리화

본문 140쪽

01. ① 02. ⑤ 03. ④ 04. ④ 05. ② 06. ④ 07. ⓐ 백성들을 수탈하는 탐관오리 ⓑ 부정적으로 인식한다. / 비판하고 풍자한다. ⓒ 수탈당하는 민중(농민) ⓓ 연민의 태도를 보인다.

01 [작품의 공통점 파악] 정답 ①

(가)는 '백로'의 모습을 통해 대상의 본질을 파악하지 못하는 당대 세태를 비판하고 있다. (나)는 '참새'의 모습을 통해 당대 권력층의 백성에 대한 수탈을 비판하고 있다.

[오답 풀이]

② (가)의 8구에서 '사람들은 말하네'와 '기심을 잊고 서 있다고'는 어순이 도치되어 있다. 그러나 (나)에는 어순의 도치가 드러나 있지 않다.

③ 감정 이입은 화자가 자신의 감정을 다른 사물에 투영하는 것인데 (가)와 (나) 모두 감정 이입은 드러나 있지 않다.

④ (나)의 '기구'의 질문은 답을 요구하지 않는다는 점에서 설의적 표현으로 볼 수 있으며 참새가 있지 말아야 할 곳에 있음을 비판적으로 드러낸다고 할 수 있다. 그러나 (가)에는 설의적 표현이 드러나 있지 않다.

⑤ (가)에서 시적 대상이 '백로'로 '흰색'의 이미지를 띠고 있지만 구체적으로 색채어가 드러나 있지는 않다. (나)에도 색채어는 드러나 있지 않다.

02 [시어의 상징적 의미 파악] 정답 ⑤

㉠은 백로의 깃털을 젖게 하는 것으로, 백로가 여울의 물고기를 탐하면서 처하게 된 안 좋은 상황을 드러내는 소재라 할 수 있다.

[오답 풀이]

① 화자가 그리워하는 대상이라 할 수 없다.

② 시적 분위기를 형성하기는 하지만 계절감을 드러내지는 않는다.

③ 화자의 감정이 이입된 대상이라 할 수 없다.

④ 가랑비는 가랑비에 깃털이 젖으면서도 여울의 물고기에 대한 탐욕을 버리지 못하는 백로의 모습을 부각하기 때문에 연민의 정서를 불러일으키는 소재라 할 수 없다. 오히려 시적 대상인 백로의 부정적인 측면을 부각하는 소재라 할 수 있다.

03 [시어나 시구의 의미 파악] 정답 ④

화자는 백로를 기회를 틈타 물고기를 잡아먹겠다는 욕심, 즉 기심에 가득 차 있는 모습으로 이해하고 있지만, '사람들'은 백로를 고고한 모습으로 오해하고 있다. 따라서 백로를 있는 그대로 바라보지 못하고 있는 이는 '사람들'뿐이고 화자는 백로를 있는 그대로 바라보고 있다고 할 수 있다.

[오답 풀이]

① '물고기'와 '새우'는 백로가 탐내고 있는 욕망의 대상이라 할 수 있다.

② 3~4구에서 백로가 '사람'을 보고 놀라 '여뀌꽃 핀 언덕'에 날아가 앉았다고 표현한 것을 통해 '사람' 때문에 백로가 일시적으로 '물고기와 새우'를 잡으려는 욕망을 충족하지 못하고 있음을 알 수 있다.

③ 사람들은 '여뀌꽃 핀 언덕'에서 백로가 목을 빼고 가랑비에 젖는 모습을 보고, 백로가 '기심을 잊고 서 있다'라고 오해하고 있다.
⑤ 백로가 '여울의 물고기'에 마음을 두고 있는 것은 결국 기회를 틈타 물고기를 취하려는 욕심을 버리지 못한 것을 의미하므로 '기심'을 잊지 못한 것이라 할 수 있다.

04 [구절의 의미 파악] 정답 ④

[D]에서 '사람들'은 백로의 모습에 대해 '기심을 잊고 서 있다'고 말하며 백로를 청렴한 존재로 인식하고 있다. 이는 [C]에서 보이는 백로의 모습을 잘못 파악한 것이라 할 수 있다. 즉 [A]에서 '물고기와 새우'를 탐하는 백로의 의도를 제대로 파악하지 못한 것이라 할 수 있다.

[오답 풀이]

① [A]의 '물고기와 새우'에 대한 백로의 욕망은 [B]에서 '사람' 때문에 일시적으로 충족되지 못하였고 이에 백로는 '여뀌꽃 핀 언덕'에 날아가 앉아 '사람'이 돌아가길 기다리게 된 것이다.
② [B]의 '여뀌꽃 핀 언덕'은 [C]의 '사람'을 경계한 백로가 피신해 있으면서 '사람'이 돌아가길 기다리는 공간이라 할 수 있다.
③ [C]의 '깃털'이 젖은 모습은 '여울의 물고기'를 탐하는 [D]의 '마음' 때문에 백로가 처하게 된 부정적 상황을 보여 준다고 할 수 있다.
⑤ [A]~[D]에서 화자는 백로의 탐욕과 이중적인 모습뿐만 아니라 그것을 알아차리지 못하는 '사람들'도 함께 비판하고 있다고 할 수 있다.

05 [시어 및 시구의 의미 파악] 정답 ②

(나)의 '어디서 오가며 나느냐'는 물음의 형식이지만 대답을 요구하는 것이 아니라, 탐관오리를 상징하는 '참새'가 날아다니면 안 될 곳인 '밭'에 출몰함을 강조한 설의적 표현으로 '참새'에게 농작물을 해치지 말라고 하는 의미를 담고 있다.

[오답 풀이]

① (나)의 '참새'는 민중을 수탈하는 탐관오리를 상징하는 것으로, 우의적 표현을 통해 화자가 비판하고 풍자하는 대상이라 할 수 있다.
③ '일 년 농사는 아랑곳하지 않'는 것은 백성들의 처지는 고려하지 않고 수탈하는 비정한 관리들의 모습을 드러낸다고 할 수 있다.
④ '홀로 갈고 맸'다는 것은 농민들이 농사를 짓는 데 정성을 다했음을 보여 준다고 할 수 있다.
⑤ '벼며 기장'은 농민들이 애써 지어 놓은 수확물, 즉 곡식들을 의미한다고 할 수 있다.

06 [작품 간 공통점과 차이점 파악] 정답 ④

(나)에서는 참새가 농사지은 벼며 기장을 먹어 없애는 상황을 통해, 〈보기〉는 제비의 보금자리를 황새가 쪼고, 뱀이 와서 뒤지는 상황을 통해 관리들의 횡포를 직접적이 아닌 우의적으로 드러내고 있다.

[오답 풀이]

① (나)는 탐관오리를 상징하는 '참새'와 수탈당하는 농민을 상징하는 '늙은 홀아비'라는 대립적 소재를 활용하여 당대 현실을 보여 주고 있다. 〈보기〉는 관리에게 수탈당하는 힘없는 백성을 상징하는 '제비'와 탐관오리를 상징하는 '황새', '뱀'이라는 대립적 소재를 활용하여 당대 현실을 보여 주고 있다.
② (나)는 '참새'에게 인격을 부여하여 말을 건네는 방식으로 표현하고 있다. 〈보기〉는 '제비'에게 인격을 부여하여 '제비'와 대화하는 방식으로 표현하고 있다.
③ (나)의 '늙은 홀아비'와 〈보기〉의 '제비'는 관리에게 수탈당하는 힘없는 백성을 상징하는 것으로, 화자가 연민을 느끼는 대상이라 할 수 있다.
⑤ (나)에서는 '벼며 기장'과 같은 곡식과 수확물을 수탈당하는 상황이, 〈보기〉에서는 '집'으로 대변되는 보금자리를 빼앗기는 상황이 담겨 있다고 할 수 있다.

07 [상징적 의미 및 화자의 정서 파악]

(나)에서 '참새'는 백성들을 수탈하는 관리층, 탐관오리(ⓐ)를 상징한다. 이들에 대해 화자는 부정적, 비판적 태도를 취하며 풍자하고(ⓑ) 있다. '늙은 홀아비'는 관리들에게 수탈당하는 힘없는 백성들(ⓒ)을 상징하며, 화자는 이들에 대해 연민의 태도를 보이고(ⓓ) 있다.

송인 | 자술

본문 144쪽

01. ① **02.** ③ **03.** ② **04.** ② **05.** ③ **06.** ④ **07.** ④ **08.** ③ **09.** ⓐ 해마다 ⓑ 하도 **10.** (나)의 전구과 결구에서는 가정법과 과장법을 사용하여, 헤어진 임에 대한 화자의 간절한 그리움과 임을 만나고 싶은 절실한 마음을 부각하고 있다.

01 [작품의 공통점 파악] 정답 ①

(가)는 임과의 이별 상황을 맞이한 화자의 슬픔을 노래하고 있고, (나)는 임과 이별한 상황에서 화자의 임에 대한 그리움을 노래하고 있다. 따라서 두 작품은 모두 대상과의 이별 상황이 창작의 계기로 작용하고 있다고 할 수 있다.

[오답 풀이]

② (가)와 (나)는 대상의 공간 이동 경로가 드러나지 않는다.
③ (가)는 임과의 이별에 대한 화자의 슬픔을, (나)는 이별한 임에 대한 화자의 그리움을 드러낼 뿐, 대상과 조화를 이루는 삶의 자세에 대해서 노래한 부분은 찾을 수 없다.
④ (가)는 임과 이별하는 상황이, (나)는 임과 이별한 상황이 드러나 있을 뿐, 둘 다 대상의 미래에 대한 화자의 낙관적 전망을 드러낸 부분은 찾을 수 없다.
⑤ (가)와 (나) 모두 대상의 불공정에 대한 화자의 대결 의지가 드러난 부분은 찾을 수 없다.

02 [표현상의 특징 파악] 정답 ③

(가)는 화자의 감정을 다른 대상에 불어넣어 정서를 강조하는 감정 이입의 방법을 사용하지 않았다. 따라서 감정 이입의 대상도 찾을 수 없다.

[오답 풀이]

① (가)의 전구와 결구에서 대동강 물은 이별의 눈물이 보태져서 마를 날이 없다는 과장적 표현을 통해 화자의 슬픔의 정서를 강조하고 있다.

② (가)의 전구의 '대동강 물이야 언제 마르리'는 대동강 물이 (이별의 눈물이 보태져서) 마를 날이 없다는 시적 의미를 물음의 형식을 활용하여 부각한 것이다.

④ (가)의 전구와 결구는 '해마다 이별 눈물 푸른 물을 보태나니 대동강 물이야 언제 마르리'라는 정상적인 어순을 뒤바꾸는 도치를 통해 이별의 눈물로 인해 대동강 물이 마를 날이 없다는 화자의 생각을 효과적으로 드러내고 있다.

⑤ (가)의 기구와 결구의 '풀빛 고운데', '푸른 물'은 시각적 이미지를, 승구의 '슬픈 노래 부르네'는 청각적 이미지를 활용하여 시적 대상을 선명하게 나타내고 있다.

03 [시행의 의미 파악] 정답 ②

㉠ 다음에 이어지는 '해마다 이별 눈물 푸른 물을 보태나니'로 보아, ㉠은 해마다 이별의 눈물이 푸른 강물에 더해져 대동강 물은 마를 날이 없다는 의미로 해석할 수 있다.

04 [외적 준거에 의한 작품 감상] 정답 ②

'긴 둑'은 화자가 임과 이별하는 공간으로 영원성을 의미한다고 보기 어렵고, '마르리'도 마르지 않을 것이라는 의미를 설의적으로 표현한 것이므로 일회성을 의미한다고 보기 어렵다. 따라서 이 둘을 대비하여 이별의 아픔을 극대화하고 있다는 진술은 적절하지 않다.

[오답 풀이]

① '비 갠' 자연은 풀빛이 고와 아름답고 싱그러운 모습인 것에 비해, '임 보내'는 화자는 안타까운 이별을 하는 상황이다. 따라서 '비 갠' 싱그러운 자연과 '임 보내'는 안타까운 인간사를 대조하여 화자의 정서를 고조하고 있다는 진술은 적절하다.

③ '고운' '풀빛'은 싱그럽고 아름다운 자연의 모습이고, '슬픈 노래'는 이별의 안타까움과 슬픔을 노래하는 것이므로, 이 둘의 대비를 통해 헤어지는 상황의 슬픔을 강조하고 있다는 진술은 적절하다.

④ '이별 눈물'을 '대동강 물'에 보탠다는 것은 이 둘을 동일시한다는 것이고, 이를 통해 '푸른 물'이 이별의 눈물로 이루어졌다는 의미가 되므로 이별의 정한을 확장하고 있다고 할 수 있다. 따라서 '대동강 물'과 '이별 눈물'을 동일시하여 이별로 인한 슬픔의 깊이를 심화하고 있다는 진술은 적절하다.

⑤ '비', '대동강 물', '푸른 물' 등 형태를 달리하며 제시되는 '물'은 이별의 한(恨)이라는 물의 이미지를 활용한 것으로 화자가 느끼는 이별의 정한을 드러내기 위한 장치이다. 따라서 '물'의 이미지를 통해 이별의 정한을 드러내며 슬픔의 깊이를 심화하고 있다는 진술은 적절하다.

> **Q 동일시(同一視)가 뭔가요?**
>
> **A** 동일시는 둘 또는 그 이상의 대상을 같은 것으로 보는 것을 의미하는데, 시가에서는 시적 화자가 시적 대상을 자신과 하나인 것처럼 여기는 태도 또는 시적 화자가 둘 또는 그 이상의 시적 대상을 같은 것으로 생각하는 태도를 의미합니다. 〈보기〉나 선지에서 '동일시'라는 말이 나오면, 시적 화자가 무엇을 자신과 같은 것으로 여기는지 또는 무엇과 무엇을 같은 것으로 여기는지를 파악하고 왜 그렇게 생각하는지를 추측해야 합니다.

05 [시어의 의미 파악] 정답 ③

'넋'은 화자의 꿈속에서 돌길에 자취를 남겨서, 돌길을 모래로 만들 정도로 임의 문 앞을 찾아가는 존재라고 할 수 있다. 이는 시의 흐름상 임을 만나기 위해 찾아가는 화자를 의미한다고 볼 수 있다. 그런데 (나)에서 임을 그리워하고 만나고 싶어 하는 화자의 정서는 변함이 없다. 따라서 '넋'은 화자의 정서 변화를 일으키는 소재가 아니다.

[오답 풀이]

① (나)에서 화자는 사창에 떠오른 달을 보며 임을 그리워하고 있는데, '사창'은 얇은 비단으로 바른 창으로, 여자의 방을 이르는 말이다. 따라서 '사창'은 화자가 여성임을 추측하게 하는 소재라고 할 수 있다.

② '꿈속'은 현실에서는 임을 만나지 못하고 그리워만 하던 화자가 임을 찾아가 만나는 공간이므로 화자의 현실적 소망이 성취되는 공간이라고 할 수 있다.

④ '문'은 화자의 '꿈속 넋'이 찾아가는 곳으로, 그 안에는 화자가 그리워하는 임이 있다. 따라서 '문'은 임이 있는 공간으로 가는 통로라고 할 수 있다.

⑤ '모래'는 '꿈속 넋'이 '문 앞'을 지속적으로 찾아가는 행위로 인해 '돌길'이 변한 것이다. 따라서 '모래'는 반복적 행위의 결과물을 나타내는 소재라고 할 수 있다.

06 [시행의 의미 파악] 정답 ④

㉡은 임이 편안하게 지내는지를 알고 싶어 하는 화자의 심정이 담긴 표현으로, 임의 외모나 심성을 예찬하려는 화자의 의도가 담겨 있다고 보기 어렵다.

[오답 풀이]

① ㉡에는 임이 어떻게 지내는지 알고 싶어 하는 화자의 심리가 담겨 있는데, 여기에는 임이 잘 지내고 있는지에 대한 염려와 걱정의 마음도 포함되어 있다고 볼 수 있다.

②, ③ ㉡에는 임의 소식을 알 수 없어서 궁금해하는 화자의 심리가 드러나 있는데, 여기에는 소식을 전하지 않고 무심하게 지내는 임에 대한 불만의 마음도 포함되어 있다고 추측할 수 있다.

⑤ ㉡에서 '근래'는 '가까운 요즈음'을 의미하는 단어로, 임이 최근에 화자에게 소식을 전하지 않았음을 알게 해 준다.

07 [다른 작품과의 비교 이해] 정답 ④

(나)에서 화자는 임의 안부를 물음으로써 임과 헤어져 임의 안부를 모르는 안타까움을 드러내고 있을 뿐 임과의 친밀감을 드러내고 있지 않다. 〈보기〉에서는 화자가 '바람'에게 말을 건네고는 있으나 이때 바람은 친구가 돌아올 때까지 자신이 눈 위에 남긴 이름이 지워지지 않기를 바라는 화자의 소망을 방해하는 존재이므로, 화자가 친밀감을 드러내고 있는 대상으로 보기 어렵다.

[오답 풀이]

① (나)에서는 '달'을 통해 달이 뜬 밤이라는 시간적 배경을, 〈보기〉는 '눈빛'을 통해 눈이 내리는 겨울날이라는 시간적 배경을 알 수 있다.

②, ⑤ (나)에서는 이별한 임에 대한 간절한 그리움을, 〈보기〉에서는 친구의 부재로 인해 친구를 만나지 못한 데 대한 아쉬움을 드러내고 있다.

③ (나)는 '사창'을 통해 여성인 화자가 자신의 방 창가에 있음을, 〈보기〉는 '땅'을 통해 화자가 주인 즉 친구 집 마당에 있음을 알 수 있다.

08 [시어의 기능 파악] **정답 ③**

'사창에 달 떠오면 하도 그리워'로 보아, '달'은 화자의 임에 대한 그리움의 정서를 심화하는 기능을 한다고 할 수 있다.

[오답 풀이]

① (나)에서 화자가 자신을 성찰하는 모습은 찾을 수 없다. 따라서 '달'이 화자의 성찰을 유도하는 기능을 한다는 설명은 적절하지 않다.
② (나)에서 화자가 과거의 추억을 떠올리는 모습은 찾을 수 없다. 따라서 '달'이 화자의 추억을 환기하는 기능을 한다는 설명은 적절하지 않다.
④ (나)에는 화자의 가치관이 드러나 있지 않다. 따라서 '달'이 화자의 가치관을 부각하는 기능을 한다는 설명은 적절하지 않다.
⑤ (나)에서 화자가 내적으로 갈등하는 모습은 나타나 있지 않다. 따라서 '달'이 화자의 내적 갈등을 유발하는 기능을 한다는 설명은 적절하지 않다.

09 [시어의 의미 파악]

(가)의 결구에서는 '해마다'라는 부사를 활용하여 이별의 눈물을 푸른 강물에 보태는 일이 매년 일어날 것이라는 것을 드러내고 있다. 이는 임과 이별한 화자의 슬픔이 오래 지속될 것이라는 시적 정황을 드러낸 것이라고 할 수 있다. 또한 (나)의 승구에서는 '하도'라는 부사를 활용하여 화자가 임을 그리워하는 마음이 매우 크다는 것을 드러내고 있다.

10 [표현법과 효과 파악]

(나)의 전구에서는 '꿈속 넋 만약에 자취 있다면'이라는 가정적 표현을 사용하여 임을 만나는 상황을 상정하고, 결구에서는 '문 앞 돌길 모래로 변하였으리'라는 과장법을 사용하여 돌길이 모래로 변할 만큼 자주 임을 찾아갔을 것이라는 점을 강조하고 있다. 이는 가정법과 과장법을 사용하여 헤어진 임에 대한 화자의 간절한 그리움과 임을 만나고 싶어 하는 절실한 마음을 부각한 것이라고 할 수 있다.

33강

보리타작[타맥행]

본문 148쪽

01. ③ 02. ④ 03. ① 04. ③ 05. ⑤ 06. ② 07. ⑤
08. ㉮ 건강한 삶 ㉯ 헛된 명분을 좇는 삶 09. 노동으로 단련된 건장한 농민들의 모습

01 [표현상의 특징 파악] **정답 ③**

이 글에는 농민들의 삶과 관련된 다양한 소재가 사용되었으나, 의인화된 대상을 활용한 부분은 찾을 수 없다.

[오답 풀이]

① '큰 사발에 보리밥 높기가 한 자로세'에서 과장법을 활용하여 농민들의 활달한 생활상을 강조하고 있다. 따라서 과장법을 활용하여 시적 의미를 강조하고 있다는 진술은 적절하다.
② '막걸리 젖빛처럼 뿌옇고'에서 직유법을 사용하여 막걸리의 뿌연 속성을 표현하고 있다.
④ '검게 탄 두 어깨 햇볕 받아 번쩍이네', '옹헤야 소리 내며 발맞추어 두드리니' 등에서 시각적·청각적 심상을 사용하여 시적 상황에 생동감을 부여하고 있다.
⑤ '무엇 하러 벼슬길에 헤매고 있겠는가'에서 설의법을 통해 벼슬길에 연연했던 지난 삶에 대한 화자의 반성을 드러내고 있다. 따라서 물음의 형식을 활용하여 화자의 심리를 표출하고 있다는 진술은 적절하다.

02 [외적 준거에 의한 작품 감상] **정답 ④**

[B]는 화자가 타자인 농민의 마음을 헤아리는 내용이 담긴 부분으로 노동하는 농민들의 정서에 대한 화자의 추측, 정신과 육체가 조화를 이룬 농민들의 모습에 대한 화자의 찬탄이 담겨 있을 뿐, 농민들의 갈등 해결 양상에 대해 화자가 짐작한 내용은 찾을 수 없다.

[오답 풀이]

① [A]의 '도리깨 잡고 마당에 나서니', '옹헤야 소리 내며 발맞추어 두드리니' 등에서 농민들이 마당에서 노동요를 부르며 흥겹게 보리타작하는 모습을 확인할 수 있다. 따라서 농민들이 보리타작하는 모습에 대해 화자가 관찰한 내용을 묘사하고 있다는 진술은 적절하다.
② [A]의 '삽시간에 보리 낟알 온 마당에 가득하네', '보이느니 지붕 위에 보리 티끌뿐이로다' 등에서 농민들이 보리타작한 결과물이 상당히 많다는 것에 화자가 주목하고 있음을 알 수 있다. 따라서 농민들이 노동한 결과물에 대해 화자가 주시한 내용을 묘사하고 있다는 진술은 적절하다.
③ [B]의 '그 기색 살펴보니 즐겁기 짝이 없어'에서 화자가 보리타작하는 농민들의 얼굴빛을 살펴보고 농민들이 즐거워하는 것 같다고 짐작하고 있음을 알 수 있다. 따라서 노동하는 농민들의 정서에 대해 화자가 추측한 내용을 담고 있다는 진술은 적절하다.
⑤ [C]의 '무엇 하러 벼슬길에 헤매고 있겠는가'에서 과거 벼슬길에 연연했던 자신의 삶에 대해 반성하고 있는 화자의 모습을 확인할 수 있다. 따라서 과거에 자신이 몰두했던 일에 대해 화자가 반성한 내용을 담고 있다는 진술은 적절하다.

03 [외적 준거에 의한 시어 이해] **정답 ①**

화자는 마당에서 보리타작하는 농민들의 모습을 보면서 건강한 노동의 즐거움을 깨닫고 자신의 삶을 성찰하게 된다.

[오답 풀이]

② '마당'에서 농민들끼리 또는 화자와 농민들이 삶에서 느끼는 애환을 공유하는 모습은 찾을 수 없다.
③ '마당'은 농민들이 즐겁게 보리타작하는 공간이며, '마당'을 빈곤한 삶을 극복하려는 의지가 담긴 공간으로 해석할 수 있는 근거는 찾을 수 없다.
④ '마당'에서 현실과의 타협이 이루어지는 모습은 드러나지 않는다.
⑤ '마당'에서 일하는 농민들의 모습을 보고 화자가 지난 삶을 성찰하고 있으므로 화자의 과거와 현재 상황이 달라졌다고 할 수는 있으나, 화자가 이 상황에 대해 안타까워한다고 해석할 수 있는 근거는 찾을 수 없다.

04 [다른 작품과의 비교 이해] **정답 ③**

이 글에서는 '벼슬길에 헤매고 있겠는가'에서, 〈보기〉에서는

'부러 무엇하리오'에서 물음의 방식을 활용하여 시의 주제를 강조하고 있다.

[오답 풀이]

① 〈보기〉에서 화자는 자신이 직접 농사지은 곡식을 먹는 즐거움을 말하고 있을 뿐 대상에게 말을 건네고 있지 않다.

② 이 글에서는 인간과 자연의 대비를 통해서가 아니라 '낙원'과 '벼슬길', 즉 농민의 삶과 화자의 과거의 삶을 대조함으로써 주제 의식을 강조하고 있다.

④ 이 글과 〈보기〉에는 반어적 표현이 사용되지 않았으며, 두 작품 모두 농사일의 힘겨움보다는 노동의 즐거움과 보람을 노래하고 있다.

⑤ 이 글에서는 '젖빛처럼 뿌옇고', '검게 탄 두 어깨 햇볕 받아 번쩍이네' 등 시각적 이미지를 활용해 대상의 모습을 묘사하였으나 〈보기〉에는 청각적 이미지가 나타나 있지 않다.

05 [시구의 의미 파악] 정답 ⑤

'지붕 위에 보리 티끌뿐이로다'는 농민들이 보리타작하는 과정에서 생긴 보리 티끌이 지붕까지 날아다닌다는 말로, 농민들이 역동적으로 일하고 있고 타작한 보리가 많다는 것을 의미한다. 따라서 이를 통해 농민들이 노동을 헛된 일이라고 인식하고 있음을 알 수 있다는 진술은 적절하지 않다.

[오답 풀이]

① '옹헤야 소리 내며'에서 '옹헤야'는 보리타작할 때 도리깨질을 하며 부르던 노동요이다. 또한 이어지는 '발맞추어 두드리니'로 보아, 보리타작하는 농민들이 노동요를 부르고 있는 상황임을 알 수 있다.

② '발맞추어 두드리니'에서 '발맞추어'는 '여러 사람이 말이나 행동을 같은 목표나 방향으로 일치시켜'라는 의미이므로, 두드리는 행위 즉 보리타작을 여러 사람이 함께하고 있음을 알 수 있다.

③ '주고받는 노랫가락'은 농민들이 선창과 후창으로 나누어 노랫가락을 주고받으며 노동요를 부르고 있는 상황을 나타낸 표현이다.

④ '점점 높아지는데'는 농민들이 부르는 노랫소리가 점점 커지고 세진다는 의미로, 노동요를 부르며 신명 나게 일하는 농민들의 흥이 고조되고 있음을 드러낸다.

06 [시구의 의미 파악] 정답 ②

'밥 먹자 도리깨 잡고'는 농민들이 밥을 먹자마자 보리타작을 위해 도리깨를 잡는다는 것으로, 잠시도 쉬지 않고 부지런히 일하는 모습을 보여 준다. 따라서 이는 농민들이 부지런한 생활을 하고 있음을 드러낸 것이라고 할 수 있다.

[오답 풀이]

① '큰 사발에 보리밥 높기가 한 자로세'에서 농민들의 식사량이 많음을 짐작할 수 있다. 따라서 농민들이 식사를 부족하게 하고 있다는 진술은 적절하지 않다.

③ 이 글에서 농민들이 누군가의 강요 때문에 노동을 하고 있다고 해석할 단서는 찾을 수 없다. 따라서 농민들이 강요 때문에 노동하고 있다는 진술은 적절하지 않다.

④ '밥 먹자 도리깨 잡고'는 밥을 먹자마자 쉴 틈도 없이 일을 시작한다는 의미이므로, 농민들이 휴식 시간을 충분히 갖고 있다는 진술은 적절하지 않다.

⑤ '밥 먹자 도리깨 잡고'는 식사를 마치고 잠시의 여유도 없이 일하고 있다는 의미이므로, 농민들이 여유를 갖고 농사일을 하고 있다는 진술은 적절하지 않다.

07 [시행의 의미 파악] 정답 ⑤

'마음이 몸의 노예 되지 않았네.'는 1~9행에서 농민들이 건강한 삶의 자세로 열심히 노동하는 모습을 본 화자의 평가로, 12행에 제시된 자신의 모습(벼슬길을 찾아 헤맴)과 대조되고 있다. 이 구절은 즐거운 마음으로 노동에 임하는 농민들의 건강한 삶, 부귀공명과 같은 욕심으로부터 벗어나 '몸과 마음이 자유로운 상태'가 건강한 삶이라는 깨달음이 드러난 구절이라고 볼 수 있다.

[오답 풀이]

① ㉡은 몸의 상태에 따라 마음이 좌우되지 않는다는 화자의 깨달음을 드러낸다. 따라서 몸이 건강해야 마음도 건강하게 유지될 수 있다는 화자의 깨달음이 드러난다는 진술은 적절하지 않다.

② ㉡은 마음이 몸에 지배당하지 않음을 의미한다. 따라서 마음속에 있는 욕심과 집착을 버려야 몸도 쇠약해지지 않는다는 화자의 깨달음이 드러난다는 진술은 적절하지 않다.

③ ㉡은 마음을 편안하게 가져야 한다는 의미일 뿐, 이 글에서 농민이나 화자가 억압된 상태에 있다고 짐작할 만한 부분은 찾을 수 없다. 따라서 억압된 상태를 벗어나기 위해서는 몸과 마음을 편안하게 해야 한다는 화자의 깨달음이 드러난다는 진술은 적절하지 않다.

④ ㉡은 무엇보다 마음을 편하게 먹어야 한다는 의미이다. 따라서 마음보다는 몸을 편하게 하는 것이 삶의 허무를 극복하는 방법이라는 화자의 깨달음이 드러난다고 한 진술은 적절하지 않다.

08 [시어의 의미 파악]

이 작품의 결구의 '낙원'은 화자가 농민들의 모습을 관찰하며 깨달은 긍정적인 삶이 영위되는 공간이므로, '건강한 삶'을 의미한다고 할 수 있다. 또한 '벼슬길'은 과거에 화자가 연연했던 것이므로, '헛된 명분을 좇는 삶'을 의미한다고 할 수 있다.

09 [시행의 기능 파악]

'검게 탄 두 어깨 햇볕 받아 번쩍이네'는 계속되는 노동으로 인해 검게 그을린 농민의 어깨의 탄탄한 모습을 묘사한 것이다. 따라서 이것은 노동으로 단련된 건강한 농민들의 모습을 부각하는 것이라고 할 수 있다.

IV 고려 가요·경기체가·악장

34강

가시리

본문 154쪽

01. ② 02. ④ 03. ③ 04. ③ 05. ④ 06. ③ 07. ⑤
08. 위 증즐가 대평셩딕 09. Ⓐ 임이 다시 돌아오지 않을까(않을 것이) Ⓑ 다시 자신에게 돌아오기

01 [표현상의 특징 파악] 정답 ②

이별에 처한 여인의 복합적인 감정을 간결한 형식, 순우리말 시어를 통해 진솔하게 표현하고 있으나 감각적인 이미지는 찾을 수 없다.

[오답 풀이]

① 이 글은 고려 시대에 평민들 사이에서 구전되다가 한글 창제 이후 문자로 정착된 고려 가요로, 간결하고 함축적인 순우리말 시어의 사용이 돋보인다.

③ 자신을 떠나는 임에게 하소연하고 원망하는 형식으로 시상을 전개하고 있다.

④ '가시리(a) 가시리잇고(a) ᄇᆞ리고(b) 가시리잇고(a)'에서 특정 시어(a)가 반복되는 a–a–b–a 구조를 사용하여 화자의 정서를 강조하고 있다.

⑤ 의문형 어미 '–잇고', 염려의 뜻을 나타내는 어미 '–ㄹ셰라', 명령형 어미 '–쇼셔'를 통해 화자의 정서 변화를 효과적으로 드러내고 있다.

02 [화자의 정서와 태도 파악] 정답 ④

이 글의 화자는 '가시리잇고'를 반복하면서 자신을 떠나려는 임에게 이별의 상황을 거듭 확인한 후 임에 대한 서운함과 안타까움, 이별에 대한 수용과 체념, 기다림의 정서 등을 드러내고 있다. 이별의 상황에 대한 거듭된 확인은 화자가 갑작스럽게, 즉 예기치 않게 이별의 상황에 직면하였음을 나타낸다. 갑작스럽게 이별을 통보받았기 때문에 믿기지 않아 재차 이별하는 것이 맞는지 확인하는 것이다. 따라서 화자가 예기치 못한 이별의 상황으로 인해 서러워하고 있다는 진술은 적절하다.

[오답 풀이]

① 이 글에서 화자가 빈곤한 상황임을 알 수 있는 단서는 찾을 수 없다. 따라서 빈곤한 상황으로 인한 좌절감이 표출되어 있다는 진술은 적절하지 않다.

② 이 글에서 화자의 신념이 무엇인지, 그리고 현실이 그 신념과 배치되는 상황인지를 알 수 있는 단서는 찾을 수 없다. 따라서 화자가 자신의 신념과 배치되는 현실에 저항하고 있다는 진술은 적절하지 않다.

③ 이 글에서 화자가 상대에 대해 동정심을 드러낸 부분은 찾을 수 없다. 따라서 유사한 처지에 있는 상대에 대한 동정심이 표출되어 있다는 진술은 적절하지 않다.

⑤ 이 글에서 화자가 자연의 섭리에 대한 경외감을 드러낸 부분은 찾을 수 없다. 따라서 거역할 수 없는 자연의 섭리에 대한 경외감이 표출되어 있다는 진술은 적절하지 않다.

03 [시구의 행동 주체와 의미 파악] 정답 ③

'잡ᄉᆞ와 두어리마ᄂᆞᄂᆞᆫ'은 '붙잡아 두고 싶지만'의 의미로, 떠나는 임을 만류하고 싶은 화자의 심리를 나타낸 것이다. 따라서 이 구절의 주체는 임이 아니며 이 구절이 임이 떠나는 원인도 아니다.

[오답 풀이]

① 'ᄇᆞ리고'는 '버리고'의 의미로 그 주체는 임이고, 임이 화자를 버리고 떠나는 상황을 드러낸다. 따라서 이는 화자가 임에게 떠나지 말라고 애원하는 이유가 된다고 할 수 있다.

② '엇디 살라 ᄒᆞ고'는 '어찌 살아가라고'라는 의미로, 앞의 '날러는'으로 보아 화자가 주체임을 알 수 있다. 이 구절은 임이 떠난다면 화자는 살지 못할 정도로 힘들고 고통스러울 것임을 드러낸 것이다. 따라서 이는 화자가 임을 떠나보내며 자신은 어떻게 살라고 버리고 떠나느냐고 한탄하는 것이라고 할 수 있다.

④ '보내옵노니'는 '보내 드리오니'라는 의미로, 주체는 화자이다. 이는 뒤에 이어지는 '가시ᄂᆞᆫ ᄃᆞᆺ 도셔 오쇼셔'로 보아, 임이 빨리 돌아오기를 바라며 하는 행위라고 할 수 있다.

⑤ '도셔 오쇼셔'는 '다시 돌아오소서'라는 의미로, 돌아오는 행위의 주체는 임이다. 이는 임이 가는 듯 다시 돌아오기를 바라는 화자의 소망이 담겨 있는 표현이라고 할 수 있다.

04 [시상 전개에 따른 내용 이해] 정답 ③

'전'에서 화자는 임을 붙잡아 두고 싶지만 그렇게 하면 임이 다시 오지 않을까 봐 이별을 받아들이겠다고 하고 있을 뿐, 임에 대한 원망의 감정을 직접 제시하고 있지는 않으며 시상의 전환도 이루어지지 않고 있다.

[오답 풀이]

① 〈보기〉에서 '기(1연)'는 시상을 제시한다고 하였으므로 '기'에서 화자가 물음의 형식을 통해 임이 자신을 떠나가는 상황을 제시하며 시상을 이끌어 내고 있다고 한 것은 적절하다.

② '기'에서는 자신을 떠나가는 임에 대한 원망과 하소연이 나타나며 '승'에서는 그러한 하소연이 고조되고 있다. 즉 '승'에서는 임이 없이는 살 수 없는 화자의 심리를 제시하며 시상을 심화하고 있다.

④ '전'에서 화자는 자신이 이별을 만류하면 임이 서운해하여 다시 돌아오지 않을 것을 염려하여 이별을 받아들이고 있다. 즉 '전'에서는 화자가 떠나는 임을 만류하지 못하는 이유를 제시하며 시상을 전환하고 있다.

⑤ '결'에서 화자는 임을 보내 드릴 것이니 가시자마자 빨리 돌아오기를 바란다는 소망과 기원을 드러내고 있다. 즉 '결'에서는 임과의 재회에 대한 소망을 제시하며 시상을 마무리하고 있다.

05 [시적 구조의 파악] 정답 ④

'가시리 가시리잇고 / ᄇᆞ리고 가시리잇고'는 '가시리(가시리잇고)'를 반복하고, 'ᄇᆞ리고'에서 변주가 이루어진 a–a–b–a 구조이다. 그런데 '눈은 살아 있다. / 떨어진 눈은 살아 있다. / 마당 위에 떨어진 눈은 살아 있다.'는 '눈은 살아 있다.'에 다른 성분이 덧붙으면서 의미가 뚜렷해지는 점층적 전개를

보이고 있을 뿐, a-a-b-a 구조라고 할 수 없다.

[오답 풀이]

① '살어리 살어리랏다. 청산에 살어리랏다.'는 '살어리'(a), '살어리랏다'(a), '청산에'(b), '살어리랏다'(a)로 이루어진 a-a-b-a 구조라고 할 수 있다.

② '형님 온다. 형님 온다. 분고개로 형님 온다.'는 '형님 온다'(a), '형님 온다'(a), '분고개로'(b), '형님 온다'(a)로 이루어진 a-a-b-a 구조라고 할 수 있다.

③ '산에는 꽃 피네. / 꽃이 피네. / 갈 봄 여름 없이 / 꽃이 피네.'는 '산에는' '꽃 피네'(a), '꽃이 피네'(a), '갈 봄 여름 없이'(b), '꽃이 피네'(a)로 이루어진 a-a-b-a 구조라고 할 수 있다.

⑤ '나는 왕이로소이다. 나는 왕이로소이다. 어머님의 가장 어여쁜 아들, 나는 왕이로소이다'는 '나는 왕이로소이다'(a), '나는 왕이로소이다'(a), '어머님의 가장 어여쁜 아들'(b), '나는 왕이로소이다'(a)로 이루어진 a-a-b-a 구조라고 할 수 있다.

06 [외적 준거에 의한 작품 감상] 정답 ③

'날러는 엇디 살라 ᄒᆞ고'에는 떠나는 임에 대한 원망과 이별의 상황에서 오는 애절한 심정이 담겨 있다. 이는 임이 떠난다면 자신은 살지 못할 정도로 힘들 것이므로 자신을 떠나지 말라는 하소연이 고조된 표현이라고 할 수 있다. 따라서 이를 임을 붙잡지 못하고 체념한 심정을 드러낸 것이라고 한 진술은 적절하지 않다.

[오답 풀이]

① '가시리 가시리잇고'는 '가시리'(3글자), '가시리'(3글자), '잇고'(2글자)로 된 3 · 3 · 2조의 음수율과 3음보의 율격을 지니고 있으므로 〈보기〉의 '3음보를 기본 율격으로 하여 리듬감을 형성함.'을 바탕으로 볼 때, 적절하다.

② '나ᄂᆞᆫ'은 율격을 맞추고 흥을 돋우기 위해 넣은 여음구로 음악적 효과를 높이고 있으므로 〈보기〉의 '음악적 효과를 높여 주는 역할을 하는 여음구를 반복함.'을 바탕으로 볼 때 적절하다.

④ '선ᄒᆞ면 아니 올셰라'는 임이 서운하게 생각하면 다시 돌아오지 않을까 두렵다는 의미이다. 화자는 이러한 심리 때문에, 떠나는 임을 적극적으로 붙잡지 못하고 소극적으로 이별의 상황에 대응하고 있다. 따라서 〈보기〉의 '이별의 상황에 적극적으로 대응하지 못하고 체념하는 소극적인 화자의 태도가 담겨 있음.'을 바탕을 볼 때, 이 구절에 이별의 상황에 소극적으로 대응하는 이유가 드러나 있다고 한 진술은 적절하다.

⑤ '셜온 님 보내옵노니'는 임을 떠나보내고 싶지 않지만 어쩔 수 없이 떠나보내는 상황을 나타낸다. 이러한 표현 속에는 자신에게 닥친 상황을 어쩔 수 없이 받아들이는 데서 오는 '한(恨)'의 정서가 담겨 있으므로 〈보기〉의 '자신에게 닥친 부당한 상황을 어쩔 수 없이 받아들이는 데서 한(恨)의 정서가 나타남.'을 바탕으로 볼 때, 적절하다.

07 [시구의 표현과 의미 이해] 정답 ⑤

㉢에서는 1연의 ㉡을 반복하여 뜻하지 않은 이별로 인한 슬픔과 정한을 강조하고 있을 뿐, 절제와 양보를 통해 임과의 갈등을 차단하려는 화자의 모습은 나타나지 않는다. 절제와 양보를 통해 임과의 갈등을 차단하려는 화자의 모습은 3연에서 찾을 수 있다.

[오답 풀이]

① ㉠은 '가시렵니까?'라는 의미이므로, 화자가 의문의 형식을 통해서 임이 떠나가는 이별 상황을 확인하고 있다고 할 수 있다.

② ㉡은 '버리고 가시렵니까?'라는 의미로, 임이 화자를 버리고 떠나는 상황을 드러내고 있다. 따라서 이별의 원인이 임에게 있다는 사실을 제시한 것이라고 할 수 있다.

③ ㉡에서는 ㉠을 반복함으로써 이별의 상황을 거듭 확인하고 있는데, 이는 임과 헤어지는 것을 원하지 않는 화자의 심리를 드러낸 것이라고 할 수 있다.

④ ㉢은 ㉡을 반복하여 임이 화자를 버리고 떠나는 상황에서 느끼는 슬픔과 정한을 강조하고 있다고 할 수 있다.

08 [시어의 의미와 기능 파악]

〈보기〉는 구비 전승되는 고려 가요가 궁중의 악곡으로 정착하면서 내용과는 상관없이 작품에 송축의 내용이 담기거나 시적 상황과 어울리지 않는 시구가 덧붙여진 경우를 설명하고 있다. '위 증즐가 대평셩ᄃᆡ'는 '대평셩ᄃᆡ', 즉 태평성대에 대한 송축의 내용이 담겨 있고, 이별의 상황과도 관련이 없는 시구라고 할 수 있다. 따라서 〈보기〉에서 설명하는 것에 어울리는 시구는 '위 증즐가 대평셩ᄃᆡ'라고 할 수 있다.

09 [화자의 정서 및 심리 파악]

3연은 떠나는 임을 붙잡고 싶지만 그렇게 해서 임이 서운해하면 돌아오지 않을 것을 염려하여 자신의 감정을 절제하고 이별의 상황을 수용하며 체념하고 있다. 4연은 서러운 임을 보내 드리니 가시자마자 곧바로 돌아오기를 바라며 당부하는 것에서 화자의 소망과 기원을 드러내고 있음을 알 수 있다.

35강

동동

본문 158쪽

01. ② **02.** ③ **03.** ① **04.** ⑤ **05.** ③ **06.** 덕으란 **07.** ㉮ 임이 훌륭한 인품의 소유자임을 드러낸다. ㉯ 임이 출중한 용모의 소유자임을 드러낸다.

01 [표현상의 특징 파악] 정답 ②

반어법은 자신이 표현하려는 원뜻과 정반대되는 말로 표현하는 수사법인데 이 글에서 반어법을 사용한 부분은 찾을 수 없다.

[오답 풀이]

① '덕으란 곰ᄇᆡ예 받ᄌᆞᆸ고 복으란 림ᄇᆡ예 받ᄌᆞᆸ고'에서 대구법을 사용하여 리듬감을 형성하고 있다.

③ '아으, 다호라, 즈ᇫ샷다, 돌욋고지여, 곳고리 새여' 등에서 영탄법을 사용하여 화자의 감정을 드러내고 있다.

④ '등ㅅ블', '돌욋곶'은 임의 모습을 빗대어 표현한 보조 관념이므로, 비유법을 활용하여 대상의 모습을 형상화하고 있다는 진술은 적절하다.

⑤ '나릿믈'과 '몸'의 대조를 통해 정월을 맞아 얼었다 녹았다 하는 냇물과 달리 혼자서 외롭게 지내는 화자의 마음이 꽁꽁 얼었다는 것을 드러내고 있다. 또한 '곳고리 새'와 '녹사님'의 대조를 통해 다시 찾아온 꾀꼬리 새와 달리 녹사님이 찾아오지 않아 외롭고 쓸쓸한 화자의 처지를 강조하고 있다.

02 [후렴구의 기능과 역할 파악] 정답 ③

각 연마다 '아으 동동다리'가 반복되고 있으나, 이는 특별한 의미가 있는 것이 아니라 감탄사와 악기 소리를 흉내 낸 의성어로 이루어진 후렴구이다. 따라서 이것이 주제 의식을 부각하고 있다는 진술은 적절하지 않다.

[오답 풀이]

① ㉠은 각 연이 끝날 때마다 반복되어 연을 구분하고 구조적으로 형태적인 안정감을 부여한다.

② ㉠의 반복으로 리듬감이 나타나므로, 운율을 형성하고 음악적 흥취를 고조시킨다고 할 수 있다.

④ ㉠으로 각 연을 마무리함으로써 다양하게 전개된 시상을 통합하고 있다.

⑤ ㉠에서 '동동'은 북 소리를, '다리'는 그 외의 다른 악기 소리를 흉내 낸 것이므로, ㉠이 악기 소리를 흉내 낸 의성어로 이루어진 후렴구라는 진술은 적절하다.

03 [시어 및 시구의 의미 파악] 정답 ①

〈1월령〉의 '나릿믈'은 봄을 맞이하여 녹으려 하고 있는데, 화자는 세상에 태어나 홀로 살아가야 하는 외로움 때문에 얼어붙은 마음을 지니고 있다. 따라서 '나릿믈'은 화자의 처지와 대비되는 대상이라고 할 수 있다. 그러나 〈11월령〉의 '봉당 자리'는 화자가 홑적삼을 덮고 누운 차가운 공간으로, 외로운 화자의 처지를 부각하는 대상이다. 따라서 '봉당 자리'를 화자의 처지와 대비되는 대상이라고 한 진술은 적절하지 않다.

[오답 풀이]

② 〈5월령〉의 '받ᄌᆞᆸ노이다'에서 바치는 '약'에는 임의 장수를 바라는 화자의 정성과 기원이 담겨 있다. 또한 〈7월령〉의 '비ᅀᆞᆸ노이다'는 임과 함께 살고 싶은 소망을 기원하고 있는 것이라고 할 수 있다. 따라서 이 둘에 화자의 정성과 기원이 담겨 있다는 진술은 적절하다.

③ 〈6월령〉의 '좃니노이다'에는 임을 따르겠다는 화자의 마음이 드러나 있고, 〈7월령〉의 'ᄒᆞᆫᄃᆡ 녀가져'에는 임과 함께 살고자 하는 화자의 소망이 드러나 있다. 따라서 이 둘에 화자의 소망이 직접적으로 표출되고 있다는 진술은 적절하다.

④ 〈6월령〉의 '빗'은 벼랑에 버려진 것이고, 〈10월령〉의 'ᄇᆞᆺ'은 꺾여 버려진 것이다. 따라서 이 둘이 버림받은 화자의 신세를 비유한 사물이라는 진술은 적절하다.

⑤ 〈10월령〉의 '업스샷다'는 임에게 버림받아 함께 지낼 사람이 없는 화자의 처지를, 〈11월령〉의 '스싀옴 녈셔'는 임과 이별하고 홀로 살아가는 화자의 외로운 삶을 드러내고 있다. 따라서 이 둘에 고독하게 지내는 화자의 삶이 드러나 있다는 진술은 적절하다.

04 [외적 준거에 의한 작품 이해] 정답 ⑤

〈10월령〉에 제시된 [A]는 '져미연 ᄇᆞᆺ'으로 잘게 썬 고로쇠나무라고 할 수 있다. 그런데 [B]는 고로쇠를 꺾어 버리신 후에 지니실 한 분이 없다며 임에게 버림받은 화자가 자신의 처지와 슬픔을 드러내고 있다. 따라서 [B]를 임에 대한 연민의 정으로 이해한 것은 적절하지 않다.

[오답 풀이]

① 〈1월령〉에 제시된 [A]는 '나릿므른' '어져 녹져 ᄒᆞ논ᄃᆡ'로 보아, 얼었다 녹았다 하는 냇물이라고 할 수 있다. 그리고 [B]는 세상 가운데 나서는 이 몸은 홀로 살아간다고 한 데서 외롭고 고독한 처지라고 할 수 있다.

② 〈4월령〉에 제시된 [A]는 '오실셔 곳고리 새여'로 보아, 다시 찾아온 꾀꼬리 새라고 할 수 있다. 그리고 [B]는 어찌하여 녹사님은 옛날의 나를 잊고 계시냐고 한 데서 무심한 임에 대한 원망이라고 할 수 있다.

③ 〈5월령〉에 제시된 [A]는 '수릿날 아춤 약'으로 보아, 단오에 먹는 약이라고 할 수 있다. 그리고 [B]는 천년을 길이 사실 약이라 바친다고 한 데서 임의 장수를 기원하는 마음이라고 할 수 있다.

④ 〈9월령〉에 제시된 [A]는 '약이라 먹논 / 황화고지'로 보아, 약으로 먹는 국화꽃이라고 할 수 있다. 그리고 [B]는 누런 국화꽃이 집 안에 피니 초가집 안이 조용하다고 한 데서 임이 없는 적막감이라고 할 수 있다.

05 [시행의 의미 파악] 정답 ③

㉡은 임의 앞에 놓은 젓가락을 손님이 가져다가 입에 물었다는 의미로, 여기서 젓가락은 화자를 비유적으로 표현한 것이다. 이는 자신이 원하는 임이 아니라, 다른 사람과 인연을 맺게 되었다는 것을 뜻한다. 따라서 원치 않은 사람과 인연을 맺게 된 화자의 기구한 운명에 대한 한탄이 담겨 있다고 할 수 있다.

[오답 풀이]

① 이 작품 전체로 보아, 이별한 임이 돌아오지 않아 화자가 마음 아파하고 있음을 알 수 있다. 그러나 ㉡에서 임이 화자의 마음을 받아 주지 않아 화자가 임을 원망하고 있다고 볼 만한 내용은 찾을 수 없다.

② ㉡은 화자가 임이 아닌 다른 사람과 인연을 맺었다는 것이지, 임이 다른 사람과 혼인하게 되었다는 의미는 아니다.

④ ㉡에서 임이 알아주지 않아도 임을 위해 사랑과 정성을 다하겠다는 화자의 각오를 엿볼 수 있는 부분은 찾을 수 없다.

⑤ ㉡에서 임이 항상 건강한 모습으로 살아가기를 바라는 화자의 소망을 엿볼 수 있는 부분은 찾을 수 없다.

06 [연의 의미와 기능 파악]

이 글에서 〈서사〉는 임이 덕이 있고 복을 받기를 기원하는 내용으로, 이별한 상황에서의 다양한 정서를 읊은 다른 연들과 이질적이다. 이는 민간에서 유행하던 이 노래가 궁중 음악으로 수용되면서 궁중 의식의 절차를 갖추기 위해 임금에 대한 송축의 내용을 담은 〈서사〉가 첨가된 것으로 볼 수 있다. 따라서 〈서사〉의 첫 어절인 '덕으란'을 써야 한다.

07 [시구의 의미 이해]

㉮는 뒤에 이어지는 '만인 비취실 즈ᅀᅵ샷다'로 보아, 임이 온 백성을 비추실 모습, 즉 훌륭한 인품의 소유자임을 드러낸다고 할 수 있다. 또한 ㉯는 'ᄂᆞᄆᆡ 브롤 즈ᅀᅳᆯ 디녀 나샷다'로 보아, 남들이 부러워할 모습, 즉 출중한 용모의 소유자임을 드러낸다고 할 수 있다.

36강 정과정

본문 161쪽

> **01.** ⑤ **02.** ⑤ **03.** ② **04.** ③ **05.** ⑤ **06.** ⓐ는 감정 이입을 사용하여 화자가 임과 이별한 상황에서의 외롭고 쓸쓸한 감정을 강조하고 있다. **07.** ⓑ에는 '임이 이미 나를 잊었을지 몰라.'라는 의구심과, '임이 아직 나를 잊지 않았을 거야(생각할 거야).'라는 기대감의 이중 심리가 내포되어 있다.

01 [화자의 정서와 태도 파악] 정답 ⑤

이 글의 화자는 임과 이별한 상황에서 자신의 결백과 억울함을 호소하며 임이 자신을 다시 사랑해 주기를 바라고 있다. 따라서 화자는 자신이 처한 상황에 만족하지 못하고 있다고 할 수 있다.

[오답 풀이]

① 이 글에서는 자신의 결백과 억울함을 호소하며 임과의 사랑을 회복하고 싶은 화자의 소망이 드러날 뿐, 화자가 자신의 미래에 대한 낙관적인 전망을 드러내는 부분은 찾을 수 없다.

② '벼기더시니 뉘러시니잇가'에서 화자는 자신을 모함한 사람에 대한 원망을 드러내고 있다. 따라서 자신을 곤경에 빠뜨린 사람을 포용하고 있다는 진술은 적절하지 않다.

③ '과도 허물도 천만 업소이다'에서 화자는 자신에게 잘못과 허물이 전혀 없다고 말하고 있다. 따라서 자신의 과거를 돌아보며 잘못을 반성하고 있다는 진술은 적절하지 않다.

④ '도람 들으샤 괴오소서'에서 화자는 임의 사랑을 되찾고 싶은 소망을 드러내고 있는데, 이는 체념적인 태도와는 어울리지 않는다. 그리고 작품 전체에서 화자가 자신의 삶에 대해 체념적인 태도를 보이는 부분도 찾을 수 없다.

02 [소재의 시적 기능 파악] 정답 ⑤

이 글의 화자는 '아니시며 거츠르신달 아으 / 잔월효성이 알으시리이다'라고 하였는데 이때 화자를 모함하는 말이 옳지 않으며 거짓인 것을 알고 있는 '잔월효성'은 화자의 결백을 증명해 줄 천지신명 즉 초월적 존재를 의미한다.

[오답 풀이]

① '잔월효성'은 화자의 결백을 증명하는 천지신명이고, 이 글에서 화자와 임과의 재회를 방해하는 장애물의 역할을 하는 소재는 찾을 수 없다.

② 이 글에서 '잔월효성'이 화자와 임 사이를 연결해 주는 매개체 역할을 한다고 볼 수 있는 근거는 찾을 수 없다.

③ 이 글에서 '잔월효성'이 화자의 미래를 알려 주는 예언적 존재의 역할을 한다고 볼 수 있는 근거는 찾을 수 없다.

④ 이 글에서 '잔월효성'이 화자와 임을 헤어지게 만든 원인 제공자 역할을 한다고 볼 수 있는 근거는 찾을 수 없다. 화자와 임이 헤어지도록 원인을 제공한 것은 '벼기더시니', 즉 화자를 참소한 뭇사람들이다.

03 [외적 준거에 의한 작품 감상] 정답 ②

'아으'는 감탄사로, 감흥과 율조에 영향을 미치는 여음구에 해당할 뿐, 각 절의 끝에 되풀이되는 후렴구라고 할 수 없다. 따라서 '아으'가 후렴구를 사용하는 고려 가요의 특징을 보여 준다고 한 진술은 적절하지 않다.

[오답 풀이]

① '내 님을 그리워하여 우니다니'는 '내 님을', '그리워하여', '우니다니'의 3음보율로 이루어진 구절이므로 적절하다.

③ '아소'는 감탄사로, 11행인 낙구의 첫머리에 사용되었다. 따라서 낙구의 첫머리에 감탄사를 사용하는 10구체 향가의 특징을 지녔다고 할 수 있다.

④ '아소 님하 도람 들으샤 괴오소서'는 '아아 임이시여, 다시 들으시어 사랑해 주소서.'의 의미로 앞에서 전개된 시상이 여기에서 화자의 소망이나 기원으로 집약된다고 할 수 있다. 따라서 낙구에 시상을 집약하는 10구체 향가의 특징을 지녔다고 할 수 있다.

⑤ 이 글은 연 구분이 이루어져 있지 않은 시가로, 연이 나뉘는 분연체로 구성되는 고려 가요의 특징이 나타나지 않는다.

04 [시어 및 시구의 의미와 기능 이해] 정답 ③

'말힛 마리신저'는 '뭇사람의 참소하는 말입니다.'의 의미로, 자신에 대해 임이 들은 말이 모두 자신을 모함하는 사람들의 거짓말이라는 뜻이다. 따라서 이를 화자가 자신을 위로해 주는 사람들에 대한 고마움을 드러내는 것이라고 한 진술은 적절하지 않다.

[오답 풀이]

① ㉠은 임과 이별한 화자가 임에 대한 그리움으로 울며 지내고 있다는 의미로 화자의 고독하고 쓸쓸한 처지를 드러낸다.

② ㉡은 '거짓인 줄을'의 의미로, 자신에 대해 참소하는 말이 옳지 않으며 거짓된 것이라는 뜻이다. 따라서 이는 화자와 관련해 임이 알고 있

는 내용이 거짓이라는 해명을 담고 있다고 할 수 있다.

④ ㉣은 '슬프구나'의 의미로, 다른 사람의 모함으로 임과 이별하여 지내고 있는 화자가 자신의 처지에 대한 감정을 직접 드러낸 것이다.

⑤ ㉤은 '다시 들으시어'의 의미로, 자신에 대해 남들이 한 말을 다시 잘 조사해 달라는 뜻이다. 따라서 이는 임이 자신에 대한 오해를 풀기 바라는 화자의 소망을 담고 있다고 볼 수 있다.

05 [다른 작품과의 비교 이해] 정답 ⑤

[A]와 〈보기〉에서 '넋이라도'는 자신이 죽어서 넋이 되면 그 넋이라도 임과 함께 있고 싶다는 의미를 표현하기 위한 것이므로, [A]와 〈보기〉 모두 화자가 자신의 죽음 이후의 상황을 가정하여 시상을 전개하고 있다고 할 수 있다.

[오답 풀이]

① [A]는 '뉘러시니잇가', 〈보기〉는 '누구입니까'를 통해 '우기던 사람'에 대한 화자의 원망을 드러내고 있다. 따라서 [A]와 〈보기〉 모두 물음의 형식을 통해 화자의 심정을 부각하고 있다고 할 수 있다.

② [A]의 '님은 한데'와 〈보기〉의 '임과 함께'는 모두 임과 함께하고 싶은 화자의 소망을 드러내고 있다고 할 수 있다.

③ [A]의 '벼기더시니 뉘러시니잇가'에는 자신을 모함한 사람에 대한 원망이 드러나 있으며, 〈보기〉의 '우기던 사람 누구입니까'에도 임에 대한 원망이 드러나 있다. 따라서 [A]와 〈보기〉 모두 화자가 타인에 대한 원망의 정서를 표출하고 있다고 볼 수 있다.

④ [A]에서는 시어나 시구를 반복한 부분을 찾을 수 없는데, 〈보기〉에서는 '넋이라도 님과 함께 지내고자 했는데'를 반복하고 있다. 따라서 [A]와 달리 〈보기〉는 반복법을 통해 화자의 정서를 강조하고 있다고 할 수 있다.

06 [표현상의 특징과 효과 파악]

'산 접동새 난 이슷하요이다'는 '산 접동새와 나는 비슷합니다.'의 의미로, '산 접동새'는 화자의 감정이 투영된 감정 이입의 대상이다. 화자는 임과 이별하여 임을 그리워하며 울면서 슬프고 고독하게 지내고 있는데, 이러한 감정을 산에서 울고 있는 '산 접동새'를 통해 표현한 것이다. 따라서 감정 이입의 방법을 사용하여, 임과 이별한 상황에서의 외롭고 쓸쓸한 화자의 감정을 강조하고 있다고 할 수 있다.

07 [화자의 정서 및 심리 파악]

〈보기〉에서는 '날 생각난가'에 기대감과 의구심이라는 이중 심리가 내포되어 있다고 하였다. 이 글의 '님이 나를 하마 잊으시니잇가'도 '임께서 벌써 나를 잊으셨습니까?'의 의미로, 임이 이미 나를 잊었을지 모른다는 의구심과, 임이 아직 나를 잊지 않고 생각할 것이라는 기대감이 함께 내포되어 있는 표현이다.

37강

정석가

본문 166쪽

01. ① **02.** ⑤ **03.** ④ **04.** ③ **05.** ② **06.** ① **07.** ②
08. 1연의 내용으로 보아, 임은 임금이고 이 작품은 태평성대를 기원하는 신하가 임금에게 바치는 송축가라고 할 수 있다. **09.** 3연의 '바회'는 꽃이 살 수 없는 척박한 환경이라는 의미로 사용되었고, 6연의 '바회'는 구슬이 떨어지면 깨지는 곳으로, 사랑의 장애물이라는 의미로 사용되었다.

01 [표현상의 특징 파악] 정답 ①

2~5연에서 불가능한 상황을 가정한 부분과 6연에서 천 년을 외로이 살아간다고 가정한 부분 등에서 과장법을 사용하였다. 그리고 이를 통해 임과 헤어지지 않을 것이며 임에 대한 사랑은 변함이 없을 거라는 화자의 의지를 강조하고 있다.

[오답 풀이]

② 이 글에서 문장 성분의 순서를 뒤바꾸어 긴장감을 드러내는 부분은 찾을 수 없다.

③ 이 글에서 과거와 미래를 대비하는 부분은 찾을 수 없다.

④ 이 글은 화자의 독백으로 이루어졌을 뿐, 대화를 나누는 형식을 취한 부분은 찾을 수 없다.

⑤ 이 글에서 불가능한 상황을 설정하며 다양한 소재를 활용하고는 있지만 작가의 시선이 이동되고 있다고 보기는 어려우며 이야기하고자 하는 바가 반복되고 있을 뿐 점층적으로 시상이 고조되고 있다고 볼 수도 없다.

02 [작품의 형식적 특징 파악] 정답 ⑤

1연은 반복 어구를 제외하면 2행으로 구성되어 있고, 2~5연은 반복 어구를 제외하면 4행으로 구성되어 있어 차이가 있다. 그러나 6연도 반복 어구인 '구스리 바회예 디신돌', '즈믄 히롤 외오곰 녀신돌'을 제외하면 4행으로 구성되어 있다.

[오답 풀이]

① 1연은 3행으로 이루어져 있고, 2~6연은 모두 6행으로 이루어져 있다. 따라서 1연이 나머지 연과는 형식적인 이질감을 보이고 있다는 진술은 적절하다.

② 1연은 1행을 2행에 반복하고, 2~6연은 1행을 2행에, 4행을 5행에 반복적으로 사용하여 운율을 형성하고 있다. 따라서 시행을 반복적으로 사용하여 음악적 효과를 주고 있다는 진술은 적절하다.

③ 2~6연은 각 행이 대체로 세 번 끊어 읽는 3음보의 음보율을 보여 운율을 형성하고 있다.

④ 2~5연의 마지막 행에서 반복되는 '유덕ᄒᆞ신 님(믈) 여히ᄋᆞ와지이다'는 후렴구의 역할을 하고 있다. 그런데 1, 6연에서는 이 구절을 사용하고 있지 않다. 따라서 1, 6연을 제외한 2~5연은 마지막 행이 동일한 어구로 반복되어 후렴의 역할을 한다고 볼 수 있다.

03 [화자의 정서 및 태도 파악] 정답 ④

화자는 모래 벼랑에 심은 구운 밤에 싹이 나는 상황, 옥으로 새겨 바위에 접붙인 연꽃이 피어나는 상황, 무쇠로 마름질하여 철사로 주름 박은 옷이 허는 상황, 무쇠로 된 소가 쇠로 된 풀을 먹는 상황처럼 불가능한 상황을 설정한 후 그것이 이루어져야 임과 이별하겠다는 역설 논리의 표현을 통해 임과 절대로 헤어지지 않을 것임을 드러내고 있다.

[오답 풀이]

① ③, ⑤ 임과의 영원한 사랑에 대한 염원을 표현하고 있을 뿐, 화자와 임의 이별 여부나 화자가 이별을 자신의 탓이라 생각하고 있는지의 여부는 알 수 없으며, 화자가 임을 원망하거나 재회를 기원하며 부정적 현실을 극복하고 있다고 볼 근거도 찾을 수 없다.

② 불가능한 상황을 설정한 것은 맞지만 이는 이루어질 수 없는 상황을 설정해 놓고 그것이 이루어지면 임과 이별하겠다고 하며 절대로 임과 헤어질 수 없음을 강조하기 위한 것이지 현실을 도피하기 위한 것이 아니다.

04 [시구의 의미와 기능 파악] 정답 ③

2연의 '그 바미'는 '그 밤이'의 의미로, '삭삭기 셰몰애 별헤 나ᄂᆞᆫ / 구은 밤 닷 되를 심고이다'로 보아, 바삭바삭한 가는 모래 벼랑에 심은 구운 밤을 의미한다(ㄱ). 5연의 '그 쇠'는 '그 소가'의 의미로, '므쇠로 한 쇼를 디여다가 / 텰슈산애 노호이다'로 보아, 무쇠로 만들어서 쇠로 된 나무가 있는 산에 놓은 큰 소를 의미한다(ㄹ).

[오답 풀이]

ㄴ. 3연의 '그 고지'는 '그 꽃이'의 의미로, '옥으로 련ㅅ고즐 사교이다 / 바회 우희 접듀ᄒᆞ요이다'로 보아, 옥으로 새겨 바위에 접붙인 연꽃을 의미한다. 따라서 이것이 바위 위에 피어난 옥같이 예쁜 꽃을 의미한다고 한 진술은 적절하지 않다.

ㄷ. 4연의 '그 오시'는 '그 옷이'의 의미로, '므쇠로 텰릭을 몰아 나ᄂᆞᆫ / 텰ᄉᆞ로 주롬 바고이다'로 보아, 무쇠로 재단하여 철사로 주름 박은 옷을 의미한다. 따라서 이것이 무쇠로 만든 가위로 천을 재단하여 철사를 박은 옷을 의미한다고 한 진술은 적절하지 않다.

05 [외적 준거에 의한 작품 감상] 정답 ②

2~5연의 '유덕ᄒᆞ신 님믈 여ᄒᆡᄋᆞ와지이다'는 임과 영원히 함께하고 싶다는 화자의 소망을 반어적으로 표현한 부분이다. 화자는 불가능한 상황을 전제하여 그것이 이루어진 후에야 이별하겠다고 표현함으로써 임과 절대 헤어지지 않겠다는 의지를 강조하고 있다. 따라서 이를 임과의 이별을 받아들이는 화자의 마음을 반어적으로 표현한 것으로 보는 것은 적절하지 않다.

[오답 풀이]

① 1연의 '션왕셩ᄃᆡ예 노니ᄋᆞ와지이다'는 태평성대에 놀고 싶다는 의미로 나라의 안녕과 태평성대를 기원하는 내용이다. 이 부분은 임과의 영원한 사랑을 노래한 2~6연과는 어울리지 않는데, 이를 통해 민간에서 불리던 노래가 궁중 음악으로 수용될 때 체제에 대해 옹호적인 이 부분이 첨가된 것으로 추측할 수 있다.

③ 2연은 구운 밤에서 싹이 나는 상황을, 3연은 옥으로 새겨 바위에 접붙인 연꽃이 피는 상황을, 4연은 무쇠 옷이 다 헐게 되는 상황을, 5연은 무쇠 소가 쇠로 된 풀을 먹는 상황을 가정하고 있는데, 이는 모두 현실에서 일어날 수 없는 불가능한 상황이다. 화자는 이렇게 반복적으로 불가능한 상황을 가정하여 임과 절대 이별하지 않겠다는 의지를 강조하고 있다.

④ 2연의 '삭나거시아'는 싹이 돋아나는 것을, 3연의 '퓌거시아'는 꽃이 피는 것을 뜻하므로, 모두 생성의 의미가 있다고 할 수 있다. 그리고 4연의 '헐어시아'는 옷이 허는 것을, 5연의 '머거아'는 풀을 먹는 것을 뜻하므로 모두 소멸의 의미가 있다고 할 수 있다. 따라서 이들은 서로 생성과 소멸의 대칭 관계를 이룬다고 할 수 있다.

⑤ 6연의 '긴'은 구슬이 바위에 떨어져도 끊어지지 않는 '끈'을 의미한다. 이를 통해 화자는 바위에 떨어져도 끊어지지 않는 끈처럼 화자와 임의 인연과 사랑도 어떤 시련이 닥쳐도 끊어지지 않을 것이라고 강조하고 있다. 따라서 이는 대상과의 인연이 영원할 것임을 강조하고 있는 것이라고 할 수 있다.

06 [다른 작품과의 비교 이해] 정답 ①

A는 불가능한 상황의 설정을 통해 임과의 영원한 사랑을 드러내고 있고, B는 중장에서 청산의 불변성에 빗대어서 임을 향한 자신의 변함없는 사랑을 드러내고 있다. 따라서 A와 B 모두 임에 대한 변함없는 사랑을 다짐하고 있다는 진술은 적절하다.

[오답 풀이]

② A와 B는 모두 이별의 원인에 대해 언급하고 있지 않고, 반성적인 모습도 보이고 있지 않다. 따라서 A와 B 모두 자기의 잘못으로 인해 이별하게 되었음을 반성하고 있다는 진술은 적절하지 않다.

③ B는 임이 떠나더라도 임에 대한 사랑은 변함이 없을 것이라고 하는 한편 떠나는 임도 자신을 잊지 못해 울며 갈 것이라고 말하고 있다. 한편 A는 임과 이별하지 않겠다는 강한 의지를 드러내는 것으로 보아, A에게는 아직 이별의 상황이 오지 않은 것으로 볼 수 있다. 따라서 A와 B 모두 사랑하는 임과 이별한 뒤의 아쉬움과 그리움을 표현하고 있다는 진술은 적절하지 않다.

④ B는 이별을 하더라도 임에 대한 사랑은 변함없을 것이라고 하고 있다. 반면에 A는 불가능한 상황을 설정하고 그것이 이루어져야 이별하겠다고 하며 이별을 강하게 거부하고 있다. 따라서 이별의 상황을 강하게 거부하고 있는 것은 B가 아니라 A이다.

⑤ A와 B는 모두 임에 대한 원망의 정서를 드러내고 있지 않다.

07 [시어 및 시구의 의미와 기능 파악] 정답 ②

'나ᄂᆞᆫ'은 특별한 의미 없이 운율을 맞추기 위해 사용한 여음구이다. 이를 '나는'이라는 의미를 지니고 화자의 처지를 강조하기 위해 사용된 여음구로 보는 것은 적절하지 않다.

[오답 풀이]

① '삭삭기'는 '바삭바삭'이라는 의미로, '잘 마른 물건을 잇따라 가볍게 밟는 소리. 또는 그 모양'을 뜻하는 단어이므로, 소리나 모양을 흉내 낸 음성 상징어라고 할 수 있다.

③ '구스리'는 '구슬이'라는 의미로, 여기서 구슬은 화자와 임 사이의 사랑을 비유적으로 드러낸 시어라고 할 수 있다.

④ '즈믄 ᄒᆡ'는 '천 년'이라는 의미로, 이어지는 '외오곰 녀신돌'로 보아 오랜 세월 외로이 살아가는 것을 강조하기 위해 사용한 시구라고 할 수 있다.

⑤ '그츠리잇가'는 '끊어지겠습니까'라는 의미로, 설의적인 표현을 통해 임에 대한 사랑과 믿음이 변함없을 것이라는 화자의 의지를 강조하기 위해 사용한 시어라고 할 수 있다.

08 [화자 및 작품의 성격 파악]
이 작품이 궁중 음악으로 쓰인 경우에는 1연의 '딩아 돌하 당금에 계샹이다 / 션왕셩딕예 노니ᄋᆞ와지이다'로 보아, 함께 하고 싶은 임은 임금이고 화자는 신하라고 할 수 있다. 이렇게 볼 때 이 작품은 나라의 안녕과 태평성대를 기원하는 노래인 송축가라고 할 수 있다.

09 [소재의 의미 및 기능 파악]
3연에서 '바회'는 옥으로 새긴 연꽃을 접붙일 수 없는 공간, 즉 꽃이 살 수 없는 척박한 환경이라는 의미로 사용되었다. 6연에서 '바회'는 구슬이 떨어지면 깨질 수 있는 곳인데, 구슬은 임과 화자의 사랑을 비유한 말이므로, 이는 둘 사이의 사랑을 방해하는 장애물의 의미로 사용되었다고 할 수 있다.

서경별곡

본문 170쪽

01. ③ **02.** ① **03.** ③ **04.** ③ **05.** ② **06.** ④ **07.** ⑤
08. ④ **09.** 화자가 원망하는 대상으로, 임에 대한 화자의 원망을 우회적으로 드러내는 기능을 한다. / 화자가 임에 대한 원망을 전가한 대상이다. **10.** (1) 고즐 (2) 임이 만날 다른 여인

01 [작품의 종합적 이해] 정답 ③
화자가 사랑하는 삶의 터전인 '서경', 임과의 공간적 단절감을 드러내는 '대동강' 등의 배경을 통해 임에 대한 화자의 적극적인 사랑의 태도, 임과 이별하는 상황에 놓인 화자의 처지 등이 드러나고 있다.

[오답 풀이]
① 이 글에서 '서경', '대동강' 등 구체적인 지명을 통해 공간적 배경이 제시되고 있으나 이것이 긴장감을 유발하고 있지는 않다.
② 이 글에서 공간은 제시되지만 공간의 이동은 나타나지 않으며 이에 따라 내적 갈등이 고조되고 있지도 않다.
④ 화자가 임과의 이별이라는 부정적 현실에 처해 있는 것은 맞지만 긍정적 미래를 가정하여 그것을 극복하고 있지는 않다.
⑤ 이 글에는 특정한 계절적 배경이 소재로 제시되어 있지 않다.

02 [표현상의 특징 파악] 정답 ①
이 글에서 앞 구절의 끝 어구를 다음 구절의 앞 어구에 이어받아 심상을 강조하는 연쇄법을 사용한 부분은 찾을 수 없다.

[오답 풀이]
② 3연 '빅 내여 노혼다 샤공아', '녈 빅예 연즌다 샤공아' 등에서 문장의 어순을 바꾸는 도치법을 사용하여 사공을 원망하는 화자의 태도를 부각하고 있다.
③ 1연에서 '서경이', '닷곤딕' 등의 시어를 반복하여 화자가 처한 시적 정황을 부각하고 있다.
④ 2연 '긴힛쫀 그츠리잇가', '신(信)잇든 그츠리잇가' 등에서 설의법을 활용하여 임에 대한 변함없는 사랑과 믿음이라는 화자의 정서를 강조하고 있다.
⑤ 2연 '구스리 바회예 디신둘', '긴힛쫀 그츠리잇가' 등에서 비유적 표현을 사용하여 임에 대한 사랑과 믿음이 변함없다는 화자의 심정을 강조하고 있다.

Q 연쇄법과 반복법의 차이는 뭔가요?

A 연쇄법은 앞 구절의 마지막 말을 뒤에 이어지는 구절의 처음에 다시 사용하여 그 뜻과 리듬을 인상 깊게 하는 기법으로, 마치 고리와 고리가 이어진 쇠사슬처럼 말이 계속 꼬리를 무는 것처럼 표현하는 기법을 말합니다. 이와 달리 반복법은 단순히 같은 단어나 구절, 행을 되풀이하는 기법을 말하죠. 예를 들면, '원숭이 엉덩이는 빨갛다. 빨간 것은 사과, 사과는 맛있다. 맛있는 건 바나나, 바나나는 길다. 긴 건 기차' 등과 같이 어렸을 때 했던 말놀이가 연쇄법의 대표적인 예입니다.

03 [화자의 심리 및 태도 파악] 정답 ③
2연에서 화자는 구슬이 바위에 떨어져도 구슬을 꿴 끈은 떨어지지 않는 상황에 빗대어 아무리 오랜 세월을 이별한 채 지낸다고 해도 임에 대한 사랑과 믿음은 영원할 것임을 다짐하고 있을 뿐, 임의 뜻을 따르는 순종적인 여성이 되겠다는 각오를 보이는 부분은 찾을 수 없다.

[오답 풀이]
① 1연에서 화자는 자신의 삶의 터전인 '쇼셩경'과 생계 수단인 '질삼뵈'를 버리고서라도 임을 따라가겠다고 말하며, 이별을 거부하는 적극적인 태도를 보이고 있다.
② 2연에서 화자는 오랜 세월인 '즈믄 히'를 홀로 살아가더라도 임을 사랑하고 믿는 마음인 '신(信)'은 끊어지지 않을 것이라고 하며, 임에 대한 사랑과 믿음은 변함없을 것이라고 다짐하고 있다.
④ 3연에서 화자는 사공에게 대동강 물이 넓은지 몰라서 임을 태울 배를 내어 놓았느냐며 사공을 비난하고 있다. 여기에는 대동강이 크고 넓어서 임이 강을 건너면 다시 돌아오기 어렵다는 화자의 인식이 내포되어 있다고 할 수 있다.
⑤ 3연에서 화자는 임이 배를 타고 강을 건너면 꽃을 꺾을 것이라고 걱정하고 있는데, 여기서 꽃은 다른 여인을 의미한다. 따라서 여기에는 임이 강을 건너면 다른 여인을 사귀게 될 것 같다며 염려하고 불안해하는 화자의 마음이 담겨 있다고 할 수 있다.

04 [시어와 시구의 의미 파악] 정답 ③
'네 가시 럼난디 몰라셔'는 임을 배에 태우고 떠나는 사공에 대해 사공의 아내가 음란하다고 모함하며 '네 아내나 잘 챙기지 왜 남의 임을 배에 태우고 떠났느냐'고 원망하는 것일 뿐, 음란한 세태의 비판과는 거리가 멀다.

[오답 풀이]
① '질삼뵈'는 '길쌈과 베' 또는 '길쌈하던 베'의 의미인데, '길쌈'은 '실을 내어 옷감을 짜는 모든 일'로 주로 여성이 담당하였으므로, 화자가 여성이라는 사실을 단적으로 보여 준다는 진술은 적절하다.
② '우러곰 좃니노이다'는 '울면서 따라가겠습니다'의 의미로, 화자가 임

과의 이별을 거부하고 임을 따라가겠다는 의지를 드러낸 것이라고 할 수 있다.

④ '샤공'은 임을 배에 태워 강을 건너는 인물로, 화자는 '샤공' 때문에 임과 자신이 이별했다고 여기고 '샤공'을 비난하고 원망하고 있다. 따라서 화자가 '샤공'이 자신과 임의 사랑을 방해하는 역할을 한다고 여긴다는 진술은 적절하다.

⑤ '빅 타들면 것고리이다'는 '배를 타고 건너면 꺾을 것입니다'의 의미로, 여기서 꺾는 주체는 임이고, 대상인 '곶'은 다른 여인을 의미한다고 할 수 있다. 그러므로 이 구절에는 임이 강을 건너면 다른 여인을 만날 것을 염려하는 화자의 심리가 담겨 있다고 할 수 있다. 따라서 이 구절에 미래에 나타날 임의 행동을 경계하는 심리가 내재되어 있다는 진술은 적절하다.

05 [다른 작품과의 비교 이해] 정답 ②

[A]의 '신(信)'과 [B]의 '붉은 마음'은 모두 임을 향한 변하지 않는 화자의 마음을 비유적으로 나타낸 것이다. 그런데 [A]와 [B]에서 '바위'는 '구슬'을 깨뜨리는 존재로, 화자와 임을 이별하게 만드는 장애물, 시련, 고난을 의미한다. 따라서 '신(信)'과 '붉은 마음'을 굳건한 '바위'로 형상화했다는 진술은 적절하지 않다.

[오답 풀이]

① [A]와 [B]에서 모두 '구슬'은 바위에 떨어져 깨질 수 있는 대상이지만, '긴'이나 '끈'은 끊어지지 않는 것으로 형상화되어 있다. 따라서 '구슬'은 변하는 것을, '긴'이나 '끈'은 변하지 않는 것을 비유하는 소재로 활용하였다는 진술은 적절하다.

③ [A]에서 화자는 '신(信)'을 통해, [B]에서 화자는 '붉은 마음'을 통해 임에 대한 변하지 않는 마음을 드러내고 있다. 따라서 [A]와 [B] 모두에서 변하지 않는 마음을 소중한 가치로 여기는 화자의 태도가 나타난다고 한 진술은 적절하다.

④ [A]와 [B]는 모두 '구슬'이 '바위'에 떨어져도 '끈'은 끊어지지 않는다는 것을 통해 화자의 마음을 드러내는 모티프를 사용하고 있는데, [A]는 고려 가요이고, [B]는 한시이다. 따라서 동일한 모티프가 서로 다른 형식의 작품에 수용되었다는 진술은 적절하다.

⑤ [A]에는 '아즐가', '나ᄂᆞᆫ'이라는 여음구와 후렴구 '위 두어렁셩 두어렁셩 다링디리'가 반복적으로 사용되고 있지만, [B]에는 특별한 여음구가 사용되고 있지 않다. 따라서 [A]와 [B]가 여음구의 사용 여부에 차이가 있다는 진술은 적절하다.

06 [특정 부분의 내용 파악] 정답 ④

화자는 임이 대동강을 건너면 다른 여자를 만날 것이라 여기며 그 대상을 질투하고 있지만, 화자와 그 여인과의 갈등은 직접적으로 나타나지 않으므로 화자와 화자가 질투하는 대상과의 갈등이 심화된다는 진술은 적절하지 않다.

[오답 풀이]

① '대동강'은 화자와 임이 이별의 상황을 맞고 있는 공간이므로 임과의 단절감을 드러내는 공간이 나타난다는 진술은 적절하다.

② '빅 타들면 것고리이다'에서 임이 대동강을 건너면 화자에 대한 마음이 변하여 다른 여자를 만날 것이라고 염려하는 화자의 심경이 드러난다.

③ '대동강 너븐디 몰라셔'에서 대동강이 넓다는 속성을 통해 화자와 임과의 거리감을 부각하고 있다.

⑤ 화자는 사랑하는 임을 배에 태워 떠나게 하는 사공을 자신과 임의 사랑을 방해하는 인물로 여기며 원망하고 있다.

07 [여음구 및 후렴구의 역할 파악] 정답 ⑤

'나ᄂᆞᆫ'은 특별한 의미 없이 흥을 돋우기 위해 사용한 여음구로, 음악적 기능을 담당하고 있다. 따라서 '나ᄂᆞᆫ'이 임과의 인연이 영원할 것이라는 시적 의미를 강조하는 기능을 한다는 진술은 적절하지 않다.

[오답 풀이]

① ㉠의 '아즐가'는 감탄하는 소리로, 모든 행의 첫 음보 뒤에 붙어 행의 시작을 알려 주는 역할을 하고 음률을 맞추어 주는 여음구이다.

② ㉡은 'ㄹ, ㅇ'을 많이 사용하여 경쾌한 리듬감을 형성하는 후렴구로, 모든 행의 뒤에 붙어 행을 구별해 주는 기능을 한다.

③ ㉡은 거문고, 대금, 징 등의 악기 소리를 흉내 낸 의성어로 이루어져, 특별한 의미 없이 흥을 돋우고 음악적 효과를 주는 후렴구이다.

④ '나ᄂᆞᆫ'은 '긴힛ᄯᆞᆫ 그츠리잇가 나ᄂᆞᆫ', '신(信)잇ᄃᆞᆫ 그츠리잇가 나ᄂᆞᆫ', '빅 타들면 것고리이다 나ᄂᆞᆫ'에만 사용되었는데, 이는 특별한 의미 없이 흥을 돋우는 여음구로 고려 가요에 자주 등장한다.

08 [시어 및 시구의 의미와 기능 파악] 정답 ④

대동강이 넓은 줄 몰랐느냐는 ⓓ의 생각은 사공의 생각에 대한 화자의 추측이다. 하지만 이후 화자는 임을 배에 태워 대동강을 건너는 사공에 대한 원망과 임에 대한 불안감을 드러낼 뿐, 좌절감을 극복하고 있지 않다. 따라서 ⓓ를 화자의 좌절감 극복의 원인이라고 한 진술은 적절하지 않다.

[오답 풀이]

① ⓐ는 '작은 서울'이라는 뜻으로 평양을 가리키는데, 이곳은 화자가 '질삼뵈'를 하며 살아가는 삶의 터전이라고 할 수 있다.

② ⓑ는 '사랑해 주신다면'의 의미이다. 즉 임이 사랑해 준다면 좋겠다는 것으로, 임의 행위에 대한 가정이며 화자가 간절히 바라는 소망이라고 할 수 있다.

③ ⓒ는 '천 년을 홀로 살아간들'의 의미로 불가능한 상황을 설정하여 임에 대한 사랑과 믿음은 변함이 없다는 화자의 강한 의지를 부각한 것이라고 할 수 있다.

⑤ ⓔ는 '떠나가는 배에 실었느냐'라는 의미로, 사공이 임을 배에 태워 강을 건너는 행위에 대한 질책이자 화자가 사공을 비난하는 이유라고 할 수 있다.

09 [소재의 기능 파악]

이 글에서 화자는 임을 배에 태워 강을 건너게 해 주는 '샤공'을 비난하며 원망하고 있는데, 이는 자신을 떠난 임을 직접 원망할 수 없어 책임을 '샤공'에게 전가한 것으로, 임에 대한 원망을 우회적으로 드러낸 것이라고 할 수 있다. 〈보기〉의 화자도 '고운 님'을 돌아가게 한 '개'에 대한 원망을 드러내고 있는데 이것도 오지 않는 임에 대한 원망을 개에게 전가하여 우회적으로 드러낸 것이라고 할 수 있다. 따라서 이 둘은 화자가 원망하는 대상으로, 임에 대한 화자의 원망을 우회적으로 드러내는 기능을 한다고 할 수 있다.

10 [시구의 해석 및 상징적 의미 파악]

㉣은 '꺾을 것입니다'의 의미로 후렴구 앞에서 나온 '고즐여'와 함께 '꽃을 꺾을 것입니다'의 의미를 나타낸다. 이 글에서 '꽃을 꺾다'는 임이 다른 여인을 만나는 것을 상징한다.

39강

청산별곡

본문 174쪽

> **01.** ② **02.** ⑤ **03.** ④ **04.** ④ **05.** ③ **06.** ④ **07.** 5연과 6연의 순서를 맞바꾸면 대칭 구조를 이룰 수 있습니다. **08.** ⓐ 기적이 일어나기를 바라는 화자의 절박한 심정 ⓑ 연주를 들으며 삶의 괴로움을 잊고 싶은 화자의 심정

01 [표현상의 특징 파악] 정답 ②

이 글에서 원래 표현하고자 하는 것과 반대로 표현하여 강조하는 방법인 반어법을 사용한 부분은 찾을 수 없다.

[오답 풀이]

① '살어리(a) 살어리랏다(a) 청산애(b) 살어리랏다(a)', '우러라(a) 우러라 새여(a) 자고 니러(b) 우러라 새여(a)', '가던 새(a) 가던 새 본다(a) 믈 아래(b) 가던 새 본다(a)' 등에서 a-a-b-a 구조를 통해 리듬감을 형성하고 있다.

③ 1~3연에서 '살어리랏다', '우러라 새여', '가던 새 본다' 등의 어구를 반복하여 시적 의미를 강조하고 있다.

④ 8연의 '조롱곳 누로기 믜와 잡ᄉᆞ와니 내 엇디ᄒᆞ리잇고'에서 '누룩'이 화자를 잡는다고 하여 주객이 전도된 표현을 통해 술을 마실 수밖에 없는 화자의 심정을 강조하고 있다.

⑤ 2연의 '널라와 시름 한 나'에서 '너(새)'보다 화자 '나'가 시름이 많다고 하여 다른 대상과 화자의 비교를 통해 근심, 걱정이 많은 화자의 상황을 부각하고 있다.

02 [시공간의 의미 파악] 정답 ⑤

'에졍지'는 '외딴 부엌'의 의미로, 화자가 '바ᄅᆞ래'을 향해 가다가 잠시 들러 사슴이 해금을 켜는 것을 듣는 장소라고 할 수 있다. 이곳을 화자가 정착한 자연의 세계라고 한 진술은 적절하지 않다.

[오답 풀이]

① '청산'은 화자가 살고 싶어 하는 공간으로, 고달픈 현실에서 벗어나고픈 화자가 소망하는 이상향이라고 할 수 있다.

② '믈 아래'는 '가던 새(갈던 밭)'가 있는 곳으로, 청산과 대비되는 속세라고 할 수 있다. 또한 '믈 아래 가던 새 본다'로 보아, 화자가 아직도 속세의 삶에 대한 미련을 버리지 못하고 있음을 알 수 있다.

③ '밤'은 올 사람도 갈 사람도 없어서 화자가 어떻게 지내야 할지 걱정하는 시간이므로, 화자에게는 쓸쓸하고 고독한 시간이라고 할 수 있다.

④ '바룰'은 속세와 대립되는 공간으로, 절대적 고독과 비극적 운명으로 힘들어하던 화자가 새롭게 찾는 이상향이나 도피처라고 할 수 있다.

03 [시어 및 시구의 의미와 기능 파악] 정답 ④

'믜리도 괴리도 업시'는 '미워할 사람도 사랑할 사람도 없이'라는 의미로, 이어지는 '마자셔 우니로라'와 같이 해석하면 돌을 맞아야 할 이유가 없는데 맞아서 울고 있다는 것으로 이해할 수 있다. 즉 이는 화자가 돌을 맞아야 할 이유가 없다고 항변하는 것이라고 할 수 있다.

[오답 풀이]

① '멀위랑 ᄃᆞ래' 즉 '머루랑 다래'는 화자가 청산에서 살기 위해 먹어야 할 양식이라고 할 수 있다. 이는 화자의 소박한 삶의 태도를 드러낸다고 할 수 있다.

② '얄리얄리 얄랑(라)셩 얄라리 얄라'는 각 연에 반복되는 후렴구로, 주로 'ㄹ', 'ㅇ' 음을 사용하여 밝고 경쾌한 느낌을 주며 음악성을 부여하고 있다.

③ '또 엇디호리라'는 '또 어찌하리오'의 의미로, 외롭고 고독하게 있어야 할 밤은 또 어떻게 지낼지 모르겠다는 것이다. 즉 화자가 자신의 처지에 대한 절망감과 비탄을 드러낸 것이다.

⑤ 'ᄂᆞᄆᆞ자기 구조개'는 화자가 지향하는 '바ᄅᆞᆯ'에서 살기 위해 먹어야 할 양식인데, 이는 기름지고 좋은 음식이 아니므로, '바ᄅᆞᆯ'에서의 삶이 풍족하거나 안락하지 않을 것임을 드러낸다고 할 수 있다.

04 [외적 준거에 의한 작품 감상] 정답 ④

'오리도 가리도 업슨'은 '올 사람도 갈 사람도 없는'의 의미로, 화자를 유랑민으로 볼 때 고독하고 외로운 화자의 처지를 드러낸 것이라고 할 수 있다. 따라서 이를 오라는 곳도 갈 곳도 없이 여기저기 방랑하는 신세를 나타낸 것이라고 한 진술은 적절하지 않다.

[오답 풀이]

① '청산'과 '바룰'은 화자가 가고자 하는 곳으로, 화자를 좌절한 지식인으로 볼 때 속세에서 자기 뜻을 펼칠 수 없는 지식인이 은둔하고자 하는 자연을 뜻한다고 할 수 있다.

② '시름 한'은 '근심, 걱정이 많은'의 의미로, 화자를 유랑민으로 볼 때 그 걱정은 여기저기 떠돌면서 살아갈 일에 대한 근심임을 알 수 있다. 따라서 이를 앞으로 살아갈 일에 대한 막막함을 의미한다고 한 진술은 적절하다.

③ 화자를 실연당한 사람으로 볼 때 '가던 새'는 '날아가던 새'의 의미로, 새는 이별한 임을 상징적으로 표현한 것이라고 할 수 있다. 따라서 이를 자신을 버리고 떠난 임을 표현한 것이라고 한 진술은 적절하다.

⑤ '마자셔 우니노라'는 '(돌에) 맞아서 울고 있노라'의 의미로, 화자를 실연당한 사람으로 볼 때 '돌'은 임과의 이별을 의미하며 돌(이별)에 맞아서 울고 있는 화자는 슬퍼하면서 체념하고 있는 태도를 보이는 것이라고 할 수 있다. 따라서 이를 임과의 이별을 비극적 운명으로 인식하고 체념하는 태도를 드러낸 것이라고 한 진술은 적절하다.

05 [소재의 기능 파악] 정답 ③

5연에서 화자는 '돌'에 맞아서 울고 있는데 이때 '돌'은 화자가 피할 수 없는 것 즉 비극적 운명을 의미하므로 화자의 비애감을 유발한다고 할 수 있다. 또한 8연의 '강수'는 화자가 마실 수밖에 없는 술로 현실의 고뇌를 잠시나마 잊을 수 있게 해 주는 수단이라고 할 수 있다.

[오답 풀이]

① 5연에서 '돌'이 화자의 성찰을 유발한다고 해석할 근거는 찾을 수 없다. 또한 8연의 '강수'는 화자의 고뇌를 잠시 잊게 해 주는 수단일 뿐 슬픔을 심화하는 기능을 하고 있지 않다.

② 8연의 '강수'는 화자의 현실에서의 괴로움을 잠시 잊게 해 준다고 할 수 있다. 그러나 5연에서 화자는 '돌'에 맞아서 울고 있으므로 '돌'이 화자의 자긍심을 유발한다고 한 진술은 적절하지 않다.

④ 5연에서 '돌'이 화자의 그리움을 유발한다고 해석할 근거는 찾을 수 없다. 또한 8연의 '강수'는 화자의 고뇌를 잠시 잊게 해 줄 뿐, 화자에게 만족감을 주는 소재는 아니다.

⑤ 5연의 '돌'이 화자의 원망을 유발하는 소재라고 단정할 만한 근거는 나타나지 않는다. 또한 8연의 '강수'는 화자에게 현실의 고뇌를 잠시 잊게 해 줄 뿐, 화자가 현실에 적응하도록 돕는 기능을 하는 것은 아니다.

06 [작품 감상의 적절성 파악] 정답 ④

2연의 '우러라'를 '노래하다'로 해석할 경우, '널라와 시름 한 나도 자고 니러 우니로라'는 '너보다 근심이 많은 나도 자고 일어나 이렇게 노래를 부르고 있노라'의 의미로 볼 수 있다. 따라서 이를 '너를 원망하는 나도 이렇게 노래를 부르고 있는데'로 해석하는 것은 적절하지 않으며 고통을 낙천적으로 해소하려는 화자의 태도가 드러난다고 볼 수도 없다.

[오답 풀이]

① '살어리랏다'를 '살고 싶구나'로 해석할 경우, 이는 청산에 살고 싶다는 화자의 소망을 드러낸 것이므로 화자는 현재 청산에 살고 있지 않다고 이해할 수 있다. 따라서 '살어리랏다'를 '살고 싶구나'로 해석한다면, 화자는 청산에 살고 있지 않은 상태에서 청산을 동경하는 것으로 볼 수 있다는 감상은 적절하다.

② '살아야만 하는구나'는 현재 살고 있는 곳이 만족스럽지 않아도 어쩔 수 없이 그곳에 살아야 한다는 한탄이 담긴 표현이라고 할 수 있다. 따라서 현재 청산에 살고 있고, '살어리랏다'를 '살아야만 하는구나'로 본다면, 화자가 괴롭지만 청산에서 살아갈 수밖에 없다는 한탄을 표현한 것이라는 감상은 적절하다.

③ 화자가 자신이 괴롭고 근심 걱정이 많아서 울고 지내는 것처럼 새도 근심 걱정이 많아서 울고 있다고 표현한 것에서 2연의 '새'는 화자의 분신이며 감정 이입의 대상이라고 할 수 있다. 따라서 2연에 등장하는 '새'를 화자의 분신, '우러라'를 '우는구나'로 본다면, 화자가 울고 있는 새를 보며 새처럼 울고 있다는 뜻으로 이해된다고 한 감상은 적절하다.

⑤ 화자를 유랑민으로 보면 3연의 '가던 새'는 화자가 과거에 갈던 사래(밭)를 의미하고, '잉 무든 장글란'은 이끼 묻은 쟁기를, '가던 새 본다'는 자신이 갈던 사래를 보며 아직도 속세의 삶에 미련이 있음을 드러낸 것이라고 할 수 있다. 따라서 3연의 '가던 새'는 '갈던 사래(밭)'의 뜻이며 '녹슨 연장을 가지고 갈던 밭을 본다'로 풀이하여 옛 생활에 대한 미련을 표현한 것으로 파악할 수도 있다고 한 감상은 적절하다.

07 [작품의 구조적 특징 파악]

이 시는 1연과 6연, 2연과 5연, 3연과 7연, 4연과 8연이 대응을 이루고 있다. 따라서 5연과 6연의 순서를 맞바꾸면 전반부의 '청산 노래'와 후반부의 '바다 노래'가 서로 대칭 구조를 이루게 된다.

08 [화자의 정서 파악]

7연에서 사슴을 진짜 사슴으로 보면, 사슴이 장대에 올라가서 해금을 켜는 것은 이루어질 수 없는 일이므로 불가능한 상황을 설정하여 기적적인 일이 일어나기를 바라는 화자의 절박한 심정을 강조한 것이라고 할 수 있다. 또한 사슴을 가면을 쓴 광대로 보는 경우는, 화자가 광대의 연주를 들으며 자신이 처한 삶의 괴로움을 잊고 싶은 심정을 강조한 것이라고 할 수 있다.

40강

한림별곡

본문 178쪽

01. ③ **02.** ③ **03.** ④ **04.** ④ **05.** ④ **06.** ① **07.** ⑤ **08.** ③ **09.** ③ **10.** 사대부들에 대한 자긍심과 그들의 능력을 과시하려는 주제를 형상화하기 위해 사대부들이 지닌 문재와 학문적 능력을 나타내는 대상을 열거하고 있다.

01 [화자의 정서 파악] 정답 ③

이 글의 화자는 자신과 같은 부류인 사대부 문인들에 대한 자긍심과 예찬적 태도를 드러내고 있을 뿐 아쉬움의 정서는 드러내고 있지 않다.

[오답 풀이]

①, ②, ④ 이 글 전반에서 화자는 사대부 문인들의 재능과 학문적 능력 등에 대한 만족감과 자긍심을 드러내고 있으며, 이를 '경 긔 엇더ᄒᆞ니잇고'와 같은 표현을 통해 과시하고 있다.

⑤ 이 글 전반에서 화자는 사대부 문인들의 모습을 즐거운 마음으로 바라보고 있다.

02 [화자의 정서 파악] 정답 ③

이 글의 화자는 사대부 문인들의 문재와 학문적 능력에 대한 자긍심과 만족감을 드러내고 있다.

[오답 풀이]

① 이 글의 화자는 자신과 시적 대상 간의 차이점을 드러내고 있지 않다.

② 이 글에서 화자가 과거의 모습을 회상한 부분과 무상감을 드러낸 부분은 찾아볼 수 없다.

④ 이 글에서 화자가 시적 대상의 무리에 합류하고자 하는 의지를 드러낸 부분은 찾아볼 수 없다.

⑤ 이 글의 〈제1장〉, 〈제2장〉, 〈제8장〉에는 화자가 만족감을 느끼는 현실의 세계가 표현되어 있다. 따라서 화자가 자신이 동경하는 이상향의 세계가 도래하기를 기대하고 있다는 진술은 적절하지 않다.

03 [표현상의 특징 파악] 정답 ④

색채 이미지를 활용한 표현인 '홍실'이 〈제8장〉에 등장하기는 하지만, 색채 대비를 통해 시적 대상이 지닌 속성을 부각하고 있지는 않다.

[오답 풀이]

①, ⑤ 이 글의 모든 장에서 '경 긔 엇더ᄒᆞ니잇고'라는 설의적 표현이 반복되며 사대부들에 대한 자긍심과 예찬 등 장면을 통해 말하고자 한 주제가 강조되고 있다.

② 〈제1장〉과 〈제2장〉의 1~3행에는 유사한 성격의 대상이 열거되어 있다.

③ 이 글은 3·3·4조의 음수율과 3음보의 율격이 반복되어 사용됨으로써 운율이 형성되고 있다.

04 [작품의 의도 파악] 정답 ④

이 글을 창작하고 향유한 계층은 당대 사대부들로, 〈제1장〉, 〈제2장〉에는 사대부들의 문벌과 능력, 학문 수련에 대한 자긍심이 나타나 있으며, 〈제8장〉에는 풍류를 즐기는 유생들의 즐거운 모습이 나타나 있다.

05 [작품의 종합적 감상] 정답 ④

이 글의 〈제8장〉에는 '혀고시라 밀오시라', '내 가논 ᄃᆡ 놈 갈셰라' 등의 표현이 사용되고 있는데, 이는 〈제1장〉이나 〈제2장〉에서와 달리 우리말 표현이 적극적으로 사용된 것이다.

[오답 풀이]

① 〈제1장〉에는 사대부 문인들이 글을 쓰는 문재가, 〈제2장〉에도 사대부 문인들이 유학 서적을 읽고 학문을 연구하는 능력이 제시되어 있다.

② 〈제1장〉에는 '금ᄒᆞᆨᄉᆞ의 옥슌문싱'이, 〈제8장〉에도 '샥옥셤셤 솽슈ㅅ길헤'가 반복적으로 제시되어 있다.

③ 〈제2장〉은 사대부 문인들의 실제 이름을 언급하는 등 구체적이고 사실적인 묘사가 드러나며, 〈제8장〉에도 사대부 유생들이 그네를 타고 즐기는 구체적이고 사실적인 모습이 제시되어 있다.

⑤ 이 글에는 4음보의 율격이 아닌 3음보의 율격이 사용되고 있다.

06 [시구의 의미 파악] 정답 ①

'경 긔 엇더ᄒᆞ니잇고'는 '(시험장의) 광경, 그것이 어떠합니까?'라는 의미로 설의법을 사용해 사대부의 자긍심을 드러낸 표현이다. 뒤에 이어질 내용을 암시하는 것이 아니라 앞에 나열된 내용을 한마디로 압축하는 역할을 한다고 볼 수 있다.

[오답 풀이]

② 〈제1장〉, 〈제2장〉, 〈제8장〉 모두에서 ㉠이 사용되고 있음을 확인할 수 있다.

③ 이 글의 갈래는 경기체가로, ㉠에 사용된 음운의 일부인 '경 긔~'를 활용하여 갈래의 이름이 지어진 것이다.

④, ⑤ ㉠을 통해 화자는 사대부 문인들에 대한 자긍심과 예찬의 정서를 드러내고 있다.

07 [시구의 기능 파악] 정답 ⑤

이 글에는 3·3·4조의 음수율과 3음보의 율격이 사용되고 있다. '당당당'은 시행의 첫 음보를 3자로 맞추기 위해, 뒤에 이어지는 '당추자'의 '당'을 3번 반복하여 제시한 것이다.

08 [외적 준거에 의한 작품 감상] 정답 ③

〈제2장〉에서 화자는 사대부들이 유명한 유교 서적들을 주석까지 읽으며 공부하는 학문적 능력과 태도를 예찬하고 있다. 그러므로 퇴계가 시적 대상들이 유학 서적을 읽지 않는 것에 대한 부정적인 평가를 할 것이라는 내용은 적절하지 않다.

[오답 풀이]

① '경 긔 엇더ᄒᆞ니잇고'는 화자가 사대부 문인들의 모습을 예찬하기 위해 사용한 표현으로 그들에 대한 화자의 자긍심을 드러내고 과시하려는 의도가 담겨 있다. 그러므로 이러한 화자의 자세는 퇴계에게 교만하게 느껴졌을 것이라고 볼 수 있다.

② 〈제1장〉에서 화자는 사대부 문인들의 글을 열거하며 그들의 뛰어남을 예찬하고 이를 과시하고 있다. 그러므로 퇴계에게 이러한 행동은 방탕하고 교만해 군자의 행동으로서는 부적절하게 느껴졌을 것이라고 볼 수 있다.

④ 〈제8장〉에서 사대부 유생들이 붉은 그네를 뛰며 풍류를 즐기는 모습은 퇴계의 입장에서 방탕한 행동이라고 느껴졌을 것이라고 볼 수 있다.

⑤ 시적 대상에 대한 과시와 지나친 자긍심을 드러낸 「한림별곡」과 같은 작품들이 더 존재했기 때문에, 퇴계가 '「한림별곡」과 같은 유'라는 표현을 사용했을 것이라고 추론할 수 있다.

09 [작품 간의 공통점과 차이점 파악] 정답 ③

이 글의 〈제1장〉에서는 이름난 문필들의 글과 글씨, 〈제2장〉에서는 사대부들이 읽는 유명한 책을 나열하며 감탄의 근거로 삼고 있다. 〈보기〉에서도 '도자전 마로저재 금은보패 놓였구나'라며 비녀, 가락지, 장도의 종류를 나열하며 감탄의 근거로 삼고 있다.

[오답 풀이]

① 〈보기〉는 한양이라는 특정 지역의 문물을 다루고 있으나 이 글에서는 특정 지역의 문물을 다루고 있지 않다.

② 이 글에서는 '경 긔 엇더ᄒᆞ니잇고'의 설의적 표현을 활용해 사대부의 문벌, 학문 수련에 대한 자긍심을 드러내고 있지만 〈보기〉에서는 설의적 표현이 사용된 부분을 찾을 수 없다.

④ 이 글에는 학문적 경지에 대한 자부심과 풍류를 즐기는 모습에 대한 만족감이 나타나 있으나 〈보기〉에서는 그러한 내용을 찾을 수 없다.

⑤ 이 글에서 대립적 소재를 활용한 부분을 찾을 수 없으며, 〈보기〉에서 동일한 어구를 반복하고 있는 부분도 찾을 수 없다.

10 [시적 표현의 효과와 의도 파악]

이 글의 〈제1장〉과 〈제2장〉의 주제는 '사대부 문인들의 문재와 학문적 능력에 대한 자긍심과 과시'라고 볼 수 있다. 그러므로 〈제1장〉에서 사대부 문인들의 글을 열거한 것, 〈제2장〉에서 사대부 문인들이 학문 수양의 과정에서 읽는 이름난 서적들을 열거한 것은 이러한 주제를 부각하기 위해 사용한 것이라고 볼 수 있다.

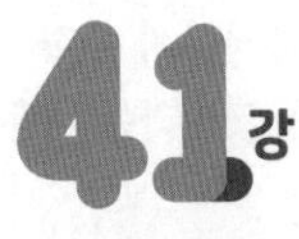

41강 용비어천가

본문 182쪽

01. ⑤ **02.** ④ **03.** ④ **04.** ④ **05.** ② **06.** ⑤ **07.** ④
08. 중국의 사적을 제시하고 이를 조선 6대조의 행적과 비교하여 두 행적이 유사하다는 점을 밝힘으로써 조선 건국의 정당성을 부각하는 효과를 얻고 있다.

01 [종합적 이해와 감상] 정답 ⑤

이 글은 조선 건국의 정당성을 밝히고 조선 왕조의 무궁한 번영을 송축하기 위한 의도로 창작된 작품이다.

[오답 풀이]

① 이 글은 훈민정음으로 창작된 첫 번째 작품이다.
② 이 글은 일정한 음보와 음수율을 사용하고 있지 않다.
③ 이 글은 조선 왕조에 대한 송축과 조선 6대조에 대한 예찬이 두드러지게 나타나는 작품으로 사실적이고 논리적인 내용을 담고 있지는 않다.
④ 이 글에서는 조선 건국의 과정이나 6대조의 위업 등이 제시되어 있을 뿐 고려 왕조가 패망하게 된 원인을 밝히고 있지는 않다.

02 [종합적 이해와 감상] 정답 ④

(가)에서는 의문의 형식이 사용된 부분을 찾아볼 수 없다.

[오답 풀이]

① 동일한 어미 '~시니'로 시행을 마무리하고 있다.
② '해동'은 우리나라를 뜻하는 말이며, '육룡'은 목조, 익조, 도조, 환조, 태조, 태종에 이르는 조선 6대조를 의미한다.
③ '고성'은 오래전 성인을 뜻하는 말로, (가)에서는 중국의 옛 성인들을 의미한다.
⑤ (가)에서는 중국의 옛 성인과 조선 6대조의 공통점을 바탕으로 조선 건국의 정당성을 밝히고 있다.

03 [외적 준거에 의한 작품 감상] 정답 ④

'곶'과 '내'는 모두 조선이 번창하는 상황을 나타내기 위해 사용된 시어이지 조선 창업 당시의 어려운 상황을 나타내는 시어가 아니다.

[오답 풀이]

①, ②, ③ '뿌리가 깊은 나무'와 '샘이 깊은 물'은 모두 '바람'과 '가뭄'과 같은 시련에도 휘거나 그치지 않고 그 명맥을 이어 가는 것으로, 기초가 굳건한 조선 왕조를 상징한다.
⑤ '열매'가 많고, '내'가 '바다'에 이르는 것은 모두 번성하는 자연의 모습을 드러낸 것으로 조선 왕조의 무궁한 번영을 상징한다고 볼 수 있다.

04 [표현상의 특징 파악] 정답 ④

(나)~(라)는 모두 전절과 후절에서 동일한 구조의 문장을 사용하여 대구를 이루고 있다.

[오답 풀이]

① (나)~(라)에서는 의도적으로 어순을 도치시킨 부분을 찾아볼 수 없다.
② (나)에서는 중국과 우리나라의 상황을 비교하고 있지 않다.
③ (다)~(라)에서 미래를 예측한 부분은 찾아볼 수 없다.
⑤ (나)~(라)에서 명사형 종결을 통해 시적 여운을 형성한 부분을 찾아볼 수 없다.

05 [종합적 이해와 감상] 정답 ②

(다), (라) 모두 전절에는 중국의 사적을 제시하고 후절에서는 이와 유사한 조선 6대조의 사적을 제시함으로써 조선 건국의 정당성을 옹호하고 있다.

[오답 풀이]

① 후절에서는 조선 6대조의 사적을 제시하고 있으므로, 후절에 지양해야 할 대상을 제시했다는 진술은 적절하지 않다.
③ 전절과 후절의 공통점을 통해 조선 건국의 정당성을 부각하고 있다.
④ (다)는 태조가 아닌 익조의 사적을 언급한 것이다.
⑤ (다), (라)의 전절에서는 중국의 사적을 제시하고 있다.

06 [반응의 적절성 파악] 정답 ⑤

(나)에서는 조선 6대조의 위업에 대해 언급하고 있지 않다. 또 (다), (라)에서는 조선 6대조의 위업과 중국의 사적 간의 공통점에 주목하고 있을 뿐 조선 6대조의 우월함을 강조하고 있다고 보기 어렵다.

[오답 풀이]

① (가)의 '천복이시니', (다)의 '하놀 뜨디시니'를 통해 조선 건국이 하늘의 뜻에 따른 것임을 드러내고 있다.
② (나)의 '여름 하느니', '바ᄅᆞ래 가느니', (바)의 '복년이 ᄀᆞ업스시니'를 통해 조선의 무궁한 번영을 희망하고 있음을 알 수 있다.
③ (다), (라)에서는 전절에 중국의 사적을 제시하고, 후절에 이와 유사한 조선 6대조의 행적을 제시함으로써 조선 건국의 정당성을 드러내고 있다.
④ (마)에서는 '민천지심', (바)에서는 '경천근민'이라는 사자성어를 사용하여 후대 임금이 백성을 위하며 지녀야 할 바람직한 자세를 제시하고 있다.

07 [외적 준거에 의한 작품 감상] 정답 ④

(마)의 '강시'는 길 위에 있는 죽은 백성의 시신을 의미하는 것이므로 조선 왕조의 무궁한 번영을 상징적으로 드러낸 시어로 볼 수 없다.

[오답 풀이]

① (마)에서 '민막'을 모르면 하늘이 버린다고 언급하고 있다.
② (바)에서는 설의법을 통해 중국의 태강왕이 할아버지의 덕만 믿고 산행에 정신이 팔려 국정을 살피지 않다가 폐위된 사실을 언급하며 후대 임금에게 권계하고 있다.
③ (마)에서는 '민천지심', (바)에서는 '경천근민'이라는 사자성어를 사용하여 후대 임금이 지녀야 할 바람직한 자세를 제시하고 있다.
⑤ (마)의 '마ᄅᆞ쇼셔'와 (바)의 '아ᄅᆞ쇼셔'는 모두 아주 높임의 명령형 어미가 사용된 것으로 후대 임금에 대한 강력한 권계를 나타낸다.

08 [표현의 효과와 의도 파악]

조선 창업 당시 이 글에 제시된 중국의 사적들은 건국, 역사, 사회, 정치의 모범으로 인식되었다. 그러므로 조선 6대조가 이러한 중국의 사적과 유사한 행적을 보이거나 위업을 달성하는 것은 곧 바람직하고 바른 것으로서 조선 건국의 정당성을 부각하는 역할을 했다고 볼 수 있다.

V 민요·잡가

42강

잠 노래 | 초부가

본문 189쪽

01. ④ **02.** ④ **03.** ⑤ **04.** ⑤ **05.** ② **06.** ㉠과 ㉡은 모두 화자와 상반된 처지에 있는 대상이다. 이처럼 화자와 상반된 성격을 가진 대상을 대비하면 화자의 부정적 상황과 처지가 부각되는 효과를 얻을 수 있다.

01 [작품의 공통점 파악] 정답 ④

(가)에는 밤늦은 시간까지 바느질을 해야 하는 가난한 여인의 삶의 애환이 드러나 있고, (나)에는 고단한 삶을 살아가는 나무꾼의 삶의 애환이 드러나 있다.

[오답 풀이]

① (가), (나) 모두 시간의 역전적 흐름을 통한 시상 전개가 나타나지 않는다.

② (가), (나) 모두 화자의 처지가 드러나 있기는 하지만, 역설적 표현은 나타나지 않는다.

③ (가), (나) 모두 선명한 색채 대비가 나타난 부분은 찾아볼 수 없다.

⑤ (가), (나) 모두 대상의 부재로 인한 화자의 고통과 슬픔이 제시된 부분은 찾을 수 없다.

02 [표현상의 특징 파악] 정답 ④

(가)에는 명령형 어미와 의문형 어미 등이 사용되었지만 청유형 어미는 사용되지 않았다. 또 부정적 상황을 극복하려는 화자의 의지가 드러나 있는 부분도 찾아볼 수 없다.

[오답 풀이]

① (가)의 1, 4행에서 민요에 자주 사용되는 a-a-b-a 구조의 문장이 사용되어 리듬감이 형성되고 있음을 확인할 수 있다.

② (가)에서는 '잠'이 의인화되어 있으며, 화자는 이와 같이 의인화된 '잠'에 대해 원망스러운 감정을 드러내고 있다.

③ (가)에는 4음보와 3·4, 4·4의 음수율이 일정하게 사용되고 있으며, 이를 통해 음악성과 리듬감을 형성하고 있다.

⑤ (가)에는 주야에 한가하여 빈둥거리다 잠을 이루지 못하는 사람이 제시되어 있으며, 이러한 사람과 화자의 처지를 대비하여 화자의 고단한 삶과 애환이라는 주제를 효과적으로 전달하고 있다.

03 [시상 전개 과정 파악] 정답 ⑤

[B]에서는 '버선짝', '토시짝', '털먹신' 등 짝이 있는 물건을 열거하며 화자의 애상감을 드러내고 있다. 하지만 [A]와 [C]에는 화자의 신세에 대한 한탄만 나타날 뿐, 짝이 있는 물건이 나타나 있지 않다. 그러므로 [A]~[C] 모두 짝이 있는 물건을 열거하며 화자의 애상감을 표현하고 있다는 감상은 적절하지 않다.

[오답 풀이]

① [A]에서 화자는 '지게 목발' 신세를 면하지 못하고 힘들고 고달프게 살아가고 있는데, '어떤 사람'은 크고 넓은 집에 살면서 만 석의 녹봉을 받으며 살아간다. 화자는 이런 불평등한 현실에 대한 괴로움을 토로하고 있다.

② [B]에서 '항상 지게는 못 면하고 남의 집도 못 면하고', '버선짝도 짝이 있고', '토시짝도 짝이 있고'와 같이 유사한 문장을 반복하여 가난하고 외로운 처지에 있는 화자의 모습을 강조하고 있다.

③ [C]에서 화자는 기구한 자신의 신세를 벗어날 기약은 없지만 그럼에도 나뭇짐을 지고 산을 내려가야 하는 자신의 신세에 대한 한탄을 드러내고 있다.

④ [A], [C]에 '이히후후 에헤', '이히후후'와 같은 의성어가 활용되고 있으며, 이러한 의성어의 사용을 통해 화자의 정서에 생동감을 부여한다고 볼 수 있다.

04 [외적 준거에 의한 작품 감상] 정답 ⑤

(나)에서 화자가 나무를 하러 가자고 한 것은, 불행한 처지에도 불구하고 아무도 화자를 도와주지 않으며, 노동을 하지 않으면 먹고사는 것이 힘들어지기 때문이다. 그러므로 나무를 하러 가자는 화자의 제안은 화자의 현실 극복 의지를 드러낸 것이라고 볼 수 없다.

[오답 풀이]

①, ③ (가)의 여인은 늦은 밤에도 바느질을 해야 하는 처지임을 확인할 수 있으며, (나)의 나무꾼은 나무를 하지 않으면 먹고살기 어려운 처지임을 알 수 있다.

② (가)의 여인은 생계를 위해 늦은 시간까지 바느질을 해야 하지만, 잠이 찾아와 바느질을 하는 것이 어려워지고 있다. 그러므로 잠은 화자의 고통스러운 삶의 무게를 더하는 존재라고 볼 수 있다.

④ (나)의 화자는 열거와 대구의 방식을 통해 자신이 처한 상황을 구체적으로 표현하면서, 자신의 팔자를 '더런 놈의 팔자'라고 말하고 있으므로 화자가 고통스러운 삶을 살고 있음을 알 수 있다.

05 [시어의 의미와 기능 파악] 정답 ②

ⓐ의 '기러기'는 화자가 의인화한 대상으로 '너도 또한 임을 잃고 임 찾아서 가는 길가'라는 표현을 통해 화자가 자신과 같이 외로운 처지에 있는 존재로 보고 있음을 알 수 있다.

[오답 풀이]

① 화자와 '기러기'는 모두 외로운 처지라는 점에서 공통점을 가진 대상이다.

③ '기러기'는 외로운 자연물이므로, 화자가 동경하는 세계를 상징하는 존재로 보기 어렵다.

④ '기러기'는 화자가 생활 주변에서 자주 마주할 수 있는 대상으로 비현실적인 존재가 아니다.

⑤ '기러기'가 화자에게 공감하고 있는 것이 아니라, 화자가 '기러기'를 자신과 동일시하고 '기러기'에 의미를 부여하고 있다.

06 [시구의 기능과 효과 파악]

표현하고자 하는 대상이나 속성 등을 상반된 대상이나 속성과 병치하거나 대비하면, 표현하려는 대상이나 속성이 부각되는 효과를 얻을 수 있다.

43강

정선 아리랑 | 유산가

본문 193쪽

01. ⑤ **02.** ⑤ **03.** ⑤ **04.** ④ **05.** ⑤ **06.** (가)에서 음악성을 높이는 데 기여하는 요소로는 각 연의 마지막 부분에 동일한 후렴구가 반복되는 것을 들 수 있다. 또 각 연마다 후렴구 이외의 부분에서 4음보의 일정한 운율이 반복되는 것도 음악성을 높이는 데 기여하고 있다.

01 [작품의 비교 감상] 정답 ⑤

(가)는 민요이고, (나)는 잡가로 두 작품 모두 민중의 정서를 반영하여 민중들에게 널리 향유되고 불린 노래라고 볼 수 있다.

[오답 풀이]

① (가)에 미래에 대한 낙관적 기대는 드러나 있지 않다.

② (가)는 정선 지역의 민중들에 의해 창작되고 구전되며 불린 민요이다. 그러므로 (가)가 (나)에 비해 학식이 뛰어난 지배 계층 사이에서 유행했다는 진술은 적절하지 않다.

③ (나)는 봄의 아름다운 경치와 풍류를 제시한 작품으로, 계절의 변화가 나타나 있지 않다.

④ (나)는 산을 배경으로 하고 있으며 공간의 이동이 나타나지 않는다. 또한 화자의 심리 변화도 찾아볼 수 없다.

02 [작품의 종합적 이해] 정답 ⑤

(가)에 동일한 시구가 반복되는 후렴구가 있지만, 이 후렴구는 시적 의미와는 관계없이 음악성을 높이는 역할만을 담당하고 있다.

[오답 풀이]

①, ② (가)는 강원도 정선 지역의 민중들의 정서와 생각을 반영하고 있는 민요이다.

③ (가)는 각 연마다 완결된 형태를 갖추고 있으며, 독립적인 시적 상황이 제시되어 있다.

④ (가)는 산, 해당화, 두견새, 동백과 같은 자연물을 통해 화자의 정서를 드러내고 있다.

03 [외적 준거에 의한 작품 감상] 정답 ⑤

(가)의 4연에서 '떨어진 동박'은 낙엽에 쌓이기라도 하여 함께할 수 있지만 화자는 아주 짧은 시간이지만 만나지 못한 임이 그리워 못 살겠다고 언급하고 있다. 그러므로 '떨어진 동박'은 임이 부재한 화자의 심리가 이입된 것이 아니라 화자의 상황보다 더 나은 상황이나 상태를 의미하는 것으로 볼 수 있다.

[오답 풀이]

① 〈보기〉에서 정선 아리랑의 창작 배경을 제시하고 있으며, 특히 올동백을 따러 가기로 했던 총각과 처녀의 약속이 실현될 수 없는 안타까운 상황이 이 작품의 창작 계기가 되었다고 언급하고 있다. 그런 맥락에서 3연의 화자는 〈보기〉에 제시된 총각이나 처녀로 볼 수 있다.

② 〈보기〉에서 처녀와 총각은 올동백을 따러 가자고 약속했으므로, 그들의 약속이 실현되기 전에 동백이 떨어지는 것은 그들이 바라지 않는

현상이라고 볼 수 있다.

③ 〈보기〉에서 강물이 비로 인해 불어 배가 뜨지 못해 총각과 처녀의 약속이 실현되지 못했다고 하였으므로, 3연의 화자가 사공에게 배를 건네 달라고 요청한 것은 올동백을 따러 가자는 총각과 처녀 사이의 약속이 실현되기를 바랐기 때문이라고 볼 수 있다.

④ 〈보기〉에서 올동백을 함께 따러 가자고 했던 총각과 처녀의 약속이 실현되지 못한 것은 간밤에 내린 비로 인해 배가 뜨지 못했기 때문임을 알 수 있다.

04 [작품의 종합적 이해와 감상] 정답 ④

(나)의 [A]에는 7언으로 된 한시 양식을 통해 아름다운 봄 산의 시각적 이미지가 제시되어 있음을 확인할 수 있고, [B]에는 우리말로 된 음성 상징어가 여러 차례 등장하여 주로 청각적 이미지가 제시되어 있음을 확인할 수 있다.

[오답 풀이]

① [A]는 대상이 지닌 과거의 모습과는 관련이 없다.

② [B]에서 특정 음운의 반복을 통해 리듬감을 형성하고 있는 부분은 찾아볼 수 없다.

③ [A], [B] 모두 자연물에 대한 화자의 주관적 정서가 드러나 있다. 또한 [B]에도 자연물의 외형적 묘사가 드러나 있다.

⑤ [B]에는 음성 상징어가 사용되고 있는 반면, [A]에는 음성 상징어가 반복적으로 사용되고 있지 않다.

05 [시어의 의미와 기능 파악] 정답 ⑤

㉠은 화자가 고달픈 삶 속에서 '정선'의 옛 지명을 언급한 것으로, 현재의 화자가 경험하지 못하는 세계라고 볼 수 있다. 그러나 ㉡은 화자가 있는 아름다운 봄 산을 일컬어 말한 것으로 화자가 직접 경험하며 만족감을 느끼는 세계라고 볼 수 있다.

[오답 풀이]

① ㉡은 화자가 만족감을 느끼는 공간으로, 화자가 삶을 살아가는 깨달음을 얻는 공간은 아니다.

②, ③ ㉠을 자연과의 조화를 통해 접근할 수 있는 세계라고 볼 수 없으며, ㉡은 아름다운 봄 산의 모습을 지칭하는 것으로, 화자 자신의 노력이나 인간의 능력을 통해 이룩한 세계라고 볼 수 없다.

④ ㉠은 화자의 괴로움의 정서를 오히려 심화시키는 역할을 하는 공간이고, ㉡도 화자에게 만족감을 주지만 자긍심을 느끼게 하는 공간은 아니다.

06 [문학적 전통과 의미 파악]

동일한 음운, 문장, 어미, 음수율, 음보 등의 반복은 작품의 음악성과 리듬감을 높이는 역할을 한다.

VI 향가·고대 가요

44강 헌화가 | 처용가

본문 198쪽

01. ③ 02. ② 03. ③ 04. ③ 05. ① 06. ④ 07. ③
08. 역신이 아내를 침범한 상황 09. 화자는 역신이 자신의 아내를 범한 상황에 대하여 체념하고 관용의 자세를 보이고 있다. / 화자는 아내를 범한 역신에 대해 분노하지 않고 관용의 자세를 드러내고 있다.

01 [작품의 비교 감상] 정답 ③

(가)는 4구체 향가이고, (나)는 8구체 향가이다. 향가는 신라 시대와 통일 신라 시대에 창작된 작품으로, 우리의 문자 체계가 없는 상황에서 한자의 음과 훈을 빌려 국어의 어순대로 적은 표기법인 향찰에 의해 기록된 문학 갈래이다.

[오답 풀이]

① (나)는 고려 가요 「처용가」와 탈춤 「처용무」 등으로 다양하게 개작되었지만, (가)는 다른 장르의 작품으로 개작되지 않았다.

② (나)는 (가)와 달리 민중의 소박하고 보편적인 미의식을 형상화한 작품으로 볼 수 없다.

④ (가), (나) 모두 비유와 상징보다는 직설적이고 일상적인 표현을 통해 화자의 심리를 드러내고 있다.

⑤ (가)와 (나)의 배경 설화는 이미 존재하는 작품에 대하여 창작되기까지의 과정, 창작 동기, 창작 당시의 상황 등을 소개하고 있다. (나)의 배경 설화에는 처용의 모습을 그려 문에 붙이게 되었다는 후일담이 나타나고 있지만 (가)의 배경 설화에서 작품이 창작되고 난 뒤의 일을 알 수 있는 근거는 없다.

02 [화자의 상황과 태도 파악] 정답 ②

(가)의 화자는 사모하는 수로 부인에게 꽃을 바치기를 바라고 있으며, 그것에 대해 적극적으로 허락을 구하고 있다. 반면 (나)의 화자는 자신의 아내를 빼앗긴 상황 속에서도 어쩔 수 없다는 체념적 태도를 드러내고 있다.

[오답 풀이]

① (가)에서 화자가 대상과 함께할 미래를 떠올린 부분은 찾아볼 수 없다. (나)에서도 화자와 대상이 함께했던 과거가 제시된 부분을 찾아볼 수 없다.

③ (나)에 대상에 대한 화자의 회한은 드러나 있지 않다.

④, ⑤ (가), (나)에서 대상에 대한 화자의 심리 변화나 대상과의 재회에 대한 화자의 의지는 찾아볼 수 없다.

03 [표현상의 특징 파악] 정답 ③

'나를 아니 부끄러워하시면'에서 수로 부인이 자신을 부끄러워하지 않는다는 상황을 가정한 뒤, 그에 따른 자신의 행동,

즉 꽃을 꺾어 바치겠다고 예고함으로써 화자의 마음을 조심스럽게 드러내고 있다.

04 [외적 준거에 의한 작품 감상] 정답 ③

화자가 끌고 가던 '소'는 화자의 신분을 암시하는 역할을 하는 것이다. '소'를 화자의 분신이자 수로 부인에 대한 사랑을 의미하는 자연물로 보는 것은 적절하지 않다.

[오답 풀이]

① 수로 부인은 강릉 태수가 된 순정공의 아내이며, 화자는 소를 끌던 노인이므로, 이 두 사람은 신분의 차이가 있는 인물임을 알 수 있다.

② 화자는 아무도 나서지 않을 정도로 꺾기 힘든 벼랑의 꽃을 꺾어 바쳤으므로 담대한 성격을 가졌다고 볼 수 있는 한편 수로 부인을 위해 위험을 감수하는 것으로 보아 희생 정신을 가진 인물임을 알 수 있다.

④, ⑤ 화자는 수로 부인에 대한 순정과 흠모를 바탕으로 위험을 무릅쓰고 벼랑에 핀 꽃을 꺾어 바친 인물이다.

05 [중심 소재의 의미 파악] 정답 ①

(가)의 '꽃'은 화자가 위험을 무릅쓰고 꺾어 바치려 한 사물로 수로 부인에 대한 화자의 순정과 흠모를 의미한다고 할 수 있다.

[오답 풀이]

②, ⑤ '꽃'은 수로 부인이 꺾어다 주기를 바란 것으로 화자가 수로 부인에 대한 흠모의 정을 갖게 된 계기나, 수로 부인의 환심을 사기 위해 준비해 두었던 징표로 볼 수 없다.

③ 대상인 수로 부인이 '꽃'을 꺾어다 주기를 바란 것은 맞지만, 수로 부인이 화자의 사랑을 확인하기 위한 시험으로 제시한 것은 아니다.

④ 화자와 수로 부인이 과거를 함께했다는 내용은 확인할 수 없다.

06 [반응의 적절성 판단] 정답 ④

'둘은 누구핸고'라는 표현은 '네 개의 다리 중 둘은 아내의 것이지만, 나머지 둘은 누구의 것인가'라는 의미이다. 그러므로 처용이 자신의 아내를 범한 이가 누구인지를 알고 있었다는 진술은 적절하지 않다.

[오답 풀이]

① 1구의 '동경'과 '밝은 달'을 통해 경주에 달이 떠 있는 밤이라는 공간적 배경과 시간적 배경을 확인할 수 있다.

②, ③ 처용은 '다리가 넷'이라고 하면서, '둘은 내해' 즉 둘은 자신의 아내의 것이라고 하였다. 그러므로 '다리가 넷'이라는 표현을 통해 처용의 아내를 누군가가 범했다는 사실을 알 수 있다.

⑤ '본디 내해'라는 것은 원래 자신의 것이라는 의미로, 이는 아내가 본래 자신의 아내라는 것을 의미한다고 볼 수 있다.

07 [반응의 적절성 판단] 정답 ③

〈보기〉에서는 처용이 역신에게 관용을 베풀자, 역신이 그 은혜를 생각하여 처용이 있는 곳에는 얼씬도 하지 않았다고 언급하고 있다. 그리고 이후 역병을 막기 위해 처용의 초상을 붙여 두는 풍습이 생겼고 악귀를 쫓기 위해 「처용가」를 불렀다고 하였다. 따라서 처용이 역신에게 베푼 관용이 결국 「처용가」가 주술적 효과를 얻게 된 이유가 되었다고 볼 수 있다.

[오답 풀이]

① 〈보기〉에 따르면, 역신이 악귀를 쫓는 것이 아니라 역신이 곧 쫓아내려는 악귀에 해당한다는 사실을 알 수 있다.

② 〈보기〉에 따르면, 처용의 초상을 붙여 두는 풍습은 역병을 방지하기 위한 것이지 처용처럼 아내를 빼앗기는 상황을 방지하기 위한 것이 아니다.

④ 처용의 화상을 붙여 두면 역병이 번지지 않는다는 풍습이 생긴 것은 처용이 역신에게 관용을 베풀었기 때문이지, 처용이 '다리 넷'을 발견했기 때문은 아니다.

⑤ 향가 「처용가」가 고려 가요로 계승·발전된 것은 악귀를 쫓기 위해서이지 관용의 태도를 중시했기 때문이 아니다.

08 [작품의 비교 감상]

이 글의 일부가 〈보기〉에 그대로 삽입되면서 역신이 아내를 침범한 상황은 동일하게 나타나고 있다. 하지만 이 글에는 역신에 대한 처용의 관용적 태도가 나타나지만 〈보기〉에는 역신에 대한 처용의 분노의 태도가 '열병신을 날 잡아 주소서'에 직접적으로 드러나고 있다.

09 [화자의 정서와 태도 파악]

화자는 ㉡에서 '이미 빼앗은 것(아내)을 어찌하리오'라는 말을 하며 역신에 대한 분노와 공격의 태도가 아닌 관용의 태도를 보이고 있다.

45강

제망매가 | 찬기파랑가

본문 202쪽

01. ⑤ **02.** ④ **03.** ③ **04.** ③ **05.** ⑤ **06.** ⑤ **07.** ④ **08.** ② **09.** ③ **10.** ⑤ **11.** 10구체 향가로서 (가)와 (나) 모두 낙구에 감탄사가 나타나고 있다. 이것(낙구의 감탄사)은 시상을 집약하고 화자의 정서를 표출하는 기능을 한다.

01 [작품 간의 공통점 파악] 정답 ⑤

(가)에는 '누이'의 죽음으로 인한 슬픔의 정서가, (나)에는 '기파랑'의 죽음으로 인한 슬픔의 정서가 드러나 있다.

[오답 풀이]

① (가)와 (나) 모두 화자와 시적 대상이 함께했던 과거를 회상하는 부분은 찾아볼 수 없다.

② (가)에는 '한 가지'라는 비유적 표현에 화자와 시적 대상 간의 관계가 드러나 있지만, (나)에는 화자와 시적 대상 간의 관계를 알 수 있는 표현이 제시되어 있지 않다.

③ (가)에는 시적 대상에 대한 추모의 정서는 드러나고 있으나 예찬의 정서는 제시되어 있지 않다.

④ (가)에는 화자가 시적 대상과 '미타찰'에서 재회하겠다는 의지가 드러나 있지만, (나)에는 기파랑과 재회하겠다는 화자의 의지가 드러나 있지 않다.

02 [다른 작품과의 비교 감상] 정답 ④

(가)에서 '한 가지'는 화자와 시적 대상이 한 부모로부터 태어난 혈육임을 알 수 있게 해 주는 단서라고 볼 수 있다. 그러나 (나)에는 화자와 시적 대상 간의 관계를 짐작할 수 있게 해 주는 단서가 나타나지 않는다.

[오답 풀이]

① (가)에서는 '못다 이르고 어찌 갑니까'에서 설의법을 사용하여 누이의 죽음에 대한 안타까움을 드러내고 있다. 그러나 (나)에는 물음의 형식이 사용된 부분을 찾아볼 수 없다.

② (가)에서는 '떨어질 잎'이라는 상징적 표현을 통해 시적 대상의 죽음을 나타내고 있다. 그러나 (나)에서는 시적 대상의 죽음을 나타내기 위해 상징적 표현이 사용된 부분을 찾아볼 수 없다.

③ (가)에는 시적 대상에 대한 화자의 예찬적 태도가 드러나 있지 않다. 그러나 (나)에서는 '물', '수풀', '잣나무 가지' 등의 자연물을 통해 시적 대상에 대한 화자의 예찬적 태도가 표현되어 있다.

⑤ (가)는 부재한 시적 대상인 '누이'를 '떨어질 잎'에, (나)는 부재한 시적 대상인 '기파랑'을 '달', '물가', '수풀', '잣나무 가지' 등의 자연물에 빗대어 대상에 대한 정서를 드러내고 있다.

03 [작품의 종합적 이해] 정답 ③

(가)는 비유와 상징이 두드러질 뿐, 반어와 역설의 표현법은 사용되고 있지 않다.

[오답 풀이]

① (가)는 월명사가 죽은 누이를 추모하고 애도하기 위해 지은 작품이다.

② (가)와 관련하여 작품이 창작된 계기와 작가인 월명사에 대한 설화가 전해 오고 있다.

④ (가)는 10구체 향가이며, 향가는 한자를 이용해 우리말을 표현한 향찰로 표기되어 있다.

⑤ (가)는 누이의 죽음에 대한 안타까운 심정을 '떨어질 잎', '한 가지' 등의 비유와 상징을 이용해 표현하고 있다.

04 [반응의 적절성 판단] 정답 ③

(가)에서 화자는 누이를 '떨어질 잎'으로 표현하는 한편 화자 자신과 누이가 '한 가지'에서 나왔다고 표현하고 있다. 그러므로 (가)는 화자와 누이의 관계를 자연물에 빗대어 표현하고 있음을 알 수 있다.

[오답 풀이]

① (가)에서 누이의 말을 인용하여 화자가 위안을 얻고 있는 부분은 찾아볼 수 없다. '나는 간다'는 누이의 실제 말을 인용한 것이 아니며, 이 표현을 제시하면서 화자가 얻은 감정도 위안이 아니라 슬픔과 허무감이다.

② (가)에서 누이의 죽음이 작품 창작의 계기가 된 것은 맞지만, 화자가 누이의 죽음을 통해 인생무상의 깨달음을 얻고 있지는 않다. (가)에서의 깨달음은 누이의 죽음을 통한 인생무상의 감정을 극복하면서 얻게 되는 것이다.

④ (가)의 화자는 종교적인 힘을 통해 누이와 재회할 의지를 드러내고 있으므로 누이의 죽음으로 인한 슬픔을 이겨 내지 못하고 있다는 반응은 적절하지 않다.

⑤ (가)의 화자가 누이와의 추억을 회상한 부분은 찾아볼 수 없다.

05 [시어와 시구의 의미 파악] 정답 ⑤

'미타찰'은 불교의 극락을 의미하는 것으로 화자와 누이가 함께 동경했던 이상향의 세계가 아니라 화자가 죽은 누이와 다시 만날 수 있다고 여기는 공간이다.

[오답 풀이]

① '나'는, 죽은 누이가 자신이 세상을 떠난다는 말조차 하지 못하고 죽었다는 맥락 속에서 제시된 시어로, 죽은 누이를 의미한다.

②, ③ (가)에서는 누이의 죽음을 자연물과 자연 현상에 빗대어 표현하고 있는데, '이른 바람'은 누이가 어린 나이에 요절했다는 것을 의미하고, '떨어질 잎'은 죽은 누이를 빗대어 표현한 시구이다.

④ 죽은 이를 뜻하는 '떨어질 잎'과 화자 자신이 '한 가지'에서 비롯되었으므로, '한 가지'는 화자와 죽은 이가 한 부모에게서 태어났음을 의미한다.

06 [다른 작품과의 비교 감상] 정답 ⑤

〈보기 2〉에서는 명사형으로 종결된 시행을 찾아볼 수 없다.

[오답 풀이]

① (가)는 화자의 시적 대상인 '누이'의 죽음을 '떨어질 잎'이라는 자연물에, 〈보기 2〉는 시적 대상인 아들의 죽음을 '산새'라는 자연물에 비유하여 표현하였다.

② (가)는 '미타찰'이라는 시어를 통해 누이의 죽음을 불교적으로 승화하고 있음을 알 수 있다. 하지만 〈보기 2〉에서는 슬픔을 종교적으로 승화하는 내용을 찾아볼 수 없다.

③ (가)에서는 '나는 간다는 말도 / 못다 이르고 어찌 갑니까'라는 물음의 형식을 통해 화자의 슬픔을 드러내고 있음을 확인할 수 있다. 하지만 〈보기 2〉에서는 물음의 형식이 사용된 부분을 찾아볼 수 없다.

④ (가)는 9~10행에서, 〈보기 2〉는 마지막 행에서 영탄적 표현을 통해 화자의 안타까움의 정서를 나타내고 있다.

07 [화자의 정서 파악] 정답 ④

(나)의 화자는 '기파랑'의 죽음에 대해 슬픔과 그리움의 감정을 드러내고 있으며, 이를 바탕으로 '기파랑'에 대한 추모의 정서를 나타내고 있다.

[오답 풀이]

ⓒ, ⓜ (나)의 화자는 '기파랑'의 죽음에 대한 슬픔과 추모의 감정을 드러내고 있을 뿐 만족감이나 당혹감을 드러내고 있지는 않다.

08 [표현상의 특징 파악] 정답 ②

(나)에서 화자는 '기파랑'의 마음을 좇겠다는 의지를 드러내고 있기는 하지만 청유형 어미를 사용하여 화자의 의지를 드러내지는 않았다.

[오답 풀이]

① 낙구에서 감탄사가 사용된 것을 확인할 수 있으며, 이를 통해 화자의 정서가 표출되고 있다는 것을 알 수 있다.

③, ④ '달'과 '물', '잣나무 가지' 등의 자연물을 통해 '기파랑'의 고결한 인품, 지조, 절개 등의 속성을 상징적으로 드러내며 예찬하고 있음을 확인할 수 있다.

⑤ '수풀이여', '고깔이여'에서 감탄의 뜻이 포함된 호격 조사를 통해 고조된 화자의 감정이 드러나고 있음을 확인할 수 있다.

09 [작품의 비교 감상] **정답 ③**

(나)뿐만이 아니라 〈보기〉도 마지막 구에서 시적 대상을 부르는 표현을 통해 시적 대상에 대한 화자의 예찬적 태도가 드러나고 있음을 확인할 수 있다.

[오답 풀이]

① (나)와 〈보기〉의 '잣나무'는 '소나무'처럼 곧게 뻗은 푸른 침엽수로, 지조와 절개를 상징하는 자연물이다. 그러므로 '잣나무 가지'는 시적 대상인 기파랑의 인품을 드러내는 것이라고 볼 수 있다.

② (나)는 '물가'의 '수풀'에서, 〈보기〉는 '새파란 냇물'에서 기파랑의 모습이 환기되고 있다.

④ 〈보기〉에서는 '조약돌'을 언급하며 원만한 기파랑의 인품을 좇고 싶다는 화자의 의지를 드러낸 것을 확인할 수 있다. (나)에는 냇가의 '조약돌'이 등장하지 않는다.

⑤ 〈보기〉의 3구 '흰 구름 좇아 떠가는 것 아니냐'에서 설의법을 사용하여 시적 분위기를 형성하고 있음을 확인할 수 있다. 그러나 (나)에서는 설의법이 사용된 부분을 찾아볼 수 없다.

10 [외적 준거에 의한 작품 감상] **정답 ⑤**

(나)의 '달'은 작품의 시간적 배경이 밤이라는 것을 나타내며 작품의 분위기를 형성하는 역할을 하고 있지만, 시적 대상의 부재로 인한 화자의 암울한 정서를 나타내는 역할을 하고 있지는 않다. 특히 '달'은 밤하늘에서 빛이 나는 것으로 화자의 암울한 정서와는 관련이 없다.

[오답 풀이]

① (가)의 '한 가지'에서 나온 '잎'은 화자와 시적 대상 간의 관계가 한 부모에게서 나온 혈육임을 의미한다.

② (가)의 '잎'은 '이른 바람'으로 인해 떨구어진 것이므로, 이때 '바람'은 시적 대상의 죽음을 표현하기 위한 자연물로 볼 수 있다.

③ (나)의 '수풀'은 물과 어울려서 깨끗하고 푸른 이미지를 가진 자연물로, 이는 시적 대상이 지닌 깨끗한 성품을 의미하는 것이라고 볼 수 있다.

④ (나)에서 화자는 시적 대상을 예찬하며 '눈'이 덮지 못할 '고깔'이라고 표현하고 있으므로, 이때 '눈'은 부정적 속성을 지니고 있음을 알 수 있다. 그러므로 '눈'은 차가운 속성을 지닌 자연물로서 역경과 시련을 의미하는 것으로 이해할 수 있다.

11 [갈래상의 특성 파악]

향가는 4, 8, 10구체가 있으며, 그중에서 10구체 향가는 가장 완성된 형태의 향가로 평가되고 있다. 10구체 향가는 낙구의 감탄사를 통해 시상을 집약하고 화자의 정서를 표출하는 특징이 있다.

46강

공무도하가 | 구지가

본문 206쪽

01. ① 02. ③ 03. ④ 04. ② 05. ⑤

01 [작품의 비교 감상] **정답 ①**

(나)에는 '거북'이 청자로 설정되어 있지만, (가)의 경우 1구만 청자가 '임'으로 설정되어 있을 뿐 나머지 구는 특정한 청자가 설정되어 있지 않다.

[오답 풀이]

② (가)는 화자가 사랑하던 임의 죽음으로 인해 느끼는 슬픔과 안타까움을 표현한 작품으로 개인적 서정시의 경향이 두드러진다고 볼 수 있다. 하지만 (나)는 배경 설화를 통해 알 수 있듯이 집단적 가창이 이루어졌던 노래이다.

③ (가)는 개인적 정서를 드러낸 작품이지만, (나)는 노래를 통해 집단의 우두머리가 출현하기를 소망했다는 점에서 주술적 성격이 강하다고 볼 수 있다.

④ (가)와 (나)는 모두 상고 시대의 가요로, 처음에는 기록 수단이 없어 구전되다가 이후 한자로 기록되어 지금까지 전하게 된 작품이다.

⑤ (가)와 (나)는 모두 관련된 배경 설화와 함께 전하고 있다.

02 [작품에 대한 종합적 이해] **정답 ③**

(가)의 1구에는 임이 물을 건너기 전에 임이 물을 건너는 것을 만류하는 화자의 모습이 드러나 있다. 또 2구와 3구에는 임이 물을 건너 죽음에 이르는 내용이 제시되어 있다. 그리고 마지막 4구에는 임이 죽은 후 화자가 느끼는 슬픔과 안타까움이 드러나 있다. 그러므로 (가)에는 임의 죽음과 관련한 전후의 상황이 나타나 있다고 볼 수 있다.

[오답 풀이]

① (가)에서 화자의 내적 갈등이 드러난 부분은 찾아볼 수 없다.

② (가)에는 임에 대한 화자의 슬픔과 안타까움이 표현되어 있을 뿐 임에 대한 연민이나 동정은 드러나 있지 않다.

④ (가)에 죽은 임과 재회하려는 화자의 의지는 드러나 있지 않다.

⑤ (가)에 가상의 상황이 드러난 부분은 찾아볼 수 없다.

03 [시어의 상징적 의미 파악] **정답 ④**

(가)의 1, 2, 3구에서 임은 '물'을 건너다 죽음으로써 삶의 세계에 있는 화자와 이별하게 된다. 그러므로 '물'을 삶과 죽음의 세계를 연결하는 상징적인 자연물로 이해하는 것은 적절하지 않다.

[오답 풀이]

① 1구에서 화자는 사랑하는 임이 '물'을 건너는 것을 만류하고 있으므로, 이때 '물'은 임에 대한 화자의 사랑을 보여 주는 계기나 수단이 되고 있다고 이해할 수 있다.

② 2구에서 '물'을 건너는 임의 행위는 곧 화자의 사랑에서 벗어나 죽음의 세계로 들어가는 행위이므로, 이때 '물'을 건너는 행위는 곧 화자와 임의 이별을 의미한다고 볼 수 있다.

③ 3구에서 임이 '물에 빠져 죽으니'라고 표현하고 있으므로, 이때 '물'은 곧 임의 죽음을 의미하는 것이라고 이해할 수 있다.

⑤ 배경 설화에 따르면 백수 광부의 아내는 임이 죽자 곧 따라 죽었다. 이때 '물'은 화자와 임이 죽음의 세계에서 다시 만나도록 이어 주는 역할을 한다고 볼 수 있다.

04 [작품의 종합적 감상] 정답 ②

(나)에서 자연물의 영원함과 인간의 유한함을 대비하고 있는 부분은 찾아볼 수 없다.

[오답 풀이]

① 1구에서 '거북아'라는 부름을 반복하여 시적 대상이 부각되고 있음을 확인할 수 있다.

③ (나)의 2구에서는 명령이, 4구에서는 위협이 나타나며 임금의 출현에 대한 창자의 소망을 주술적으로 드러내고 있다.

④, ⑤ (나)는 집단적 가창을 통해 집단의 우두머리가 출현하기를 주술적으로 기원했던 노래이다.

05 [외적 준거에 의한 작품 감상] 정답 ⑤

4구에 등장하는 '구워 먹으리'는 소원 성취를 위한 주술적 성격을 보여 줄 뿐 농사와 같은 노동에서 자주 반복되었던 농민들의 동작을 나타낸다고 볼 수 없다.

[오답 풀이]

①, ③ 〈보기〉에서 (나)가 '수로왕을 맞이하기 위해 부른 영신군가'라고 하였으므로, 이러한 맥락에서 '거북'에게 '머리'를 내밀라는 (나)의 내용은 주술적 성격을 가진 것으로 이해할 수 있다.

② 〈보기〉에서 (나)는 수로왕을 맞이하기 위한 노래이자 노동요라고 하였으므로, (나)가 집단적으로 불렸을 것이라고 볼 수 있다.

④ 흙을 파는 행위는 농경의 행위로서, 이 노래가 이러한 행위와 함께 불렸다는 〈보기〉의 설명으로 미루어 볼 때 (나)는 노동의 괴로움을 달래기 위한 노동요였음을 알 수 있다.

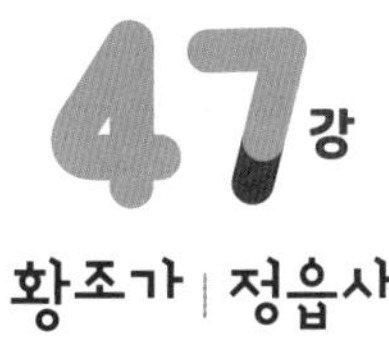

47강 황조가 | 정읍사

본문 209쪽

01. ④ **02.** ③ **03.** ③ **04.** ③ **05.** ⑤ **06.** 시조 / 정리된 구절의 형식이 시조의 3장 6구 형식과 유사하기 때문이다.

01 [작품의 비교 감상] 정답 ④

(가)는 '외로워라'에서 화자의 정서가 담긴 직설적인 표현이 사용된 것을 확인할 수 있다. 또 (나)에는 '드듸욜셰라', '졈그롤셰라'와 같은 직설적 표현이 사용된 것을 확인할 수 있다.

[오답 풀이]

① (나)는 고려 가요집에 실려 있는 작품으로, 한자가 아닌 훈민정음으로 기록된 작품이다.

② (가), (나) 모두에서 시간의 역전을 통한 시상 전개 양상은 확인할 수 없다.

③ (가), (나) 모두 개인의 서정성이 강하게 나타나는 작품으로 집단적인 가창이 이루어졌다는 진술은 적절하지 않다.

⑤ (나)에는 음악성을 띠고 의미는 없는 후렴구가 사용되고 있지만, (가)에서는 후렴구의 사용을 찾아볼 수 없다.

02 [표현상의 특징 파악] 정답 ③

(가)에서 색채 대비를 통해 대상의 속성을 드러낸 부분은 찾아볼 수 없다.

[오답 풀이]

① 1구에서 '펄펄'이라는 의태어가 사용되었으며, 이를 통해 대상인 꾀꼬리의 역동성이 나타나고 있다.

② 1, 2구는 꾀꼬리의 모습(선경)을, 3, 4구는 화자의 정서(후정)를 드러내고 있음을 확인할 수 있다.

④ (가)에서는 암수 서로 정답게 노는 꾀꼬리와, 임과 이별한 화자의 처지가 대비되며 주제 의식이 드러나고 있다.

⑤ 4구에서 설의법을 사용하여 화자의 외로움의 정서를 드러내고 있다.

03 [시어의 의미와 기능 파악] 정답 ③

'암수 서로 정답'게 노닐고 있는 '꾀꼬리'는 사랑하는 임이 떠나 버린 화자의 처지와 상반되는 자연물이라고 볼 수 있다. 그리고 이러한 대비를 통해 화자가 느끼는 외로움이 더욱 심화되고 있음을 확인할 수 있다.

[오답 풀이]

① '꾀꼬리'는 화자가 부러워하는 대상이므로, '꾀꼬리'를 화자가 회피해야 할 대상으로 이해하는 것은 적절하지 않다.

② '꾀꼬리'는 화자와 상반된 처지에 놓인 자연물이므로 화자의 심리 상태가 투영되어 있다고 볼 수 없으며, (가)에서는 화자의 의지가 드러난 부분을 찾아볼 수 없다.

④ '꾀꼬리'를 화자가 숭상하고 있는 대상으로 볼 수 없으며, '꾀꼬리'가 화자가 취해야 할 행동을 지시하는 역할을 하고 있지도 않다.

⑤ '꾀꼬리'가 화자로 하여금 과거의 일을 성찰하게 하는 역할을 하고 있지는 않다.

04 [작품의 종합적 이해와 감상] 정답 ③

(나)에서 화자는 시적 대상인 '돌'에게 남편의 무사 귀환을 기원하고 있을 뿐 '돌'과 대화를 주고받는 형식은 사용되고 있지 않다.

[오답 풀이]

① 1, 2구에서 자연물인 '돌'을 인격화하여 남편의 무사 귀환을 기원하는 화자의 정서가 드러나고 있다.

② 후렴구 '어긔야 어강됴리 / 아으 다롱디리'가 반복적으로 사용되어 음악성을 높이고 있다.

④ 밝은 빛을 내는 '돌'과 어둡고 위험한 곳을 뜻하는 '즌 듸'를 대립적인 의미를 지닌 대상으로 제시하여 남편의 무사 귀환을 바라는 주제 의식을 드러내고 있다.

⑤ '~일까 두렵다'의 의미를 지닌 '-ㄹ셰라'를 반복적으로 사용하여 남편에 대해 염려하는 화자의 심리가 드러나고 있다.

05 [시어 및 시구의 의미와 기능 파악] 정답 ⑤

'졈그롤셰라'는 '날이 저물까 두렵다'라는 의미로 화자의 정서가 직접적으로 표현된 것이며, 화자가 소망하는 바를 드러내기 위한 역설적 표현으로 볼 수 없다.

[오답 풀이]

① '돌'은 화자가 남편의 무사 귀환을 기원하는 대상이다.

② '-곰'은 강조의 의미를 지닌 접미사로, '머리곰'은 남편의 무사 귀환을 바라는 화자의 간절한 마음이 투영된 말이라고 볼 수 있다.

③ '져재'는 '시장에'라는 의미로, 화자가 기다리는 대상이 곧 행상인이었다는 정보를 제공하는 시어이다.

④ '즌 듸'는 사전적 의미로는 '진 곳'이라는 의미를 지니지만, 화자가 기다리고 있는 대상에게는 '위험한 곳'이라는 의미로 이해할 수 있다.

06 [형식상 특징 파악]

(나)에서 여음구와 후렴구를 제외하면 초장, 중장, 종장의 3장과 6개의 구로 이루어진 시조와 그 형식이 매우 비슷하다는 것을 알 수 있다.

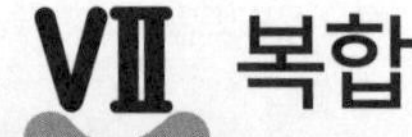

Ⅶ 복합

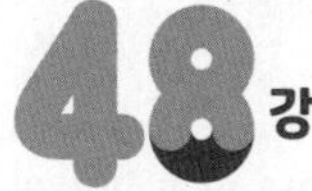

48강

남은 다 자는 밤에 | 장상사 | 상사곡

본문 215쪽

01. ② **02.** ⑤ **03.** ② **04.** ④ **05.** ① **06.** ② **07.** ③ **08.** ④ **09.** (나)의 '꿈속'은 화자와 '임'의 만남이 이루어지지 않은 공간인 데 반해, 〈보기〉의 '숨'은 화자가 '임'을 잠깐이나마 볼 수 있었던 공간이다. **10.** (1) 반쪽 거울 (2) 임과 이별한 화자의 처지

01 [시적 상황의 파악] 정답 ②

(가)의 화자는 '외로운 꿈'이라고 하면서 임의 부재로 인한 외로움과 슬픔을 토로하고 있을 뿐 임과의 재회를 확신하고 있지 않다.

[오답 풀이]

① '늬 어이 홀로 ᄭᅢ야'를 통해 화자가 '나(ᄂᆞ)'로 표면에 드러나 있음을 알 수 있다.

③ 화자는 임과의 심리적 거리감을 '천 리'라는 말로 표현하고 있다.

④ 화자는 '남은 다 자는 밤'에 '옥장 깊푼 곳'에서 임을 그리워하고 있다.

⑤ 화자는 남들은 다 자고 있는데 자신만 홀로 깨어 임을 생각하고 있다고 여기고 있다.

02 [화자의 정서 및 태도 파악] 정답 ⑤

(나)의 화자가 '꿈속에서도 요산 남쪽 건너지 못하였'다고 한 것은 꿈에서도 임을 만나지 못한 화자의 슬픔과 애타는 마음을 드러낸 것이다. 화자가 임과 이별한 상황을 극복할 수 있는 의지를 상실한 것은 아니다.

[오답 풀이]

① (나)의 화자가 '이 마음의 응어리 어느 때나 고칠까'라고 한 것에서 화자는 이별로 인한 슬픔을 해결할 수 없는 상황에 한탄하고 있음을 알 수 있다. 즉 화자는 자신의 심적 고통이 해소되기 어렵다고 여기고 있는 것이다.

② (나)의 화자가 그리워하는 임이 '하늘 모퉁이'에 있다고 한 것에서 화자는 임과의 거리감을 느끼고 있으며 임과 쉽게 만날 수 있는 상황이 아니라고 여기고 있음을 알 수 있다.

③ (나)의 화자는 임에 대한 그리움을 느끼고 홀로 앉아 공후를 연주하는데, 공후 소리가 '하소연하는 듯 흐느끼는 듯'하여 비단 적삼이 젖는 줄도 모를 정도로 눈물을 흘렸다. 즉 화자의 슬픔은 '공후'를 연주하고 나서도 해소되지 않은 것이다.

④ (나)에서 화자는 '밝은 달'이 되어 '임의 창문 휘장'을 뚫고 비춰 들고 싶다고 하였다. 즉 화자는 달이 되어 임에게 가까이 가고자 하는 소망을 가지고 있는 것이다.

03 [시적 상황의 파악] 정답 ②

(나)에서 화자는 임과의 이별로 인한 심적 고통을 표출하며

임과의 만남을 기대하고 있다. '견강부회'는 '이치에 맞지 않는 말을 억지로 끌어 붙여 자기에게 유리하게 한다.'라는 뜻이므로 (나)의 화자의 상황을 설명하는 데 쓰일 수 없다.

[오답 풀이]

① '구곡간장'은 '굽이굽이 서린 창자'라는 뜻으로, 깊은 마음속 또는 시름이 쌓인 마음속을 비유적으로 이르는 말이다. 따라서 화자의 심적 고통을 표현하는 말로 적절하다.

③ '오매불망'은 '자나 깨나 잊지 못한다'는 뜻으로, 임에 대한 화자의 마음을 표현하는 말로 적절하다.

④ '전전반측'은 '누워서 몸을 이리저리 뒤척이며 잠을 이루지 못한다'는 뜻으로, 임을 그리워하며 애태우는 화자의 마음을 설명하기에 적절하다.

⑤ '학수고대'는 '학의 목처럼 목을 길게 빼고 간절히 기다린다'는 뜻으로, 임과 재회하기를 기다리는 화자의 상황을 잘 나타낸다.

04 [시어의 의미 파악] 정답 ④

(다)에서 화자는 임과의 이별 때문에 고통과 근심이 불과 같고, 눈물이 장마같이 떨어진다고 말하고 있다. 따라서 '전장'은 마음속에 불과 같은 근심이 일고 눈물이 비처럼 쏟아지는 상황을 표현한 것으로, 화자의 고통스러운 마음을 드러낸다.

[오답 풀이]

① (다)에서 화자는 '수화상극'이라는 말도 거짓말이 되었다고 말하고 있다. '수화상극'은 물과 불이 함께 존재할 수 없다는 말이다. 그런데 이 말이 거짓이 되어 화자의 몸 안에 물과 불이 모두 있어 화자가 고통을 겪고 있는 것을 '전장'으로 표현한 것이다. 즉 '전장'은 '수화상극'인 상황이 아니라 '수화상극'이 아닌 상황이다.

② '전장'은 임과 이별한 화자의 심리를 나타내고 있다. '전장'이 임을 '사라셔 못 보'는 이유가 되는 것이 아니라 임을 '사라셔 못 보'는 것이 '전장'의 이유가 된다.

③ '전장'은 '이 비'가 '뎌 블'을 끄지 못한 상황을 표현한 것이다.

⑤ '전장'은 '수인씨'에 대한 원망을 나타내는 것이 아니라 임과의 이별로 인한 고통을 의미하는 것이다.

05 [표현상의 특징 파악] 정답 ①

'셟다 셟다 ᄒᆞᆫ들 우리ᄀᆞ티 셜울런가', '몃 삼월을 디내연고', '진토이 되다 니즐소냐', '니친 ᄒᆞᆯ니 이실소냐' 등은 의문형 어미를 통해 이별로 인한 화자의 서러움을 강조하고 있다. 24행에 '징징'이라는 음성 상징어가 사용되었지만 이를 통해 시대적 상황을 제시하고 있지는 않다.

06 [시구의 의미 파악] 정답 ②

㉡에서 '꿈'은 임을 만날 수 있는 시간을 의미하는데, '천 리예', '외로운', '오락가락 ᄒᆞ노라' 등으로 볼 때 ㉡은 '님'과의 만남이 이루어지기 힘든 상황에서의 안타까움을 드러낸 것이라고 할 수 있다. 따라서 ㉡이 화자의 '꿈'을 통해 화자가 먼 곳에서 여유롭게 살고자 하는 염원을 표현하고 있다는 것은 적절하지 않다.

[오답 풀이]

① ㉠은 '님은 다 쟈는'의 '님'의 상황과 'ᄂᆡ 어이 홀로 ᄭᆡ야'의 '나', 즉 화자의 대비되는 상황을 통해 화자의 외로운 처지를 표현하고 있으므로 적절하다.

③ ㉢의 '돗자리'와 '돌'은 각각 '말아 두고', '굴러 낼 수 있'지만, '이 마음의 응어리'는 고칠 수 없다고 한 표현에서 '돗자리'와 '돌'은 화자의 마음과 대비되는 소재임을 알 수 있다. 또한 '응어리'는 화자의 마음에 맺혀 있는 것인데, 이를 '어느 때나 고칠까'라고 하여 풀리지 않는 감정을 표현하고 있으므로 적절하다.

④ ㉣에서 '홀로 앉아' '공후'를 연주하는 소리가 '하소연하는 듯 흐느끼는 듯'하다고 하였으므로 적절하다.

⑤ ㉤에서는 '슬픈 노래'를 통해 화자의 슬픈 감정을 드러내는데, '밤'에 잠 못 들고 있는 화자가 그 밤을 '어찌 이리 긴고'라고 하여 밤을 길게 느끼는 것을 통해 화자의 애절한 감정을 강조하고 있으므로 적절하다.

07 [외적 준거에 의한 작품 감상] 정답 ③

(다)에서는 임과의 이별의 상황에서 느끼는 수심을 가슴속에 저절로 피어난 '블'에 비유하고 있으며, 화자는 그 불이 피어난 것은 남의 탓이 아니라며 스스로를 자책하고 있다. 그러므로 '수심'이 '가슴'에 피어난 것이 'ᄂᆞᆷ의 탓도 아니로ᄃᆡ'라고 한 것을 왕을 원망하는 신하의 마음으로 해석하는 것은 적절하지 않다.

[오답 풀이]

① '하늘 모퉁이'는 '그리운 사람'이 있는 공간인데, 이를 '멀리' 있다고 했으므로 신하가 왕으로부터 멀어져 있는 상황을 나타낸 것이라고 할 수 있다.

② '기나긴 그리움에 공연히 애만 끊노라'에서 '기나긴 그리움'은 왕에 대한 변치 않는 사랑과 그리움을 강조한 것이라고 할 수 있다.

④ '검던 머리 희도록'에서 오랜 시간이 흘렀음을 확인할 수 있고 '여흴 제'와 '못 보ᄂᆞᆫ고'에서 이별의 상황을 확인할 수 있다. (다)를 충신연주지사로 볼 때 이는 왕과 신하가 이별한 지 오래되었음을 나타낸다고 볼 수 있다.

⑤ (나)의 '밝은 달'은 화자가 되고 싶은 대상이기 때문에 '임의 창문 휘장'을 비추겠다고 한 것은 임에 대한 화자의 사랑을 나타낸다. 또한 (다)의 '내 뜻'은 임을 '다시 볼가 ᄇᆞ라'는 것이기 때문에 임에 대한 화자의 사랑을 나타낸다. (나), (다)를 충신연주지사로 볼 때, 이것들은 왕에 대한 신하의 사랑을 나타낸다고 볼 수 있는 구절들이다.

08 [소재의 의미와 기능 파악] 정답 ④

(나)의 '원컨대 쌍쌍이~서 있고자'에서 '새'는 화자가 임을 보기 위해 되고 싶은 대상이므로, '새'가 임을 보고 싶은 화자의 간절한 바람을 드러낸다고 할 수 있다. 또한 (다)의 '수심은 블이 되여'를 통해 '블'이 걱정을 나타냄을 알 수 있는데, '풍우중에 ᄐᆞ노왜라'에서 '블'이 바람과 비에도 쉽게 꺼지지 않을 만큼 강함을 알 수 있다. 이는 수심, 즉 걱정하는 마음이 몹시 강함을 의미하므로, '블'은 애타는 화자의 정서를 부각한다고 할 수 있다.

[오답 풀이]

① '새'는 화자의 심리를 전환시키지 않는다. '블'이 화자의 성격 변화를 유도하고 있는 것도 아니다.

② '새'는 화자의 현재 상황을 표현하는 것이 아니라 화자의 소망을 표현하는 것이다. '블'은 화자의 미래 모습을 암시하는 것이 아니라 화자의 심리 상태를 보여 주는 것이다.

③ '새'가 화자의 내적인 갈등을 강조하는 것은 아니며, '블'은 화자의 심리적 고통을 드러낸다.

⑤ '새'를 통해 화자가 자신을 반성하고 있지 않으며, '블'을 통해 화자의 실천적인 행위를 제시하고 있는 것도 아니다.

09 [다른 작품과의 비교]

〈보기〉는 정철의 「속미인곡」 중 일부로, 제시된 부분을 해석한 내용은 다음과 같다.

> 잠깐 사이에 힘이 다해 풋잠을 잠깐 드니,
> 정성이 지극하여 꿈에 임을 보니
> 옥과 같이 곱던 모습이 반나마 늙었구나.
> 마음속에 품은 생각을 실컷 사뢰려고 하였더니
> 눈물이 계속 나니 말인들 어찌 하며,
> 정회를 못다 풀어 목마저 메니,
> 방정맞은 닭소리에 잠은 어찌 깨었는가?

(나)의 화자는 '꿈속에서도 요산 남쪽 건너지 못하였네'라고 하면서 꿈속에서도 임과 만나지 못한 슬픔을 표현하고 있으므로 (나)의 '꿈속'은 화자와 '임'의 만남이 이루어지지 않은 공간임을 알 수 있다. 그러나 〈보기〉의 '꿈'은 화자가 '임'을 잠깐이마나 볼 수 있었던 공간이다.

10 [시구의 의미 파악]

〈보기〉에 제시된 부분을 해석한 내용은 다음과 같다.

> 천지간의 어떤 일이 남들에게는 서러운가?
> 아마도 서러운 건 임 그리워 서럽도다.
> 양대에 구름 비는 내린 지가 몇 해인가?
> 반쪽 거울에 녹이 슬어 티끌 속에 묻혀 있구나.
> 푸른 새도 안 오고 흰 기러기도 그쳤으니
> 소식을 못 듣는데 임의 모습을 볼 수 있겠는가

(다)에서 화자는 임과 이별한 자신을 '어엿븐 이 몸', 즉 '불쌍한 이 몸'이라고 표현하고 있다. 〈보기〉에서 이별한 화자를 상징하는 표현은 '반쪽 거울'이다. 따라서 (다)의 '어엿븐 이 몸'과 〈보기〉의 '반쪽 거울'은 임과 이별한 화자의 처지를 드러내는 시구라고 할 수 있다.

Q 고전 시가에서 '꿈'은 어떤 기능을 하나요?

A 고전 시가에서 자주 등장하는 소재인 '꿈'은 현실 속에서 고통을 겪고 있는 화자가 고통에서 벗어나 자신의 소망을 이루는 공간을 의미하기도 하고, 화자의 현실 속 고통이 가중되는 공간을 의미하기도 합니다. 그 어떤 쪽이든 화자의 현실적 문제가 꿈속으로 이어지고 있다는 점은 공통적입니다.

㉮ 풋잠에 꿈을 꾸어 천상십이루(天上十二樓)에 들어가니
옥황은 웃으시되 뭇 신선이 꾸짖는구나
어즈버 백만억 창생을 어느 사이 물어보리

– 윤선도, 「몽천요」

「몽천요」에서 '꿈'은 옥황과 만나고자 한 화자의 소망을 이룰 수 있는 공간이기도 하지만 뭇 신선들로 인해 자신의 소망을 제대로 펼칠 수 없게 되는 좌절의 공간이기도 합니다.

49강 황계사 | 봄의 단상

본문 220쪽

01. ③ **02.** ③ **03.** ⑤ **04.** ③ **05.** ② **06.** ⑤ **07.** ③ **08.** 지어자 좋을시고 **09.** 하나의 생각이나 신념을 고집할 것이 아니라, 변화하는 세상에 순응하면서 유연하게 생각하고 행동하라는 교훈을 전달하고 있다.

01 [표현상의 특징 파악] 정답 ③

(가)는 '자네 일정 못 오던가 무삼 일로 아니 오더냐', '저 달아 보느냐' 등 말을 건네는 어투를 활용하여 임과 이별한 화자의 상황을 부각하고 있다.

[오답 풀이]

① '황계 수탉'에서 색채 이미지를 떠올릴 수 있지만 색채어를 활용하여 대상의 특징을 드러내고 있는 것은 아니다.

② 역설적 표현을 활용하는 부분은 찾아볼 수 없다.

④ 물음을 던지고 있지만 이에 대한 답이 제시되어 있지 않으므로 묻고 답하는 방식을 활용하였다고 할 수 없다.

⑤ '이 아해야 말 듣소', '지어자 좋을시고'라는 표현을 반복하고는 있으나 이를 통해 화자의 굳은 다짐을 드러내고 있는 것은 아니다.

02 [시어 및 시구의 의미 파악] 정답 ③

(가)의 화자는 '하운이 다기봉하니 산이 높아 못 오던가'라고 말하고 있다. 즉 산이 높아 임이 못 오는 것이냐고 말하고 있으므로 '산'은 화자가 사랑의 방해물로 여기는 대상이라고 할 수 있다.

[오답 풀이]

① '아해'는 화자가 하소연하는 대상일 뿐 화자에게 임의 소식을 전달해 주는 역할을 하는 인물은 아니다.

② 화자는 '황혼 저문 날에 개가 짖어 못 오는가'라고 말하며 임이 돌아오지 않는 이유를 추측하고 있을 뿐 '황혼 저문 날'에 임에 대한 화자의 그리움이 극대화되는 것은 아니다.

④ '한 곳을 들어가니 육관대사 성진이는 석교상에서 팔선녀 다리고 희롱한다'는 「구운몽」의 한 장면을 활용하여 화자와 대비되는 인물인 성진과 팔선녀를 제시함으로써 임과 이별한 화자의 처지를 부각하는 부분이다. 화자가 '팔선녀'에게 질투심을 느끼고 있는 것은 아니다.

⑤ 화자는 '바람 불고 물결치는 대로 어하 둥덩실 떠서 노자'라고 말하며 죽어서라도 임을 만나 행복한 시간을 보내고 싶은 마음을 표현하고 있다. '바람'이 사랑의 부질없음을 깨닫게 해 주고 있지는 않다.

03 [시적 상황의 파악] 정답 ⑤

'지어자 좋을시고'는 조흥구로, 반복되어 운율을 형성하고 이별의 상황에 맞지 않게 흥을 표현하여 그 슬픔을 부각하는 기능을 한다. '지어자 좋을시고'를 반복하는 것과 작품의 화자가 임과 반드시 재회할 것이라고 믿는 것은 관련이 없다. 또한 화자는 돌아오지 않는 임을 원망하면서 죽어서라도 다시 임과 만나고 싶다는 사랑의 마음을 드러내고 있지만 임과 반드시 재회할 것이라고 믿고 있는 것은 아니다.

[오답 풀이]

① 10행에서 '육관대사 성진이'를 작품에 등장시킨 것에서 이 작품이 「구운몽」의 내용적 요소를 활용하고 있음을 알 수 있다. 그러므로 이 작품은 「구운몽」이 창작된 이후의 작품이라고 볼 수 있다.

② 화자는 '무삼 일로 아니 오더냐'(2행)라고 말한 뒤 '개가 짖어 못 오는가'(4행), '물이 깊어 못 오던가'(6행), '산이 높아 못 오던가'(8행), '달이 밝아 못 오던가'(22행) 등에서 '아니 오더냐', '못 오는가', '못 오던가'라는 의문형 문장을 통해 임이 돌아오지 않는 이유를 다양하게 추측하고 있다.

③ '둥덩'(12행), '꼬꾀요'(14행), '둥덩실'(18행)과 같은 음성 상징어는 일상성이 두드러지는 어휘로, 이 작품의 작가가 사대부보다는 서민일 것이라는 추측을 가능하게 해 준다.

④ 화자는 '달'에게 임 계신 곳을 밝게 비추어 임을 볼 수 있게 해 달라고 말하고 있다. 임 계신 곳에 '명휘'를 비춰 달라고 하는 것은 임에 대한 간절한 그리움을 표현한 것이자 임에게 밝은 빛이 닿기를 바라는 축원의 마음을 드러낸 것이라고 할 수 있다.

04 [외적 준거에 의한 종합적 감상] 정답 ③

'물이 깊어 못 오던가', '산이 높아 못 오던가'를 통해 화자는 '물'이 깊고 '산'이 높다는 외부적 요인에서 임과의 재회가 늦어지는 이유를 찾고 있다는 것을 알 수 있다. 그러나 이는 임이 오지 못하는 이유에 대한 추측일 뿐, 임과 이별하게 된 이유와는 관련이 없다.

[오답 풀이]

① '이별 후'에 '소식조차 돈절'하였다고 하였으므로 화자가 임과 이별한 상황임을 알 수 있다. 〈보기〉의 '임과 이별한 상황에서'를 바탕으로 하여 볼 때 ①의 진술은 적절하다.

② '무삼 일로 아니 오더냐'라고 하는 것에서, 이별 상황에 대해 화자가 답답한 심정을 가지고 있음을 알 수 있다. 〈보기〉에서 '임과 이별한 상황에서 화자가 느끼는 답답함과 그리움을 형상화한 작품'이라고 하였으므로 이를 바탕으로 하여 볼 때 ②의 진술은 적절하다.

④ '병풍에 그린 황계 수탉이~꼬꾀요 울거든 오랴는가'에서 '병풍에 그린 황계'가 우는 불가능한 상황을 가정하여 불가능한 상황이 실현되어야만 임이 돌아올 것인지 묻고 있으므로 화자는 임이 돌아오지 않는 것에 대한 원망을 드러내고 있다고 볼 수 있다. 이는 〈보기〉에서 「황계사」가 '불가능한 상황을 가정함으로써 임이 돌아오지 않는 것에 대한 원망을 드러내고 있다'는 것을 바탕으로 할 때 적절하다.

⑤ 〈보기〉에서 「황계사」에 '임과 재회하기를 간절하게 바라는 화자의 마음'이 나타난다는 점을 바탕으로 볼 때, '너란 죽어 황하수 되고 날란 죽어 도대선 되야', '둥덩실 떠서 노자'는 화자가 죽어서라도 임과 재회하고 싶어 함을 드러낸 것으로 볼 수 있으므로 적절하다.

05 [표현상의 특징 파악] 정답 ②

ⓛ에서 의문형 문장을 활용하고는 있지만 이는 의문의 형식을 통해 전달하고자 하는 바를 강조하는 설의적 표현은 아니다. ⓛ에는 여인들이 주고받는 민요에 대한 글쓴이의 궁금증이 드러나 있다.

[오답 풀이]

① ㉠의 '고운 비단을 펼쳐 놓은 듯'을 통해 비유적 표현을 활용하여 봄의 아름다운 풍경을 나타내고 있음을 확인할 수 있다.

③ ㉢의 '옥피리와 생황을 연주하'는 것은 청각적 요소를, '울긋불긋한 꽃'은 시각적 요소를 환기한다. ㉢에서는 이러한 감각적 표현을 통해 화려하고 사치스러운 사람이 보는 봄의 모습을 나타내고 있다.

④ ㉣의 '빈방을 지키고 있다.'에서 현재형 시제를 활용하였음을 확인할 수 있다. 빈방을 지키고 있는 여인은 현재 남편과 이별한 뒤 한스러움을 느끼고 있으므로 ㉣이 슬픔에 차 있는 인물의 상황을 부각하고 있다고 할 수 있다.

⑤ ㉤에서 '때로는 ~도 하고(한다)'를 반복하는 대구적 표현을 확인할 수 있다. 이를 통해 사람에 따라 봄이 다르게 느껴질 수 있음을 강조하고 있다.

06 [작품의 구조와 내용 이해] 정답 ⑤

(나)의 '나'는 '닥쳐오는 상황을 마주하고 변화하는 조짐을 순순히 따르며 나를 둘러싼 세상과 더불어 움직여 가리니'라고 하였다. 이는 상황의 변화를 따르며 살겠다는 깨달음을 드러낸 것이다. 그러나 이러한 깨달음이 '나'를 둘러싼 세상을 변화시키고자 하는 의지로 확장되고 있지는 않다.

[오답 풀이]

① A에서 봄을 즐기느라 온화한 표정인 사람들의 모습을 보면서도 '나'가 답답한 마음을 갖게 된 것은 B의 '나'의 생각이 시작되는 계기가 되고 있다.

② B에서 아름다운 경치를 바라보며 흡족해하는 '천자'의 모습을 바탕으로 봄을 대하는 부귀한 사람의 태도를 추측하고 있다.

③ B에서 '왕족과 귀족의 자제들'은 '호탕한 벗들'과 봄을 즐기고 있지만 '나그네'는 집을 떠나 한스러운 마음인 것에서 서로 입장이 대비되고 있다고 볼 수 있다.

④ B에서 '천자', '왕족과 귀족의 자제들', '부인', '나그네'가 봄을 받아들이는 태도에 대한 '나'의 생각들은, '보이는 경치와 처한 상황'에 따라 봄을 다르게 받아들일 수 있다는 C의 깨달음으로 이어지고 있다.

07 [구절의 전개 방식 파악] 정답 ③

[A]에서는 병풍에 그린 황계 수탉이 날개를 치면서 우는 불가능한 상황을 설정함으로써 임을 기다리고 있는 화자의 마음을 부각하고 있다. [B]에서는 천자와 같은 부귀한 사람들이 봄을 보는 상황, 왕족과 귀족의 자제들같이 화려하고 사치스러운 사람들이 봄을 보는 상황, 남편과 이별한 여인이 봄을 보는 상황 등 봄을 보는 사람을 다양하게 설정하고 그들의 눈에 비친 봄의 모습을 추측하고 있다.

[오답 풀이]

① [A]에서 화자가 돌아오지 않는 임에 대한 원망을 드러낸다고 볼 수 있으나 화자의 격정적 어조는 드러나지 않는다. 또한 [B]에서 글쓴이가 현학적 태도를 드러내고 있지도 않다.

② [A]에서는 일상적 소재를 나열하고 있지 않다. 또한 [B]에서 글쓴이가 어려운 한자어를 나열하여 자신에 대한 우월 의식을 드러내고 있지도 않다.

④ [A]에서 병풍에 그린 황계 수탉이 날개를 치고 우는 상황을 설정한 것은 과장적 표현이라고 볼 수 있다. 그러나 [B]에서 글쓴이가 단정적 표현을 활용하고 있지는 않다. 글쓴이는 '봄을 볼 때는 이러하리라.'라면서 추측의 표현을 구사하고 있다.

⑤ [A]에서 병풍에 그린 수탉이 날개를 치고 우는 상황을 비현실적 상황

이라고 할 수 있다. 그러나 이를 통해 현재의 고통을 초월하고 싶은 화자의 소망을 드러내고 있지는 않다. [B]에서는 다양한 상황 설정을 통해 봄과 관련된 글쓴이의 통찰을 드러내고 있다.

08 [외적 준거에 의한 구절의 이해]

「황계사」는 가사체의 노래에 곡을 붙인 궁중 음악으로 음악성이 두드러진다. 특히 '지어자 좋을시고'는 이별의 상황에 걸맞지 않게 흥을 표현함으로써 그 슬픔을 부각하는 한편 반복적으로 사용되며 운율을 형성하여 가창 가사의 음악성을 형성하는 데 기여하고 있다.

Q 문학 작품이 궁중 음악으로 편입된 이유는 뭔가요?

A 「황계사」는 십이 가사 중 하나인데, 곡을 붙여 궁중 음악으로 연행되기도 했어요. 우리 고전 시가에서는 궁중 음악으로 편입된 작품이 많은데, 이는 민중의 생활상을 진솔하게 반영한 노래를 통해 통치 질서를 공고히 하려는 정치적 의도에 따른 것이라고 볼 수 있습니다. 남녀 간의 사랑을 주제로 한 작품에서 남녀는 그 대상이 임금과 신하로 치환될 수 있었고, 민중의 정서를 궁중 음악으로 편입한다는 것은 화합을 상징하였기 때문에 정치적으로도 의미가 있었던 것이지요. 「황계사」, 「춘면곡(春眠曲)」, 「상사별곡(相思別曲)」 등이 그 대표적인 작품들입니다.

09 [주제 의식의 이해와 적용]

「봄의 단상」은 바람직한 삶에 대한 글쓴이의 생각을 담은 수필이다. 글쓴이는 봄이 여름, 가을, 겨울과 달리 변화무쌍하다고 말하면서 자신이 생각하는 바람직한 삶의 자세에 대해 서술하고 있다. 글의 마지막 문장 '닥쳐오는 상황을~없는 것이다.'는 글쓴이의 생각이 압축된 부분으로 하나의 생각이나 신념을 고집하지 말고 변화하는 세상에 순응하면서 유연하게 생각하고 행동하라는 교훈을 준다.

50강

가사의 갈래적 특징 및 변화 양상 | 상춘곡 | 갑민가

본문 226쪽

01. ④ **02.** ① **03.** ④ **04.** ② **05.** ① **06.** ⑤ **07.** 물아일체어니 흥이ㅣᄋᆡ 다ᄅᆞᆯ소냐

01 [세부 내용의 이해] 정답 ④

1문단에서 시조의 형식이 간결한 것에 비해 가사는 복잡한 체험을 두루 표현할 수 있을 만큼 길어질 수 있었다고 하였다. 이와 같은 가사의 특징 때문에 가사는 '장가'라고 불리었다. 따라서 가사가 두 마디씩 짝을 이룬다는 의미에서 '장가'라고 불렸다고 이해하는 것은 적절하지 않다.

[오답 풀이]

① 1문단에서 가사는 복잡한 체험을 두루 표현할 수 있다고 제시하고 있다.

② 3문단에서 임진왜란을 경계로 후기 가사가 시작됨을 알 수 있다.

③ 1문단에서 가사는 표현하려는 내용에 따라 자유롭게 늘어날 수 있음을 제시하고 있다.

⑤ 3문단에서 가사의 작자층 확대로 다양한 관심사가 형상화되고, 이에 따라 대상을 바라보는 시각과 표현 방식도 다양해졌다고 제시하고 있으므로 작자층의 확대와 표현 방식의 다양화는 서로 관련이 있음을 알 수 있다.

02 [표현상의 공통점 파악] 정답 ①

(나)의 '물아일체어니 흥이ᄋᆡ 다ᄅᆞᆯ소냐'와 (다)의 '해마다 맞춰 무니 석숭인들 당ᄒᆞᆯ소냐'에 설의적 표현이 사용되었다. 이들 표현은 화자의 정서를 강조하고 있다.

[오답 풀이]

② (나)는 봄, (다)는 겨울이라는 계절적 배경이 나타나는 것은 맞다. 그러나 (나)는 애상적 분위기와는 거리가 멀고, (다)에서는 겨울에 돈피를 구하려다 죽을 고비를 넘기는 장면에서 기층민의 비애가 나타나기는 하지만, 이를 애상적이라고 표현하기에는 다소 무리가 있다. 애상은 처절함, 참담함처럼 정도가 심하고 분명한 슬픔과는 구분되는 아련하고 막연한 슬픔의 정서로 볼 수 있다.

③ (나)와 (다) 모두 대화의 형식이 사용되지 않았다. (다)는 작품 전체로 보면 생원의 질문에 갑민이 대답하는 대화 형식을 띠지만 제시된 지문은 갑민의 대답으로만 이루어져 있으므로 적절하지 않다.

④ (나)의 '새'와 (다)의 '오갈피잎'은 의인화된 대상이다. 그러나 (다)에서는 대상의 긍정적 속성을 부각하고 있지 않다.

⑤ (나)와 (다) 모두 의성어가 사용되지 않았다.

03 [외적 준거에 의한 작품 감상] 정답 ④

(나)의 '공명'은 자연과 대비되는 속세에 대한 화자의 부정적 태도를 드러낸다. 그러나 (다)의 화자는 조상 덕에 '좌수별감'과 같은 직을 수행하였으나 군사 계급으로 강등된 인물로, 자신의 처지에 대한 한탄을 드러내고 있을 뿐 사대부들의 경건한 삶의 자세를 풍자하고 있지 않다.

[오답 풀이]

① (나)의 화자는 자연 속에서 '도화행화'를 감상하고 있다. 그러나 (다)의 화자는 부역을 감당해야 하는 경제적 어려움 속에서 생존을 위해 '인삼싹'을 찾고 있다.

② (나)의 '세우'는 '녹양방초'와 어우러져 화자의 흥취를 돋우어 주는 역할을 하고 있다. 그런데 (다)의 '눈'은 서민인 화자의 고통을 더욱 심화하는 역할을 하고 있다.

③ (나)의 화자는 '봉두'에 올라 '연하일휘ᄂᆞᆫ 금수ᄅᆞᆯ 재폇ᄂᆞᆫ 듯'이라 하며 자연의 아름다움에 대해 감탄하고 있다. (다)의 화자는 '입산'하여 사냥에 앞서 산신께 발원하고, 사냥에 실패한 일 등을 구체적으로 형상화하고 있다.

⑤ (나)는 화자가 '단표누항에 흣튼 혜음 아니 ᄒᆞ'며 만족하는 모습을 통해 안빈낙도를 중시하는 가치관을 보여 주고 있다. (다)는 '뷘손'으로 표현된, 화자가 경제적으로 어려운 상황에서 겪는 고난을 통해 화자에게 닥친 현실의 문제를 보여 주고 있다.

04 [시구의 의미 파악] 정답 ②

㉡은 화자가 혼자 봄의 흥취를 즐기느라고 사립문 주변을 걸어 보기도 하고 정자에 앉아 보기도 했다는 것이다. 따라서 봄의 정경을 함께 즐길 사람을 기다리는 심정이 드러나지는 않는다.

[오답 풀이]

① ㉠은 자연의 아름다운 경치에 대해 조물주의 솜씨가 미쳐 화려한 것이라고 예찬하는 태도를 보여 주고 있다.

③ ㉢은 날이 추워 검었던 들판에 봄이 와 봄빛이 넘치는 모습을 나타낸 것이다.

④ ㉣은 '열두 ᄉᆞ룸', '사십육냥'처럼 구체적인 수량을 제시하고 있다. 이는 화자가 짊어진 신역의 부담이 매우 큼을 나타낸다.

⑤ ㉤에서 화자는 발가락이 없다며 탄식하고 있는데, 이는 동상에 걸려 발가락을 움직이기 어렵다는 것으로, 화자가 산에 갔다가 돌아오는 과정에서 매우 심하게 고생했음을 나타낸다.

05 [화자에 대한 이해] 정답 ①

(다)의 화자는 1~2행에서 조상 덕에 읍 안에서는 벼슬이 가장 높은 정도에 이르렀었다고 말하고 있다. 이를 체면을 고려하여 지위가 낮은 벼슬은 하지 않으리라는 결심을 했었을 것으로 이해하는 것은 적절하지 않다.

[오답 풀이]

② (다)의 화자는 12행에서 도망간 친족들의 신역을 해마다 대신 부담하는 것이 '석숭'도 못 당해 낼 정도로 매우 어려운 일이라고 말하고 있다.

③ (다)의 화자는 30행에서 눈 내린 산길을 헤쳐 인가를 겨우 찾아 들고 있는데, 그때의 자신의 상태에 대해 '혼비빅손 반주검'이라고 말하고 있다.

④ (다)의 화자는 7행에서 조상의 '제사'를 '받들'어야 해 다른 친척들처럼 도망을 가지 못하고 있다. 그런 상태에서 화자는 도망친 친족들에 대해 '시름 업슨 친족들', 즉 '걱정 근심 없는 친족들'이라고 비난하며 원망의 심정을 나타내고 있다.

⑤ (다)의 22행에서 화자는 '닉 정성이 부족ᄒᆞᆫ지 ᄉᆞ망실이 아니 붓닉'라고 말하였다. 이는 산에서 담비 가죽을 구하지 못한 것에 대해 화자가 자신의 정성이 부족했다고 생각하고 있음을 보여 준다.

06 [외적 준거에 의한 작품 감상] 정답 ⑤

[E]는 갑민이 돈피 사냥에 실패한 후 겪은 시련을 보여 주는 것이지, 유배를 가는 길에서 겪은 시련을 보여 주는 것이 아니다.

[오답 풀이]

① 〈보기〉에서 '이 작품이 창작된 시기에는 신분의 이동이 많이 발생하였'다고 했는데, [A]에는 '원수인의 모해' 때문에 갑민의 처지가 바뀌게 되었음이 제시되어 있다.

② 〈보기〉에서 '세금을 내지 못하는 사람이 있으면 그 친족에게 세금을 대신 물리는 족징의 폐해가 심각했'다고 했는데, [B]에는 친척들이 충군이 된 후 모두 도망가 버리고, 여러 사람의 신역을 갑민 혼자서 물게 되는 과정이 드러나 있다.

③ 〈보기〉에서 '특정 지역을 배경으로 하는 작품은 독자에게 사실감을 부여'한다고 했는데, [C]에서는 '허항영'처럼 실제 지명을 언급하여 작품의 사실성을 높이고 있다.

④ 〈보기〉에서 '그 지역에서 행하는 민속을 드러내어 사실감을 높이기도 한다'고 했는데, [D]에서 갑민이 싸리를 꺾어 누대를 치고 잎갈나무로 모닥불을 피우고 산신에게 발원하는 것은 갑산 지역에서 돈피 사냥에 앞서 행하던 민속으로 볼 수 있으므로 적절하다.

07 [시구의 의미 파악]

자연에서 느끼는 일체감이 드러나는 부분은 (나)의 8행 '물아일체어니 흥이ᄋᆡ 다ᄅᆞᆯ소냐'이다.

51강

'출'과 '처'에 대한 사대부의 의식 | 우국가

본문 232쪽

> **01.** ⑤ **02.** ③ **03.** ② **04.** ① **05.** ① **06.** '나라가 굳으면 집조차 굳으리라'는 나라가 굳건하면 백성들도 안정감을 찾는다는 의미로 '나라가 굳으면'이라는 가정법은 당위를 제시하고 있다. '명당이 기울면 어느 집이 굳으리오'는 나라의 기강이 허약해지면 백성들도 무너질 것이라는 의미로 '명당이 기울면'이라는 가정법은 부정적 결과를 제시하고 있다.

01 [세부 내용의 이해] 정답 ⑤

3문단에서 사대부들이 '처'의 삶을 살면서도 혼란스러운 세상에 대한 근심을 표현하며 우국충정을 드러내는 것으로 자신의 본분을 지키려 하였다고 말하고 있다.

[오답 풀이]

① 3문단에서 사대부들은 유교적 가치관이 바로 서지 못해 나라가 혼란스러운 상황일 때 '출'을 의롭지 못하다고 여겨 '처'를 선택하기도 한다고 하였으므로 적절하지 않은 설명이다.

② 4문단에서 '영달과 부귀는 고위 관직에 올라 자신의 뜻을 펼칠 수 있는 삶을 의미한다'고 하였으므로 적절하지 않은 설명이다.

③ 4문단에서 '궁'은 '빈궁'과 '빈천'을 의미하는 것으로 '처'와 비슷한 맥락을 지닌다고 하였고, '달'은 '영달'과 '부귀'를 의미하는 것으로 '출'과 비슷한 맥락을 지닌다고 하였다. 2문단에서 '출'은 '유교적 가르침을 부단히 수양한 사대부가 관직에 나아가 사대부로서 품었던 정치적 포부를 펼치는 이상적인 삶의 형태'라고 하였으므로, '빈궁'을 사대부들이 '관직에 나아간 삶'이라고 하는 것은 적절하지 않다.

④ 4문단에서 '궁'은 '빈궁'과 '빈천'을 의미하는 것으로, '빈궁'과 '빈천'은 '혼탁한 세상으로 인해 자신의 정치적 포부를 펼치지 않는 삶'이라고 하였으므로 적절하지 않은 설명이다.

02 [외적 준거에 의한 작품 감상] 정답 ③

'빈천을 사양 마라'는 '빈천'을 사양하지 말고 받아들이라는 것이다. (가)의 4, 5문단에서 '빈천'은 '처'와 비슷한 맥락을 지닌다는 것을 알 수 있다. 3문단에서 '유교적 가치관이 바로 서지 못해 나라가 혼란스러운 상황일 때', 사대부들은 '의로움을 지키기 위해 스스로 '출'을 거부하고' 관직에 나아가지 않는 "처"를 선택하는 것을 이상적이라고 여겼'다고 하였다. 따라서 '빈천을 사양 마라'를 '처'의 삶을 거부해야 한다는 화자의 태도가 나타나 있는 것으로 이해하는 것은 적절하지 않다.

[오답 풀이]

① [A]의 '치군택민'은 '출'을 통해 이룰 수 있는 것이다. 즉 관직에 나아가 유교적 가르침을 실천하는 것을 의미한다.

② 4문단에서 '빈궁'과 '빈천'은 혼탁한 세상으로 인해 자신의 정치적 포부를 펼치지 않는 삶으로 '궁'을 의미하고 '궁'은 '처'와 비슷한 맥락을 지닌다고 제시하였다. 이를 바탕으로 [A]의 '빈천거'는 '처'의 삶으로 이해할 수 있고, '하오리라'에서 화자의 의지가 나타나 있다고 볼 수 있다.

④ [B]의 '신명을 못ᄂᆞ이라'는 '위기'인 '부귀'를 선택했을 때 초래할 수 있는 결과를 의미하고 있다. (가)에 따라서 '부귀'는 '출'을 의미한다고 이해할 수 있으므로 [B]에는 혼탁한 정치 현실에서 벼슬길에 나아가는 것이 위기라는 인식이 드러나 있다고 할 수 있다.

⑤ [A]의 종장, [B]의 초장과 종장에서 각 화자는 모두 '부귀'의 삶을 지향하지 않음을 알 수 있다. (가)에 따르면, [A], [B]에서 이와 같이 '부귀'의 삶을 지향하지 않는 것은 당파 싸움이 심한 시대에 '출'의 삶을 위기로 여기는 것과 관련이 있다.

03 [시구의 의미 파악] 정답 ②

㉠은 '출'하면 '치군택민', '처'하면 '조월경운'을 즐길 줄 아는 사람이며, 시대 상황에 따라 '출'을 통해 얻을 수 있는 '부귀'를 위기로 여기며 '빈천거'를 할 수 있는 사람이다. (가)의 2, 3문단에 따르면, 이는 시대 상황을 고려하여 '출'의 가치를 유학적 가르침에 맞게 판단함으로써 의로움을 지킬 줄 아는 사람을 의미한다.

[오답 풀이]

① (가)의 3문단에서는 사대부들이 유교적 가치관이 바로 서지 못해 나라가 혼란스러운 상황일 때는 의로움을 지키기 위해 스스로 '출'을 거부하고 '처'를 선택하는 것을 이상적으로 여겼음을 제시하고 있다. 이에 따르면 어떤 상황에도 구애받지 않고 관직으로 나아가려 하는 것을 ㉠의 속성으로 이해하는 것은 적절하지 않다.

③ (가)의 2문단을 보면 ㉠은 '출'을 통해 유교적 이상 사회를 만들기 위해 노력할 줄 아는 사람이다. 따라서 이를 자연에 은둔하는 것만을 중요하게 여기는 사람으로 이해하는 것은 적절하지 않다.

④ (가)의 2, 3문단을 보면 ㉠은 유교적 가치관에 따라 정치가 이루어지는 세상을 추구하는 사람이다.

⑤ (가)의 3문단을 보면 ㉠은 정치적으로 혼란스러운 현실에서는 관직에 나아가지 않고 처사(處士, 조선 중기 벼슬을 하지 않고 초야에서 은둔한 선비들을 일컫는 말)로서 의로움을 지키기 위해 노력할 줄 아는 사람이다.

04 [외적 준거에 의한 작품 감상] 정답 ①

'고립 무조'란 홀로 있어 도움이 없다는 의미이다. 고립 무조의 상태에 처한 것은 화자가 아닌 '님'이다. 따라서 화자가 '고립 무조'를 선택했다고 이해하는 것은 적절하지 않다.

[오답 풀이]

② '공도 시비'란 공평하고 바른 도리를 따지는 것을 의미한다. '공도 시비'를 하지 않아 '환난'이 길어지는 것은 (가)의 2문단의 표현에 따르면 정치가 순리대로 실현되지 않는 세상이다. 화자는 당대 현실이 공평하고 바른 도리를 따지지 않으며, 정치가 순리대로 실현되지 않는다고 보며 비판적인 태도를 보이고 있다.

③ 화자는 '집만 돌아보고 나라 일 아니 하'는 당대의 사대부들의 모습을 비판하고 있다. (가)의 2문단을 바탕으로 '나라 일 아니 하'는 사대부의 모습을 유교적 가치를 바르게 실천하지 않은 사대부들의 모습으로 이해할 수 있다.

④ (가)의 5문단에서 관직의 유무에 따른 사대부의 처지와, 그와 관련된 그들의 삶의 태도는 '출-달-부귀'와 '처-궁-빈천'이라는 대조적 맥락을 통해 설명할 수 있다고 하였다. 따라서 '공명'과 '부귀'를 바라지 않는 화자의 모습에서 화자가 '달'의 삶을 지향하지 않음을 알 수 있다.

⑤ 화자는 공명과 부귀를 바라지 않으며 '초가 한 간'에서 생활하고 있다. 이는 (가)를 바탕으로 할 때 화자가 '처', 즉 '궁'의 삶을 선택한 것으로 이해할 수 있다. 그런데 '초가 한 간'에서 나라를 걱정하는 '우국상시'를 느끼는 것은 화자가 '궁'의 상황에서 혼란스러운 세상에 대해 근심을 드러낸 것으로 볼 수 있다.

05 [표현상의 특징 파악] 정답 ①

[B]에서는 '부귀', '탐', '빈천', '절로' 등의 시어들을 반복하여 의미를 강조하고 있다. 그리고 (나)에서도 〈제14수〉에서 '외다'가, 〈제25수〉에서 '시비'가, 〈제26수〉에서 '나라'와 '집' 등의 시어가 반복되고 있다. 이러한 반복은 의미를 강조한다.

[오답 풀이]

② [B]는 상대에게 말을 건네는 어투를 사용하고 있으나, 그 말을 들은 상대가 화자에게 대답하는 부분은 제시되어 있지 않다. 한편 (나)는 대화체를 사용하고 있지 않다.

③ (나)와 [B] 모두 점층적 표현이 사용되지 않았다.

④ (나)는 〈제26수〉의 종장과 〈제28수〉의 초장에서 설의적 표현을 사용하였지만, [B]에는 설의적 표현이 사용되지 않았다.

⑤ [B]와 (나) 모두 상승 이미지가 사용되지 않았다.

06 [시구의 의미 파악]

[C]에서는 '나라가 굳으면', '명당이 기울면'이라는 상황을 가정하여 각 상황에서의 결과를 서술하고 있다. '나라가 굳으면' 집 또한 굳건할 것이라는 긍정적 결과를 제시하여 나라가 굳도록 해야 한다는 당위를 말하고 있으며 '명당이 기울면' 집 또한 기울 것이라는 부정적 결과를 제시하여 당쟁을 하지 말라는 뜻을 표현하고 있다.

고전 시가 실전 어휘

최우선순

《고전 시가 어휘》
소리 내어 읽는 법

❶ 가장 기본적인 고어 표기를 읽어 낼 수 있다.
❷ 고전 시가에 단골로 등장하는 어휘의 의미를 안다.
❸ 고전 시가에 단골로 등장하는 상징어를 정리한다.

본격적인 고전 시가 어휘를 학습 전에 사라진 음운을 먼저 학습해야 한다.

옛 음운의 특징	음운 및 표기	표기 및 읽는 법
1 소리 나는 대로 표기했다.	우러라 우러라 새여	울어라 울어라 새여
	바블 머그니 기부니 조타	밥을 먹으니 기분이 좋다.
2 현대어에는 없는 자모가 있었다.	ㆍ(아래 아)	'ㅏ' 또는 'ㅡ'로 읽어 보자. 예 ᄉᆡ[새] / ᄉᆞ숨[사슴]
	ㅿ(반치음)	'ㅇ'을 넣어서 읽어 보자. 예 ᄆᆞᅀᆞᆷ[마음] / 가ᅀᆞᆯ[가을]
	ㅸ(순경음 비읍)	'ㅗ' 또는 'ㅜ'로 읽어 보자. 예 고ᄫᅡ[고와] / 더ᄫᅥ[더워]
3 어두 자음군이 있었다. 어두 자음이란 시작 부분에 쓰이는 자음을 말함. 단어의 초성에서 둘 이상의 자음이 발음되는 것	ᄠᅳᆮ ᄡᆞᆯ ᄣᅢ	어두 자음 중 맨 뒤에 있는 자음의 된소리 발음으로 읽으면 된다. [뜯] [ᄊᆞᆯ] [때]
4 구개음화, 두음 법칙이 없었다. 구개음화는 어두의 'ㄷ, ㅌ'을 'ㅈ, ㅊ'으로, 두음 법칙은 어두의 'ㄴ, ㄹ'을 'ㅇ, ㄴ'으로 읽는 것	디, 티	[지], [치]
	뎌, 텨	[져], [쳐]
	닙, ᄅᆡ일	잎[입], 래일[내일]

DAY 01

고전 시가 필수 어휘 ❶

ㄱ

학습 체크

001 가(佳) 아름답다, 좋다 ☐

아름다울 (가)

예 사시 가흥(四時佳興)이 사롬과 ᄒᆞᆫ가지라 – 이황, 「도산십이곡」

사계절의 아름다운 흥취가 사람과 마찬가지로다.

예 광대(廣大)한 천지간(天地間)에 절색가인(絕色佳人) 무수(無數)한데 – 작자 미상, 「상사회답곡」

크고 넓은 천지에 빼어난 미인이 무수한데

예 가기(佳期)는 격절(隔絕)하고 세월이 하도 할사 – 작자 미상, 「춘면곡」

사랑을 맺었던 좋은 시절은 끊어지고 세월이 많이 흘러서

혼동되는 어휘 | **가(佳)** 아름답다, 좋다 | **가(歌)** 노래 | **가(街)** 거리

002 가배(嘉俳) 한가위(추석) ☐

아름다울 (가), 배우 (배)

예 팔월(八月)ㅅ 보로ᄆᆞᆫ 아으 가배(嘉俳)니리마ᄅᆞᆫ
니믈 뫼셔 녀곤 오ᄂᆞᆯ날 가배(嘉俳)샷다 – 작자 미상, 「동동」

팔월 보름(한가위)은 아아 가윗날(한가위, 추석)이지만
임을 모시고 지내야만 오늘이 가위로구나.

003 가싀다 변하다 ☐

가ᄉᆡ다>가싀다>가시다

예 님 향(向)ᄒᆞᆫ 일편단심(一片丹心)이야 가실 줄이 이시랴 – 정몽주의 시조

임금을 향한 충성심이야 변할 리가 있으랴?

004 가시 아내 ☐

예 네 가시 아즐가 네 가시 럼난디 몰라셔 – 작자 미상, 「서경별곡」

네 아내가 네 아내가 음란한(바람난) 줄을 몰라서

학습 체크

005 강호(江湖), 강산(江山) 자연, 강과 호수 ≒ 임천 ≒ 산수 ≒ 풍월 ☐

물 (강), 호수 (호) / 물 (강), 뫼 (산)

예 강호(江湖)애 병(病)이 깁퍼 듁님(竹林)의 누엇더니 – 정철, 「관동별곡」
강호(자연)에 병이 깊어 대나무 숲에 누웠더니

예 강호(江湖)에 봄이 드니 미친 흥(興)이 절로 난다 – 맹사성, 「강호사시가」
강호(자연)에 봄이 찾아오니 깊은 흥이 절로 일어난다.

예 다만당 ᄃᆞ토리 업슨 강산(江山)을 딕히라 ᄒᆞ시도다 – 윤선도, 「만흥」
다만 다툴 상대가 없는 자연을 지키라고 하셨도다.

예 강산(江山) 죠흔 경(景)을 힘센 이 닷톨 양이면 – 김천택의 시조
자연의 아름다운 경치를 힘센 사람들이 (서로 자기 것이라) 다툴 양이면

006 객(客), 객수(客愁) 나그네, 나그네의 시름 ☐

나그네 (객), 시름 (수)

예 석양(夕陽)에 지나는 객(客)이 눈물계워 ᄒᆞ노라 – 원천석의 시조
석양에 지나는 나그네가 눈물겨워 하는구나.

예 유회(幽懷)도 하도 할샤 ᄀᆡᆨ수(客愁)도 둘 듸 업다 – 정철, 「관동별곡」
유회도 많고 많다, 객수도 둘 곳 없다.

007 건곤(乾坤) 하늘과 땅, 천지 ☐

하늘 (건), 땅 (곤)

예 건곤(乾坤)이 눈이여늘 제 엇지 감히 퓌리 – 안민영, 「매화사」
온 세상이 눈이거늘 제가 어찌 감히 필 것인가?

예 건곤(乾坤)이 폐식(閉塞)ᄒᆞ야 빅셜(白雪)이 ᄒᆞᆫ 빗친 제 – 정철, 「사미인곡」
하늘과 땅이 닫히고 막힌 것처럼 흰 눈이 내려 (온 세상이) 한 빛인데

008 건듯 문득, 잠깐 ☐

예 동풍(東風)이 건듯 부러 젹셜(積雪)을 헤텨 내니 – 정철, 「사미인곡」
봄바람이 문득 불어 쌓인 눈을 헤쳐 내니

예 화풍(和風)이 건듯 부러 녹수(綠水)롤 건너오니 – 정극인, 「상춘곡」
화창한 봄바람이 문득 불어 푸른 물을 건너오니

학습 체크

009 경(景), 경물(景物) 경치, 아름다운 경치 ☐

경치 (경), 만물 (물)

예 건곤(乾坤)도 가옴열샤 간 대마다 경(景)이로다 – 송순, 「면앙정가」

하늘과 땅도 풍성하구나. 가는 곳마다 아름다운 경치로구나.

예 강산(江山) 죠흔 경(景)을 힘센 이 닷톨 양이면 – 김천택의 시조

자연의 아름다운 경치를 힘센 사람들이 (서로 자기 것이라) 다툴 양이면

예 삼춘화류(三春花柳) 호시절(好時節)에 경물(景物)이 시름없다 – 허난설헌, 「규원가」

봄날 온갖 꽃 피고 버들잎 돋는 좋은 시절에 경치를 보아도 아무 감흥이 없다.

예 간밤의 눈 갠 후(後)에 경믈(景物)이 달랃고야 – 윤선도, 「어부사시사」

지난 밤 눈이 갠 후에 경치가 달라졌구나.

혼동되는 어휘 **경(景)** 경치 | **경(慶)** 경사 | **경(敬)** 공경

010 계우다(계오다), 겨우다 못 이기다, 이기지 못하다 ☐

예 수풀에 우는 새는 춘기(春氣)를 못내 계워 / 소리마다 교태(嬌態)로다 – 정극인, 「상춘곡」

수풀에 우는 새는 봄기운을 끝내 이기지 못하여 / 소리마다 아양을 떠는 모습이로구나.

예 어적(漁笛)도 흥을 계워 돌를 ᄯᅡ라 브니ᄂᆞᆫ다 – 송순, 「면앙정가」

어부들의 피리도 흥을 이기지 못하여 달을 따라 계속 부는구나.

예 수척한 얼굴이 시름 겨워 검어 가니 – 박인로, 「상사곡」

수척한 얼굴이 시름을 이기지 못하여 검게 변하니

011 고(苦) 쓰다, 괴로워하다 ☐

쓸 (고)

예 졀도고싱(絶島苦生) 다 진(盡)ᄒᆞ고 쳔은(天恩) 닙어 올나가면
니 고싱(苦生) 다 격그니 손임쁜니 아니로시 – 안도환, 「만언사답」

섬 유배 생활(외딴 섬에서의 고생) 잘 지내고 천은을 입어 올라갔으니
이 고생 다 겪은 사람 손님뿐이 아니로세.

예 짧은 담에 의지하여 고해(苦海)를 바라보니 – 이이, 「낙지가」

짧은 담벼락에 기대어 고통의 바다(속세)를 바라보니

예 고락(苦樂)이 순환(循環)하니 어느 날에 돌아갈고 – 이광명, 「북찬가」

괴로움과 즐거움이 순환하니 어느 날에 (어머니께) 돌아갈 수 있을까?

학습 체크

012 고국산천(故國山川) 고국의 산과 물이라는 뜻으로, '고국'을 정겹게 이르는 말 ☐

옛 (고), 나라 (국), 뫼 (산), 내 (천)

예 고국산천(故國山川)을 ᄯᅥ나고쟈 ᄒᆞ랴마ᄂᆞᆫ – 김상헌의 시조

고국의 산천을 (내가 원해서) 떠나고자 하겠느냐마는

013 고래 고래와 같은 파도(커다란 파도가 출렁이는 모습을 빗댄 비유어로 쓰임.) ☐

예 ᄀᆞᆺ득 노ᄒᆞᆫ 고래 뉘라셔 놀내관ᄃᆡ
블거니 썜거니 어즈러이 구ᄂᆞᆫ디고 – 정철, 「관동별곡」

가뜩 성난 파도 누가 놀라게 하기에
(물을) 불거니 뿜거니 하며 어지럽게 구는 것인가?

예 굵은 우레 잔 벼락은 등[背] 아래서 진동하고
성난 고래 동(動)한 용(龍)은 물속에서 희롱하니 – 김인겸, 「일동장유가」

큰 천둥과 작은 벼락은 등 뒤에서 떨어지고,
성난 고래와 기운 찬 용이 물속에서 제멋대로 노네.

014 고신(孤臣) 외로운 신하 ☐

외로울 (고), 신하 (신)

예 고신거국(孤臣去國)에 ᄇᆡᆨ발(白髮)도 하도 할샤 – 정철, 「관동별곡」

임금 곁을 떠난 외로운 신하가 백발이 많기도 많구나.

예 고신원루(孤臣冤淚)를 비 삼아 띄어다가 – 이항복의 시조

외로운 신하의 원통한 눈물을 비(로) 삼아 띄워다가

015 고이하다 이상하다, 괴이하다 ☐

예 오ᄅᆞ디 못ᄒᆞ거니 ᄂᆞ려가미 고이ᄒᆞᆯ가 – 정철, 「관동별곡」

오르지 못하니 내려감이 이상할까?

예 아ᄒᆡ들 타시런가 우리 ᄃᆡᆨ 죵의 버릇 보거든 고이ᄒᆞᆫ데 – 이원익, 「고공답주인가」

아이들 탓이던가? 우리 집 종의 버릇 보노라면 이상한데

혼동되는 어휘 **고이하다** 이상하다 | **괴다** 사랑하다

DAY 02

고전 시가 필수 어휘 ❷

학습 체크

016 ~고져 　 ~고 싶다(소망, 의도)

예 • 청광(淸光)을 쥐여 내여 봉황누(鳳凰樓)의 븟티고져

저 맑은 달빛을 쥐어 내어 임이 계신 궁궐에 부쳐 보내고 싶다.

• 양츈(陽春)을 부쳐 내여 님 겨신 듸 쏘이고져
모쳠(茅簷) 비친 히룰 옥누(玉樓)의 올리고져 – 정철, 「사미인곡」

따뜻한 봄볕을 부치어 임 계신 데 쏘이고 싶구나.
초가집 처마에 비친 해를 임 계신 곳에 올리고 싶다.

예 • 출하리 한강(漢江)의 목멱(木覓)의 다히고져

(그 물줄기를) 차라리 (임금이 계신) 한강의 남산에 닿게 하고 싶다.

• 일이 됴흔 셰계(世界) 놈대되 다 뵈고져 – 정철, 「관동별곡」

이리 좋은 세상 남에게 다 보이고 싶구나.

017 고쳐, 고텨 　 다시

예 이 몸이 주거주거 일백 번(一白番) 고쳐 주거 – 정몽주의 시조

이 몸이 죽고 죽어 일백 번이나 다시 죽어

예 • 급댱유(汲長孺) 풍치(風彩)를 고텨 아니 볼 게이고

급장유의 풍채를 다시 아니 볼 것인가?

• 정양ᄉ(正陽寺) 진헐ᄃᆡ(眞歇臺) 고텨 올나 안즌마리

정양사 진헐대 다시 올라 앉으니

• 그제야 고텨 맛나 또 ᄒᆞᆫ 잔 ᄒᆞ쟛고야 – 정철, 「관동별곡」

그제야 다시 만나 또 한잔 하자꾸나.

018 고초, 곳초 　 꼿꼿이, 곧추

예 댜른 히 수이 디여 긴 밤을 고초 안자 – 정철, 「사미인곡」

짧은 겨울 해가 이내 지고 긴 밤을 꼿꼿이 앉아

예 나음나음 고초 안자 흰 구슬을 가라마아 – 작자 미상, 「봉선화가」

차츰차츰 꼿꼿이 앉아 백반을 갈아 부수어

예 계명셩(啓明星) 돗도록 곳초 안자 ᄇᆞ라보니 – 정철, 「관동별곡」

샛별이 돋도록 꼿꼿이 앉아 바라보니

학습 체크

019 -곰 강조의 뜻을 나타내는 접미사 ☐

예 노화(蘆花)를 ᄉᆞ이 두고 우러곰 좃니ᄂᆞᆫ고 – 송순, 「면앙정가」

갈대꽃을 사이에 두고 울면서 따라다니는가?

예 • 괴시란ᄃᆡ 아즐가 괴시란ᄃᆡ 우러곰 좃니노이다

(임이 나를) 사랑해 주신다면 사랑해 주신다면 울면서 따라가겠습니다.

• 즈믄 ᄒᆡ를 아즐가 즈믄 ᄒᆡ를 외오곰 녀신ᄃᆞᆯ – 작자 미상, 「서경별곡」

(임과 헤어져) 천 년을 천 년을 홀로 살아간들

예 ᄃᆞᆯ하 노피곰 도ᄃᆞ샤
어긔야 머리곰 비취오시라 – 어느 행상인의 아내, 「정읍사」

달님이시여, 높이높이 돋으시어
아! 멀리멀리 비추시라.

020 곳, 곶 꽃 ☐

예 더우면 곳 픠고 치우면 닙 디거ᄂᆞᆯ – 윤선도, 「오우가」

따뜻해지면 꽃이 피고, 추우면 나뭇잎은 떨어지는데

예 대동강(大同江) 아즐가 대동강(大同江) 건넌편 고즐여 – 작자 미상, 「서경별곡」

대동강 대동강 건너편 꽃을

예 불휘 기픈 남ᄀᆞᆫ ᄇᆞᄅᆞ매 아니 뮐ᄊᆡ 곶 됴코 여름 하ᄂᆞ니 – 정인지 등, 「용비어천가」

뿌리 깊은 나무는 바람에 움직이지 아니하므로, 꽃이 좋고 열매가 많으니라.

예 • 강촌(江村) 온갓 고지 먼 빗치 더옥 됴타

강촌의 온갖 꽃이 멀리서 보는 빛이 더욱 좋구나.

• ᄀᆞᄂᆞᆫ 눈 ᄲᅮ린 길 블근 곳 흣터딘 ᄃᆡ 흥치며 거러가셔 – 윤선도, 「어부사시사」

가는 눈 뿌린 길에 붉은 꽃이 흩어진 데 흥청거리며 걸어가서

혼동되는 어휘 | 곳 꽃 | 곳 일정한 자리나 지역

021 공명(功名) 공을 세워서 자기의 이름을 널리 드러냄. 또는 그 이름. ☐

공 (공), 이름 (명)

예 공명(功名)도 니젓노라 부귀(富貴)도 니젓노라 – 김광욱, 「율리유곡」

공명도 잊었노라 부귀도 잊었노라.

예 공명(功名)도 날 ᄭᅴ우고 부귀(富貴)도 날 ᄭᅴ우니
청풍명월(淸風明月) 외(外)예 엇던 벗이 잇ᄉᆞ올고 – 정극인, 「상춘곡」

공명도 날 꺼리고, 부귀도 날 꺼리니,
맑은 바람과 달 외에 어떤 벗이 있겠는가?

예 농부의 저런 흥미 이런 줄 알았더면
공명을 탐치 말고 농사를 힘쓸 것을 – 안도환, 「만언사」

농부의 저런 즐거움 이런 줄 알았다면
공명을 탐하지 말고 농사에나 힘쓸 것을

학습 체크

022 광명(光明) 밝고 환함. 또는 밝은 미래나 희망을 상징하는 밝고 환한 빛 ☐

빛 (광), 밝을 (명)

예 쟈근 거시 노피 떠서 만물(萬物)을 다 비취니
밤듕의 광명(光明)이 너만 ᄒᆞ니 ᄯᅩ 잇ᄂᆞ냐 – 윤선도, 「오우가」

작은 것이 높이 떠서 만물을 다 비추니
밤중에 밝은 빛이 너만 한 것이 또 있겠느냐?

예 구ᄐᆡ야 광명(光明)ᄒᆞᆫ 날빗ᄎᆞᆯ ᄯᅡ라가며 덥ᄂᆞ니 – 이존오의 시조

구태여 밝은 햇빛을 따라가며 덮는구나.

023 괴다 사랑하다 ☐

예 괴시란ᄃᆡ 아즐가 괴시란ᄃᆡ 우러곰 좃니노이다 – 작자 미상, 「서경별곡」

(임이 나를) 사랑해 주신다면 사랑해 주신다면 울면서 따라가겠습니다.

예 믜리도 괴리도 업시 마자셔 우니노라 – 작자 미상, 「청산별곡」

미워할 사람도 사랑할 사람도 없이 (돌에) 맞아서 울고 있노라.

예 아소 님하 도람 들으샤 괴오소서 – 정서, 「정과정」

아아 (그렇게 하지 마소서) 임이시여, 다시 들으시어 사랑해 주소서.

예 홈씌 놀자 ᄒᆞ엿더니 어루ᄂᆞᆫ 듯 괴ᄂᆞᆫ 듯 – 조위, 「만분가」

함께 놀자 하였더니 아양을 부리는 듯 사랑하는 듯(하구나.)

024 구ᄇᆡ구ᄇᆡ, 구뷔구뷔, 굽의굽의 굽이굽이. 여러 굽이로 구부러지는 모양 ☐

예 쳔년(千年) 노룡(老龍)이 구ᄇᆡ구ᄇᆡ 서려 이셔 – 정철, 「관동별곡」

(화룡소에는) 천년 노룡이 굽이굽이 서려 있어

예 춘풍(春風) 니불 아레 서리서리 너헛다가
어론 님 오신 날 밤이여든 구뷔구뷔 펴리라 – 황진이의 시조

봄바람 같은 이불 아래에 서리서리 넣었다가
정든 임 오시는 날 밤이면 굽이굽이 펴리라.

예 구회간장(九回肝腸)이 굽의굽의 그쳐셰라 – 조위, 「만분가」

겹쳐진 속마음이 굽이굽이 끊어졌구나.

025 국화(菊花) 임금에 대한 지조와 절개, 오상고절(傲霜孤節)로 쓰이기도 함. ☐

국화 (국), 꽃 (화)

예 국화(菊花)야 너ᄂᆞᆫ 어이 삼월 동풍(三月東風) 다 보ᄂᆡ고 – 이정보의 시조

국화야, 너는 어찌해서 따뜻한 봄철 다 지나가고

예 풍상(風霜)이 섯거 친 날에 ᄀᆞᆺ 피온 황국화(黃菊花)를 – 송순의 시조

바람이 불고 서리가 나린 날에 막 피운 황국화를

학습 체크

026 군은(君恩) 임금의 은혜 ▢

임금 (군), 은혜 (은)

예 이 몸이 한가(閑暇)히옴도 역군은(亦君恩)이샷다 – 맹사성, 「강호사시가」

이 몸이 한가하게 노니는 것도 역시 임금의 은덕이시도다.

예 이 몸이 이렁 굼도 역군은(亦君恩)이샷다 – 송순, 「면앙정가」

이 몸이 이렇게 지내는 것도 역시 임금의 은혜이시도다.

027 규방(閨房), 규중(閨中) 여인의 방 ▢

안방 (규), 방 (방) / 안방 (규), 가운데 (중)

예 규방에 외로이 있는 시름 잊자 함인가 – 양태사, 「야청도의성」

예 규중(閨中)의 나믄 인연(因緣) 일지화(一枝花)의 머므르니 – 작자 미상, 「봉선화가」

규방에 남은 인연이 한 가지 꽃에 머물렀으니

028 금수(錦繡) 수놓은 비단이라는 뜻으로, 자연의 모습이 비단처럼 아름다움을 비유함. ▢

비단 (금), 수 (수)

예 청상(淸霜)이 엷게 치니 절벽(絶壁)이 금수(錦繡)ㅣ로다 – 이이, 「고산구곡가」

맑은 서리가 엷게 내리니 절벽이 비단이로다.

예 연하일휘(煙霞日輝)는 금수(錦繡)를 재폇는 듯 – 정극인, 「상춘곡」

안개와 노을, 빛나는 햇살은 수놓은 비단을 펼쳐 놓은 듯하구나.

혼동되는 어휘 **금수(錦繡)** 수놓은 비단 | **금수(禽獸)** 날짐승과 길짐승

029 기암(奇巖), 기암괴석(奇巖怪石) 기이하게 생긴 바위 혹은 바위와 돌 ▢

기이할 (기), 바위 (암), 괴이할 (괴), 바위 (석)

예 기암(奇巖)은 층층(層層) 장송(長松)은 낙락(落落) – 작자 미상, 「유산가」

기이한 바위는 층층이 쌓였고, 큰 소나무는 가지가 축축 늘어지고

예 기암괴석(奇巖怪石)이 눈 속에 무쳐셰라 – 이이, 「고산구곡가」

바위와 돌이 눈 속에 깊이 묻혔구나.

030 길하다 운이 좋거나 일이 상서롭다 ▢

예 흉즉길함 되올는가 고진감래(苦盡甘來) 언제 할고 – 안도환, 「만언사」

나쁜 것이 좋게 되려는가, 고생 끝에 즐거움이 언제 올 것인가?

예 일길 신량(日吉辰良)에 사방(四方)으로 가라 ᄒᆞ니 – 정훈, 「탄궁가」

좋은 날 좋은 때에 사방으로 가라 하니

DAY 03

고전 시가 필수 어휘 ❸

ㄴ

학습 체크

031 -ㄴ가, -ㄴ고 | -ㄴ(는)가?(1, 3인칭 의문형 종결 어미) ☐

예 내 일 망녕된 줄 내라 하여 모를쏜가 — 윤선도, 「견회요」

내 일이 잘못된 줄 나라고 하여 모르겠는가?

예 • 엇더타 교교백구(皎皎白駒)ᄂᆞᆫ 멀리 ᄆᆞ음 두는고

어찌하여 어진 사람은 여기에 있지 않고 다른 곳으로 떠나갈 마음을 갖는가?

• 어듸 가 ᄃᆞᆫ니다가 이제ᅀᅡ 도라온고 — 이황, 「도산십이곡」

어디 가 다니다가 이제야 돌아왔는가?

032 -ㄴ다 | -느냐?, -는가?(2인칭 의문형 종결 어미) ☐

예 • ᄇᆡ 내여 아즐가 ᄇᆡ 내여 노ᄒᆞᆫ다 샤공아

배를 내어 배를 내어 놓았느냐? 사공아

• 녈 ᄇᆡ예 아즐가 녈 ᄇᆡ예 연ᄌᆞᆫ다 샤공아 — 작자 미상, 「서경별곡」

떠나가는 배에 떠나가는 배에 (내 임을) 실었느냐(태웠느냐)? 사공아

예 여흘란 어듸 두고 소(沼)해 자라 온다 — 작자 미상, 「만전춘별사」

여울은 어디 두고 연못에 자러 오느냐?

예 추성(秋城) 진호루(鎭胡樓) 밧긔 울어 예는 저 시내야
ᄆᆞ음 호리라 주야(晝夜)에 흐르는다 — 윤선도, 「견회요」

추성 진호루 밖에서 울며 흐르는 저 시냇물아,
무엇을 하려고 밤낮으로 그칠 줄 모르고 흐르는가?

033 나릿(믈) | 냇물 ☐

예 정월(正月)ㅅ 나릿므른 아으 어져 녹져 ᄒᆞ논ᄃᆡ
누릿 가온ᄃᆡ 나곤 몸하 ᄒᆞ올로 녈셔 — 작자 미상, 「동동」

정월의 냇물은 아아 얼고 녹고 하는데.
세상 가운데 나서는 이 몸은 홀로 살아가네.

034 나조히 | 저녁에 ☐

예 아츰에 채산(採山)ᄒᆞ고 나조히 조수(釣水)ᄒᆞ새 — 정극인, 「상춘곡」

아침에는 산에서 나물을 캐고, 저녁에는 낚시하세.

예 아츰이 낫브거니 나조히라 슬흘소냐 — 송순, 「면앙정가」

아침에도 부족한데 저녁이라고 싫을쏘냐?

035 낙락장송(落落長松) 가지가 길게 축축 늘어진 키가 큰 소나무(절개를 상징함.) ☐

떨어질 (낙), 떨어질 (락), 길 (장), 소나무 (송)

예 봉래산(蓬萊山) 제일봉(第一峰)에 낙락장송(落落長松) 되야 이셔 – 성삼문의 시조

봉래산 제일 높은 봉우리에 우뚝 솟은 소나무가 되어서

예 간밤의 부던 ᄇᆞ람에 눈서리 치단말가
낙락장송(落落長松)이 다 기우러 가노ᄆᆡ라 – 유응부의 시조

지난밤에 불던 바람이 눈서리를 몰아치게 했단 말인가?
낙락장송이 다 기울어 가는구나.

036 ᄂᆡ 안개, 나의(내) ☐

예 어촌(漁村) 두어 집이 ᄂᆡᆺ 속의 나락들락 – 윤선도, 「어부사시사」

어촌의 두어 집이 안개 속에 (묻혀) 보였다 안 보였다 (하는구나.)

예 평무(平蕪)에 ᄂᆡ 거드니 원산(遠山)이 그림이로다 – 이이, 「고산구곡가」

잡초가 우거진 들판에 안개가 걷히니 먼 산이 그림 같구나.

예 ᄂᆡ씌예 나온 학(鶴)이 제 기술 ᄇᆞ리고 반공(半空)의 소소 ᄯᅳᆯ ᄃᆞᆺ – 정철, 「성산별곡」

안개 기운에 나온 학이 제 깃(보금자리)을 버리고 하늘에 솟아오를 듯하다.

예 ᄂᆡ 빈천(貧賤) 슬히 너겨 손을 헤다 물너가며 – 박인로, 「누항사」

나의 빈천함을 싫게 여겨 손을 내젓는다고 (빈천함이) 물러가며

혼동되는 어휘 **ᄂᆡ** 안개 | **연하(煙霞)** 안개와 노을 | **안ᄀᆡ** 안개 | **연(烟)** 안개, 연기 | **무(霧)** 안개

037 너기다, 녀기다 여기다, 생각하다 ☐

예 분의망신(奮義忘身)ᄒᆞ야 죽어야 말녀 너겨 – 박인로, 「누항사」

의(義)에 분발하여 목숨을 돌보지 않고 죽고야 말겠노라고 생각하여

예 잠 싸간 내 니믈 너겨 / 깃ᄃᆞᆫ 열명 길헤 자라 오리잇가 – 작자 미상, 「이상곡」

잠을 앗아간 임을 생각하지만 / (그이는) 그런 무서운 길에 자러 오겠습니까?

예 엇디 ᄒᆞᆫ 강산(江山)을 가디록 나이 녀겨 – 정철, 「성산별곡」

어찌하여 한 강산을 갈수록 좋게 여기어

학습 체크

038 녀다, 녜다 — 가다, 지나가다(흐르다), 다니다

예 고인(古人)을 몯 뵈도 녀던 길 알퓌 잇ᄂᆡ
녀던 길 알퓌 잇거든 아니 녀고 엇뎔고 — 이황, 「도산십이곡」

성현들을 못 뵈어도 성현들이 가던 학문의 길 앞에 있네.
(성현들이 가던) 학문의 길이 앞에 있는데 아니 가고 어찌할 것인가?

예 ᄒᆞᄅᆞ밤 서리김의 기러기 우러 녤 제 — 정철, 「사미인곡」

하룻밤 사이 서리 내릴 무렵에 기러기 울며 갈 때

예 서주(西疇) 놉흔 논애 잠싼 긴 녈비예 — 박인로, 「누항사」

서쪽 언덕의 높은 논에 잠깐 지나가는 비에

예 님은 아니 오고 으스름 달빛에 녈 구름 날 속였구나 — 작자 미상의 시조

임은 아니 오고 으스름 달빛에 가는 구름이 나를 속였구나.

예 져 물도 ᄂᆡ ᄋᆞᆫ ᄀᆞᆺᄒᆞ여 우러 밤길 녜놋다 — 왕방연의 시조

저 시냇물도 내 마음 같아서 울면서 밤길을 흘러가는구나.

혼동되는 어휘 | **녜다** 가다 | **녜** 옛, 옛날

039 녀름 — 여름[夏]

예 강호(江湖)에 녀름이 드니 초당(草堂)에 일이 업다 — 맹사성, 「강호사시가」

강호에 여름이 찾아오니 초당에 (있는 이 몸은) 할 일이 없다.

혼동되는 어휘 | **녀름** 여름 | **녀름(여름)** 농사 | **여름** 열매

040 녜 — 예, 옛(옛날)

녜 > 예(두음 법칙)

예 • 반기시ᄂᆞᆫ ᄂᆞᆾ비치 녜와 엇디 다ᄅᆞ신고

반기시는 얼굴빛이 옛날과 어찌 다르신가?

• 쥭조반(粥早飯) 죠셕(朝夕) 뫼 녜와 ᄀᆞᆺ티 셰시ᄂᆞᆫ가 — 정철, 「속미인곡」

자릿조반과 아침, 저녁 진지는 예전과 같이 잘 잡수시는가?

예 회양(淮陽) 녜 일홈이 마초아 ᄀᆞᄐᆞᆯ시고 — 정철, 「관동별곡」

(이곳이 옛날 한나라에 있던) 회양이라는 옛 이름과 마침 같구나.

예 우리 ᄃᆡᆨ 셰간이야 녜붓터 이러튼가 — 이원익, 「고공답주인가」

우리 집 살림살이가 예부터 이러했던가?

예 두류산(頭流山) 양단수(兩端水)를 녜 듯고 이제 보니 — 조식의 시조

지리산의 두 갈래로 흐르는 물을 옛날에 듣고 이제 와 보니

041 뉘 — 누가, 누구

누 + ㅣ(주격 조사)

예 곳기ᄂᆞᆫ 뉘 시기며 속은 어이 뷔연ᄂᆞᆫ다 – 윤선도, 「오우가」

곧기는 누가 시켰으며, 속은 어찌하여 비어 있느냐?

예 천리(千里) 만리(萬里) 길ᄒᆡ 뉘라셔 ᄎᆞ자갈고 – 정철, 「사미인곡」

천 리 만 리 길을 누가 찾아갈까?

예 • 어와 긔 뉘신고 염치(廉恥) 업산 ᄂᆡ옵노라

“아, 거기 누구십니까?” 묻자 “염치없는 저입니다.”

• 화형제(和兄弟) 신붕우(信朋友) 외다 ᄒᆞ리 뉘 이시리 – 박인로, 「누항사」

형제간에 화목하고 벗끼리 신의 있게 사귀는 일을 그르다고 할 사람이 누가 있겠느냐?

예 부용장(芙蓉帳) 적막(寂寞)하니 뉘 귀에 들릴소니 – 허난설헌, 「규원가」

연꽃 무늬 휘장을 친 방이 적막하니 누구의 귀에 들릴 것인가?

042 니르다 — 일르다(이르다) → 말하다

예 날ᄃᆞ려 자세(仔細)히 닐러든 네와 게 가 놀리라 – 김천택의 시조

나에게 자세히 일러 주면 너와 거기에 가서 놀리라.

예 호믜를 둘너메고 ᄃᆞᆯ 듸여 가쟈ᄉᆞ라
이 중(中)의 즐거운 ᄠᅳᆮ을 닐러 무슴ᄒᆞ리오 – 이휘일, 「저곡전가팔곡」

호미를 둘러매고 달빛을 등 뒤에 받으며 집에 가자꾸나.
이 중의 즐거운 뜻을 (남들에게) 말해 무엇하리오?

예 ᄒᆞ믈며 못다 핀 곳이야 닐러 무슴ᄒᆞ리오 – 유응부의 시조

하물며 못다 핀 꽃이야 말하여 무엇하겠느냐.

043 닐다 — 일어나다

예 누어 ᄉᆡᆼ각ᄒᆞ고 니러 안자 혜여ᄒᆞ니 – 정철, 「속미인곡」

누워 생각하고 일어나 앉아 헤아려 보니

예 일츌(日出)을 보리라 밤듕만 니러ᄒᆞ니 – 정철, 「관동별곡」

일출을 보려고 밤중에 일어나니

예 우러라 우러라 새여 자고 니러 우러라 새여
널라와 시름 한 나도 자고 니러 우니로라 – 작자 미상, 「청산별곡」

우는구나 우는구나 새여 자고 일어나 우는구나 새여.
너보다 근심이 많은 나도 자고 일어나 울며 지내노라.

DAY 04

고전 시가 필수 어휘 ④

ㄷ

학습 체크

044 ~다려, ~ᄃᆞ려　에게 ☐

예 암암(黯黯)이 슬허ᄒᆞ고 낫낫티 주어담아
ᄭᅩᆺ<u>다려</u> 말 부치ᄃᆡ 그ᄃᆡᄂᆞᆫ 한(恨)티 마소 – 작자 미상, 「봉선화가」

속이 상해서 슬퍼하고 낱낱이 주워 담으며
꽃<u>에게</u> 말을 걸기를 "그대는 한스러워 마소."

예 준중(樽中)이 뷔엿거ᄃᆞᆫ 날<u>ᄃᆞ려</u> 알외여라
소동(小童) 아ᄒᆞ <u>ᄃᆞ려</u> 주가(酒家)에 술을 믈어 – 정극인, 「상춘곡」

술동이가 비었거든 나<u>에게</u> 말하여라.
아이<u>에게</u> 술집에 술이 있는지 물어

045 ~다호라　~ 같구나 ☐

예 • 이월(二月)ㅅ 보로매 아으 노피 현 등(燈)ㅅ블 <u>다호라</u>
이월 보름에 아아 높이 켠 등불 <u>같구나</u>.
• 유월(六月)ㅅ 보로매 아으 별해 ᄇᆞ룐 빗 <u>다호라</u> – 작자 미상, 「동동」
유월 보름(유두일)에 아아 벼랑에 버려진 빗과 <u>같구나</u>.

046 다히　쪽(방향) ☐

예 님<u>다히</u> 쇼식(消息)을 아므려나 아쟈 ᄒᆞ니 – 정철, 「속미인곡」

임 계신 <u>곳</u>의 소식을 어떻게 해서라도 알려고 하니

예 무등산(无等山) ᄒᆞᆫ 활기 뫼희 동<u>다히</u>로 버더 이셔 – 송순, 「면앙정가」

무등산의 한 줄기가 동<u>쪽</u>으로 뻗어 있어

047 단표누항(簞瓢陋巷)　누항에서 먹는 한 그릇의 밥과 한 바가지의 물이라는 뜻. 선비의 청빈한 생활을 이르는 말 ☐

소쿠리 (단), 바가지 (표), 좁을 (누), 거리 (항)

예 <u>단표누항(簞瓢陋巷)</u>에 흣튼 혜음 아니 ᄒᆞᄂᆡ – 정극인, 「상춘곡」

<u>누추한 곳에서 청빈한 생활</u>을 하며 헛된 생각 아니하네.

048 댜ᄅᆞ다, 자르다, 쟈르다, 져르다

짧다

예 댜ᄅᆞᆫ ᄒᆡ 수이 디여 긴 밤을 고초 안자 – 정철, 「사미인곡」

짧은 겨울 해가 이내 지고 긴 밤을 꼿꼿이 앉아

예 혓가레 기나 쟈르나 기동이 기우나 트나 – 신흠의 시조

서까래가 긴지 짧은지 기둥이 기울었는지 틀어졌는지

예 석양(夕陽)이 ᄌᆡ 넘어갈 제 엇씌롤 추이즈며 긴 소ᄅᆡ 져른 소ᄅᆡ ᄒᆞ며 어이 갈고 ᄒᆞ더라 – 작자 미상의 시조

석양이 고개 넘어갈 때 어깨를 추스르며 긴 소리 짧은 소리 하며 어이 갈까 하더라

049 뎌

저(지시 대명사), 저기

예 뎨 가ᄂᆞᆫ 뎌 각시 본 듯도 ᄒᆞᆫ뎌이고 – 정철, 「속미인곡」

저기 가는 저 부인, 본 듯도 하구나.

예 뎌러코 사시(四時)예 프르니 그를 됴하ᄒᆞ노라 – 윤선도, 「오우가」

저러고도 사시사철 늘 푸르니, (나는) 그를 좋아하노라.

예 뎌 ᄆᆡ화 것거 내여 님 겨신 ᄃᆡ 보내오져 – 정철, 「사미인곡」

저 매화를 꺾어 내어 임 계신 데 보내고 싶구나.

050 도곤

보다(비교 부사격 조사)

예 누고셔 삼공(三公)도곤 낫다 ᄒᆞ더니 만승(萬乘)이 이만ᄒᆞ랴 – 윤선도, 「만흥」

누군가 삼정승보다 낫다 하더니 일만 수레를 가진 천자라고 한들 이만큼 좋겠는가?

예
- 녀산(廬山)이 여긔도곤 낫단 말 못ᄒᆞ려니

  여산이 여기보다 낫단 말 못하리라.
- 이도곤 ᄀᆞ잔 ᄃᆡ 또 어ᄃᆡ 잇닷 말고 – 정철, 「관동별곡」

  이보다 갖춘 곳 또 어디 있단 말인가?

예 추풍(秋風)에 물든 단풍(丹楓) 봄곳도곤 더 죠해라 – 김천택의 시조

가을 바람에 물든 단풍 봄꽃보다 좋구나.

051 도로혀 　 돌이켜, 도리어

예 도로혀 풀쳐 혜니 이리하여 어이 하리 – 허난설헌, 「규원가」

돌이켜 하나하나 생각하니 이렇게 살아서 어찌할 것인가?

예 도로혀 생각하니 어이없어 웃음 난다 – 안도환, 「만언사」

돌이켜 생각하니 어이없어 웃음이 난다.

052 도화(桃花) 　 복숭아꽃

복숭아 (도), 꽃 (화)

예 소원(小園) 도화(桃花)ᄂᆞᆫ 밤비에 다 피것다 – 신계영, 「전원사시가」

작은 정원 복숭아꽃은 밤비에 다 피었다.

예 도화행화(桃花杏花)ᄂᆞᆫ 석양리(夕陽裏)예 퓌여 잇고 – 정극인, 「상춘곡」

복숭아꽃과 살구꽃은 석양 속에 피어 있고

예 도화(桃花) 쁜 ᄆᆞᆰ은 물에 산영(山影)조ᄎᆞ 잠겻셰라 – 조식의 시조

복숭아꽃 뜬 맑은 물에 산 그림자조차 잠겼구나.

053 됴타 　 좋다

예 일이 됴ᄒᆞᆫ 셰계(世界) ᄂᆞᆷ대되 다 뵈고져 – 정철, 「관동별곡」

이리 좋은 세상 남에게 다 보이고 싶구나.

예 • ᄂᆞᆯ 됴ᄒᆞᆫ 호ᄆᆡ로 기음을 ᄆᆡ야ᄉᆞ라

날이 좋은 호미로 김을 매자꾸나.

• 멍셕의 벼ᄅᆞᆯ 넌들 됴ᄒᆞᆫ ᄒᆡ 구름 ᄢᅵ여 / 볏뉘을 언ᄌᆡ 보랴 – 허전, 「고공가」

멍석에 벼를 널어놓은들 좋은 해에 구름 끼어 / 햇볕을 언제 보랴?

예 인생 세간(人生世間)의 됴ᄒᆞᆫ 일 하건마ᄂᆞᆫ – 정철, 「성산별곡」

인간 세상에 좋은 일이 많건마는

054 디다 　 지다, 떨어지다(흐르다)

디다>지다(구개음화)

예 강텬(江天)의 혼쟈 셔셔 디ᄂᆞᆫ ᄒᆡᄅᆞᆯ 구버보니 – 정철, 「속미인곡」

강가에 혼자 서서 저무는 해를 굽어보니

예 짓ᄂᆞ니 한숨이오 디ᄂᆞ니 눈물이라 – 정철, 「사미인곡」

짓는 것이 한숨이요, 흐르는 것이 눈물이라.

학습 체크

055 디위 — 지위, 자리, 경지

예 녜ᄂᆞᆫ 양쥬(楊州) ㅣ ᄀᆞ올히여 / <u>디위</u>예 신도형승(新都形勝)이샷다 – 정도전, 「신도가」

옛날에는 양주 고을이여 / 그 <u>경계</u>에 (새 도읍지가 들어서니) 새 도읍지의 뛰어난 경치로다.

예 어와 뎌 <u>디위</u>ᄅᆞᆯ 어이ᄒᆞ면 알 거이고 – 정철, 「관동별곡」

아아! 저 (공자님과 같은 높고 넓은) <u>경지</u>를 어찌하면 알 것인가?

ㄹ

056 –ㄹ셰라 — ~할까 두렵다

예 잡ᄉᆞ와 두어리마ᄂᆞᄂᆞᆫ / 선ᄒᆞ면 아니 <u>올셰라</u> – 작자 미상, 「가시리」

붙잡아 두고 싶지만 / (임이) 서운하면 아니 <u>오실까 두렵습니다</u>.

예
- 져재 녀러신고요 / 어긔야 즌 ᄃᆡᄅᆞᆯ <u>드ᄃᆡ욜셰라</u>

  시장에 가 계신가요? / 아! 진 곳을 <u>디딜까 두려워라</u>.
- 어느이다 노코시라 / 어긔야 내 가논 ᄃᆡ <u>졈그ᄅᆞᆯ셰라</u> – 어느 행상인의 아내, 「정읍사」

  어느 것이나 다 놓아 버리십시오. / 아! 내 임 가는 그 길 <u>저물까 두려워라</u>.

예 혀고시라 밀오시라 뎡소년(鄭少年)하 / 위 내 가논 ᄃᆡ ᄂᆞᆷ <u>갈셰라</u> – 한림 제유, 「한림별곡」

당겨라 밀어라 정소년아. / 아, 내가 가는 곳에 다른 사람이 <u>갈까 두렵구나</u>.

057 –라와 — 보다(비교 부사격 조사)

예 널<u>라와</u> 시름 한 나도 자고 니러 우니로라 – 작자 미상, 「청산별곡」

너<u>보다</u> 근심이 많은 나도 자고 일어나 울며 지내노라.

058 –료 — –랴?, –리오?(혼잣말에 쓰임. 반문이나 한탄의 뜻이 들어 있을 때 쓰이는 종결 어미)

예 이런ᄃᆞᆯ 엇더ᄒᆞ며 뎌런ᄃᆞᆯ 엇더ᄒᆞ<u>료</u>
초야 우생(草野愚生)이 이러타 엇더ᄒᆞ<u>료</u> – 이황, 「도산십이곡」

이런들 어떠하며 저런들 어떠하<u>랴?</u>
시골에 묻혀 사는 어리석은 사람이 이렇게 산다고 해서 어떠하<u>랴?</u>

예 집 ᄒᆞ나 불타 븟고 먹을 썻시 전혀 업다
큰나큰 셰ᄉᆞ을 엇지ᄒᆞ여 니로<u>려료</u> – 허전, 「고공가」

집 하나 불타 버리고 먹을 것이 전혀 없다.
크나큰 세간을 어찌하여 일으키<u>려는가?</u>

DAY 05

고전 시가 필수 어휘 ⑤

ㅁ

학습 체크

059 만경파(萬頃波) 만 이랑의 푸른 물결이라는 뜻으로, 한없이 넓고 넓은 바다를 이르는 말 ☐

일만 (만), 밭 넓이 단위 (경), 물결 (파)

예 일엽편주(一葉片舟)를 만경파(萬頃波)에 띄워 두고 – 이현보, 「어부단가」

조그마한 쪽배를 끝없이 넓은 바다 위에 띄워 두고

060 만중운산(萬重雲山) 겹겹이 구름이 낀 산 ☐

일만 (만), 무거울 (중), 구름 (운), 뫼 (산)

예 만중운산(萬重雲山)에 어ᄂᆡ 님 오리마ᄂᆞᆫ – 서경덕의 시조

겹겹이 구름이 낀 산중에 어느 임이 오겠느냐마는

061 ᄆᆡ양 매양. 매 때마다(마냥, 늘, 항상, 언제나 등과 유사한 의미로 쓰임.) ☐

예 ᄒᆞᆫ 소ᄐᆡ 밥 먹으며 매양의 회회(恢恢)ᄒᆞ랴 – 허전, 「고공가」

한 솥에 밥 먹으며 항상 다투기만 하면 되겠느냐?

예 달은 매양 밝은 거요 바람은 일상 부는 거라 – 작자 미상, 「덴동어미 화전가」

달은 항상 밝은 게요, 늘 바람은 부는 게라.

예 더도 덜도 말고 매양 그만 허여 있어 – 안민영의 시조

더하지도 덜하지도 말고 항상 그만큼만 그대로 있어(있었으면 좋겠구나.)

062 머흘다 험하고 사납다 ☐

예 산(山)인가 구름인가 머흐도 머흘시고 – 정철, 「사미인곡」

산인지 구름인지 험하기도 험하구나.

예 백설(白雪)이 ᄌᆞ자진 골에 구루미 머흐레라 – 이색의 시조

흰 눈이 녹아 없어진 골짜기에 구름이 험하구나.

학습 체크

063 명월(明月) 밝은 달

밝을 (명), 달 (월)

예 인간(人間)에 유정(有情)한 벗은 명월밖에 또 있는가 – 이신의, 「단가육장」

인간에게 진정한 벗은 달 외에 또 있는가?

예 공명(功名)도 날 씌우고 부귀(富貴)도 날 씌우니
청풍명월(淸風明月) 외(外)예 엇던 벗이 잇ᄉᆞ올고 – 정극인, 「상춘곡」

공명도 날 꺼리고, 부귀도 날 꺼리니,
맑은 바람과 달 외에 어떤 벗이 있겠는가?

예 명월(明月)이 천산만낙(千山萬落)의 아니 비친 ᄃᆡ 업다 – 정철, 「관동별곡」

밝은 달이 온 세상에 아니 비친 곳이 없구나.

064 뫼 산(山), 밥(진지)

예 압개예 안기 것고 뒷뫼희 ᄒᆡ 비친다 – 윤선도, 「어부사시사」

앞 포구에 안개가 걷히고, 뒷산에 해가 비친다.

예 쥭조반(粥早飯) 죠셕(朝夕) 뫼 녜와 ᄀᆞᆺ티 셰시ᄂᆞᆫ가 – 정철, 「속미인곡」

자릿조반과 아침저녁 진지는 예전과 같이 잘 잡수시는가?

065 무릉(武陵) 무릉도원(武陵桃源). 도연명의 「도화원기(桃花源記)」에 나오는 말로, '이상향', '별천지'를 비유적으로 이르는 말

굳셀 (무), 큰 언덕 (릉)

예 연화(烟花) 수삼(數三) 어촌(漁村)이 무릉(武陵)인가 하노라 – 권구, 「병산육곡」

연기 피어오르는 작은 어촌이 무릉도원인가 하노라.

예 청류(淸流)ᄅᆞᆯ 굽어보니 ᄯᅥ오ᄂᆞ니 도화(桃花) ㅣ 로다
무릉(武陵)이 갓갑도다 져 ᄆᆡ이 긘 거인고 – 정극인, 「상춘곡」

맑은 시냇물을 굽어보니, 떠 오는 것이 복숭아꽃이로구나.
무릉도원이 가깝도다. 저 들이 그곳인 것인가?

066 무상(無狀)ᄒᆞ다 보잘것없다, 변변치 못하다

없을 (무), 형상 (상)

예 무상(無狀)한 이 몸애 무슨 지취(志趣) 이스리마ᄂᆞᆫ – 박인로, 「누항사」

보잘것없는 이 몸이 무슨 소원이 있을까마는

예 사공도 무상(無狀)ᄒᆞ야 모강두(暮江頭)에 ᄇᆞ렷ᄂᆞᆫ다 – 박인로, 「자경가」

사공도 변변치 못하여 저무는 강가에 (배를) 버렸구나.

067 무심(無心)ᄒᆞ다 욕심이 없다(사심이 없다), 아무 걱정이 없다

없을 (무), 마음 (심)

예 무심(無心)ᄒᆞᆫ ᄇᆡᆨ구(白鷗)ᄂᆞᆫ 내 좃ᄂᆞᆫ가 제 좃ᄂᆞᆫ가 – 윤선도, 「어부사시사」

욕심 없는 갈매기는 내가 (저를) 좇는 것인가, 제가 (나를) 좇는 것인가?

예 구룸이 무심(無心)ᄐᆞᆫ 말이 아마도 허랑(虛浪)ᄒᆞ다 – 이존오의 시조

구름이 사심이 없다는 말이 아마도 허무맹랑하다.

예 무심(無心)한 달빛만 싣고 빈 배 저어 오노라 – 월산대군의 시조

욕심 없는 달빛만 싣고 빈 배 저어 오노라

068 무정(無情) 감정이 없음. 인정이 없음. 의미(뜻) 없음.

없을 (무), 뜻 (정)
↔ 유정(有情)

예 천지(天地) ᄀᆞ이 업고 어안(魚雁)이 무정(無情)ᄒᆞ니 – 조위, 「만분가」

천지는 끝이 없고 물고기와 기러기가 무정하니

예 무정(無情)ᄒᆞᆫ 세상(世上)은 다 나ᄅᆞᆯ ᄇᆞ리거ᄂᆞᆯ – 정훈, 「탄궁가」

무정한 세상은 다 나를 버리거늘

예 무정(無情)한 대승(戴勝)은 아ᄂᆡ 한(恨)을 도우ᄂᆞ다 – 박인로, 「누항사」

무정한 오디새는 이내 한을 돋우는구나.

예 무정(無情)이 서 있ᄂᆞᆫ 바회 유정(有情)ᄒᆞ야 보이ᄂᆞ다 – 박인로, 「입암이십구곡」

뜻 없이 서 있는 바위가 뜻이 있어 보이는구나.

069 뮙다, 믜다 밉다, 미워하다

예 뮈온 님 오며ᄂᆞᆫ ᄭᅩ리를 홰홰 치며 ᄯᅱ락 ᄂᆞ리 ᄯᅱ락 반겨서 내ᄃᆞᆺ고 – 작자 미상의 시조

미운 임이 오면 꼬리를 홰홰 치며 올려 뛰고 내려 뛰며 반겨서 내닫고

예 믜리도 괴리도 업시 마자셔 우니노라 – 작자 미상, 「청산별곡」

미워할 사람도 사랑할 사람도 없이 (돌에) 맞아서 울고 있노라.

혼동되는 어휘: **뮙다** 밉다 | **믜다** 미워하다 | **슬뮙다** 싫고 밉다 | **뮈다** 움직이다

ㅂ

학습 체크

070 ᄇᆞ리다 버리다, 버려지다

예 유월(六月)ㅅ 보로매 아으 별해 ᄇᆞ룐 빗 다호라 – 작자 미상, 「동동」

유월 보름(유두일)에 아아 벼랑에 버려진 빗과 같구나.

071 바이, 바히 전혀

예 진장(秦藏)에 감춘 호구(狐求) 도적할 길 바이 없고 – 작자 미상, 「추풍감별곡」

진나라 임금의 벽장에 감춘 여우털로 만든 옷을 훔쳐 올 길도 전혀 없고

072 ᄇᆡ다, 뵈다 재촉하다

예 세우(細雨)조차 ᄲᅳ리ᄂᆞᆫ다 남여(藍輿)를 ᄇᆡ야 타고 – 송순, 「면앙정가」

가랑비조차 뿌린다. 뚜껑 없는 가마를 재촉해 타고

예 망혜(芒鞋)를 뵈야 신고 죽장(竹杖)을 훗더디니 – 정철, 「성산별곡」

짚신을 재촉하여 신고 대나무 지팡이를 흩어 짚으니

073 백구(白鷗), ᄇᆡᆨ구 갈매기

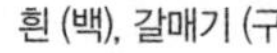
흰 (백), 갈매기 (구)

예 ᄇᆡᆨ구(白鷗)야 ᄂᆞ디 마라 네 버딘 줄 엇디 아는 – 정철, 「관동별곡」

백구야 날지 마라. 네 벗인 줄 어찌 아냐?

예 산두(山頭)에 한운(閒雲)이 기(起)ᄒᆞ고 수중(水中)에 백구(白鷗)이 비(飛)이라 – 이현보, 「어부단가」

산머리에는 한가로운 구름이 일고 물 위에는 갈매기가 날고 있네.

예 어와 져 백구(白鷗)야 므슴 슈고 ᄒᆞᄂᆞ슨다 – 김광욱, 「율리유곡」

어와 저 갈매기야 무슨 수고 하느냐?

예 백구(白鷗)야 날지 말아 너와 망기(忘機)하오리라 – 권구, 「병산육곡」

흰 갈매기야, 날아가지 마라. 너와 더불어 속세의 일을 잊으리라.

학습 체크

074 벼기더시니 — 우기던(나를 모함하던) 이, 어기던 이

예 벼기더시니 뉘러시니잇가 / 과(過)도 허물도 천만(千萬) 업소이다 — 정서, 「정과정」

(나에게 잘못이 있다고) 우기던 사람이 누구였습니까? / 나는 잘못도 허물도 전혀 없습니다.

예 넉시라도 님을 ᄒᆞᆫ ᄃᆡ 녀닛 경(景) 너기더니
벼기더시니 뉘러시니잇가 뉘러시니잇가 — 작자 미상, 「만전춘별사」

넋이라도 임과 함께 살고자 했는데,
어기던 이가 누구였습니까? 누구였습니까?

075 벽계수(碧溪水) — 푸른 시냇물

푸를 (벽), 시내 (계), 물 (수)

예 수간모옥(數間茅屋)을 벽계수(碧溪水) 앏픠 두고 — 정극인, 「상춘곡」

몇 칸짜리 초가집을 푸른 시냇물 앞에 두고

예 청산리(靑山裏) 벽계수(碧溪水) ㅣ야 수이 감을 자랑 마라 — 황진이의 시조

청산 속 흐르는 시냇물아 빨리 흘러간다고 자랑 마라.
(* 여기서는 '푸른 시냇물', '덧없는 인생' 등 중의적 표현으로 쓰임.)

예 녕농 벽계(玲瓏碧溪)와 수성 뎨됴(數聲啼鳥)ᄂᆞᆫ 니별(離別)을 원(怨)ᄒᆞᄂᆞᆫ ᄃᆞᆺ — 정철, 「관동별곡」

반짝이는 푸른 시냇물과 온갖 소리로 우는 새는 이별을 원망하는 듯

076 별헤, 별해 — 벼랑에

예 삭삭기 셰몰애 별헤 나ᄂᆞᆫ
구은 밤 닷 되를 심고이다 — 작자 미상, 「정석가」

바삭바삭한 가는 모래 벼랑에
구운 밤 닷 되를 심습니다.

예 유월(六月)ㅅ 보로매 아으 별해 ᄇᆞ룐 빗 다호라 — 작자 미상, 「동동」

유월 보름(유두일)에 아아 벼랑에 버려진 빗과 같구나.

학습 체크

077 부귀(富貴) 재산이 많고 지위가 높음. ☐

부유할 (부), 귀할 (귀)

예 공명(功名)도 니젓노라 부귀(富貴)도 니젓노라 – 김광욱, 「율리유곡」

공명도 잊었노라 부귀도 잊었노라.

예 부귀(富貴)라 구(求)치 말고 빈천(貧賤)이라 염(厭)치 말아 – 권구, 「병산육곡」

부귀라고 추구하지 말고 빈천이라고 싫어하지 마라.

예 공명(功名)도 날 씌우고 부귀(富貴)도 날 씌우니
청풍명월(淸風明月) 외(外)예 엇던 벗이 잇ᄉᆞ올고 – 정극인, 「상춘곡」

공명도 날 꺼리고, 부귀도 날 꺼리니,
맑은 바람과 달 외에 어떤 벗이 있겠는가?

078 분별(分別) 근심, 걱정, 생각 ☐

나눌 (분), 다를 (별)

① 서로 구별을 지어 가르는 것

② 세상 물정(物情)에 대한 바른 생각이나 판단

예 그 밧긔 여남은 일이야 분별(分別)할 줄 이시랴 – 윤선도, 「견회요」

그 밖의 다른 일이야 생각(또는 근심)할 필요가 있겠는가?

예 이 즁(中)에 병(病) 업슨 이 몸이 분별(分別) 업시 늘그리라 – 성혼의 시조

이 아름다운 자연에 묻혀, 병 없는 이 몸이 걱정 없이 늙으리라.

예 너희도 머글 일을 분별(分別)을 ᄒᆞ려므나 – 허전, 「고공가」

너희도 먹고살 일을 깊이 생각하려무나.

079 빈천(貧賤) 가난하고 천함. ☐

가난할 (빈), 천할 (천)

예 부귀(富貴)라 구(求)치 말고 빈천(貧賤)이라 염(厭)치 말아 – 권구, 「병산육곡」

부귀라고 추구하지 말고 빈천이라고 싫어하지 마라.

예 ᄂᆡ 빈천(貧賤) 슬히 너겨 손을 헤다 물너가며
남의 부귀(富貴) 불리 너겨 손을 치다 나아오랴 – 박인로, 「누항사」

나의 빈천함을 싫게 여겨 손을 내젓는다고 (빈천함이) 물러가며,
남의 부귀를 부럽게 여겨 손짓을 한다고 (부귀가) 나에게 오겠는가?

예 하믈며 부귀(富貴)는 위기(危機)라 빈천거(貧賤居)를 하오리라 – 권호문, 「한거십팔곡」

하물며 부귀는 위기라 가난하게 지내리라.

06 고전 시가 필수 어휘 ❻

ㅅ

학습 체크

080 사창(紗窓) 얇고 성기게 짠 비단으로 바른 창문. 규방의 창문을 비유적으로 이름. ☐

비단 (사), 창 (창)

예 사창(紗窓)을 반개(半開)ᄒᆞ고 차환(叉鬟)을 불너ᄂᆡ어 – 작자 미상, 「봉선화가」
사창을 반쯤 열고 심부름하는 여자아이를 불러내어

예 • 사창(紗窓)을 반개하고 옥안(玉顔)을 잠간 들어
비단으로 가린 창을 반쯤 열고 고운 얼굴을 잠깐 들어
• 분벽사창(粉壁紗窓)은 침변(枕邊)에 어렴풋하다 – 작자 미상, 「춘면곡」
아름다운 여인이 거처하는 방이 베갯머리에 떠오르는구나.

예 벽사창(碧紗窓) 밖이 어른어른커늘 임만 너겨 나가 보니 – 작자 미상의 시조
(푸른 비단을 바른 여자의 방의) 창밖이 어른어른하거늘 임으로만 여겨 나가 보니

081 산천(山川) 산과 강을 아우르는 말로, 자연을 일컬음. ☐

뫼 (산), 내 (천)

예 산천(山川)은 의구(依舊)ᄒᆞ되 인걸(人傑)은 간듸업다 – 길재의 시조
산천의 모습은 예전 그대로인데 훌륭한 인재들은 간데없구나.

082 삼경(三更) 밤 11시~새벽 1시(= 자시), 깊은 밤을 나타냄. ☐

석 (삼), 고칠 (경)

※ 고전 작품에서 '시간'을 가리키는 어휘
① 초경: 저녁 7시~9시
② 이경: 밤 9시~11시
③ 삼경: 밤 11시~새벽 1시
④ 사경: 새벽 1시~3시
⑤ 오경: 새벽 3시~5시

예 이화(梨花)에 월백(月白)하고 은한(銀漢)이 삼경(三更)인 제 – 이조년의 시조
하얀 배 꽃에 달빛이 비치고 은하수가 (그 위치로) 자정을 알릴 때

예 풍청(風淸) 월백(月白)하고 삼경(三更)이 깊어 갈 제 – 박인로, 「상사곡」
바람소리 맑고 달이 밝고 밤이 깊어 갈 때

예 삼경(三更)에 못 든 잠을 사경(四更) 말에 비로소 드니 – 작자 미상, 「춘면곡」
삼경에 못 든 잠을 사경에 간신히 드니

083 삼기다 태어나다, 생기다, 만들다 ▢

예 텬디(天地) 삼기실 제 ᄌᆞ연(自然)이 되연마ᄂᆞᆫ – 정철, 「관동별곡」

(산봉우리들은) 천지 생기실 때 저절로 이루어진 것이지만

예 노래 삼긴 사람 시름도 하도 할샤 – 신흠, 「방옹시여」

노래를 (처음으로) 만든 사람 시름이 많기도 많았구나.

084 –세라, –셰라 –구나(감탄형 종결 어미). 화자가 새롭게 알게 된 사실에 주목함을 나타냄. ▢

예 슬프다 조구리(趙廏吏) 이미 죽으니 참승(參乘)홀 이 업세라 – 이정환, 「비가」

슬프구나. 조구리는 이미 죽었으니 높은 이를 호위하여 수레에 같이 탈 사람이 없구나.

예 반송(盤松)이 바람을 받으니 여름 경(景)이 없셰라 – 이이, 「고산구곡가」

키가 작고 넓게 퍼진 소나무가 바람에 흔들리니 여름 경치가 (이보다 좋은 곳이) 없겠구나.

085 세우(細雨) 가늘게 내리는 비(= 가랑비) ▢

가늘 (세), 비 (우)

예 창 밖에 세우(細雨) 오고 뜰 가에 제비 나니 – 이신의, 「단가육장」

창밖에 가랑비 오고 뜰 가에 제비가 날아드니

예 녹양방초(綠楊芳草)ᄂᆞᆫ 세우 중(細雨中)에 프르도다 – 정극인, 「상춘곡」

푸른 버드나무와 향기로운 풀은 가랑비 속에 푸르구나.

예 대하 연당(臺下蓮塘)의 세우(細雨) 잠ᄭᅡᆫ 지ᄂᆡ가니 – 박인로, 「독락당」

영귀대 아래 연꽃 핀 못에 가랑비 잠깐 지나가니

086 세한고절(歲寒孤節) 추운 계절에도 혼자 푸르른 대나무라는 뜻으로, 높은 '절개'를 이르는 말 ▢

해 (세), 찰 (한), 외로울 (고), 마디 (절)

예 눈 마ᄌᆞ 휘여진 ᄃᆡ를 뉘라셔 굽다턴고
구블 절(節)이면 눈 속에 프를소냐
아마도 세한고절(歲寒孤節)은 너뿐인가 ᄒᆞ노라 – 원천석의 시조

눈 맞아 휘어진 대나무를 누가 굽었다 하더냐?
굽힐 절개라면 눈 속에서 푸르겠느냐?
아마도 한겨울 추위를 이기는 절개를 지닌 것은 너(대나무)뿐인가 하노라.

087 소(沼) 연못, 못 ☐

늪 (소)

예 말가훈 기픈 소희 온간 고기 뛰노ᄂᆞ다 – 윤선도, 「어부사시사」

맑고도 깊은 못에 온갖 고기가 뛰노는구나.

예 억만장(億萬丈) 소(沼)희 빠져 하놀 싸흘 모롤노다 – 조위, 「만분가」

억만 길이의 못에 빠져 하늘땅을 모르겠도다.

예 여흘란 어듸 두고 소(沼)해 자라 온다 – 작자 미상, 「만전춘별사」

여울은 어디 두고 연못에 자러 오느냐?

088 –손듸, –의손듸 에게 ☐

예 져리로셔 이리로 올 제 님의 소식(消息) 드러 내손듸 브듸 들러 전(傳)ᄒᆞ여 주렴 – 작자 미상의 시조

저기에서 여기로 올 때 임의 소식 들어 나에게 부디 들러 전하여 주렴.

예 뫼버들 갈히 것거 보내노라 님의손듸 – 홍랑의 시조

산버들 중에서 좋은 것을 가려 꺾어 임에게 보내니

089 쇼[牛] 소 ☐

※ 어원: 쇼>소

예 아해야 쇼 좋이 먹여 논밧 갈게 하야라 – 신계영, 「전원사시가」

아이야 소 좋게 먹여 논밭 갈게 하여라.

예 • 아므려 갈고젼돌 어ᄂᆡ 쇼로 갈로손고

아무리 갈려고 한들 어느 소로 갈겠는가?

• 쇼 업손 궁가(窮家)애 혜염 만하 왓삽노라 – 박인로, 「누항사」

소 없는 가난한 집에 걱정이 많아 왔습니다.

예 • 셔리 보십 장기 쇼로 전답(田畓)을 긔경ᄒᆞ니

써레, 보습, 쟁기, 소로 논밭을 갈아 일구니

• 누고ᄂᆞᆫ 장기 잡고 누고ᄂᆞᆫ 쇼을 몰니 – 허전, 「고공가」

누구는 쟁기 잡고 누구는 소를 모니

학습 체크

090 수간모옥(數間茅屋) 몇 칸 안 되는 작은 초가 ☐

셀 (수), 사이 (간), 띠 (모), 집 (옥)

예 수간모옥(數間茅屋)을 벽계수(碧溪水) 앏픠 두고 – 정극인, 「상춘곡」

몇 칸짜리 초가집을 푸른 시냇물 앞에 두고

예 서까래 기나 짧으나 기둥이 기우나 트나
수간모옥(數間茅屋)을 작은 줄 웃지 마라 – 신흠, 「방옹시여」

서까래가 길든지 짧든지 기둥이 기울든지 뒤틀리든지
몇 칸 안 되는 초가가 작다고 비웃지 마라.

091 수이(쉬이) 쉽게, 빨리 ☐

예 댜ᄅᆞᆫ ᄒᆡ 수이 디여 긴 밤을 고초 안자 – 정철, 「사미인곡」

짧은 겨울 해가 이내 지고 긴 밤을 꼿꼿이 앉아

예 신선(神仙)을 못 보거든 수이나 도라오면
주사(舟師) 이 시럼은 전혀 업게 삼길럿다 – 박인로, 「선상탄」

신선을 만나 불로초를 얻는 일을 못 하였거든 빨리나 돌아왔더라면
(섬나라 오랑캐의 씨가 퍼지지 않아) 통주사('나')의 이 시름은 전혀 생기지 않았을 것이다.

예 청산리(靑山裏) 벽계수(碧溪水) ㅣ야 수이 감을 자랑 마라 – 황진이의 시조

청산 속 흐르는 시냇물아 빨리 흘러간다고 자랑 마라.

092 슬ᄏᆞ장, 슬ᄏᆞ지 실컷, 마음껏 ☐

예 ᄆᆞ음의 머근 말ᄉᆞᆷ 슬ᄏᆞ장 ᄉᆞᆲ쟈 ᄒᆞ니 – 정철, 「속미인곡」

마음속에 품은 생각을 실컷 사뢰려고 하였더니

예 바횟 긋 믉ᄀᆞ의 슬ᄏᆞ지 노니노라 – 윤선도, 「만흥」

바위 끝이나 물가에서 실컷 노니노라.

예 만경딩파(萬頃澄波)의 슬ᄏᆞ지 용여(容與)ᄒᆞ쟈 – 윤선도, 「어부사시사」

아득히 넓고 맑은 파도에 실컷 한가롭게 노닐자.

093 슳다[1] 싫다 ☐

예 내ᄒᆡ 죠타 ᄒᆞ고 ᄂᆞᆷ 슬흔 일 ᄒᆞ지 말며 – 변계량의 시조

내게 좋다(좋은 일이라) 해서 남이 싫어하는 일을 하지 말 것이며

예 시비(柴扉)란 뉘 다드며 딘 곳츠란 뉘 쓸려뇨
아ᄎᆞᆷ이 낫브거니 나조ᄒᆡ라 슬흘소냐 – 송순, 「면앙정가」

사립문은 누가 닫으며 떨어진 꽃은 누가 쓸 것인가?
아침에도 부족한데 저녁이라고 싫을쏘냐?

학습 체크

094 슳다[2] 슬퍼하다

예 십일월(十一月)ㅅ 봉당 자리예 아으 한삼(汗衫) 두퍼 누워
슬ᄒᆞᆯ ᄉᆞ라온뎌 고우닐 스싀옴 녈셔 – 작자 미상, 「동동」

십일월 봉당 자리에 아아 한삼 덮어 누워
슬픔을 사르고 있네. 고운 임 떨어져 살아가네.

예 ᄉᆞ롬이 져 ᄉᆡ만 못ᄒᆞ물 못ᄂᆡ 슬허ᄒᆞ노라 – 박효관의 시조

사람들이 저 새(까마귀)만도 못함을 못내 슬퍼하노라.

095 싀어디여, 싀여디여 죽어서, 죽은 후에

예 어와 내 병이야 이 님의 타시로다
ᄎᆞᆯ하리 싀어디여 범나븨 되오리라 – 정철, 「사미인곡」

아, 내 병은 임의 탓이로다.
차라리 죽어서 호랑나비가 되고 싶구나.

예 ᄎᆞᆯ하리 싀여디여 낙월(落月)이나 되야 이셔
님 겨신 창(窓) 안ᄒᆡ 번드시 비최리라 – 정철, 「속미인곡」

차라리 죽어 없어져 지는 달이나 되어서
임이 계신 창 안에 환하게 비치리라.

096 시비(柴扉) 사립문(나뭇가지를 엮어서 만든 문짝을 달아서 만든 문)

섶(땔나무를 통틀어 이르는 말) (시), 사립문 (비)

예 시비(柴扉)예 거러 보고 정자(亭子)애 안자 보니 – 정극인, 「상춘곡」

사립문 (주변)을 걸어 보고, 정자에 앉아 보니

예 시비(柴扉)란 뉘 다드며 딘 곳ᄎᆞ란 뉘 ᄡᅳᆯ려뇨 – 송순, 「면앙정가」

사립문은 누가 닫으며 떨어진 꽃은 누가 쓸 것인가?

예 시비(柴扉)를 여지 마라 날 찾을 이 뉘 있으리 – 신흠, 「방옹시여」

사립문을 열지 마라, 날 찾아올 사람 누가 있겠느냐?

097 실솔(蟋蟀) 귀뚜라미

귀뚜라미 (실), 귀뚜라미 (솔)

예 가을 달 방에 들고 실솔(蟋蟀)이 상(床)에 울 제 – 허난설헌, 「규원가」

가을 달빛 방에 비치고 귀뚜라미 침상에서 울 때

예 님 그린 상사몽(相思夢)이 실솔(蟋蟀)의 넉시 되어 – 박효관의 시조

임을 그리워하여 꾸는 상사몽이 귀뚜라미의 넋으로 변하여

고전 시가 필수 어휘 ⑦

ㅇ

학습 체크

098 여음구, 후렴구 음악적인 목적 또는 흥을 돋우기 위해 넣는 음 □

예 가시리 가시리잇고 나는
ᄇᆞ리고 가시리잇고 나는
위 증즐가 대평셩ᄃᆡ(大平盛代) – 작자 미상, 「가시리」

가시렵니까? 가시렵니까?
(저를) 버리고 가시렵니까?

예 정월(正月)ㅅ 나릿므른 아으 어져 녹져 ᄒᆞ논ᄃᆡ
누릿 가온ᄃᆡ 나곤 몸하 ᄒᆞ올로 녈셔
아으 동동(動動)다리 – 작자 미상, 「동동」

정월의 냇물은 아아 얼고 녹고 하는데.
세상 가운데 나서는 이 몸은 홀로 살아가네.

예 서경(西京)이 아즐가 서경(西京)이 서울히마르는
위 두어렁셩 두어렁셩 다링디리 – 작자 미상, 「서경별곡」

서경이 서경이 서울이지마는

예 살어리 살어리랏다 청산(靑山)애 살어리랏다
멀위랑 ᄃᆞ래랑 먹고 청산(靑山)애 살어리랏다
얄리얄리 얄랑셩 얄라리 얄라 – 작자 미상, 「청산별곡」

살겠노라 살겠노라 청산에서 살겠노라.
머루랑 다래랑 먹고 청산에서 살겠노라.

099 안, ᄋᆞᆫ 마음 □

예 나모도 바히돌도 업슨 뫼헤 매게 쪼친 가토리 안과
대천(大川) 바다 한가온대 일천 석(一千石) 시른 ᄇᆡ에 (중략) 수적(水賊) 만난 도사공(都沙工)의 안과
엇그제 님 여흰 내 안히야 엇다가 ᄀᆞ을ᄒᆞ리오 – 작자 미상의 시조

나무도 바윗돌도 없는 산에서 매한테 쫓기고 있는 까투리의 마음과
넓고 넓은 바다 한가운데 일천 석 곡식을 실은 배에 (중략) 바다의 도적을 만난 도사공의 마음과
엊그제 임과 이별한 나의 마음을 어디다가 비교하겠는가?

예 져 물도 ᄂᆡ ᄋᆞᆫ ᄀᆞᆺᄒᆞ여 우러 밤길 녜놋다 – 왕방연의 시조

저 시냇물도 내 마음 같아서 울면서 밤길을 흘러가는구나.

혼동되는 어휘 **안(ᄋᆞᆫ)** 마음 | **안** 안[內]

학습 체크

100 암향(暗香) 그윽한 매화 향기 ☐

어두울 (암), 향기 (향)

예 촉(燭) 잡고 갓가이 ᄉᆞ랑헐 제 암향(暗香) 좃ᄎᆞ 부동(浮動)터라 – 안민영, 「매화사」

촛불을 켜 들고 가까이 완상(玩賞)할 때 그윽한 향기조차 떠도는구나.

예 창(窓)밧긔 심근 ᄆᆡ화(梅花) 두세 가지 픠여셰라
ᄀᆞ득 ᄂᆡᆼ담(冷淡)ᄒᆞᆫᄃᆡ 암향(暗香)은 므ᄉᆞ 일고 – 정철, 「사미인곡」

창밖에 심은 매화가 두세 가지 피었구나.
가뜩이나 쌀쌀하고 담담한데, 그윽히 풍겨 오는 향기는 무슨 일인가?

예 동풍(東風)이 유정(有情)ᄒᆞ여 암향(暗香)을 블어 올려 – 조위, 「만분가」

동풍이 정이 있어 매화 향기를 불어 올려

101 야광명월(夜光明月) 밤에 밝게 빛나는 달 ☐

밤 (야), 빛 (광),
밝을 (명), 달 (월)

예 야광명월(夜光明月)이 밤인들 어두우랴 – 박팽년의 시조

한밤중 빛나는 달이 밤이라고 어둡겠는가?

102 어리다 어리석다 ☐

예 진지(進止)ᄒᆞᄂᆞᆫ 어린 손ᄂᆡ 한 계대를 긔롱ᄒᆞᆫ다 – 이원익, 「고공답주인가」

왔다 갔다 하는 어리석은 손이 양반을 (실없는 말로 빗대어) 희롱하는가?

예 ᄆᆞ음이 어린 후(後) l 니 ᄒᆞᄂᆞᆫ 일이 다 어리다 – 서경덕의 시조

마음이 어리석으니 하는 일이 다 어리석다.

예 이 마음 어리기도 임 위한 탓이로세 – 윤선도, 「견회요」

이 마음이 어리석은 것도 모두가 임(임금)을 위한 탓이로구나.

103 어엿브다 불쌍하다(가엾다) ☐

예 어엿불사 편편 고봉(翩翩孤鳳)이 갈 바 업서 하ᄂᆞᆺ다 – 권구, 「병산육곡」

불쌍하구나, 훨훨 나는 외로운 봉황이 갈 곳이 없어 하는구나.

예 결의 니러 안자 창(窓)을 열고 ᄇᆞ라보니
어엿븐 그림재 날 조출 뿐이로다 – 정철, 「속미인곡」

꿈결에 일어나 앉아 창을 열고 밖을 바라보니
가엾은 그림자만이 나를 따를 뿐이로다.

예 월중(月中) 소영(疎影)이 님의 옷의 빗취어든
어엿븐 이 얼굴을 네로다 반기실가 – 조위, 「만분가」

드문드문 비치는 달 그림자가 임의 옷에 비치거든
불쌍한 이 얼굴을 너로구나 반기실까?

학습 체크

104 어져, 어즈버 — 아아(감탄사)

예 어져 내 일이야 그릴 줄을 모로드냐 — 황진이의 시조

아아! 내가 한 일이여. 이렇게 그리워할 줄을 몰랐더냐?

예 어즈버 태평연월(太平烟月)이 꿈이런가 ᄒᆞ노라 — 길재의 시조

아아, 고려의 태평했던 시절이 꿈처럼 느껴지는구나.

105 얼우다 — 얼리다, 얼게 하다

예 아무리 얼우려 허인들 봄쯧이야 아슬소냐 — 안민영, 「매화사」

아무리 얼리려고 한들 봄뜻이야 빼앗을쏘냐?

106 여히다 — 여의다, 이별하다

예 여히므론 아즐가 여히므론 질삼뵈 ᄇᆞ리시고 — 작자 미상, 「서경별곡」

(임과) 이별하기보다는 이별하기보다는 길쌈하던 베를 버리고서라도

예 그 고지 삼동(三同)이 퓌거시아
유덕(有德)ᄒᆞ신 님 여히ᄋᆞ와지이다 — 작자 미상, 「정석가」

그 꽃이 세 묶음이 피어야만
덕이 있으신 임을 이별하고 싶습니다.

107 연하(煙霞) — 안개와 노을이라는 뜻으로, 고요한 산수와 경치를 비유적으로 이르는 말

연기 (연), 놀 (하)

예 연하(煙霞)로 지블 삼고 풍월(風月)로 버들 사마 — 이황, 「도산십이곡」

안개와 노을을 집으로 삼고 바람과 달을 친구로 삼아

예 연하일휘(煙霞日輝)ᄂᆞᆫ 금수(錦繡)를 재폇ᄂᆞᆫ 듯 — 정극인, 「상춘곡」

안개와 노을과 빛나는 햇살은 수놓은 비단을 펼쳐 놓은 듯하구나.

108 오상고절(傲霜孤節) — 서릿발이 심한 속에서도 굴하지 아니하고 외로이 지키는 절개라는 뜻으로, '국화'를 이르는 말

거만할 (오), 서리 (상), 외로울 (고), 마디 (절)

예 국화(菊花)야 너ᄂᆞᆫ 어이 삼월 동풍(三月東風) 다 보ᄂᆡ고
낙목한천(落木寒天)에 네 홀노 퓌엿ᄂᆞᆫ다
아마도 오상고절(傲霜孤節)은 너뿐인가 ᄒᆞ노라 — 이정보의 시조

국화야, 너는 어찌해서 따뜻한 봄철 다 지나가고
나뭇잎이 떨어지는 추운 날에 너 혼자 피었느냐?
아마도 서릿발을 이겨 내는 외로운 절개는 너뿐인가 하노라.

학습 체크

109 외다 　그르다, 옳지 않다

예 슬프나 즐거오나 옳다 하나 외다 하나 – 윤선도, 「견회요」

슬프나 즐거우나 옳다 하나 그르다 하나

예 화형제(和兄弟) 신붕우(信朋友) 외다 ᄒᆞ리 뉘 이시리
그 밧긔 남은 일이야 삼긴 ᄃᆡ로 살렷노라 – 박인로, 「누항사」

형제간에 화목하고 벗끼리 신의 있게 사귀는 일을 그르다고 할 사람이 누가 있겠느냐?
그 밖에 나머지 일이야 태어난 대로 살아가겠노라.

예 셰간이 흐텨지니 될자힌들 어이 ᄒᆞᆯ고
내 왼 줄 내 몰나도 남 왼 줄 모ᄅᆞᆯ넌가 – 이원익, 「고공답주인가」

세간 살림이 흐트러지니, 질그릇인들 어찌할 것인가?
자신의 잘못은 몰라도 남의 잘못을 모르겠는가?

110 외오 　외따로, 외로이, 홀로

예 늙거야 므ᄉᆞ 일로 외오 두고 글이ᄂᆞᆫ고 – 정철, 「사미인곡」

늙어서 무슨 일로 외따로 두고 그리워하는가?

예 즈믄 ᄒᆡ ᄅᆞᆯ 외오곰 녀신ᄃᆞᆯ
신(信)잇ᄃᆞᆫ 그츠리잇가 – 작자 미상, 「정석가」

천 년을 외로이 살아간들
(임에 대한) 믿음이야 끊어지겠습니까?

예 즈믄 ᄒᆡ를 아즐가 즈믄 ᄒᆡ를 외오곰 녀신ᄃᆞᆯ – 작자 미상, 「서경별곡」

(임과 헤어져) 천 년을 천 년을 홀로 살아간들

111 유정(有情) 　인정이나 동정심이 있음.

있을 (유), 뜻 (정)

예 인간(人間)에 유정(有情)한 벗은 명월밖에 또 있는가 – 이신의, 「단가육장」

인간에게 진정한 벗은 달 외에 또 있는가?

예 텬디(天地) 삼기실 제 ᄌᆞ연(自然)이 되연마ᄂᆞᆫ
이제 와 보게 되니 유정(有情)도 유정ᄒᆞᆯ샤 – 정철, 「관동별곡」

(산봉우리들은) 천지 생기실 때 저절로 이루어진 것이지만
이제 와 보게 되니 조물주의 깊은 뜻이 담겨 있구나.

예 동풍(東風)이 유정(有情)ᄒᆞ여 암향(暗香)을 블어 올려 – 조위, 「만분가」

동풍이 정이 있어 매화 향기를 불어 올려

112 이온 　시든

예 음애(陰崖)예 이온 플을 다 살와 내여ᄉᆞ라 – 정철, 「관동별곡」

그늘진 벼랑에 시든 풀을 다 살려 내자꾸나.

학습 체크

113 이제(夷齊) 백이와 숙제라는 뜻으로, 지조 있고 절개가 곧은 충신을 일컬음. ▢

오랑캐 (이), 가지런할 (제)
= 백이숙제

예 수양산(首陽山) ᄇᆞ라보며 이제(夷齊)를 한(恨)ᄒᆞ노라 – 성삼문의 시조

수양산을 바라보며 백이와 숙제를 한탄하노라.

예 도척(盜跖)도 셩히 놀고 백이(伯夷)도 아사(餓死)ᄒᆞ니
동릉(東陵)이 놉픈 작가 수양(首陽)이 ᄂᆞ즌 작가 – 조위, 「만분가」

큰 도적도 몸 성히 놀고 백이도 굶어 죽으니
동릉이 높은 걸까, 수양산이 낮은 걸까?

114 이화(梨花) 배꽃을 뜻하며, 흰색이나 봄의 계절감을 상징적으로 표현하기도 함. ▢

배나무 (이), 꽃 (화)

예 이화(梨花) 가디 우희 밤낫즐 못 울거든 – 조위, 「만분가」

배꽃 가지 위에서 밤낮으로 못 울거든

예 이화(梨花)에 월백(月白)하고 은한(銀漢)이 삼경(三更)인 제 – 이조년의 시조

하얀 배꽃에 달빛이 비치고 은하수가 (그 위치로) 자정을 알릴 때

예 이화우(梨花雨) 흣뿌릴 제 울며 잡고 이별(離別)ᄒᆞᆫ 님 – 계랑의 시조

배꽃이 비처럼 흩날리던 때에 울며 손 잡고 헤어진 임

115 인간(人間), 인세(人世) 인간 세상, 속세 ▢

사람 (인), 사이 (간) /
사람 (인), 세대 (세)

예 인간 만ᄉᆞ(人間萬事)를 ᄒᆞᆫ 일도 아니 맛뎌 – 윤선도, 「만흥」

세상의 많은 일 가운데 하나도 맡기지 않으시고

예 인간(人間)을 도라보니 머도록 더옥 됴타 – 윤선도, 「어부사시사」

인간 세상을 돌아보니 멀수록 더욱 좋구나.

예 인세(人世)를 다 니젓거니 날 가ᄂᆞᆫ 줄를 안가 – 이현보, 「어부단가」

인간 세상의 일을 다 잊었거니 세월 가는 줄을 알 것인가?

116 일단심(一丹心), 일편단심(一片丹心) 한 조각의 붉은 마음이라는 뜻으로, 진심에서 우러나오는 변치 아니하는 마음을 이르는 말 ▢

하나 (일), 조각 (편),
붉을 (단), 마음 (심)

예 기한(飢寒)이 절신(切身)ᄒᆞ다 일단심(一丹心)을 이질ᄂᆞᆫ가 – 박인로, 「누항사」

배고픔과 추위가 몸에 사무치게 절실하다고 해서 일편단심을 잊겠는가?

예 님 향(向)ᄒᆞᆫ 일편단심(一片丹心)이야 가실 줄이 이시랴 – 정몽주의 시조

임금을 향한 충성심이야 변할 리가 있으랴?

예 이 몸이 무부(武夫)로서 해변사(海邊事)ㅣ 공극(孔棘)거놀
일편단심(一片丹心)에 분의(奮義)를 못내 ᄒᆞ야 – 박인로, 「독락당」

이 몸이 무사로서 바다의 일(임진왜란 때의 상황)이 매우 급박하여
일편단심의 충의를 떨치지 못해서

DAY 08

고전 시가 필수 어휘 ❽

ㅈ

학습 체크

117 적막(寂寞) 고요하고 쓸쓸함. 의지할 데 없이 외로움. ☐

고요할 (적), 쓸쓸할 (막)

예 나위(羅幃) <u>적막(寂寞)ᄒᆞ고</u> 슈막(繡幕)이 뷔여 잇다 – 정철, 「사미인곡」

비단 휘장은 <u>쓸쓸히 걸렸고</u>, 수놓은 장막은 텅 비어 있다.

예 부용장(芙蓉帳) <u>적막(寂寞)하니</u> 뉘 귀에 들릴소니 – 허난설헌, 「규원가」

연꽃 무늬 휘장을 친 방이 <u>적막하니</u> 누구의 귀에 들릴 것인가?

예 이십 번(二十番) 곳ᄇᆞ람의 <u>적막(寂寞)히</u> ᄠᅥ러진ᄃᆞᆯ 뉘라서 슬허ᄒᆞᆯ고 – 작자 미상, 「봉선화가」

이십 번 꽃바람에 그대들이 <u>적막히</u> 떨어진들 누가 슬퍼하겠는가?

118 절로 절로, 저절로 ☐

예 구렁에 낫는 풀이 봄비에 <u>절로</u> 길어 – 이정환, 「비가」

구렁에 돋아난 풀이 봄비에 <u>저절로</u> 자라

예 동산(東山)의 돌이 나고 북극(北極)의 별이 뵈니
님이신가 반기니 눈물이 <u>절로</u> 난다 – 정철, 「사미인곡」

동산에 달이 떠오르고 북극성이 보이므로,
임이신가 하여 반가워하니 눈물이 <u>절로</u> 난다.

예 삼오(三五) 이팔(二八) 겨오 지나 천연여질(天然麗質) <u>절로</u> 이니 – 허난설헌, 「규원가」

열다섯, 열여섯 살 겨우 지나 타고난 고운 모습 <u>절로</u> 나타나니

119 져근덧 잠시 동안, 잠깐 사이에, 어느덧 ☐

예 오ᄅᆞ며 ᄂᆞ리며 헤ᄯᅳ며 바니니
<u>져근덧</u> 녁진(力盡)ᄒᆞ야 픗ᄌᆞᆷ을 잠간 드니. – 정철, 「속미인곡」

산을 오르내리며 여기저기를 헤매며 시름없이 오락가락하니,
<u>잠깐 사이에</u> 힘이 다해 풋잠을 잠깐 드니

예 <u>져근덧</u> ᄉᆡᆼ각 마라 이 시ᄅᆞᆷ 닛쟈 ᄒᆞ니 – 정철, 「사미인곡」

<u>잠깐이라도</u> 임 생각을 말고 이 시름을 잊고자 하니

예
- <u>져근덧</u> 밤이 드러 풍낭(風浪)이 뎡(定)ᄒᆞ거ᄂᆞᆯ

  <u>잠깐 사이에</u> 밤이 되어 풍랑이 멈추거늘
- 져근덧 가디 마오 이 술 ᄒᆞᆫ 잔 머거 보오 – 정철, 「관동별곡」

  <u>잠깐</u> 가지 마오. 이 술 한 잔 먹어 보오.

120 져재, 져ᄌᆡ　시장에, 저자에 ☐

예 져재 녀러신고요 / 어긔야 즌 ᄃᆡ롤 드ᄃᆡ욜셰라　– 어느 행상인의 아내, 「정읍사」

시장에 가 계신가요? / 아! 진 곳을 디딜까 두려워라.

예 종루(鐘樓) 져ᄌᆡ 달ᄅᆡ 파라 ᄇᆡ ᄉᆞ고 감 ᄉᆞ고 유자(榴子) ᄉᆞ고 석류(石榴) 샷다 아ᄎᆞᄎᆞᄎᆞ 이저고 오화당(五花糖)을 니저 발여고ᄌᆞ　– 김수장의 시조

종루 시장에 다리(머리카락 타래)를 팔아, 배 사고, 감 사고, 유자 사고, 석류를 샀다. 아차아차 잊었구나, 오색 사탕을 잊어버렸구나.

121 조타, 좋다　깨끗하다 ☐

예 구룸 빗치 조타 ᄒᆞ나 검기ᄅᆞᆯ ᄌᆞ로 ᄒᆞᆫ다
ᄇᆞ람 소ᄅᆡ ᄆᆞᆰ다 ᄒᆞ나 그칠 적이 하노매라
조코도 그츨 뉘 업기ᄂᆞᆫ 믈뿐인가 ᄒᆞ노라　– 윤선도, 「오우가」

구름의 빛깔이 깨끗하다고는 하지만, 검기를 자주 한다.
바람 소리가 맑다고 하지만, 그칠 때가 많도다.
깨끗하고도 그칠 때가 없는 것은 물뿐인가 하노라.

예 명사(明沙) 조ᄒᆞᆫ 믈에 잔 시어 부어 들고　– 정극인, 「상춘곡」

고운 모래 (비치는) 깨끗한 물에 잔을 씻어 (술을) 부어 들고

예 ᄆᆞᆰ거든 조티 마나 조커든 ᄆᆞᆰ디 마나
뎌 긔운 흐터 내야 인걸(人傑)을 ᄆᆡᆼᄀᆞᆯ고쟈　– 정철, 「관동별곡」

맑거든 깨끗지 않거나 깨끗하거든 맑지 않거나
저 (맑고 깨끗한) 기운 흩어 내어 뛰어난 인재를 만들고 싶다.

혼동되는 어휘　**좋다(조타)** 깨끗하다[淨] | **둏다(됴타)** 좋다[好]

122 즈믄　천(千) ☐

예 즈믄 ᄒᆡ롤 외오곰 녀신ᄃᆞᆯ
신(信)잇ᄃᆞᆫ 그츠리잇가　– 작자 미상, 「정석가」

천 년을 외로이 살아간들
(임에 대한) 믿음이야 끊어지겠습니까?

예 즈믄 ᄒᆡ를 아즐가 즈믄 ᄒᆡ를 외오곰 녀신ᄃᆞᆯ　– 작자 미상, 「서경별곡」

(임과 헤어져) 천 년을 천 년을 홀로 살아간들

예 즈믄 힐 장존(長存)ᄒᆞ샬 약(藥)이라 받ᄌᆞᆸ노이다　– 작자 미상, 「동동」

천 년을 길이 사실 약이라 바치옵니다.

123 즛(즈ᇫ) 모습, 얼굴 ☐

예 이월(二月)ㅅ 보로매 아으 노피 현 등(燈)ㅅ블 다호라
만인(萬人) 비취실 <u>즈ᅀᅵ</u>샷다 – 작자 미상, 「동동」

이월 보름에 아아 높이 켠 등불 같구나.
만 사람(만인) 비추실 <u>모습</u>이시네.

예 아ᄅᆞᆷ 나ᄐᆞ샤온 / <u>즈ᅀᅵ</u> 살쯈 디니져 – 득오, 「모죽지랑가」(양주동 해독)

아름다움을 나타내신 / <u>모습이</u> 주름살 지는구나.

ㅊ

124 청산(靑山) 푸른 산, 자연 ☐

푸를 (청), 뫼 (산)

예 동풍이 건듯 불어 적설(積雪)을 다 녹이니
사면(四面) <u>청산</u>이 옛 모습 나노매라 – 김광욱, 「율리유곡」

동쪽 바람이 잠시 불어 쌓인 눈을 다 녹이니
사방의 <u>푸른 산</u>이 옛 모습을 드러내는구나.

예 <u>청산(靑山)</u>은 내 뜻이오 녹수(綠水)ᄂᆞᆫ 님의 정(情)이
녹수(綠水) 흘너간들 <u>청산(靑山)</u>이 변(變)ᄒᆞᆯ손가
녹수(綠水)도 <u>청산</u>을 못 니져 우러 예어 가ᄂᆞᆫ고 – 황진이의 시조

<u>청산</u>은 (변함없는) 나의 마음이고, 녹수는 (쉽게 변하는) 임의 정이로다.
녹수가 흘러가더라도 <u>청산</u>이야 변하겠는가?
녹수도 <u>청산</u>을 잊지 못해 울면서 흘러가는가?

125 청약립(靑篛笠) 푸른 갈대로 만든 갓 ☐

푸를 (청), 대 이름 (약), 삿갓 (립)

예 <u>청약립(靑蒻笠)</u>은 써 잇노라 녹사의(綠蓑衣) 가져오냐 – 윤선도, 「어부사시사」

<u>푸른 갈대로 만든 삿갓</u>은 (이미) 쓰고 있노라. 도롱이는 가지고 왔느냐?

126 촉(燭), 촉불 초, 촛불 ☐

촛불 (촉)

예 방(房) 안에 켜 있는 <u>촉(燭)불</u> 눌과 이별하였기에 – 이개의 시조

방 안에 켜 놓은 <u>촛불</u> 누구와 이별하였기에

예 여공(女工)을 그친 후의 중당에 밤이 깁고 <u>납촉(蠟燭)</u>이 발갓을 제 – 작자 미상, 「봉선화가」

바느질을 끝낸 후에 안채에 밤이 깊고 <u>촛불</u>이 밝았을 때

예 어드운 밤길ᄒᆡ <u>명촉(明燭)</u> 잡고 옌 덧ᄒᆞ다 – 박인로, 「독락당」

어두운 밤길에 <u>밝은 촛불</u> 잡고 가는 듯하다.

학습 체크

127 추풍(秋風) 가을바람 ☐

가을 (추), 바람 (풍)

예 필마(匹馬) <u>추풍(秋風)</u>에 채를 쳐 도라오니 – 김광욱, 「율리유곡」

한 필 말을 <u>가을바람</u>에 채를 쳐 (율리로) 돌아오니

예 팔월 <u>추풍</u>(八月<u>秋風</u>)이 ᄯᅴ집을 거두우니 – 조위, 「만분가」

팔월 <u>가을바람</u>이 띠집을 거두니

예 장한(張翰) 강동거(江東去)애 <u>추풍(秋風)</u>을 만나신들 – 박인로, 「선상탄」

(저 진나라 때) 장한이 강동으로 돌아가 <u>가을바람</u>을 만났다고 해도

128 춘풍(春風) 봄바람 ☐

봄 (춘), 바람 (풍)

예 <u>춘풍(春風)</u>에 화만산(花滿山) ᄒᆞ고 추야(秋夜)에 월만대(月滿臺)라 – 이황, 「도산십이곡」

<u>봄바람</u>이 부니 산에 꽃이 만발하고 가을밤에는 달빛이 대에 가득하다.

예 <u>춘풍(春風)</u> 니불 아레 서리서리 너헛다가 – 황진이의 시조

<u>봄바람</u> 같은 이불 아래에 서리서리 넣었다가

예 추월 <u>춘풍</u>(秋月<u>春風</u>)에 놉히 베고 누어 이셔 – 박인로, 「선상탄」

가을 달 <u>봄바람</u>에 (베개를) 높이 베고 누워서

ㅋ

129 -ᄏᆞ니와 물론이거니와 ☐

예 구롬은<u>ᄏᆞ니와</u> 안개ᄂᆞᆫ 므ᄉᆞ 일고 – 정철, 「속미인곡」

구름은 <u>물론이거니와</u> 안개는 무슨 일로 저렇게 끼어 있는가?

예 • 금자ᄒᆡ 견화이셔 님의 옷 지어 내니
슈품(手品)은<u>ᄏᆞ니와</u> 졔도(制度)도 ᄀᆞᄌᆞᆯ시고

금으로 만든 자로 재어서 임의 옷을 만들어 내니,
솜씨는 <u>물론이거니와</u> 격식도 갖추었구나.

• 건곤(乾坤)이 폐ᄉᆡᆨ(閉塞)ᄒᆞ야 ᄇᆡᆨ셜(白雪)이 ᄒᆞᆫ 빗친 제
사ᄅᆞᆷ은<u>ᄏᆞ니와</u> ᄂᆞᆯ새도 긋처 잇다 – 정철, 「사미인곡」

하늘과 땅이 닫히고 막힌 것처럼 흰 눈이 내려 온 세상이 한 빛인데,
사람은 <u>물론이거니와</u> 날짐승도 자취를 감추었다.

ㅌ

학습 체크

130 태평성대(太平聖代) 어진 임금이 잘 다스리어 태평한 세상이나 시대 ≒ 태평성세 ☐

클 (태), 평평할 (평), 성인 (성), 대신할 (대)

예 연하(煙霞)로 지블 삼고 풍월(風月)로 버들 사마
태평성대(太平聖代)예 병(病)으로 늘거가뇌 – 이황, 「도산십이곡」

안개와 노을을 집으로 삼고 바람과 달을 친구로 삼아
태평성대에 (자연을 사랑하는) 병으로 늙어 가지만

예 태평성대(太平聖代)를 꿈에나 보려ᄐᆞ니 – 유성원의 시조

태평성대를 꿈에서나 보려 하였더니

ㅍ

131 풍상(風霜) 바람과 서리를 아우르는 말로, 고난과 고생을 상징적으로 표현하기도 함. ☐

바람 (풍), 서리 (상)

예 풍상(風霜)이 섯거 친 날에 ᄀᆞᆺ 픠온 황국화(黃菊花)를 – 송순의 시조

바람이 불고 서리가 나린 날에 막 피운 황국화를

예 풍상(風霜)애 불변ᄒᆞ니 찬지(鑽之)예 더욱 굿다 – 박인로, 「입암십이구곡」

바람과 서리에 변하지 않으니 뚫을수록(뚫는 것에 맞서서도) 더욱 굳구나.

예 삼천리(三千里) 남북(南北) 풍상(風霜) 일장춘몽(一場春夢) 깨었구나 – 김진형, 「북천가」

삼천 리나 되는 남북으로 다니며 먼 길에서 겪은 고생이 봄날에 한바탕 꾼 꿈에서 깬 것처럼 끝났구나.

고전 시가 필수 어휘 ⑨

ㅎ

학습 체크

132 하 — 아, 야(호격 조사) ☐

예 아소 님하 도람 들으샤 괴오소서 – 정서, 「정과정」

아아 (그렇게 하지 마소서) 임이시여, 다시 들으시어 사랑해 주소서.

예 님금하 아ᄅᆞ쇼셔 낙수(洛水)예 산행(山行) 가 이셔 하나빌 미드니잇가 – 정인지 등, 「용비어천가」

임금이시여, 아십시오. (하나라 태강처럼) 낙수에 사냥 가 있으면서 선조에 의지하시겠습니까?

133 하다 — 많다[多] ☐

예 어버이 그린 뜻은 많고 많고 하고 하고 – 윤선도, 「견회요」

부모님을 그리워하는 뜻은 많기도 많다.

예 • 고신거국(孤臣去國)에 빅발(白髮)도 하도 할샤

임금 곁을 떠난 외로운 신하가 백발이 많기도 많구나.

• 유회(幽懷)도 하도 할샤 긱수(客愁)도 둘 듸 업다 – 정철, 「관동별곡」

마음속 깊은 생각도 많고 많다. 객지의 쓸쓸함과 시름도 둘 곳이 없다.

예 이 얼굴 진여 이셔 어려운 일 하고 만타 – 정훈, 「탄궁가」

이 몰골 지니고 있어 어려운 일 많고 많다.

혼동되는 어휘 | **하다** 많다[多] ㅣ **ᄒᆞ다** 행(行)하다

134 하마, ᄒᆞ마 — 벌써, 이미 ☐

예 엊그제 젊었더니 하마 어이 다 늙거니 – 허난설헌, 「규원가」

엊그제 젊었더니 어찌 벌써 이렇게 다 늙어 버렸는가?

예 님이 나를 하마 잊으시니잇가
아소 님하 도람 들으샤 괴오소서 – 정서, 「정과정」

임께서 벌써 나를 잊으셨습니까?
아아 (그렇게 하지 마소서) 임이시여, 다시 들으시어 사랑해 주소서.

135 ᄒᆞ듸　① -한데 ② 한곳에(함께)

예 소요음영(逍遙吟詠) ᄒᆞ야 산일(山日)이 적적(寂寂)ᄒᆞ듸 – 정극인, 「상춘곡」

이리저리 거닐며 나직이 시를 읊조려, 산속의 하루가 적적한데

예 아소 님하 ᄒᆞ듸 녀젓 긔약(期約)이이다 – 작자 미상, 「이상곡」

아아 임이시여, 한곳에(함께) 살아가고자 하는 기약입니다.

136 행화(杏花)　살구꽃을 뜻하며, 분홍색과 봄의 계절감을 상징적으로 표현하기도 함.

살구나무 (행), 꽃 (화)

예 도화행화(桃花杏花)ᄂᆞᆫ 석양리(夕陽裏)예 퓌여 잇고 – 정극인, 「상춘곡」

복숭아꽃과 살구꽃은 석양 속에 피어 있고

예 이화 도화(梨花桃花) 만발(滿發)ᄒᆞ고 행화 방초(杏花芳草) ᄒᆞᆺ날닌다
우리 임은 어듸 가고 화유(花遊)ᄒᆞᆯ 쥴 모로ᄂᆞᆫ고 – 작자 미상, 「관등가」

배꽃과 복숭아꽃 만발하고 살구꽃과 향기로운 풀이 흩날린다.
우리 임은 어디 가고 꽃놀이할 줄 모르는가?

137 허랑(虛浪)ᄒᆞ다　허황하고 착실하지 못하다 ≒ 허무맹랑하다

빌 (허), 물결 (랑)

예 구룸이 무심(無心)ᄐᆞᆫ 말이 아마도 허랑(虛浪)ᄒᆞ다 – 이존오의 시조

구름이 사심이 없다는 말이 아마도 허무맹랑하다.

138 헌ᄉᆞᄒᆞ다　야단스럽다

예 조화신공(造化神功)이 물물(物物)마다 헌ᄉᆞᄅᆞᆸ다 – 정극인, 「상춘곡」

조물주의 신비로운 재주가 사물마다 야단스럽다.

예 조물(造物)이 헌ᄉᆞᄒᆞ야 빙설(氷雪)노 ᄭᅮ며 내니 – 송순, 「면앙정가」

조물주가 야단스러워 얼음과 눈으로 꾸며 내니

139 혀다　(불을) 켜다, 악기를 연주하다

예 사ᄉᆞ미 짒대예 올아셔 히금(奚琴)을 혀거를 드로라 – 작자 미상, 「청산별곡」

사슴이 장대에 올라가서 해금을 켜는 것을 듣노라.

예 블ᄂᆡ며 ᄐᆞ이며 혀이며 이아며
온가짓 소릐로 취흥(醉興)을 ᄇᆡ야거니 – 송순, 「면앙정가」

(노래를) 부르게 하며, (악기를) 타게 하며 켜게 하며, 흔들며
온갖 소리로 취흥을 재촉하니

학습 체크

140 혜다 — 헤아리다(생각하다), 세다 ☐

혜염, 혬 = 걱정, 생각

예 아무가 아무리 일러도 임이 혜여 보소서 – 윤선도, 「견회요」

그 누가 아무리 헐뜯더라도 임께서 헤아려 주십시오.

예 • 누어 싱각ᄒᆞ고 니러 안자 혜여ᄒᆞ니

누워 생각하고 일어나 앉아 헤아려 보니

• 셜워 플텨 혜니 조믈(造物)의 타시로다 – 정철, 「속미인곡」

서러워 여러 일을 풀어 헤아려 보니, 조물주의 탓이로다.

예 • 텬듕(天中)의 티쁘니 호발(毫髮)을 혜리로다

하늘의 한가운데에 치뜨니 가는 털을 세겠도다.

• 믈결도 자도 잘샤 모래롤 혜리로다 – 정철, 「관동별곡」

물결도 잔잔하여 모래를 세겠도다.

혼동되는 어휘 **혬가림** 생각 | **혜음(헤음)** 헤아림

141 홍안(紅顔) — 젊고 아름다운 얼굴 ☐

붉을 (홍), 얼굴 (안)

예 박명(薄命)한 홍안(紅顔)이야 날 같은 이 또 있을까 – 허난설헌, 「규원가」

운명이 기구한 여자야 나 같은 이 또 있을까?

예 아리따운 옥빈홍안(玉鬢紅顔) 곁에 얼핏 앉아 있는 듯 – 작자 미상, 「춘면곡」

아리따운 미인이 곁에 얼핏 앉아 있는 듯

예 홍안(紅顔)은 어듸 두고 백골(白骨)만 무쳣ᄂᆞᆫ이 – 임제의 시조

젊은 시절의 아름다운 얼굴은 어디 두고 백골만 묻혔는가?

142 홍진(紅塵) — 붉은 먼지를 뜻하며, 번거롭고 속된 인간 세상, 속세를 비유적으로 이르는 말 ☐

붉을 (홍), 티끌 (진)

예 홍진(紅塵)에 뭇친 분네 이내 생애(生涯) 엇더ᄒᆞᆫ고
녯사롬 풍류(風流)롤 미출가 뭇 미출가 – 정극인, 「상춘곡」

속세에 묻혀 사는 분들이여, 이 나의 생활이 어떠한고?
옛사람의 풍류에 미치겠는가, 못 미치겠는가?

예 십장 홍진(十丈紅塵)이 언매나 가렸난고 – 이현보, 「어부단가」

열 길이나 되는 붉은 먼지는 얼마나 가려 있는고?

예 오두미(五斗米) 위ᄒᆞ여 홍진(紅塵)의 ᄂᆞ지ᄆᆞ라 – 이정, 「풍계육가」

얼마 안 되는 녹봉을 위하여 속세에 나가지 마라.

143 황운(黃雲) 누런 빛깔의 구름. 누렇게 익은 곡식을 비유함. ☐

누를 (황), 구름 (운)

예 긴 들 황운(黃雲)이 한 빛이 되겼고나
아해야 비진 술 걸러라 추흥(秋興) 겨워 하노라 – 신계영, 「전원사시가」

긴 들판 황운이 같은 빛으로 되는구나.
아이야 빚은 술 걸러라. 가을의 흥을 못 이겨 하노라.

예 셔풍(西風)에 익는 빛은 황운(黃雲)이 이러난다 – 정학유, 「농가월령가」

서풍에 익는 빛은 누런 구름이 이는 듯하다.

예 황운(黃雲)은 또 엇지 만경(萬頃)의 편거긔요 – 송순, 「면앙정가」

누렇게 익은 곡식은 또 어찌 넓은 들에 퍼져 있는가?

144 흉중(胸中) 마음속. 또는 마음속에 품고 있는 생각 ☐

가슴 (흉), 가운데 (중)

예 흉중(胸中)의 싸힌 말솜 쓸커시 ᄉᆞ로리라 – 조위, 「만분가」

가슴속에 쌓인 말씀 실컷 말하리라.

예 호호(浩浩)ᄒᆞᆫ 흉중(胸中)이 아니 비친 굿기 업다 – 최현, 「명월음」

넓고도 넓은 가슴속에 아니 비친 구멍이 없다.(달빛이 가슴 깊은 곳까지 비춘다.)

145 흥망(興亡) 흥함과 망함. 잘되어 일어남과 못되어 없어짐. ☐

일어날 (흥), 망할 (망)

예 쳔고(千古) 흥망(興亡)을 아ᄂᆞᆫ다 몰ᄋᆞᄂᆞᆫ다 – 정철, 「관동별곡」

천고 흥망을 아는가, 모르는가?

예 흥망(興亡)이 유수(有數)ᄒᆞ니 만월대(滿月臺)도 추초(秋草)ㅣ로다 – 원천석의 시조

흥하고 망하는 것이 다 운수에 달렸으니 만월대도 가을 풀만이 가득하구나.

예 아희야 고국 흥망(故國興亡)을 물어 무슴ᄒᆞ리오 – 정도전의 시조

아이야, (이미 망한 고려의) 고국 흥망을 물어봐야 무엇하겠는가?

146 희황(羲皇) 중국 복희 황제의 시대, 태평성대(太平聖代) ☐

사람 이름 (희), 임금 (황)
= 복희씨

예 희황(羲皇)을 모을너니 니적이야 긔로고야 – 송순, 「면앙정가」

복희씨의 태평성대를 몰랐더니 지금이야말로 그때로구나.

예 희황(羲皇) 벼개 우히 픗ᄌᆞᆷ을 얼픗 ᄭᆡ니 – 정철, 「성산별곡」

희황 베개 위에서 든 풋잠(얕게 든 잠)을 얼핏 깨니

DAY **10**

고전 시가 필수 상징어

학습 체크

147 자연의 소재 강호, 청산, 유수, 청풍명월, 수간모옥 ☐

예 강호(江湖)에 봄이 드니 미친 흥(興)이 절로 난다 – 맹사성, 「강호사시가」

강호(자연)에 봄이 찾아오니 깊은 흥이 절로 일어난다.

예 청산(靑山)은 엇뎨ᄒᆞ야 만고(萬古)애 프르르며
유수(流水)ᄂᆞᆫ 엇뎨ᄒᆞ야 주야(晝夜)애 긋디 아니ᄂᆞᆫ고 – 이황, 「도산십이곡」

푸른 산은 어찌하여 오랜 세월 푸르르며
흐르는 물은 어찌하여 밤낮으로 그치지 아니하는가?

예 • 수간모옥(數間茅屋)을 벽계수(碧溪水) 앏피 두고

몇 칸짜리 초가집을 푸른 시냇물 앞에 두고,

• 청풍명월(淸風明月) 외(外)예 엇던 벗이 잇ᄉᆞ올고 – 정극인, 「상춘곡」

맑은 바람과 달 외에 어떤 벗이 있겠는가?

148 자연에서의 태도 빈이무원, 단사표음, 단표누항, 안빈낙도(安貧樂道), 안분지족(安分知足), 안빈일념(安貧一念) ☐

예 빈이무원(貧而無怨)을 어렵다 ᄒᆞ건마ᄂᆞᆫ
ᄂᆡ 생애(生涯) 이러호ᄃᆡ 설온 뜻은 업노왜라
단사표음(簞食瓢飮)을 이도 족(足)히 너기로라 – 박인로, 「누항사」

가난하여도 원망하지 않음을 어렵다고 하건마는
내 생활이 이러하되 서러운 뜻은 없다.
대나무 밥그릇의 밥을 먹고, 표주박의 물을 마시는 어려운 생활도 만족하게 여긴다.

예 단표누항(簞瓢陋巷)에 흣튼 혜음 아니 ᄒᆞᄂᆡ – 정극인, 「상춘곡」

누추한 곳에서 청빈한 생활을 하며 헛된 생각 아니하네.

149 풍류적 삶 술, 낚시, 어주 ≒ 일엽편주 ≒ 소정, 시(노래), 음악(악기), 연주 ☐

예 아해야 비진 술 걸러라 추흥(秋興) 겨워 하노라 – 신계영, 「전원사시가」

아이야 빚은 술 걸러라. 가을의 흥을 못 이겨 하노라.

예 아히ᄂᆞᆫ 낙기질 가고 집사룸은 저리치 친다 – 위백규, 「농가구장」

아이는 낚시질 가고 집사람은 겉절이를 만든다.

예 전선(戰船)ᄐᆞ던 우리 몸도 어주(漁舟)에 창만(唱晩)ᄒᆞ고 – 박인로, 「선상탄」

전쟁하는 배를 타던 우리 몸도 고기잡이배에서 저녁 늦게까지 노래하고

예 일엽편주(一葉片舟)를 만경파(萬頃波)에 띄워 두고 – 이현보, 「어부단가」

조그마한 쪽배를 끝없이 넓은 바다 위에 띄워 두고

예 소정(小艇)에 그물 시러 흘리 띄여 더뎌 두고 – 맹사성, 「강호사시가」

작은 배에 그물을 싣고 물결 따라 흐르게 던져 놓고

학습 체크

150 임금[1] 임(신하가 부를 때), 일월, 북극성, 북신 ☐

예 이 마음 어리기도 임 위한 탓이로세 – 윤선도, 「견회요」

이 마음이 어리석은 것도 모두가 임(임금)을 위한 탓이로구나.

예 일월 광화(日月光華)는 조부조(朝復朝)ᄒᆞ얏거든 – 박인로, 「선상탄」

해와 달의 빛 같은 임금님의 성덕이 매일 아침마다 밝게 비치니

예 동산(東山)의 ᄃᆞᆯ이 나고 북극(北極)의 별이 뵈니 – 정철, 「사미인곡」

동산에 달이 떠오르고 북극성이 보이므로

예 시시(時時)로 머리 드러 북신(北辰)을 ᄇᆞ라보니 – 박인로, 「사제곡」

가끔 머리 들어 임금 계신 북극성이 있는 쪽을 바라보니

151 임금[2] 구중심처, 백옥루, 천상 백옥경, 봉황루, 옥루고처(玉樓高處) ☐

예 님 계신 구중심처(九重深處)에 뿌려 본들 어떠리 – 이항복의 시조

임(임금)이 계시는 깊은 궁궐 안에 뿌려 보면 어떠하겠는가?

예 빅옥누(白玉樓) 남은 기동 다만 네히 셔 잇고야 – 정철, 「관동별곡」

옥황상제가 오른다는 누각은 남은 기둥 다만 넷이 서 있구나.

예 천상(天上) 백옥경(白玉京) 십이루(十二樓) 어듸매오 – 조위, 「만분가」

하늘 위의 옥황상제가 산다는 궁궐의 열두 누각은 어디인가?

예 봉황루(鳳凰樓) 묘연(渺然)ᄒᆞ니 쳥광(淸光)을 눌을 줄고 – 윤선도, 「어부사시사」

궁궐이 아득히 멀고 넓으니 맑은 달빛을 누구에게 줄 것인가?

152 지조와 절개 매화, 솔, 난초, 국화, 대나무, 낙락장송 ☐

예 찬 기운 ᄉᆡ여 드러 ᄌᆞ는 매화(梅花)를 침노(侵擄)허니
아무리 얼우려 허인들 봄쁫이야 아슬소냐 – 안민영, 「매화사」

찬 기운이 새어 들어와 잠자는 매화를 괴롭히는구나.
아무리 얼리려고 한들 봄뜻이야 빼앗을쏘냐?

예 솔아 너ᄂᆞᆫ 얻디 눈서리ᄅᆞᆯ 모ᄅᆞᄂᆞᆫ다 – 윤선도, 「오우가」

소나무야, 너는 어찌하여 눈과 서리를 모르느냐?

예 봉래산(蓬萊山) 제일봉(第一峰)에 낙락장송(落落長松) 되야 이셔 – 성삼문의 시조

봉래산 제일 높은 봉우리에 우뚝 솟은 소나무가 되어서

153 장군 일장검, 우국충절(憂國忠節), 위국충절(爲國忠節) ☐

예 일장검(一長劍) 비기 ᄎᆞ고 병선(兵船)에 구테 올나 – 박인로, 「선상탄」

한 자루 긴 칼을 비스듬히 차고 병선에 굳이 올라가서

학습 체크

154 임(님) 서민, 여인일 때 → 연인 / 양반, 신하일 때 → 임금(군주) ☐

예 묏버들 갈히 것거 보내노라 님의손듸
자시ᄂᆞᆫ 창(窓)밧긔 심거 두고 보쇼셔 – 홍랑의 시조

산버들 중에서 좋은 것을 가려 꺾어 임에게 보내니
주무시는 창가에 심어 두고 보십시오.

예 잔 들고 혼자 안자 먼 뫼흘 ᄇᆞ라보니
그리던 님이 오다 반가옴이 이러ᄒᆞ랴
말ᄉᆞᆷ도 우움도 아녀도 몯내 됴하ᄒᆞ노라 – 윤선도, 「만흥」

잔을 들고 혼자 앉아 먼 산을 바라보니
그리워하던 임이 온다고 한들 반가움이 이보다 더하겠는가?
말하거나 웃음 짓지 않아도 그것을 한없이 좋아하노라.

155 한의 정서 자규(소쩍새), 두견새, 접동새, 대승(戴勝) ☐

예 일지춘심(一枝春心)을 자규(子規)ㅣ야 알냐마는 – 이조년의 시조

배꽃 가지에 서려 있는 봄날의 정서를 소쩍새가 알랴마는

예 공산리(空山裏) 저 가는 달에 혼자 우난 저 두견(杜鵑)아 – 권구, 「병산육곡」

아무도 없는 산속에서 저기 흘러가는 달을 보고 홀로 우는 저 두견새야

예 니화(梨花)ᄂᆞᆫ 볼셔 디고 접동새 슬피 울 제 – 정철, 「관동별곡」

배꽃은 벌써 지고 접동새 슬피 울 때

156 봄 세우, 산람(산 아지랑이), 꾀꼬리, 동풍 ☐

예 창 밖에 세우(細雨) 오고 뜰 가에 제비 나니 – 이신의, 「단가육장」

창밖에 가랑비 오고 뜰 가에 제비가 날아드니

예 • 흰구름 브흰 연하(煙霞) 프로니ᄂᆞᆫ 산람(山嵐)이라

흰 구름, 뿌연 안개와 노을, 푸른 것은 산 아지랑이로구나.

• 녹양(綠楊)의 우ᄂᆞᆫ 황앵(黃鶯) 교태(嬌態) 겨워 ᄒᆞᄂᆞ괴야 – 송순, 「면앙정가」

푸른 버드나무에서 우는 꾀꼬리는 흥에 겨워 아양을 떠는구나.

예 동풍이 건듯 불어 적설(積雪)을 다 녹이니 – 김광욱, 「율리유곡」

동쪽 바람이 잠시 불어 쌓인 눈을 다 녹이니

157 여름 녹음, 수음(푸른 나무의 그늘) ☐

예 잔화(殘花) 다 진 후(後)에 녹음(綠陰)이 깊피 간다 – 신계영, 「전원사시가」

남은 꽃 다 진 뒤에 녹음이 깊어 간다.

예 나모 새 ᄌᆞᄌᆞ지어 수음(樹陰)이 얼린 적의 – 송순, 「면앙정가」

나무와 억새가 우거져 녹음이 짙어진 때에

158 가을 실솔(귀뚜라미), 기러기, 황운(누렇게 익은 곡식), (무)서리 ☐

예 가을 달 방에 들고 실솔(蟋蟀)이 상(床)에 울 제 – 허난설헌, 「규원가」

가을 달빛 방에 비치고 귀뚜라미 침상에서 울 때

예 그 곁에 훌훌하여 낙엽 지는 소리 난다
새벽 서리 지는 달에 외기러기 슬피 울 때 – 작자 미상, 「춘면곡」

그 곁에서 재빠르게 낙엽 떨어지는 소리가 나는구나.
새벽 서리 지는 달에 외기러기가 슬피 울 때

예 흰 이슬 서리 되니 가을히 늦어 잇다
긴 들 황운(黃雲)이 한 빛이 되겠고나
아해야 비진 술 걸러라 추흥(秋興) 겨워 하노라 – 신계영, 「전원사시가」

흰 이슬 서리 되니 가을이 늦어 있다.
긴 들판 황운이 같은 빛으로 되는구나.
아이야 빚은 술 걸러라. 가을의 흥을 못 이겨 하노라.

159 겨울 빙설, 동빙한설(凍氷寒雪), 옥해은산(玉海銀山) ☐

예 산중 간학(山中澗壑)에 빙설(氷雪)은 남아시니 – 정학유, 「농가월령가」

산골짜기에 얼음과 눈이 남아 있으나

160 유교적 자연관 역군은(자연에서 한가하게 은둔하는 것도 '임금의 은혜' 덕분이다.) ☐

예 강호(江湖)에 봄이 드니 미친 흥(興)이 절로 난다
탁료 계변(濁醪溪邊)에 금린어(錦鱗魚) ㅣ 안주로라
이 몸이 한가(閑暇)히옴도 역군은(亦君恩)이샷다 – 맹사성, 「강호사시가」

강호(자연)에 봄이 찾아오니 깊은 흥이 절로 일어난다.
막걸리를 마시며 노는 시냇가에 싱싱한 물고기가 안주로다.
이 몸이 한가하게 노니는 것도 역시 임금의 은덕이시도다.

161 간신 구름(열구름) ☐

예 백설(白雪)이 ᄌᆞ자진 골에 구루미 머흐레라 – 이색의 시조

흰 눈이 녹아 없어진 골짜기에 구름(신흥 세력, 이성계)이 험하구나.

예 님의게 보내오려 님 겨신 ᄃᆡ ᄇᆞ라보니
산(山)인가 구름인가 머흐도 머흘시고 – 정철, 「사미인곡」

임에게 보내려고 임 계신 데를 바라보니,
산인지 구름(간신)인지 험하기도 험하구나.

학습 체크

162 소박한 삶의 모습 청약립, 도롱이(녹사의) ≒ 죽장망혜(竹杖芒鞋) ≒ 수간모옥(數間茅屋) ☐

예 청약립(靑蒻笠)은 써 잇노라 녹사의(綠蓑衣) 가져오냐 - 윤선도, 「어부사시사」

푸른 갈대로 만든 삿갓은 (이미) 쓰고 있노라. 도롱이는 가지고 왔느냐?

예 도롱이예 홈의 걸고 뿔 곱은 검은 쇼 몰고 - 위백규, 「농가구장」

도롱이에 호미 걸고 뿔이 굽은 검은 소 몰고

163 소박한 삶 보리밥, 풋ᄂᆞ물, 단사표음(簞食瓢飮), 단표누항(簞瓢陋巷) ☐

예 보리밥 풋ᄂᆞ물을 알마초 머근 후(後)에 - 윤선도, 「만흥」

보리밥과 풋나물을 알맞게 먹은 후에

164 여성 화자 빗 ≒ 한삼 ≒ 연지분 ≒ 홍상 ≒ 질삼뵈 ≒ 길쌈 ☐

예
- 유월(六月)ㅅ 보로매 아으 별해 ᄇᆞ룐 빗 다호라

  유월 보름(유두일)에 아아 벼랑에 버려진 빗과 같구나.
- 십일월(十一月)ㅅ 봉당 자리예 아으 한삼(汗衫) 두퍼 누워
  슬ᄒᆞᆯ ᄉᆞ라온뎌 고우닐 스싀옴 녈셔 - 작자 미상, 「동동」

  십일월 봉당 자리에 아아 한삼 덮어 누워
  슬픔을 사르고 있네. 고운 임 떨어져 살아가네.

예 연지분(臙脂粉) 잇ᄂᆡ마ᄂᆞᆫ 눌 위ᄒᆞ야 고이 ᄒᆞᆯ고 - 정철, 「사미인곡」

연지와 분이 있지마는 누구를 위하여 곱게 단장할까?

예 녹의홍상(綠衣紅裳) 일여자(一女子)가 표연(飄然)이 앞희 와서 - 작자 미상, 「봉선화가」

푸른 저고리와 붉은 치마를 입은 한 여자가 홀연히 앞에 와서

예 여히므론 아즐가 여히므론 질삼뵈 ᄇᆞ리시고 - 작자 미상, 「서경별곡」

(임과) 이별하기보다는 이별하기보다는 길쌈하던 베를 버리고서라도

165 옥황상제, 신선이 기거하는 공간, 임금의 궁궐 백옥루 ≒ 백옥경 ≒ 광한전 ≒ 천상 ≒ 천상 십이루(天上十二樓) ☐

예 ᄇᆡᆨ옥누(白玉樓) 남은 기동 다만 네히 셔 잇고야 - 정철, 「관동별곡」

옥황상제가 오른다는 누각은 남은 기둥 다만 넷이 서 있구나.

예 천상(天上) 백옥경(白玉京) 십이루(十二樓) 어듸매오 - 조위, 「만분가」

하늘 위의 옥황상제가 산다는 궁궐의 열두 누각은 어디인가?

예 엇그제 님을 뫼셔 광한뎐(廣寒殿)의 올낫더니 - 정철, 「사미인곡」

엊그제에는 임을 모시고 광한전에 올라 있었는데

최우선순

고전 시가

문제편